États-Unis Nord-Est

Cofondateurs : Philippe GLOAGUEN et Michel DUVAL

Directeur de collection et auteur
Philippe GLOAGUEN

Rédacteurs en chef adjoints
Amanda KERAVEL
et Benoît LUCCHINI

Directrice de la coordination
Florence CHARMETANT

Directrice administrative
Bénédicte GLOAGUEN

Directeur du développement
Gavin's CLEMENTE-RUIZ

Direction éditoriale
Catherine JULHE

Rédaction
Isabelle AL SUBAIHI
Mathilde de BOISGROLLIER
Thierry BROUARD
Marie BURIN des ROZIERS
Véronique de CHARDON
Fiona DEBRABANDER
Anne-Caroline DUMAS
Géraldine LEMAUF-BEAUVOIS
Olivier PAGE
Alain PALLIER
Anne POINSOT
André PONCELET

Conseiller à la rédaction
Pierre JOSSE

Administration
Carole BORDES
Éléonore FRIESS

2017/18

hachette

TABLE DES MATIÈRES

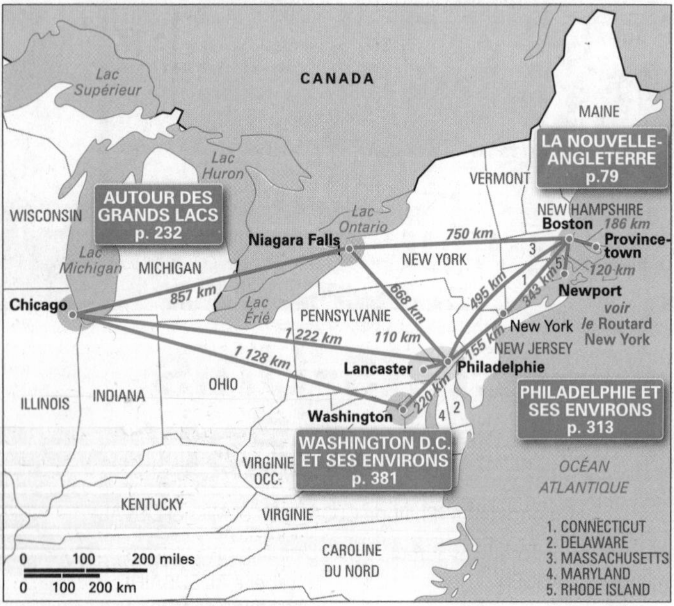

CANADA

Lac Supérieur

Lac Huron

Lac Michigan

Lac Ontario

Lac Érié

MAINE

VERMONT

NEW HAMPSHIRE

NEW YORK

NEW JERSEY

PENNSYLVANIE

WISCONSIN

MICHIGAN

ILLINOIS

INDIANA

OHIO

VIRGINIE OCC.

VIRGINIE

KENTUCKY

CAROLINE DU NORD

OCÉAN ATLANTIQUE

Chicago

Niagara Falls

Boston

Provincetown

Newport

New York

Philadelphie

Lancaster

Washington

857 km

750 km

668 km

110 km

1 222 km

1 128 km

495 km

343 km

155 km

220 km

186 km

120 km

voir *le* Routard New York

1. CONNECTICUT
2. DELAWARE
3. MASSACHUSETTS
4. MARYLAND
5. RHODE ISLAND

0 100 200 miles

0 100 200 km

Le homard, vedette locale

PRÉAMBULE

COMMENT Y ALLER ? ... 35

ÉTATS-UNIS NORD-EST UTILE ... 45

LA NOUVELLE-ANGLETERRE ... 79

AUTOUR DES GRANDS LACS ... 232

PHILADELPHIE ET SES ENVIRONS ... 313

WASHINGTON D.C. ET SES ENVIRONS ... 381

Important : dernière minute

Sauf rare exception, le *Routard* bénéficie d'une parution annuelle à date fixe. Entre deux dates, des événements fortuits (formalités, taux de change, catastrophes naturelles, conditions d'accès aux sites, fermetures inopinées, etc.) peuvent modifier vos projets de voyage. Pour éviter les déconvenues, nous vous recommandons de consulter la rubrique « Guide » par pays de notre site • *routard.com* • et plus particulièrement les dernières ***Actus voyageurs.***

Chicago Blues Festival

© Chuck Eckert/Age fotostock

UN GRAND MERCI À NOS AMI(E)S SUR PLACE ET EN FRANCE

Pour cette nouvelle édition, nous remercions particulièrement :

- **Laura Guarneri** et **Caroline Cannesson** d'Express Conseil, bureau de représentation du Massachusetts ;
- **Jean-Marie Douau** et **Elizabeth Davis,** pour la partie Niagara Falls ;
- **Isabelle Trotzier,** d'Interface Tourisme, pour Philadelphie et ses environs ;
- **Olivier Barthez,** représentant de Capital Region USA à Paris ;
- **Vanessa Casas,** de Destination DC ;
- et nos compagnons de route : **Léonore Dumas, Léa Garnier** et **Brent Klinkum.**

Pictogrammes du Routard

Établissements

- Hôtel, auberge, chambre d'hôtes
- Camping
- Restaurant
- Spécial burger
- Brunch
- Pizzeria
- Boulangerie, sandwicherie
- Glacier
- Café, salon de thé
- Café, bar
- Bar musical
- Club, boîte de nuit
- Salle de spectacle
- Office de tourisme
- Poste
- Boutique, magasin, marché
- Accès Internet
- Hôpital, urgences

Sites

- Plage
- Site de plongée
- Piste cyclable, parcours à vélo

Transports

- Aéroport
- Gare ferroviaire
- Gare routière, arrêt de bus
- Station de métro
- Station de tramway
- Parking
- Taxi
- Taxi collectif
- Bateau
- Bateau fluvial

Attraits et équipements

- Présente un intérêt touristique
- Recommandé pour les enfants
- Adapté aux personnes handicapées
- Ordinateur à disposition
- Connexion wifi
- Inscrit au Patrimoine mondial de l'Unesco

Tout au long de ce guide, découvrez toutes les photos de la destination sur • *routard.com* • Attention au coût de connexion à l'étranger, assurez-vous d'être en wifi !

Le *Routard* est imprimé sur un papier issu de forêts gérées.

I.S.B.N. 978-2-01-279939-4

Lac Supérieur
MICHIGAN
WISCONSIN
Lac Michigan
Lac Huron
voir le Routard Québec, Ontario et Provinces maritimes
Toronto
ONTARIO
AUTOUR DES GRANDS LACS p. 232
Milwaukee
Lewiston
Niagara Falls
Lansing
Chicago
MICHIGAN
Detroit
Lac Érié
Cleveland
ILLINOIS
INDIANA
OHIO
Pittsburgh
Indianapolis
Columbus
Ohio
Potomac
Cincinnati
VIRGINIE OCCIDENTALE
Louisville
Frankfort
Charlestown
KENTUCKY
VIRGINIE
Nashville
TENNESSEE
CAROLINE

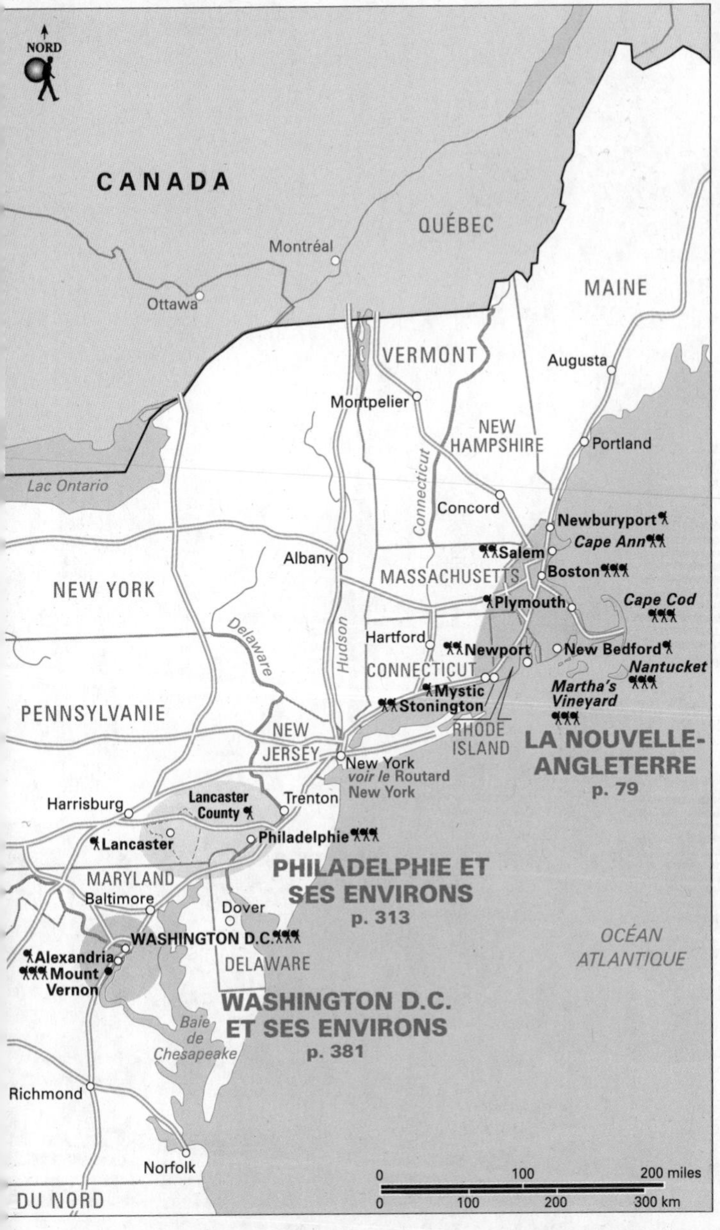

LE NORD-EST DES ÉTATS-UNIS

Gloucester, à Cape Ann

« L'Amérique est une vaste conspiration pour vous rendre heureux. »
John Updike

C'est ici que s'est forgée l'histoire des États-Unis d'Amérique. C'est ici, sur ces rivages peuplés d'Indiens, qu'ont débarqué les pères pèlerins à bord du *Mayflower* en 1620. Une région qui préserve jalousement les traces de son passé, très riche culturellement, et jalonnée de ***grandes villes d'art et d'histoire*** aux identités fortes.
Boston l'Européenne, qui vit au rythme de ses illustres universités, Harvard et MIT. ***Philadelphie,*** berceau de la démocratie américaine où fut signée la Déclaration d'indépendance, et première ville des États-Unis à inscrire son nom sur la prestigieuse liste du ***Patrimoine mondial de l'Unesco.*** Une ville qui se parcourt à pied, le nez au vent, à l'affut des *murals,* ces murs peints communautaires devenus la marque de fabrique de Philly la Arty. ***Washington,*** la capitale du pouvoir fédéral. ***Chicago,*** celle de ***l'architecture moderne,*** lieu de naissance des tout premiers gratte-ciel, et du blues aussi. Toutes ces métropoles foisonnent de ***musées d'une richesse inouïe*** : des collections d'art exceptionnelles, mais également des musées thématiques passionnants autour des sciences, de l'espace, de l'histoire américaine, du journalisme, et bien d'autres.
Le Nord-Est des États-Unis fait aussi la part belle à la ***nature,*** particulièrement en Nouvelle-Angleterre, où les longues plages sauvages du ***Cape Cod National Seashore*** côtoient tourbières à canneberges et marais peuplés d'oiseaux. L'été, les ***baleines*** se donnent rendez-vous dans le coin, on peut les observer lors d'excursions en bateau. À ne pas manquer non plus, les spectaculaires (même si très touristiques) ***chutes du Niagara.***
Enfin, c'est aussi le coin des États-Unis le plus réputé pour ses ***bonnes tables,*** emblématiques du ***renouveau culinaire américain.*** Bref, histoire, culture, art, nature, musique, gastronomie… on vous le dit tout de go : *Go east* !

Beacon Hill, quartier de Boston

NOS COUPS DE CŒUR

1 À Boston, mettre ses pas dans les traces des pères de l'Amérique en suivant le Freedom Trail (Sentier de la Liberté).

Ville phare de la Nouvelle-Angleterre, où débarquèrent les premiers colons, Boston est le berceau historique des États-Unis. Pour connaître l'histoire de la cité à travers monuments et ruelles, il suffit de suivre la ligne rouge tracée au sol ! Le Freedom Trail passe par tous les endroits ayant marqué l'histoire de Boston depuis bientôt 400 ans. *p. 108*

Bon à savoir : une application smartphone est dédiée au Freedom Trail ; • *nps.gov/bost* •

© Robert Harding/hemis.fr

NORD
Lac Michigan
Milwaukee
Lansing
MICHIGAN
Detroit
11 12 13
Chicago
voir le Routard Québec, Ontario et Provinces maritimes
Toronto
CANADA
Niagara Falls
10
Lac Érié
Cleveland
ILLINOIS
INDIANA
OHIO
Pittsburgh
Indianapolis
Columbus
Ohio
Potomac
Cincinnati
VIRGINIE OCCIDENTALE
Louisville
Frankfort
Charlestown

(2) **À Boston, découvrir l'étonnant Isabella Stewart Gardner Museum.** L'éclectique collection d'art d'une riche excentrique, exposée dans un insolite petit palais vénitien, dessiné et décoré par elle-même au début du XXe s. Tapisseries, pièces d'art religieux et, surtout, des toiles exceptionnelles enviées par les plus grands musées, signées John Singer Sargent, Manet, Botticelli, Fra Angelico, Giotto, Titien ou Vélasquez. Rien que ça ! *p. 125*

Bon à savoir : *en hommage à la fondatrice, entrée gratuite pour toutes les Isabella (et aussi pour celles et ceux dont c'est l'anniversaire) !*

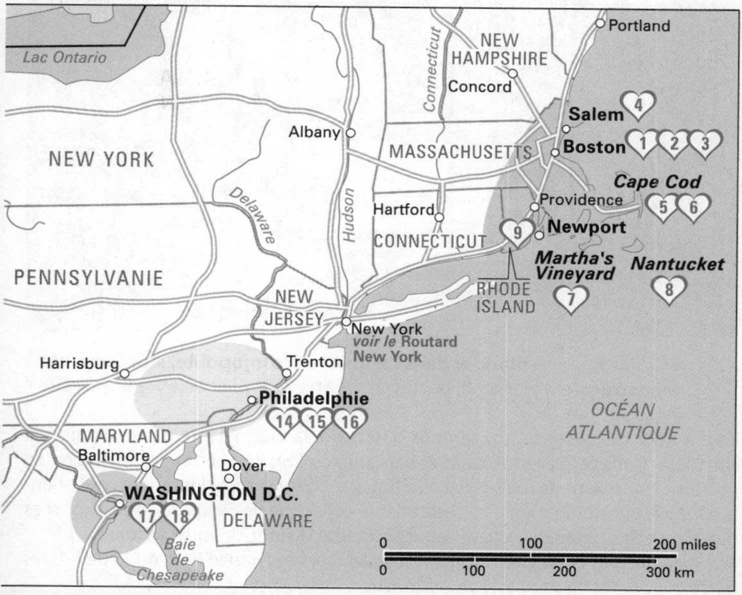

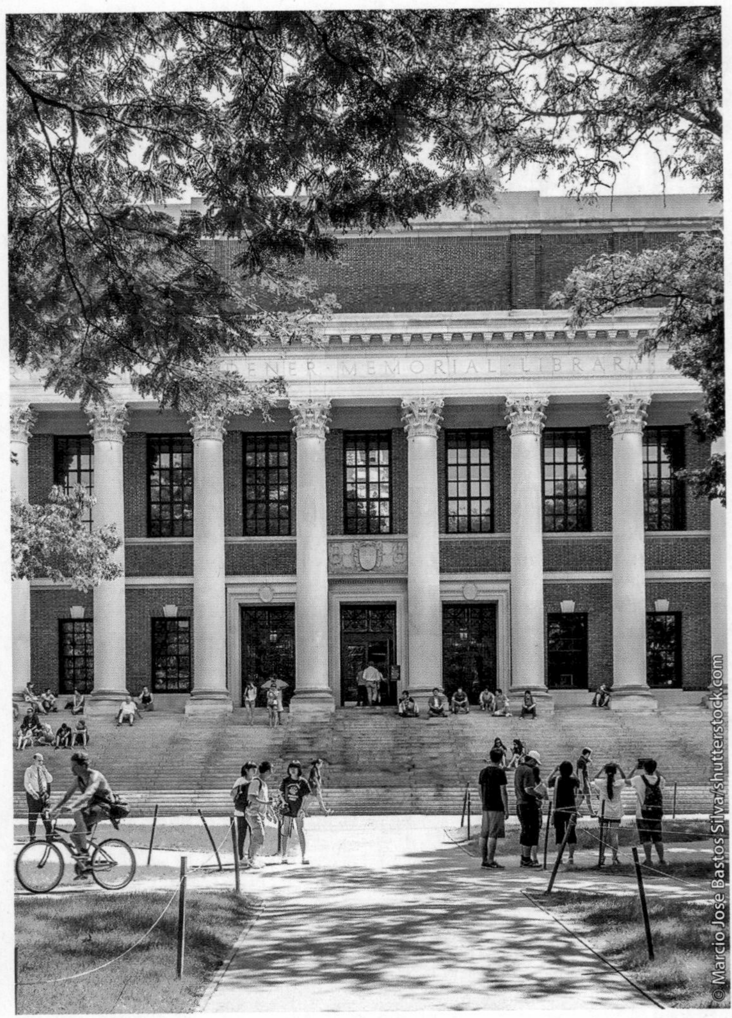

3 **À Cambridge, se plonger dans l'ambiance cosmopolite, studieuse et décontractée d'Harvard, la plus ancienne et la plus célèbre université du pays.**

Tout autour des pelouses du campus d'Harvard, la fourmillante vie étudiante bat son plein : bons petits restos, cafés et bars animés, librairies et boutiques originales, artistes et musiciens de rue sur Harvard Square… Sans oublier les musées qui valent aussi le détour, notamment l'époustouflante collection de Fleurs de verre, exposées dans la section botanique du Museum of Natural History. Un must absolu ! *p. 142*

Bon à savoir : les étudiants proposent tous les jours de l'année (sauf août) des visites guidées gratuites du campus, sans réservation.

4 Explorer le passionnant Peabody Essex Museum (PEM) de Salem, qui rend hommage à la splendeur maritime de la ville.

Connue pour sa tristement célèbre chasse aux sorcières, on ignore souvent que Salem possède un passé maritime flamboyant. Aux XVIIIe et XIXe s, à l'apogée du commerce avec l'Inde, l'Afrique, la Chine et les Antilles, la ville s'est considérablement enrichie. C'est aux prospères armateurs de Salem que l'on doit les exceptionnelles collections de ce musée, qui rassemble plus d'un million d'objets. On en ressort avec l'impression d'avoir voyagé dans le monde entier ! *p. 151*

© Kevin Fleming/Corbis/VCG/Gettyimages

5 Prendre un bateau et aller admirer le spectacle des baleines à bosse, autour de Cape Cod.

La péninsule de Cape Cod est la destination favorite des Bostoniens dès les premiers beaux jours. Mais c'est aussi celle des baleines, qui séjournent ici, dans les eaux froides de la Nouvelle-Angleterre, d'avril à octobre. Aller à leur rencontre est une expérience mémorable, d'autant que c'est l'un des trois meilleurs endroits au monde pour observer cet impressionnant mammifère ! *p. 178, 197*

Bon à savoir : *les balades en mer se font au départ de Hyannis ou de Provincetown.*

© Daniel Padavona/shutterstock.com

6 **Louer un vélo et parcourir les pistes cyclables du Cape Cod National Seashore, au milieu des marais couverts de *cranberries*.**

Les plus belles plages de Cape Cod (voire des États-Unis) s'étalent ici : sable blanc, dunes vertigineuses et souvent un phare en arrière-plan, comme sur un tableau de Hopper. *p. 185*

Bon à savoir : accès payant (et cher) aux plages en saison. Très belle balade à faire aussi en automne, quand les érables prennent leurs couleurs mordorées.

7 **Assister au coucher du soleil sur le village de pêcheurs de Menemsha, sur l'île de Martha's Vineyard, tout en dégustant un *lobster roll*.**

Avec ses maisons à bardeaux, Menemsha est un village mignon comme tout qui a d'ailleurs servi de décor au film culte de Steven Spielberg, *Les Dents de la mer*. Au coucher du soleil, la lumière y est vraiment extraordinaire. L'activité maritime est toujours présente et la pêche, gérée de génération en génération par la même famille. C'est donc l'occasion de s'offrir ici un homard, une *clam chowder* (soupe de palourdes) ou une portion de poisson frit dans une ambiance authentique. *p. 205*

Voir le port de Nantucket s'embrumer à la tombée de la nuit, et les maisons grises traditionnelles disparaître étrangement dans ce flou artistique.

Des landes superbement désolées, parsemées de maisons en bois, de majestueuses plages bordées de dunes balayées par les vents... L'île de Nantucket a l'âme d'une sauvageonne qui s'apprivoise doucement. Épargnée par les promoteurs, la « capitale » de l'île a conservé son aspect d'autrefois, pittoresque et charmant. À la tombée de la nuit, il arrive que le port s'enveloppe dans une brume grisâtre, un moment magique et étrange… *p. 210*

9 **Rêver devant le faste des *mansions* de Newport, ces demeures fabuleuses où vivaient les riches Américains du début du XXe s.**

Newport peut paraître un peu apprêtée, mais elle se révèle pleine de charme. Le vieux port et ses couleurs vives, les quais, bourrés de restos et de cafés, donnent vraiment envie d'y faire une halte. Newport cache aussi de superbes *mansions* (manoirs) au luxe inouï, construites par les plus opulentes familles américaines qui avaient fait fortune dans les chemins de fer, la banque ou les mines après la guerre civile. *p. 220*

Bon à savoir : ttes les infos sur les mansions *ouvertes à la visite sur • newport mansions.org •*

10 **À Niagara Falls, ressentir la puissance de la Niagara River en empruntant les sentiers et les petits ponts du charmant State Park.**
Aller au plus près de la mythique *Horseshoe Falls* en embarquant à bord du célèbre *Maid of the Mist,* subir la fureur de la *Bridal Veil Falls* en s'agrippant aux passerelles de la *Cave of the Winds,* et profiter d'une vue exceptionnelle sur cette merveille de la nature depuis l'*Observation Tower.* *p. 244*
Bon à savoir : le soir, on illumine les chutes, qui passent par toutes les couleurs de l'arc-en-ciel. La balade digestive s'impose jusqu'à Prospect Point, pour profiter d'un spectacle romantique et complètement psychédélique !

© Victor Torres/shutterstock.com

11 À Chicago, prendre le El, ce vieux métro aérien bringuebalant et tout rouillé, pour parcourir la fameuse boucle à travers les buildings du Loop, le quartier des affaires.

Posé sur les rives du lac Michigan, Chicago est le berceau de l'architecture moderne. C'est ici, dans le Loop, que fut construit le tout premier gratte-ciel et qu'on peut voir la plus grosse concentration de buildings historiques. La vision depuis le El, très différente de celle qu'on a de la rue, permet d'admirer certains détails sur les façades que l'on ne verrait pas autrement. *p. 289*

Bon à savoir : la ligne rose fait le tour complet de la boucle en environ 15 mn, pour le prix d'un ticket de métro.

12 À Chicago, **s'émerveiller devant la richesse des collections du** Art Institute.

C'est LE musée d'Art de Chicago, spécialisé surtout dans l'art moderne. Voir absolument la section d'art américain, la fameuse collection d'impressionnistes et l'étonnante galerie des miniatures *(Thorne Miniature Rooms)* mettant en scène, dans des vitrines, des aménagements d'intérieurs allant du XIIIe s aux années 1930 : une salle à manger *shaker,* un salon californien 1940, une salle de bains française à l'époque de la Révolution… Un rêve pour les amateurs de maisons de poupées… et les autres. Inouï. *p. 295*

Bon à savoir : panorama sur la skyline *depuis la passerelle piétonne reliant l'Art Institute au Millennium Park.*

À Chicago, assister à un concert au Jay Pritzker Pavilion, dans le Millennium Park.

On reconnaît instantanément la patte de Frank Gehry dans la toiture métallique et ondulante de ce magnifique auditorium en plein air. L'acoustique y est absolument étonnante. Bien que bordé par deux grandes avenues, seul le son de la musique sur scène résonne dans l'arène. Et ce n'est pas tous les jours que l'on peut écouter de la musique avec une aussi belle *skyline* en toile de fond. *p. 294*

Bon à savoir : certains concerts sont gratuits l'été. Ne pas oublier d'aller admirer, juste à côté, les gratte-ciel se reflétant dans le Cloud Gate *d'Anish Kapoor, ce haricot géant en inox poli devenu l'un des symboles de la ville.*

14 **À Philadelphie, se laisser surprendre, au détour d'une rue, par un des 3 800 *murals* (peintures murales) qui habillent murs, façades et parkings de la ville entière.**

Philly est la capitale mondiale des *murals*. Ici, l'art n'est pas contingenté entre les seuls murs des musées. Les artistes investissent les espaces publics, embellissent les rues (notamment dans les quartiers populaires), tout en fédérant les habitants autour de ces projets. *p. 339*

Bon à savoir : *plusieurs options pour découvrir cette galerie d'art en plein air, à pied, à vélo, en métro… On conseille les excellentes et originales visites guidées du Mural Arts Program (• muralarts.org/tour •).*

© f11photo/shutterstock.com

15 **À Philadelphie, être ébloui par la richesse de la Fondation Barnes, et bluffé par l'originale disposition des toiles.**
Une collection entremêlant mobilier, objets antiques et même des ferronneries comme des clés ou des serrures ! Un véritable concentré de chefs-d'œuvre (181 Renoir, 69 Cézanne, 59 Matisse, 46 Picasso... !), et une vision de l'art chaleureuse, ludique, accessible et audacieuse, bref, une expérience unique. *p. 350*
Bon à savoir : résa vivement conseillée plusieurs jours à l'avance, sur le site internet de la Fondation ou par téléphone. Soirées musicales le 1er vendredi du mois (et certains autres vendredis), combinant visite nocturne et concert.

© zoryanchik/shutterstock.com

16 **À Philadelphie, découvrir la gastronomie locale, d'un excellent niveau.**
En dégustant l'emblématique *Philly cheesesteak* de chez *Jim's Steaks,* avant de se perdre dans l'immense labyrinthe gourmand du Reading Terminal Market pour goûter au *roast pork sandwich* de *DiNic's,* puis aux pretzels de *Miller's Twist.* Ici, la cuisine est une vraie tranche d'Amérique ! *p. 326*
Bon à savoir : allez plutôt au Reading Terminal Market du mercredi au samedi. Ce sont les jours où les amish tiennent leurs stands (on les repère à leur tenue : robe unie, tablier et coiffe pour les femmes, chapeau de paille et collier de barbe pour les hommes).

17 **À Washington, s'offrir une orgie de grands musées (souvent gratuits).** Spacieuse, propre, imposante mais aérée, la capitale de l'Union est dotée de musées d'une grande richesse, qui couvrent tous les domaines : art, histoire, espace, sciences naturelles... Ne pas manquer le passionnant et très interactif Newseum, dédié à la liberté d'expression et à l'histoire du journalisme. *p. 416*
Bon à savoir : à Washington, l'été est très chaud (moyenne de 32 °C en juillet !) et humide ; heureusement les musées sont fabuleux et... climatisés. Leurs boutiques le sont aussi.

© Lee Foster/Age fotostock

© Orhan Cam/shutterstock.com

18 À Washington, faire à pied le circuit des mémoriaux du Mall, immense coulée verte séparant le Capitole du fleuve Potomac.

C'est là que se trouvent, entre autres, la Maison-Blanche, l'obélisque du Washington Monument, le Lincoln Memorial et les époustouflants musées de la Smithsonian. Au printemps, les cerisiers sont en fleur, c'est évidemment la meilleure période ! *p. 417*

Bon à savoir : la Maison-Blanche ne se visite malheureusement plus (pour des raisons de sécurité évidentes) mais le Capitole, si.

Lu sur routard.com

Chicago : la Windy City a le vent en poupe !
(tiré du carnet de voyage de Marie Borgers)

Chicago a pour centre névralgique le Loop, deuxième quartier d'affaires des États-Unis après Manhattan. Ses buildings en font une **capitale mondiale de l'architecture moderne.** Des architectes comme Daniel Burnham, Frank Llyod Wright et Louis Sullivan ont instauré ici un urbanisme typiquement américain. C'est parti pour une balade le nez en l'air !

Emblème de Chicago, la ***Willis Tower*** est l'un des plus hauts bâtiments du continent américain (443 m de hauteur). On ira fouler le Ledge, sa plateforme panoramique en saillie. D'autres buildings réservent de belles surprises : le Carson, Pirie, Scott & Co, avec sa décoration de feuillages entrelacés, le Marquette Building, aux fenêtres de style chicagoan, la Chase Tower et son incroyable façade incurvée… Certains édifices s'accordent avec des ***statues*** qui magnifient leurs *plazas* : le Richard J. Daley Center, dont la façade est assortie à une statue de Picasso, ou le Federal Center and Plaza, dont les droites lignes tranchent avec les courbes du *Flamant rouge* de Calder. ***L'Art déco*** s'invite avec le Carbide & Carbone Building, décoré à la feuille d'or, et le hall du Board of Trade, la Bourse de Chicago, haut lieu de l'économie américaine.

Si le Loop se parcourt à pied, le métro aérien, surnommé le « L » (pour Elevated), donne un autre regard sur ses façades, dévoilant mille et un détails. Perspective inoubliable également, les rives de la Chicago River alignent gratte-ciel et ponts suspendus. La ***Trump International Tower*** est le 2e plus haut gratte-ciel de Chicago, et l'un des plus hauts des États-Unis.

Mais Chicago est aussi une ville verte. Les pelouses de ***Grant Park,*** poumon vert de Chicago, font la transition entre le Loop et le lac. Musée d'art contemporain à ciel ouvert, Millenium Park, la partie nord de Grant Park, est parsemé de sculptures. Sa star : le ***Cloud Gate,*** une sculpture géante en inox poli, dans lequel se reflète la *skyline.* Autre monument, le ***Jay Pritzker Pavilion,*** l'auditorium en plein air de ***Frank Gehry.*** Un maillage de tubes d'acier recouvre la pelouse et vient zébrer la *skyline.* Le contraste entre l'acier grisé, les rangées rouges de sièges et la verte pelouse est fascinant ! Et ne manquez pas Lurie Garden, jardin de plantes vivaces, et la *Crown Fountain,* une étrange œuvre d'art interactive (en été) : deux tours en briques de verre projettent des visages d'habitants. Depuis ***Millenium Park,*** vue plongeante sur l'Aqua Tower et ses balcons ondulant comme les vagues du lac, le Smurfit-Stone Building et son toit incliné, et le Two Prudential Plaza, coiffé d'un sommet pyramidal.

Impossible de quitter Grant Park sans visiter ses musées : l'***Art Institute,*** d'une richesse inouïe, la Modern Wing, modèle d'architecture durable signé Renzo Piano, et pour les familles, au sud de Grant Park, le Field Museum, le Shedd Aquarium et l'Adler Planetarium.

ITINÉRAIRES CONSEILLÉS

Voici quelques pistes parmi d'autres car rares sont ceux qui ont le temps de visiter une région aussi riche culturellement en un seul voyage !

Pour vous aider à construire un itinéraire à la carte, ***compter 4 jours minimum pour découvrir chacune des grandes villes*** traitées dans ce guide (Boston, Chicago, Philadelphie et Washington) et ***une semaine si l'on inclut les environs,*** comme le pays amish pour Philadelphie. Encore une fois, c'est un ordre d'idées. On peut facilement ajouter 2 jours à Washington si l'on veut faire une orgie de musées par exemple.

En 8 à 10 jours : la Nouvelle-Angleterre

À la belle saison (ou durant l'été indien), un petit tour dans cette région, en mixant culture, nature et balnéaire, est bien adapté, particulièrement en famille : ***Boston (1),*** avec une excursion à la journée à ***Salem (2),*** puis la presqu'île de ***Cape Cod (3)*** et les deux îles au large, ***Martha's Vineyard (4)*** et ***Nantucket (5),*** accessibles facilement en bateau.

En 8 à 10 jours : autour des Grands Lacs

Après ***Chicago (1),*** direction les ***chutes du Niagara (2)*** puis, côté canadien, ***Toronto*** (*3* ; voir le *Routard Québec, Ontario et Provinces maritimes*). Possibilité de passer par Detroit (non traité dans le *Routard*) ou de prendre un vol intérieur entre Chicago et Niagara Falls pour éviter d'avaler des kilomètres.

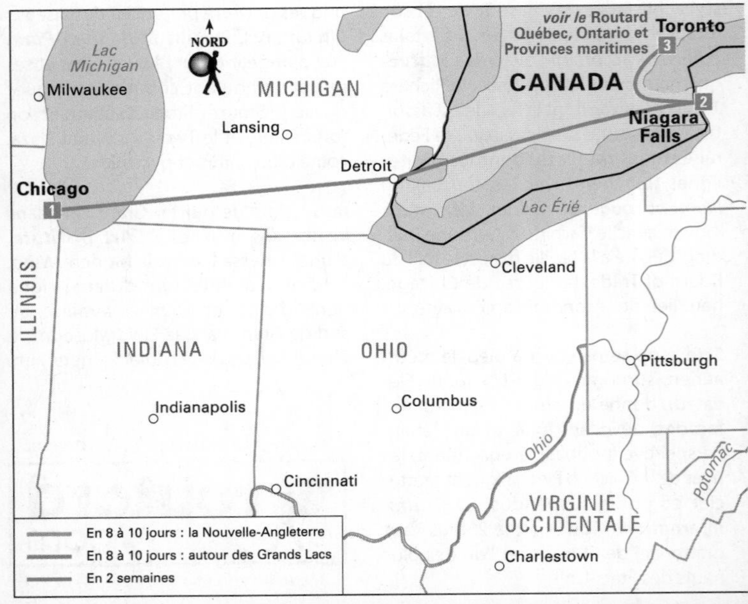

Au bord du lac Michigan

© Rabouan Jean-Baptiste/hemis.fr

En 2 semaines

Combiné des grandes villes de la côte est

Pourquoi ne pas prendre le train ? Un voyage écolo car il n'y a même pas besoin de voiture sur place, les gares étant en plein centre-ville ! On commence par ***Washington (1),*** puis 2 petites heures pour rallier ***Philadelphie (2),*** qui se trouve elle-même à 1h30 à peine de ***New York*** (***3*** ; voir le *Routard* éponyme si vous voulez vous arrêter dans la Big Apple), et enfin ***Boston (4),*** en 3h30 de train.

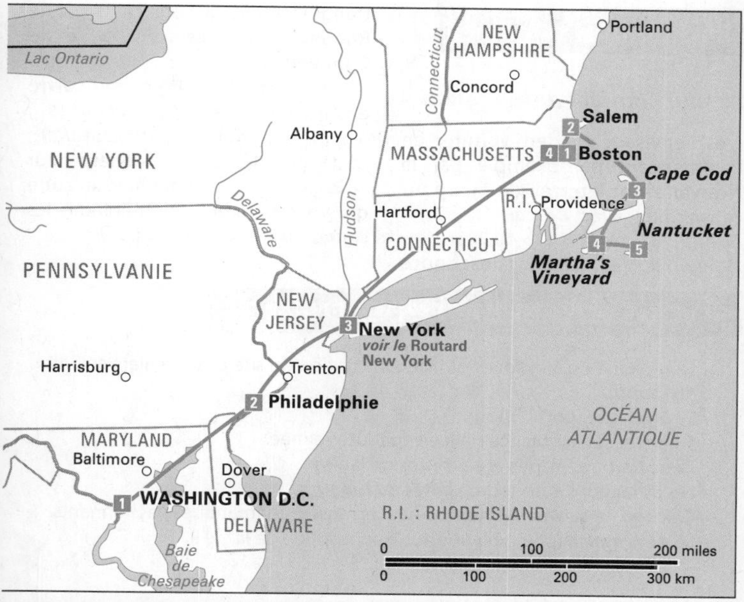

Lac Ontario
NEW HAMPSHIRE
Portland
Connecticut
Concord
Salem
Albany
NEW YORK
MASSACHUSETTS
Boston
Cape Cod
Delaware
Hudson
Hartford
R.I.
Providence
Nantucket
CONNECTICUT
Martha's Vineyard
PENNSYLVANIE
NEW JERSEY
New York
voir le Routard New York
Harrisburg
Trenton
Philadelphie
OCÉAN ATLANTIQUE
MARYLAND
Baltimore
Dover
WASHINGTON D.C.
DELAWARE
R.I. : RHODE ISLAND
Baie de Chesapeake
0 100 200 miles
0 100 200 300 km

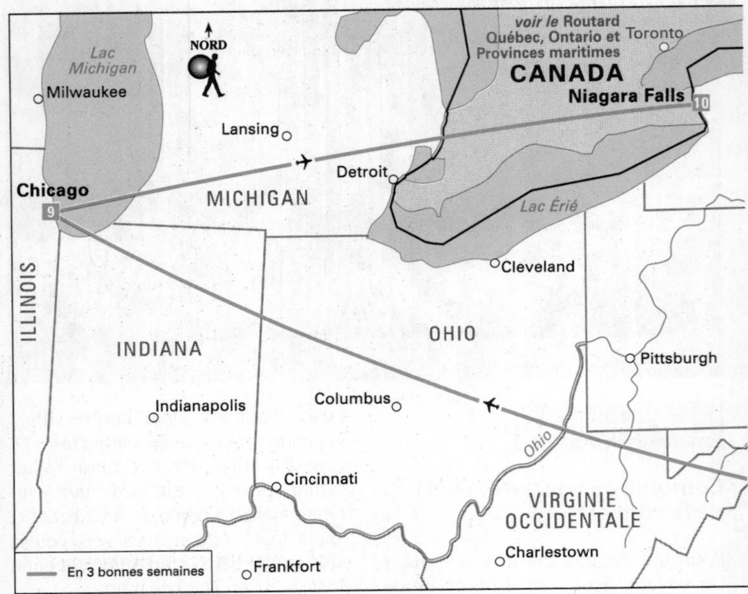

En 3 bonnes semaines

Le tour complet de la région

C'est envisageable en voiture, en commençant par exemple par la Nouvelle-Angleterre (7-8 j. pour l'ensemble) avec ***Boston (1), Cape Cod (2), Nantucket (3)*** ou ***Martha's Vineyard (4).*** Puis descendre tranquillement la côte (2 j.) par le Rhode Island ***(Newport ; 5)*** et le Connecticut ***(Mystic ; 6),*** jusqu'à ***Philadelphie*** (*7* ; 4 j.). Poursuivre ensuite jusqu'à ***Washington*** (*8* ; 3-5 j. selon votre appétit culturel) ; de là, prendre un vol intérieur pour ***Chicago*** (*9* ; 4 j.) et, pour finir, un autre qui vous permettra de rejoindre les ***chutes du Niagara*** (*10* ; 1 j.).

SI VOUS VOYAGEZ AVEC DES ENFANTS

- La réplique du *Mayflower* et la reconstitution du site des premiers colons à ***Plymouth.***
- Le ***Mystic*** Seaport Museum.
- ***Salem*** et son ambiance Halloween toute l'année.
- ***Cape Cod,*** ses plages et ses pistes cyclables.
- Les attractions autour des ***chutes du Niagara.***
- ***Chicago*** et/ou ***Washington*** pour leurs musées thématiques passionnants.
- Le ***pays amish*** (pour voir une autre conception de la vie !).

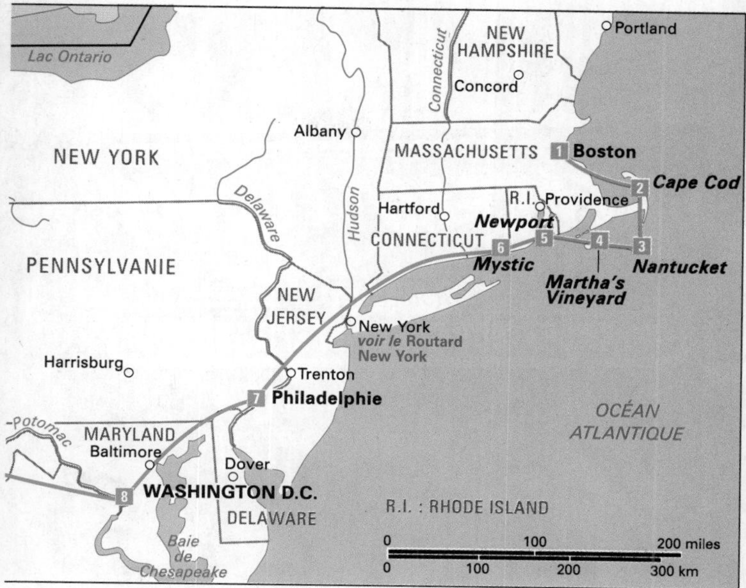

SI VOUS AIMEZ...

Les musées d'art : direction ***Washington,*** pour son époustouflante concentration de musées, la plupart gratuits ! À ***Philadelphie,*** la Fondation Barnes est un must, comme le Philadelphia Museum of Art (le Louvre local) qui possède la plus grande collection d'œuvres de Marcel Duchamp dans le monde. Si vous aimez les impressionnistes, le Museum of Fine Arts de ***Boston*** et l'Art Institute de ***Chicago*** sont incontournables.

L'architecture moderne : ***Chicago,*** lieu de naissance des tout premiers gratte-ciel. Les plus grands architectes y sont représentés : Frank Lloyd Wright, Frank Gehry, Mies Van der Rohe, Renzo Piano…

La nature : le ***Cape Cod National Seashore,*** zone protégée sillonnée de sentiers de randonnées et bordée des plus belles plages du cap, les îles de ***Martha's Vineyard*** et ***Nantucket.*** D'avril à octobre, observation des baleines dans le coin. Et bien sûr, les ***chutes du Niagara.***

L'histoire : ***Boston*** et ***Philadelphie,*** berceaux historiques de la nation ; ***Washington,*** capitale du pouvoir ; les somptueuses *mansions* de ***Newport ;*** l'architecture XVIIIe-XIXe s de ***Nantucket Town.***

La musique : un concert au ***Boston Symphony Hall*** ; Chicago, à la scène musicale riche et variée.

Le Reading Terminal Market de Philadelphie

LES QUESTIONS QU'ON SE POSE AVANT LE DÉPART

➢ Quels sont les papiers nécessaires ?

Passeport biométrique ou électronique valide (enfants compris), billet aller-retour ou de continuation et une ***autorisation de voyage ESTA*** à remplir sur Internet (14 $), valable 2 ans. Visa nécessaire pour un séjour de plus de 3 mois.

➢ Quelle est la meilleure saison ?

Le ***printemps*** et l'***automne*** sont les saisons les plus agréables. L'***été*** est chaud voire très chaud partout (et souvent humide), l'***hiver*** est dans l'ensemble très froid et neigeux, particulièrement à Boston, Washington et Chicago. Pour ***se baigner*** du côté de Cape Cod, Martha's Vineyard et Nantucket, mieux vaut viser le plein été !

➢ Quel budget prévoir ?

Copieux, surtout concernant l'***hébergement.*** Aux prix affichés, ***ajouter les taxes*** (entre 5 et 15 %) ***et le pourboire*** dans les restos (15 à 20 % !). Compter aussi un ***budget culture*** important (sauf à Washington où la majorité des musées sont gratuits !) : facilement 15 $ l'entrée, voire 20-25 $ dans les plus grands musées d'art.

➢ Comment se déplacer ?

Dans les grandes villes, ***en transports en commun*** et à pied, avec un ***taxi le soir*** de temps en temps. Pour visiter les environs, ***louer une voiture.*** Le carburant est moins cher qu'en Europe. Pour aller d'une ville à l'autre, voiture, train ou avion (selon la distance). En voiture, le GPS est utile.

➢ Y a-t-il des problèmes de sécurité ?

Non, ***pas de vrais dangers*** dans cette région des États-Unis, à condition de respecter les mesures de bon sens valables dans la plupart des grandes villes du monde.

➢ Quel est le décalage horaire ?

6h en moins par rapport à l'heure française d'hiver (***7h*** pour l'Illinois). Quand il est 16h en France, il est donc 10h à Washington et 9h à Chicago.

➢ Quel est le temps de vol ?

Environ ***8h*** pour Boston, Philadelphie ou Washington, ***10h*** pour Chicago. Il existe des ***vols directs*** pour toutes ces destinations.

➢ Côté santé, quelles précautions à prendre ?

Être à jour de ses ***vaccinations universelles.*** Dans les zones boisées, prévoyez un bon ***répulsif anti-moustiques*** et faites attention aux ***tiques,*** particulièrement en Nouvelle-Angleterre.

➢ Peut-on y aller avec des enfants ?

Oui, bien sûr, les États-Unis sont une destination idéale en famille. Mais les grandes villes décrites dans ce guide s'adressent quand même plutôt à des enfants en âge de profiter de leur histoire et de leurs musées.

➢ Quel est le taux de change ? Comment payer sur place ?

1 $ = 0,95 € en 2017. Le plus pratique est de ***payer avec une carte de paiement.*** Elles sont acceptées presque partout, même pour des petites sommes. Distributeurs automatiques de billets partout aussi.

➢ Quelle langue parle-t-on ?

L'anglais.

➢ Est-ce qu'on mange bien dans le nord-est des États-Unis ?

En Nouvelle-Angleterre, la ***seafood*** est reine et le ***homard*** servi à toutes les sauces, même en sandwich ! Chicago ne jure que par sa ***deep dish pizza,*** richement garnie et dégoulinante de fromage. Quant à Philadelphie et Washington, elles sont à juste titre réputées pour leurs ***marchés gourmets*** et leurs ***tables créatives.***

➢ Que rapporter des États-Unis ?

Des ***vêtements*** bien sûr (pas de taxes en Pennsylvanie ni dans le Massachusetts, profitez-en !), des ***bons produits*** typiquement américains mais locaux et souvent bio. Enfin, plein d'idées de cadeaux originaux à glaner dans les épatantes ***boutiques de musées*** : livres, catalogues, objets de design, bijoux, vêtements, jeux pour enfants...

COMMENT Y ALLER ?

LES LIGNES RÉGULIÈRES

▲ AIR FRANCE

Rens et résas au ☎ 36-54 (0,35 €/mn – tlj 6h30-22h), sur ● airfrance.fr ●, dans les agences Air France et dans ttes les agences de voyages. Fermées dim.

➢ Sur le Nord-Est des États-Unis, Air France dessert les villes suivantes en vol direct (au départ de Roissy-Charles-de-Gaulle) : ***Boston, New York, Washington.*** Également ***Chicago*** en partage de codes avec Delta Air Lines, ***Philadelphie*** et Buffalo en correspondance.

Air France propose des tarifs attractifs toute l'année. Pour consulter les meilleurs tarifs du moment, allez directement sur la page « Nos meilleures offres » sur ● *airfrance.fr* ● *Flying Blue,* le programme de fidélisation gratuit d'Air France-KLM, permet de cumuler des *miles* et de profiter d'un large choix de primes. Cette carte de fidélité est valable sur l'ensemble des compagnies membres de *Skyteam.*

▲ AMERICAN AIRLINES

Rens et résas : ☎ 0821-980-999 (0,12 €/mn ; service en français lun-ven 8h-21h, le w-e 9h-17h ; en anglais 24h/24). ● americanairlines.fr ●

➢ American Airlines propose, au départ de Paris-Charles-de-Gaulle et d'Orly, 1 à 2 vols/j. sans escale pour ***New York,*** ainsi que 1 vol/j. sans escale pour ***Boston*** (liaison saisonnière), ***Chicago*** et ***Philadelphie.***

▲ DELTA AIRLINES

Rens et résas : ☎ 0892-702-609 (0,34 €/mn ; lun-ven 8h-20h, sam 9h-17h30). ● delta.com ●

➢ Delta Airlines propose des vols quotidiens pour ***Boston, New York, Chicago, Washington D.C., Philadelphie*** et ***Detroit*** (certains en partenariat avec Air France) avec au moins un voyage sans escale par jour.

▲ UNITED AIRLINES

Rens et résas : ☎ 01-71-23-03-35. (Tlj 8h-4h.) ● united.com ●

➢ Au départ de Roissy-Charles-de-Gaulle, la compagnie dessert quotidiennement le nord-est des États-Unis avec ***Washington D.C., New York (Newark et JFK)*** et ***Chicago*** sans escale ainsi que ***Boston*** et ***Philadelphie*** avec escale.

LES ORGANISMES DE VOYAGES

En France

▲ BACK ROADS

– Paris : 14, pl. Denfert-Rochereau, 75014. ☎ 01-43-22-65-65. ● backroads.fr ● Ⓜ ou RER B : Denfert-Rochereau. Lun-ven 9h30-19h ; sam 10h-18h.

Depuis 1975, l'équipe de Back Roads sillonne les routes américaines. Ils ne vendent leurs produits qu'en direct pour mieux vous faire partager leurs expériences et vous conseiller les circuits les plus adaptés à vos envies. Spécialistes des autotours, ils ont également le grand avantage de disposer de contingents de chambres dans les parcs nationaux ou à proximité. Dans leur brochure, ils offrent également un grand choix d'activités, allant du séjour en ranch aux expéditions à VTT, en passant par le trekking ou le rafting.

De plus, Back Roads représente deux centraux de réservation américains lui permettant d'offrir des tarifs très compétitifs pour la réservation ; *Amerotel* avec des hôtels sur tout le territoire, des *Hilton* aux *YMCA,* et *Car Discount,* un courtier en location de voitures.

▲ CERCLE DES VACANCES

– Paris : 4, rue Gomboust (angle 31, av. de l'Opéra), 75001. ☎ 01-40-15-15-05. ● cercledesvacances.com ● Ⓜ Pyramides ou Opéra. Lun-ven 9h-20h, sam 10h-18h30.

Le vrai voyage sur mesure, à destination des États-Unis (l'Est et New-York, le Sud et la Floride, l'Ouest et la Californie) et du Canada (voyages d'hiver et d'été, d'est en ouest).

Cercle des Vacances propose un large choix de voyages adaptés à chaque client : séjours *city break,* randonnées et séjours ski, voyages au volant d'une voiture de location, croisières, circuits en petits groupes, combinés, voyages de noces... Les experts Cercle des Vacances partagent leurs conseils et leurs petits secrets pour faire de chaque voyage une expérience inoubliable. Cercle des Vacances offre également un service liste de mariage gratuit. Les petits plus qui font la différence : une excursion en motoneige ou en traîneau à chiens, une balade à cheval au petit matin dans le désert de l'Ouest, un survol du Grand Canyon en hélicoptère, ou encore un parc d'attractions avec un grand huit spectaculaire en Floride.

▲ COMPAGNIES DES ÉTATS-UNIS ET DU CANADA

– Paris : 45, rue de Courcelles (1er étage), 75008. ☎ 01-55-35-05-05. ● compagniesdumonde.com ● Ⓜ Saint-Philippe-du-Roule ou Courcelles. Lun-ven 9h-19h ; sam 10h-19h.

Créatrice de voyages sur mesure, l'équipe passionnée propose de nombreuses formules, séjours et circuits individuels entièrement personnalisés. Elle met au service des voyageurs son expertise sur ses destinations de prédilection : Amérique du Nord, Amérique latine, Asie et Océanie, et Afrique australe. Elle concocte des périples où l'échange et l'authenticité au fil des découvertes et rencontres feront toute la différence. L'équipe est aussi spécialisée dans les séjours tournés vers l'art, les grands musées, les expositions et l'architecture, et reste ainsi fidèle à son leitmotiv « Voyager est Art© ». Les marques Compagnie des États-Unis et du Canada, Compagnie de l'Amérique latine, Compagnie des Indes et de l'Extrême-Orient, Compagnie de l'Afrique australe et de l'océan Indien et Compagnie du Moyen-Orient font partie du groupe Compagnies du Monde.

▲ COMPTOIR DES VOYAGES

● comptoir.fr ●
– Paris : 2-18, rue Saint-Victor, 75005. ☎ 01-53-10-30-15. Lun-ven 9h30-18h30, sam 10h-18h30. Ⓜ Maubert-Mutualité.
– Lyon : 10 quai Tilsitt, 69002. ☎ 04-72-44-13-40. Lun-sam 9h30-18h30. Ⓜ Bellecour.
– Marseille : 12 rue Breteuil, 13001. ☎ 04-84-25-21-80. Lun-sam 9h30-18h30. Ⓜ Estrangin.
– Toulouse : 43, rue Peyrolières, 31000. ☎ 05-62-30-15-00. Lun-sam 9h30-18h30. Ⓜ Esquirol.
– Bordeaux : 26, cours du Chapeau-Rouge, 33800. ☎ 05-35-54-31-40.
– Lille : 76, rue Nationale, 59160. Ouverture prévue en 2017.

Comptoir des Voyages s'impose comme une référence incontournable dans le voyage sur mesure, avec 80 destinations couvrant les cinq continents. Ses voyages s'adressent à tous ceux qui souhaitent vivre un pays de façon simple en s'y sentant accueilli. Les conseillers privilégient des hébergements typiques, des moyens de transport locaux et des expériences authentiques pour favoriser l'immersion dans la vie locale. Comptoir vous offre aussi la possibilité de rencontrer des francophones habitant dans le monde entier, des greeters, qui vous donneront, le temps d'un café, les clés de leur ville ou de leur pays. Comptoir des Voyages propose aussi une large gamme de services : échanges par visioconférence, devis web et carnet de voyage personnalisés, assistance téléphonique 24h/24 et 7 j./7 pendant votre voyage...

▲ LES COMPTOIRS DU MONDE

Rens et résas : ☎ 09-80-08-02-00. ● comptoirsdumonde.fr ●
– Paris : 19, av. d'Italie, 75013. Lun-ven 9h-18h.
– Lyon : parc Technoland, 3, allée du Lazio, 69800 Saint-Priest. Lun-ven 9h-18h.

Que vous souhaitiez voyager seul, en couple, en famille ou entre amis,

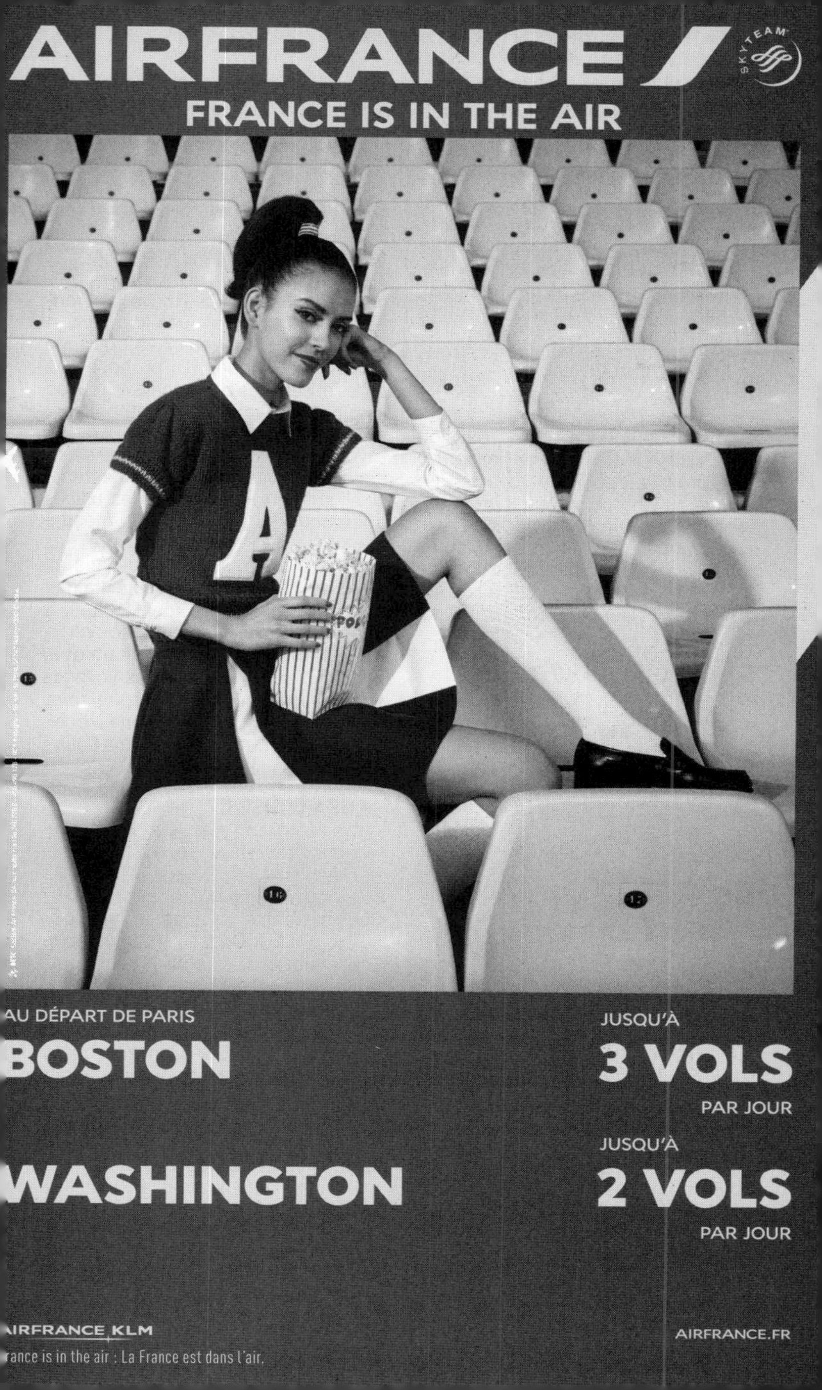
AIRFRANCE
SKYTEAM
FRANCE IS IN THE AIR
AU DÉPART DE PARIS
BOSTON
JUSQU'À
3 VOLS
PAR JOUR
WASHINGTON
JUSQU'À
2 VOLS
PAR JOUR
AIRFRANCE KLM
AIRFRANCE.FR
rance is in the air : La France est dans l'air.

Les Comptoirs du Monde sont à votre écoute pour vous offrir des voyages personnalisés de qualité et vous proposer des prestations qui répondent véritablement à vos attentes. Globe-trotters, passionnés d'histoire, amoureux de la nature, ayant une connaissance approfondie des pays, leur équipe de spécialistes peut satisfaire vos demandes les plus diverses tout en respectant votre budget.

▲ EQUINOXIALES

Rens et résas : ☎ 01-77-48-81-00. • equinoxiales •

25 ans d'expérience et une passion inépuisable sont les clés de l'expertise d'Equinoxiales pour les voyages sur mesure au long cours à prix *low-cost,* assortis des meilleurs conseils. Un simple appel, un simple e-mail et les conseillers Equinoxiales sont à l'écoute pour créer avec les candidats au départ le périple qui leur convient au meilleur prix.

▲ LA ROUTE DES VOYAGES

• route-voyages.com • Agences ouv lun-jeu 9h-19h, ven 18h. Rdv conseillé.

– Paris : 10, rue Choron, 75009. ☎ 01-55-31-98-80. Ⓜ Notre-Dame-de-Lorette.

– Angers : 6, rue Corneille, 49000. ☎ 02-41-43-26-65.

– Annecy : 4 bis, av. d'Aléry, 74000. ☎ 04-50-45-60-20.

– Bordeaux : 19, rue des Frères-Bonie, 33000. ☎ 05-56-90-11-20.

– Lyon : 59, rue Franklin, 69002. ☎ 04-78-42-53-58.

– Toulouse : 9, rue Saint-Antoine-du-T, 31000. ☎ 05-62-27-00-68.

20 ans d'expérience de voyage sur mesure sur les cinq continents ! Cette équipe de voyageurs passionnée a développé un vrai savoir-faire du voyage personnalisé : écoute, conseils, voyages de repérage réguliers et des correspondant sur place soigneusement sélectionnés avec qui ils travaillent en direct. Son engagement à promouvoir un tourisme responsable se traduit par des possibilités de séjours solidaires à insérer dans les itinéraires de découverte individuelle. Elle a aussi créé un programme de compensation solidaire qui permet de financer des projets de développement locaux.

▲ TUI

Rens et résas au 0825-000-825 (prix d'appel + 0,20 €/mn), sur • tui.fr • et dans les agences de voyages TUI présentes dans tte la France.

TUI, numéro 1 mondial du voyage, propose tous les circuits Nouvelles Frontières, ainsi que les clubs Marmara et un choix infini de vacances pour une expérience unique. TUI propose des offres et services personnalisés tout au long de vos vacances, avant, pendant et après le voyage.

Un circuit accompagné dans une destination de rêves, un séjour détente au soleil sur l'une des plus belles plages du monde, un voyage sur mesure façonné pour vous, ou encore des vacances dans un hôtel ou dans un club, les conseillers TUI peuvent créer avec vous le voyage idéal adapté à vos envies. Ambiance découverte, familiale, romantique, dynamique, zen, chic... TUI propose des voyages à deux, en famille, seul ou entre amis, parmi plus de 180 destinations à quelques heures de chez vous ou à l'autre bout du monde.

▲ USA CONSEIL

Devis et brochures sur demande, réception sur rdv, agence à Paris XVIe. Rens : ☎ 01-45-46-51-75. • usa conseil.com • canadaconseil.com •

Spécialiste des voyages en Amérique du Nord, USA Conseil s'adresse particulièrement aux familles ainsi qu'à toutes les personnes désireuses de visiter et de découvrir les États-Unis et le Canada en maintenant un bon rapport qualité-prix. USA Conseil propose une gamme complète de prestations adaptées à chaque demande et en rapport avec le budget de chacun : vols, voitures, hôtels, motels, bungalows, circuits individuels et accompagnés, itinéraires adaptés aux familles, excursions, motor homes, motos, bureau d'assistance téléphonique francophone tout l'été avec n° Vert USA et Canada. Sur demande, devis gratuit et détaillé pour tout projet de voyage.

▲ **USA-EN-LIBERTE.COM**
● usa-en-liberte.com ●
Contactez USA en Liberté, une agence locale de confiance, pour organiser votre voyage sur mesure aux États-Unis. Les conseillers, fins connaisseurs du terrain et de la réalité du pays, vous accompagnent dans la préparation de votre voyage, en couple, en famille ou en groupe d'amis. Vous avez ainsi accès à un service personnalisé en bénéficiant d'un prix accessible. USA en Liberté vous propose un maximum de garanties et de services : règlement de votre voyage en ligne, et ce de façon sécurisée, possibilité de souscrire à une assurance de voyage et de bénéficier de garanties solides en cas d'imprévu.

▲ **VOYAGEURS DU MONDE – VOYAGEURS AUX ÉTATS-UNIS, AU CANADA ET AUX BAHAMAS**
Le spécialiste du voyage individuel sur mesure. Rens et résas : ☎ 01-42-86-17-30. ● voyageursdumonde.fr ●
– Paris : La Cité des Voyageurs, 55, rue Sainte-Anne, 75002. ☎ 01-42-86-16-00. Ⓜ Opéra ou Pyramides. Lun-sam 9h30-19h. Avec une librairie spécialisée sur les voyages.
Également des agences à Bordeaux, Grenoble, Lille, Lyon, Marseille, Montpellier, Nantes, Nice, Rennes, Rouen, Strasbourg et Toulouse ; ainsi qu'à Bruxelles et à Genève.
Parce que chaque voyageur est différent, que chacun a ses rêves et ses idées pour les réaliser, Voyageurs du Monde conçoit, depuis plus de 30 ans, des projets sur mesure. Les séjours proposés sur 120 destinations sont élaborés par leurs 180 conseillers voyageurs. Spécialistes par pays et même par région, ils vous aideront à personnaliser les voyages présentés à travers une trentaine de brochures d'un nouveau type et sur le site internet où vous pourrez également découvrir les hébergements exclusifs et consulter votre espace personnalisé. Au cours de votre séjour, vous bénéficiez des services personnalisés Voyageurs du Monde, dont la possibilité de modifier à tout moment votre voyage, l'assistance d'un concierge local, la mise en place de rencontres et de visites privées et l'accès à votre carnet de voyage via une application iPhone et Android. Voyageurs du Monde est membre de l'association ATR (Agir pour un tourisme responsable) et bénéficie de la certification Tourisme responsable AFAQ AFNOR.

▲ **WEST FOREVER**
– Strasbourg : 32, rue du Bassin-d'Austerlitz, 67100. ☎ 03-88-68-89-00. ● westforever.com ● Lun-jeu 9h-12h30, 14h-18h (ven 17h).
West Forever est le spécialiste français du voyage en Harley-Davidson. Il propose des séjours et des circuits aux États-Unis (Route 66, Floride, Rocheuses, Grand Ouest...), mais aussi en Australie, en Afrique du Sud, à Cuba, au Japon, en Argentine, au Chili et en Europe (Toscane, route des Alpes...). Agence de voyages officielle Harley-Davidson, West Forever propose une large gamme de tarifs pour un savoir-faire dédié tout entier à la moto. Si vous désirez voyager par vous-même, West Forever pourra vous concocter un voyage à la carte, sans accompagnement, grâce à sa formule « Easy Ride ».

Voir aussi au sein de chaque ville les agences locales que nous avons sélectionnées.

Comment aller aux aéroports ?

Toutes les infos sur notre site *● routard.com ●* à l'adresse suivante : *● bit.ly/aeroports-routard ●*

En Belgique

▲ **AIRSTOP**
Rens et résas : ☎ 070-233-188. ● airstop.be ● Lun-ven 9h-18h30, sam 10h-17h.
– Anvers : Jezusstraat, 16, 2000.
– Gand : Maria Hendrikaplein, 65, 9000.
– Louvain : Mgr. Ladeuzeplein, 33, 3000.
Airstop offre une large gamme de prestations, du vol sec au séjour tout compris à travers le monde.

▲ **CONNECTIONS**
Rens et résas : ☎ 070-233-313. ● connections.be ●
Fort d'une expérience de plus de 20 ans dans le domaine du voyage, Connections dispose d'un réseau de 30 *travel shops* dont un à Brussels Airport. Connections propose des vols dans le monde entier à des tarifs avantageux et des voyages destinés à des voyageurs désireux de découvrir la planète de façon autonome. Connections propose une gamme complète de produits : vols, hébergements, locations de voitures, autotours, vacances sportives, excursions...

▲ **GLOBE-TROTTERS**
– Bruxelles : rue Franklin, 15, 1000. ☎ 02-732-90-70. ● globe-trotters.be ● Lun-ven 9h30-13h30, 15h-18h ; sam 10h-13h.
En travaillant avec des prestataires exclusifs, cette agence permet de composer chaque voyage selon ses critères : de l'auberge de jeunesse à l'hôtel de charme, de l'autotour au circuit accompagné, d'une descente de fleuve en pirogue à un circuit à vélo... Spécialiste du Québec, du Canada, des États-Unis, Globe-Trotters propose aussi des formules dans le Sud-Est asiatique et en Afrique. Assurances voyage. Cartes d'auberges de jeunesse (IYHF). Location de voitures, motor homes et motos.

▲ **SERVICE VOYAGES ULB**
● servicevoyages.be ● 25 agences dont 12 à Bruxelles.
– Bruxelles : campus ULB, av. Paul-Héger, 22, CP 166, 1000. ☎ 02-650-40-20.
– Bruxelles : pl. Saint-Lambert, 1200. ☎ 02-742-28-80.
– Bruxelles : chaussée d'Alsemberg, 815, 1180. ☎ 02-332-29-60.
Service Voyages ULB, c'est le voyage à l'université. Billets d'avion sur vols charters et sur compagnies régulières à des prix compétitifs.

▲ **TAXISTOP**
Pour ttes les adresses Taxistop : ☎ 070-222-292. ● taxistop.be ●
– Bruxelles : rue Théresienne, 7a, 1000.
– Gent : Maria Hendrikaplein, 65, 9000.
– Ottignies : bd Martin, 27, 1340.
Taxistop propose un système de covoiturage, ainsi que d'autres services comme l'échange de maisons ou le gardiennage.

▲ **TUI**
● tui.be ●
– Nombreuses agences dans le pays dont Bruxelles, Charleroi, Liège, Mons, Namur, Waterloo, Wavre et au Luxembourg.
Voir texte dans la partie « En France ».

▲ **VOYAGEURS DU MONDE**
Le spécialiste du voyage individuel sur mesure. ● voyageursdumonde.com ●
– Bruxelles : chaussée de Charleroi, 23, 1060. ☎ 02-543-95-50.
Voir texte dans la partie « En France ».

En Suisse

▲ **STA TRAVEL**
Rens et résas : ☎ 058-450-49-49. ● statravel.ch ●
– Fribourg : rue de Lausanne, 24, 1701. ☎ 058-450-49-80.
– Genève : rue Pierre Fatio, 19, 1204. ☎ 058-450-48-00.
– Genève : rue Vignier, 3, 1205. ☎ 058-450-48-30.
– Lausanne : bd de Grancy, 20, 1006. ☎ 058-450-48-50.
– Lausanne : à l'université, Anthropole, 1015. ☎ 058-450-49-20.
Agences spécialisées notamment dans les voyages pour jeunes et étudiants. 150 bureaux STA et plus de 700 agents du même groupe répartis dans le monde entier sont là pour donner un coup de main *(Travel Help).*
STA propose des tarifs avantageux : vols secs *(Blue Ticket),* hôtels, écoles de langues, *work & travel,* circuits d'aventure, voitures de location, etc. Délivre la carte internationale d'étudiant et la carte Jeune.

▲ **TUI**
● tui.ch ●
– Genève : rue Chantepoulet, 25, 1201. ☎ 022-716-15-70.
– Lausanne : bd de Grancy, 19, 1006. ☎ 021-616-88-91.
Voir texte dans la partie « En France ».

Au Québec

▲ TOURS CHANTECLERC

● *tourschanteclerc.com* ●

Tours Chanteclerc est un tour-opérateur qui publie différentes brochures de voyages : Europe, Amérique du Nord, Amérique du Sud, Asie et Pacifique Sud, Afrique et le Bassin méditerranéen en circuits ou en séjours. Il s'adresse aux voyageurs indépendants qui réservent un billet d'avion, un hébergement (dans toute l'Europe), des excursions ou une location de voiture. Également spécialiste de Paris, le tour-opérateur offre une vaste sélection d'hôtels et d'appartements dans la capitale française.

ÉTATS-UNIS NORD-EST UTILE

ABC des États-Unis

- ❑ ***Superficie :*** 9 363 123 km² (17 fois la France).
- ❑ ***Population :*** 319 millions d'habitants.
- ❑ ***Capitale :*** Washington D.C.
- ❑ ***Langue officielle :*** l'anglais (américain).
- ❑ ***Monnaie :*** le dollar américain (US$).
- ❑ ***Chef de l'État :*** Donald Trump (républicain, élu le 8 novembre 2016), qui succède à Barack Obama.
- ❑ ***Nature de l'État :*** république fédérale (50 États et le District of Columbia).
- ❑ ***Régime :*** démocratie présidentielle.

AVANT LE DÉPART

Adresses utiles

En France

i *Office de tourisme des USA (c/o Visit USA Committee) :* ☎ *0899-702-470 (3 € l'appel).* • *office-tourisme-usa.com* • *Fermé au public, mais rens sur le site internet et par tél.* Bureau d'informations privé donnant accès à de nombreuses infos sur la plupart des États, les conditions d'entrée aux États-Unis et l'ESTA (autorisation de voyage), ainsi que des dossiers thématiques...

i *Office de tourisme du Massachusetts (Express Conseil) :* ☎ *01-44-77-88-06.* • *visitmass.fr* • *En sem 9h-18h (17h ven). Fermé au public.* Envoi de brochures à domicile sur demande.

■ ***Ambassade des États-Unis, section consulaire :*** *2, av. Gabriel, 75008 Paris.* ☎ *01-43-12-22-22.* Ⓜ *Concorde. Rens sur les formalités d'entrée dans le pays :* • *fr.usembassy.gov* •*, puis cliquer sur « Visas ».*

En Belgique

■ ***Visit USA Tourism Center ASBL :*** • *visitusa.org* • Bureau d'informations privé. Demandes de renseignements par mail seulement. Pas d'envoi de doc par courrier.

■ ***Ambassade des États-Unis :*** *bd du Régent, 27, Bruxelles 1000.* ☎ *02-811-4000.* • *french.belgium.usembassy.gov* •

En Suisse

■ ***Ambassade des États-Unis :*** *Sulgeneckstrasse, 19, 3007 Berne.* ☎ *031-357-70-11.* • *bern.usembassy.gov* •

Au Canada

■ ***Consulat général des États-Unis :*** *1155, rue Saint-Alexandre, Montréal, Québec H3B 1Z1.* ☎ *514-398-9695 (serveur vocal).* • *ca.usembassy.gov/fr* •

■ ***Consulat général des États-Unis :*** *2, rue de la Terrasse-Dufferin, Québec G1R 4T9.* ☎ *418-692-2095 (serveur vocal).* • *ca.usembassy.gov/fr* •

Formalités d'entrée

ATTENTION : les mesures de sécurité concernant les formalités d'entrée sur le sol américain n'ont cessé de se renforcer depuis le 11 septembre 2001. ***Avant d'entreprendre votre voyage, consultez impérativement le site de l'ambassade***

des États-Unis, très détaillé et constamment remis à jour, pour vous tenir au courant des toutes dernières mesures : ● fr.usembassy.gov ●, rubrique « Visas ».

– ***Passeport biométrique ou électronique en cours de validité.*** Les ***enfants*** de tous âges doivent impérativement posséder leur propre passeport, bébés inclus.

– Les voyageurs (enfants compris) doivent aussi être en possession d'une ***autorisation électronique de voyage ESTA,*** à remplir obligatoirement en ligne sur le site internet officiel (● https://esta.cbp.dhs.gov ●) avant d'embarquer pour les États-Unis, que ce soit par voie aérienne ou maritime. ***Coût : 14 $ pour une validité de 2 ans (sauf si le passeport expire avant). Méfiez-vous des sites clandestins d'ESTA (sur lesquels on tombe malheureusement très facilement en « googlisant » le mot ESTA) qui sont, eux, beaucoup plus chers.*** La demande ESTA doit être faite au moins 72h avant le départ, le plus tôt étant le mieux. Lors de la saisie en ligne, c'est le numéro officiel du passeport à 9 caractères qui doit être inscrit. Les femmes mariées doivent se faire enregistrer sous leur nom complet (noms de jeune fille et d'épouse).

– Obligation de présenter un ***billet d'avion aller-retour*** ou un billet attestant le projet de quitter les États-Unis. Lors du passage de l'immigration, on prendra vos empreintes digitales et une photo.

– ***Le visa*** n'est pas nécessaire pour les ***Français*** qui se rendent aux États-Unis pour tourisme. Cependant, le séjour ne doit pas dépasser 90 jours et n'est pas prolongeable. **ATTENTION :** le ***visa*** reste ***indispensable*** pour les diplomates, les stagiaires, les jeunes filles et garçons au pair, les journalistes en mission.

– Les conditions d'admission pour les ***Belges*** et les ***Suisses*** sont similaires à celles des Français. Quant aux ***Canadiens,*** ils doivent être munis d'un passeport valide.

– Si vous rentrez ***aux États-Unis depuis le Mexique ou le Canada par voie terrestre,*** les conditions restent les mêmes, à cela près qu'il n'est pas, pour l'heure, nécessaire de faire de demande ESTA, et qu'une taxe de 6 $, payable en espèces, vous sera demandée.

> Pensez à scanner passeport, visa, cartes bancaires, billets d'avion et *vouchers* d'hôtel. Ensuite, adressez-les-vous par e-mail, en pièces jointes. En cas de perte ou de vol, rien de plus facile pour les récupérer. Les démarches administratives en seront bien plus rapides.

– Pas de ***vaccination*** obligatoire (lire la rubrique « Santé » plus loin).

– ***Pour conduire sur le sol américain,*** le ***permis de conduire national*** suffit.

– ***Interdiction d'importer des denrées périssables non stérilisées*** (charcuterie, fromage, biscuits...) ***et des végétaux.*** Seules les conserves sont tolérées et une bouteille d'alcool (ou 2 de vin) par personne est autorisée (le tout en soute).

– Pensez à ***recharger vos appareils électriques*** (smartphones, tablettes, ordinateurs portables...) avant de prendre l'avion, car sur tous les vols allant ou passant par les États-Unis et Londres, les agents de contrôle doivent pouvoir les allumer. Par précaution, gardez votre chargeur à portée de main. Si votre appareil est déchargé ou défectueux, il sera confisqué.

– ***Évitez de verrouiller vos valises*** de soute, sous peine de retrouver leurs serrures forcées par les services de sécurité qui les fouillent régulièrement. Il existe des cadenas et des bagages agréés *TSA,* qui permettent à la *Transportation Security Administration* de les ouvrir sans les endommager.

– Vous aurez à remplir une ***déclaration de douane*** par famille. Ce document est généralement distribué dans l'avion.

– Gardez sur vous l'***adresse de votre premier hébergement ;*** celle-ci vous sera demandée.

Assurances voyage

■ ***Routard Assurance*** *(c/o AVI International) : 40-44, rue Washington, 75008 Paris.* ☎ *01-44-63-51-00.* ● *avi-international.com* ● Ⓜ *George-V.*

Depuis 20 ans, *Routard Assurance,* en collaboration avec *AVI International,* spécialiste de l'assurance voyage, propose aux voyageurs un contrat d'assurance complet à la semaine qui inclut le rapatriement, l'hospitalisation, les frais médicaux, le retour anticipé et les bagages. Ce contrat se décline en différentes formules : individuel, senior, famille, light et annulation. Pour les séjours longs (2 mois à 1 an), consultez le site. L'inscription se fait en ligne et vous recevrez, dès la souscription, tous vos documents d'assurance par e-mail.

■ ***AVA :*** *25, rue de Maubeuge, 75009 Paris. ☎ 01-53-20-44-28. • ava.fr • Ⓜ Cadet.* Un autre courtier fiable pour ceux qui souhaitent s'assurer en cas de décès-invalidité-accident lors d'un voyage à l'étranger, mais surtout pour bénéficier d'une assistance rapatriement, perte de bagages et annulation. Attention, franchises pour leurs contrats d'assurance voyage.

■ ***Pixel Assur :*** *18, rue des Plantes, BP35, 78610 Maisons-Laffitte. ☎ 01-39-62-28-63. • pixel-assur.com • RER A : Maisons-Laffitte.* Assurance de matériel photo et vidéo tous risques (casse, vol, immersion) dans le monde entier. Devis en ligne basé sur le prix d'achat de votre matériel. Avantage : garantie à l'année.

ARGENT, BANQUES, CHANGE

La monnaie américaine

En 2017, le dollar ($) était à parité quasi égale avec l'euro (€) : 1 $ = env 0,95 €.

– ***Les pièces :*** 1 cent *(penny),* 5 cents *(nickel),* 10 cents (*dime,* plus petite que la pièce de 5 cents), 25 cents *(quarter)* et 1 dollar (beaucoup moins courante que le billet équivalent). Avis aux numismates, les *quarters* font l'objet de séries spéciales.

– ***Les billets :*** sur chaque billet ou presque, le visage d'une figure politique des États-Unis. Il en existe de 1 $ (Washington), 5 $ (Lincoln), 10 $ (Hamilton, secrétaire du Trésor et non président), 20 $ (l'abolitionniste et ancienne esclave Harriet Tubman, première femme et personnalité noire à figurer sur un billet de banque américain, remplace depuis 2016 le controversé président Jackson), 50 $ (Grant) et 100 $ (Franklin).

Pour l'anecdote, en argot, un dollar se dit souvent *a buck.* L'origine de ce mot remonte au temps des trappeurs, lorsqu'ils échangeaient leurs peaux de daim *(bucks)* contre des dollars.

Les banques

Les banques sont ouvertes en semaine de 9h à 15h ou 17h, et parfois le samedi matin.

Argent liquide et change

Avertissement

Si vous comptez effectuer des retraits d'argent aux distributeurs, il est **très vivement conseillé** d'avertir votre banque avant votre départ (pays visités et dates). En effet, **votre carte peut être bloquée dès le premier retrait** pour suspicion de fraude. C'est de plus en plus fréquent. Bonjour les tracasseries administratives pour faire rentrer les choses dans l'ordre, et on se retrouve vite dans l'embarras ! Vous pouvez aussi **relever votre plafond de carte** pendant votre déplacement. Utile surtout pour la caution des locations de voitures et les garanties dans les hôtels.

Pour un retrait, utilisez de préférence les **distributeurs attenants à une agence bancaire.** En cas de pépin avec votre carte (carte avalée, erreur de code secret...), vous aurez un interlocuteur dans l'agence, pendant les heures ouvrables.

– Pour les petites dépenses, le plus simple est ***d'emporter quelques dollars changés en Europe (ça peut dépanner), et de retirer sur place du liquide, avec une carte bancaire.*** On trouve des ***distributeurs automatiques*** de billets partout (appelés *ATM,* pour *Automated Teller Machine,* ou *cash machines*). Cela dit, évitez absolument de retirer de petites sommes à tout bout de champ car une commission fixe (2-3 $) est prélevée à chaque transaction en plus de celle appliquée par votre banque ; elle est souvent plus élevée dans les ATM situés dans les petits commerces, boutiques et hôtels où les retraits sont souvent limités à 100-200 $.
– Enfin, en dernier ressort, si vous devez quand même ***changer de l'argent,*** adressez-vous aux petits bureaux de change en ville. Ceux des aéroports appliquent des commissions élevées et des taux très défavorables.

Les cartes de paiement

Aux États-Unis, on parle de *plastic money,* ou *plastic* tout court. ***C'est le moyen le plus simple et à priori le plus économique de payer :*** le taux est meilleur que si vous achetiez des dollars avant le départ, ou que vous en changiez sur place. De plus, les paiements par carte évitent la banqueroute en cas de plafond de retrait déjà atteint ou pas relevé avant le départ. ***Gardez toujours votre passeport*** *(ID en anglais, prononcer « aïdi »)* ***sur vous,*** il est parfois demandé. Les cartes les plus répandues sont la *MasterCard,* la *Visa* et, bien sûr, l'*American Express,* pratique car appliquant des commissions très faibles.
Aux États-Unis, ***une carte de paiement est un outil indispensable, pour ne pas dire obligatoire,*** ne serait-ce que pour louer une voiture ou réserver une chambre d'hôtel. Même si vous avez tout réglé avant le départ par l'intermédiaire d'une agence, on prendra systématiquement l'empreinte de votre carte, au cas où vous auriez l'idée saugrenue de partir sans payer les prestations supplémentaires *(incidentals)* genre parking, petit déj, téléphone, minibar...
Les Américains paient tout en carte, même pour 5 $, les commerces n'imposant généralement pas de montant minimum, sauf les petites épiceries isolées dans des trous perdus ! Dans les drugstores ou supermarchés, dès que vous présenterez une carte de paiement, on vous posera systématiquement la question : ***« Debit or credit ? ».*** Si vous n'avez pas de compte aux États-Unis, la réponse est « Credit ».
Depuis 2016, les ***cartes à puce*** (« *chip cards* ») sont entrées en vigueur aux États-Unis, on compose donc le code pour chaque transaction au lieu de signer comme dans le temps. Et dans de plus en plus de lieux, les additions se font sur iPad, avec facture envoyée par e-mail (insistez si vous voulez un reçu imprimé).
– ***En cas de perte ou vol :*** quelle que soit la carte que vous possédez, chaque banque gère elle-même le processus d'opposition et le numéro de téléphone correspondant.

Avant de partir, notez donc bien le ***numéro d'opposition propre à votre banque*** en France (il figure souvent au dos des tickets de retrait sur votre contrat ou à côté des distributeurs de billets), ainsi que le numéro à 16 chiffres de votre carte. Bien entendu, conservez ces informations en lieu sûr et séparément de votre carte.

Par ailleurs, l'assistance médicale se limite aux 90 premiers jours du voyage et l'assistance véhicule aux cartes haut de gamme (renseignez-vous auprès de votre banque).
N'oubliez pas non plus de vérifier la date d'expiration de votre carte bancaire !

– **Carte Bleue Visa :** *numéro d'urgence (Europ Assistance) : ☎ (00-33) 1-41-85-85-85 (24h/24). • visa.fr •*
– **Carte MasterCard :** *numéro d'urgence : ☎ (00-33) 1-45-16-65-65. • mastercardfrance.com •*
– **Carte American Express :** *numéro d'urgence : ☎ (00-33) 1-47-77-72-00. • americanexpress.fr •*

Dépannage d'urgence

En cas de ***besoin urgent d'argent liquide*** (perte ou vol de billets, chèques de voyage, carte de paiement), vous pouvez être dépanné en quelques minutes grâce au système ***Western Union Money Transfer.***
– *Aux États-Unis : ☎ 1-800-325-6000.*
– *En France : ☎ 0800-900-191.* Possibilité d'effectuer un transfert en ligne via *• westernunion.com •* L'argent vous est transféré en 10-15 mn aux États-Unis. Avec le décalage horaire, il faut que l'agence soit ouverte de l'autre côté de l'Atlantique, mais certaines le sont même la nuit. La commission, assez élevée, est payée par l'expéditeur.

ACHATS

Certains achats restent assez intéressants aux États-Unis, et ce malgré un taux de change parfois moins favorable. Attention toutefois : ***les prix sont toujours affichés hors taxe d'État*** (ajouter 5 à 10 % sauf dans certains États exemptés de taxe, comme le Massachusetts et la Pennsylvanie). Voici donc quelques idées d'articles à rapporter dans vos bagages :
– Les ***boutiques de musées*** (particulièrement spectaculaires à Washington, Chicago, Philadelphie et Boston) regorgent de gadgets, objets design, livres, catalogues, vêtements, accessoires, bijoux... à la fois originaux et de très belle qualité.
– ***De la « bouffe » typiquement américaine :*** des friandises en tout genre (*M&M's* introuvables en France), des chewing-gums à la cannelle, à la violette et autres parfums insolites, des mélanges d'amandes et autres graines pour l'apéro, des épices pour BBQ, pléthore de produits bio et encore plein d'idées à glaner dans les rayons des supermarchés.
– ***Les jeans,*** bien sûr. Les modèles *Levi's* coûtent bien moins cher qu'en France (facilement moitié prix, voire le tiers en cas d'opération promotionnelle), même si vous les achetez dans les *Levi's Stores* officiels. Attention toutefois, il n'est pas toujours facile de retrouver aux

D'OÙ VIENT LE DOLLAR ?

Le dollar vient... de Bohême. Au XVIe s, le thaler *d'argent, né dans la vallée* (thal) *de Saint-Joachim, devint la monnaie de référence des échanges commerciaux en Europe centrale. Il se répandit en Espagne grâce aux Habsbourg, puis gagna les colonies d'Amérique du Sud. Là-bas, on prononçait* tolar, *puis* dólar. *L'importance de cette devise était telle qu'on l'utilisait jusqu'aux États-Unis. Sur les pièces espagnoles, un logo en forme de « S » s'enroulait autour de deux piliers verticaux symbolisant les colonnes d'Hercule... C'est là que le sigle $ trouve son origine.*

L'INVENTION DU CHEWING-GUM

Les Mayas avaient déjà l'habitude de mâcher la sève du sapotier, appelée « chicle ». En 1869, un général mexicain se réfugia aux États-Unis en emportant 250 kg de chicle. Son but était de remplacer le caoutchouc. Sans succès. Un Américain, Adams, imagina alors de le mélanger à du sirop sucré et en fit de la pâte à mâcher.

États-Unis un modèle repéré chez nous (hormis les classiques *501, 511, 514, Boot Cut*), car les numéros de référence ne sont pas les mêmes qu'en Europe et les tailles changent pour quasiment chaque modèle.

– ***Le prêt-à-porter décontracté,*** particulièrement les tee-shirts colorés et graphiques (choix incroyable), les sweats à capuche *(hoodies)* et les baskets (on dit *sneakers*), notamment les *New Balance*, *Converse* et compagnie. Quelques marques pas trop chères et « jeunes », que l'on retrouve à peu près dans tous les *malls* : *American Eagle Outfitters, Aeropostale, Old Navy* (la gamme la moins chère de la maison Gap), *Urban Outfitters* (marque de streetwear branchée tendance hipster rock, créée à Philadelphie en 1970)... Plus classe (et cher), mais coloré dans un style un peu vintage : *J. Crew,* la marque fétiche de Michelle Obama, ainsi que sa déclinaison plus jeune mais pas moins chère, *Madewell.* Dans un style très américain tendance néo-Far West, *Lucky Brand.* Et aussi *Anthropologie* (la grande sœur d'Urban Outfitters), très original dans le style rétro-hippie chic (pour femmes seulement, avec des boutiques au décor *arty*) mais pas donné. Guettez les sections *clearance* (fins de série), elles valent vraiment le coup ; elles sont généralement un peu planquées, au fond ou au sous-sol. Les ***vêtements pour enfants*** sont également intéressants, à condition d'aimer les couleurs flashy.

– ***Les chaussures et vêtements de sport et de loisirs*** (yoga, Pilates, notamment). Les magasins *REI* sont un peu La Mecque de l'*outdoor,* avec un choix incroyable de matériel pour toutes les activités possibles et imaginables.

– ***Les produits de beauté*** (cosmétiques, maquillage), genre *L'Oréal, Maybelline* ou *Neutrogena,* coûtent moitié moins cher qu'en France. On les trouve dans les drugstores type *Walgreens, Duane Reade, CVS* ou *Rite Aid.* Les grandes marques américaines comme *Clinique* et *Kiehl's* sont également un peu plus intéressantes.

– ***Les produits dérivés :*** vous noterez bien vite cette pratique typiquement américaine. Pas une auberge de jeunesse qui ne vende un tee-shirt à son logo, pas un resto, un *coffee shop* ou un bar qui n'en fasse de même, sans oublier la fabrication en série du joli *mug* maison ou du *tote bag* pour faire son shopping...

– ***Les appareils photo, caméras*** (et surtout leurs accessoires), les ***iPod, iPhone et iPad*** (garantie internationale comprise chez Apple) ; en revanche pour les ordis, oubliez, les claviers ne sont pas les mêmes. Néanmoins, méfiez-vous des boutiques des quartiers touristiques, car derrière l'affaire en or se cache très souvent une arnaque en béton armé. Si vous devez acheter des ***appareils électroniques,*** assurez-vous qu'ils peuvent fonctionner en France (fréquence et norme de lecture, notamment).

HAMILTON FOREVER

Les montres Hamilton sont mythiques aux États-Unis. Créée en 1892, la marque cessa, pendant la Seconde Guerre mondiale, la vente aux particuliers pour ne fabriquer que pour les soldats. La légende était née. Depuis, elle apparaît au poignet de la majorité des acteurs américains, dans plus de 300 films. Le jour de son assassinat, Kennedy portait le modèle Linwood Viewmatic.

Acheter moins cher

Au moment des ***soldes*** *(sales),* notamment en janvier et l'été, les réductions sont parfois faramineuses. Très bon plan : les ***factory outlets*** sont d'énormes centres commerciaux situés généralement à la périphérie des villes, accessibles depuis les autoroutes. Ces *outlets* regroupent les ***magasins d'usine des grandes marques*** américaines de vêtements et chaussures : *Ralph Lauren, Timberland, Converse, Reebok, Nike, Gap, Levi's, J. Crew, Tommy Hilfiger, Brooks Brothers, OshKosh* (pour les petits), etc. Les articles sont souvent écoulés toute l'année à des prix défiant toute concurrence (parfois jusqu'à 75 % de réduction en période de soldes !) et proviennent des stocks des collections précédentes. Ils présentent parfois des défauts mais mineurs (mention *irregular* sur l'étiquette). Nous indiquons quelques adresses de ces véritables « temples des soldes », où les Américains passent volontiers l'après-midi en famille. Une riche expérience sociologique !

Guide des tailles

Les tailles américaines, que ce soit pour les vêtements, les chaussures et même la lingerie, n'ont rien à voir avec nos références à nous. Voici donc un petit tableau d'équivalences pour vous aider à vous y retrouver.

FEMME

Pantalon/Jupe/Robe

France	USA	
34	2	XS
36	4	S
38	6	
40	8	M
42	10	
43	11	
44	12	L
46	14	
48	16	XL

Chemisier/Top

France	USA	
34	2	XS
36	4	S
38	6	M
40	8	L
42	10	XL
44	12	XXL
46	14	
48	16	

Chaussures

France	USA	France	USA
35	4	39	7,5
35,5	4,5	39,5	7,5
36	5	40	8
36,5	5,5	40,5	8,5
37	5,5	41	9
37,5	6	41,5	9,5
38	6,5	42	9,5
38,5	7		

Soutien-gorge

France	USA	France	USA
85A	32A	**95B**	36B
85B	32B	**95C**	36C
85C	32C	**95D**	36D
85D	32D	**95E**	36DD
90A	34A	**95F**	36E
90B	34B	**100A**	38A
90C	34C	**100B**	38B
90D	34D	**100C**	38C
90E	34DD	**100D**	38D
90F	34E	**100E**	38DD
95A	36A	**100F**	38E

HOMME

Pantalon

France	USA	
34	24	XS
36	26	
37	27	S
38	28	
40	30	M
42	32	
43	33	L
44	34	
46	36	XL
48	38	
49	39	XXL

Chemise

France	USA	
36	26	XS
38	28	
40	30	S
42	32	
44	34	
46	36	M
48	38	
50	40	L
52	42	
54	44	XL

Chaussures

France	USA
39	6
39,5	6,5
40	7
40,5	7,5
41	8
41,5	8
42	8,5
42,5	9
43	9,5
43,5	9,5
44	10

BUDGET

Sachant que le revenu moyen disponible ajusté net des ménages par habitant est de 41 071 $ aux États-Unis contre 29 759 $ en France, 28 307 $ en Belgique, 30 474 $ au Canada et 35 952 $ en Suisse, vous comprendrez que le coût de la vie y est globalement nettement supérieur à chez nous, phénomène encore plus marqué dans les villes riches évoquées dans ce guide. Disons les choses clairement : un voyage aux États-Unis revient assez cher, même si certains produits, comme l'essence, restent bon marché. Heureusement que le *Routard* sélectionne des adresses plutôt abordables !

Les prix affichés (dans les restos, hôtels, boutiques...) s'entendent toujours SANS LA TAXE, qui varie de 10 à 15 % dans l'hôtellerie et entre 5 et 10 % dans les autres secteurs (restauration, magasins... sauf musées). Dans les restos, il faudra ajouter le pourboire (voir plus loin).

Les moyens de locomotion

Dans toutes les grandes villes décrites dans ce guide, ***la voiture est déconseillée dans le centre*** (difficultés pour circuler et se garer, parkings hors de prix, amendes très vite arrivées). Vous économiserez temps, argent et énervement en emportant de bonnes chaussures (!), en optant pour les transports publics, et en ne louant un véhicule que pour visiter les quartiers excentrés ou circuler dans la région.

Le logement

C'est un des postes qui plomberont votre budget, même si les prix varient énormément selon le taux de remplissage. Nous indiquons les *tarifs pour deux personnes,* exception faite des AJ (prix par personne) et des campings (prix par emplacement). *Les tarifs sont généralement mentionnés hors taxes,* il faut donc toujours ajouter de 10 à 15 % !

Le plus économique, ce sont les ***AJ*** *(hostels).* Un lit en dortoir coûte minimum 30 $ (parfois 50 $ dans les grandes villes) la nuit par personne en saison et une chambre privée double (avec salle de bains partagée) autour de 70-80 $ (jusqu'à 100-150 $, à Boston, Washington ou Chicago). Ensuite, dans les ***motels*** ou les ***petits hôtels,*** compter un minimum de 100 $ pour une chambre double. Enfin, pour une nuit dans un ***hôtel*** ou un ***B & B,*** il faudra prévoir au moins entre 150 et 250 $. ***Important :*** ceux qui voyagent à plusieurs seront ravis d'apprendre que ***les chambres à 2 lits peuvent accueillir jusqu'à 4 personnes,*** et ne sont généralement pas beaucoup plus chères que pour 2 personnes (5 à 10 $/pers en plus).

Les prix varient selon le confort (différents types de chambres, 1 ou 2 lit(s) double(s), vue, etc.) et ***surtout en fonction de la saison et du taux de remplissage, qui diffèrent selon les endroits.*** Si dans le Nord-Est la ***haute saison*** débute globalement en mai pour s'achever en septembre, une ville comme Washington est moins chère en juillet-août ou le week-end qu'en septembre-octobre. Et pour peu qu'il y ait un événement local (festival ou congrès) entraînant une forte affluence, les prix explosent, alors qu'en ***basse saison*** (janvier-février en général), les tarifs diminuent parfois de moitié.

Voici nos ***fourchettes de prix,*** valables grosso modo pour l'ensemble du guide, sachant que l'hébergement est plus onéreux dans certaines grandes villes (principalement Boston, Chicago, Philadelphie) ou les régions de Cape Cod et Cape Ann, et sont donc soumis à de fortes variations saisonnières.

- ***Bon marché :*** moins de 80 $.
- ***Prix moyens :*** 80-140 $.
- ***Chic :*** 140-200 $.
- ***Très chic :*** 200-350 $.
- ***Coup de folie :*** 350 $ et plus.

Le ***petit déj continental*** (léger, donc) est ***de plus en plus souvent inclus*** dans le prix de la chambre. Il s'agit cependant généralement d'un petit déj servi dans le lobby de l'hôtel ou du motel, avec café jus de chaussette, muffins ou gâteaux sous plastique et, parfois, des céréales. Si ce n'est pas le cas, compter 10-20 $ pour le prendre à l'extérieur. Très pratiques, les cafetières dans les chambres d'hôtel permettent de se bricoler un breakfast économique, avec quelques cookies ou muffins achetés au supermarché (yaourt et jus de fruits s'il y a en plus un minifrigo).
Le ***parking*** est souvent payant dans les grandes villes. Compter 15 $ minimum pour 24h, mais ça peut aller jusqu'à 45-55 $ dans certains hôtels très chic et en plein centre.

Les restos

On peut toujours manger pour pas cher aux États-Unis, mais ce pas cher rime rarement avec nourriture saine ! Dès lors que vous souhaitez manger des mets un peu plus fins et plus équilibrés, les additions tendent à grimper vite, surtout le soir. C'est pourquoi on essaie généralement d'indiquer, tout au long du guide, les prix du midi (cuisine plus simple et légère) et ceux du dîner (plus travaillé et copieux), qui peuvent varier du simple au double. Les fourchettes suivantes correspondent à un simple plat, généralement assez copieux pour pouvoir se passer d'autre chose, sauf dans les restos un peu chic où les quantités sont plus légères. ***Ne pas oublier d'ajouter la taxe et le pourboire*** (voir rubrique « Taxes et pourboires »), donc 25-30 % en plus...
- ***Bon marché :*** moins de 15 $.
- ***Prix moyens :*** 15-25 $.
- ***Chic :*** 25-35 $.
- ***Très chic :*** plus de 35 $.

Les musées

Hormis à Washington (où la plupart des musées sont gratuits), prévoir un budget culture important. Compter facilement 15 $ l'entrée, voire 20-25 $ dans les plus grands musées d'art, comme la Fondation Barnes, le Philadelphia Museum of Fine Arts, l'Art Institute de Chicago ou le Museum of Fine Arts de Boston. À noter que les *seniors* (plus de 65 ans) bénéficient très souvent d'une réduction.

CLIMAT

Gare à ne pas se faire avoir par la rigueur des hivers. On n'est pas loin du Canada, après tout (à l'échelle du continent, entendons-nous bien) ! Chicago, surnommée « Windy City » (la ville des vents), voit le lac du Michigan geler partiellement chaque hiver, et les chutes du Niagara gelées sont un spectacle à ne pas manquer. Boston et Washington passent une partie de l'hiver sous la neige. Quant aux étés, ils sont chauds, voire très chauds (la chaleur doublée de l'humidité de Washington vous rappellera qu'il s'agit d'un climat subtropical humide !), et ils se prolongent parfois par un bel été indien.

UN BONUS POUR CELSIUS

En 1724, le physicien allemand Gabriel Fahrenheit créa une échelle de température qui voit l'eau geler à 32 °F et bouillir à 212 °F. Pas bien pratique. Précisons que Fahrenheit prit comme 0 la température la plus basse de sa ville de... Dantzig (l'actuelle Gdansk polonaise) durant le mémorable hiver 1708-1709 et comme point haut celle du sang de cheval ! À se demander pourquoi les Américains, pourtant si pragmatiques, utilisent encore cette échelle de fou... En 1742, le Suédois Celsius remporta la mise en étalonnant ces 2 phénomènes physiques universels sur des chiffres ronds : quand l'eau gèle, il fera 0 °C, quand elle bout ce sera 100 °C. Personne n'a trouvé mieux !

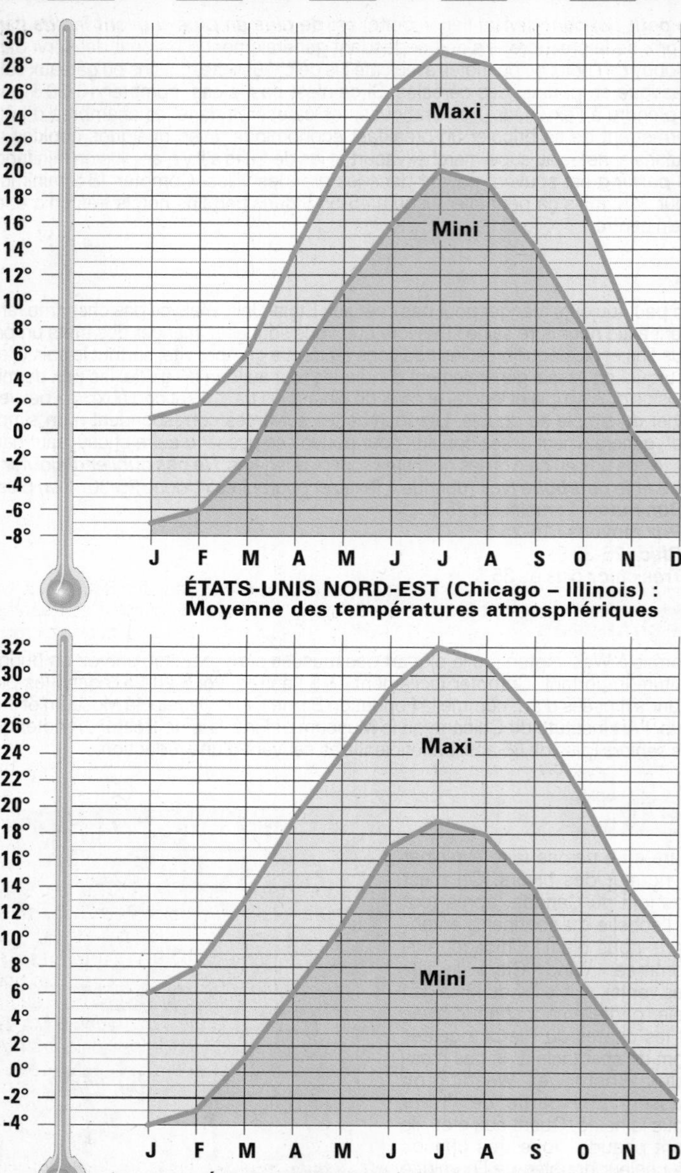

ÉTATS-UNIS NORD-EST (Chicago – Illinois) :
Moyenne des températures atmosphériques

ÉTATS-UNIS NORD-EST (Washington) :
Moyenne des températures atmosphériques

– ***Infos sur la météo :*** ● *weather.com* ● C'est le site de la chaîne *The TV Weather Channel,* que l'on capte dans tous les hôtels.

Tableau d'équivalences

Fahrenheit	Celsius	Fahrenheit	Celsius
108	**42,2**	52	**11,1**
104	**40**	48	**8,9**
100	**37,8**	44	**6,7**
96	**35,6**	40	**4,4**
92	**33,3**	36	**2,2**
88	**31,1**	32	**0**
84	**28,9**	28	**- 2,2**
80	**26,7**	24	**- 4,4**
76	**24,4**	20	**- 6,7**
72	**22,2**	16	**- 8,9**
68	**20**	12	**- 11,1**
64	**17,8**	8	**- 13,3**
60	**15,6**	4	**- 15,6**
56	**13,3**	0	**- 17,8**

DANGERS ET ENQUIQUINEMENTS

Soyons clairs, il n'existe pas de réels dangers dans le nord-est des États-Unis. Les grandes villes traitées dans ce guide (Boston, Chicago, Philadelphie et Washington) sont *safe* dans l'ensemble. Si Chicago, par exemple, est une ville réputée pour sa violence, celle-ci concerne surtout des zones dans lesquelles vous n'avez que peu de raisons de traîner. Soyez vigilant à la nuit tombée dans certains quartiers, c'est tout, mais comme partout finalement. Globalement, si vous n'allez pas au-devant du danger, celui-ci ne viendra pas tout seul à vous. Autre mesure de bon sens : évitez de laisser des objets de valeur dans votre voiture.

– ***En cas de problème urgent : composez le*** ☎ ***911*** (gratuit de n'importe quel téléphone public ; inutile d'introduire des pièces).

DÉCALAGE HORAIRE

Les États-Unis continentaux comptent quatre fuseaux horaires (six avec l'Alaska et Hawaii). Toute la côte est se trouve sur le fuseau *Eastern time* : il y est ***6h de moins qu'en France.*** En revanche, l'Illinois (Chicago) est dans le fuseau *Central time,* il y est donc ***7h de moins qu'en France.*** L'heure d'été s'applique du 2e dimanche de mars au 1er dimanche de novembre – un poil plus tôt et plus tard que chez nous donc (dans ce court intervalle d'une semaine, le décalage n'est que de 5 ou 6h). Enfin, comme en Grande-Bretagne, quand on vous donne rendez-vous à 8.30 pm *(post meridiem),* cela veut dire à 20h30. À l'inverse, 8.30 am *(ante meridiem)* désigne le matin. Enfin, notez que 12 am c'est minuit et 12 pm midi... et pas l'inverse.

ÉLECTRICITÉ

Les fiches électriques américaines sont à deux broches plates. Vous aurez besoin d'un ***adaptateur*** pour recharger la batterie de votre appareil numérique, de votre ordi, tablette ou téléphone portable. En cas d'oubli, vous pourrez vous en procurer un dans les aéroports, à la réception de la plupart des hôtels ou dans une boutique d'électronique.

HÉBERGEMENT

Il existe plusieurs types d'hébergement, cela va du ***camping*** au ***palace historique*** en passant par l'***auberge de jeunesse,*** le ***Bed & Breakfast,*** le ***boutique-hôtel*** et, bien sûr, l'incontournable ***motel,*** si emblématique des *roadtrips* américains.
Il est fortement recommandé de réserver son logement le plus longtemps possible à l'avance, surtout pour un séjour en haute saison et le week-end toute l'année (évitez d'ailleurs si possible certaines dates particulièrement prisées, comme *Labor Day* : tout est complet partout !). Le plus simple est de le faire via le site internet officiel des établissements. On vous demandera systématiquement votre numéro de carte de paiement. Attention, si vous changez d'avis et n'annulez pas votre réservation au moins 1 ou 2 jours à l'avance, votre compte sera débité de la totalité. Rappelons qu'aux États-Unis, ***les prix varient selon le taux de remplissage,*** soit le système du *yield management*. Les différences peuvent donc être considérables d'un jour sur l'autre en fonction de la saison ou du calendrier des manifestations et des congrès dans les grandes villes.

Les auberges de jeunesse *(hostels)*

Il faut distinguer les auberges de jeunesse privées de celles affiliées à l'association internationale ***Hostelling International,*** dans lesquelles on paie généralement un supplément quand on ne possède pas la carte de membre. Les premières sont généralement plus petites, plus *roots* concernant les équipements, et plus olé olé dans leur fonctionnement ! Mais l'atmosphère y est aussi presque systématiquement plus festive que dans les secondes, où la déco neutre et les règlements plus stricts ont tendance à calmer les ardeurs des fêtards. Ce sont d'ailleurs les établissements préférés des groupes scolaires. D'un point de vue général, la plupart des auberges (tous types confondus) disposent d'une ***cuisine*** (plus ou moins bien équipée) et d'une salle commune avec TV (voire un billard et des jeux). L'hébergement se fait en dortoirs (mixtes ou non) ou en chambres privées qui peuvent accueillir 1 ou 2 lits, voire plus. Les sanitaires sont le plus souvent en commun. Les services ne coûtent pas cher : accès ***internet et wifi*** (presque toujours gratuits), laverie à pièces, et dans certains cas sorties ou excursions, etc. ***Aucune limite d'âge*** pour y séjourner.
Dans les grandes villes, les AJ restent ouvertes 24h/24, contrairement à bon nombre d'AJ rurales, qui ferment en fin de journée (vers 20h) et parfois entre 10h et 17h (pour entretien ou parce que le proprio a un autre job).

Les campings

On en trouve partout ou presque, des grands, des petits, des très beaux et bien aménagés, des spartiates. Les plus agréables sont situés en pleine nature, mais il y a aussi des campings urbains aux airs de parking où s'entassent les *RV* (camping-cars), laissant parfois très peu de place aux tentes. Il existe deux types de campings.

Les campings nationaux ou d'État (national *ou* state campgrounds*)*

On en trouve dans les *National Parks, National Monuments, National Recreation Areas, National Forests* et *State Parks.* Ces *campgrounds* sont généralement situés dans de beaux endroits préservés, ***en pleine nature.*** Ce sont les moins chers (emplacement env 15-40 $). Il y a toujours des toilettes et des lavabos mais pas nécessairement de douches ni d'électricité.
– ***Réservations pour camper dans les parcs nationaux ou d'État :***
➢ *Sur Internet :* ● *recreation.gov* ● C'est le plus pratique, même s'il faut s'inscrire pour accéder au système. On paie par carte bancaire en ligne et on peut même choisir son emplacement, avec la localisation exacte dans le camping et les disponibilités affichées en temps réel !

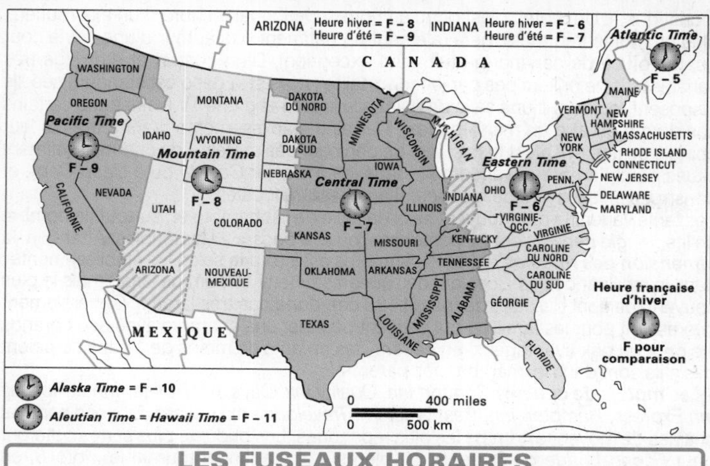

LES FUSEAUX HORAIRES

➢ Par téléphone : ☎ *1-877-444-6777 depuis les États-Unis ou, depuis l'étranger, 518-885-3639. Fonctionne 10h-minuit mars-oct, 10h-22h nov-fév heure de la côte est (6h de moins par rapport à la France). Paiement par CB.* Un numéro de réservation vous est attribué, à ne pas perdre puisque ce sera votre sésame une fois arrivé au parc.

Les campings privés

Globalement nettement moins bien situés, dans un environnement moins sauvage (certains sont même en zone urbaine, ce qui comporte toutefois des avantages), avec des emplacements plus entassés (question de rentabilité). En revanche, ils offrent souvent ***plus de commodités et de services*** : sanitaires complets, électricité, machines à laver, épicerie, ATM... Dans certains, il y a même une (ou plusieurs) piscine, un resto, une cuisine commune, le wifi et des bungalows en bois *(cabins)* ou des mobile homes à louer au même prix qu'une chambre dans un petit hôtel (le confort est cependant inégal : certains se contentent de sanitaires en commun, d'autres sont entièrement équipés). Bien sûr, ils sont aussi beaucoup ***plus chers que les campings d'État.*** Il existe des chaînes de camping comme *KOA (Kampgrounds of America),* qui édite une brochure (disponible dans tous ses campings) avec toutes les adresses dans les 50 États et leur positionnement précis sur une carte routière.

■ ***KOA (Kampgrounds of America) :*** ☎ *1-888-562-0000.* • *koa.com* • – Utile, le *Good Sam RV Travel Guide & Campground Directory* (• *goodsamcamping.com* •) recense les campings du pays. *KOA* propose également une carte d'abonnement *(Value Kard Rewards)* valable 1 an, qui coûte environ 27 $ et donne droit à 10 % de réduction.

Les motels et les hôtels

Le mot *motel* provient de la contraction de *motor* (moteur) et *hotel.* Logique, puisqu'ils sont conçus pour que l'on puisse se garer directement devant sa chambre. C'est ***le type d'établissement le plus répandu aux États-Unis, mais pas dans les grandes villes traitées dans ce guide*** (en tout cas, pas dans les centres

touristiques). Un motel, c'est donc un hôtel fonctionnel au bord d'un axe routier... plus ou moins fréquenté, généralement un bâtiment bas autour d'une vaste cour qui fait office de parking (gratuit, sauf exception). D'un confort et d'un âge très variables, ils ne brillent pas par leur originalité ; mais si la déco est standardisée, ils disposent toujours d'une salle de bains, de la clim et d'une TV (voire dans certains cas d'un frigo et d'un micro-ondes). Certains établissements tirent toutefois leur épingle du jeu, et il n'est plus si rare de dénicher des motels « de charme » joliment situés dans l'arrière-pays (comme dans le *Lancaster County* ou à *Cape Cod*), et construits en essayant de respecter l'architecture locale.
Les tarifs varient le plus souvent selon la taille de la chambre et, surtout, le nombre de lits : *single bed* = lit pour 2 personnes, ou *two beds* = 2 lits doubles. Attention, la ***dimension des matelas*** dans les chambres à 2 lits varie selon les établissements ; dans le meilleur des cas, ce sont des *queen size* (env 150 cm de large) mais le plus souvent, ce sont des *full size* (plutôt 135 cm, donc pas très larges). Généralement intéressant pour les familles, qui peuvent occuper une chambre avec deux grands lits pour un prix avantageux (en général, les enfants de moins de 17 ans ne paient pas s'ils sont dans la chambre des parents).
– ***Les motels de chaîne :*** *Comfort Inn, Quality Inn, Days Inn, Holiday Inn* et *Holiday Inn Express, Hampton Inn, Best Western, Travelodge* et *Howard Johnson* sont les chaînes de moyenne gamme les plus répandues. Les budgets plus serrés opteront pour *Econo-Lodge* ou Super 8. Et, bien sûr, il y a l'incontournable *Motel 6,* en général la moins chère des chaînes, dont un nombre croissant d'établissements ont été rénovés et offrent, désormais, des chambres très correctes pour le prix ! Les tarifs restent cependant très variables d'un établissement à l'autre.
– En ce qui concerne ***les grandes villes traitées dans ce guide,*** si vous souhaitez loger dans des quartiers sympas et à une distance raisonnable des sites à voir, vous ne trouverez guère, à quelques exceptions près, de motels à proprement parler. Reste alors les ***hostels*** (lire « Les auberges de jeunesse ») ou les ***hôtels.*** Précisons que des ***chaînes hôtelières*** comme Best Western et Holiday inn possèdent des motels et des hôtels. Or dans les quartiers centraux des grandes villes, le parking n'est pas inclus dans le prix. Dans les grandes villes, la mode est aujourd'hui aux *boutique hotels,* soit des adresses qui se veulent plus intimes (ce qui ne les empêchent pas, dans ce pays, d'avoir quelque 200 chambres !), avec une déco plus personnalisée, plus originale, volontiers thématique. Dans certaines villes (Washington, Chicago), la chaîne Kimpton est la spécialiste de ce type d'hôtels.

Quelques infos valables pour les hôtels et les motels

– ***Mieux vaut réserver à l'avance.***
– Dès la réservation sur Internet ou par téléphone, il vous faudra fournir ***un numéro de carte de paiement.*** À votre arrivée, le réceptionniste en prendra ***l'empreinte,*** même si vous avez déjà réglé, afin de payer les éventuels *incidentals* : frais de téléphone, minibar, *pay TV,* etc.
– Sauf exceptions (précisées), les prix que nous indiquons s'entendent sans la ***taxe*** de l'État (de 10 à 15 %), éventuellement augmentée des taxes du comté et de la municipalité.
– La plupart des hôtels proposent des chambres équipées de ***TV, clim, sanitaires complets, cafetière, micro-ondes*** et ***frigo. Wifi*** presque toujours disponible gratuitement (avec plus ou moins de réseau) mais les ordis à disposition des clients à la réception ont tendance à disparaître.
– ***De plus en plus d'hôtels proposent aussi un petit déjeuner continental.*** Souvent, on doit se contenter de café, thé et muffins à prendre debout dans le *lobby,* parfois un buffet, avec céréales, yaourts, fruits, gaufres (à faire soi-même) et même des œufs et du bacon. Si le petit déj n'est pas compris, allez plutôt le prendre à l'extérieur, les restos dédiés à cela ne manquent pas. En dehors de nos adresses « Spécial petit déjeuner », on trouve des *diners* (restos traditionnels américains) ou des *coffee shops* un peu partout. En plus du petit déj, certains hôtels

chic incluent dans le prix de la chambre une ***social hour.*** Bien belle invention, qui consiste à offrir au client un drink (verre de vin en général ou bière avec un petit en-cas), vers 17-18h.
– Les hôtels et motels proposant des chambres ***fumeurs*** sont de plus en plus rares. Si vous ne respectez pas la consigne *« no smoking »,* comptez 200 ou 250 $ d'amende, qui sera automatiquement débitée sur votre carte de crédit en cas d'infraction !
– Si les appels locaux sont souvent gratuits, ***téléphoner longue distance depuis une chambre d'hôtel coûte horriblement cher*** (voir plus loin « Téléphone et télécommunications »).

Lexique de l'hébergement américain
– *Double :* chambre double avec lit d'environ 1,40 m de large.
– *Queen :* double avec lit d'environ 1,50 m de large.
– *King :* double avec lit d'environ 2 m de large.
– *Two double beds :* chambre avec deux lits d'environ 1,40 m pouvant loger quatre personnes.
– *Deluxe :* chambre un peu plus spacieuse en général (ou avec vue).
– *Dorm bed :* lit en dortoir.
– *Bunk beds :* lits superposés.
– *Dorm with bathroom ensuite :* dortoir avec salle de bains.
– *Private room with shared bath :* chambre double avec salle de bains partagée.
– *Private room with private bath :* chambre double avec salle de bains privée.
– *Efficiency :* avec cuisine (ou kitchenette) équipée.

Les *Bed & Breakfast*

En général aménagés dans d'anciennes ***demeures de charme,*** ce sont souvent de véritables bonbonnières, ***cosy et bien confortables,*** où règne une atmosphère haut de gamme, avec souvent un petit règlement intérieur à respecter. Nettement plus personnalisés que les hôtels donc, mais presque tous dans la ***catégorie « Plus chic »,*** voire ***« Très chic »*** (en moyenne, autour de 100-150 $ la nuit à la campagne, et 150-250 $ la nuit dans les grandes villes). Leur capacité d'accueil est généralement limitée (de deux à une petite dizaine de chambres), ce qui fait une partie de leur attrait, mais si l'on recherche le contact avec les proprios, il faut bien faire le tri : beaucoup sont gérés comme des hôtels, de manière un peu impersonnelle ; d'ailleurs c'est souvent un gérant qui s'en occupe et non le proprio. Malgré le nom, certains *B & B* ne servent plus le petit déjeuner... C'est rare, mais ça arrive ! Habituellement, il est compris et souvent copieux. Leur *check-out* est souvent assez tôt. Enfin, ***les fumeurs et les enfants de moins de 10-14 ans y sont rarement les bienvenus*** (pour préserver la tranquillité des hôtes...).

La location d'appartements ou de maisons

Une formule intéressante en famille (plus d'espace, la possibilité de prendre des repas sur place représentant une économie non négligeable), mais à deux, pas forcément beaucoup moins cher qu'un hôtel. Tout dépend encore une fois de la saison, qui régit les fourchettes de prix des hôtels, et du standing de l'hébergement.
Pour réserver, on peut passer par une plate-forme ***internet de mise en relation entre propriétaires et locataires*** (type *Airbnb*). L'offre est très tentante : prix attractifs, choix exponentiel dans tous les styles, du petit studio fonctionnel meublé Ikea au loft vintage en passant par la villa d'architecte avec piscine ou la maison de ville au cœur du quartier historique... Les budgets les plus modestes pourront aussi tout simplement louer un bout de canapé.

■ ***Airbnb :*** *• airbnb.fr •* Ce site de mise en relation entre propriétaires et visiteurs liste des centaines de chambres (avec ou sans salle de bains privative), appartements, lofts et maisons entières à tous les prix (de 50 à plus de 500 $ la nuit). En cherchant bien et en s'y prenant à l'avance, on peut louer des lieux assez étonnants (maisons d'architectes connus par exemple). On paie en ligne mais le proprio ne reçoit l'argent qu'après l'arrivée des clients, ce qui limite les arnaques.

■ ***VRBO :*** *• vrbo.com •* Même genre mais site en anglais seulement.

L'échange d'appartements

Il s'agit d'échanger son propre logement (que l'on soit proprio ou locataire) contre celui d'un adhérent du même organisme dans le pays de son choix. Cette formule offre l'avantage de passer des vacances aux États-Unis à moindres frais, et intéressera en particulier les jeunes couples avec enfants. Voici deux agences qui ont fait leurs preuves :

■ ***Intervac :*** *☎ 05-46-66-52-76. • intervac-homeexchange.com • Adhésion annuelle : env 100 € avec possibilité de tester gratuitement le service pdt une période limitée.*

■ ***Homelink International :*** *19, cours des Arts-et-Métiers, 13100 Aix-en-Provence. ☎ 04-42-27-14-14. • homelink.fr • Adhésion annuelle env 120 € (pour les mêmes services que* Intervac*).*

LANGUE

Voici un lexique de base pour vous débrouiller dans les situations de tous les jours. Pensez aussi à notre ***Guide de conversation du routard en anglais.***

Vocabulaire anglais de base utilisé aux États-Unis

Politesse

S'il vous plaît	*Please*
Merci (beaucoup)	*Thank you (very much) / Thanks*
Bonjour !	*Hello! (Hi!)*
Au revoir	*Goodbye / Bye / Bye-bye*
À plus tard, à bientôt	*See you (later)*
Pardon	*Sorry / Excuse me*

Expressions courantes

Parlez-vous le français ?	*Do you speak French?*
Je ne comprends pas	*I don't understand*
Pouvez-vous répéter ?	*Can you repeat please?*
Combien ça coûte ?	*How much is it?*

Vie pratique

Bureau de poste	*Post office*
Office de tourisme	*Visitor Center*
Banque	*Bank*
Médecin	*Doctor / Physician*
Hôpital	*Hospital*
Supermarché	*Supermarket*

Transports

Billet	*Ticket*
Aller simple	*One way ticket*
Aller-retour	*Round trip ticket*

Aéroport	*Airport*
Gare	*Train station*
Gare routière	*Bus station*
À quelle heure est le prochain bus/ train pour... ?	*At what time is the next bus/ train to...?*

À l'hôtel et au restaurant

J'ai réservé	*I have a reservation*
C'est combien la nuit ?	*How much is it per night?*
Petit déjeuner	*Breakfast*
Déjeuner	*Lunch*
Dîner	*Dinner*
L'addition, s'il vous plaît	*The check, please*
Le pourboire	*The tip / The gratuity*

Les chiffres, les nombres

1	One
2	Two
3	Three
4	Four
5	Five
6	Six
7	Seven
8	Eight
9	Nine
10	Ten
20	Twenty
50	Fifty
100	one hundred

LIVRES DE ROUTE

– ***Beloved*** (1987), de Toni Morrison, éd. 10/18, poche. Le roman débute dans une maison hantée par le fantôme d'un enfant assassiné par sa mère, une « négresse » en fuite, pour qu'il ne vive pas en esclavage. 18 ans ont passé depuis le drame, jusqu'au jour où arrive dans cette maison une femme mystérieuse, Beloved. Toni Morrison a reçu le prix Nobel de littérature en 1993, et *Beloved,* le prix Pulitzer.

– ***Gatsby le Magnifique*** (1925), de Francis Scott Fitzgerald, éd. Le Livre de Poche. Grandeur et décadence de Gatsby, ce jeune homme séduisant, mystérieux, au passé incertain... Scott Fitzgerald fait revivre l'atmosphère des fastueuses *parties* de la côte Est dans les années 1920, ces milieux snobs, superficiels, pleins de mépris et de cruauté qu'il connaissait bien et où il s'est lui-même brûlé les ailes. La grandiloquente adaptation cinématographique en 3D par Baz Luhrmann (2013), avec Leonardo DiCaprio dans le rôle-titre, aura quand même du mal à faire oublier l'interprétation magistrale de Robert Redford et Mia Farrow dans les années 1970 !

– ***Le Monde selon Garp*** (1980), de John Irving, éd. Seuil, poche. Au travers de l'histoire d'une mère infirmière et féministe et de son fils Garp, écrivain, dans l'Amérique de la fin de la Seconde Guerre mondiale jusqu'à nos jours, Irving nous dépeint un monde grotesque et violent. Cette œuvre démesurée, débordante d'humour, de détails croustillants ou sordides, est foncièrement pessimiste.

– ***Le Massacre du Maine*** (1988), de Janwillem Van de Wetering, éd. Rivages, poche. Au cap Orque, où réside la sœur du commissaire hollandais venu d'Amsterdam, six meurtres ont été commis. Enquête dépaysante dans une contrée rude où la violence est présente au quotidien. Un récit dense qui oscille entre le sourire et la gravité.

– ***Les vrais durs ne dansent pas*** (1984), de Norman Mailer, éd. 10/18, poche. Une sorte de polar satirique avec Cape Cod pour toile de fond. Tim Maden, écrivain de son état, fraîchement largué par sa femme et franchement dépressif, se lève une fois de plus avec une formidable gueule de bois. Une suite d'événements rocambolesques va l'entraîner dans une spirale infernale, aux prises avec l'énigmatique Regency, chef de la police de Provincetown. Le livre a été adapté au cinéma en 1987 par l'auteur lui-même, avec Ryan O'Neal et Isabella Rossellini.

– ***Les Femelles*** (2006), de Joyce Carol Oates, éd. Points, poche. « Femelles », comme des prédatrices en puissance. Ces neuf nouvelles sont des tranches de vie de femmes de tout âge et de tout milieu social, décortiquées et passées à la loupe. Chez elles, un instinct meurtrier va se révéler ou s'affirmer. Avec une sobriété presque brutale et le formidable talent d'écriture qu'on lui connaît, Oates distille l'horreur tranquillement. L'atmosphère brumeuse de Cape Cod ou la campagne de Nouvelle-Angleterre ajoutent un cadre mélancolique et mystérieux à ces histoires... glaçantes.

– ***Un pays à l'aube*** (2008), de Dennis Lehane, éd. Rivages, poche. Un portrait saisissant de l'Amérique à l'aube de la modernité, au moment où le monde ancien est bousculé par de nouvelles valeurs, de nouvelles idées parfois subversives provenant d'Europe. À la fin de la Première Guerre mondiale, dans une Boston pleine de contradictions, on assiste aux destins croisés de personnages que tout oppose. Qu'il s'agisse de Luther, jeune Noir désenchanté, de Babe Ruth, joueur vedette des Red Sox, ou de Danny Coughlin, flic idéaliste qui conduira une grève de la police inédite, tous assistent aux soubresauts d'une Amérique en pleine mutation. Passionnant ! De ce même auteur, voir également les polars ***Gone Baby Gone*** (1998), ***Mystic River*** (2001) et ***Shutter Island*** (2003), tous adaptés au cinéma et ayant pour toile de fond Boston, sa ville (à l'exception de *Shutter Island* qui se déroule sur une île dans les environs).

– ***Le Symbole perdu*** (2009), de Dan Brown, éd. Le Livre de Poche. Pour ceux qui comptent visiter Washington, un thriller passionnant qui vous fera regarder autrement (voire étrangement) la capitale fédérale, et en particulier le Capitole, à travers une plongée au cœur de la franc-maçonnerie. Par l'auteur du fameux *Da Vinci Code.*

– ***Le Goût de Chicago*** (2012), de Sandrine Fillipetti (collectif), éd. Mercure de France. Dans cette petite collection bon marché qui permet de savoir qui on a (vraiment) envie de lire, voici une anthologie de textes sur Chicago avec des écrivains aussi divers que Simone de Beauvoir, son amant américain Nelson Algren ou encore John Dos Passos et Upton Sinclair. Sachez que ce dernier publia, en 1906, *La Jungle,* qui fit scandale en décrivant les conditions de travail abominables des abattoirs de la ville mais permit de réformer toute l'industrie agro-alimentaire...

– ***JFK, le dernier jour*** (2003), de François Forestier, éd. Albin Michel. Dallas, le 22 novembre 1963. Des millions de téléspectateurs assistent à la mort du président John Fitzgerald Kennedy. De ce drame énigmatique qui a marqué l'Histoire, l'auteur nous livre sa vision, depuis l'arrivée de Kennedy à Dallas jusqu'à son enterrement à Washington. À travers le portrait d'une multitude de personnages secondaires, des proches du président à ses collaborateurs ou opposants politiques, en passant par quelques policiers, crapules et autres voyous, il dresse une fresque sombre et réaliste sur l'Amérique des années 1960 avec, pour principal décor, la ville protestante de Dallas.

– ***Une affinité véritable*** (1997), de Saul Bellow, éd. Gallimard (Folio). Dans l'air froid et humide de Chicago, une demande en mariage devant la tombe d'un ex-mari exhumé, celle de Harry Trellman à Amy, pour laquelle il éprouve une « affinité véritable » depuis quarante ans. Un roman de 115 pages à peine où tant de choses sont dites, grâce à une écriture d'une précision incroyable et un sens de l'observation et du récit qui ne le sont pas moins. C'est beau, triste, drôle, volontiers corrosif, percutant. Une belle mise en bouche qui ne peut que donner envie de découvrir le reste de l'œuvre de ce grand Prix Nobel de littérature.

– ***Jazz Palace*** (2015) de Mary Morris, éd. Liana Levi. Un beau portrait, enlevé, très musical, du Chicago des années folles à travers le destin d'une poignée de personnages évoluant dans le monde du jazz.

– ***Et devant moi le monde*** (2011), de Joyce Maynard, éd. 10/18, poche. Dans cette autobiographie particulière, celle que l'on surnomme volontiers « la Sagan américaine » se livre sans fard sur ses débuts au *New York Times,* alors toute jeune étudiante à Yale, et sur sa relation dévastatrice avec Salinger, le célèbre écrivain de *L'Attrape-cœurs* de 35 ans son aîné (dont elle déboulonne le mythe !). Joyce Maynard a l'art d'explorer la transition difficile entre la jeunesse et l'âge adulte, de la manipulation machiavélique d'une bande d'ados défavorisés dans *Prête à tout* (brillamment adapté au cinéma par Gus Van Sant) jusqu'à la douleur indicible d'une jeune fille new-yorkaise qui doit faire le deuil de sa mère disparue le 11 septembre 2001 dans *Les Règles d'usage.* Malgré une apparente noirceur, il se dégage des romans de Maynard une lumière, l'étincelle d'une personnalité vive et volubile que les affres d'une vie parfois cruelle n'ont pas réussi à rendre pessimiste.

– ***A Suspicious River*** (1999), de Laura Kasischke, éd. Le Livre de Poche. Entre lyrisme éthéré et réalisme implacable, l'auteure livre une satire des mœurs américaines contemporaines à travers le prisme de la léthargie émotionnelle de Leila, réceptionniste et prostituée dans un seul et même lieu : un hôtel miteux du Michigan. Le lecteur se fait alors témoin, voyeur même, du désespoir du personnage qui semble soumis à la mécanique impitoyable de son destin, sans chercher à se révolter. Roman sombre et déstabilisant, exempt de tout sentiment passionné, *A Suspicious River* dresse le portrait sans concession d'une héroïne inexorablement détachée de sa propre existence. Un triste poème sans aucune perspective de rédemption, sous-tendu par la plume crue et métaphorique de Laura Kasischke (prononcer « Kaziski »).

MESURES

Même s'ils ont coupé le cordon avec la vieille Angleterre, même s'ils roulent à droite, pour ce qui est des unités de mesure, les Américains ont conservé un système anglo-saxon. Après les Fahrenheit (voir « Climat »), les tailles de vêtements (voir « Achats ») et le voltage électrique (voir « Électricité »), voici encore quelques spécificités à assimiler (bon courage pour les calculs !).

Longueurs

1 yard = 0,914 m
1 foot = 30,48 cm
1 inch = 2,54 cm
1 mile = 1,6 km
0,62 mile = 1 km
1,09 yard = 1 m
3,28 feet = 1 m
0,39 inch = 1 cm

Poids

1 pound = 0,4536 kg
1 ounce (oz) = 28,35 g

Volumes

1 quart = 0,946 l
1 pint = 0,473 l
1 gallon = 3,785 l
1 fl. ounce = 29,573 ml

ORIENTATION

Les grandes villes sont généralement découpées en secteurs en fonction de leur orientation. Imaginez une croix aux deux branches se croisant au centre, avec une rue est-ouest (horizontale) séparant les secteurs nord et sud, et une rue nord-sud (verticale) séparant les secteurs est et ouest. Il est évidemment très utile de connaître les noms et l'emplacement de ces deux rues (ou avenues) de référence pour se repérer lorsqu'on cherche une adresse (où que l'on veut récupérer sa voiture), car ce sont elles qui vont déterminer où commencent la partie ouest ou partie est (et sud ou nord) de la rue.

Les ***numéros des rues*** sont parfois très longs. Dans les localités les plus étendues, il arrive que les numéros dépassent les 20000... C'est loin, mais théoriquement pas compliqué à trouver : par exemple, le n° 340 se situe entre la 3e et la 4e rue, le n° 3730 entre la 37e et la 38e rue, etc. Il convient toutefois de bien différencier *streets* (rues) et *avenues,* qui en général s'entrecroisent. Trompez-vous sur le GPS et vous terminerez loin de votre point de destination ! Sinon, sachez que les numéros ne se suivent pas forcément : on peut parfaitement passer du 3730 au 3738, puis au 3760.
Autre principe à intégrer : généralement, ***le nom de la rue indiqué sur le panneau*** face à soi correspond à la rue que l'on croise et non à celle dans laquelle on se trouve.

Les abréviations utilisées dans ce guide

Ave	Avenue	**Rd**	Road
Blvd	Boulevard	**Sq**	Square
Dr	Drive	**St**	Street
Gr	Grove	**E**	East
Hwy	Highway	**N**	North
Pl	Place	**S**	South
Pwy	Parkway	**W**	West

POSTE

– ***Les bureaux de poste*** ont des horaires assez variables. Selon leur taille et localisation, ils ouvrent entre 7h30 et 10h jusqu'à 16h30-18h, voire plus tard dans certaines grandes villes ; les principaux sont aussi ouverts le samedi matin.
– ***Les timbres*** *(stamps)* s'achètent aussi aux guichets UPS ainsi que chez certains vendeurs de cartes postales, drugstores (*Walgreens* par exemple) et marchands de souvenirs.
– Pas de bureaux de poste dans les ***aéroports.*** Si vous comptez poster la carte postale pour mamie à la dernière minute, venez avec le timbre ; il y a généralement des boîtes.
– Compter ***1,20 $ pour l'envoi d'une lettre ou d'une carte postale en Europe.***

SANTÉ

La sécurité sanitaire est excellente aux États-Unis mais elle coûte les yeux de la tête, même pour les Américains. Comme dirait l'humoriste Patrick Timsit : « En Amérique, le médecin te fait un diagnostic en une minute. Il appelle ta banque : t'as pas d'argent, t'es pas malade. »
Pas de consultation médicale à moins de 150-200 $ et on ne vous parle pas d'une visite aux urgences, qui coûte plusieurs milliers de dollars. Pour les médicaments, multiplier par deux au moins les prix français. Voilà pourquoi il est impératif de souscrire, avant le départ, une ***assurance voyage intégrale avec assistance-rapatriement*** (voir rubrique « Avant le départ »).

Médicaments et consultations

– ***Prévoir une bonne pharmacie de base,*** avec éventuellement un antibiotique à large spectre prescrit par son généraliste, à fortiori si on voyage avec des enfants. Si vous souffrez de petits bobos courants ou facilement identifiables (rhume, maux de gorge...), vous pouvez pratiquer l'automédication. De nombreux médicaments, délivrés uniquement sur ordonnance en France, sont vendus en libre-service aux

États-Unis, dans les drugstores type *Walgreens, Duane Reade, CVS* (certains sont ouverts 24h/24). Si vous cherchez du *Doliprane*, le no plus répandu est *Tylenol* (le paracétamol se dit *acetaminophen* là-bas Vous trouverez les coordonnées des médecins dans les pages jaun net : ● *yellowpages.com* ●) à *Clinics* ou *Physicians and surgeons.* At répète : les consultations privées sont très chères !
– Voir aussi la rubrique « ***Urgences*** » plus loin.

Maladies

Attention aux ***tiques*** dans les zones boisées, particulièrement en Nouvelle-Angleterre où elles sévissent : leur piqûre peut transmettre la redoutable ***maladie de Lyme*** *(Lyme disease)* qui tire son nom de la ville de Lyme dans le Connecticut, où elle fut identifiée pour la première fois dans les années 1970. Par précaution, en randonnée notamment ou si vous séjournez en camping, ***bannissez les vêtements blancs*** (qui les attirent), couvrez-vous bien la tête (chapeau), les bras, les jambes et les pieds et n'hésitez pas à vous enduire les parties restées découvertes avec des répulsifs cutanés (*repellents* en anglais). ***Examinez-vous très régulièrement*** de la tête aux pieds pour limiter les risques (il faut 24h à une tique pour transmettre la maladie). Faites-vous aider par un tiers pour les parties difficilement accessibles comme le cuir chevelu, le dos... En cas de doute, voir rapidement un médecin qui prescrira un traitement antibiotique d'au moins 3 semaines.
Pensez à emporter dans vos bagages des ***produits répulsifs efficaces*** (par exemple la gamme *Insect Ecran* qui existe en version cutanée mais aussi en solution de trempage pour les vêtements). Beaucoup plus chers sur place qu'en France. On en trouve en pharmacie ou en parapharmacie ou via le site de ***Santé Voyages*** ● *sante-voyages.com* ● qui propose la vente en ligne de produits et matériel bien utiles aux voyageurs, parfois assez difficiles à trouver. Infos complètes toutes destinations, boutique en ligne en paiement sécurisé, expéditions par Colissimo Expert ou Chronopost. ☎ *01-45-86-41-91 (lun-ven 14h-19h).*

Vaccins

Aucun vaccin exigé sur le sol américain, mais comme partout, soyez à jour de vos vaccinations « universelles » : tétanos, polio, coqueluche et diphtérie (Repevax), hépatite A et B. Le ***vaccin préventif contre la rage*** (maladie transmissible par à peu près tous les mammifères) est recommandé pour tout séjour prolongé en zone rurale ou en contact avec des animaux.

SITES INTERNET

● ***routard.com*** ● Le site de voyage n° 1 avec 750 000 membres et des millions d'internautes chaque mois. Partagez vos expériences avec la communauté de voyageurs : forums de discussions, avis, bons plans et photos. Pour s'inspirer et s'organiser, plus de 250 fiches pays actualisées avec les infos pratiques, les incontournables et les dernières actualités, ainsi que des reportages terrains et des carnets de voyage. Enfin, vous trouverez tout pour vos vols, hébergements, activités et voitures pour réserver votre voyage au meilleur prix. Routard.com, votre voyage de A à Z !
● ***foia.fbi.gov*** ● Les dossiers du FBI (Bureau fédéral d'investigation) sur les people, en anglais uniquement, classés par thèmes (célébrités, espionnage, crimes...). On y apprend qu'Einstein avait 14 dossiers (à cause de ses affiliations avec le parti communiste...).
● ***greatchicagofire.org*** ● Un site riche et complet en anglais autour de documents d'archives (nombreuses iconographies) et d'essais sur l'incendie de Chicago et le travail de mémoire effectué autour. Une plongée historique passionnante !

muralarts.org • Philadelphie s'est couverte de fresques murales depuis 1984 et en a fait un vrai programme de développement artistique. Ce site en anglais permet de comprendre comment ce mouvement de *street art* est né et comment la ville l'expose fièrement.

TABAC

Aux États-Unis, d'une manière générale, il est ***interdit de fumer dans les lieux publics*** : transports, magasins, cinémas, théâtres, musées, hôtels, restos, bars (à de rares exceptions près), etc. Dans un certain nombre de villes du Massachusetts (certes pas réputé pour sa tolérance), il faut avoir 21 ans pour pouvoir acheter son paquet de clopes. Pour les irréductibles, les cigarettes sont en vente dans les stations-service, les supermarchés, les drugstores type *CVS, Rite Aid, Walgreens* ou *Duane Reade* et les boutiques d'alcool *(liquor stores).*

TAXES ET POURBOIRES

D'abord les taxes...

Dans tous les États-Unis, ***les prix affichés dans les magasins, les hôtels, les restos, etc., s'entendent SANS TAXE.*** Celle-ci est ajoutée par les commerçants, restaurateurs et hôteliers au moment de payer et varie selon l'État, le comté, la ville et le type d'achat. Dans les hôtels, elle oscille, en gros, entre 10 et 15 % ; pour tout ce qui est restos, vêtements, location de voitures..., elle varie entre 5 et 10 %. Seuls les produits alimentaires et la pharmacie n'y sont pas soumis. Bon à savoir, il n'y a ***pas de taxe sur les vêtements et chaussures*** dans le ***Massachusetts*** ni en ***Pennsylvanie.***

... puis les pourboires (*tip* ou *gratuity*)

Dans les restos, les serveurs ont un salaire fixe ridicule, l'essentiel de leur revenu provient des pourboires. Voilà tout le génie du capitalisme : laisser aux clients, selon leur degré de satisfaction, le soin de payer le salaire des serveurs pour les motiver ! L'avantage, c'est qu'il est plutôt rare d'être mal servi... Bref, ***le tip est une institution à laquelle vous ne devez pas déroger*** (sauf dans les fast-foods et autres self-services). Passer outre vous fera passer pour un plouc total. ***La tradition est de laisser 15-20 %,*** les Américains, d'un naturel généreux, donnant facilement 20 %. Bref, gardez donc en tête qu'avec la taxe de vente plus le pourboire, vous voilà à 25-30 % de plus que le prix affiché...

Si vous réglez par carte, n'oubliez pas de remplir vous-même la case *Gratuity* (un faux-ami !) qui figure sur la facturette ou de la barrer si vous laissez un pourboire en liquide. Sinon, le serveur pourrait s'en charger lui-même, ce que vous ne verriez qu'à votre retour, en épluchant votre relevé de compte bancaire (au fait, aux États-Unis, *1* s'écrit *l,* sans « tête », donc attention à ce que votre *1* ne soit pas pris pour un 7 qui, lui, s'écrit sans barre horizontale !). Il arrive aussi que le service soit ajouté d'office au total, après la taxe. Mais attention, des restaurateurs malins vous

L'ORIGINE DU TIP

Au XVIIIe s, le patron d'un café outre-Manche eut l'idée de disposer sur son comptoir un pot portant l'inscription To Insure Promptness *(littéralement « Pour assurer la promptitude »). Les clients pressés y glissaient quelques pièces pour être servis plus vite. Les initiales formèrent le mot tip, devenu un incontournable du savoir-vivre américain.*

donnent une facturette où figure quand même la case « *Gratuity* »
soyez vigilant pour ne pas le payer une deuxième fois. C'est presque
matique pour les *parties* (groupes) de 6 ou plus. Dans ce cas, le service
d'office les 20 %.

Dans les bars, le barman s'attend à ce que vous lui laissiez un petit quelque chose, par exemple 1 $ par bière, même prise au comptoir...

Concernant les ***taxis,*** il est coutume de laisser un *tip* de 15-20 % en plus de la somme au compteur. Là, gare aux jurons d'un chauffeur mécontent : il ne se gênera pas pour vous faire remarquer vertement votre oubli.

Enfin, ***prévoir des billets de 1 $*** pour tous les petits boulots de service où le pourboire est attendu (bagagiste dans un hôtel un peu chic, par exemple).

Calculer son pourboire

$	15 %	20 %	$	15 %	20 %	$	15 %	20 %	$	15 %	20 %
1	0.15	0.20	***11***	1.65	2.20	***21***	3.15	4.20	***55***	8.25	11
2	0.30	0.40	***12***	1.80	2.40	***22***	3.30	4.40	***60***	9	12
3	0.45	0.60	***13***	1.95	2.60	***23***	3.45	4.60	***65***	9.75	13
4	0.60	0.80	***14***	2.10	2.80	***24***	3.60	4.80	***70***	10.50	14
5	0.75	1	***15***	2.25	3	***25***	3.75	5	***75***	11.25	15
6	0.90	1.20	***16***	2.40	3.20	***30***	4.50	6	***80***	12	16
7	1.05	1.40	***17***	2.55	3.40	***35***	5.25	7	***85***	12.75	17
8	1.20	1.60	***18***	2.70	3.60	***40***	6	8	***90***	13.50	18
9	1.35	1.80	***19***	2.85	3.80	***45***	6.75	9	***95***	14.25	19
10	1.50	2	***20***	3	4	***50***	7.50	10	***100***	15	20

TÉLÉPHONE ET TÉLÉCOMMUNICATIONS

Les règles de base pour téléphoner des États-Unis

– ***États-Unis → France :*** 011 + 33 + numéro du correspondant à 9 chiffres (sans le 0 initial).

– ***France → États-Unis :*** 00 + 1 + indicatif régional à 3 chiffres + numéro du correspondant.

– ***Le réseau téléphonique :*** les numéros de téléphone américains (à 7 chiffres) sont précédés d'un *area code* (indicatif régional). Exemple : 202 pour Washington. Pour appeler d'une région à une autre, composer le 1, puis l'*area code* et enfin le numéro à 7 chiffres. Pour les communications locales, c'est variable d'une région à une autre, mais il faut de plus en plus composer cet *area code,* même à l'intérieur d'une même zone téléphonique, sans le 1 devant toutefois.

HALLOD ?

Le premier central téléphonique du monde fut monté à Budapest par un ingénieur nommé Puskas, collègue de Thomas Edison. Pour tester la ligne, il cria « Hallod », qui en hongrois signifie « Tu m'entends ? ». Depuis, « Hallod » est devenu « Allô » pour une grande partie du monde.

… le téléphone commençant par 1-800, 1-888, 1-877, 1-866 … ts depuis les USA et le Canada (hôtels par ex...). On appelle … ers. Nous les indiquons dans le texte.
… nt de téléphoner depuis les hôtels, qui pratiquent presque … rédhibitoires. Il arrive souvent qu'une communication télépho- … même si l'appel n'a pas abouti ! Il suffit parfois de laisser sonner … s le vide pour que le compteur tourne.

Le télép… one portable en voyage

De nouvelles ***mesures de sécurité*** sont en vigueur depuis 2015 dans les aéroports : ***les appareils électroniques*** (smartphones, tablettes, portables...) ***doivent être chargés et en état de fonctionnement*** pour tous les vols allant ou passant par les États-Unis et Londres. Les agents de contrôle doivent être en mesure de pouvoir les allumer. Par précaution, gardez votre chargeur à portée de main. Si votre appareil est déchargé ou défectueux, il sera confisqué. Cette mesure étant susceptible d'être étendue à d'autres aéroports, nous vous conseillons de charger vos appareils électroniques avant le vol, quelle que soit votre destination.

Le routard peut utiliser son propre portable aux États-Unis, à condition de posséder un ***téléphone tribande ou quadribande*** avec l'option « Monde ». Pour être sûr que votre appareil est compatible, renseignez-vous auprès de votre opérateur.
– ***Activer l'option « International » :*** pour les abonnés récents, elle est en général activée par défaut. En revanche, si vous avez souscrit à un contrat depuis plus de 3 ans, pensez à contacter votre opérateur (au moins 48h avant le départ) pour demander cette option (gratuite).
– ***Le « roaming » :*** c'est un système d'accords internationaux entre opérateurs. Concrètement, cela signifie que lorsque vous arrivez dans un pays, au bout de quelques minutes, le nouveau réseau s'affiche automatiquement sur l'écran de votre téléphone. Vous recevez rapidement un SMS de votre opérateur qui propose un ***pack voyageurs*** plus ou moins avantageux, incluant un forfait limité de consommations téléphoniques et de connexion internet.
– ***Tarifs :*** ils sont propres à chaque opérateur et varient en fonction des pays. N'oubliez pas qu'à l'international, vous êtes facturé aussi bien pour les appels sortants que pour les appels entrants. Ne papotez donc pas des heures en imaginant que c'est votre interlocuteur qui paiera !
– ***Internet mobile :*** si vous utilisez le réseau 3G (et non le wifi), les connexions à l'étranger ne sont pas facturées selon le temps de connexion, mais en fonction de la quantité de données échangées... Il peut suffire de quelques clics sur sa boîte mail et d'un peu de surf pour faire exploser les compteurs, avec au retour de voyage des factures de plusieurs centaines d'euros ! Le plus sage consiste à ***désactiver la connexion 3G/4G*** dès que vous passez les frontières. En effet, certains mobiles se connectent d'eux-mêmes sur Internet à intervalles réguliers afin d'effectuer des mises à jour (c'est le cas des *Blackberry* par exemple). Résultat, même sans surfer, vous êtes connecté... et vous payez ! Il faut également penser à ***supprimer la mise à jour automatique de votre messagerie*** qui consomme elle aussi des octets sans vous avertir (option « Push mail »). Opter pour le mode manuel. Cependant, des opérateurs incluent de plus en plus de *roaming data* (donc de connexion internet depuis l'étranger) dans leurs forfaits avec des formules parfois spécialement adaptées à l'étranger. Bien vérifier le coût de la connexion auprès de son opérateur avant de partir.

Bons plans pour utiliser son téléphone à l'étranger

– ***Acheter une carte SIM/puce sur place :*** c'est une option très avantageuse pour certaines destinations. Il suffit d'acheter à l'arrivée une carte SIM locale prépayée (compter tout de même minimum 25 $ aux États-Unis) chez l'un des nombreux opérateurs (*Virgin Mobile, AT&T* ou *T Mobile par exemple*), représentés dans les boutiques de téléphonie mobile des principales villes du pays et souvent à l'aéroport. On vous attribue alors un numéro de téléphone local et un petit crédit de communication. Avant de signer le contrat et de payer, essayez donc, si possible, la carte SIM du vendeur dans votre téléphone – préalablement débloqué – afin de vérifier si celui-ci est compatible. Les recharges de votre crédit de communication s'achètent facilement dans les boutiques de téléphonie mobile, supermarchés, drugstores genre CVS, stations-service...
– ***Se brancher sur les réseaux wifi*** est le meilleur moyen de se connecter au Web gratuitement ou à moindre coût. Presque tous les hébergements et de nombreux restos et bars disposent d'un réseau, gratuit la plupart du temps.
– Une fois connecté grâce au wifi, à vous les joies de la ***téléphonie par Internet*** ! Le logiciel ***Skype*** vous permet d'appeler vos correspondants gratuitement s'ils sont eux aussi connectés, ou à coût très réduit si vous voulez les joindre sur leur téléphone. ***Viber*** permet aussi d'appeler et d'envoyer des SMS, des photos et des vidéos aux quatre coins de la planète, sans frais. Il suffit de télécharger – gratuitement – l'appli sur son *smartphone,* celle-ci se synchronise avec votre liste de contacts et détecte automatiquement ceux qui ont *Viber.* Même principe avec ***WhatsApp Messenger*** qui permet de téléphoner, recevoir ou d'envoyer des messages photo, notes vocales et vidéos. De plus en plus de fournisseurs de téléphonie mobile offrent des journées incluses dans votre forfait, avec appels téléphoniques, SMS, voire MMS et même connexion internet en 3G limitée pour communiquer de l'étranger vers la France. Il s'agit de l'offre Origami Play et Origami Jet chez Orange, des ***Forfaits Sensation 3Go, 8Go, 16Go*** ou encore du ***Pack Destination*** chez Free. Les destinations incluses dans votre forfait évoluant sans cesse, ne manquez pas de consulter le site de votre fournisseur.

En cas de perte ou de vol de votre téléphone portable

Avant de partir, notez (ailleurs que dans votre téléphone portable !) votre numéro IMEI utile pour bloquer à distance l'accès à votre téléphone en cas de perte ou de vol. Comment avoir ce numéro ? Il figure en tout petit sur la coque de certains téléphones ou il suffit de taper sur votre clavier *#06#. Puis reportez-vous au site • *mobilevole-mobilebloque.fr* •
Vous pouvez aussi suspendre aussitôt votre ligne pour éviter de douloureuses surprises au retour du voyage ! Voici les numéros des quatre opérateurs français, accessibles depuis la France et l'étranger :

– ***SFR :*** *☎ 1023 (depuis la France) ; 📱 + 33-6-1000-1023 (depuis l'étranger).*
– ***Bouygues Télécom :*** *depuis la France comme depuis l'étranger : ☎ 0-800-29-1000 ; depuis l'étranger : ☎ + 33-1-46-10-86-86.*
– ***Orange :*** *depuis la France comme depuis l'étranger : 📱 + 33-6-07-62-64-64.*
– ***Free :*** *depuis la France : ☎ 3244 ; depuis l'étranger : ☎ + 33-1-78-56-95-60.*

Internet

Le wifi est disponible gratuitement presque partout (hôtels, *B & B,* cafés, bars, restos, et même dans certains campings), mais les cybercafés sont devenus une rareté aux États-Unis. Pour ceux qui voyageraient sans *laptop,* tablette ou *smartphone,* il est toutefois possible d'accéder à Internet gratuitement sur tous les ordinateurs de démonstration des ***Apple Stores*** (dans les grandes villes), à condition de ne pas squatter des heures non plus (faut peut-être pas les prendre pour des pommes !)... et d'attendre parfois son tour. Sinon les ***bibliothèques*** *(public libraries)* disposent toutes d'ordis reliés à Internet, généralement gratuits.

BILLY THE GEEK

Ce fut sous la présidence de Bill Clinton (1993-2001) qu'Internet se développa de manière spectaculaire. Dans un discours, il déclara que « chaque étudiant devrait désormais se sentir aussi à l'aise avec un clavier qu'avec un stylo ». Pourtant, lors de l'ouverture des archives de son séjour à la Maison-Blanche, on s'aperçut que de son ordinateur personnel, il n'avait envoyé en tout et pour tout que deux e-mails...

TRANSPORTS

L'avion

Les compagnies desservant l'intérieur des États-Unis sont nombreuses et les retards de vol presque banals tant le trafic est dense. Attention aux longs délais de passage à la police des frontières, lors d'une correspondance sur le sol américain en provenance d'Europe ; ça peut vous faire rater le vol suivant ! Prévoir au moins 1h30 à 2h de battement entre les deux avions (d'autant que, généralement, il faut récupérer son bagage de soute et le réenregistrer). Sur les vols nationaux, le service est réduit à sa plus simple expression, et la plupart des prestations sont payantes (boissons, repas, écouteurs, donc prévoir les siens). C'est aussi le cas des bagages enregistrés, sauf si vous arrivez en correspondance d'un vol international.
On conseille ***d'arriver bien à l'avance pour l'embarquement*** à cause des mesures de sécurité.

Les compagnies aériennes

■ ***Air France :*** *☎ 1-800-237-2747 (aux États-Unis) ou ☎ 36-54 (en France ; 0,35 €/mn).* • *airfrance.fr* •
■ ***American Airlines :*** *☎ 1-800-433-7300.* • *aa.com* •
■ ***Delta Air Lines :*** *☎ 1-800-221-1212.* • *delta.com* •
■ ***United Airlines :*** *☎ 1-800-864-8331, 1-800-537-3444 (en français) ou 01-71-23-03-35 (en France).* • *united.com* •

La voiture

Ah, quel bonheur de conduire aux États-Unis, de rouler *piano piano* (limite de vitesse oblige) sur les larges *interstates* rectilignes... Du coup, les déplacements se calculent plus en temps qu'en *miles.* On a tout le loisir d'admirer au passage les énormes camions *(trucks)* aux essieux rutilants. Évidemment, on fait abstraction des ***grandes villes*** et de leurs abords, où, là, se diriger au cœur du trafic et se garer relève parfois du calvaire paranoïaque. ***L'option GPS*** peut d'ailleurs s'y avérer utile et, en tout cas, vous fera gagner pas mal de temps si vous en avez assez de retourner la carte (ou plutôt les cartes) dans tous les sens. Même si les voitures de location américaines consomment plus que les nôtres, ***l'essence*** reste bien moins chère qu'en France, et il n'y a que ***très peu de péages*** (surtout présents dans la périphérie des grandes villes et presque systématiques pour les ponts et tunnels majeurs).

Les voitures de location

La location aux États-Unis

Si vous louez localement, un certain nombre de ***taxes et surcharges*** s'ajoutent, surtout si vous le faites à l'aéroport. Quand on réserve depuis l'étranger, ces frais

Distances en km	BOSTON	NEW YORK	PHILADELPHIE	CHICAGO	NIAGARA FALLS	WASHINGTON	LANCASTER	NEWPORT
BOSTON		343	495	1 580	750	706	604	120
NEW YORK	343		155	1 274	660	365	252	284
PHILADELPHIE	495	155		1 222	668	220	110	436
CHICAGO	1 580	1 274	1 222		857	1 128	1 118	1 550
NIAGARA FALLS	750	660	668	857		717	582	800
WASHINGTON	706	365	220	1 128	717		192	650
LANCASTER	604	252	110	1 118	582	192		532
NEWPORT	120	284	436	1 550	800	650	532	

additionnels sont souvent inclus (vérifiez !), de même que les assurances de base (re-vérifiez !) et les taxes. Au final, un même véhicule peut parfois coûter deux fois moins cher quand on a fait sa résa en France que quand on le prend sur place avec la même compagnie !
Les voitures de location les moins chères sont les ***economy,*** les ***compact*** (catégorie A) et les ***subcompact*** ; ça suffit bien pour trois personnes si on ne fait pas trop de route. Ensuite viennent les ***intermediate, mid-size, standard-size*** et ***full-size.*** De façon générale, les voitures sont plus spacieuses qu'en Europe, à catégorie égale. Le kilométrage est généralement illimité.

Quelques règles générales

– Difficile, voire impossible, de louer une voiture si l'on a ***moins de 21 ans, voire 25 ans,*** pour les grandes compagnies. Dans le meilleur des cas, les moins de 25 ans devront parfois prendre une assurance « Jeunes conducteurs » *(underage surcharge)* qui coûte 25-27 $ par jour.
– ***Carte de paiement internationale*** obligatoire pour la caution (*Visa* et *MasterCard* sont acceptées partout normalement). Avec les cartes prestige style *Visa Premier* ou *MasterCard Gold,* vous bénéficiez d'une assurance qui couvre en partie les accidents, vols et dégradations (renseignez-vous précisément).
– ***Permis national*** obligatoire et suffisant. Le permis international n'est plus du tout exigé.
– Attention, il arrive fréquemment que les loueurs vous incitent à prendre une ***catégorie supérieure*** à celle que vous avez réservée, « pour votre confort personnel », mais le supplément vous sera bien sûr facturé ! Méfiance donc, et lisez bien le contrat avant de partir avec le véhicule.
– Seules les ***grandes compagnies*** sont représentées dans les aéroports. Les moins chères se trouvent en ville (où il n'y a pas de surcharge aéroport), mais si vous arrivez en avion, elles peuvent souvent vous livrer le véhicule à l'aéroport.
– On peut rendre le véhicule dans un endroit différent de celui où on l'a pris *(one-way rental),* mais il faut alors payer un ***drop off charge (frais d'abandon),*** plus ou moins important. Bien se faire préciser ce tarif, et essayer de le négocier ! Ça peut marcher.
– Évitez, si possible (certaines agences l'imposent), l'option qui permet de ***rendre la voiture avec le réservoir vide.*** Ce plein d'essence est évidemment facturé, et plus cher que si vous le faisiez vous-même. De plus, comme il est très périlleux de ramener la voiture juste avant de tomber en panne d'essence, il en reste toujours un peu dans le réservoir, ce qui bien sûr profite à la compagnie.
– Le ***GPS*** : quelques rares loueurs l'incluent dans le tarif. Souvent il est en supplément (jusqu'à 15 $/j.), une véritable escroquerie ! Un bon conseil : apportez le vôtre (avec les mises à jour pour votre parcours) !

Les assurances

Elles sont nombreuses, et on s'emmêle rapidement les pinceaux. Tout est bon pour essayer de vous vendre le maximum d'options, qui ont vite fait de revenir plus cher que la voiture elle-même. Renseignez-vous bien aussi sur les ***franchises***, qui varient d'une compagnie à l'autre.
– ***LDW (Loss Damage Waiver)*** ou ***CDW (Collision Damage Waiver) :*** c'est l'assurance tous risques avec suppression de franchise, pour tout dommage occasionné au véhicule *(CDW)* ou pour dommages et perte d'accessoires *(LDW).* Obligatoire avec certaines compagnies et souvent incluse quand on réserve depuis l'Europe. Sinon, compter 20 $ par jour. Elle couvre donc le véhicule pour tous dégâts (vol, incendie, accrochages, accidents...) même si vous êtes en tort (hors état d'ivresse), mais pas les dégâts occasionnés aux tiers si vous êtes responsable. Avec une carte de paiement « haut de gamme » *(MasterCard Gold, Visa Premier...),* il est moins utile de prendre ces assurances, car ces cartes couvrent les frais dus aux dégâts occasionnés aux véhicules. En revanche, elles ne couvrent

pas nécessairement le manque à gagner lié à son indisponibilité pendant le temps de réparation. Là encore renseignez-vous bien.
– ***LIS*** ou ***SLI (Liability Insurance Supplement) :*** une assurance supplémentaire qui augmente le plafond de la garantie civile en cas de dommages corporels aux tiers, si vous êtes responsable de l'accident. Aucune carte de paiement ne l'inclut. Il faut savoir qu'aux États-Unis, si vous renversez quelqu'un et que cette personne est hospitalisée, votre responsabilité peut être engagée bien au-delà de la garantie civile de base prévue par le loueur. Il est donc important d'avoir une couverture en béton.
– ***PAI (Personal Accident Insurance) :*** assure le conducteur et les passagers pour les frais médicaux liés à un accident. Inutile si vous possédez une assurance personnelle incluant les accidents de voiture. La *PAI* ferait alors double emploi.
– ***PEP (Personal Effect Protection) :*** elle couvre les effets personnels volés dans la voiture. Inutile à notre avis, il suffit de ne jamais rien laisser de valeur à l'intérieur.

La location depuis la France

■ ***BSP Auto :*** ☎ *01-43-46-20-74 (tlj).* • *bsp-auto.com* • Les prix proposés sont attractifs et comprennent le kilométrage illimité et l'assurance tous risques sans franchise (LDW). *BSP Auto* propose exclusivement les grandes compagnies de location sur place, assurant un très bon niveau de service. Le plus : vous ne payez votre location que 5 jours avant le départ. Remise spéciale de 5 % aux lecteurs de ce guide avec le code « ROUTARD17 ».

■ ***Et aussi : Hertz,*** ☎ *0825-861-861 (0,15 €/mn) ;* • *hertz.com* • ***Avis,*** ☎ *0821-230-760 (0,12 €/mn) ;* • *avis.fr* • ***Europcar,*** ☎ *0825-358-358 (0,15 €/mn) ;* • *europcar.fr* •

Les loueurs aux États-Unis

■ ***Alamo :*** ☎ *1-844-351-8646.* • *alamo.com* •

■ ***Avis :*** ☎ *1-800-633-3469.* • *avis.com* •

■ ***Budget :*** ☎ *1-800-218-7992.* • *budget.com* •

■ ***Dollar Rent-a-Car :*** ☎ *1-800-800-4000.* • *dollar.com* •

■ ***Hertz :*** ☎ *1-800-654-3131.* • *hertz.com* •

■ ***National :*** ☎ *1-877-222-9058.* • *nationalcar.com* •

Conduire une voiture automatique

Il n'y a que cela aux États-Unis. Voici la signification des différentes commandes :
– ***P : Parking*** (à enclencher lorsque vous stationnez, mais à ne pas utiliser comme frein à main).
– ***R : Reverse*** (marche arrière).
– ***N : Neutral*** (point mort).
– ***D : Drive*** (position de conduite que vous utiliserez quasiment tout le temps).
– ***1, 2 et 3 ou I et L :*** vous sélectionnez votre propre rapport de boîte (bien utile en montagne ou dans certaines côtes, mais ça consomme plus d'essence).
Pour démarrer, rester sur la position « P », sinon le moteur ne se lance pas. Ensuite, pour oublier vos vieux réflexes, calez votre ***pied gauche*** dans le coin gauche, et ne l'en bougez plus jusqu'à la fin de votre périple. On se sert uniquement du ***pied droit*** pour accélérer ou freiner. Sachez que les véhicules refusent de quitter la position « P » tant que vous n'avez pas posé le pied sur le frein, non mais !
Autre astuce : les voitures américaines sont souvent équipées d'un régulateur de vitesse ***(cruise control),*** qui se révèle très pratique sur les longues autoroutes américaines.

Les règles de conduite

Certaines agences de location de voitures distribuent des fiches des règles de conduite spécifiques à l'État dans lequel on loue le véhicule. Sachez que l'Américain est civique et qu'il ne lui viendrait pas à l'idée de bloquer en double file la circulation pour acheter son journal. La voiture n'est pas pour eux un engin de course mais un outil pratique de la vie moderne. On roule pépère, on respecte l'autre et on est tolérant.

– ***Feux tricolores :*** situés après le carrefour et non avant comme chez nous. Si vous marquez le stop au niveau du feu, vous serez donc en plein carrefour ! Autant vous dire qu'après une ou deux incartades (et grosse frayeur), on prend vite le réflexe !

– ***Priorité à droite :*** elle ne s'impose que si deux voitures arrivent en même temps à un croisement et que celui-ci n'a ni feux ni panneaux, ce qui est assez rare ; la voiture de droite a alors la priorité.

– ***Tourner à gauche, avec une voiture en face :*** un tournant à gauche, à un croisement, se fait au plus court. Autrement dit, vous passerez l'un devant l'autre, au lieu de tourner autour d'un rond-point imaginaire situé au centre de l'intersection. Attention : si une pancarte indique « no left turn » ou « no U turn » (en toutes lettres ou dessiné), vous devrez attendre la prochaine intersection pour vous engager à gauche ou faire demi-tour ; ou bien tournez à droite et revenez sur vos pas en contournant le pâté de maisons.

– ***Tourner à droite, à une intersection :*** à condition d'être sur la voie de droite, vous pouvez tourner à droite au feu rouge, après avoir observé un temps d'arrêt et vous être assuré que la voie est libre, d'abord au niveau des piétons puis des véhicules. Bien entendu, on ne le fait pas si une pancarte indique « no turn on red ».

– ***Clignotants :*** facultatifs au regard de la plupart des conducteurs américains, tant pour tourner que pour doubler... Ne vous laissez pas surprendre !

– ***Erreurs de direction sur l'autoroute :*** il n'est pas rare de devoir faire 10, 20, voire 30 km avant de pouvoir faire demi-tour...

– Ne quittez pas vos rétros des yeux, les Américains ***doublent indifféremment par la gauche comme par la droite,*** et ne se rabattent pas systématiquement. Le conducteur le plus lent de l'État peut très bien squatter la file de gauche indéfiniment...

– ***Sur les routes nationales et les autoroutes :*** les voies perpendiculaires (ou venant de la droite) ont soit un « STOP », soit un « YIELD » (cédez le passage), et la priorité à droite n'a pas cours.

– ***Ronds-points (ou giratoires) :*** plutôt rares, sauf dans les États de la Nouvelle-Angleterre et celui de New York. Ils donnent la priorité aux voitures qui sont déjà engagées dans le giratoire.

– ***Stops :*** s'il y a plusieurs stops, la première voiture qui s'est arrêtée est la première à repartir. Le *4-way stop,* qui est un carrefour avec un stop à tous les coins de rue, est totalement inédit chez nous mais assez fréquent aux États-Unis. S'il y a une voiture à chaque stop, bien retenir l'ordre d'arrivée !

– ***Car pool :*** sur certaines autoroutes, pour faciliter la circulation et encourager le covoiturage, il existe une voie dénommée *car pool* (ou *HOV* pour *High Occupancy Vehicle*), réservée aux usagers qui roulent à 2, 3 ou plus par voiture (toute la journée ou seulement à certaines heures). Beaucoup moins de monde que sur les autres voies, donc très utile aux heures de pointe ! Ne les empruntez pas si vous êtes seul à bord (amende élevée).

– ***Limitations de vitesse :*** fixées par les États. Maximum 55 ou 60 mph (88-96 km/h) sur de nombreuses routes. En ville : 20-35 mph, soit 32-56 km/h. À proximité d'une école (à certaines heures), elle chute à 15 ou 20 mph (24/32 km/h), et tout le monde respecte ! Attention, les radars sont très nombreux et la police, vigilante, aime faire mugir ses sirènes.

– ***Stationnement en ville, parcmètres et parkings :*** faites toujours très attention à l'endroit où vous vous garez, sous peine de voir votre pare-brise décoré d'un PV... ou pire, la fourrière. ***Lisez bien les panneaux*** au coin de la rue, ce sont eux, surtout, qui régulent le stationnement ; on vous prévient l'accumulation de restrictions peut rendre leur lecture complexe. La présence de parcmètres et d'horodateurs ne veut pas forcément dire qu'on peut se garer tout le temps ; là encore bien vérifier les indications. Si le bord du trottoir est peint en jaune ou en rouge, il indique des restrictions ou interdictions. Dans le doute, garez-vous ailleurs ! Si le parcmètre ou l'horodateur est hors service, ne pensez pas faire une bonne affaire : vous devez alors vous garer devant une machine qui fonctionne ! Dans certaines grandes villes, comme Chicago, se garer sans frais est un exploit à signaler au *Livre des Records ;* il y a des parcmètres et des horodateurs partout, qu'il faut alimenter tous les jours, parfois même jusque tard dans la soirée ! Prévoyez aussi de la monnaie (tous ne prennent pas les cartes bancaires), sinon vous devrez vous garer dans l'un des nombreux parkings à la journée qui pullulent dans les villes. Ces derniers affichent souvent un tarif compétitif, mais le montant n'est valable que pour 15 ou 20 mn ! La liste n'est pas exhaustive, et vous découvrirez encore plein de surprises par vous-même. Enfin, ***ne vous garez JAMAIS*** sur un arrêt d'autobus, ni devant une borne d'incendie *(fire hydrant),* ni bien sûr s'il y a un panneau « *Tow away* », qui signifie « Enlèvement ». On vous emporterait la voiture en quelques minutes, et la ***fourrière,*** couplée à l'amende, est très chère (plus de 200 $!).

– ***Bus scolaires à l'arrêt :*** très important, lorsqu'un *school bus* (on ne peut pas les louper) s'arrête et qu'il met ses feux clignotants rouges, l'arrêt est obligatoire dans les deux sens, pour laisser traverser les enfants qui en descendent. Si on le suit (pas de bol), ***surtout ne pas le doubler.*** Tant que les feux clignotants sont orange, le bus ne fait que signaler qu'il va s'arrêter. À l'arrêt, un petit panneau est souvent automatiquement déployé, sur la gauche du véhicule, pour vous intimer l'arrêt. Le non-respect de cette règle est l'une des pénalités les plus gravement sanctionnées aux États-Unis.

– ***Respect dû aux piétons :*** vous verrez souvent le panneau ou l'inscription au sol « Xing ». Ce n'est pas du chinois, ça veut dire *Cross* (la croix) *ing...* Ici, le respect des passages protégés n'est pas un vain mot. Dès qu'un piéton fait mine de s'engager sur la chaussée pour la traverser, tout le monde s'arrête (enfin, presque).

– ***PV :*** si vous avez un PV *(ticket)* avec une voiture de location, mieux vaut le payer sur place (par carte de paiement via le site internet indiqué au dos du papier) et non une fois rentré chez vous, car lorsque vous signez le contrat de location, vous donnez implicitement l'autorisation au loueur de régler les contraventions pour vous (avec majoration plus frais de dossier de la part du loueur, ben tiens !).

L'essence

Bonne nouvelle, elle reste ***moins chère que chez nous*** (compter entre 4 et 5 $ dans les zones touristiques pour un *gallon,* soit 3,8 litres environ). Bon plan : les supermarchés *WalMart* et aussi certaines stations-service disposent de cartes de fidélité donnant droit à des réductions immédiates sur un plein.

Comme en Europe, les voitures roulent à l'essence sans plomb *(unleaded),* dont il existe plusieurs qualités. ***La moins chère est la regular unleaded 87.*** Les autres (*special 89* et *super + 91*) sont de meilleure qualité mais inutilement chères pour une voiture de location.

Dans les stations-service *(gas stations),* le ***règlement par carte de paiement à la pompe*** ne marche pas toujours avec une carte étrangère. Il faut aller prépayer à la caisse ou y déposer sa carte de paiement avant de se servir, en indiquant un montant... ce qui n'est guère pratique pour faire le plein (surtout d'une voiture qu'on ne connaît pas !). Vous pouvez toujours proposer de laisser votre carte et de ne payer qu'une fois le plein fait, certains acceptent. De toute façon, si la somme indiquée au départ est trop élevée, on vous remboursera la différence.

Circuler et s'orienter

On distingue les ***freeways*** (larges autoroutes aux abords des grandes villes), les ***interstates,*** qui relient les États entre eux (elles sont désignées par la lettre « I »),

et les ***routes secondaires*** (numéro à 2 ou 3 chiffres), signalisées de manière différente et faciles à repérer. Simplement, ouvrez bien l'œil et sachez vers quel point cardinal vous vous orientez, car les panneaux font plus souvent état du numéro de la route (avec indication North, South, West...) que du nom des villes. En général, on suit la direction d'une route, pas celle d'une ville. Sur les *interstates,* le numéro de la sortie correspond au mile sur lequel elle se trouve. Ainsi, la sortie après la n° 189 peut très bien être la n° 214.
Si vous rencontrez des ***turnpikes,*** sachez que ce sont des tronçons d'autoroute payants. Les grands ponts (comme le Benjamin Franklin Bridge à Philadelphie) et beaucoup de tunnels majeurs le sont aussi souvent.

Cartes routières et GPS

Presque toutes les ***stations-service*** en vendent une large gamme à des prix tournant autour de 5-7 $ (notamment la collection *Rand MacNally*). Celles des agences de location de voitures, sommaires mais gratuites, peuvent également dépanner, au même titre que celles des offices de tourisme. Lorsqu'on traverse la frontière d'un État, on trouve très souvent aussi un *Visitor Center* où il est possible d'obtenir gratuitement des cartes routières de l'État dans lequel on entre. Les voyageurs au long cours (sans GPS) se procureront *The Road Atlas* de *Rand McNally* : plusieurs types de formats, les moins chers incluant même le Canada et le Mexique.
Si vous optez pour le GPS, veillez à ce que la ville entrée soit dans le bon État ou vous risquez de faire beaucoup de kilomètres inutilement !

La location d'un camping-car (ou *RV motorhome*)

Voyager en *RV* (prononcer « areviii », pour *Recreational Vehicle*) est une expérience unique pour les enfants. Comparés à nos camping-cars, les *RV* américains sont souvent massifs, de la taille d'un petit bus ! Rassurez-vous, on en trouve aussi de plus modestes... L'inconvénient, c'est que c'est ***assez lent*** et surtout ***très cher,*** même à 4-8 personnes (à partir de 1 500 $ la semaine en haute saison, plus le kilométrage). Bien plus cher, donc, qu'un séjour voiture + motels. D'autant qu'au prix de la location s'ajoutent encore ***l'essence*** (de 12 à 45 l aux 100 km selon les modèles !) et ***l'emplacement dans les campings,*** puisqu'il est interdit de passer la nuit au bord d'une route. Compter 30 à 60 $ la place seule, avec *hookup* (les branchements eau et électricité dont vous aurez besoin pour la clim et le chauffage (*full hookup,* avec la vidange en plus). Même dans la journée, il est ***interdit de se garer n'importe où*** ; dans certaines grandes villes, on vous met en fourrière sur l'heure. Les parkings des hypermarchés ou des magasins sont parfois autorisés, à condition évidemment d'éviter tout déballage et de laisser les lieux propres.
Un ***permis classique suffit*** pour conduire ce genre de véhicule, encore faut-il évidemment se sentir capable de le faire ! Si vous êtes intéressé, mieux vaut louer le véhicule à l'avance en haute saison, il est parfois difficile d'en trouver sur place.

■ ***El Monte RV :*** *rens et résas sur* ● *elmonterv.co.uk/fr* ● Cette compagnie fondée en 1970 est implantée aux quatre coins des États-Unis, ce qui permet des *drop off* à l'autre bout du pays.

■ ***Cruise America RV Rental & Sales :*** *☎ 480-464-7300 ou 1-800-671-8042.* ● *cruiseamerica.com* ●

L'auto-stop *(hitchhiking)*

Devenu rare, le stop n'est pas pour autant formellement interdit, sauf sur les autoroutes et leurs voies d'accès. Reste que, aux États-Unis, c'est louche de ne pas avoir de voiture. Ne soyez donc pas étonné que les clients ne se bousculent pas pour vous offrir un brin de conduite...

La moto

Quelques loueurs de motos – essentiellement de grosses Harley-Davidson – dans cette partie des États-Unis. Si vous avez décidé d'accomplir tout votre périple en moto façon *Easy Rider* (Chicago est le départ de la Route 66), mieux vaut la réserver depuis la France. Sinon, louez sur place à la journée, histoire de prendre un bon bol d'air ! Là encore, il faut avoir 21 ans au minimum, une carte de paiement et le permis moto bien sûr.

■ ***Eagle Rider :*** *☎ 310-321-3178 (n° international) ou 1-888-900-9901.* • *eaglerider.com* • Agence spécialisée dans la location de Harley-Davidson, et bien représentée sur le territoire américain. Location à la journée (à partir de 150 $ sans les taxes) comme à la semaine. Possibilité de rendre la moto dans une autre ville que celle de départ, mais frais de *drop-off* élevés.

Le bus

Le réseau des bus ***Greyhound*** couvre la quasi-totalité du pays *(infos au ☎ 1-800-231-2222, ou 214-849-8100 de l'étranger ;* • *greyhound.com* •*).*

– Les ***billets*** s'achètent dans les gares routières, dans les agences *Greyhound,* par Internet et par téléphone. Consulter leur site internet pour voir les offres spéciales et les billets à prix réduit achetés à l'avance : ***c'est souvent deux fois moins cher !*** Sinon, attention, pas de place numérotée sur les billets, donc si vous ne voulez pas être obligé d'attendre le prochain bus, prévoyez au moins 30 mn à 1h d'avance, surtout si vous avez des bagages à mettre en soute!

– ***En période de fêtes,*** les bus sont souvent pris d'assaut par tous ceux qui ne prennent pas l'avion. Donc, arrivez impérativement à la station en avance et attendez-vous à du retard.

– Faites attention aux diverses formes de trajet : ***express, non-stop, local...*** Comparez simplement l'heure de départ et l'heure d'arrivée, vous saurez ainsi lequel est le plus rapide.

– Les bus, rapides, offrent un certain ***confort,*** avec w-c à bord et AC, ce qui veut dire qu'il peut y faire très frais : prévoyez un pull. Intéressant de nuit, car ils permettent de couvrir des distances importantes tout en économisant une nuit d'hôtel !

– ***Les arrêts en route*** ne sont pas mentionnés sur les billets (seuls ceux avec changement de bus sont indiqués). Respectez impérativement le temps donné par le chauffeur pour la pause. Ce dernier repartira à l'heure annoncée, sans état d'âme pour ceux qui ne sont pas remontés dans le bus ! En descendant lors d'une pause, relevez aussi le numéro du bus pour bien remonter dans le même, d'autres bus pour la même destination pouvant arriver entre-temps. Lors d'un arrêt prolongé dans une station, le chauffeur vous donnera un *reboarding pass* qui vous permettra de remonter avant les nouveaux passagers pour conserver votre place ou en choisir une meilleure qui se serait libérée.

Le train

Aux États-Unis, le train est très confortable, mais il ne couvre pas l'ensemble du territoire et demeure plus cher que le bus. Dans l'ensemble, reconnaissons-le, se déplacer en train n'est pas très pratique, sauf peut-être sur la côte est.

Pour les longues distances, ***Amtrak*** propose le *USA Rail Pass* valable sur tout le territoire. Il permet de faire un nombre de trajets déterminés (8, 12 ou 18) sur une période de 15, 30 ou 45 jours (respectivement). Compter 460 à 900 $ environ selon la durée (moitié prix 2-12 ans). *Attention, pour ce pass, il est impératif de faire émettre un billet et une résa pour chaque trajet (sans attendre la dernière minute). Vous pouvez le faire à l'avance, depuis l'étranger, en appelant le ☎ 00-1-215-856-7953 ou en envoyant un mail à* • *inat5@sales.amtrak.com* • *Ou sur place, aux USA, ☎ 1-800-872-7245. Il ne vous restera plus qu'à retirer le billet au guichet une fois sur place – en vous assurant bien que la gare n'est pas automatisée !*

– Sinon, possibilité de ***réserver des billets de train simples*** sur le site dédié ● *amtrak.com* ●

URGENCES

– ☎ ***911*** (numéro national gratuit). L'opérateur vous mettra en relation, selon votre problème, avec le service adéquat : la police, les pompiers ou les ambulances. Si vous ne parlez (presque) pas l'anglais, précisez-le (« *I don't speak English, I am French.* »).

LA NOUVELLE-ANGLETERRE

• Carte *p. 81*

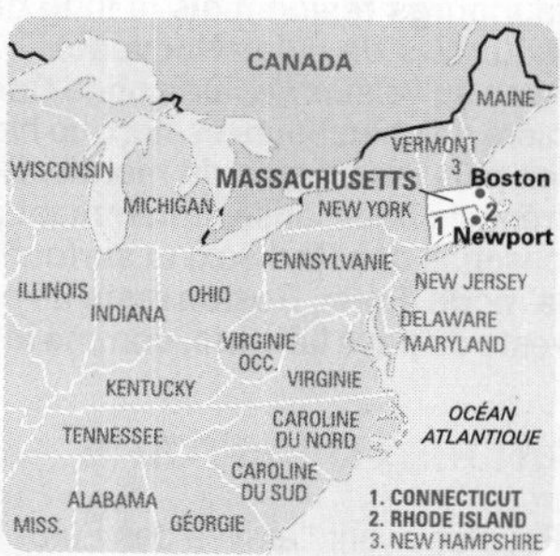

Située dans le coin nord-est de l'immense territoire américain, compte 14,5 millions d'habitants répartis dans six États. Du nord au sud : Maine, Vermont et New Hampshire, Massachusetts, puis Connecticut et Rhode Island. L'appellation New England est antérieure à l'indépendance des États-Unis mais ne correspond en rien à une entité administrative.

Néanmoins, cette terre des premiers immigrants venus d'Europe est peut-être la région des États-Unis qui possède l'identité culturelle la plus forte, avec une plus grande cohésion culturelle et historique que les autres régions du pays. Avec des différences malgré tout : le nord-est est essentiellement rural, parfois même sauvage du côté des Green Mountains du Vermont ou les White Mountains du Maine, tandis que le sud-est est plutôt urbain, une différence qui a par ailleurs toujours existé. L'ouest et l'est partagent ces mêmes différences au plan culturel : on ne trouve généralement pas dans le Connecticut et le Vermont le fameux accent bostonien qui identifie la Nouvelle-Angleterre aux oreilles des autres Américains. On peut affirmer que malgré la proximité envahissante de la mégapole new-yorkaise, la Nouvelle-Angleterre demeure une région au caractère nettement spécifique. Boston, dans le Massachusetts, est son principal centre économique et culturel, et la péninsule de Cape Cod un lieu de villégiature élégant et discret, très prisé de la bonne société.

BOSTON

659 000 hab. (3 millions avec les banlieues)

• Plan d'ensemble *p. 82-83* • Centre historique (plan I) *p. 86-87* • Back Bay, Seaport District, Chinatown et South End (plan II) *p. 90-91* • Itinéraire Beacon Hill *p. 115* • Cambridge et le MIT (plan III) *p. 132-133* • Harvard Square (zoom) *p. 136-137* • Itinéraire Campus du MIT *p. 145*

On pourrait déplorer que Boston soit parfois oubliée par les circuits des voyageurs européens. C'est pourtant une ville attachante et très agréable, avec un *Downtown* bien américain qui s'impose d'emblée dans le panorama, mais aussi de beaux vestiges de la ville coloniale encore éclairés par de pittoresques réverbères à gaz et, en bordure, une *Little Italy* bien vivante et pleine de charme. Le tout bordé par la mer. Par certains aspects, Boston rappelle parfois San Francisco.

Mais pour les Américains, le nom de Boston est lié d'abord à la naissance de la nation et à toutes les grandes causes libérales de leur jeune histoire : révolution, indépendance, abolition de l'esclavage, émancipation des femmes. Ville phare de la Nouvelle-Angleterre, c'est indéniablement le berceau historique des États-Unis. Paradoxalement, ce fut aussi par le passé la ville de l'intolérance, celle des puritains et des quakers, où « les Cabot ne parlent qu'aux Lowell et les Lowell ne parlent qu'à Dieu ». Une société assez collet monté, illustrée à merveille dans le roman *Les Bostoniennes* d'Henry James. Ce fut enfin un port où se bagarraient le soir les marins ivres. Après tout, une ville qui existe depuis bientôt 400 ans a bien le droit d'être pleine de contradictions. On y profite aussi d'une qualité de vie à l'européenne, dans les quartiers très cossus des séduisants faubourgs résidentiels le long de la rivière Charles, qui s'apparente plus au Vieux Monde qu'au Nouveau.

Avec sa voisine l'estudiantine Cambridge, berceau de Harvard, du MIT et pépinière de chercheurs et start-up high-tech, Boston est aujourd'hui l'une des villes les plus innovantes du monde. Depuis quelques années, elle s'est prise d'une frénésie bâtisseuse, notamment autour de Fenway Park (le mythique stade de baseball des Red Sox) et surtout dans le Seaport District, devenu LE quartier à la mode. Enfin, Boston reste un centre culturel majeur avec des musées que le reste du pays lui envie, comme le fameux *Museum of Fine Arts (MFA)*.

UN PEU D'HISTOIRE

Peuplée avant l'arrivée des Européens par les Indiens algonquins, la capitale du Massachusetts devint, un peu par hasard, le berceau de l'Amérique moderne. En accostant ***en 1620 à Plymouth,*** dans les proches environs de Boston, le ***Mayflower*** et ses 102 colons (dont 41 puritains qui fuyaient les persécutions de l'Église anglicane) avaient fait une erreur de navigation de près de 800 km. Leur objectif était en réalité une concession de la colonie de Virginie, beaucoup plus au sud ! ***Fondée en 1630,*** la cité prend le nom d'une ville anglaise du Nord-Est dont sont originaires les puritains. Aux XVIIe et XVIIIe s, Boston devient le chef-lieu de la

PAS TOUS À LA FOIS !

Si l'on tient compte, aujourd'hui, de tous ceux qui se réclament d'un ancêtre sur le Mayflower, *celui-ci aurait dû être un paquebot capable de transporter plus de 3 000 passagers vers le Nouveau Monde ! En fait, ils étaient 102.*

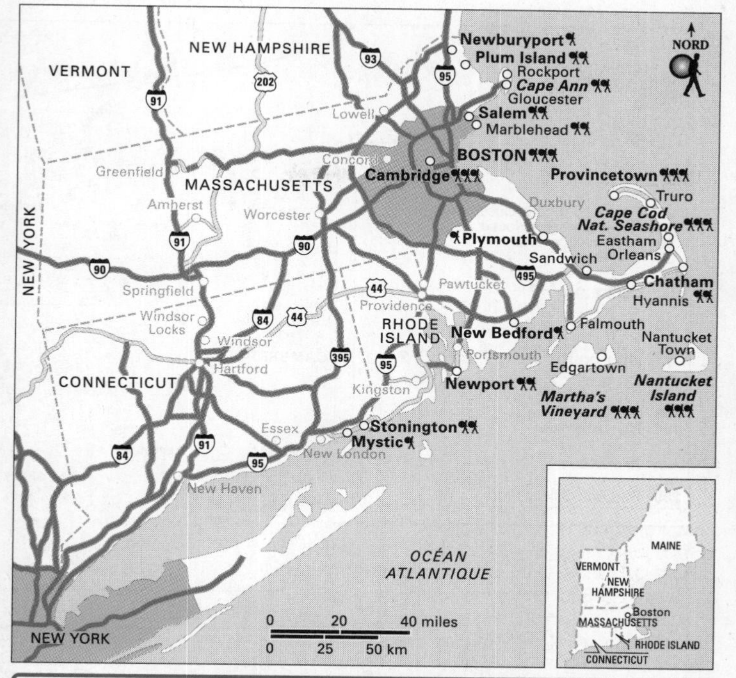

LA NOUVELLE-ANGLETERRE

colonie du Massachusetts et s'enrichit grâce à son port et ses relations commerciales avec l'Angleterre et les Antilles. Elle s'impose aussi comme la ***capitale intellectuelle de la Nouvelle-Angleterre,*** notamment avec la création, en 1635, de la première école américaine, la *Boston Public Latin School,* suivie d'une université de théologie qui va devenir ***Harvard.*** En 1673 : premier chantier naval ; 1698 : première carte routière ; 1704 : impression du premier journal *(Boston News Letter).* La vie bostonienne est alors très influencée par les valeurs religieuses des ***puritains,*** et ses habitants se taillent une réputation d'intolérance lorsqu'ils condamnent en 1660 Mary Dyer, une quakeresse, à la pendaison.

Vers 1750, Boston compte 15 000 habitants ; elle est alors la troisième ville la plus peuplée de la Couronne en Amérique du Nord. L'activité y est florissante : construction navale, métallurgie, textile, pêche et distillerie... Le port exporte du bois, de la farine, de l'huile de baleine, de la viande et du poisson ; ses marchands reviennent des Antilles avec du sucre, du rhum et des mélasses. Si l'essor économique colonial enrichit la classe de marchands, le trafic transatlantique, lui, reste sous le monopole anglais.

Boston joue un rôle central avant et pendant la révolution américaine. Lorsque Londres impose une série de taxes et renforce sa présence militaire dans la seconde moitié du XVIIIe s, les Bostoniens entrent en rébellion et réclament une représentation politique des colonies au Parlement. En 1770, une révolte contre les nouvelles taxes est réprimée dans le sang ; le « ***massacre de Boston*** » provoque la colère des habitants. En 1773, ils détruisent la cargaison de trois navires

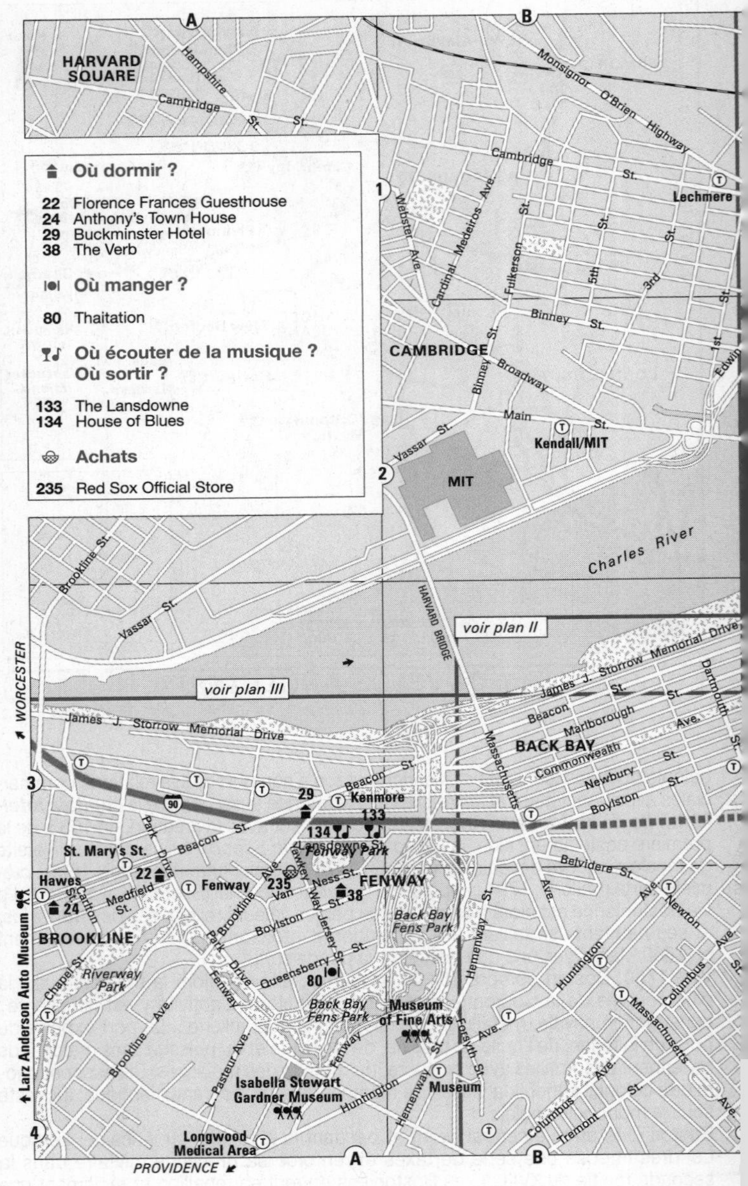
Où dormir ?
22 Florence Frances Guesthouse
24 Anthony's Town House
29 Buckminster Hotel
38 The Verb
Où manger ?
80 Thaitation
Où écouter de la musique ? Où sortir ?
133 The Lansdowne
134 House of Blues
Achats
235 Red Sox Official Store
HARVARD SQUARE
CAMBRIDGE
MIT
Lechmere
Kendall/MIT
Charles River
voir plan II
voir plan III
HARVARD BRIDGE
BACK BAY
Kenmore
FENWAY
Fenway Park
Fenway
BROOKLINE
St. Mary's St.
Hawes St.
Riverway Park
Back Bay Fens Park
Museum of Fine Arts
Museum
Isabella Stewart Gardner Museum
Longwood Medical Area
WORCESTER
Larz Anderson Auto Museum
PROVIDENCE
Monsignor O'Brien Highway
Cambridge St.
Hampshire St.
Webster Ave.
Cardinal Medeiros Ave.
Binney St.
Broadway
Main St.
Vassar St.
Brookline St.
James J. Storrow Memorial Drive
Beacon St.
Marlborough St.
Commonwealth Ave.
Newbury St.
Boylston St.
Massachusetts Ave.
Dartmouth St.
Belvidere St.
Huntington Ave.
Columbus Ave.
Tremont St.
Park Drive
Lansdowne St.
Van Ness St.
Jersey St.
Queensberry St.
Hemenway St.
Forsyth St.
L. Pasteur Ave.
Brookline Ave.
Chapel St.
Medfield St.
Carlton St.

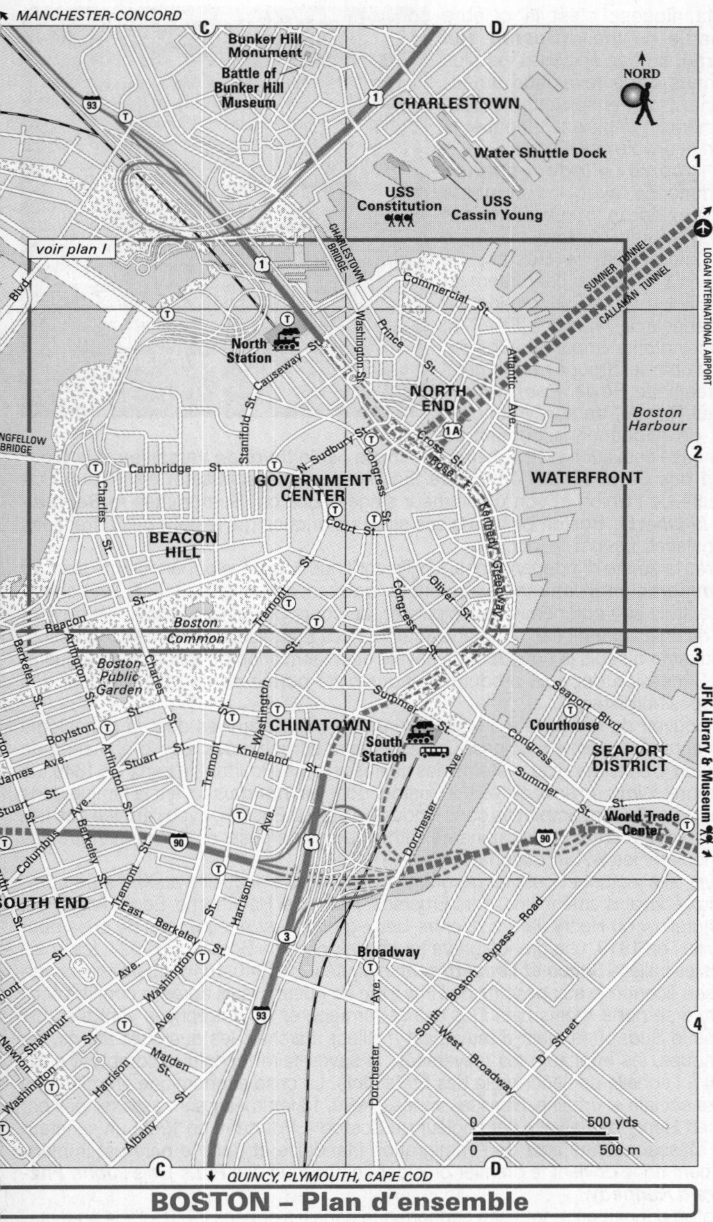

BOSTON – Plan d'ensemble

ÉMANCIPATION MUSCLÉE

L'interdiction pour les femmes de courir le marathon de Boston n'a pas dissuadé Kathrine Switzer de se frotter aux 42 km de course à travers la ville. Grâce à un nom d'emprunt et des vêtements amples, l'étudiante en journalisme se glisse parmi les concurrents. Démasquée au 6e km, elle continue malgré tout, stimulée par l'injustice, et termine à la 3e place, devenant à 20 ans une icône de la lutte pour l'égalité des sexes dans le sport. 5 ans plus tard, en 1972, l'organisateur Jock Semple, qui l'avait publiquement humiliée, autorise les femmes à participer à cette épreuve mythique.

britanniques : c'est la célèbre « partie de thé » ***(Boston Tea Party),*** un des épisodes les plus connus de la révolution américaine. L'année suivante, le gouvernement anglais fait bloquer le port et envoie des soldats.

La ***guerre d'Indépendance*** commence avec les combats de Lexington et Concord qui se déroulent à une trentaine de kilomètres de Boston. Le 17 juin 1775 a lieu l'affrontement de Bunker Hill qui se termine par la débâcle des insurgés. En 1776, Washington s'empare de Boston, tenue par les troupes du général britannique Howe. ***Paul Revere*** (Paul Rivoire, de son vrai nom), fils de huguenot, accomplit sa fameuse chevauchée. La guerre se termine par le ***traité de Versailles*** et la ***création des États-Unis d'Amérique.*** En 1788, le Massachusetts devient un État fédéré de l'Union et son gouverneur siège à Boston. Surnommée ***le Berceau de la Liberté,*** Boston bichonne ses sites historiques qui restent des attractions populaires jusqu'à ce jour.

Après la guerre d'Indépendance, la ville continue à se développer comme ***port de commerce international,*** exportant du poisson, du sel et du tabac. Une charte lui octroie son autonomie municipale et, au cours des années 1850, elle devient un des plus grands centres manufacturiers des États-Unis, grâce à la confection, l'industrie du cuir, la construction navale et la fabrication de machines. La guerre de Sécession dope sa production industrielle portée par le ravitaillement des troupes nordistes.

Le pouvoir dans la ville reste aux mains des riches familles dont la généalogie remonte aux premiers colons. Certaines sont surnommées les « brahmanes de Boston », en allusion au système des castes en Inde. Pourtant, à partir de 1840, de nombreux ***immigrants*** arrivent à Boston, dont les ***Irlandais*** fuyant la famine dans leur pays. Ils sont employés dans l'industrie textile. Ensuite, avec l'arrivée des Italiens, ils forment une communauté catholique nombreuse, ce qui ne manque pas d'inquiéter les ***WASP*** dominateurs.

Foyer intellectuel et culturel de premier plan, la ville accueille au XIXe s de nombreux écrivains américains, dont Emerson, Nathaniel Hawthorne, Edgar Allan Poe, Longfellow ou Henry James. L'entre-deux-guerres est une période de crise pour la ville : en 1919, une grande grève touche la police de Boston. En 1927, les anarchistes italiens ***Sacco et Vanzetti*** sont exécutés. En 1940-1945, Boston reconvertit son économie aux besoins de l'industrie de guerre. Mais après le conflit, l'économie se porte moins bien : les usines ferment, et les entreprises vont s'établir dans le Sud, où la main-d'œuvre est meilleur marché. Ses quelques atouts, les banques, les hôpitaux, les universités, le savoir-faire technique comptent alors peu à l'échelle de l'économie des États-Unis. La crise économique entraîne une crise sociale et urbaine. Dans les années 1960, 13 femmes y sont assassinées par Albert Henry de Salvo, « l'étrangleur de Boston ». Pourtant, en 1960, un sénateur du Massachusetts issu de l'immigration irlandaise et dont le père est immensément riche devient le premier président catholique des États-Unis : ***John Fitzgerald Kennedy.***

Boston connaît un renouveau économique dans les années 1970, grâce au dynamisme de son secteur financier. Ses hôpitaux dégagent de plantureux bénéfices. Les ***universités*** attirent des dizaines de milliers d'étudiants, et des fonds

importants sont investis par le gouvernement dans la recherche. L'agglomération devient le ***deuxième pôle américain pour les hautes technologies*** (informatique, biotechnologies), derrière la Silicon Valley. La construction de nouveaux gratte-ciel dans le quartier des affaires en est le témoignage de prospérité.
Quelques Bostoniens célèbres : John Adams et John Quincy Adams, respectivement père et fils, et 2e et 6e présidents des États-Unis, l'inventeur du téléphone Alexander Graham Bell, Benjamin Franklin, Edgar Allan Poe, les acteurs Ben Affleck, Matt Damon, Jack Lemmon, Geena Davis et Uma Thurman, le compositeur Leonard Bernstein, les groupes Aerosmith, Pixies et New Kids on the Block, le sénateur John Kerry, et Malcolm X, le leader des *Black Muslims.*

Arriver – Quitter

En avion

✈ ***Aéroport de Logan*** *(hors plan d'ensemble par D1)* **:** *à peine à 16 km au nord-est de la ville. Infos sur l'aéroport et les transports pour rejoindre le centre-ville : ☎ 1-800-235-6426. • massport.com/logan-airport/ •*
■ ***Bureau de change : Travelex,*** *dans le hall d'arrivée du terminal E. Tlj 8h30 (6h mar, jeu, sam)-23h.*
ℹ ***Visitor Center :*** *dans le hall d'arrivée du terminal E.* Tout petit. Presque en face, jeter un œil à la fascinante sculpture cinétique de l'artiste George Rhoads.

Pour rejoindre le centre de Boston

➢ ***En navette :*** le *Back Bay Logan Express* relie l'aéroport international au Hynes Convention Center et à la station de métro Copley, situés en plein centre-ville sur Boylston St, dans le quartier de Back Bay *(plan II, B3).* Fonctionne ttes les 20 mn, 5h-21h au départ de Back Bay et 6h-22h depuis l'aéroport. Tarif : 7,50 $ (paiement par CB, cash refusé) ; 3 $ sur présentation d'un *pass* de transports de la *MBTA.*
➢ ***En métro :*** en fonction des périodes de la journée et env ttes les 5-10 mn, 3 bus gratuits, le n° 22 (terminaux A et B), le n° 33 (terminaux C et E) et le n° 55 (passe par tous les terminaux), vous conduisent en quelques minutes à la station Airport de la Blue Line. Ensuite, le métro vous mène où vous voulez, au prix d'un ticket normal (voir la rubrique « Transports en ville »).
➢ ***Bus de la Silver Line*** *(ligne de la MBTA, le métro)* **:** le bus passe par tous les terminaux du Logan Airport et relie en 30 mn ***South Station*** (dans le centre ; *plan d'ensemble et plan II, D3*). Tlj 5h30-0h30, mêmes tarifs que le métro. Connexion avec la Red Line du métro. Très pratique aussi.
➢ ***Bateau T Harbor Express :*** *☎ 617-770-0040.* Prendre le bus n° 66 (gratuit) qui mène au Logan Boat Dock. Ensuite, ce bateau de la *MBTA* (compagnie du métro) vous conduit en 10 mn au ***Long Wharf*** (débarcadère dans le centre-ville ; *plan I, D2*). Fonctionne tte l'année ; en sem 10h50-20h (fréquence aléatoire selon les heures), le w-e en saison, ttes les 90 mn 8h45-18h45. Env 19 $ l'aller simple.
➢ ***Bateau-taxi :*** prendre le bus n° 66 (gratuit) qui va au Logan Boat Dock pour rejoindre les *Water Taxi* de la *Boston Harbor Cruises (☎ 617-227-4321 ; • bostonharborcruises.com •)* ou de la *Rowes Wharf Water Transport (☎ 617-406-8584 ; • roweswharfwatertransport.com •),* qui font la liaison entre l'aéroport et une quinzaine d'arrêts dans le centre-ville au nord et au sud de Long Wharf. Env 12 $ l'aller simple.
➢ ***Taxi :*** env 25-45 $ pour rallier le centre de Boston, péage inclus.

En bus

🚌 ***South Station Bus Terminal*** *(plan d'ensemble et plan II, D3)* **:** *700 Atlantic Ave, au niveau de Beach St. Ⓜ South Station (Red Line). Tickets à l'étage.* Nombreuses compagnies, et donc de nombreux départs toute la journée pour toutes les destinations.
■ ***Greyhound :*** *☎ 1-800-231-2222. • greyhound.com •* Dessert toutes destinations aux États-Unis et au Canada.

LA NOUVELLE-ANGLETERRE

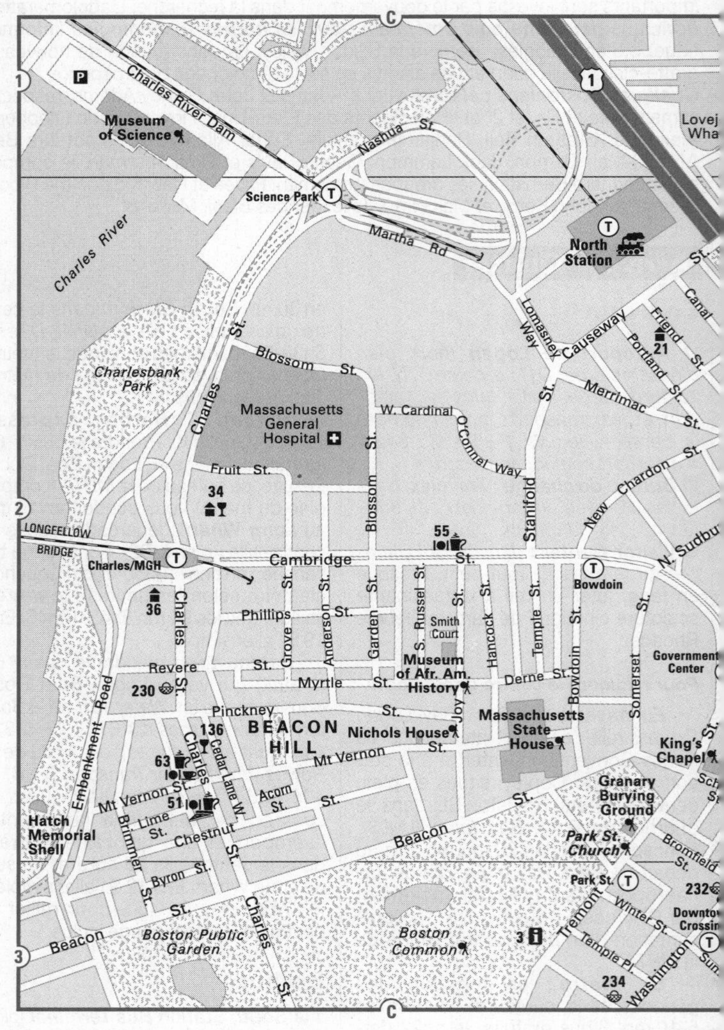

■ **Adresses utiles**

- 1 Faneuil Hall Visitor Center
- 3 Boston Common Visitor Center

Où dormir ?

- **21** Bos Hostel
- **33** Ames
- **34** The Liberty Hotel
- **36** The John Jeffries House

Où manger ?

- **51** The Paramount et Figs
- **55** Whole Foods Market
- **60** Boston Public Market
- **63** Tatte Bakery
- **64** Legal Seafoods Long Wharf
- **66** Union Oyster House
- **67** Galleria Umberto
- **68** Pizzeria Regina

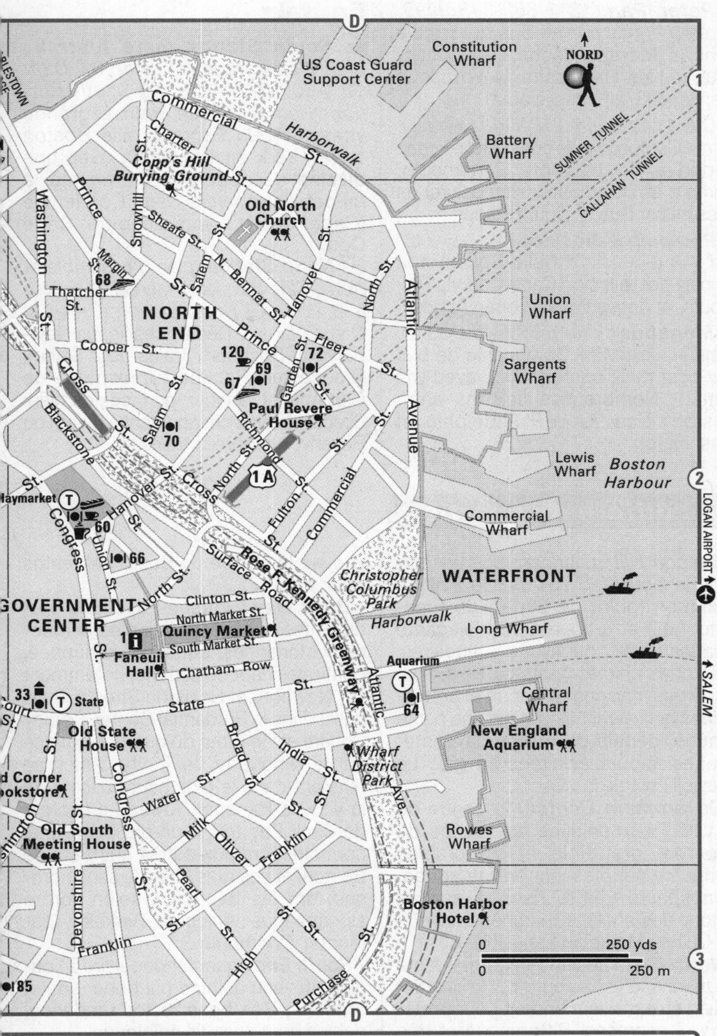

BOSTON – Centre historique (plan I)

69 Daily Catch
70 Neptune Oyster
72 Mamma Maria
85 Chacarero

Où boire un café ? Où déguster une pâtisserie ?

60 Boston Public Market
63 Tatte Bakery
120 Caffé Vittoria et Mike's Pastry

Où boire un verre ?

34 Alibi (Liberty Hotel)
136 The Sevens Ale House

Achats

230 Helen's Leather
231 Converse
232 Designer Shoe Warehouse
234 Brattle Book Shop

■ ***Peter Pan:*** ☎ *1-800-343-9999.* ● *peterpanbus.com* ● Bus qui circule dans le Massachusetts, le Connecticut, le New Hampshire, New York, le Maryland et la Pennsylvanie.

■ ***C & J :*** ☎ *1-800-258-7111.* ● *ridecj.com* ● Compagnie de bus qui relie Logan Airport à Newburyport, Portsmouth, Durham et Dover (New Hampshire) en passant par Boston South Station.

■ ***Plymouth & Brockton :*** ☎ *508-746-0378.* ● *p-b.com* ● Relie Boston à la plupart des villes de Cape Cod via Plymouth, et dessert aussi Logan Airport.

■ ***Megabus :*** ☎ *1-877-462-6342.* ● *megabus.com* ● Compagnie de bus *low-cost* mais confortables, avec wifi gratuit. Nombreuses liaisons entre Boston, New York, Philadelphie et Washington.

En train

South Station *(gare Amtrak ; plan d'ensemble et plan II, D3) :* ☎ *1-800-872-7245.* Ⓜ *South Station (Red Line).* Le train à grande vitesse *Acela Express* relie Boston à New York en env 3h30, avec une dizaine de départs/j. De fin mai à mi-oct, liaison vers Cape Cod le w-e *(CapeFLYER)* : voir chapitre Cape Cod.

North Station *(plan d'ensemble et plan I, C2) : 135 Causeway St.* ☎ *1-800-872-7245.* Ⓜ *North Station (Green et Orange Lines).* Départ des lignes Newburyport/Rockport. Trains pour Salem, Gloucester, Rockport (presqu'île de Cap Ann) et Newburyport (ces derniers directs ou avec changement à Salem ou Beverly). Nombreux trains tlj.

Les différents quartiers

– ***Beacon Hill :*** charmant quartier historique bordé au sud par le Boston Common (point de départ du Freedom Trail) et à l'ouest par l'élégante Charles Street, qui aligne antiquaires, boutiques chic et petits cafés-restos. Superbes maisons en brique et *brownstones* qui valent aujourd'hui une petite fortune, dédale de ruelles pavées et fleuries encore éclairées au gaz. Le plus joli coin de la ville.

– ***Government Center :*** le centre de la ville. Harmonieuse alternance de superbes gratte-ciel et d'adorables petits immeubles en brique rouge. Atmosphère très touristique, surtout autour des anciens marchés couverts de Quincy Market et Faneuil Hall.

– ***North End :*** ancien refuge mal famé de marins, c'est aujourd'hui le quartier italien et le meilleur endroit pour siroter un vrai *espresso.* Pittoresque et très touristique.

– ***Waterfront :*** le port de Boston. C'est là que se trouve l'Aquarium et de là que partent les ferries vers Cape Cod et Salem.

– ***Seaport District :*** « *The Seaport* » se développe à vitesse grand V depuis l'ouverture du ICA (Institute of Contemporary Art), véritable vaisseau flottant au-dessus de l'eau. Superbe vue sur la *skyline* de Boston et restos trendy.

– ***Back Bay :*** longues avenues verdoyantes flanquées de belles demeures victoriennes, atmosphère huppée, boutiques haut de gamme, notamment sur Newbury et Boylston Streets, mais aussi dans le Prudential Center. Copley Square est le cœur du quartier, dominé par la silhouette de Trinity Chuch se reflétant dans le plus haut building de la ville, la Hancock Tower. Le secteur de Back Bay forme un plan rectiligne, contrairement aux autres quartiers de Boston, et ses rues (dans le sens nord-sud) ont été baptisées selon l'ordre alphabétique : Arlington, Berkeley, Clarendon, Dartmouth...

– ***South End :*** quartier populaire à l'origine, devenu aujourd'hui bobo, *arty* et branché. Très bons restos tendance, petites boutiques de créateurs.

– ***Fenway et Kenmore Square :*** le quartier du Fenway Park, le mythique stade de base-ball où jouent les Red Sox, et aussi celui de la Boston University. À la limite de Back Bay se trouvent le Museum of Fine Arts, un des plus beaux musées d'art d'Amérique, et tout à côté l'incroyable Isabella Stewart Gardner Museum, dans un petit palais vénitien.

– ***Cambridge :*** séparée de Boston par la Charles River, la ville de Cambridge accueille l'université la plus prestigieuse du monde, Harvard, et son alter ego scientifique, le MIT. Atmosphère étudiante et intello, très vivante, tout autour de ***Harvard Square*** où se concentre l'animation. Terrasses, petits restos et *coffee shops,* librairies à foison. Côté ***MIT,*** c'est plus high-tech.

Transports en ville

➢ ***Le métro :*** • *mbta.com* • Ici on l'appelle le ***« T »,*** que les Bostoniens prononcent « tii » (stations repérables au logo noir sur fond blanc). Le moyen de transport urbain le plus pratique. 4 lignes principales (*Blue, Orange, Green* et *Red Lines*). Fonctionne env de 5h15 (6h dim) à 0h30 (2h ven-sam).

Différentes formules pour les titres de transport : soit on achète un ticket individuel nommé ***CharlieTicket*** (en général 2,75 $, mais plus pour les trajets atteignant les banlieues), soit on paie son trajet directement en cash (2,75 $ là aussi). On peut aussi acheter une ***CharlieCard,*** carte magnétique rechargeable à volonté et utilisable sur tout le réseau *MBTA* (bus et ferries compris). L'avantage : outre sa flexibilité, elle permet une petite réduction sur le prix du trajet, qui passe à 2,25 $. La *CharlieCard* est en vente dans presque toutes les stations de métro et dans différents commerces, dont les *7 Eleven* (repérer le logo *CharlieCard*). Il existe encore des *passes* de 1 ou 7 j. consécutifs (12 ou un peu plus de 21 $), donnant accès à la plupart des services du *MBTA* (ferries, bus et métro), dans un rayon de 8 km du *Downtown* ; très rentable quand on se déplace régulièrement dans la ville. On peut acheter les *passes* dans de nombreuses stations de métro (règlement par carte de paiement possible). Enfin, ***les enfants de moins de 11 ans voyagent gratuitement*** s'ils sont accompagnés d'un adulte.

Le principe de base pour circuler dans le métro : lorsqu'une rame va ***Inbound,*** c'est qu'elle se dirige vers le centre ; si c'est ***Outbound,*** elle va vers les environs, vers l'extérieur. Attention, sur les plans qui sont dans le métro, il n'y a pas toujours toutes les stations intermédiaires de la *Green Line.* Cette ligne *Green,* qui ressemble plus à un musée du transport roulant qu'à un métro moderne, est plus bondée et plus lente que les autres. Les rames de toutes les lignes sont climatisées, mais les stations sont des fours en été (juste quelques gros ventilos antiques sur les quais...). Cela étant, le métro de Boston est sympa, propre, sûr et vraiment pratique.

➢ ***Le bus :*** assez difficile si l'on ne connaît pas le numéro, la destination et surtout l'arrêt. Les arrêts ne comportant pratiquement pas d'informations, seule la couleur différencie la ligne. Environ 2 $ le trajet directement dans le bus (plus pour les bus de nuit et les express) ; 1,70 $ avec la *CharlieCard.* Pour se procurer les horaires et les numéros, aller à Haymarket, North ou South Station, Park Street, Back Bay ou Porter Square, et demander les *timetables.* Si vous avez 2 bus à prendre à la suite, vous pouvez réutiliser votre ticket, sauf si vous l'avez acheté directement dans le bus.

➢ ***Le vélo :*** beaucoup d'étudiants l'utilisent, donnant ainsi au Cambridge américain un air d'Oxford. *Hubway* est le système de vélos en libre-service de Boston mais intéressant seulement pour de courts déplacements. Pour de vraies balades, mieux vaut en louer : ***Cambridge Bicycle,*** *259 Massachusetts Ave (à côté du MIT Museum ; plan III, C2-3).* ☎ *617-876-6555.* • *cambridgebicycle.com* • Ⓜ *Central Sq ou Kendall/MIT. Lun-sam 10h-19h, dim 12h-18h. Env 35 $/j.*

➢ ***Le bateau :*** *avec* ***Boston Harbor Cruises,*** ☎ *617-227-4320.* • *bostonharborcruises.com* • *Tte l'année pour le* Water Taxi, *tlj 6h30-22h (20h dim) ; début juin-début sept, jusqu'à 23h jeu-sam et 22h dim. Course à partir de 12 $ (2-11 ans 2 $). Fin mai-début sept*

LA NOUVELLE-ANGLETERRE

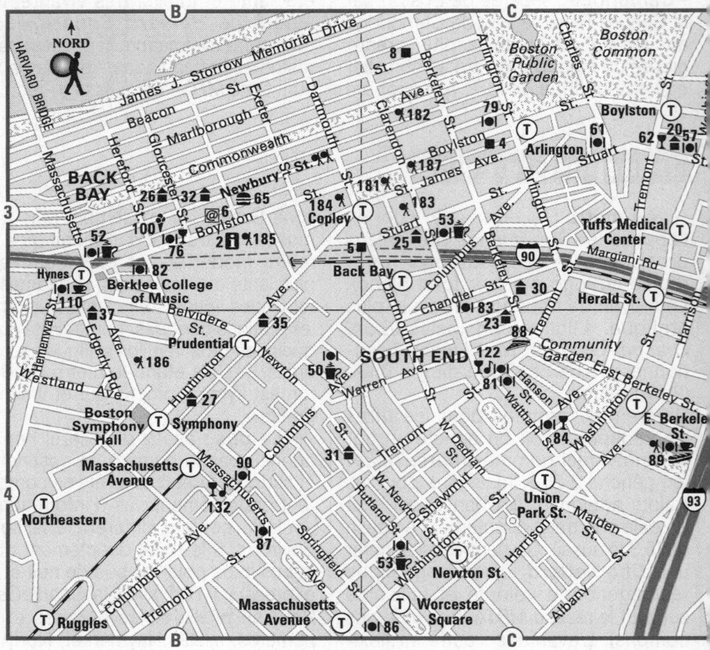

■ **Adresses utiles**

- 2 Prudential Visitor Center
- 4 Consulat de France
- 5 Consulat du Canada
- @ 6 Apple Store
- 8 The French Cultural Center

Où dormir ?

- 20 Hostelling International Boston
- 23 40 Berkeley
- 25 Hotel 140
- 26 Commonwealth Court Guest House
- 27 Midtown Hotel
- 30 Chandler Inn Hotel
- 31 Encore
- 32 Newbury Guesthouse
- 35 The Colonnade
- 37 Oasis Guesthouse

Où manger ?

- 50 Charlie's Sandwich Shoppe
- 52 Trident Booksellers and Café
- 53 Flour Bakery + Café
- 54 South Street Diner
- 57 Penang
- 58 Gourmet Dumpling House
- 59 China Pearl
- 61 Legal Seafoods
- 65 Shake Shack
- 71 James Hook & Co
- 73 Flour Bakery & Café
- 74 Babbo
- 75 Daily Catch
- 76 McGreevy's
- 77 Barking Crab
- 78 Legal Harborside
- 79 Parish Cafe
- 81 B & G Oysters
- 82 Jasper White's Summer Shack

pour le Cultural Connector, *navette bateau reliant musées et sites culturels le long du* waterfront ; *trajet 5 $;* pass *journée 15 $.* Le *Water Taxi* fonctionne à la demande (pas d'horaires fixes, il faut téléphoner ou appuyer sur le bouton à la borne d'arrêt des bateaux et attendre – jamais plus de 20 mn). Une

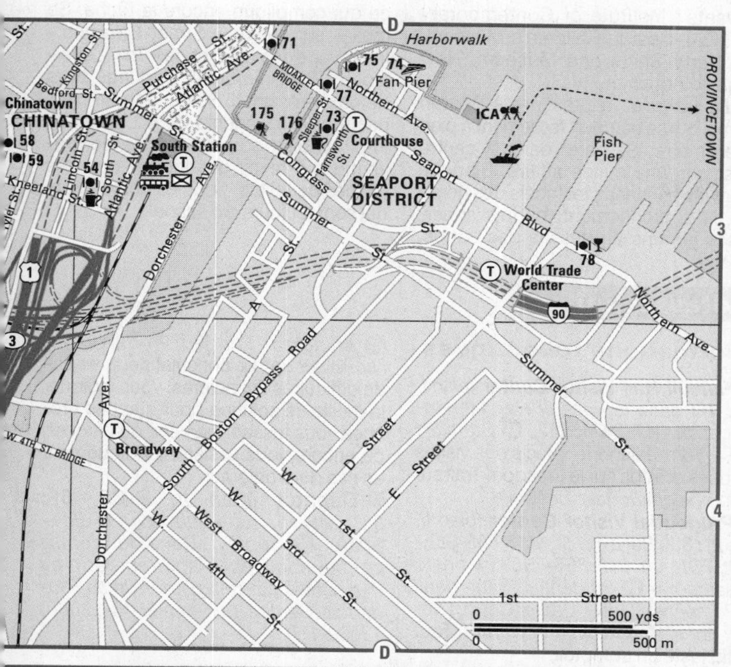

BOSTON – Back Bay, Seaport District, Chinatown et South End (plan II)

83 Delux Café
84 The Franklin Café
86 Toro
87 Parish Cafe du South End
88 Picco
89 SoWa Open Market
90 SRV
110 Pavement

Où boire un café ?
Où déguster une pâtisserie ?
Où manger un yaourt glacé ?

100 Pinkberry
110 Pavement

Où boire un verre ?
Où écouter de la musique ?
Où sortir ?

62 Jacob Wirth
76 McGreevy's
122 The Beehive
132 Wally's Café

À voir

175 Boston Tea Party Ships and Museum
176 Boston Children's Museum
181 Trinity Church
182 First Baptist Church
183 John Hancock Tower
184 Boston Public Library
185 Prudential Center et Skywalk Observatory
186 Christian Science Church Center
187 Berkeley Building

vingtaine d'arrêts sur le *waterfront* jusqu'à North Station, Logan Airport, Charlestown... Intéressant car sympa et à l'abri des embouteillages. À l'abri des intempéries aussi, car les bateaux sont couverts et chauffés si nécessaire. Le *Cultural Connector* dessert, entre autres, les sites suivants : Institute of Contemporary Art (ICA), Boston Children's Museum, Tea Party Ships and Museum, New England Aquarium...

➢ ***La voiture :*** à proscrire à Boston même, qui se parcourt facilement à pied et en métro. Se garer dans le centre n'est pas une mince affaire. Bien lire avant les panneaux restrictifs des horaires de stationnement, parfois superposés les uns au-dessus des autres, ce qui complique encore la tâche. Se méfier surtout de *« Street Cleaning »* (nettoyage des rues) et de *« Tow Zone »* (zone d'enlèvement !). Parkings hors de prix (environ 45 $ pour 24h en plein centre-ville) et agents de la circulation impitoyables concernant les contraventions. Prévoir quantité de *quarters* (pièces de 25 cts) pour les horodateurs qui sont toujours *old school.*

Adresses utiles

Informations touristiques

ℹ ***Faneuil Hall Visitor Center*** *(plan I, D2,* ***1****) :* *dans le Faneuil Hall Marketplace. ☎ 617-242-5642. Ⓜ State St. Tlj 9h-18h.* Calendrier précis des visites guidées et infos sur le Freedom Trail sur *• go.nps.gov/todayinboston •*

ℹ ***Prudential Visitor Center*** *(plan II, B3,* ***2****) :* *800 Boylston St. ☎ 1-888-SEE-BOSTON ou 617-867-8389. • bostonusa.com • Ⓜ Prudential. Situé dans le Prudential Center, Center Court. Lun-ven 9h-17h30, le w-e 10h-18h.* Tout petit, juste un comptoir.

ℹ ***Boston Common Visitor Center*** *(plan I, C3,* ***3****) :* *139 Tremont St (angle W St). Ⓜ Park St. Kiosque à l'entrée du parc. Lun-ven 8h30-17h, le w-e 9h-17h.* Un peu désorganisé, mais pas mal de services et de brochures, dont celle sur le *Black Heritage Trail* qui commence à côté. D'excellentes visites guidées du *Freedom Trail* partent d'ici toutes les heures, 11h-16h en théorie *(17 $ pour 1h30 ; réduc sur Internet : • thefreedomtrail.org •).*

ℹ Dans la gare ferroviaire de ***South Station,*** un ***kiosque d'infos*** *Concierge-Tourist Information,* à deux pas du kiosque d'infos générales de la gare *(☎ 617-330-1230 ; lun-ven 7h-19h, le w-e 9h-17h).* Conseils sur les hébergements et possibilité d'acheter une place pour un match à domicile des Red Sox.

Consulats

■ ***France*** *(plan II, C3,* ***4****) :* *31 Saint James Ave (Park Square Building), suite 750 (7ᵉ étage). ☎ 617-832-4400. • consulfrance-boston.org • Ⓜ Arlington. Lun-jeu 9h-12h30, et l'ap-m sur rdv.* Le consulat peut, en cas de difficultés financières, vous indiquer la meilleure solution pour que des proches vous fassent parvenir de l'argent, ou encore vous assister juridiquement en cas de problème.

■ ***Canada*** *(plan II, B-C3,* ***5****) :* *3 Copley Pl, suite 400. ☎ 617-247-5100. Ⓜ Copley. Dans le centre commercial et d'affaires* Copley Place, *relié par une passerelle au Prudential Center. Lun-ven 8h45-12h30, 13h30-17h.*

Internet

@ ***Apple Store*** *(plan II, B3,* ***6****) :* *815 Boylston St. ☎ 617-385-9400. Ⓜ Copley. Lun-sam 10h-21h, dim 11h-19h.* Connexions gratuites sur les ordis en démonstration.

Culture française

■ ***The French Cultural Center*** *(plan II, C3,* ***8****) :* *53 Marlborough St. ☎ 617-912-0400. • frenchculturalcenter.org • Ⓜ Arlington. Tlj sf dim 9h (17h lun)-21h (17h ven-sam) Bibliothèque ouv tlj sf dim 10h-19h (17h ven-sam).* Grande demeure en brique rouge. C'est la 2ᵉ plus grande bibliothèque française des États-Unis. Nombreuses activités culturelles. Abrite également l'***Alliance française.***

Santé

✚ ***Massachussetts General Hospital*** *(plan I, C2) :* *55 Fruit St.*

☎ *617-726-2000.* ● *massgeneral.org* ● Ⓜ *Charles/MGH.*

■ ***Inn-House Doctor :*** ☎ *1-781-551-0666.* ● *innhousedoctor.com* ● Médecin de garde qui se déplace 24h/24 à l'hôtel en cas d'urgence. Paiement par carte ou cash.

Où dormir ?

Se loger à Boston est absolument hors de prix. Très peu d'hébergements bon marché et malheureusement, à peine plus dans la catégorie « Prix moyens ». Comme dans toutes les grandes villes américaines, les tarifs varient considérablement en fonction de la période de l'année, ***mai-juin et septembre*** étant les mois les plus chargés (respectivement, *graduation* et inscriptions des étudiants), donc les plus chers. ***Octobre,*** qui correspond à l'été indien, est également assez prisé. À contrario, l'hiver, glacial il faut bien l'admettre, affiche les prix les plus bas de l'année, surtout janvier et février. Les fourchettes de prix indiquées dans le texte reflètent donc ce grand écart.

Bon marché

☗ ***Hostelling International Boston*** *(plan II, C3,* ***20****) :* *19 Stuart St.* ☎ *617-536-9455.* ● *bostonhostel.org* ● Ⓜ *Chinatown. Ouv 24h/24. Résa indispensable l'été et conseillée le reste de l'année. Lits en dortoirs de 4-8 pers 35-60 $ (réduc de 3 $ pour les membres), chambres privées pour 1-3 pers 100-230 $, avec draps et petit déj.* 💻 📶 Stratégiquement située, à côté du métro et du parc de Boston Common, c'est l'AJ officielle de Boston, installée dans un vaste bâtiment rénové dans un style design industriel pêchu. Espaces communs tip top (billard, salon TV, salle de lecture dotée d'une bibliothèque...), grande cuisine-salle à manger moderne et laverie itou (vous recevez un texto quand votre linge est prêt !). Quant aux hébergements, ils se révèlent modernes et impeccables, qu'il s'agisse des chambres hyper équipées (salles de bains privées, station iPod, TV), ou des dortoirs (douches et w-c sur le palier, mais en nombre suffisant... et individuels, la classe !). Très fréquentée par les jeunes voyageurs et les étudiants, bref, un point de chute idéal pour faire des rencontres et connaître la ville. Les gérants favorisent cette bonne ambiance en organisant plein de sorties gratuites ou culturelles : visite de musées et du campus de Harvard, soirées dans les bars, boîtes et clubs de jazz... Notre meilleur plan *low-cost.*

☗ ***Bos Hostel*** *(plan I, C2,* ***21****) :* *232 Friend St.* ☎ *1-857-317-4107.* ● *boshostel.com* ● Ⓜ *North Station. Ouv 24h/24. Lits en dortoirs de 6-12 pers 25-50 $, avec draps.* 💻 📶 Tout petit (à peine 40 couchages), donc forcément ça facilite les rencontres ! Pour le reste, c'est vraiment très simple : dortoirs basiques (avec casiers), mixtes ou non, avec douches et w-c en commun. Salon TV (derrière la réception), mais pour la cuisine, il faut en réalité se contenter d'une salle à manger avec frigo, micro-ondes et cafetière. Quant au petit déj, il est servi dans le café au rez-de-chaussée, qui appartient au patron. Pas génial, d'autant que l'entretien est parfois un peu juste, mais c'est la seule AJ privée du centre-ville.

Prix moyens

☗ ***Florence Frances Guesthouse*** *(plan d'ensemble, A3-4,* ***22****) :* *458 Park Dr.* ☎ *617-267-2458.* Ⓜ *Fenway (juste en face). Résa obligatoire. Double 97 $, simple 87 $. CB refusées. Parking gratuit à l'arrière de la maison (précieux à Boston).* Dans cette *brownstone* de 1865 se cache une insolite *guesthouse* tenue par l'exquise Florence Frances, ancien mannequin et globe-trotter confirmé. Toujours pimpante à plus de 90 ans, elle accueille ses hôtes avec une gentillesse quasi maternelle. Sa grande maison a le charme très kitsch d'une maison de poupée géante, avec des bibelots et des minicollections de tout : poupées de porcelaine justement, parfums, spiritueux... Seulement

4 chambres (1 double et 3 simples, qui se partagent une seule salle de bains), d'une propreté irréprochable, à l'image du reste. Les moquettes, impeccablement brossées dans le sens du poil, font 5 cm d'épaisseur jusque dans les cuisines. Une des deux est réservée aux *guests* qui peuvent y cuisiner à leur guise (à condition de nettoyer derrière eux !). Demandez à Florence de vous montrer ses centaines de paires de chaussures, ses innombrables vêtements de soirée et sacs qu'elle a conservés des défilés de mode de sa jeunesse ! Une adresse hors catégorie au rapport qualité-prix-convivialité imbattable (les prix n'ont pas bougé depuis plus de 20 ans !). En revanche, le wifi n'est pas arrivé jusqu'ici !

40 Berkeley *(plan II, C3-4,* ***23****) : 40 Berkeley St, près d'Appleton St. ☎ 617-375-2524. • 40berkeley.com • Ⓜ Back Bay. Doubles env 50-120 $. Suite familiale avec cuisine équipée et sdb env 150-300 $.* Dans le quartier branché de South End, à proximité des terrasses animées de Tremont Street, une YWCA reconvertie, désormais à mi-chemin entre l'auberge de jeunesse et l'hôtel petit budget. Réception spacieuse, grand salon-bibliothèque, salle TV (avec de vrais fauteuils de ciné !), coin détente-billard, jardin intérieur fleuri avec une terrasse super sympa. Beaucoup d'atouts donc, qui compensent les chambres spartiates et défraîchies, pour 1 à 4 personnes, avec bains partagés (corrects). Pas de cuisine mais une vaste salle à manger en sous-sol pour réchauffer un plat cuisiné (pas de frigo).

Anthony's Town House *(plan d'ensemble, A4,* ***24****) : 1085 Beacon St, Brookline. ☎ 617-566-3972. • anthonystownhouse.com • Ⓜ Hawes (Green Line C). Résa vivement conseillée. Doubles 100-110 $; réducs hors saison.* À 15 mn seulement du centre avec le *T,* dans un quartier résidentiel, voici une élégante *brownstone townhouse* qui fait office de *guesthouse* depuis un demi-siècle. Une dizaine de chambres fleuries, décorées et meublées de manière très rococo (lustres, moulures, parfois des cheminées...), certaines très spacieuses, toutes personnalisées par Barbara, la gentille proprio, qui adore agrémenter ses fenêtres de draperies festonnées. Salle de bains sur le palier. À l'entresol, les familiales peuvent accueillir jusqu'à 5 personnes. Stationnement pas évident.

Chic

Hotel 140 *(plan II, C3,* ***25****) : 140 Clarendon St. ☎ 617-585-5600 ou 1-800-714-0140. • hotel140.com • Ⓜ Copley ou Back Bay. Doubles 150-280 $; suites 4 pers 250-400 $. Parking 28 $.* Situé dans ce qui fut la plus vieille YMCA des États-Unis (l'enseigne historique est encore sur la façade), le bâtiment, datant de 1929, abrite aujourd'hui un très confortable hôtel d'un excellent rapport qualité-situation-prix. Les longs couloirs gris et orange foncé mènent à des chambres sobres et au goût du jour, pas bien grandes mais très agréables. Juste en face, il y a une *Flour Bakery* (voir « Où manger ? »), providentielle pour le petit déj. Sinon, au 7e étage, thé et café à discrétion dans l'espace *lounge*. Mais la grande originalité du lieu, c'est son théâtre *in situ* (le *Lyric Stage*) ou comment assister à une pièce sans sortir de son hôtel ? Bref, une somme d'atouts qui donne raison à son succès et à son taux de remplissage. Accueil très sympa en prime.

The John Jeffries House *(plan I, C2,* ***36****) : 14 David G Mugar Way. ☎ 617-367-1866. • johnjeffrieshouse.com • Ⓜ Charles/MGH. Doubles env 190-200 $ (suites 220-230 $), avec petit déj léger. Parking juste à côté 27 $.* Un vrai bon plan ! Car la situation est on ne peut plus stratégique : face au métro, aux portes de l'adorable *Beacon Hill,* à deux pas des boutiques. Bon, il y a aussi la voie rapide en contrebas, mais l'insonorisation est bonne. Quant aux chambres, réparties dans les étages d'un vieil immeuble de caractère (avec ascenseur), elles sont classiques, impeccables, tout confort, et dotées pour la plupart de kitchenette. Très pratique, surtout en famille (suites bien adaptées).

Commonwealth Court Guest House *(plan II, B3,* ***26****) : 284 Commonwealth Ave (angle Gloucester St).*

☎ 617-424-1230 ou 1-888-424-1230. • commonwealthcourt.com • Ⓜ Hynes Convention Center (Green Line). Résa indispensable. Doubles 80-140 $. Proche de tout mais au calme, cette maison typique du quartier chic et résidentiel de Back Bay renferme une vingtaine de petites chambres, rénovées pour la plupart dans un style sobre et fonctionnel. De bon confort, elles ont l'avantage de disposer de kitchenettes bien pratiques. Une bonne option.

■ ***Midtown Hotel*** *(plan II, B4, **27**) : 220 Huntington Ave. ☎ 617-262-1000 ou 1-800-343-1177. • midtownhotel.com • Ⓜ Symphony. Doubles 100-300 $. Parking 29 $.* Un bâtiment moderne assez bas et tout en longueur, sans cachet extérieur. La réception est toutefois plus avenante, même si elle ne fait pas dans la fantaisie, et les quelque 160 chambres s'avèrent classiques, confortables et bien tenues (salles de bains riquiqui). Demandez-en une donnant sur l'arrière, pour le calme. Mais le vrai plus de cet hôtel (outre sa situation bien centrale, tout près d'un métro, et son parking pas trop cher), c'est sa grande piscine extérieure, rafraîchissante en plein été.

■ ***Oasis Guesthouse*** *(plan II, B3-4, **37**) : 22 Edgerly Rd. ☎ 617-267-2262. • oasisgh.com • Ⓜ Hynes. Doubles env 120-180 $, avec petit déj léger. Parking 25 $.* À deux pas de l'animation mais dans une rue calme, cette *guesthouse* simple et conviviale répartit sa trentaine de chambres entre 2 maisons voisines. Déco tout ce qu'il y a de plus classique (bow-windows pour certaines), bon entretien général et confort très correct (salles de bains privées ou sur le palier, mais en nombre suffisant). Miniterrasses sur l'arrière pour prendre le frais et cuisine à dispo (micro-ondes et frigo seulement). Une bonne adresse dans sa catégorie.

■ ***Buckminster Hotel*** *(plan d'ensemble, A3, **29**) : 645 Beacon St (et Commonwealth). ☎ 617-236-7050 ou 1-800-727-2825. • bostonhotelbuckminster.com • Ⓜ Kenmore. Pour le w-e, résa bien à l'avance conseillée. Doubles env 140-300 $ (suites plus chères), avec petit déj. Parking 35 $.* À deux pas de Fenway Park (le stade de base-ball), un beau bâtiment d'angle en brique, qui fut le siège de la première radio de Boston en 1929 puis un fameux club de jazz, *Storyville,* où se produisirent les plus grands noms. Les chambres sont de configurations différentes (pour 2 à 6 personnes), assez pratiques (frigo et micro-ondes dans toutes), mais d'un confort variable, rénovées ou non. Les supporters des Red Sox seront aux premières loges les soirs de match, un tiers des chambres donnant directement sur le stade ! Les autres opteront pour le côté Kenmore Square, plus tranquille. Cela dit, le quartier est animé, avec pas mal de clubs et de bars à proximité (Boston University n'est pas loin non plus). Laverie à pièces.

Très chic

■ ***Newbury Guesthouse*** *(plan II, B3, **32**) : 261 Newbury St (entre Fairfield et Gloucester St). ☎ 617-670-6000 ou 1-800-437-7668. • newburyguesthouse.com • Ⓜ Copley. Résa à l'avance conseillée. Doubles 180-300 $, avec petit déj. Parking 20 $ (à demander lors de la résa car places limitées).* Dans un quartier résidentiel et très vivant à la fois, au cœur de la célèbre Newbury Street, bordée d'innombrables boutiques et de restos. L'emplacement est donc stratégique pour cette adresse de charme, qui comprend 3 demeures bourgeoises reliées entre elles, datant des années 1880, complètement rénovées et offrant une trentaine de belles chambres tout confort, fraîches et claires. Certaines ont conservé une cheminée ou des moulures, mais le style est résolument contemporain et élégant. La moitié donnent sur Newbury, l'autre sur l'arrière : moins sympa mais plus tranquille. Thé, café et cookies à disposition.

■ ***Encore*** *(plan II, B4, **31**) : 116 W Newton St. ☎ 617-247-3425. • encorebandb.com • Ⓜ Newton St ou Prudential. Doubles 145-280 $, petit déj inclus.* Dans une belle *townhouse* de South End, le quartier qui monte, voici un *B & B* de charme tenu par Reinhold et David. Les affiches de spectacles, les masques, et même le nom de la maison (*encore* signifie « rappel » ou « bis ») évoquent leur passion commune : le théâtre. Dans les chambres, douillettes et décorées avec goût dans un style actuel et design, les murs de brique alternent avec des pans de couleurs : violet, vert sapin, gris anthracite, rose pâle. La plus chère des 4, l'*Albee Room* (en hommage à l'auteur de *Qui a peur de Virginia Woolf ?*), possède même sa petite terrasse. Petit déj servi dans une salle à manger en alcôve offrant une jolie vue sur la rue arborée. Une atmosphère feutrée, intello et bohème qu'on aime beaucoup.

Chandler Inn Hotel *(plan II, C3, **30**) : 26 Chandler St (angle Berkeley). ☎ 617-482-3450 ou 1-800-842-3450. • chandlerinn.com • Ⓜ Back Bay. Doubles 120-370 $.* Dans le quartier bobo-branché de South End, voici un boutique-hôtel design et *gay-friendly*, géré par une équipe très pro. Une soixantaine de chambres plutôt petites (salles de bains assorties), mais décorées dans un style épuré, avec des teintes neutres rehaussées de couleurs pop et tout le confort high-tech d'aujourd'hui, notamment un très grand écran. Au rez-de-chaussée, un bar-resto au décor bien américain, pratique pour le petit déj.

Très, très chic

The Verb *(plan d'ensemble, A4, **38**) : 1271 Boylston St. ☎ 617-566-4500. • theverbhotel.com • Ⓜ Kenmore. Doubles 180-500 $. Parking 45 $.* Un ancien motel reconverti en boutique-hôtel cool, rock et trendy, au cœur du quartier de Fenway, en plein essor. Sa devise : « *Check in, tune out !* » Le lobby donne le la, avec son fond musical qui pulse, les affiches de concert sur murs noirs ou colorés, le gros ampli Marshall et les guitares à dispo pour tenter un riff. Même souci du détail dans les chambres, où les clins d'œil rock vintage personnalisés pullulent, de la platine assortie de sa collec de vinyles au peignoir léopard pour se prendre pour une rock star (ou pour DSK, au choix). Seules les salles de bains sont bien sages... Certaines piaules donnent sur le stade des Red Sox, les autres côté piscine, pas bien grande mais sympa avec son solarium. Attenante, une taverne japonisante branchée dans le ton du reste *(Hojoko)*. Et stationné devant l'hôtel, le bus privé du proprio, le premier Greyhound (1947), fabriqué avec du métal recyclé sur des avions de la Seconde Guerre mondiale.

The Colonnade *(plan II, B4, **35**) : 120 Huntington Ave. ☎ 617-424-7000. • colonnadehotel.com • Ⓜ Prudential. Doubles 300-540 $. Parking 48 $.* Cet imposant édifice à colonnade... en béton (il date de 1971) abrite un grand hôtel de luxe rénové à la sauce contemporaine. Lobby classieux style Art déco, avec de petites touches *arty* et des chambres d'une élégante sobriété, offrant de belles vues sur la ville depuis les immenses baies vitrées parfaitement insonorisées et qui s'ouvrent, en prime (un vrai luxe aux États-Unis) ! Confort irréprochable bien sûr, très bonne literie... et cerise sur le gâteau : la piscine sur le toit, accessible de mai à septembre, prise d'assaut l'été. *Brasserie Jo* au rez-de-chaussée, ouverte du petit déj au dîner.

Coup de folie

Ames *(plan I, D2, **33**) : 1 Court St (pas d'enseigne visible). ☎ 617-979-8100. • ameshotel.com • Ⓜ State. Doubles 250-650 $. Parking 45 $.* L'hôtel hype par excellence, ouvert dans ce qui fut le premier gratte-ciel de la ville (1893). Sous l'arche d'entrée, notez les superbes mosaïques d'époque. Les 13 étages de ce monument historique de style néoroman accueillent aujourd'hui des chambres au design très pointu : lits et mobilier d'un blanc immaculé contrastant avec le bleu nuit des murs. Superbes salles de bains dans les mêmes tons, avec vasque rectangulaire et douche tropicale. La classe absolue au cœur du centre historique, à deux pas de Faneuil Hall. Bref, une très belle adresse, investie par une clientèle jeune, branchée et... friquée.

The Liberty Hotel *(plan I, C2, **34**) : 215 Charles St. ☎ 617-224-4000 ou 1-866-507-5245. • libertyhotel.com • Ⓜ Charles/MGH. Doubles 350-700 $.*

Parking 52 $ (loc gratuite de vélos en revanche) ! Le superbe *Liberty* occupe une ancienne prison datant du milieu du XIXe s, où furent incarcérés Malcolm X et aussi Sacco et Vanzetti. Après des révoltes dans les années 1970, les derniers prisonniers quittèrent les lieux 20 ans plus tard. La prison avait été déclarée en violation des droits constitutionnels des détenus ! Qu'on vous rassure, l'hôtel ne viole, lui, aucun droit de ses hôtes. C'est une prison dorée de VIP, dans laquelle on prendrait sans broncher perpète. Pour assurer la quiétude des clients, un disciple du dalaï-lama est même venu purifier les lieux ! Construit en granit gris et ardoise, l'austère bâtiment est en forme de croix, avec en son centre une rotonde à la structure métallique qui tient lieu de réception et bar. Mon tout d'un luxe presque un peu sage pour le lieu. Car de trace de prison, il ne reste que peu de choses, hormis une poignée de grilles et des entrées de cellules. D'ailleurs, la plupart des chambres sont réparties dans les étages d'une tour moderne et non dans la prison elle-même. Nombreuses animations : expos, présentations de mode, cours de yoga, DJ, *yappier hour* (*happy hour* pour les chiens, si, si !). Ceux qui n'y dorment pas peuvent venir y boire un verre, dans un des nombreux bars (voir plus loin « Où boire un verre ? *Alibi* »).

Où manger ?

Deux fois par an pendant une semaine, généralement mi-mars et mi-août, Boston organise sa ***Restaurant Week*** ou ***Dine Out.*** Un grand nombre de restos chic proposent alors des menus à prix fixe pour environ 15 à 25 $ le midi et de 28 à 38 $ le soir. L'occasion de s'offrir une très bonne table à moindre prix. Renseignements et liste des restos participants sur • *bostonusa.com/dine-out-boston* •

Spécial petit déjeuner

The Paramount *(plan I, C2,* ***51****) : 44 Charles St. ☎ 617-720-1152. Ⓜ Arlington ou Charles/MGH. Tlj 7h (8h le w-e)-16h30, 17h-22h (23h ven-sam). Petit déj ou lunch 10-15 $. Le soir, plats 13-22 $.* Voici la version modernisée d'un *diner* de 1937. On commande au comptoir et on attend d'être servi pour payer puis enfin s'attabler. Une formule pour limiter la queue. Le week-end, celle-ci est quand même légendaire et on a le temps d'admirer l'efficacité des cuistots ! Il faut dire que l'emplacement est de choix (au cœur de Beacon Hill et à deux pas de Boston Common) et la qualité au rendez-vous. Le midi, ils servent aussi burgers, salades et sandwichs. Le soir, quelques plats plus travaillés, plus chers, mais la cafét' devient alors un vrai resto avec service à table et éclairage tamisé comme il se doit.

Charlie's Sandwich Shoppe *(plan II, B4,* ***50****) : 429 Columbus Ave. ☎ 617-536-7669. Ⓜ Back Bay. Tlj sf lun 7h-15h (breakfast servi non-stop). Petit déj env 12 $. CB refusées (mais ATM au fond du resto).* Cette institution populaire, fondée en 1927, a beau avoir été rénovée dernièrement, l'esprit est resté le même, celui de l'Amérique d'hier. *Charlie's* était un des rares lieux où les jazzmen noirs étaient bienvenus à l'époque de la ségrégation. Duke Ellington et Ray Charles étaient des habitués, et Sammy Davis Jr faisait des claquettes sur le pas de porte. De nombreuses personnalités continuent de s'y bousculer pour dévorer le fameux *Turkey hash and eggs* (primé de nombreuses fois), les omelettes crémeuses à 3 œufs, les énormes pancakes et *French toast* (encore meilleurs avec des fruits dedans). Portions ultra-copieuses donc à partager si vous ne voulez pas être plombé jusqu'au soir !

Flour Bakery + Café *(plan II, C4,* ***53****) : 1595 Washington St. ☎ 617-267-4300. Ⓜ Worcester Sq. Lun-ven 7h-21h, sam 8h-18h, dim 8h-17h. Moins de 10 $.* Difficile de se tromper dans cette enseigne locale de boulangeries-cafés décontractées où tout est frais et appétissant. Selon

LA NOUVELLE-ANGLETERRE

l'heure, si l'on a la chance de dégoter une table, on vient boire un cappuccino, grignoter une pâtisserie, croquer dans un très bon sandwich ou avaler une salade. Succursale récente et très agréable à Back Bay, au 131 Clarendon St *(plan II, C3, **53**).*

Trident Booksellers and Café *(plan II, B3, **52**) : 338 Newbury St. ☎ 617-267-8688. Ⓜ Hynes. Tlj 8h-minuit. Env 10-15 $.* Un café-resto-librairie vraiment cool, fréquenté par les étudiants qui grignotent tout en bouquinant ou en pianotant sur leur ordinateur. En tout cas, tous apprécient l'association harmonieuse des nourritures terrestres et spirituelles ! Un lieu agréable pour démarrer la journée en douceur, autour d'un solide petit déj. Beau choix de thés et cafés, *smoothies*. Carte éclectique qui ne renouvelle pas le genre mais propose la panoplie classique de salades, *wraps* et autres burgers simples et corrects.

Et aussi, dans des genres différents, ***Tatte Bakery*** et ***South Street Diner*** (voir ci-après).

Dans le centre historique, à Beacon Hill et Chinatown

Sur le pouce

Boston Public Market *(plan I, D2, **60**) : 100 Hanover St. Ⓜ Haymarket. Tlj 8h (10h dim)-20h.* Nouveau marché couvert aux portes du centre historique. Une quarantaine de stands, du boucher ou poissonnier proposant des plats de traiteur au bar à jus, en passant par la boulange et le fromager. Beaucoup d'enseignes locales et de produits fermiers, c'est l'idée. Tout est frais et bien présenté, bref appétissant. Quelques tables pour se poser, dedans ou dehors.

Bon marché

Tatte Bakery *(plan I, C2, **63**) : 70 Charles St. ☎ 617-723-5555. Ⓜ Charles/MGH. Tlj 8h (7h en sem)-20h (19h dim). Breakfast servi lun-jeu, brunch ven-dim (tte la journée). Env 8-15 $.* Un coup de cœur pour cette petite enseigne « rétro-indus' » dans l'air du temps dont les adresses se multiplient comme des petits pains à Boston et dans les environs. Il faut dire que tout y est exquis, particulièrement les feuilletés, les tartes aux fruits secs et les viennoiseries, certaines d'inspiration israélienne en référence aux origines de la chef, ex-productrice de cinéma férue de pâtisserie. Parfait pour un petit déj, un lunch sain (quiche-salade, Tatin aux légumes, *shakshuka*...) ou une pause-café après une balade dans Beacon Hill. Le week-end, ça ne désemplit pas, mais le turn-over est rapide. Seul bémol : le service, dilettante.

South Street Diner *(plan II, D3, **54**) : 178 Kneeland St. ☎ 617-350-0028. Ⓜ South Station. Tlj 24h/24. Plats max 12 $.* Un authentique *diner* de 1947, dans un wagon chromé comme les vrais de vrais ! Perdu dans un quartier de grandes tours modernes, l'un des tout derniers représentants d'une Amérique aujourd'hui presque disparue. Salle tout en longueur face au bar où trônent les tabourets ronds, petits box en bois avec portemanteau intégré, banquettes de moleskine, quelques carreaux et boiseries d'époque. Une déco vintage qui mérite le coup d'œil pour le fun, à l'image d'une cuisine basique et copieuse qui fait le boulot (petits déj, burgers et autres sandwichs)... surtout en cas de grosse faim en pleine nuit ! Et pour les amateurs, desserts typiques des années *Happy Days* : milk-shakes, *root beer float* (une fois mais pas deux...).

Whole Foods Market *(plan I, C2, **55**) : 181 Cambridge St. ☎ 617-723-0004. Ⓜ Bowdoin. Tlj 7h-22h.* Cette chaîne bien connue de supermarchés bio propose un rayon traiteur terriblement alléchant. Superbe buffet de crudités et salades diverses, soupes, comptoir de pizzas à la coupe, plats chauds variés et originaux (*veggie*, latino, asiatique, indien...), etc. Tout est d'excellente qualité. On remplit ses barquettes et on paie à la caisse avant d'emporter son frichti, car l'espace cafét' n'est pas folichon. Pratique aussi pour le petit déj (smoothies, fruits frais, œufs et délicieuse boulangerie).

Chacarero *(plan I, C-D3, **85**) : 101 Arch St (et Summer). ☎ 617-542-0392. Ⓜ Downtown Crossing.*

Lun-ven 8h-18h. Env 9-10 $. Histoire de varier les plaisirs, direction ce fast-food chilien pour goûter le « burger » du pays : pain maison, poulet ou viande (ou les deux !), haricots verts, tomates, crème d'avocat, fromage... et le tour est joué ! Bon, copieux, original. En revanche, c'est littéralement pris d'assaut le midi par les employés de bureau du coin, alors ne comptez pas trop sur les rares tables disponibles.

🍽 ***Gourmet Dumpling House** (plan II, C3, **58**) : 52 Beach St. ☎ 617-338-6223. Ⓜ Chinatown. Tlj 11h-1h (minuit dim). Plats 8-15 $.* On vient dans cette gargote de Chinatown pour la spécialité maison : les *juicy dumplings,* entendez par là des raviolis à la vapeur (au porc, ou porc et crabe) remplis de bouillon. Le grand jeu consiste à attraper son ravioli sans le crever pour le poser dans la cuillère. Arrosez-le ensuite de sauce, aspirez le jus doucement (hhhé hhho !) avant de croquer dedans. Tout un art ! Une portion (8 *dumplings*) est suffisante pour 2 avec un accompagnement de légumes (ils sont délicieux). Décor quasi inexistant, en revanche, mais les nombreux habitués s'en moquent : toujours plein, heureusement le *turn-over* est rapide.

Prix moyens

🍕 ***Figs** (plan I, C2, **51**) : 42 Charles St. ☎ 617-742-3447. Ⓜ Arlington ou Charles/MGH. Lun-jeu 11h30-22h, ven-sam 11h30-23h, dim 12h-22h. Env 18-25 $ la pizza. Fermé fin 2016 suite à un incendie mais devrait rouvrir.* C'est l'une des enseignes d'un célèbre chef américain, qui livre ici sa version de la pizza : pâte fine et croustillante, garnitures originales, et suffisamment copieuses pour être partagées (on peut même commander moitié-moitié pour goûter différentes associations). Aussi des pâtes et salades appétissantes. Simple, bon, et au final pas trop cher, d'autant qu'on s'est déjà régalé avec le pain chaud à tremper dans l'huile donné pour patienter. En revanche, c'est tout petit, et par conséquent vite plein comme un œuf (attente de mise) et très bruyant.

🍽 ***Penang** (plan II, C3, **57**) : 685 Washington St. ☎ 617-451-6373. Ⓜ Chinatown. Tlj 11h30-23h. Plats 10-20 $.* Resto malaisien très populaire au joli décor brique et bambou. Carte variée, à tous les prix, avec des spécialités malaises, indiennes et chinoises, authentiques et délicieuses. Le *beef rendang,* mélange épicé de bœuf cuit à la vapeur dans du lait de coco, est savoureux, de même que le *mango chicken.* En revanche, certains plats à base de porc sont un peu décevants, car pleins d'os (certes, c'est pour conserver le goût, mais que c'est compliqué à manger !).

🍽 ***China Pearl** (plan II, C3, **59**) : 9 Tyler St. ☎ 617-426-4338. Ⓜ Chinatown. Tlj 8h30-23h. Repas env 15-25 $.* Dim sum *tlj 8h30-15h.* La déco datée et kitsch à souhait ne fait pas dans le glamour, mais cette vaste institution sur 2 étages attire les foules pour ses fameux *dim sum,* large assortiment de plats salés et sucrés servis en petites portions. La version cantonaise du brunch ! Les serveuses passent parmi les tables avec des chariots remplis de petites merveilles, auxquelles on ajoute toutes sortes de plats proposés aux buffets. Chaque fois que vous choisissez quelque chose, on vous tamponne la fiche posée sur la table et vous payez à la sortie. Clientèle mélangée le week-end, à dominante chinoise en semaine.

De prix moyens à chic

🍽 ***Legal Seafoods** (plan II, C3, **61**) : 26 Park Plaza (angle Stuart St). ☎ 617-426-4444. Ⓜ Arlington ou Boylston. Tlj 11h30 (12h dim)-23h (minuit ven-sam). Résa conseillée. Plats 15-20 $ le midi, 23-31 $ le soir (homards plutôt 37-60 $).* Cette affaire familiale et locale qui tourne à fond depuis plusieurs générations est devenue une chaîne très réputée, au décor chicos yuppie des 90's (à quand le lifting plus trendy ?). La qualité de la *seafood* en a fait un incontournable des Bostoniens. Le poisson de la côte est domine, et, dans ce domaine, le resto s'est assuré la place de premier de la classe, car la pêche du jour va directement du bateau à la casserole. La devise maison n'est-elle pas : « *If it isn't fresh, it isn't Legal* » ? Parmi les spécialités : onctueuse *clam* *chowder* servie plusieurs fois à la Maison-Blanche, *crabcakes,* huîtres frites et des poissons tout simplement grillés ou avec de petits extra (épices et autres). Plusieurs succursales en ville, y compris à l'aéroport de Logan pour un dernier homard avant la route !

Très chic et incontournable

I●I ***Union Oyster House*** *(plan I, D2,* ***66****) : 41 Union St. ☎ 617-227-2750. Ⓜ Haymarket ou State. À 500 m de Faneuil Hall. Tlj 11h-21h30 (22h ven-sam). Bar ouv plus tard. Plats 15-35 $.* Même s'il est hyper touristique et si la cuisine n'a plus aussi bonne réputation qu'avant, cet établissement est incontournable pour sa longue histoire (voir les petites vitrines du rez-de-chaussée). C'est le plus vieux resto de Boston (et, depuis 1826, le plus ancien des États-Unis en service continu). En 1771, au dernier étage, l'imprimeur Isaiah Thomas publia *The Massachusetts Spy* ; une des premières manifestations du processus en gestation. En 1796, le futur roi Louis-Philippe en exil vécut au 2e étage et donna des cours de français aux riches Bostoniennes pour subsister. Le premier cure-dent (importé d'Amérique du Sud) fut expérimenté ici. L'importateur offrit des repas à des étudiants fauchés de Harvard pour qu'ils le réclament à la fin du repas ! Kennedy y avait ses habitudes ; on peut d'ailleurs demander à s'asseoir à sa table favorite à l'étage. Bref, un monument historique. À l'intérieur, boiseries anciennes patinées par le temps, nombreuses salles et multiples petits recoins, qui totalisent plus de 600 places ! Cela n'empêche pas d'attendre parfois 1 à 2h pour obtenir une table. La combine consiste à se procurer une place autour du bar à huîtres semi-circulaire au rez-de-chaussée, et d'en déguster une demi-douzaine, accompagnées d'une *clam chowder.* Le reste de la carte est plutôt décevant (assiettes énormes mais sans finesse). Carte des vins plus intéressante que le reste.

Du côté de North End

Sur le pouce

Galleria Umberto *(plan I, D2,* ***67****) : 289 Hanover St. ☎ 617-227-5709. Ⓜ Haymarket. Tlj sf dim 10h45-14h30. Part de pizza env 2 $, max 5 $ pour une calzone. CB refusées.* Cette cafét' au décor hors d'âge (tables en formica, quelques affiches touristiques des 80's et une fresque murale de la Botte aux couleurs fanées) voit débouler tous les midis une longue file de fidèles, habitués à patienter sagement pour commander leur part de pizza. Une seule sorte : tomate, fromage et basta, comme à Palerme, mais le prix défie toute concurrence. Également des *arancini* (boulettes de riz), croquettes de pommes de terre et *calzone.* Bon, populaire et pas cher, c'est la cantine des flics du quartier. Venir avant midi pour limiter l'attente.

De bon marché à prix moyens

Pizzeria Regina *(plan I, D2,* ***68****) : 11 ½ Thatcher St (et Margin). ☎ 617-227-0765. Ⓜ Haymarket. Tlj 11h-23h30 (0h30 ven-sam). Pizzas env 13-21 $ (2 tailles).* Au cœur du quartier italien, voici la plus ancienne (1926) pizzeria du quartier, et la meilleure. Pas de choix, c'est pizza et basta, mais attention les yeux. Cuites dans un four en brique, elles sont fines et croustillantes, moelleuses comme il faut, avec des ingrédients frais et goûteux. Pour les déguster, on se cale dans des box, serrés les uns contre les autres, ou collés au minuscule bar, en attendant que les énergiques serveuses scandent notre nom à travers la salle quand la pizza est prête. Pas de chichis, les assiettes sont en carton. Pas vraiment de décor non plus, hormis les photos des célébrités qui s'en sont mis plein la lampe avant vous, mais une chouette ambiance. Pas étonnant qu'il y ait parfois 30 mn de queue dehors.

I●I ***Daily Catch*** *(plan I, D2,* ***69****) : 323 Hanover St. ☎ 617-523-8567. Ⓜ Haymarket. Tlj 11h-22h. Plats 12-25 $. Cash slt.* Ne vous arrêtez pas au cadre, c'est minuscule, genre gargote, avec la cuisine ouverte sur la salle rudimentaire qui vous fait profiter des (bonnes) odeurs aillées de cuisson. Peu importe, depuis près de 40 ans, tout le monde s'entasse aux quelques tables face à la rue pour manger d'excellents calamars à la sicilienne (frits, en salade, farcis, sur des *linguine* à l'encre maison ou en boulettes), servis directement dans la poêle. Quantités très généreuses (possibilité de prendre une demi-portion). Goûter aussi les moules et les palourdes. Pas de dessert, mais vous pouvez le prendre en face, chez *Mike's Pastry.* En revanche, succès oblige, la file d'attente y est souvent délirante et le service variable. Succursale sur le port dans un décor autrement plus chic (voir plus loin).

De chic à très chic

Neptune Oyster *(plan I, D2,* ***70****) : 63 Salem St. ☎ 617-742-3474. Ⓜ Haymarket. Tlj 11h30-21h30 (22h30 ven-sam). Le* Raw Bar *(écailler) ferme 30 mn plus tard. Pas de résa. Plats 25-35 $ en moyenne (burger maison aux huîtres frites 20 $) ; addition min 50 $ (sans la boisson).* Une des adresses les plus en vogue à Boston en matière de *seafood* haut de gamme, dans un décor de vieux bistrot parisien. Pas de chance, c'est minuscule et ils ne prennent pas de réservation, donc préparez-vous à vous balader dans le quartier italien le temps qu'une table se libère. Belle sélection d'huîtres locales (décortiquées, à la mode américaine) et autres coquillages et crustacés d'une fraîcheur irréprochable, pour composer un plateau sur mesure : le petit papier sur la table sert à ça. Sinon, poissons parfaitement cuits et accommodés de façon originale. *Lobster roll* servi chaud, exquis.

Mamma Maria *(plan I, D2,* ***72****) : 3 North Sq (Prince St). ☎ 617-523-0077. Ⓜ Haymarket. Tlj 17h-22h (23h ven-sam). Addition env 55-70 $ (aussi un menu 3 plats env 40 $).* En face de la maison de Paul Revere, voici un des classiques à Boston en matière de cuisine italienne, au succès jamais démenti depuis des lustres. Demeure ancienne pleine de coins et recoins (pas facile pour le service !). Ambiance classe et feutrée, éclairage doux, bougies sur les tables. Cuisine italo-américaine revisitée avec créativité bien qu'on y trouve des bases toscanes et ombriennes. Desserts à la hauteur, et carte des vins aussi longue que la botte italienne, plutôt chers, mais qui compte de très bons crus au verre. Une adresse raffinée et romantique pour une occasion exceptionnelle.

Dans le quartier du port (Seaport District)

Si vous venez le soir en voiture, plusieurs parkings dans le coin, affichant des tarifs similaires : environ 15 $ après 17h (pour 10h de stationnement).

Bon marché

Flour Bakery & Café *(plan II, D3,* ***73****) : 12 Farnsworth St. ☎ 617-338-4333. Ⓜ South Station ou Courthouse. Lun-ven 6h30-20h, w-e 8h-18h (6h30-17h dim). Repas env 10 $.* L'une des succursales de cette célèbre boulangerie bostonienne. Dans le quartier du Seaport où il fait bon flâner au bord de la rivière, mamans avec poussette ou cadres dynamiques s'y retrouvent pour la pause-déjeuner. Sur les grands tableaux noirs figurent d'excellents sandwichs bien frais, d'appétissants cakes, cookies et muffins. Sans oublier les spécialités du jour comme de délicieuses quiches ou parts de pizza maison. À grignoter dans un cadre *Ikea* design, avec de belles tables en bois. Petite terrasse.

Prix moyens

James Hook & Co *(plan II, D3,* ***71****) : 15-17 Northern Ave. ☎ 617-423-5501. Ⓜ Aquarium ou South Station. Tlj 10h-17h (18h ven et 15h-16h dim).* Lobster roll *17 $ (20 $ le large).* Chowder *7 $. Homard entier 25, 35 ou 50 $ selon taille.* Un *lobster shack* (baraque à homard) ultra-populaire chez les locaux. Et chez les touristes aussi, remarquez. On commande à l'intérieur, en faisant la queue le long des viviers, avant de se trouver une place dehors, sur les grandes tables en bois coincées entre les grandes tours de bureaux et les installations portuaires. Tout le monde vient pour l'excellent *lobster roll,* petit pain fourré de chair de homard à la mayo. Pittoresque et sympa comme tout.

Prix moyens à chic

|●| ***Daily Catch*** *(plan II, D3,* ***75****)* **:** *Fan Pier. ☎ 617-772-4400. Ⓜ South Station ou Courthouse. Lun-sam 11h (12h w-e)-21h (22h ven-sam) ; dim 13h-21h. Plats 18-30 $.* Succursale de notre petite gargote de North End (voir plus haut). On retrouve les mêmes recettes de calamars à la sicilienne mais dans un décor beaucoup plus classe, face au port. C'est surtout la très vaste terrasse qui retient l'attention, à l'abri des arcades de ce beau bâtiment en brique. Et bonne nouvelle, ici, ils prennent les réservations et même les cartes de paiement ! En revanche, le service est inégal, voire complètement dilettante. Vaut donc principalement pour l'emplacement.

|●| ***Barking Crab*** *(plan II, D3,* ***77****)* **:** *88 Sleeper St. ☎ 617-426-2722. Ⓜ Courthouse. En contrebas du nouveau pont. Tlj 11h30-22h. Résa conseillée l'été. Plats 12-32 $.* Cette immense baraque en bois, peinte en rouge et vert avec un auvent rayé façon barnum, est la seule « cabane à *seafood* » au bord de l'eau à Boston. Chaleureuse déco marine : filets de pêche et autres objets récupérés sur un bateau de pirate de passage. L'été, on sort de grandes tables communes et des bancs en bois dans une cour attenante protégée par le fameux auvent. De là, vue directe sur les bateaux de pêche et sur la *skyline* de Boston. Du bruit, du monde, une ambiance bon enfant et un service efficace pour une *seafood* servie sans chichis, mais honnête et à prix raisonnables. Les pinces de crabe, servies largement, vous occuperont un moment. En revanche, les *chowders* sont décevants et les fritures trop grasses.

Babbo *(plan II, D3,* ***74****)* **:** *11 Fan Pier Blvd. ☎ 617-421-4466. Ⓜ South Station. Tlj 11h30-23h (minuit ven-sam). Pizzas et pâtes 10-17 $, vrais plats un peu plus chers.* C'est la *pizzeria-oenoteca* de Mario Batali, le chef aux manettes de *Eataly,* ces temples de la gastronomie italienne qui ont séduit les États-Unis après un 1er succès à Turin. Si les boissons sont chères (même la bière), les pizzas sont d'un vrai bon rapport qualité-situation-prix (le quartier est trendy). Les pâtes sont aussi délicieuses mais servies dans un format *primi.* Agréable aussi pour boire un verre de vin, en picorant une assiette de fromage ou de charcuterie dans une ambiance chaleureuse et animée de trattoria revisitée à l'américaine.

Très chic

|●| 🍷 ***Legal Harborside*** *(plan II, D3,* ***78****)* **:** *Liberty Wharf, 270 Northern Ave. ☎ 617-477-2900. Ⓜ World Trade Center. Tlj 11h-22h (23h ven-sam) au rdc ; aux 1er et 2e étages, le soir slt (dès 16h-17h) et le w-e midi et soir non-stop au 2e. Plats 12-20 $ au rdc, 30-50 $ au 1er étage.* Le fleuron de la célèbre chaîne (voir plus haut) s'est offert une situation imprenable sur le Waterfront, les pieds dans l'eau. 3 niveaux pour 3 ambiances différentes et une vue extraordinaire depuis les larges baies vitrées. Resto décontracté et *fish market* au rez-de-chaussée (poissons, pâtes, pizzas et sandwichs), atmosphère nettement plus sélecte au 1er étage et *lounge* au dernier étage, avec une énorme terrasse extra pour boire un verre et picorer sushis et autres sashimis. Le week-end, à l'heure du déjeuner, initiation pêche gratuite pour les moins de 12 ans. Une super adresse !

|●| Pour ceux qui se baladent près de l'Aquarium, la maison possède une autre adresse, le ***Legal Seafoods Long Wharf*** *(plan I, D2,* ***64****)* : *255 State St. ☎ 617-742-5300. Ⓜ Aquarium. Tlj 11h-22h (23h ven-sam).* Terrasse couverte face au port. La salle fait un peu usine avec l'immense bar, mais il y a aussi des petits coins plus calmes.

Vers Back Bay, Kenmore Square et Fenway

Bon marché

|●| ***Pavement*** *(plan II, B3,* ***110****)* **:** *1096 Boylston St. Voir plus loin « Où boire un*

café ?... ». Pour une pause salée autour d'un bagel à prix doux.

🍔 ***Shake Shack*** *(plan II, B3,* ***65****) :* *234 Newbury St.* ☎ *617-933-5050.* Ⓜ *Copley. Tlj 11h-22h. Burger-frites env 12 $.* Le King du burger version néo-fast-food, né à New York mais aujourd'hui implanté jusqu'en Russie et au Japon, a évidemment sa terrasse sur Newbury St. Le menu est le même que partout : des burgers corrects (on aime bien le végétarien, avec son gros champignon frit), à base de produits sélectionnés, des hot dogs et des glaces, ultra-crémeuses mais sans trop de goût.

De bon marché à prix moyens

|●| 🍸 ***McGreevy's*** *(plan II, B3,* ***76****) :* *911 Boylston St.* ☎ *617-262-0911.* Ⓜ *Hynes Convention Center. Tlj 11h (10h le w-e)-2h. Plats 12-18 $.* De tous les *sports bars* du coin alignés sur Boylston, celui-ci est le plus pittoresque. Ses murs sont entièrement couverts de souvenirs liés au baseball et à son équipe vedette, les Boston Red Sox. Presque un petit musée et pas moins d'une douzaine d'écrans tout autour de la salle, pour ne surtout pas perdre une miette du match en cours ! Les soirs de rencontre, les Bostoniens viennent y descendre une pression avant de rejoindre stade de Fenway, à 1 200 pas de là ! Bonne surprise, la cuisine se défend vraiment bien pour ce genre d'endroit : burgers, salades, *mac & cheese...* Et en bon pub irlandais qui se respecte, belle sélection de whiskies et bourbons.

|●| ***Parish Cafe*** *(plan II, C3,* ***79****) :* *361 Boylston St.* ☎ *617-247-4777.* Ⓜ *Arlington. Tlj 11h30 (12h dim)-2h. Sandwichs et plats 12-20 $.* Le concept de ce café, c'est de servir de copieux sandwichs créés par de grands chefs bostoniens. Évidemment, c'est un peu plus cher qu'ailleurs, mais le résultat est à la hauteur et a beaucoup de succès, surtout le midi. Également une poignée de vrais plats, non siglés eux, et une liste de cocktails exclusifs avec le nom de leurs créateurs. Large sélection de bières, dont pas mal de pressions. S'il fait bon, préférez la belle terrasse sur Boylston à l'intérieur, un peu sombre et surtout bruyant. Ou bien emportez votre frichti pour le croquer dans le Boston Common. Autre adresse au 493 Massachussetts Ave (et Tremont), dans le South End *(plan II, B4,* ***87****).*

|●| ***Thaitation*** *(plan d'ensemble, A4,* ***80****) :* *129 Jersey St.* ☎ *617-585-9909.* Ⓜ *Fenway. Tlj 11h (12h le w-e)-22h (23h ven-sam). Plats 12 $ max le midi, jusqu'à 20 $ le soir.* Dans ce coin un peu excentré de Fenway, ce savoureux resto thaï est une bonne surprise et un point de chute tout trouvé avant ou après la visite du Museum of Fine Arts. Jolie façade en bois travaillé et salle toute jaune égayée de plantes vertes. Pour les petites faims, soupes, *rolls,* raviolis ou friands fourrés au crabe (croquant à l'extérieur et fondant à l'intérieur, tout un art). Des plats très copieux aussi, dont beaucoup sont soit épicés, soit très épicés. Bon curry de poulet à la mangue, et pas mal de choix pour les *veggies.*

|●| ***Jasper White's Summer Shack*** *(plan II, B3,* ***82****) :* *50 Dalton St.* ☎ *617-867-9955.* Ⓜ *Prudential ou Hynes. En sem 11h30-15h et 16h-22h (23h ven) ; le w-e 11h30-23h (22h dim). Plats 8-20 $ le midi, 15-30 $ le soir (également des sandwichs env 7-18 $).* Un *Summer Shack* (cabane à *seafood*) reconstitué en pleine ville, dans une sorte d'énorme hangar coloré. Grandes tablées familiales et ambiance populaire en diable, joyeuse et bruyante. Souvent plein à craquer. Les gamins s'y empiffrent de *corn dogs* pendant que les grands s'attaquent au *clam bake* (plat complet typique de la Nouvelle-Angleterre), entre deux dégustations d'huîtres. Il faut dire que Jasper White, restaurateur réputé et auteur de plusieurs bouquins de cuisine, est connu pour ne pas lésiner sur la qualité des ingrédients et du service.

Vers South End

Sur le pouce

|●| ☕ 🥖 ***SoWa Open Market*** *(plan II, C4,* ***89****) :* *sur Harrison Ave, au niveau du n° 540 (entre Randolph et Waltham St).*

Ⓜ Broadway (sinon, plusieurs parkings tout autour : 10 $ la journée). Ts les dim, mai-oct slt, 11h-17h. Env 8-15 $ selon ce qu'on prend. Cet énorme marché d'art et de vintage en plein air (voir plus loin « À voir, vers South End ») accueille à la belle saison le plus gros rassemblement de *food trucks* de Boston. Très sympa et convivial, d'autant qu'on peut aussi se poser à de grandes tablées, dans un entrepôt désaffecté aux volumes de cathédrale.

De bon marché à prix moyens

Picco *(plan II, C4,* ***88****)* **:** *513 Tremont St. ☎ 617-927-0066. Ⓜ Back Bay. Tlj 11h-23h (22h dim-mer). Pizzas env 13-15 $ (la large est pour 2).* Pâte légère et croustillante, ingrédients cuisinés délicieux : les excellentes pizzas de *Picco* méritent largement qu'on fasse la queue pour obtenir une place au comptoir face à la cuisine ouverte, en salle ou en terrasse. Quant aux fans de flammekueche, ils ne manqueront pas de tester la version locale de la tarte flambée... qui fait mieux que se défendre ! Mais gardez un peu d'appétit pour les bonnes glaces maison.

Delux Café *(plan II, C3-4,* ***83****)* **:** *100 Chandler St. ☎ 617-338-5258. Ⓜ Back Bay. Tlj 17h-23h (1h pour le bar). Plats 13-21 $. CB refusées.* Un des restos les plus abordables de ce quartier *trendy,* dans le style *dive bar.* Le week-end, c'est le Q.G. des étudiants qui viennent en bande y boire des coups et savourer de bons petits plats de cuisine mexicaine et américaine, avec quelques options cajuns. Intérieur sombre, à peine éclairé par des guirlandes de Noël (toute l'année !), tables en formica et murs surchargés couverts de souvenirs d'Elvis, de pochettes de vinyles et de mangas... Fond musical extra, mais souvent couvert par le brouhaha ambiant. Service vite débordé quand c'est plein (et c'est souvent plein).

De chic à très chic

SRV *(plan II, B4,* ***90****)* **:** *569 Columbus Ave (et Massachusetts Ave). ☎ 617-536-9500. Ⓜ Massachusetts Ave. Tlj le soir slt, 17h-23h (minuit jeu-sam). Plats 15-22 $.* Resto italien branché, réinterprétant avec brio la gastronomie vénitienne dans un spectaculaire décor industriel. Trois ambiances différentes contigües (dont une plutôt bar), plus le patio au fond, extra aux beaux jours. Plancher antique, beaux volumes et suspensions très originales diffusant un éclairage tamisé. Côté cuisine, ils ont un moulin sur place donc farines et pâtes sont 100 % maison. Quant aux risottos, ils sont préparés dans les règles de l'art et servis copieusement. Les autres plats sont plus légers (pâtes comprises) donc ajouter 1 ou 2 *cicchetti* si vous avez bon appétit. Une excellente table.

The Franklin Café *(plan II, C4,* ***84****)* **:** *278 Shawmut Ave. ☎ 617-350-0010. Ⓜ Back Bay ou Union Park St. Tlj 17h30-1h30. Bar 17h-2h. Plats 18-23 $ (petites portions 8-10 $).* Un bar réputé pour ses cocktails pas trop chers pour la qualité et sa sélection pointue de bières, mais aussi pour sa cuisine de marché *New American,* créative et inspirée. Petites assiettes à picorer et à partager avec sa tablée, ou plats plus consistants, tout est savoureux, relevé, voire parfois assez épicé. Pas de desserts, en revanche. Murs rouges, banquettes et tables noires, éclairage ultra-tamisé, une ambiance *lounge* très vite bruyante. Venez tôt ou au contraire très tard pour être sûr d'avoir une table, car l'adresse est prisée.

B & G Oysters *(plan II, C4,* ***81****)* **:** *550 Tremont St. ☎ 617-423-0550. Ⓜ Back Bay. Tlj 11h30 (12h le w-e)-23h (22h dim-lun). Résa nécessaire le soir. Plats 19-33 $ le midi, 25-30 $ le soir.* Ce petit resto fait partie de ces adresses dans le vent qui ont éclos ces dernières années à South End. Ici, la *seafood* est reine. Déco high-tech inox et camaïeu de gris perle (couleur coquille d'huître !), bar central, cuisine ouverte et clientèle yuppie. Le *lobster roll* est l'un des plus courus de Boston, très bonne *chowder* également, *fried clams* comme à Ipswich, poissons cuisinés dans un esprit méditerranéen, et bien sûr toute une variété d'huîtres locales (une douzaine !). En étudiant bien la carte, on peut s'en tirer pas trop mal, mais le vin, même au verre, alourdit la note. Petit patio aux beaux jours.

|●| ***Toro*** *(plan II, C4,* ***86****)* **:** *1704 Washington St.* ☎ *617-536-4300.* Ⓜ *Massachusetts Ave (Silver Line). Lunch en sem slt 12h-15h. Le soir, tlj 17h30 (17h le w-e)-22h15 (23h45 ven-sam). Brunch dim. Addition env 35-40 $.* Un resto branché qui continue d'avoir le vent en poupe à Boston. Calqué sur les bars à tapas barcelonais, *Toro* rassemble, dans une joyeuse cacophonie, les aficionados autour d'une sélection goûteuse de *pinchos* et de tapas revisitées, mélange inventif de saveurs sucrées-salées. Plutôt cher au regard des quantités servies, mais la créativité a un prix. Nos lecteurs basques retrouveront leur boisson favorite, le *kalimucho,* mélange de vin rouge, *Coca-Cola* et citron ! Décor design et *trendy* : murs en brique patinés, casiers à bouteilles, long bar en inox et une longue table d'hôtes en bois épais à partager avec ses voisins.

Où boire un café ? Où déguster une pâtisserie ? Où manger un yaourt glacé ?

☕ ***Caffé Vittoria*** *(plan I, D2,* ***120****)* **:** *290-296 Hanover St.* ☎ *617-227-7606.* Ⓜ *Haymarket. Tlj 7h-minuit (0h30 ven-sam). Cash slt.* À North End, au cœur de la Little Italy bostonienne, voici le vrai café comme là-bas. Atmosphère délicieusement rétro (il date de 1929), collection de samovars et cafetières, dont une énorme machine ancienne à *espresso.* Pour accompagner son vrai cappuccino, tout un choix de pâtisseries traditionnelles : *cannoli* (cornet fourré de crème à la ricotta), *sfogliatella* comme à Naples, sans oublier les *gelati.*

☕ ***Mike's Pastry*** *(plan I, D2,* ***120****)* **:** *300 Hanover St.* ☎ *617-742-3050.* Ⓜ *Haymarket. Tlj 8h-23h30 ven-sam). Cash slt.* La pâtisserie la plus réputée du quartier italien de North End. Grand choix de gâteaux italiens (différentes sortes de *cannoli,* tiramisù, babas...), mais aussi américains (*cupcakes, carrot cake* et *cheesecake*) ou entre les deux *(lobster tail),* et même quelques variations à la française. Beaucoup de monde et grand succès. À emporter dans un emballage carton blanc et bleu (celui que vous voyez partout dans les rues !) ou à déguster sur les quelques petites tables à l'intérieur. Succursale à Harvard Square.

☕ |●| ***Pavement*** *(plan II, B3,* ***110****)* **:** *1096 Boylston St.* ☎ *617-236-1500.* Ⓜ *Hynes. Tlj 7h (8h le w-e)-19h. Bagels env 7-8 $.* 📶 C'est le café bostonien parfait pour une pause : un poil hype, très cosy et à la déco sophistiquée bohémo-chic-rustique (mix de briques brutes ou blanchies, cheminées et banquettes moelleuses gris argent). Étudiants et profs font partie des réguliers, aussi bien à l'heure du lunch pour un bon bagel préparé à la commande (propositions du jour au tableau noir), que pour un vrai café à toute heure.

🍦 ***Pinkberry*** *(plan II, B3,* ***100****)* **:** *288 Newbury St.* ☎ *617-424-5300.* Ⓜ *Hynes. Tlj 9h-23h (minuit ven-sam).* OK, c'est une chaîne formatée, mais leurs yaourts glacés sont plutôt réussis et quand il fait bien chaud l'été, cette petite échoppe en souplex est providentielle. On choisit son arôme préféré parmi la sélection du jour (le basique, au goût de yaourt grec, est le plus naturel), on recouvre le tout avec toutes sortes de fruits frais, amandes et autres « toppings » (ils sont illimités)... et on déguste sans hâte. Miniterrasse.

☕ Et aussi ***Boston Public Market*** *(plan I, D2,* ***60****)* et ***Tatte Bakery*** *(plan I, C2,* ***63****)* : voir « Où manger ? » plus haut.

Où boire un verre ?

– Important : ***l'âge minimum requis pour boire de l'alcool est 21 ans,*** donc même pour entrer tout simplement dans les bars et les boîtes, toujours avoir son *ID* (passeport ou permis de conduire) sur soi.

LA NOUVELLE-ANGLETERRE

– Certains bars demandent une ***cover charge*** à l'entrée (5-10 $) lorsqu'il y a un concert, mais il n'y a pas de règle ; ça dépend du bar, du jour de la semaine et des concerts qui peuvent y avoir lieu.
– Enfin, ne pas oublier ***nos bonnes adresses de Cambridge*** (voir plus loin).

🍸 |●| ***McGreevy's*** *(plan II, B3, **76**) : 911 Boylston St. ☎ 617-262-0911. Ⓜ Hynes Convention Center. Tlj 11h (10h le w-e)-2h.* Lire plus haut, dans « Où manger ? Vers Back Bay, Kenmore Square et Fenway ? », le descriptif de ce *sports bar* 100 % ricain.

🍸 ***Jacob Wirth*** *(plan II, C3, **62**) : 31-37 Stuart St (entre Tremont et Washington St). ☎ 617-338-8586. Ⓜ Boylston. Tlj midi et soir, à partir de 11h30.* Fondée en 1868, c'est l'une des plus vieilles brasseries de Boston. Sa superbe façade en bois a fière allure, avec ses grandes colonnes vert foncé. Gigantesque salle aux boiseries patinées et à l'atmosphère passablement surannée. On y sert une quarantaine de pressions (la collection de pompes à bière en témoigne) et des spécialités germaniques un peu lourdingues... Les jeudi et vendredi, de 20h à minuit, tout un flot d'habitués raboule pour chanter en accompagnant le pianiste, devenu une véritable célébrité depuis 30 ans qu'il anime les lieux.

🍸 ***Alibi*** *(plan I, C2, **34**) : 215 Charles St. ☎ 617-241-1144. Ⓜ Charles/MGH. Tlj 17h-2h. Au rdc du superbe Liberty Hotel (voir « Où dormir ? »).* L'ancienne prison abritant ce bar ultra-branché réveille les instincts bestiaux de la jeunesse frivole qui s'enchaîne aux tables à la nuit tombée. Une prison chic et branchouille, mais où les voyous ordinaires sont bienvenus. Quel dommage que les barmaids et barmen ne portent pas l'uniforme... Aux murs, les portraits de célébrités arrêtés pour de vrai (de Frank Sinatra à Hugh Grant en passant par Bowie) mais avec de faux alibis complètement déjantés !

🍸 ***The Sevens Ale House*** *(plan I, C2, **136**) : 77 Charles St. ☎ 617-523-9074. Ⓜ Charles/MGH. Dans le secteur de Beacon Hill. Tlj 12h (11h30 lun-sam)-1h.* Pas mal d'ambiance dans ce pub *old school* entre la taverne et le *dive bar* (vieux rade), ouvert en 1933, bondé durant les *happy hours* et le soir ; pas toujours facile d'y entrer le week-end. Les télés diffusent sans interruption le match du jour, base-ball, foot ou basket, et les bières coulent au rythme des points marqués. En cas de petit creux, on y sert aussi des sandwichs bien frais. Clientèle diversifiée qui s'essaie entre deux pintes au lancer de fléchettes.

Où écouter de la musique ? Où sortir ?

Comme pour les bars et les pubs, il faut ***avoir plus de 21 ans*** pour boire de l'alcool. ***Donc, n'oubliez pas votre passeport.*** Certaines boîtes sont ouvertes à partir de 18 ans quelques soirs par semaine, parfois même tous les soirs ; se renseigner avant.
À Boston, les boîtes de nuit ferment toutes à 2h (mais le *last call* pour obtenir un verre est à 1h). Les entrées sont payantes (5-15 $, voire plus). Dans certains clubs de Lansdowne Street, LA rue des boîtes (qui donne directement sur le Fenway Park, le stade de base-ball), les nuits du dimanche sont gay.
Pour écouter de la musique live, nombreux concerts pas chers très souvent, car les étudiants des écoles de musique de Boston sont désireux de se mesurer au public.

🍸 ♩ |●| ***The Beehive*** *(plan II, C4, **122**) : 541 Tremont St. ☎ 617-423-0069. • beehiveboston.com • Ⓜ Back Bay. Tlj 17h30-minuit (2h ven-sam) ; brunch dim 10h-14h30 ; concerts dès 18h30.* Superbe bar-resto en sous-sol, à la déco baroque délirante. De grands lustres en cristal cohabitent avec des murs en brique décatis et de lourdes tentures qui dégringolent du plafond. *Live music* tous les soirs, offrant un beau programme jazz et world. Musique colorée, cuivrée, léchée ou bien rythmée, en tout cas de qualité, à l'image de ce lieu exubérant et chic à la fois. Les tables devant la scène sont réservées à ceux qui dînent au resto, mais on peut s'y installer dès qu'elles se libèrent, pour coller à la musique. Clientèle plutôt trentenaire qui n'oublie pas de s'amuser, dans une bonne ambiance.

Wally's Café *(plan II, B4,* ***132****) : 427 Massachusetts Ave (et Columbus).* ☎ *617-424-1408.* • *wallyscafe.com* • Ⓜ *Massachusetts Ave (Orange Line). Tlj 18h-2h,* live music *21h30-1h30, dès 17h sam et 18h dim pour le* jazz jam session *; pas de* cover charge. Un des derniers vieux clubs de jazz de la ville, ouvert en 1947 par un immigrant de la Barbade. C'était à l'époque le premier du genre tenu par un Afro-Américain en Nouvelle-Angleterre ! L'endroit est minuscule, une sorte de large couloir avec quelques tables en enfilade face au bar et une petite scène au bout. Ce ne sont pas les grands noms du jazz que vous verrez jouer ici, mais la musique est bonne et c'est ce qui compte. Les musiciens sont souvent issus des trois conservatoires de musique des alentours. Pas mal d'ambiance et souvent bondé le week-end autour de 22h.

The Lansdowne *(plan d'ensemble, A3,* ***133****) : 9 Lansdowne St.* ☎ *617-247-1222.* • *lansdownepubboston.com* • Ⓜ *Kenmore. Lun-ven 16h-2h, le w-e 10h-2h.* Live music *jeu-sam soir (petite cover) et brunch sam-dim.* Au cœur de Lansdowne Street, vaste bar récent doté d'un superbe décor à la fois chaleureux et (faussement mais joliment) patiné, un mix d'Amérique industrielle (murs en brique, colonnes en fonte) et de vieux pub irlandais. Toujours bondé, grosse ambiance (surtout les jours de match), clientèle jeune. Sympa pour y écluser une bière (en revanche, la cuisine ne vaut pas tripette).

House of Blues *(plan d'ensemble, A3,* ***134****) : 15 Lansdowne St.* ☎ *1-888-693-2583.* • *houseofblues.com/boston* • Ⓜ *Kenmore. Achat de billet en ligne ou sur place, 1h avt le show (résa conseillée si groupe connu). Entrée selon « pointure ».* Antenne locale d'une chaîne californienne créée par Dan Aykroyd (des Blues Brothers), connue pour ses décors délirants. Certains auront un peu de mal avec le côté trop usine, trop hollywoodien du lieu, mais il faut reconnaître que la programmation est très bonne et l'ambiance aussi tout compte fait. Fait aussi resto, mais on s'abstiendra.

Achats

Vêtements et accessoires

Newbury Street, charmante rue du quartier de Back Bay, est la Mecque du shopping. On y trouve la plupart des marques convoitées des Français : *Urban Outfitters* et sa déclinaison plus chic *Anthropologie, Madewell* (la marque jeune de *J. Crew*), *Converse, American Apparel, Vans, Ralph Lauren, Brooks Brothers, UGG, Forever 21, Banana Republic, Lucky Brand* et aussi *Frye* (bottes) et *Woolwrich* (parkas, plaids en laine et vêtements style bûcheron hipster d'excellente qualité), deux marques historiques *made in USA,* donc pas données... Plus on s'approche de Boston Common, plus c'est luxe.

Nombreuses enseignes de chaîne aussi (mais moins haut de gamme), du côté de ***Quincy Market*** et dans la galerie marchande de ***Faneuil Hall.*** Et encore quelques-unes *(Old Navy, Primark...)* sur ***Washington St,*** autour de la station Downtown Crossing. Sans oublier l'énorme *mall* du ***Prudential Center.***

Helen's Leather *(plan I, C2,* ***230****) : 110 Charles St.* ☎ *617-742-2077.* Ⓜ *Charles/MGH. Lun-sam 10h-18h, dim 12h-17h.* Jolie petite boutique ouverte il y a près d'un demi-siècle et spécialisée dans les vêtements, chaussures et accessoires western de qualité, *made in USA.* Assez anachronique au cœur de Beacon Hill, mais superbe choix de santiags pour les fans (fabriquées au Nouveau-Mexique ou au Texas), vestes en cuir frangées, chemises *Rockmount, Stetson* et autres ceinturons. Bons conseils en prime.

Converse *(plan I, C1,* ***231****) : 140 N Washington St (à l'extrémité nord de la rue, sur Lovejoy Wharf).* ☎ *617-248-9530.* Ⓜ *North Station. Tlj 10h (11h dim)-19h (20h sam, 18h dim).* La marque de la célèbre basket

All Star, créée en 1917, s'est offert une situation imprenable, au bord de la Charles River et tout près du quartier italien, pour installer son siège et son magasin amiral. Quelques éditions limitées dont la spéciale *Boston,* avec la bande rouge du Freedom Trail imprimée sur la semelle. Et pour étrenner vos pompes, la *Harborwalk* démarre juste devant et longe l'eau jusqu'au Seaport.

Designer Shoe Warehouse (DSW**; plan I, C3,* ***232*) :* *385 Washington St. ☎ 617-556-0052. • dsw.com • Ⓜ Downtown Crossing. Lun-sam 10h-21h, dim 11h-19h.* Sur 2 niveaux, des centaines et des centaines de chaussures de marque à 25 ou 50 % de leur prix initial : *DKNY, UGG, New Balance...* (entre autres) sont exposées ici et là, non par marque mais par genre (un étage ville et un étage baskets). Quelques affaires au rayon *Clearance.*

Sports

Red Sox Official Store** (plan d'ensemble, A3-4,* ***235*) :* *19 Yawkey Way (juste en face du stade de Fenway). Ⓜ Kenmore. Lun-sam 9h-17h, dim 11h-16h.* Pour les fans, c'est la boutique officielle des Sox, l'équipe vedette de baseball. Tout plein de produits dérivés, à l'effigie des fameuses chaussettes rouges.

Livres

Brattle Book Shop** (plan I, C3,* ***234*) :* *9 W St. ☎ 617-542-0210. • brattle bookshop.com • Ⓜ Park St. Lun-sam 9h-17h30.* Cette librairie spécialisée dans les livres anciens existe depuis 1825. Pour les passionnés, l'endroit rêvé pour chercher un bouquin épuisé, une bonne occase, une première édition et même une rareté... La petite courette attenante est couverte de *murals* sur le thème des livres et des écrivains.

À voir

Il existe un ***CityPass*** *(valable 9 j. ; adulte 55 $, 3-11 ans 42 $),* qui permet de visiter 4 sites et musées de la ville : le Museum of Fine Arts (ou croisière), l'Aquarium, le Skywalk Observatory et le Museum of Science. S'achète dans le premier site visité ou dans les *Visitor Centers.* • *citypass.com* •

Le Freedom Trail et le centre historique

Pour connaître l'histoire de la ville à travers monuments et ruelles depuis trois siècles et demi, il suffit de ***suivre une ligne rouge (peinte ou en brique) de 4 km,*** qui commence à l'angle de Tremont et Park Street. Cet itinéraire passe par tous les endroits importants ayant marqué ***l'histoire de Boston.*** Le Freedom Trail est donc un immense musée en plein air ! Un petit détail : Boston est souvent sous la neige l'hiver... Pour mieux se repérer, prendre la carte dans l'un des *Visitor Centers.* Sinon, des tours guidés en anglais et en costume d'époque sont aussi proposés tout au long de l'année *(infos et résas : ☎ 617-357-8300 ; • thefreedom trail.org • ; résa possible aussi au* Visitor Center *de Boston Common ou de Faneuil Hall ; env 12 $ – ½ tarif enfants – pour 1h30 de balade).*

Voici maintenant les étapes les plus intéressantes ; compter 3h de balade en tout. ***Départ de la fontaine à droite du kiosque d'informations,*** à l'entrée du Boston Common, le long de Tremont Street *(plan I, C3,* ***i 3****).* *Ⓜ Park St.*

Boston Common *(plan I, C2-3) :* le plus vieux jardin public des États-Unis. Situé au centre de la ville, il communique en fait avec le Boston Public Garden (Charles Street faisant office de frontière entre les deux jardins). Grandes pelouses autour d'un point d'eau (où naviguent des bateaux-cygnes depuis les années 1870 !), arbres vénérables, patinoire en plein air aménagée l'hiver. Aux beaux jours, les yuppies tombent la veste et cassent la croûte sur le tas, et d'élégantes femmes font la sieste dans l'herbe... Un tas de trucs intéressants dans les rues environnantes, et particulièrement Charles Street, avec ses antiquaires, ses magasins chic et ses restos haut de gamme. Le Boston Common était, comme tout Boston, la propriété d'un vieil ermite qui était seul sur la presqu'île. Quand les émigrants ont débarqué, il s'est d'abord cloîtré sur ce terrain, avant de partir vers l'ouest. Les Bostoniens n'ont jamais osé construire sur le Boston Common.

Massachusetts State House *(plan I, C2) : entrée sur la droite dans Bowdoin St. ☎ 617-727-3676. Lun-ven 10h-16h. GRATUIT. Tours guidés gratuits (30-45 mn), sur résa, lun-ven 10h-15h30. Doc en français.*

Dessinée par Charles Bullfinch (grand architecte de la région) et achevée en 1798, elle est reconnaissable de loin grâce à son dôme qui à l'origine était en bois, et fut couvert d'or 23 carats en 1874. Sa conception a servi de modèle au Capitole de Washington. Un des premiers visiteurs fut Davy Crockett, qui s'extasia sur la grande morue en bois sculpté (symbole de l'importance de la pêche pour le pays) qui pendait dans la salle des représentants à l'Assemblée. Il ajouta que lui-même conservait les pattes d'ours dans sa cabane ! C'est dans cette enceinte qu'une femme, Angelina Grimke, fervente abolitionniste, fut pour la première fois autorisée à faire un discours devant une assemblée élue.

Face à l'entrée de la State House, en bordure du parc, le ***Shaw Memorial,*** un monument en bas relief qui rend hommage au 54e régiment d'infanterie du Massachusetts qui, lors de la guerre de Sécession, comptait dans ses rangs de nombreux soldats noirs libres.

Revenir le long du parc par ***Park Street.***

Park Street Church *(plan I, C2) : à l'angle de Park et Tremont St. ☎ 617-523-3383. Fin juin-août, mar-sam 9h30-15h. Tours guidés l'été.* Édifiée en 1809, sur l'emplacement d'un ancien grenier à grains (d'où le nom du cimetière à côté), l'église connut quelques événements majeurs : en 1826, création de la première société de tempérance (un verre, ça va...) ; le 4 juillet 1829, premier discours public antiesclavagiste. William Lloyd Garrison avait commencé par « *I will be heard* » (« Je serai entendu »), ce qui n'était pas évident au début !

Granary Burying Ground *(plan I, C2) : Tremont St, à deux pas de Park Street Church. Tlj 10h-17h.* Ce cimetière date de 1660. Sur quelques dizaines de mètres carrés, une très grande concentration d'hommes célèbres : les cinq victimes du massacre de 1770, trois signataires de la Déclaration d'indépendance, neuf gouverneurs du Massachusetts, les parents de Benjamin Franklin (la pyramide au centre), Paul Revere, John Hancock et Peter Faneuil. Ce dernier, un commerçant aisé d'origine rochelaise et huguenote, possédait un nom difficilement prononçable pour l'Anglo-Saxon moyen. Aussi, le sculpteur qui exécuta la pierre tombale inscrivit-il d'abord : « P. FUNAL », de la façon dont il avait compris le nom ! L'erreur a été corrigée depuis. Moins puritain que ses collègues révolutionnaires, Faneuil serait mort de la syphilis... Les esclaves appréciés de leurs « propriétaires » avaient droit à une pierre tombale, où seul leur prénom était gravé...

Continuer sur ***Tremont Street.***

King's Chapel et son cimetière *(plan I, C2) : à l'angle de Tremont et School St. ☎ 617-227-2155. • kings-chapel.org • Juin-août, tlj 10h-17h ; le reste de l'année, tlj 10h (13h30 dim)-16h. Entrée gratuite, mais donation suggérée de 2 $. Tours guidés de la crypte + tour avec la dernière cloche fondue par Paul Revere : en sem à 11h, 13h, 14h et 15h, dim à 14h et 15h ; 10 $ (résa possible en ligne). Messe mer à 12h15, dim à 11h. Concert mar à 12h15 (30-40 mn ; tarif suggéré : 3 $) plus dim en hiver à 17h (15 $). Pas de visite de l'église pdt les messes et les concerts.*

C'est le site de la première église anglicane des États-Unis (construite en 1686). L'édifice actuel, érigé en 1754, remplace la première église en bois.

Architecture et décoration intéressantes. Noter les *pews* (box) qui protégeaient les fidèles des rigueurs de l'hiver, et le *governor's pew* (box du gouverneur), utilisé par les gouverneurs du roi puis, en 1789, par Washington lors d'une visite officielle. Il fut détruit en 1826 en tant que symbole infamant du passé (mais reconstruit au début du XXe s). On trouve aussi là la plus vieille chaire sculptée du pays (1717). De la cellule à la droite de l'entrée, les condamnés pouvaient suivre une dernière fois la messe avant d'être conduits au gibet.

Le **cimetière** adjacent *(tlj 10h-17h)* est le plus ancien de la ville (1630). À la perpendiculaire de la porte d'entrée, très belle tombe sculptée de Joseph Tapping. Le tombeau de John Winthrop, le premier gouverneur du Massachusetts, qui voulait bâtir une société puritaine idéale. Au milieu, sépulture de Mary Chilton, la première personne qui débarqua du *Mayflower* à Plymouth. Enfin, côté église, tombe d'Elizabeth Pain, dont la vie inspira Nathaniel Hawthorne et qui devint Hester, l'héroïne de son roman *La Lettre écarlate* (Wim Wenders en fit également un film).

DERNIÈRE DEMEURE

Le roi d'Angleterre Jacques II cherchait un terrain au cœur de la ville pour créer une paroisse anglicane à Boston. Il ne trouva pas un yard ; les puritains avaient quitté l'Angleterre pour fuir l'Église anglicane, ils n'allaient pas lui faciliter la tâche. Le gouverneur britannique réquisitionna un coin du cimetière, soulignant que les morts ne protesteraient pas, eux ! Pour ne pas interrompre la célébration de l'office pendant les travaux, qui durèrent 4 ans, on construisit la nouvelle église en granit autour de l'ancienne. Quand elle fut achevée, on n'eut plus qu'à démonter la première et à sortir les éléments par les ouvertures.

🏛 Dans *School Street,* entre Washington et Tremont Street, s'élevait, en 1635, la première école publique des États-Unis, la ***Boston Latin School.*** Elle offrait l'instruction aux garçons aussi bien de familles aisées que modestes, mais les filles ne furent acceptées qu'en 1972. Un peu plus bas, statue de l'un de ses élèves, Benjamin Franklin. Derrière la statue, l'*ancien hôtel de ville,* construit en 1864 en style Second Empire à la mode à l'époque. Dans l'entrée du petit jardin, l'âne du parti démocrate. Aujourd'hui, la Boston Latin School est située dans le quartier de Fenway.

🏛 ***Old Corner Bookstore*** *(plan I, D2)* **:** *à l'angle de School et Washington St.*
Avant que ne soit construite la maison actuelle vivait ici une femme qui marqua son temps : Ann Hutchinson. Elle tenait, en 1635, des réunions religieuses où elle exprimait des opinions contraires à la doctrine puritaine, ce qui lui valut d'être bannie de la colonie 2 ans plus tard. La maison que l'on découvre aujourd'hui, l'une des plus anciennes de Boston, date de 1718. C'était la boutique et la résidence de l'apothicaire qui l'a fait construire. En 1832, elle est devenue une librairie où tous les grands écrivains étaient publiés et se rendaient régulièrement : Longfellow, Emerson, Hawthorne, Dickens (quand il était de passage). Dans les années 1960, le bâtiment a été restauré par la *Historic Society* de Boston pour lui redonner son style XIXe s. Et aujourd'hui, il abrite un resto *Chipotle.* Sur la petite place triangulaire, au centre, un ensemble sculpté assez réaliste évoque l'arrivée des immigrants irlandais après 1845, chassés de leur pays par la terrible famine due autant à la maladie de la pomme de terre qu'à la répression anglaise de leurs aspirations nationales.

🏛🏛 ***Old South Meeting House*** *(plan I, D2)* **:** *310 Washington St. ☎ 617-482-6439. • osmh.org • Tlj 9h30-17h (10h-16h nov-mars). Entrée : 6 $; 5-17 ans slt 1 $; gratuit moins de 5 ans.*
Construite en brique en 1729, l'église était utilisée à la fois pour la religion et la politique. Du point de vue architectural, sa flèche blanche rompait pour la première fois avec la rigueur puritaine. Bâtiment le plus spacieux de Boston, il ne tarda pas à supplanter Faneuil Hall (voir plus loin) pour les grandes réunions populaires, dont la première se tint après le *Boston's Massacre,* et qui fut rapidement suivie par celles qui allaient conduire à la *Boston Tea Party.* C'est aussi dans ce lieu hautement

politique et symbolique que vint se recueillir une esclave capturée au Sénégal, Phillis Weatley, qui fut une des toutes premières femmes noires à publier des poésies. Mais ce ne fut pas si facile, les Bostoniens ne pouvant pas croire qu'une femme, qui plus est une Noire, puisse écrire un livre. Elle comparut lors d'un procès où elle dut démontrer son talent d'écrivain. Ironie de l'histoire, bien que finalement reconnue comme auteur à part entière, c'est à Londres qu'elle publia son premier livre, en 1773. Elle mourut très jeune, à 31 ans, en 1784, et son talent fut salué par George Washington en personne.

UNE INFUSION SALÉE POUR LE PARLEMENT

Le 16 décembre 1773 se réunirent à Old South Meeting House 5 000 Bostoniens en colère, attendant le résultat des négociations avec le gouverneur britannique à propos de la taxe sur le thé. Leur échec déclencha la Boston Tea Party : une centaine de patriotes déguisés en Indiens Mohawks surgirent en criant « Aux docks, aux docks, transformons le port en théière ! » et jetèrent dans l'eau du port suffisamment de thé pour infuser 32 millions de tasses. L'indépendance américaine était en marche...

Après avoir servi d'écurie pour les chevaux des troupes anglaises d'occupation entre 1775 et 1776, Old South retrouva sa vocation religieuse, avant d'être désaffectée en 1872 et vouée à la démolition. Une souscription lancée par les amoureux du lieu permit de la racheter à l'ultime moment. C'est aujourd'hui un modeste musée sur la révolution américaine, où sont exposés quelques documents historiques, plans, estampes, multiples souvenirs et témoignages.

Old State House *(plan I, D2) :* *à l'angle de Washington et State St.* ☎ *617-720-1713. Tlj 9h-17h (16h janv et 18h juil-août). Entrée : env 10 $; gratuit moins de 18 ans.*

Sa construction date de 1713, ce qui en fait, à l'heure actuelle, l'un des plus anciens édifices des États-Unis. Il compose aujourd'hui, avec sa couronne de gratte-ciel, l'un des plus fascinants paysages urbains. Ce fut un temps le plus imposant bâtiment de la ville, tout à la fois siège de l'autorité royale et de l'Assemblée du Massachusetts élue par les colons. En 1776, au moment du débat sur le *Stamp Act,* les députés firent installer une galerie au-dessus de l'assemblée pour que la population puisse assister aux réunions. Ce fut la première fois dans l'histoire moderne que des citoyens ordinaires purent contrôler leurs élus (bien sûr, dans l'esprit des patriotes, c'était également pratique pour faire pression sur ceux qui étaient trop mous !). Au sous-sol était installée la bourse, lieu où se bâtirent de colossales fortunes dans l'armement maritime. Du balcon fut lue la Déclaration d'indépendance dès qu'elle arriva de Philadelphie, et la foule alluma un immense feu de joie. Le lion et la licorne, symboles de la royauté – et dont les répliques ornent le toit – alimentèrent le feu.

Après la révolution, en 1798, le gouvernement du Massachusetts déménagea dans son nouvel édifice à Beacon Hill, et l'Old State House se transforma en bureaux et entrepôts. Par la suite, elle se dégrada tellement qu'on envisagea de la démolir. Des habitants de Chicago, épris d'histoire, proposèrent alors de la démonter brique par brique pour la sauver et la reconstruire au bord du lac Michigan ! Très vexées, les autorités de Boston décidèrent de conserver l'édifice et de le restaurer...

Là aussi, on visite aujourd'hui un musée rempli de souvenirs émouvants : armes, drapeaux, uniformes, gravures, estampes, ivoires gravés, tableaux, maquette du *USS Constitution,* etc. « Une » du *Liberator,* journal antiesclavagiste. Au 1er étage, accessible par un bel escalier en spirale, parmi les objets amusants, les « antisèches » qui servirent au révérend Eliot pour ses sermons de 1742 à 1778 ! Les classes de mômes s'y pressent en rangs serrés pour y apprendre les rudiments de la démocratie.

En face de l'Old State House, sous le balcon de la façade est, un cercle de pavés marque l'endroit précis du *Boston's Massacre* (1770). En fait de massacre, seules cinq personnes furent tuées, mais cela suffit à déclencher le processus révolutionnaire. À l'origine des coups de feu, les soldats britanniques jugés pour meurtre furent défendus par un jeune avocat, John Adams, futur deuxième président des États-Unis. Il n'y a aucun panneau, mais un guide pourra vous montrer le lieu du massacre.
Suivez State Street, puis descendez sur la gauche vers un espace dégagé en face de l'imposante masse du *Boston City Hall* et garni de terrasses et de restos.

Faneuil Hall** (plan I, D2) : en face du Quincy Market. ● faneuilhall.com ● Tlj 10h-21h (18h dim).* Construit en 1742 et offert à la Ville par Peter Faneuil, le plus riche marchand de la région, afin de faciliter le travail des paysans qui venaient y écouler leurs produits. Au-dessus du marché fut ajoutée une salle de réunion. Faneuil Hall y gagna le surnom de *The Cradle of Liberty* (le « berceau de la liberté »). Ici se tinrent tous les meetings de protestation contre l'autorité royale anglaise, puis ceux des grandes causes (organisations antiesclavagistes, mouvement féministe, ligues de tempérance, affaire Sacco et Vanzetti, contrôle des naissances, etc.). Toutes les guerres américaines (jusqu'à celle du Vietnam, on ne parle pas des suivantes...) furent discutées ici. Cependant, les rénovations en ont fait un endroit un peu trop encombré de boutiques de souvenirs. Également un ***Visitor Center ouvert tous les jours de 9h à 18h : brochures, cartes, infos, etc.

***Quincy Market** : à l'arrière de Faneuil Hall.* Les anciennes halles de Boston (datant de 1826) sont aujourd'hui transformées en boutiques (très touristiques) et en restos. *Food court* assez bas de gamme, le seul resto correct pour manger assis et pas trop trop cher étant *Wagamama.* Près de 15 millions de visiteurs par an. Certains soirs, on croirait que toute la ville s'y retrouve. Énorme animation tout autour, affreusement touristique il faut avouer.

Le long d'Union Street, sur la gauche, subsiste un petit îlot très ancien, où l'on trouve l'emblématique ***Union Oyster House*** (voir « Où manger ? »). Les ruelles ont conservé leur tracé d'origine. Au 10 Marshall's Lane s'élève la ***John Ebenezer Hancock House*** (du XVIIIe s), qui servit de trésorerie générale aux troupes insurgées. C'est ici qu'arrivèrent les 2 millions de couronnes d'argent envoyées par le gouvernement de Louis XVI. De 1796 à 1963, la maison abrita une boutique de cordonnier. On traverse ensuite la coulée verte ***(Rose Kennedy Greenway)*** aménagée à la place de l'ancienne autoroute urbaine pour rejoindre le vieux quartier de ***North End,*** siège d'une communauté italienne animée et joyeuse (voir descriptif de ce quartier plus loin).

***Paul Revere House** (plan I, D2) : 19 North Sq. ☎ 617-523-2338. ● paulreverehouse.org ● Tlj (sf lun janv-mars) 9h30-17h15 (16h15 de nov à mi-avr). Entrée : 3,50 $; réduc.*
Bâtie en 1680, c'est la demeure la plus ancienne de Boston. Ici vécut, de 1770 à 1800, Paul Revere (1734-1818), le héros le plus populaire de la guerre d'Indépendance. Fils d'un huguenot français, père de 16 enfants, orfèvre, patriote de la première heure et meilleur *express rider* (messager à cheval), il se distingua en partant sur-le-champ, sans dormir, prévenir Philadelphie de la *Boston Tea Party* (après avoir lui-même passé la nuit à jeter les ballots de thé à l'eau). Mais son plus grand exploit, le 18 avril 1775, fut d'avoir pu annoncer l'attaque imminente de l'armée anglaise contre la garde nationale à Lexington, et de réussir à l'avertir en se faufilant en barque entre les navires britanniques ancrés dans le port, puis en poursuivant sa mission périlleuse par une chevauchée fantastique de nuit. L'exploit fut immortalisé par un poème d'Henry Wadsworth. On peut voir la cuisine, la pièce à vivre et deux chambres aménagées avec un mobilier d'origine, ainsi que des billets de banque de l'époque coloniale. Dans une vitrine, quelques objets personnels, dont les lunettes de Revere. Dans la cour, une cloche de bronze fondue par l'atelier de Paul Revere. Visite pas indispensable, soyons honnête.

North Square, place adorable la nuit, comprend également la ***maison Pierce-Hichborn*** (1711) et, à côté, la ***maison des Mariniers*** (1847). Également l'*église du Sacré-Cœur* (de 1833), en face. Dickens aimait y écouter les sermons du père Taylor, qui avait d'abord entamé, à l'âge de 7 ans, comme beaucoup d'orphelins, une carrière de mousse, puis de marin.

UN LONG DIMANCHE DE RETROUVAILLES

En 1673, le capitaine Kemble, qui habitait North Square, rentra d'un long voyage de 3 ans plein de péripéties. Sa femme l'attendait sur le pas de la porte. L'embrassade fut, on s'en doute, émouvante et passionnée. Pas de chance, c'était un dimanche : pour conduite indécente le jour du Seigneur, le brave capitaine fut immédiatement conduit au pilori en ville ! Non mais !

Dans la petite ***Garden Court,*** au nord de la place, au nº 4, naquit, en 1890, Rose Fitzgerald, petite-fille d'un immigré irlandais. Elle se rendit plus tard célèbre en donnant naissance à quatre fils (non moins célèbres) : un pilote mort en héros en 1944, un président des États-Unis assassiné, un ministre de la Justice qui connut le même destin et enfin un sénateur démocrate qui resta 47 ans à son poste.

LA NOUVELLE-ANGLETERRE

Old North Church *(plan I, D2)* **:** *193 Salem St. ☎ 617-858-8231. • oldnorth.com • Janv-fév, tlj 10h-16h ; mars-mai et nov-déc, tlj 9h-17h ; juin-oct, tlj 9h-18h. Entrée gratuite, mais donation suggérée de 3 $. Visite guidée de 10 mn possible, gratuite (donation suggérée de 1 $/pers), dans le cadre du* Freedom Trail. *Ou visite guidée plus complète 5 $/pers (réduc) : ttes les 30 mn 10h-11h30 et 13h-16h30 l'été (slt jusqu'à 14h ou 15h hors saison et pas de visite janv-fév).* Avant d'arriver à l'église, traversée du Paul Revere Mall : squattée par quelques écureuils, la statue du valeureux messager et, sur les murs de la place, 14 plaques de bronze racontant l'histoire des héros de la révolution, du quartier et de ses habitants. Old North est la plus ancienne église de Boston encore en activité (1723). Ses promoteurs s'inspirèrent d'un style d'architecture trouvé dans un livre anglais acheté en librairie. La construction nécessita 513 654 briques (si, si !). On y trouve les premières cloches importées en Amérique. Elles sonnèrent à toute volée la défaite de Cornwallis, le général britannique, à Yorktown. Avant la nuit de sa fameuse chevauchée, redoutant un éventuel échec, Paul Revere avait chargé Robert Newman, le bedeau de l'église, de disposer des lanternes dans le clocher pour prévenir les gens de Charlestown de l'arrivée des troupes anglaises. L'intérieur de l'église a peu changé depuis deux siècles. Les *pews* (les bancs de prière clôturés) sont toujours en place, ainsi que les chandeliers allumés le soir et l'orgue. Sur l'un des *pews,* on voit encore le nom de Paul Revere.

Copp's Hill Burying Ground *(plan I, D1-2)* **:** *Hull St. Tlj 10h-17h (15h l'hiver).* C'est le deuxième plus vieux cimetière de la ville (il date de 1659). Prenez le temps de détailler les belles pierres tombales sculptées et leurs pittoresques épitaphes. Quelques personnages intéressants. Côté Snowhill Street, la colonne de Prince Hall, leader noir, ancien esclave engagé dans l'armée des patriotes, créateur de la première école pour gens de couleur et fondateur de la loge maçonnique africaine du Massachusetts en 1776. En face, la tombe de Daniel Malcolm, à l'épitaphe frappante : « Vrai fils de la liberté et ferme opposant au *Revenue Act.* » En effet, ce négociant patriote avait fait de la fraude fiscale un moyen de résistance. Les soldats anglais utilisèrent le cimetière pendant la guerre pour bombarder au-dessus du port les positions des insurgés.

Franchir l'embouchure de la Charles River par le *Charlestown Bridge,* pont métallique qui date de 1899. ***Charlestown*** est un charmant quartier paisible peuplé de vieilles maisons à bardeaux et chargé d'histoire.

Bunker Hill *(plan d'ensemble C1)* est le site de la première grande bataille entre la colonie et la couronne britannique, qui se solda par la défaite des patriotes, le 17 juin 1775. Mais les troupes anglaises y perdirent plus de 1 000 hommes et ne purent quitter Boston comme ils le souhaitaient. Washington se chargea de les repousser à la mer moins d'un an après. En 1825 commença la construction d'un immense obélisque de granit pour commémorer l'événement : 67 m de haut, 294 marches pour une vue spectaculaire *(tlj 9h-16h30, jusqu'à 17h30 juil-août)*. La Fayette en posa la première pierre. Les travaux durèrent 18 ans. En contrebas de la colline, le ***Bunker Hill Museum*** *(plan d'ensemble C1 ; Monument Sq ; ☎ 617-242-7275 ; tlj 9h (13h en sem en hiver)-17h (18h juil-août) ; GRATUIT)* retrace cet épisode sanglant : quelques panneaux pour évoquer le contexte, une poignée de vitrines (sabre et tambour de régiment) et une grande maquette commentée. Décevant, car pas grand-chose à voir au final.

À VOS MARQUES, PRÊTS, PARTEZ !

Les Minutemen étaient des volontaires recrutés parmi les 13 colonies de la Nouvelle-Angleterre dès 1756. Ils s'engageaient à livrer combat contre l'ennemi anglais dans les plus brefs délais (2 minutes seulement après l'offensive !). La 1re milice a été constituée dans le Massachusetts, mais les autres colonies ont rapidement adopté ce système particuièrement efficace.

À 200 m de là se trouve l'***USS Constitution Museum*** *(plan d'ensemble, D1) : à Charlestown Navy Yard, le 1er chantier naval américain. ☎ 617-426-1812. • ussconstitutionmuseum.org • Musée ouv tlj 10h-17h (9h-18h avr-oct). Visite du bateau tlj sf lun : mi-avr à début nov, mar-ven 14h30-18h (17h oct-nov), w-e 10h-18h (17h oct-nov) ; début nov à mi-avr, mar et ven 14h30-16h, w-e 10h-16h. Donation suggérée : 5-10 $ (enfants 3-5 $).*

Ce ***musée,*** installé dans un bâtiment sur le quai, comprend un film historique, quelques rappels sur les hauts faits du *Constitution* (le 2e plus ancien bateau de guerre du monde encore à flot, actuellement en restauration mais visitable en cale sèche) et une section très ludique et joliment aménagée sur l'incorporation des marins et leur quotidien à bord. Sympa (on peut grimper dans des hamacs et s'essayer au tir au canon !), mais pas indispensable.

Juste à côté, histoire de bien mesurer l'évolution de la marine de guerre, on peut découvrir le ***USS Cassin Young,*** un destroyer de la Seconde Guerre mondiale.

➢ Après avoir parcouru le Freedom Trail, on peut rentrer en bateau. Prendre le ***ferry*** *(6h45-20h15 en sem, 10h-18h le w-e ; trajet : 15 mn ; ticket : 3 $ – s'achète sur le bateau)*. Au bout du quai, derrière *USS Constitution Museum.* Vue de Boston depuis la mer, sympa.

À Beacon Hill et Chinatown

Beacon Hill *(plan I, C2)* **:** la plus haute des trois collines de Boston. Le *beacon* était un signal d'alarme installé autrefois au sommet. Le quartier s'urbanisa après la construction de la nouvelle State House. Le nord de la colline était habité par la communauté noire de Boston, centre du mouvement abolitionniste. Ce quartier résidentiel, qui servit de cadre aux *Bostoniennes* d'Henry James, est aujourd'hui très recherché. Il faut se perdre dans les ruelles fleuries, les *lanes* croulant sous la verdure, entre d'adorables maisons victoriennes et des cottages aux jardinets à demi cachés. Le soir, quand l'horizon se teinte de mauve et que s'allument les lanternes à gaz, les derniers rais du soleil embrasent les façades rouges et roses parées de loggias et de grilles en fer forgé. Parcourir Beacon Hill, c'est se croire un moment à West Village (New York), à Georgetown (Washington), ou dans les coins les plus secrets de Chelsea (à Londres). Découvrez ces jardinets poétiques, les auvents à colonnades, les fenêtres vénitiennes cachant la vie feutrée des vieilles familles bourgeoises.

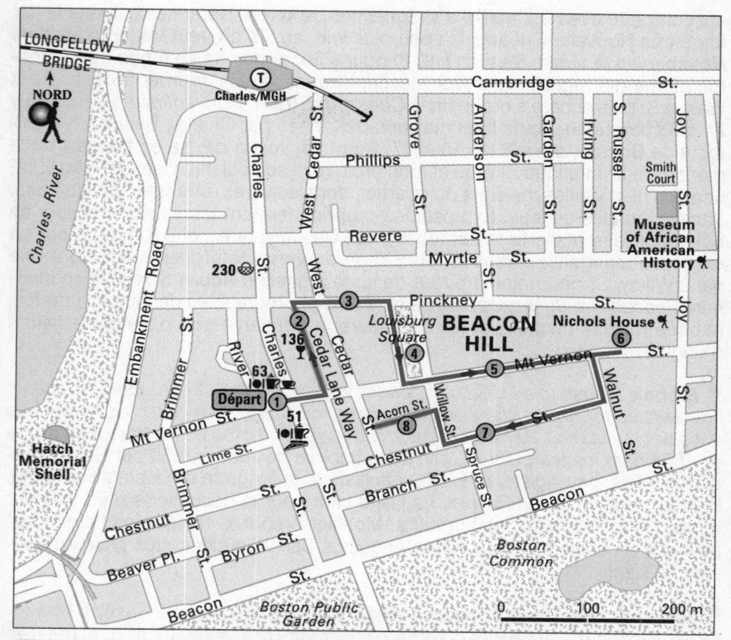

ITINÉRAIRE BEACON HILL

Où faire une pause en cours de balade ?	**136** The Sevens Ale House
51 The Paramount et Figs	**Achats**
63 Tatte Bakery	**230** Helen's Leather

➢ ***Itinéraire à travers Beacon Hill :*** départ à l'angle de Charles et Mount Vernon St, devant ***Tatte Bakery*** *(plan Itinéraire Beacon Hill,* ***1****),* une de nos adresses préférées du quartier avec *The Paramount* et *Figs. Charles St* est la rue principale de Beacon Hill, bordée de belles boutiques (notamment *Helen's Leather*), antiquaires, cafés et restos. Voir plus haut le descriptif des adresses pointées sur l'itinéraire dans « Où manger ? », « Où boire un verre ? » et « Achats ».
Remonter Mount Vernon et tourner à gauche dans ***Cedar Lane Way*** *(plan Itinéraire Beacon Hill,* ***2****),* aussi étroite qu'adorable, avec ses réverbères anciens. Prendre à droite ***Pinckney St*** *(plan Itinéraire Beacon Hill,* ***3****)* qui formait la frontière entre le quartier élégant (au sud) et celui des domestiques au nord (le contraste architectural entre les deux versants est notable) jusqu'à ***Louisburg Square*** *(plan Itinéraire Beacon Hill,* ***4****)* : une charmante placette très british flanquée de façades néoclassiques et dotée d'un jardinet central dont seuls les riverains ont la jouissance (le sénateur John Kerry en fait partie, le veinard !). L'ensemble respire tellement l'Angleterre qu'on y tourna le film *Vanity Fair* dans les années 1920. Emprunter ensuite ***Mount Vernon Street*** *(plan Itinéraire Beacon Hill,* ***5****),* la plus belle rue de Beacon Hill, bordée de jardins et peuplée de petits oiseaux. Au 40-42 (angle Walnut), une rare et grande *brownstone* de 1850

qui contraste avec les maisons victoriennes de la rue. Noter ses balcons en fer forgé très Nouvelle-Orléans. Un peu plus loin, au 55, on peut visiter la ***Nichols House*** *(plan Itinéraire Beacon Hill,* ***6****)* pour s'imprégner de ce mode de vie aristocratique qui régnait alors (voir descriptif ci-dessous). Tourner à droite dans Walnut St puis encore à droite dans ***Chestnut Street*** *(plan Itinéraire Beacon Hill,* ***7****),* qui compte au moins trois maisons dessinées par Charles Bulfinch, l'architecte de Boston, aux n°s 13, 15 et 17. Au n° 15, voir la devise en français de la monarchie britannique : « Dieu et mon droit, honi soit qui mal y pense. » Au 29 A, une des plus vieilles maisons du quartier, dont les vitres, étrangement violettes, attirent tous les curieux. Sympas, les proprios ferment les volets intérieurs en bois pour faire ressortir la teinte violette ! Ce « mystère » s'expliquerait par un excès de manganèse dans la fabrication du verre. Bifurquer ensuite à droite dans Willow St pour rejoindre tout de suite à gauche ***Acorn Street*** *(plan Itinéraire Beacon Hill,* ***8****),* la plus connue et la plus photographiée de toutes, autrefois habitée par les cochers et les serviteurs, a conservé son pavage de galets d'origine.

Nichols House *(plan I, C2)* **:** *55 Mount Vernon St. ☎ 617-227-6993. • nicholshousemuseum.org • Mar-sam (jeu-sam nov-mars) 11h-16h. Visite guidée obligatoire, ttes les 30 mn. Entrée : 10 $; gratuit moins de 12 ans.* Construite en 1804 par Charles Bulfinch, elle a été habitée de 1885 à 1960 par Rose Standish Nichols, paysagiste, ébéniste, pacifiste et suffragette de la première heure. Porche de style *Greek Revival*. La visite vaut pour la découverte d'un intérieur huppé de la fin du XIXe-début XXe s. Mobilier précieux, tapisseries flamandes, pièces d'art chinois et sculpture d'Augustus Saint-Gaudens, très prisé au tournant du siècle.

Museum of African American History *(plan I, C2)* **:** *46 Joy St. ☎ 617-725-0022. • maah.org • Ⓜ Bowdoin ou Gouvernement Center. Tlj sf dim 10h-16h (17h juin-sept). Entrée : 5 $; gratuit moins de 12 ans.* Un musée consacré à la préservation de la mémoire quant à la contribution des Afro-Américains en Nouvelle-Angleterre depuis l'ère coloniale jusqu'au XIXe s. Il organise des expos temporaires, des concerts et des lectures. Au sein de l'institution, deux maisons se visitent : l'***African Meeting House*** (au 8 Smith Court), la plus vieille église noire des États-Unis (1806), qui servit un temps de synagogue ; et l'***Abiel Smith School,*** juste à côté, construite pour les familles qui habitaient dans le coin dans les années 1830 (2 000 *African-Americans* habitaient Beacon Hill à cette époque).

Black Heritage Trail **:** *les* National Park City Rangers *organisent des tours gratuits de ce trail (2,5 km de long). Itinéraire disponible dans les offices de tourisme. Début mai-début sept, tlj sf dim à 14h (plus 10h et 12h juil-août). Durée : 1h30. Rens au ☎ 617-742-5415.* Il retrace les principales étapes de l'histoire des Noirs de Boston qui vécurent, tout au long du XIXe s, au nord de la colline de Beacon Hill (délimitée par Cambridge Street). Début de la balade sur Beacon Street, au *Shaw 54th Regiment Memorial* (en face de la State House).

Chinatown *(plan II, C-D3)* **:** *Ⓜ Chinatown.* Dans le grand quadrilatère délabré de Beach, Tyler, Essex et Washington Streets, succession de restos authentiques, gargotes dans leur jus, boutiques exotiques et bars *topless* sordides. 8 000 personnes (Chinois, Vietnamiens, Laotiens et Cambodgiens en majorité) habitent ce quartier. Allez-y le matin ou en début d'après-midi, alors que les marchands animent les rues. La nuit, atmosphère interlope et couleurs expressionnistes assurées. Ceux qui se demandent pourquoi une des rues de Chinatown s'appelle Beach Street apprendront avec intérêt que la mer arrivait jadis jusqu'ici. En effet, Boston a été construite largement en remblayant des zones inondées comme Back Bay, ou en s'avançant sur la mer.

Vers North End

North End *(plan I, D1-2)* **:** Ⓜ *Haymarket.* Cœur du quartier italien, North End fut d'abord un quartier mal famé de marins au début du XIXe s, puis d'Irlandais à partir de 1850 (plusieurs dizaines de milliers fuirent la famine), rejoints ensuite par les juifs d'Europe centrale. Les Italiens, dernière vague d'immigration, marquèrent définitivement le secteur de leur empreinte. Envahi de touristes, il mérite néanmoins largement une visite pour ses rues pittoresques jalonnées de belvédères à l'ancienne, et pour ses restos de qualité... même si l'accueil évolue au gré de l'affluence. On peut au minimum en profiter pour boire un vrai *espresso* (au *Caffé Vittoria* par exemple, le plus vieux café italien de Boston ; voir « Où boire un café ? Où déguster une pâtisserie ?... ») ou croquer dans un *cannolo* à la ricotta chez *Mike's Pastry.* Traversée en grande partie par le Freedom Trail, ***Hanover Street*** en est l'axe principal. Nombreuses fêtes religieuses les week-ends d'été.

***Harborwalk* :** sympathique promenade aménagée au bord de l'eau, depuis le nord de North End (au niveau du Charlestown Bridge, au pied du siège de *Converse*) jusqu'au Seaport District, en passant par les différents *wharfs* (quais).

The Rose F. Kennedy Greenway *(plan I, D2-3)* **:** *(sur tt le parcours).* Une initiative ô combien salutaire que cette coulée verte aménagée sur le tracé de l'horrible autoroute qui traversait autrefois la ville, avant que le fameux *Big Dig* ne la relègue sous terre. Cette promenade plantée, qui serpente aujourd'hui depuis New Sudbury Street (à North End) jusqu'à Kneeland Street (à Chinatown) via le port, est ponctuée de jardins thématiques, pelouses, aires de repos et de pique-nique, bassins, fontaines, brumisateurs...
Renseignements sur les animations ponctuelles sur • *rosekennedygreenway.org* •

Museum of Science *(plan I, C1)* **:** *Charles River Dam (de l'autre côté de la Charles River).* ☎ *617-723-2500.* • *mos.org* • Ⓜ *Science Park. Tlj 9h-17h (19h juil-août et 21h ven tte l'année). Entrée : 25 $; 3-11 ans 20 $ (gratuit avec le* Boston CityPass*). Plus 6 $ pour la serre aux papillons ou les films 4D ou le planétarium ou le cinéma* Omni. Un genre de « palais de la Découverte ». Visite d'une capsule *Apollo,* planétarium, découvertes thématiques comme le corps humain, l'environnement, l'astronomie, l'électricité... En 2016, l'ex-maire de New York et milliardaire Michael Bloomberg a fait don de 50 milliards de dollars au musée, un lieu qu'il adorait enfant.

Autour du Seaport District et sur le Waterfront

Tout le quartier se développe à vitesse grand V autour de Fan Pier et du ICA (musée d'Art contemporain) qui a initié le mouvement. Nombreux buildings résidentiels haut de gamme en construction, livrant une vue spectaculaire sur l'eau. Des restos trendy mais aussi pas mal d'enseignes de chaîne, comme les burgers *Shake Shack.* Un monde fou les soirs d'été. À noter que le Seaport District est accessible en bateau de fin mai à début septembre, avec la compagnie ***Boston Harbor Cruises*** (navette *Cultural Connector*). • *bostonharborcruises.com* • *Trajet 5 $ ou pass journée 15 $.*

Institute of Contemporary Art (ICA *; plan II, D3)* **:** *100 Northern Ave.* ☎ *617-478-3100.* • *icaboston.org* • Ⓜ *World Trade Center ou Courthouse. Tlj sf lun 10h-17h (21h jeu-ven). Entrée : 15 $; réduc ; gratuit pour tous jeu à partir de 17h, et pour les familles (avec enfants de 12 ans et moins) le dernier sam du mois (sf déc). Audioguide gratuit en anglais (téléchargable aussi depuis le site web).* Ce centre culturel d'art contemporain occupe de spectaculaires locaux en bordure du port de Boston, conçus par le studio d'architecture Diller Scofidio & Renfro, connu aussi pour son projet de réhabilitation de la High Line à

LA NOUVELLE-ANGLETERRE

New York. Côté contenant : une extraordinaire façade en équerre tout en verre et en béton tournée vers l'océan, avec un gigantesque porte-à-faux, se présentant comme un vaisseau qui flotte au-dessus de l'eau, trait d'union entre la modernité des constructions en hauteur de la ville et l'immensité de l'univers marin. Côté contenu : une seule galerie d'exposition (au 4e étage) à laquelle on accède par un ascenseur-plateforme en verre. Vue panoramique géniale aussi sur le front de mer depuis la galerie vitrée dans le porte-à-faux, avec les avions qui décollent et atterrissent sur la droite. Pas de collection permanente mais les expos temporaires présentées sont souvent décoiffantes, comme dans tout musée d'art contemporain américain qui se respecte. Beaucoup de monde et d'animation dans tout le quartier les jeudi et vendredi pour la nocturne gratuite. Venir vers 17h pour éviter la foule.

Boston Tea Party Ships and Museum *(plan II, D3,* ***175****) : Congress St Bridge, accessible depuis le milieu du pont. ☎ 866-955-0667. • bostonteapar tyship.com • Ⓜ South Station ou Courthouse. Tlj 10h-17h (16h hors saison) : départ ttes les 15 mn. Entrée : 26 $; 5-12 ans 16 $; réduc sur le site web officiel.* Une attraction ludique et bien fichue sur les lieux même de la célèbre *Boston Tea Party.* Guidés par d'excellents comédiens en costume, les rebelles du jour vocifèrent pendant les débats sur l'oppression britannique, puis embarquent à bord d'une réplique d'un bateau pour en apprendre un peu plus sur la marine de l'époque... et surtout balancer des ballots de thé à la flotte, comme lors du glorieux 16 décembre 1773 ! Le calme revenu, on passe à la partie musée, avec un topo sur le contexte historique qui conduisit à cette émeute, illustré par un spectacle holographique. Après un moment de recueillement devant l'une des deux seules caisses en bois rescapées, qui porte le nom du garçon qui la sortit de l'eau (le *Robinson Tea Chest* est considéré comme l'un des symboles de la naissance de la nation américaine !), séquence émotion avec la projection d'un film sur la bataille de Lexington en 1775, qui marque l'entrée en guerre de la colonie contre l'Angleterre. Intéressant, à condition de bien maîtriser l'anglais.

Boston Children's Museum *(plan II, D3,* ***176****) : 308 Congress St (Museum Wharf). ☎ 617-426-6500. • bostonchildrensmuseum.org • Ⓜ South Station ou Courthouse. Tlj 10h-17h (21h ven). Entrée : 16 $ pour tous ; slt 1 $ ven 17h-21h mais bondé et ultra-bruyant !* Un vaste musée pour enfants, coloré à souhait et plein d'activités. Maison traditionnelle japonaise dans laquelle les gamins peuvent entrer, découverte de la culture afro-américaine, initiation à l'écologie, chantier de travaux publics (inspiré du fameux *Big Dig* de Boston), etc. Tables pour pique-niquer dehors, sur un passage piéton agréable le long de la rivière. Sympa, mais un peu cher pour ce que c'est.

New England Aquarium *(plan I, D2) : sur le front de mer, derrière Quincy Market (Central Wharf). ☎ 617-973-5200. • neaq.org • Ⓜ Aquarium. Juil-août, tlj 9h-18h (19h ven-sam) ; sept-mai, tlj 9h-17h (18h le w-e). Entrée : 27 $; 3-11 ans 19 $; gratuit avec le* Boston CityPass. *Imax Theatre : 10 $; 3-11 ans 8 $. Billet combiné : respectivement 32 $ et 24 $.*
Impressionnant ! Un plan incliné s'enroule en spirale autour d'un gigantesque aquarium cylindrique (900 000 litres) de quatre étages, qui s'achève au sommet par une galerie en surplomb des massifs de coraux. Tout du long de l'ascension, on observe tortues, requins, raies, murènes et des centaines d'autres espèces occupés à vivre leur vie comme si de rien n'était ! Et pour compléter cette visite étonnante, différentes sections thématiques occupent chaque niveau (sur les méduses, les poissons tropicaux, la protection des fonds marins...), tandis que les cabrioles des pingouins ou des lions de mer font l'objet de présentations détaillées par des guides. Quant aux durs à cuire, ils n'oublieront pas d'aller tâter la bête dans les aquariums prévus à cet effet... où barbotent même des requins ! Un site très fréquenté à juste titre. Si la foule vous décourage, venez au moins voir l'aquarium à l'extérieur avec les phoques. Gratuit et marrant comme tout !

– ***Whale Watch (observation des baleines) :*** *l'aquarium a un partenariat avec* Boston Harbor Cruises *(la compagnie maritime principale de la ville) et garantit des places privilégiées à bord pour ses visiteurs. Billet combiné avec l'aquarium : 69 $, 3-11 ans 45 $ (moins de 2 ans 16 $). Sinon, le long du quai à la sortie de l'aquarium, plusieurs autres compagnies proposent les mêmes services, c'est-à-dire 3-4h de balades en mer avr-oct. • whalewatch.com •*

Boston Harbor Hotel *(plan I, D3)* ***:*** *70 Rowes Wharf, sur Atlantic Ave, près du Northern Avenue Bridge.* C'est le complexe hôtelier géant ouvert à la fin des années 1980. Architecture caractéristique de ces années-là, avec une monumentale arche d'entrée (haute de six étages) s'élevant sur les anciens docks. Bateau-taxi direct depuis l'aéroport.

À Back Bay et Copley Square

À l'ouest de Boston Common, ***Back Bay,*** sur la rive sud de la Charles River, est un quartier extrêmement agréable articulé autour de *Beacon Street, Commonwealth Avenue* et *Newbury Street.* Longues avenues verdoyantes, bordées de superbes maisons victoriennes qui prennent, les soirs d'été, de fascinants tons mordorés, parfois flamboyants. C'est là que vous trouverez les boutiques élégantes, cafés chicos avec terrasses, galeries d'art, etc.
En revanche, pratiquement sans transition, le quartier de ***Copley Square*** et ***Boylston Street*** s'anime dans la journée ; grands magasins et nouveaux gratte-ciel se disputent l'espace. Trinity Church (entre Boylston Street et Saint James Avenue), qui se reflète dans le plan miroir de la John Hancock Tower, est devenue le symbole des chocs architecturaux de la ville. Tout le secteur du ***Berklee College of Music*** (sur Boylston St) est émaillé de buildings de la prestigieuse école de musique, comme à Harvard ou autour du MIT.
Entre Park Plaza, le sud du Common et le quartier chinois, l'animation est plutôt nocturne dans le quartier de ***Bay Village*** et des théâtres. Il y règne un restant d'ambiance bohème qui date du temps des bars clandestins de la prohibition. C'est aussi de nos jours le point de ralliement de la communauté gay.

Trinity Church *(plan II, C3,* ***181****)* ***:*** *206 Clarendon St (et Copley Sq). ☎ 617-536-0944. • trinitychurchboston.org • Ⓜ Copley ou Back Bay. Tlj 9h-16h45 (17h45h dim). Entrée (un peu chère) : 7 $ en visite libre ou en visite guidée (horaires variables, se renseigner) ; gratuit moins de 16 ans accompagnés et pour tous pour prier ou assister à une messe (dim à 7h45, 9h, 11h15 et 18h ; jeu à 12h10 ; mer à 17h45 sept-juin) ; visite guidée gratuite après la messe de 12h15 dim. Sept-juin, concerts d'orgue gratuits (donation suggérée) le ven vers 12h15.* L'œuvre maîtresse d'Henry Hobson Richardson, terminée en 1877 et largement influencée par le style roman du XIe s. C'est une des plus belles églises aux États-Unis. Le portail occidental est inspiré de celui de Saint-Trophime d'Arles, et le clocher néo-Renaissance une libre adaptation de la cathédrale de Salamanque. La décoration intérieure, aussi riche que somptueuse, fut confiée à John LaFarge. Magnifiques vitraux du préraphaélite Edward Burne-Jones exécutés par William Morris et d'autres par John LaFarge. Palette de couleurs de toute beauté, avec des effets scintillants comme chez Tiffany. Notez que Trinity Church repose sur quelque 4 500 piliers de bois qui doivent rester constamment humides pour leur conservation.

First Baptist Church *(plan II, C3,* ***182****)* ***:*** *110 Commonwealth Ave, à l'angle de Clarendon St. Ⓜ Copley. Fermé pour la messe du dim.* Pour les férus d'architecture, l'un des travaux de jeunesse (1852) de l'enfant du pays, Henry Hobson Richardson. Le clocher séparé est inspiré des campaniles italiens. La frise du haut a été réalisée par Auguste Bartholdi (monsieur *statue de la Liberté*).

John Hancock Tower *(plan II, C3,* ***183****) : 200 Clarendon St (et Copley Sq).* Ⓜ *Copley.* Magnifique gratte-ciel de 60 étages et 241 m, le plus haut de Nouvelle-Angleterre, dessiné par le génial architecte sino-américain Pei (celui de la pyramide du Louvre) et inauguré en 1976. Mais, depuis le 11 septembre 2001, il ne se visite plus. Dommage, la vue du dernier étage embrassait toute la ville. On peut toujours y jeter un œil de l'extérieur, en passant. Remarquez la Trinity Church qui se reflète dans la façade de verre bleuté et forme un contraste saisissant entre les deux visages de Boston.

Boston Public Library *(plan II, B3,* ***184****) : 700 Boylston St (et Copley Sq).* ☎ *617-536-5400.* • *bpl.org* • Ⓜ *Copley. Lun-jeu 9h-21h, ven-sam 9h-17h, dim 13h-17h. Tours architecturaux gratuits tlj (1h).* Étonnant comme la façade de la fin du XIXe s, inspirée de la bibliothèque Sainte-Geneviève à Paris, est en totale harmonie avec son extension réalisée en 1972 (tout récemment rénovée). Sans carte, on ne peut pas consulter les livres, mais ça vaut le coup d'entrer juste pour les lions en marbre et les fresques de Puvis de Chavannes qui décorent le grand escalier. Et surtout, pour admirer deux autres séries de fresques, la première réalisée par Edwin Austin Abbey sur le thème de la quête du Graal avec une somptueuse palette de couleurs (au *2nd floor*), et l'autre par le fameux portraitiste John Singer Sargent *(3rd floor)*. Très joli patio *(courtyard)* doté d'un bassin, copié sur celui d'un palais Renaissance romain. Reposant et rafraîchissant. Idéal pour faire une pause, lire ou casser une petite graine avec les étudiants.

Courtyard Restaurant : *sous les arcades du patio, dans la partie ancienne de la bibliothèque. Tlj sf dim,* afternoon tea *11h30-15h30, env 35 $ (un vrai repas, avec sandwichs, gâteaux et scones).* Aussi un ***Map Room Café*** plus simple juste à côté.

Newsfeed Café : *dans l'extension moderne. Tlj 9h (13h dim)-21h (17h ven-dim).* Amusant, le café-resto partage les lieux avec la chaîne de TV et radio WGBH qui y a installé un studio d'enregistrement.

@ Aussi une vingtaine d'ordis avec ***accès Internet*** gratuit *(mais slt 15 mn max).*

Prudential Center *(plan II, B3,* ***185****) : 800 Boylston St.* ☎ *617-236-3100.* • *prudentialcenter.com* • Ⓜ *Prudential. Tlj 10h-21h (11h-19h dim).* Pour les amateurs de shopping, énorme *mall* situé entre Boylston Street et Huntington Avenue, relié par une passerelle à un autre centre commercial et d'affaires, *Copley Place.*

Plusieurs options intéressantes pour manger sur place : ***Five Napkin Burger*** *(gourmet burgers)*, ***Wagamama*** (*ramen* et autres nouilles asiatisantes) et surtout un nouveau ***Eataly,*** concept store bobo dédié à la gastronomie italienne, mi-épicerie, mi-resto. Aussi un comptoir du ***Visitor Center*** au centre du complexe.

Skywalk Observatory *(plan II, B3,* ***185****) : 800 Boylston St ; au 50e étage de la Prudential Tower.* ☎ *617-859-0648. Tlj 10h-20h (22h mars-nov). Entrée : 18 $; 3-11 ans 13 $.* Le seul et unique panorama en hauteur sur toute la ville. Mini-expo et 4 petits films projetés en alternance pour mieux faire avaler le prix exagéré. À faire uniquement si vous avez le *CityPass.* Deux étages plus haut, un bar-resto *(Top of the Hub)* archiplein et très cher le soir mais paisible en fin d'après-midi.

Berkeley Building *(plan II, C3,* ***187****) : 420 Boylston St (et Berkeley).* Magnifique édifice de style Beaux-Arts, construit en 1905. Harmonie parfaite de verre, de métal et de terre cuite.

Newbury Street *(plan II, B-C3) :* pleine de charme, avec ses jolies *brownhouses* agrémentées de bow-windows caractéristiques, c'est la rue commerçante la plus chic de Boston. Boutiques chic, voire de luxe, galeries d'art et restos avec terrasse pour se prélasser au soleil et voir défiler les *beautiful people.*

Christian Science Church Center *(plan II, B4,* ***186****) : 175 Huntington Ave (et Massachusetts). ☎ 617-450-2000. Ⓜ Prudential. Mar-sam 9h (13h mer)-16h (17h jeu-sam), dim 11h-15h. GRATUIT.* Complexe architectural d'une des congrégations religieuses les plus puissantes du pays, fondée en 1879 par Mary Baker Eddy après une guérison miraculeuse. Regroupant son énorme église de style byzantino-Renaissance qui peut accueillir 5 000 personnes, une tour de 26 étages, un amphithéâtre signé, là encore, du grand architecte I. M. Pei, son quotidien (le *Christian Science Monitor*), une immense bibliothèque (*Mary Baker Eddy Library* ; entrée gratuite) et le *Mapparium,* un globe terrestre de verre géant dans lequel on se balade et qui représente le monde politique en 1935 *(tlj sf lun 10h20-16h – dernier tour ; entrée : 6 $, réduc).*

Vers South End

SoWa Open Market *(plan II, C4) : sur Harrison Ave, au niveau du n° 450 pour le marché vintage et les ateliers d'artistes ; au niveau du n° 500 pour le marché alimentaire et un peu plus loin, au niveau du n° 540 pour les* food trucks *(entre Randolph et Waltham St). Ⓜ Broadway (sinon, plusieurs parkings tout autour : 10 $ la journée). Marché vintage ts les dim de l'année, 10h-16h ;* food market *avec producteurs et* food trucks *dim mai-oct 11h-17h.* Énorme marché en plein air occupant plusieurs blocs, coincé entre les buildings-entrepôts-usines en brique et la voie rapide. C'est la sortie dominicale des jeunes Bostoniens. Il faut dire que l'atmosphère y est fort sympathique, très « Brooklyn » dans l'esprit. Plusieurs sections : brocante vintage au sous-sol d'un bâtiment et, dans les étages au-dessus, des ateliers d'artistes ouverts au public (quelques autres également accessibles tout à côté, au 46 Waltham St). Aussi un marché fermier et le plus grand rassemblement de *food trucks* de la ville ; voir plus haut « Où manger ? ».

Museum of Fine Arts (MFA *; plan d'ensemble, B4) : entrée au nord par Fenway, ou par le 465 Huntington Ave. ☎ 617-267-9300. • mfa.org • Ⓜ Museum. Tlj 10h-17h (22h mer-ven). Entrée (valable un 2e j. de visite dans les 10 j. suivant l'achat du billet d'entrée) : 25 $; réduc ; gratuit moins de 6 ans, et pour les 7-17 ans à partir de 15h en sem et le w-e ; inclus dans le* Boston CityPass. *Mer 16h-21h45, donation libre. Plan-guide en français disponible au point d'info du musée. Audioguide : 6 $ (version française réduite). Tour en français mer à 11h15 (inclus dans le prix d'entrée). Également de nombreuses visites guidées en anglais : consulter le programme du jour.*

Surnommé *MFA* (prononcer « em-ef-éï » en insistant sur le « éï » pour imiter les riches Bostoniennes qui fréquentent assidûment l'endroit), avec ses 500 000 pièces et son bon million de visiteurs par an, c'est l'un des grands musées du pays. En plus de l'art américain mis à l'honneur et d'une importante section impressionniste, les collections asiatique et égyptienne figurent parmi les plus complètes au monde. L'aile ouest, magnifiée par une architecture intérieure particulièrement réussie, conçue (encore une fois) par I. M. Pei, rivalise avec son pendant à l'est, la *Art of the Americas Wing,* un petit bijou signé Norman Foster, véritable musée dans le musée, entièrement dédié à l'art des Amériques. Espace, clarté, plaisir de vagabonder dans la lumière, tout est là. Un musée EX-CEP-TION-NEL, dans lequel vous risquez de passer la journée (et encore !).

Voici quelques points d'orgue, choisis de façon subjective comme toujours.

Art of the Americas Wing

Réalisé par le cabinet d'architecture britannique *Norman Foster & Partners,* ce cube de verre accueille sur quatre niveaux les collections américaines du musée. C'est la première fois dans le monde qu'un musée consacre une section aussi importante aux Amériques au pluriel, dans leur intégralité : 53 galeries en tout,

présentant chronologiquement quelque 5 000 pièces à travers une culture, une période, un artiste ou un thème. Un vrai voyage dans le temps, depuis le premier millénaire av J.-C. au sous-sol *(lower ground)* jusqu'à la seconde moitié du XXe s tout en haut *(level 3).* Le tout très aéré par de grandes galeries vitrées diffusant la lumière naturelle, disposées de la même façon à chaque étage, et donnant sur une cour intérieure tout en verre elle aussi. Une vraie réussite.
Conseil de visite : si vous n'avez qu'un temps limité devant vous, vous pouvez vous concentrer sur les galeries centrales de chaque niveau, ou bien axer votre visite autour d'un thème spécifique.

– ***Level LG*** *(Lower Ground)* ***: art précolombien.*** Masque olmèque en jadéite, urnes funéraires aux personnages très expressifs, parures de bijoux et céramiques andines. Dans la section consacrée au ***XVIIe s,*** des meubles coloniaux et de la vaisselle provenant essentiellement de Nouvelle-Angleterre, ainsi qu'une belle collection de maquettes retraçant l'évolution de la navigation ***(art maritime).*** En introduction au XVIIIe s, reconstitution typique d'un intérieur de l'époque.

– ***Level 1 : XVIIIe s et début du XIXe s américains.*** John Singleton Copley, bien sûr, et son fameux portrait de *Paul Revere,* l'un des tableaux les plus emblématique de la période qui présente le héros avec ses outils de graveurs. On peut d'ailleurs voir juste en face l'une de ses créations en argent ciselé, le célèbre *Liberty Bowl,* qui évoque le refus des *Townshend Acts* en 1767. C'est l'un des grands symboles de l'Indépendance américaine. À voir également, *Watson and the shark,* relatant un fait divers tragique façon *Dents de la mer* à Baltimore, et des compositions monumentales, comme le *Passage of the Delaware,* de Thomas Sully, représentant George Washington avant une bataille de la Révolution. Cette peinture avait été commandée par la State House de Caroline du Nord en 1816, qui voulait faire réaliser deux portraits en pied de Washington. Mais Sully vit les choses en grand et sa chevauchée historique ne rentrait pas dans le bâtiment. Elle acheva sa course à Boston, et fut la première toile réinstallée dans la nouvelle aile de Norman Foster.
Également Gilbert Stuart, dont on peut admirer les superbes portraits, entre autres *Martha* et *George Washington* (œuvre partagée tous les 2 ans avec le musée de Washington). De Henry Sargent, la célèbre *Boston Tea Party.* Enfin, ne manquez pas les cinq *period rooms* soigneusement reconstituées, les magnifiques quilts et les jolies marines de Fitz Henry Lane.

– ***Level 2 : peinture américaine du XIXe s et début du XXe s.*** John Singer Sargent, bien sûr, avec en vedette ses superbes *Daughters of Edward Darley Boit,* inspirées par Vélasquez. Vous noterez que les deux vases japonais qui encadrent ce fameux tableau sont ceux de la toile, représentés à côté des quatre fillettes. Ces vases, qui ont suivi la riche famille Boit un peu partout dans ses déplacements, ont fait leur entrée au musée en 1997. L'influence du Japon se retrouve aussi avec les panneaux fleuris de Charles Caryl Coleman. Vitraux de La Farge et pâtes de verre de Tiffany. De Whistler, *Nocturne in blue* où, de la lagune de Venise, on distingue à peine le campanile de la place Saint-Marc. *The Tea,* de Mary Cassatt, fait parfois penser un peu à Manet, mais en plus joyeux. Du côté des naturalistes : Martin J. Heade (*Lake George,* et toute une salle autour de *Orchids and hummingbirds*) ; Albert Bierstadt ; délicates couleurs de *An October Afternoon* de Sanford R. Gifford ; Erastus S. Field, qui dépeint la famille de bien curieuse façon. Pour terminer, réjouissante collection de girouettes anciennes, et encore une reconstitution d'intérieur (milieu XIXe s).

– ***Level 3 : peinture contemporaine américaine, jusqu'aux années 1970.*** Edward Hopper, bien sûr, avec *Drugstore* et *Room in Brooklyn* ; *Old Brooklyn Bridge* de Joseph Stella ; *Rose blanche, Crâne de cerf, Patio avec porte noire* de Georgia O'Keeffe ; *Le Destin,* merveilleuse palette de verts de Henry S. Mowbray. Et puis, en vrac, quelques Jackson Pollock, un buste en bronze d'Archipenko à la torsion élégante, une vache en fil de fer de Calder et du Warhol... Côté design, Charles & Ray Eames, Eero Saarinen...

Les autres collections du rez-de-chaussée (1st floor)
Commençons le circuit par l'aile ouest, consacrée à l'Asie, à la gauche de la billetterie *(Huntington Entrance).*
– Belles collections de ***laques chinoises*** et section consacrée à la ***céramique coréenne.***
– ***L'Inde*** est bien représentée : d'avant la période bouddhiste, un torse de divinité de la fertilité (Yakshi) à la féminité bien marquée ; un bas-relief représentant Ganesh, ses femmes et Mushaka, son fidèle rat, à ses pieds. Superbe travail de ciselures sur un *ankus,* le couteau des cornacs pour guider les éléphants.
– ***Art islamique :*** calligraphies persanes, poteries et faïences turques.
– ***Art africain :*** sculptures yoruba sur bois, magnifique masque *dan* de Côte-d'Ivoire garni de coquillages. La figurine du Congo, percée de clous, a sur le ventre des yeux en miroir censés repousser le danger.
De l'autre côté de la rotonde centrale :
– ***Art égyptien :*** bijoux, figurines votives, et les incontournables sarcophages et momies, tous de tailles et d'ornementations différentes (les panneaux sont entièrement gravés de hiéroglyphes). Ils s'emboîtaient les uns dans les autres à la manière des poupées russes. Voir aussi un couple royal en vedette : Mykérinos (celui de la petite pyramide à Gizeh) et sa femme, qui l'entoure dans une jolie attitude de respect et d'intimité à la fois, ce qui contraste avec le même roi aux prises avec la possessivité de la déesse Hathor aux cornes de vache. Ailleurs dans cette salle, consacrée à la Nubie, quelques pièces remarquables, dont un pectoral en or avec une Isis aux ailes déployées.
– ***Art perse :*** magnifique lion en briques vernissées en provenance d'un mur de Babylone. De Persépolis, en Iran, un combat féroce entre un lion et un taureau. Sur les bas-reliefs, noter l'écriture cunéiforme, spécifique de cette formidable civilisation.
– ***Art grec :*** collection de céramiques à figures noir et rouge, casques et équipements d'hoplites macédoniens (jambières...). Grèce archaïque : petite statuette chryséléphantine (ivoire et or) de l'époque minoenne (remarquez la délicatesse des serpents enroulés autour des bras). Figure féminine en marbre de l'art des Cyclades, très stylisée. Elle ne déparerait pas dans une collection d'art contemporain.
– ***Art étrusque :*** émouvante paire de sarcophages où des époux enlacés se font face pour l'éternité. Ah, cette menotte féminine agrippée tendrement à la nuque de son barbu d'époux ! *Love is eternal...*
– ***Art moderne européen :*** Piet Mondrian, le mouvement expressionniste allemand et autrichien, avec Beckmann, Kokoschka et Kirchner (paysage alpin peint après la Seconde Guerre mondiale). Le surréaliste (et Belge, mais ça n'a rien à voir) Paul Delvaux. Intéressante évolution du nu chez Matisse, mise en valeur par trois toiles peintes entre 1903 et la fin des années 1920. Panneaux de bois sculpté par Gauguin à Tahiti, illustrant *La Guerre et la Paix.* De Gauguin encore, *D'où venons-nous, qui sommes-nous, où allons-nous ?,* à lire de droite à gauche. De Picasso, *Portrait de Fernande Olivier* (1905-1906), presque un dessin, qui offre un contraste saisissant avec sa tête de femme en bronze sculptée à peine 4 ans plus tard. Enfin, quelques statues de Giacometti, et de réjouissantes collections d'affiches, avec les incontournables compositions de Toulouse-Lautrec.
– Également une section ***bijoux*** et une autre, plus vaste, dédiée à ***l'art contemporain.***

Les collections du 1er étage (2nd floor)
Reprenons le circuit dans le même sens à partir de l'aile ouest asiatique, mais rien ne vous empêche de procéder autrement.
– ***Art de l'Himalaya :*** dans une vitrine centrale, Avalokiteshvara, le bodhisattva de la Compassion, côtoie une effrayante étreinte bien charnelle de Vajrabhairava, seigneur de la mort aux 34 bras avec une partenaire manifestement subjuguée.
– ***Art de la Chine :*** très élégante section de mobilier *(Chinese furnitures)* dans un paisible décor de jardin de bambous et de bonsaïs agrémenté de musique douce. Magnifique tambour en bronze du IIe s.

– ***Art du Japon :*** le fonds du musée est tel, que les œuvres sont présentées par roulement. En fonction du calendrier, on découvre de fantastiques estampes, des kimonos, et peut-être la statue d'Aizan, le roi de la passion, avec un visage écarlate sur fond noir et six bras garnis des symboles de sa résolution à vaincre l'ignorance. À le voir, aucun doute n'est permis. Également des panneaux de paravents décrivant la cour d'Espagne imaginée par les Japonais. Il faut rappeler qu'au XVIe s, à la suite de l'arrivée des jésuites au pays du Soleil-Levant, des Nippons vinrent visiter l'Europe méditerranéenne et, au retour, ils s'inspirèrent des techniques de représentation picturale occidentales pour reproduire la perspective. On passe dans l'aile opposée pour retrouver l'Égypte ancienne.

– ***Art de l'Égypte :*** support de barque sacrée de très belle facture en granit noir ; on peut y distinguer le roi soutenant le ciel et entouré d'Horus et du dieu à la tête d'ibis. Chapiteaux de colonnes papyriformes (ouvert ou fermé) avec des têtes d'Hathor, la déesse-vache. Une rare représentation d'Akhenaton, le pharaon rebelle, en sphinx recevant les rayons du soleil (le dieu Aton). Dans la salle *Old Kingdom,* extraordinaire robe en pièces de faïence disposées en losange (turquoise à l'origine), trouvée dans une tombe. Le pectoral qui l'accompagne ne dépare pas l'ensemble, mais on imagine difficilement le travail et la patience nécessaires pour reconstituer l'ensemble.

– ***Art romain :*** magnifique sarcophage avec procession triomphale en l'honneur de Bacchus.

– ***Peinture européenne 1500-1700 :*** les influences antagonistes du catholicisme et de la Contre-Réforme ; de Jordaens, portrait d'un couple de jeunes mariés, où madame n'a pas l'air d'avoir accepté sa situation. De Vélasquez, un portrait de Philippe IV d'Espagne, doté du légendaire prognathisme des Habsbourg.

– ***Art médiéval :*** chapelle catalane de Martin de Soria, reconstitution du chœur roman du XIIe s avec une fresque d'un christ en majesté entouré des quatre évangélistes. De Jérôme Bosch, *Ecce Homo* ; on y retrouve sa verve satirique dans les incroyables trognes de la populace qui entoure le Christ. Attention, chef-d'œuvre : de Rogier Van der Weyden, *Saint Luc dessinant la Vierge,* alliance d'hyperréalisme et de mysticisme. Le paysage urbain à l'arrière est donné à voir par la présence des deux personnages installés aux créneaux du rempart. Perspective parfaite avec les lignes du dallage et des colonnades vers le point de fuite à l'horizon. Le jardin est un symbole de la pureté de la Vierge. À côté, *Christ bénissant* de Hans Memling. De Jan Gossaert, *Marie-Madeleine.*

– ***Art des Pays-Bas au XVIIe s :*** portraits de Rembrandt, de facture assez classique. De Jan Steen, *Fête de la 12e nuit* ; l'éclairage provient d'une source lumineuse invisible (une bougie sur la table). Dans la longue galerie du centre (XVIIe et XVIIIe s en Europe), jolie série de natures mortes.

– ***Art européen des XVIIIe et XIXe s :*** Watteau et Chardin portent les couleurs de la France. Bustes de Mirabeau (avec la vérole) ; un Thomas Jefferson volontaire de Houdon. Portraits de Greuze ; jolie princesse russe de madame Vigée-Lebrun. Magnifiques Canaletto à la précision quasi photographique. Étonnant buste d'un hypocondriaque de Messerschmitt qui confine à l'observation psychiatrique. De Giovanni Paolo Pannini, une monumentale galerie de vues de la Rome moderne du XVIIIe s (des chromos Panini, quoi !). Du baron Gros, *Les Pestiférés de Jaffa* ; Napoléon y apparaît tel le Christ pour guérir les malades. Un Manet austère : *Moine en prière,* une *Chasse aux lions* de Delacroix, une *Bergère* de Millet, une *Curée* de Courbet et un *Dante et Virgile* de Corot viennent clôturer ce panorama du début du XIXe s. Sans oublier, bien sûr, les extraordinaires *Bateau d'esclaves* et *Le Rhin à Schaffhausen* de Turner.

– ***Impressionnistes et début du XXe s :*** et d'emblée la sublime *Japonaise* de Monet (en fait, sa femme Camille, déguisée), sarabande d'éventails et virevoltant kimono contrastant avec la blondeur de sa chevelure. Des Pissarro et un bouquet de Monet, plus beaux les uns que les autres. Le célébrissime *Bal à Bougival* de Renoir. Les symbolistes avec Burne-Jones. Splendide portrait de l'impératrice Sissi, de Winterhalter. Le *Postier Joseph Roulin* de Van Gogh, dont l'uniforme lui confère l'autorité d'un amiral. Et puis, Sisley, Pissarro, Caillebotte *(L'Homme à son bain)*, une danseuse en bronze de Degas, des nymphéas et des coquelicots de Monet et une *Meule de foin* qui côtoie un des multiples tableaux de la *Cathédrale de Rouen*.

– ***Aile de la Linde Family :*** galeries dédiées à ***l'art contemporain*** (suite du 1st *floor*). Également un café et bar à vins *(Taste)*.

BON PIED BON ŒIL !

Claude Monet peignait « ses » fameuses cathédrales de Rouen dans le magasin de sous-vêtements féminins qui donnait sur le parvis. La façade de la cathédrale lui apparaissait à travers les vitres de la boutique. Pour ne pas importuner les dames se déshabillant, le commerçant isola le peintre derrière un paravent. On a depuis retrouvé cette cloison protectrice : l'artiste y avait percé un trou discret !

I●I ***Quatre restos*** sur place (de la cafét au resto chic) ; bon rapport qualité-prix dans l'ensemble. La ***Garden Cafeteria*** est très agréable pour se remettre de toutes ces émotions esthétiques, ou tout simplement pour reprendre des forces avant de poursuivre la visite.

⬥⬥⬥ ***Isabella Stewart Gardner Museum*** *(plan d'ensemble, A4)* **:** *25 Evans Way. ☎ 617-566-1401. ● gardnermuseum.org ● Ⓜ Museum of Fine Arts ; ou bus nº 39. À l'extrémité sud-ouest de Back Bay Fens, près du MFA. Tlj sf mar et j. fériés 11h-17h (21h jeu, la caisse ferme 30 mn avt). Entrée : 15 $; réduc ; gratuit moins de 18 ans accompagnés, ainsi que pour ceux dont c'est l'anniversaire ; également gratuit pour ttes celles qui s'appellent Isabella, en hommage à la fondatrice (pour les Isabelle ça ne marche pas malheureusement...) ! Réduc de 2 $ sur présentation du ticket du MFA (valable 2 j. à partir de la visite de ce dernier). Brochures en anglais dans chaque salle (une par pan de mur tellement c'est chargé !). Visite guidée gratuite lun, mer-ven à 11h15, 12h30, 13h45 et 15h15. Bon audioguide en français : 4 $.*

Cet adorable palais vénitien ouvert au public depuis 1903 renferme la collection privée d'une richissime et excentrique collectionneuse, Isabella Stewart Gardner, qui y vécut jusqu'à sa mort en 1924. Elle en avait elle-même dessiné les plans, surveillé la construction et assuré la décoration. L'accès se fait par une extension contemporaine réalisée par l'architecte ***Renzo Piano,*** un grand et lumineux bâtiment tout d'acier, de verre et de cuivre, conçu pour abriter la librairie, le café, la salle de concert et des expos temporaires. Qu'Isabella ne se retourne pas dans sa tombe, de la sorte, son palais a conservé son intégrité et est resté dans son jus ! On le rejoint par conséquent par une allée entièrement vitrée à la manière d'une serre, offrant une vue sur le parc du musée, avant de découvrir le magnifique patio Renaissance à colonnades avec mosaïques, fontaine vénitienne et jardin romantique, qui dessert les différentes ailes. Comme au Whitney Museum à New York, cette modernisation a donné une nouvelle impulsion au musée, aujourd'hui beaucoup plus fréquenté qu'avant.

Mondaine, celle que l'on surnommait la Donna Isabella parcourait le monde, où elle avait un tas de copains célèbres parmi les artistes et écrivains de l'époque. Sa collection, assez éclectique, rassemble de nombreuses tapisseries, des pièces d'art religieux (statuaire, vitraux et autres éléments d'église), des lettres manuscrites (George Sand, Jean-Jacques Rousseau...) et surtout des toiles exceptionnelles qu'envieraient bien des grands musées. Jugez plutôt.

– Au ***rez-de-chaussée*** *(1st floor),* une immense et sublime toile de John Singer Sargent vous accueille dans le petit cloître espagnol situé sur le flanc du patio : *El Jaleo.* Dans la *Blue Room,* Sargent encore, Corot, Manet *(Portrait de madame Manet),* Anders Zorn *(L'Omnibus)* et un superbe Antonio Mancini. Dans la *Yellow Room* : Whistler, Turner, Degas et Matisse *(La Terrasse, Saint-Tropez),* ainsi qu'une ravissante viole d'amour du XVIIIe s.

– Au ***1er étage*** *(2nd floor)*, belle composition autour de la *Vierge à l'Enfant* de Simone Martini, *Homme au turban* de Masaccio, *Hercule* de Piero della Francesca, *La Mort et l'Assomption de la Vierge* de Fra Angelico, puis, dans la *Raphael Room, Pietà* de Raphaël et la monumentale *Tragédie de Lucrèce* de Botticelli. Dans la *short gallery* attenante, quelques dessins exceptionnels, comme une pietà de Michel Ange, qui précède la vaste salle des tapisseries flamandes, typiques de la Renaissance. Et puis Van Dyck, Rubens et Rembrandt *(Autoportrait)* dans la *Dutch Room.*

– Au ***dernier étage*** *(3rd floor)*, on entre par une superbe salle aux murs couverts de cuir de Cordoue datant du XVIIIe s. Plusieurs chefs-d'œuvre : *Philippe IV d'Espagne* de Vélasquez, *Christ portant la Croix* de Giovanni Bellini, l'incontournable *Enlèvement d'Europe* de Titien, mais aussi la *Vierge et Enfant* de Botticelli, un *Profil de jeune femme* de Paolo Uccello ou encore *Le Couronnement d'Hébé* de Véronèse. Vitrail de la cathédrale de Soissons dans une petite chapelle reconstituée avec des stalles italiennes du XVIe s. Enfin, dans la *Gothic Room*, portrait de la proprio par John Singer Sargent, ainsi qu'un Giotto *(Présentation du Christ au Temple)*. Excusez du peu !

En 1990, deux cambrioleurs déguisés en policiers, après avoir maîtrisé les gardiens, ont dérobé 13 œuvres d'art, dont 11 toiles (certaines découpées au cutter). Parmi les chefs-d'œuvre disparus : *Le Concert* de Vermeer, trois Rembrandt (un autoportrait, *Dame et un monsieur en noir, Orage sur la mer de Galilée*), cinq Degas (dont *Sortie de pesage, Cortège aux environs de Florence, Trois jockeys à cheval, Programme pour une soirée artistique*) et *Chez Tortini* de Manet. Le FBI a fini par identifier les coupables en 2013, mais le vol ayant eu lieu il y a trop longtemps il y avait prescription ! À défaut de pouvoir poursuivre les cambrioleurs, les œuvres sont toujours recherchées, et les cadres vides des toiles volées sont restés fixés aux murs, dans l'espoir qu'elles reviennent un jour (s'il y a des détectives parmi vous, sachez que le FBI offre une prime de 5 millions de dollars !), mais aussi parce que le testament de Mrs Gardner exigeait que tout fût laissé en l'état après sa mort. On comprend aussi plus facilement pourquoi ils ne rigolent vraiment pas avec les questions de sécurité ! Vous vous demanderez par ailleurs pourquoi les salles sont plongées dans une pénombre qui ne favorise pas vraiment la contemplation des œuvres. Toujours à cause de ce fichu testament, les tableaux ne peuvent pas « tourner » comme dans la plupart des musées. Du coup, ils sont éclairés le plus faiblement possible pour ne pas qu'ils soient altérés. Et comme certaines pièces sont naturellement sombres et les tableaux parfois haut perchés, il faudrait presque une lampe de poche pour bien les voir... De nombreuses vitrines sont aussi protégées par des rideaux occultants, mais les visiteurs peuvent les soulever à leur guise.

|●| ***Café G :*** *☎ 617-566-1088. Tlj sf mar 11h-16h (20h jeu). Plats 15-20 $.* Agréable resto dans l'aile moderne, avec une terrasse dans le jardin. Cuisine savoureuse à base de produits locaux et souvent fermiers. Idéal pour une pause-déjeuner au vert.

Dans le sud de la ville

★★ ***John F. Kennedy Presidential Library and Museum*** *(hors plan d'ensemble par D3) : 220 Morrissey Blvd (adresse GPS), à Columbia Point, dans South Boston, en prenant Dorchester Ave. ☎ 617-514-1600. • jfklibrary.org • Assez excentré. Le mieux est d'y aller en voiture par la route 93, exit 15 North (parking gratuit). Sinon, prendre la Red Line du métro jusqu'à la station JFK-U Mass ; de là, navette gratuite (ttes les 20 mn env) jusqu'à la bibliothèque. Tlj 9h-17h. Dernier film à 15h55. Entrée : 14 $; réduc ; gratuit moins de 12 ans. Brochure en français.*

La bibliothèque rassemble les archives du président assassiné et un grand musée. Une mise en scène savamment organisée par la dynastie Kennedy, réalisée là encore par I. M. Pei, l'architecte de la pyramide du Louvre.

Passons à la visite : un film d'une vingtaine de minutes, commenté par Kennedy lui-même, retrace la jeunesse et la carrière politique du mythique président jusqu'à la convention démocrate de 1960 qui verra sa nomination à la candidature pour la fonction suprême. Ensuite, les quelque vingt salles du musée, consacrées à sa présidence avec le même souci du détail, prennent le relais de l'histoire jusqu'à son assassinat trois années plus tard. JFK n'a gouverné que de janvier 1960 à novembre 1963. Films vidéo, photos, lettres, cadeaux (dont une commode du XVIIIe s offerte par De Gaulle) et objets personnels restituent le climat particulier de cette période qui a vu l'Amérique basculer de l'euphorie de la *New Frontier* à la perte de l'innocence.

UNE LIBIDO MALADIVE

L'addiction de JFK au sexe était héréditaire (comme son père !), mais pas seulement. Elle était aussi liée au traitement à base de testostérone qui lui était administré pour lutter contre la maladie d'Addison qui lui attaquait les reins. À quatre reprises, John Kennedy reçut même les derniers sacrements. Il se croyait en sursis permanent : l'explication de son attitude irresponsable avec les femmes ?

Les étapes : débat télévisé contre Nixon, en 1959, où le candidat républicain arborait un menton bleu de mal rasé devant un JFK bronzé, au brushing impeccable, le bulletin de *NBC News* donnant les résultats de l'élection avec à peine 100 000 voix de différence, l'investiture du président par un matin de grand froid, les affaires internationales, les crises, la baie des Cochons, le discours devant le mur de Berlin, le bras de fer avec Nikita Khrouchtchev lors de l'affaire des missiles à Cuba, le début de la présence américaine au Vietnam, le lancement des *Peace Corps* auxquels tant de jeunes Américains idéalistes ont adhéré, les projets de la NASA pour la conquête de la Lune (la capsule *Freedom 7* dans laquelle Alan Shepard effectua son vol historique en 1961 est exposée !). On aborde aussi le rôle de RFK, le frérot, comme *Attorney General* et sa lutte contre les syndicats mafieux.

La visite, bien ficelée, est jalonnée de reconstitutions fidèles, comme celle d'un studio de télévision, ou du célèbre bureau ovale de la Maison-Blanche, d'où il prononça bon nombre de discours et qui servait aussi à l'occasion de salle de jeux pour ses enfants. On n'échappe évidemment pas au portrait-cliché people d'une famille aisée, heureuse et unie (!) qui a tant fait rêver l'Amérique (et qui pourtant cachait quelques failles...) : le mariage avec Jackie la Frenchy, les vacances du « clan » à Hyannis Port (Cape Cod), le président jouant au tennis, JFK sur son voilier, Jackie barbotant avec les enfants, etc. Mais pas un mot sur Marilyn.

Le 22 novembre 1963 à Dallas est à peine esquissé, dans un couloir noir diffusant le communiqué de Walter Cronkite, le présentateur-vedette de *CBS* qui annonce au monde, au bord des larmes, la terrible nouvelle. Puis, les images des funérailles grandioses et poignantes qui ont fait le tour du monde. Dans la dernière salle, un morceau du mur de Berlin illustrant la continuité de la politique de John Kennedy.

Un musée intéressant, dans un cadre magnifique au bord de l'eau. Sur le rivage, on peut voir en été le voilier du président (bizarrement, de taille modeste).

I●I Petite ***cafétéria*** plutôt agréable, avec vue sur l'eau.

Edward M. Kennedy Institute for the US Senate : *à Columbia Point, à côté de la JFK Presidential Library (voir ci-avant). ☎ 617-740-7000. • emkinstitute.org • Mar-dim 10h-17h. Entrée : 16 $; réduc (6-17 ans 8 $). Réduc de 2 $ sur présentation du billet de la JFK Library, dans un délai de 2 sem.* Dans un building voisin de la JFK Library, on apprend tout sur l'histoire du Sénat (depuis sa création en 1789), ses traditions et son rôle capital dans le développement de l'État fédéral et sa gouvernance. Réplique grandeur nature du bureau de Ted Kennedy, qui fut sénateur 47 ans durant, sous 10 présidents différents ! Parmi les photos de famille, les dessins de ses enfants et autres bibelots, le drapeau irlandais rappelant les racines de la famille Kennedy, ainsi que la bannière étoilée portée pendant les funérailles de son frère John. L'impressionnante reconstitution, à l'échelle aussi, de la Chambre du Sénat au Capitole permet aux visiteurs, lors de sessions interactives d'environ 30 mn, de se prendre pour un sénateur, en participant aux débats, aux négociations et au vote des lois. Les fans de la série *House of Cards* seront comblés, à condition toutefois de bien maîtriser l'anglais. Une visite intéressante mais moins grand public que la JFK Library.

Larz Anderson Auto Museum *(hors plan d'ensemble par A4)* **:** *15 Newton St, à Brookline. ☎ 617-522-6547. • larzanderson.org • Situé dans le Larz Anderson Park, à 20 mn du centre en voiture, par la route 9 W et ensuite Lee St vers le sud. Avec les transports en commun : Ⓜ Reservoir (Green Line D) ; puis bus n° 51 jusqu'à l'arrêt Grove St et South St. Tlj sf lun et j. fériés 10h-16h. Entrée : 10 $; réduc ; gratuit moins de 6 ans.* Installé dans une réplique du château de Chaumont, ce musée possède une superbe collection de voitures anciennes (en parfait état) qui comblera de bonheur tous les passionnés. L'expo, qui change chaque année, s'articule autour d'un thème précis. Une bibliothèque de l'automobile complète enfin ce musée créé par des passionnés pour des passionnés.

US ET COUTUMES DU SÉNAT

La petite taille du Sénat (à peine un quart de la Maison-Blanche) autorise familiarité et esprit de camaraderie entre les sénateurs. Ces derniers votent les lois oralement (et non par scrutin), en prononçant Yea *ou* Nay*, des termes du XVIII*[e] *s. En pratique, ils votent aussi à main levée, pouce dirigé vers le haut ou le bas selon qu'ils approuvent ou non la loi.*

À faire

Kayak sur la Charles River

La Charles River est le fleuve urbain le plus propre des États-Unis (après avoir été le plus pollué) et les Bostoniens en sont très fiers ! Résultat : on y pratique toutes sortes d'activités nautiques, principalement entre Massachusetts Avenue et Longfellow Bridge : kayak, voile, paddle, windsurf... et même la natation !

Community Boating : *21 David G Mugar Way, au bord de la Charles River, entre la Hatch Memorial Shell et le Longfellow Bridge. ☎ 617-523-1038. • community-boating.org • Ⓜ Charles/MGH. Avr-oct slt. D'avr à mi-juin et de mi-août à oct de 13h au coucher du soleil (dès 9h le w-e) ; de mi-juin à mi-août, de 15h au coucher du soleil (dès 9h le w-e). Loc de kayaks 1 ou 2 places, 40 $/j. (sans résa, 1er arrivé, 1er servi). Loc de voilier 80-100 $/j. (pas besoin d'être membre du club).* Pas de casiers pour laisser ses affaires (donc venir avec le minimum), mais douches et sèche-linge sur place.

Tours en bateau

Boston Harbor Cruises : *1 Long Wharf, sur Atlantic Ave. Rens : ☎ 617-227-4321 ou 1-877-733-9425. • bostonharborcruises.com • Ⓜ Aquarium. Fonctionne tte l'année. Tarifs : 25-50 $ selon la croisière, 53 $ pour observer les baleines (forfait famille 142 $).* Assez intéressant. Superbe vue du port, visite du *USS Constitution*, du Bunker Hill Monument et de son petit musée sur les batailles de l'indépendance, et retour en bateau. Également des excursions pour voir les baleines (dont le site de prédilection est à 1h30 de Boston) ou aller en ferry sur les îles en face de Boston ou même jusqu'à Salem...

Boston Duck Tours : *☎ 617-267-3825. • bostonducktours.com • Départs de 3 endroits différents : devant le* **Prudential Center,** *au*

53 Huntington Ave (plan II, B3), Ⓜ *Prudential ; au* ***Museum of Science*** *(plan I, C1),* Ⓜ *Science Park ; et devant le* ***New England Aquarium*** *(plan I, D2),* Ⓜ *Aquarium. Départs mars-déc depuis le Museum of Science et le Prudential Center, et slt avr-oct depuis l'Aquarium. Tarifs : env 38 $; 3-11 ans 26 $.* L'originalité de ce tour guidé est que le véhicule est un engin amphibie ! Après avoir découvert les principaux monuments de Boston, *big splash* dans la Charles River pour 30 mn de croisière (le tour dure environ 1h20). Le prix exorbitant n'est cependant pas justifié, d'autant que les commentaires, pas palpitants, sont couverts par les « coin coin » du conducteur... Donc à faire uniquement si vous avez la *Go Card* (tour inclus dans ce *pass* touristique) et avec des enfants.

Assister à un match de base-ball

Boston Red Sox *(dans le Fenway Park ; plan d'ensemble, A3) :* *billetterie à l'angle de Brookline et Yawkey Way (gate A) pour acheter les tickets en avance ; et à l'angle de Brookline et Landsdowne (gate E) pour le match du j. 1h30 avt le début (sur le principe du 1er arrivé, 1er servi). Rens et achat des billets : ☎ 1-877-RED-SOX-9 (10h-17h). ● boston.redsox.mlb.com ●* Ⓜ *Kenmore. Visite guidée du stade tlj, ttes les heures 9h-17h pdt la saison de base-ball avr-oct ; et 10h-17h le reste de l'année ; 18 $, moins de 12 ans 12 $.* Les Red Sox de Boston jouent dans le plus vieux et le plus populaire des stades de base-ball. Assez difficile d'obtenir des tickets, le plus sûr est de réserver à l'avance sur Internet. On peut aussi simplement visiter le stade et marcher sur son mythique gazon lors de visites guidées.

Concerts et spectacles

L'été, une incroyable diversité de concerts, festivals et fêtes se déroulent à Boston. Procurez-vous l'*Improper Bostonian* (gratuit, ou en ligne : ● *improper.com* ●), ou encore le *Boston Globe Calendar* (supplément du quotidien *Boston Globe*, le jeudi). Vous pouvez aussi aller voir sur ● *artsboston.org* ●

– ***Tickets de spectacles demi-tarif pour le jour même :*** *aux 2 kiosques* BosTix. *● bostix.org ● Un* BosTix *est situé près de Faneuil Hall (Market Pl), l'autre à Copley Sq (angle de Darmouth et Boylston St). Jeu-dim 10h-16h (Faneuil), mar-dim 10h-16h (Copley). ½ tarif sur les places invendues des spectacles du jour.*

– Les groupes les plus prestigieux se produisent à Boston l'été. La ***liste des concerts du mois*** est affichée sur le kiosque à journaux situé juste à la sortie de la station de métro Harvard. On peut acheter les billets dans le kiosque.

– Nombreux ***concerts dans la rue l'été,*** gratuits, principalement à Downtown Crossing *(plan I, C3),* Harvard Square et Faneuil Hall *(plan I, D2),* où il n'est pas rare non plus de voir des pianos à roulettes ou des vibraphones accompagnant des clowns, des magiciens ou tout simplement des chanteurs. À Copley Square *(plan II, B-C3),* concerts de musique l'été. Sur la Charles River Esplanade (à la station Charles/MGH de la Red Line), concerts gratuits *(en sem, de fin juin à mi-sept).* Programme dans les journaux cités plus haut. Bref, pas de quoi s'ennuyer, même quand on est fauché.

♩ Pour un plan gratuit, rôdez dans les sous-sols de ***Berklee College of Music*** *(plan II, B3),* le conservatoire de musique *(1140 Boylston St, angle Massachusetts Ave ; ● berklee.edu/BPC ● ;* Ⓜ *Hynes).* 20 salles différentes pour tous les goûts, du bluegrass au free jazz. Au ***Berklee Performance Center*** (même adresse), profs et étudiants donnent des concerts de jazz gratuits ou pour un prix modique *(8-12 $ en général et jusqu'à 30 $ max ; Box Office tlj sf dim 10h-18h ; ☎ 617-747-2261).*

♩ Enfin, pour nos amis mélomanes, comment ne pas évoquer le ***Boston Symphony Hall*** *(plan II, B4)* : *301 Massachusetts Ave, dans Fenway. Rens et résas au Symphony Charge : ☎ 617-266-1492 ou 1-888-266-1200. ● bso.org ●* Ⓜ *Symphony. Lun-ven 10h-17h, w-e 12h30-16h30. On peut réserver via Internet (frais : 6,25 $/ticket). Tarifs* *en fonction du concert. Possibilité de se procurer des billets à prix réduit au* Box Office *du 301 Massachusetts Ave (à l'entrée du BSH), à 9 $ (un seul billet/pers !) le jour même* (rush tickets) *les mar, jeu et ven à partir de 17h pour le concert de 20h ; à 10h le ven pour la représentation de 13h30.* Le Symphony Hall jouit d'une des meilleures acoustiques du monde et possède 2 formations mondialement réputées : le *Boston Symphony Orchestra* et le *Boston Pops* au répertoire gai, léger, inspiré des comédies musicales de Broadway et des musiques de film. Le *Boston Symphony Orchestra* joue à Boston d'octobre à avril. Le *BSO* prend ses quartiers d'été de Tanglewood à Lenox (dans les Berkshires) et joue en plein air. Grandiose !

♩ Les **Boston Pops** sont très prisés par les Bostoniens *(tlj sf lun mai-juil et pdt les vac de Noël)* ; il faut dire que l'atmosphère y est vraiment unique, très décontractée. Le public applaudit quand cela lui chante, sans retenue, et acclame les standards. Les Pops donnent des concerts gratuits *(1re sem de juil)* dans la *Hatch Shell,* sur Charles River Esplanade. Bain de foule garanti, surtout le 4 juillet, mais quelle ambiance !

Un dernier truc : ***Shakespeare on the Common.*** ☎ *617-426-0863.* • *commshakes.org* • Chaque année, pendant environ 2 semaines *(de fin juil à mi-août),* une pièce de Shakespeare est jouée plusieurs soirs par semaine dans le jardin du *Boston Common.* Des milliers de Bostoniens s'installent sur la pelouse, avec un pique-nique et des couvertures. Vraiment sympa et c'est gratuit !

DANS LES ENVIRONS DE BOSTON

HARVARD SQUARE ET CAMBRIDGE

Séparée de Boston par la Charles River et d'accès facile par le métro (Red Line du « T »), Cambridge n'en est pas moins une entité administrative indépendante de plus de 100 000 habitants. Son nom provient bien sûr de la célèbre cité universitaire anglaise. On y trouve également sièges et centres de recherche de nombreuses sociétés de haute technologie (informatique, biotechnologies notamment), qui profitent de la proximité des universités dont les très fameux **Harvard University** et **Massachusetts Institute of Technology (MIT).** Cambridge est une étape obligée de votre passage à Boston. Autour des belles pelouses du campus de Harvard, une fourmillante vie étudiante et tout ce qui va avec : restos pas chers, cafés, bars, *bookstores,* disques d'occasion, boutiques originales, etc. Pour ne rien gâcher, des musées qui valent le détour et de la musique live dans la rue. Vous pouvez aussi vous balader sur les belles avenues bordées de demeures coloniales et le long de la Charles River, où de nombreux rameurs s'entraînent quand le temps le permet. La ville est organisée autour de places *(squares),* dont les principales s'égrènent autour de la ligne de métro : *Kendall Square, Harvard Square, Charles Square.*

UN PONT À TAILLE HUMAINE

À la fin des années 1950, plusieurs étudiants du MIT se servirent d'un de leurs copains, Oliver R. Smoot, pour mesurer la longueur du Harvard Bridge qui sépare Boston de Cambridge. Ils l'ont donc allongé un paquet de fois sur le pont, pour arriver à la conclusion que le Harvard Bridge mesurait très exactement 364,4 Smoots et une oreille ! Cette unité de mesure est restée célèbre à Boston, et chaque fois que le pont est rénové, les marques qui servirent de repère sont repeintes.

Adresses utiles

ℹ ***Harvard Information Center*** *(zoom Harvard Square, B2,* ***10****)* **:** *bureau provisoire au 30 Dunster St (angle Mount Auburn), jusqu'à la fin des travaux du building, à priori en 2018. ☎ 617-495-1573. • harvard.edu/on-campus/visit-harvard • Ⓜ Harvard. Lun-sam 9h-17h.* 💻 📶 Agence de réservation surtout axée sur les spectacles. Brochure en français très bien faite, intitulée *Un tour audioguidé de Harvard Yard* (2 $) et carte très précise (env 2 $ aussi). Mais le truc le plus sympa, c'est de visiter le campus avec un étudiant. Très souvent, plein d'anecdotes amusantes sur l'histoire de l'université et de chacun de ses bâtiments *(pdt l'année universitaire – de mi-sept à fin mai –, visites gratuites (env 1h) sans résa nécessaire, en principe ttes les heures 10h-16h ; rens sur le site internet).*

ℹ ***Cambridge Information Booth*** *(zoom Harvard Square, B2,* ***11****)* **:** *kiosque sur Harvard Sq, en face de la sortie du métro Harvard. ☎ 617-497-1630. En théorie, car les horaires sont liés à la disponibilité des bénévoles, tlj 9h-17h (13h le w-e).* Infos délivrées par des bénévoles et carte détaillée du campus à 25 cts.

ℹ ***MIT Visitor Center*** *(plan III, C3,* ***12****)* **:** *dans le bâtiment historique du MIT, au 77 Massachusetts Ave, building 7, tt de suite à droite dans le hall. • institute-events.mit.edu/visit • Lun-ven 9h-17h.* Pas mal de doc et de cartes sur le campus à dispo ainsi qu'une visite guidée imprimée en anglais. Aussi des tours guidés gratuits du campus *(à priori lun-ven à 11h et 15h, sans résa).*

Où dormir ?

Éviter si possible la période des *graduations* (les fameuses cérémonies d'obtention des diplômes), généralement vers le 20-25 mai à Harvard et début juin au MIT. Tous les hébergements de Cambridge affichent leurs tarifs les plus élevés et sont pris d'assaut à ces dates très prisées.

🏠 ***Irving House at Harvard*** *(zoom Harvard Square, C1,* ***230****)* **:** *24 Irving St. ☎ 617-547-4600 ou 1-877-547-4600. • irvinghouse.com • Ⓜ Harvard. Doubles avec sdb partagée 85-250 $, avec sdb 105-350 $ (familiales 135-380 $), bon petit déj compris. Parking gratuit.* 💻 📶 Une bonne adresse que ce *B & B* dans une belle maison centenaire à l'esprit *eco-friendly* et *arty,* à deux pas du campus de Harvard, que l'on traverse même pour rejoindre le métro ! Les quelque 40 chambres, jolies mais de taille très inégale, sont réparties dans les 4 étages (pas d'ascenseur) et dans une annexe voisine. Certaines avec sanitaires privés, d'autres non, mais les salles de bains communes sont suffisamment nombreuses et très propres. Toutes les configurations sont possibles : *single* (très exiguës), *twin,* grand lit et même chambres familiales. Bouquins, frigo et buanderie complète pour les *guests,* et, providentiel pour ceux qui sont motorisés, un parking gratuit ! Jardinet et 2 petites terrasses.

🏠 ***Harding House*** *(zoom Harvard Square, D3,* ***231****)* **:** *288 Harvard St. ☎ 617-876-2888 ou 1-877-489-2888. • harding-house.com • Ⓜ Central. Doubles avec ou sans sdb privée 100-300 $, avec petit déj ; aussi quelques familiales avec lit double et 2* singles. *Parking privé gratuit.* 💻 📶 Compte tenu des tarifs élevés pratiqués dans le secteur, cette adresse sise dans une belle maison de caractère du XIXe s ne manque pas de bons arguments : les 15 chambres sont confortables et joliment décorées dans un style classique, l'accueil est sympathique, l'atmosphère, agréable, et, gros avantage, il y a un parking (1er arrivé, 1er servi). Salle à manger avec frigo et micro-ondes à dispo des *guests.* Une option intéressante, même si, ancienneté oblige, l'insonorisation intérieure est parfois un peu juste.

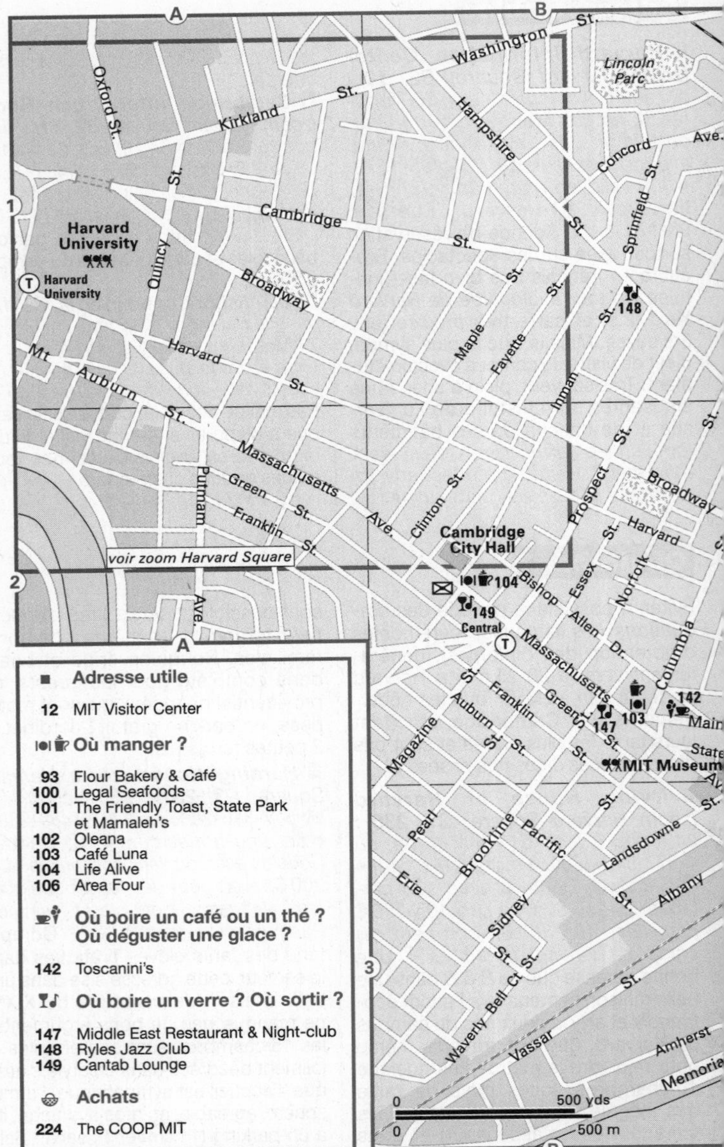

Adresse utile
12 MIT Visitor Center
Où manger ?
93 Flour Bakery & Café
100 Legal Seafoods
101 The Friendly Toast, State Park et Mamaleh's
102 Oleana
103 Café Luna
104 Life Alive
106 Area Four
Où boire un café ou un thé ? Où déguster une glace ?
142 Toscanini's
Où boire un verre ? Où sortir ?
147 Middle East Restaurant & Night-club
148 Ryles Jazz Club
149 Cantab Lounge
Achats
224 The COOP MIT
voir zoom Harvard Square
Harvard University
Harvard University
Cambridge City Hall
Central
MIT Museum
Lincoln Parc
Washington St.
Kirkland St.
Oxford St.
Quincy St.
Cambridge St.
Broadway
Harvard St.
Mt Auburn St.
Massachusetts Ave.
Green St.
Franklin St.
Putnam Ave.
Hampshire St.
Concord Ave.
Springfield St.
Maple St.
Fayette St.
Inman St.
Prospect St.
Clinton St.
Bishop Allen Dr.
Essex St.
Norfolk St.
Columbia St.
Main
State
Magazine St.
Auburn St.
Pearl St.
Brookline St.
Pacific St.
Landsdowne St.
Erie St.
Sidney St.
Albany St.
Waverly St.
Bell Ct.
Vassar St.
Amherst
Memorial
0 500 yds
0 500 m
A
B
1
2
3

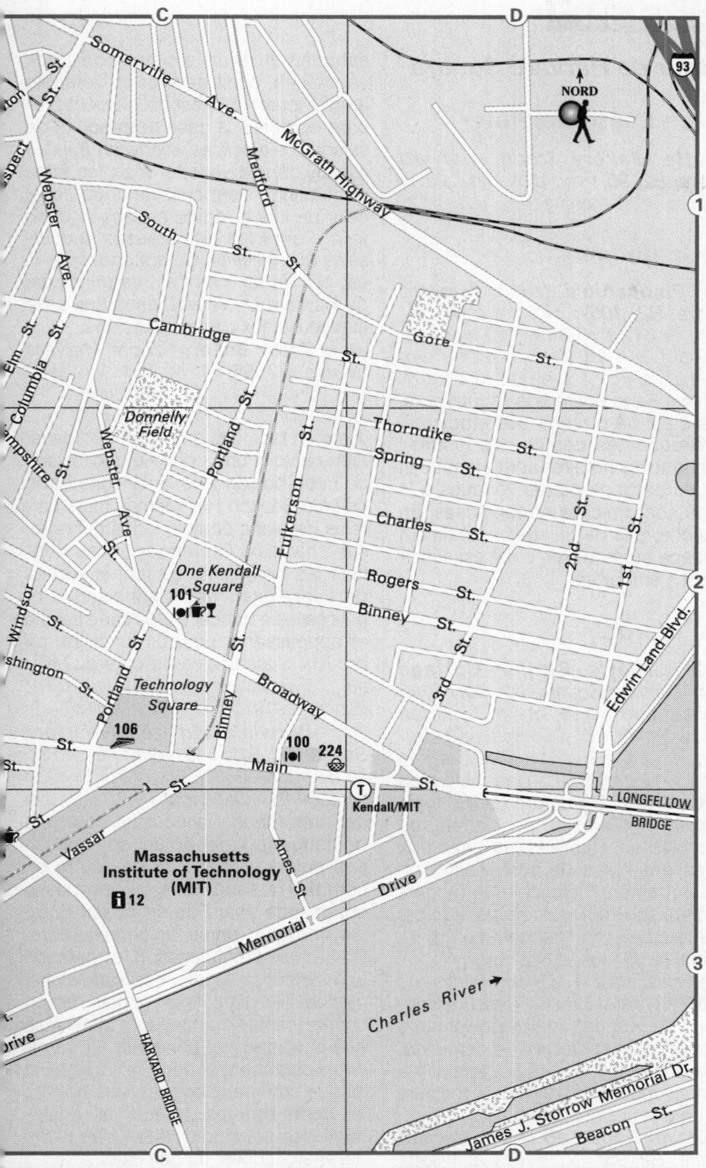

BOSTON – Cambridge et le MIT (plan III)

Où manger ?

Autour de Harvard Square

Spécial petit déjeuner

Tatte Bakery (zoom Harvard Square, B2, **95**) **:** *voir plus loin dans la rubrique « Bon marché ».*

Sur le pouce

Pinocchio's (zoom Harvard Square, B2, **105**) **:** *74 Winthrop St (et JFK). ☎ 617-876-4897. Ⓜ Harvard. Lun-sam 11h-1h (2h ven-sam), dim 12h-minuit. Env 4 $ la part (6 € les 2).* Ce n'est sans doute pas la meilleure, mais c'est LA pizzeria des étudiants, archifréquentée depuis des lustres ! Parce que les horaires sont étendus et que les parts de pizzas vendues à la coupe sont fraîches et copieuses. En revanche, pas de toilettes ni vraiment d'espace où se poser, c'est essentiellement à emporter.

Bon marché

Mr Bartley's Burger Cottage (zoom Harvard Square, B2, **90**) **:** *1246 Massachusetts Ave, entre Plympton et Bow St. ☎ 617-354-6559. Ⓜ Harvard. Tlj sf dim-lun 11h-21h. Burgers 11-16 $. CB refusées.* Une institution depuis 1960. Dans un cadre typiquement ricain et un peu farfelu, où les tables sont collées les unes aux autres pour plus de convivialité, on sert un nombre incroyable de burgers délicieux portant des noms rigolos, voire décalés, qui changent au gré de l'actualité. Genre le Hashtag *(« Don't tweet it just eat it »)*, le Hillary Clinton ou le MBTA *(« Most Broken Transit Authority »)* ! La viande, épaisse de 2 bons centimètres, est saisie à la demande. Si vous n'aimez pas les burgers, il y a d'autres options. En revanche, toujours pas de toilettes sur place...

Clover Food Lab (zoom Harvard Square, B2, **96**) **:** *1326 Massachusetts Ave (et Holyoke St). ☎ 617-395-0240. Ⓜ Harvard. Lun-sam 7h-minuit, dim 9h-22h. Env 10-12 $. Clover Food Lab,* c'est la version 2.0 du fast-food estudiantin. D'un simple *food-truck* végétarien, c'est devenu un véritable empire local ! Tout est délicieux et préparé en direct, à base de produits de saison. Le *chickpea sandwich* (falafel) est toujours la vedette, mais les frites au romarin valent aussi le coup. Idéal pour un lunch rapide et *veggie,* donc sain. Parmi les nombreuses succursales éparpillées à Cambridge, celle-ci est pile en face de l'entrée principale de Harvard University, dans une salle lumineuse aux carreaux anciens.

Tatte Bakery (zoom Harvard Square, B2, **95**) **:** *1288 Massachusetts Ave. ☎ 617-441-4011. Ⓜ Harvard. Tlj 7h (8h le w-e)-21h (19h dim). Env 8-15 $.* Juste en face des grilles de la Widener Library, voici une nouvelle déclinaison de cette boulangerie israélienne bobo créée à Beacon Hill. Mêmes murs carrelés de blanc et style industriel rétro, sur 2 niveaux. On retrouve avec bonheur les ingrédients qui font le succès de l'enseigne : des viennoiseries et pâtisseries à tomber et une carte fraîche et appétissante pour un lunch ou un brunch. Succursales du côté du MIT : *au 205 Broadway (entre Portland et Windsor St) et 318 3rd St (et Binney).*

Darwin's Ltd (zoom Harvard Square, A2, **91**) **:** *148 Mount Auburn St. ☎ 617-354-5233. Ⓜ Harvard. Tlj 6h30 (7h dim)-21h. Sandwichs 9-10 $.* Un *deli* très *friendly* avec d'un côté une boulangerie-café et un coin canapés pour « wifiser », et de l'autre un comptoir à sandwichs où l'on passe commande avant de se poser. Entre les deux, un rayon épicerie-caviste. Bref, un lieu multifonction, et presque une institution locale. Les sandwichs, préparés en direct (avec le pain de son choix), toastés ou non, sont aussi frais que savoureux et généreux en garniture, notamment en verdure. La liste est longue comme le bras et tous portent les noms de rues du quartier. Également des soupes, salades, des petits déj énergétiques, du bon café...

Border Café (zoom Harvard Square, B2, **92**) **:** *32 Church St (angle Palmer). ☎ 617-864-6100. Ⓜ Harvard. Tlj 11h (12h dim)-1h (2h ven-sam,* *minuit dim) ; le bar ferme plus tard. Plats 10-12 $.* Resto tex mex vraiment pas cher, à la déco gaie et colorée. Tables et planchers de bois brut, murs couverts de fresques, ambiance chicano garantie. La quantité est ici à la hauteur de la qualité. Et pour ceux qui ne sont pas fans de cette cuisine, il y a aussi des spécialités cajuns. Clientèle éclectique mêlant étudiants et familles dans un joyeux brouhaha.

Prix moyens

|●| ***Wagamama*** *(zoom Harvard Square, A2,* ***94****) : 57 JFK St. ☎ 617-499-0930. Ⓜ Harvard. Tlj 11h-22h (23h ven-sam). Plats 10-18 $.* Un concept *British* qui essaime aujourd'hui de par le monde et fait de nombreux adeptes parmi les étudiants de Harvard. Déco minimaliste, longues tablées communes en bois et cuisine tout inox ouverte sur la salle. Un esprit de cantoche high-tech pour déguster une batterie de bons petits plats asiatiques servis copieusement : *ramen* (soupe de nouilles), salades, *teriyaki,* nouilles sautées... Si les prix savent rester doux, certains plats sont carrément *spicy* pour des palais sensibles ! Succursales à Faneuil Hall, au cœur de l'animation touristique et au Prudential Center.

Plus chic

|●| ***Alden & Harlow*** *(zoom Harvard Square, A2,* ***97****) : 40 Brattle St (en contrebas de la rue). ☎ 617-864-2100. Ⓜ Harvard. Tlj 17h-minuit et brunch le w-e 10h30-14h. Plats (petites portions) 12-17 $.* L'entrée discrète cache un immense resto tout en profondeur. Tous les ingrédients « mode » sont réunis ici, à commencer par l'attente malheureusement, le bruit, la déco mixant brique, bois, vieux carrelages, gaines apparentes et éclairages ultra-tamisés et enfin la cuisine, New American très créative, sous forme de petites assiettes à partager. Les portions varient d'un plat à l'autre, donc bien se renseigner. Les plus copieuses sont suffisantes pour un appétit normal (le burger en fait partie, un must ici). Sinon, en prévoir 2 par personne. Une excellente adresse pour bien dîner.

À Kendall Square et autour du MIT

Spécial petit déjeuner

|●| ☕ ***The Friendly Toast*** *(plan III, C2,* ***101****) : 1 Kendall Sq (dans le prolongement de Portland St, sur une place accessible à l'angle de Medeiros et Broadway). ☎ 617-621-1200. Ⓜ Kendall/MIT. Tlj 8h-22h (minuit ven-sam). Plats 10-15 $.* Une poupée Barbie géante, de vieilles pubs et du mobilier *fifties* complètement disparate : difficile de rester indifférent à la déco vintage-rock de ce bar hyper couru, logé au milieu des buildings du MIT ! Si les aficionados n'hésitent pas à affronter des queues parfois interminables, c'est d'abord pour les petits déj célèbres, pas forcément d'une grande finesse, mais copieux, colorés et servis toute la journée par une équipe aussi funky que la déco. Très *friendly* le toast ! Petite terrasse piétonne pour ceux qui voudraient échapper au brouhaha.

|●| ☕ ***Café Luna*** *(plan III, B2,* ***103****) : 403 Massachusetts Ave. ☎ 617-576-3400. Ⓜ Central. Tlj 7h30 (9h30 le w-e)-17h. Brunch le w-e jusqu'à 15h. Plats 10-15 $.* Ce tout petit café qui ne paie pas de mine est pourtant LE point de ralliement des étudiants à l'heure du brunch dominical. Ce qui fait la différence, c'est la cuisine, plus originale que la moyenne : omelettes homard-avocat ou bien poire grillée, bacon et gorgonzola font partie des musts ! Mais que les puristes se rassurent, pancakes et autres pains perdus figurent quand même en bonne place à la carte ! Lunch également très prisé.

Bon marché

|●| ☕ ***Flour Bakery & Café*** *(plan III, C3,* ***93****) : 190 Massachusetts Ave (et Albany). ☎ 617-225-2525. Ⓜ Central. Lun-ven 7h-20h, sam 8h-18h, dim 9h-17h. Env 6-10 $.* C'est la branche locale de cette formidable petite chaîne bostonienne, une des meilleures boulangeries de la ville ! Il y a donc toujours foule dans la salle moderne ou en terrasse pour savourer les délicieux sandwichs du jour, mais aussi quiches,

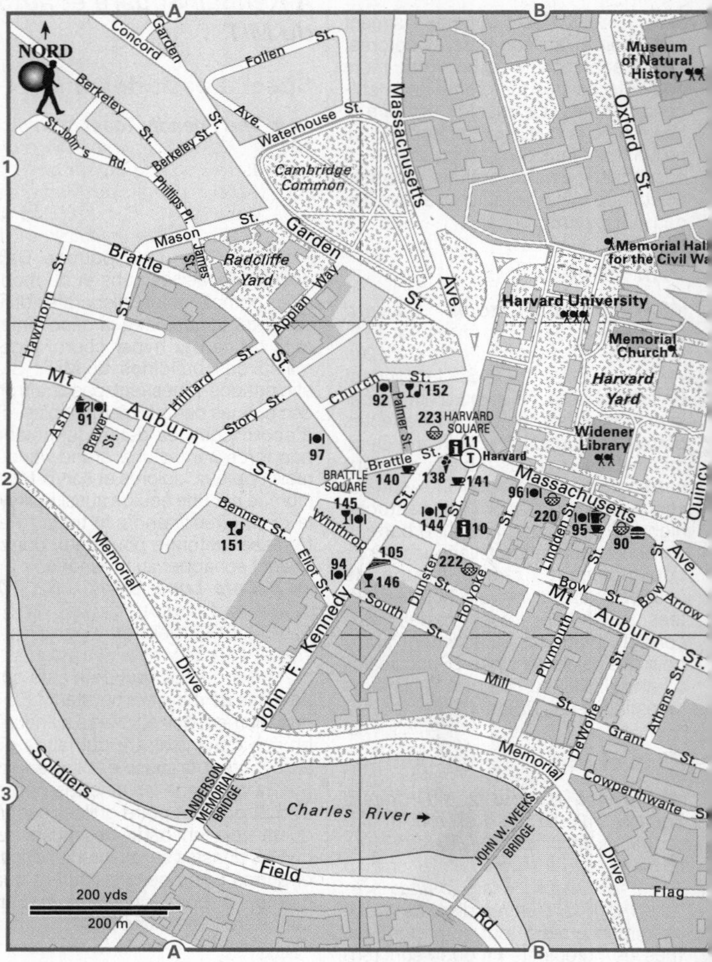

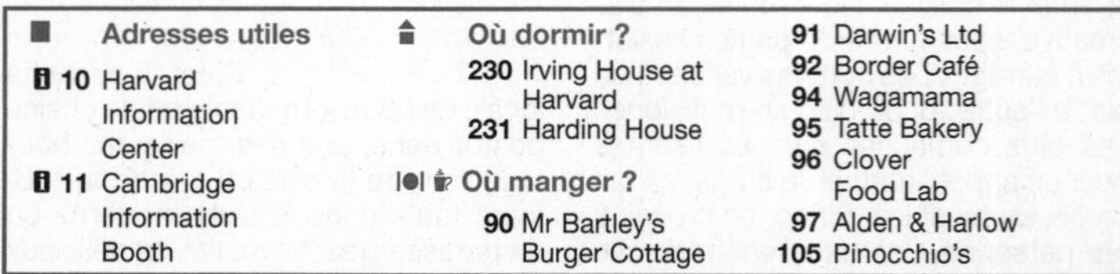

■ **Adresses utiles**

🛈 **10** Harvard Information Center
🛈 **11** Cambridge Information Booth

Où dormir ?

230 Irving House at Harvard
231 Harding House

Où manger ?

90 Mr Bartley's Burger Cottage
91 Darwin's Ltd
92 Border Café
94 Wagamama
95 Tatte Bakery
96 Clover Food Lab
97 Alden & Harlow
105 Pinocchio's

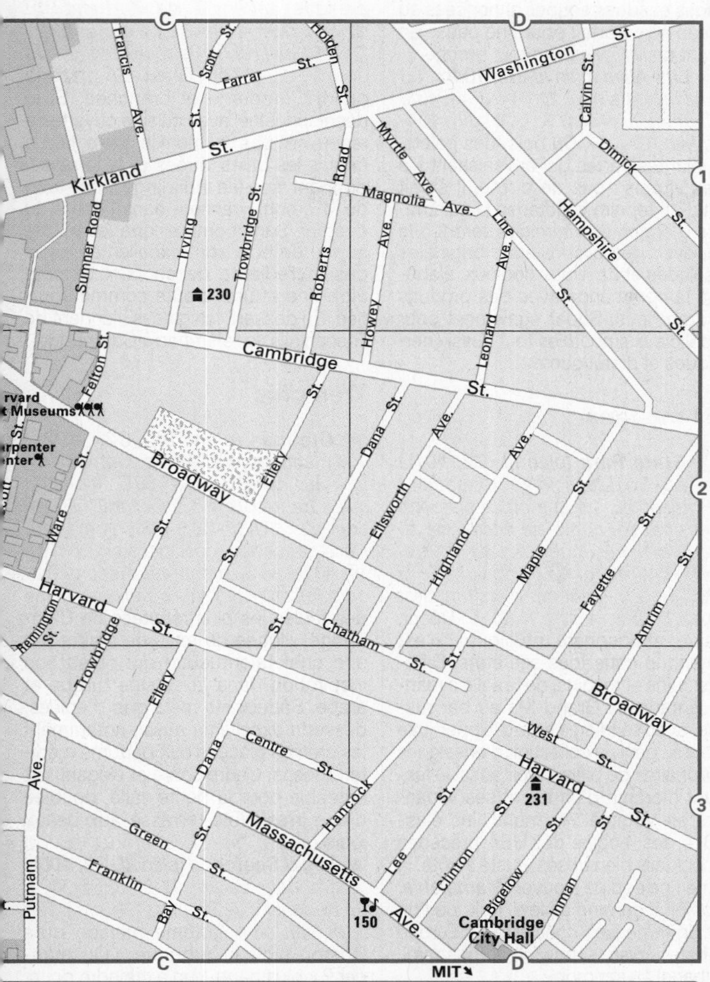

BOSTON Harvard Square (zoom)

Où boire un café ou un thé ? Où manger une glace ou un yaourt glacé ?

- **95** Tatte Bakery
- **138** Pinkberry
- **140** Tealuxe
- **141** Mike's Pastry

Où boire un verre ? Où sortir ?

- **144** John Harvard's Brew House
- **145** Grendel's Den
- **146** Shay's Pub and Wine Bar
- **150** The People's Republik
- **151** Regattabar
- **152** Club Passim

Achats

- **90** Harvard Bookstore
- **220** Leavitt and Peirce
- **222** Schoenhof's
- **223** The COOP Harvard

salades et autres soupes annoncées au tableau noir. Parfait pour une pause en sortant du *MIT Museum* tout proche.

Life Alive (plan III, B2, **104**) : *765 Massachusetts Ave. ☎ 617-354-5433. Ⓜ Central. Lun-sam 8h-23h, dim 10h-22h. Max 10 $.* Du bois, des galets, des plantes vertes qui envahissent les baies vitrées : pas de doute, il s'agit bien d'un repaire végétarien ! Les amateurs d'orgies de vitamines seront à la fête, avec des propositions originales de salades et de *wraps* copieux, élaborés à la commande avec des produits bio archi-frais. Super également pour les délicieux *smoothies* tout aussi énergétiques et diététiques.

Prix moyens

State Park (plan III, C2, **101**) : *1 Kendall Sq (dans le prolongement de Portland St, sur une place piétonne accessible à l'angle de Medeiros et Broadway). En contrebas de la rue. ☎ 617-848-4355. Ⓜ Kendall/MIT. Tlj 11h30-1h (2h jeu-sam). Plats lunch et brunch 8-17 $, le soir 15-23 $.* Décor, cuisine, atmosphère, musique... c'est l'Amérique dans tous ses états. Différents coins et recoins, de la salle à manger vintage de Grand-Ma au bar rustique, avec sa trilogie billard-flipper-juke box et sa géniale collection d'enseignes publicitaires de bières. Voir aussi le fascinant diorama d'un lac et ses vacanciers en Virginie. Au menu, les classiques des 4 coins des USA précédés de cocktails bien dosés. Juste à côté, la même fine équipe a ouvert ***Mamaleh's,*** un *deli* juif comme à New York, où l'on sert de fameuses spécialités d'Europe centrale : *knish,* sandwich au pastrami, *lox* (bagel au saumon)...

Area Four (plan III, C2, **106**) : *500 Technology Sq (entrée sur Main St, presque à l'angle de Portland St). ☎ 617-758-4444. Ⓜ Kendall/MIT. Tlj 11h30 (10h30 le w-e)-22h. Pizza pour 2, 21-27 $.* C'est LA pizzeria du MIT, moderne et branchée. Si le décor industriel avec cuisine ouverte ne renouvelle pas vraiment le genre, la vue depuis les baies vitrées et la terrasse, donnant sur les buildings high-tech du MIT, sont vraiment dans l'esprit du quartier. Sans compter que les pizzas au feu de bois sont excellentes, avec des ingrédients de choix, une pâte ultra-fine et une croûte comme soufflée. En dessert, les glaces viennent de Toscanini's, la référence à Cambridge.

Très chic

Oleana (plan III, C2, **102**) : *134 Hampshire St (entre Elm et Norfolk St). ☎ 617-661-0505. • oleana restaurant.com • Ⓜ Central. Tlj, le soir slt, 17h30-22h (23h ven-sam). Résa conseillée (possible sur Internet). Plats 26-28 $, menu végétarien 40 $, addition 40-45 $ (hors boisson).* Une des tables les plus réputées de Cambridge, dirigée de main de maître par une chef talentueuse qui puise son inspiration dans la cuisine turque et arabe. Séduisants mélanges d'épices, desserts excellents aussi, notamment les crèmes glacées aux parfums méditerranéens. Cadre sobre et élégant fort agréable pour la petite salle, doublée d'une irrésistible terrasse aux beaux jours.

Legal Seafoods (plan III, C2, **100**) : *5 Cambridge Center. ☎ 617-864-3400. Ⓜ Kendall/MIT. Tlj 11h (12h dim)-22h (23h ven-sam).* Même maison qu'à Boston (voir la rubrique « Où manger ? » plus haut), rien à craindre donc, bien au contraire !

Où boire un café ou un thé ?
Où manger une glace ou un yaourt glacé ?

Tatte Bakery (zoom Harvard Square, B2, **95**) : *1288 Massachusetts Ave. ☎ 617-441-4011. Tlj 7h (8h le w-e)-21h (19h dim).* Voir « Où manger ? » plus haut.

Tealuxe (zoom Harvard Square, B2, **140**) : *0 Brattle St. ☎ 617-441-0077. Ⓜ Harvard. Tlj 8h (8h30 le w-e)-22h (22h30 ven-sam).* Des étagères de bois jais et une multitude de tiroirs, derrière le comptoir, remplis de boîtes de thé qui embaument délicieusement toute la maison. Le thé est ici décliné dans toutes ses versions : chaud (avec un sablier pour le temps d'infusion précis), glacé ou au tapioca *(bubble)* pour les aventuriers ! Une poignée de places assises mais pas de toilettes : un comble quand on connaît les vertus diurétiques du thé !

Mike's Pastry *(zoom Harvard Square, B2,* ***141****) : 11 Dunster St. ☎ 617-661-0518. Ⓜ Harvard. Tlj 8h-22h (21h dim). CB refusées.* Petite annexe pimpante de l'ancestrale pâtisserie italienne de North End. On y retrouve les fameux *cannoli* à la ricotta et la *lobster tail,* version bostonienne en forme de queue de homard (donc format XXL !) de la *sfogliatella,* croissant feuilleté fourré de crème fouettée, emblématique de la côte almafitaine. Une poignée de places assises, mais les pelouses de Harvard vous tendent les bras.

Toscanini's *(plan III, B2,* ***142****) : 899 Main St. ☎ 617-491-5877. Ⓜ Central. Tlj 8h (9h le w-e)-23h (minuit ven-sam pdt l'été).* Le must en matière de glaces à Boston. Tout est fait maison, sur place : le labo est même visible dans la vitrine adjacente. Parfums classiques ou associations originales en fonction de l'inspiration du jour (sésame et *butterscotch* épicé, rien qu'un exemple), tout est réussi. On peut même demander à goûter. Sympa aussi pour boire un café dans un cadre *Ikea,* et même pour y prendre le petit déj le week-end car *Toscanini's* est réputé aussi pour sa *bakery.*

Pinkberry *(zoom Harvard Square, B2,* ***138****) : 1380 Massachusetts Ave. ☎ 617-547-0573. Ⓜ Harvard. Tlj 10h-22h (23h ven-sam).* Voir « Où boire un café ? Où déguster une pâtisserie ? Où déguster un yaourt glacé ? » à Boston.

LA NOUVELLE-ANGLETERRE

Où boire un verre ? Où sortir ?

À Harvard Square

John Harvard's Brew House *(zoom Harvard Square, B2,* ***144****) : 33 Dunster St. ☎ 617-868-3585. Ⓜ Harvard. Tlj 11h30-0h30 (2h ven-sam, minuit dim).* La première brasserie à obtenir une autorisation pour servir de l'alcool à l'époque des puritains en 1636. C'est le pasteur John Harvard, reconnu pour ses qualités de brasseur, qui lui a donné son nom. Après quelques marches, vaste salle spacieuse en contrebas, fréquentée par une clientèle éclectique. Parmi les vitraux du fond, on vous laisse reconnaître Humphrey Bogart et Richard Nixon. Les bières sont toujours brassées maison et si vous hésitez, demandez *a sampler* (échantillon), on vous fera volontiers goûter. Grosse ambiance et bouffe ricaine assortie pour accompagner le tout.

Grendel's Den *(zoom Harvard Square, A-B2,* ***145****) : 89 Winthrop St. ☎ 617-491-1160. Ⓜ Harvard. Tlj 11h30-1h. Plats env 6-15 $; formule lunch en sem env 6 $!* Happy hours *tlj 17h-19h30.* Ce bar est une institution incontournable de Harvard Square, plébiscité pour sa terrasse donnant sur la petite pelouse. Beaucoup de monde et d'ambiance. Bonne sélection de bières pression et un choix de plats simples issus du répertoire classique américain, à prix très abordables.

Shay's Pub and Wine Bar *(zoom Harvard Square, B2,* ***146****) : 58 JFK St. ☎ 617-864-9161. Ⓜ Harvard. Tlj 11h-1h env.* Un vieux rade de Harvard Square, dans son jus comme on les aime. Les habitués y viennent pour les prix raisonnables et pour la mini-terrasse devant, propice au *people watching.*

Club Passim *(zoom Harvard Square, B2,* ***152****) : 47 Palmer St. ☎ 617-492-7679. • clubpassim.org • Ⓜ Harvard. Concerts ts les soirs.* Cover charge *variable.* Quelle atmosphère ! Cette toute petite salle un peu *roots* accueille chaque soir un club chaleureux, où les nombreux habitués s'entassent à la bonne franquette pour écouter des groupes rock et folk locaux, quand il ne s'agit pas carrément de pointures ! Vraiment sympa d'autant qu'on peut aussi y dîner en même temps.

🍷 ♩ **Regattabar** *(zoom Harvard Square, A2,* ***151****) : 1 Bennett St, dans le* Charles Hotel. ☎ *617-661-5000.* • *regatta barjazz.com* • Ⓜ *Harvard. Concerts en principe mar-sam.* Cover charge *variable.* La déco n'est pas son fort, mais ce club à l'étage d'un hôtel chic a sans doute la meilleure programmation de la ville ! Les têtes d'affiche s'y bousculent, et comme la salle n'est pas si grande et la sono, nickel, on en profite pleinement.

Autour du MIT

🍷 ♩ **Middle East Restaurant & Night-club** *(plan III, B2,* ***147****) : 472-480 Massachusetts Ave.* ☎ *617-864-3278.* • *mideastclub.com* • *zuzubar.com* • Ⓜ *Central. Tlj 11h-1h (2h jeu-sam).* Cover charge *variable.* Un ensemble de bars-restos qui occupent l'angle d'une rue. Ne pas manquer la grande fresque murale près de l'entrée côté Brookline Street. Au fil des années, c'est devenu l'un des principaux spots de musique live de Cambridge, faisant dans tous les genres, de la danse du ventre au rock alternatif. Le repaire des moins de 25 ans. Bonne ambiance, mais la qualité est variable : voir le site internet pour vérifier les groupes annoncés. Fait aussi resto proche-oriental, potable mais sans plus.

🍷 ♩ **Ryles Jazz Club** *(plan III, B1,* ***148****) : 212 Hampshire St (et Inman Sq).* ☎ *617-876-9330.* • *rylesjazz.com* • Ⓜ *Central (un peu loin du métro). Tlj sf lun.* L'une des meilleures boîtes de jazz que l'on connaisse. De grands noms du jazz s'y produisent, de même que de nombreux musiciens locaux, ainsi que la bonne formation de la maison. Concerts tous les soirs sauf dimanche et lundi, pas que du jazz d'ailleurs (world mercredi, latino jeudi). Et on y danse aussi la salsa et le *merengue* à l'étage (cours de salsa le mardi soir ; *cover* 13 $). Resto de spécialités du Sud sur place (BBQ et autres). *Jazz brunch* très populaire le dimanche. Une valeur sûre.

🍷 ♩ **The People's Republik** *(zoom Harvard Square, D3,* ***150****) : 878 Massachusetts Ave.* ☎ *617-491-6969.* Ⓜ *Central. Tlj 12h-1h (2h jeu-sam). Cash slt.* Reconnaissable à ses fresques peintes sur les murs à l'extérieur, un bar à thème communiste très 80's, où se donnent rendez-vous... les trotskistes ? Non, les amateurs de fléchettes ! Eh oui, il y a 3 cibles, ce qui n'est pas si courant. Clientèle mélangée, de l'étudiant au quadra. Et bonne sélection de bières pression à prix honnêtes, *na zdorovie !*

🍷 ♩ **Cantab Lounge** *(plan III, B2,* ***149****) : 738 Massachusetts Ave.* ☎ *617-354-2685.* • *cantab-lounge.com* • Ⓜ *Central. Musique live tlj à partir de 21h.* Grand bar avec *stage* au rez-de-chaussée et salle au sous-sol pour des lectures et des performances comme la *poetry slam.* Concerts tous les soirs : folk, blues, jazz-rock, slam... Très connu pour ses concerts bluegrass du mardi. Beaucoup d'ambiance, à condition de ne pas venir trop tôt : 22h minimum, voire 23h en semaine.

Achats

🧺 **Leavitt and Peirce** *(zoom Harvard Square, B2,* ***220****) : 1316 Massachusetts Ave.* ☎ *617-547-0576.* Ⓜ *Harvard. Lun-sam 9h-18h (20h jeu), dim 12h-17h30.* Amis collectionneurs, joueurs et fumeurs, cette boutique est pour vous. Vieux rasoirs, accessoires de toilette et de barbier, briquets et couteaux, jeux de cartes et d'échecs, un nombre incroyable de cigares, une trentaine de tabacs différents (en bocaux), de superbes pipes et tout le matériel adéquat pour les entretenir. Décor rigolo : ballons de football américain portant les scores les plus remarquables de Harvard contre Yale et Princeton, photos jaunies des équipes et des matchs Harvard-Yale, trophées des victoires.

🧺 **Harvard Bookstore** *(zoom Harvard Square, B2,* ***90****) : 1256 Massachusetts Ave.* ☎ *617-661-1515.* Ⓜ *Harvard. Lun-sam 9h-23h, dim 10h-22h.* Une librairie parmi d'autres mais une référence depuis 1932. On y vend aussi des accessoires et gadgets sympas type *tote bags,* badges à l'effigie d'écrivains...

Schoenhof's *(zoom Harvard Square, B2,* ***222****)* ***:*** *76A Mount Auburn St. ☎ 617-547-8855. Ⓜ Harvard. Tlj sf dim 10h-18h (20h jeu).* Librairie internationale bien approvisionnée, dirigée par une Française qui a beaucoup voyagé. Très beau choix de livres en français, dont les nouveautés et un vrai rayon enfants. Pratique pour refaire son stock de bouquins en cas de rupture inopinée au milieu des vacances.

The COOP Harvard *(zoom Harvard Square, B2,* ***223****)* ***:*** *à l'angle de Palmer et Brattle St. ☎ 617-499-2000. Ⓜ Harvard. Lun-sam 9h-21h, dim 10h-19h. La librairie ferme encore plus tard.* Immense magasin de part et d'autre de la rue. La *Coop,* c'est une coopérative mise en place pour les étudiants (en 1882 !) afin qu'ils trouvent à proximité du campus tout ce dont ils peuvent avoir besoin. Cela va de l'habillement (T-shirts, sweats et autres casquettes aux couleurs de la célèbre université...) aux cahiers, siglés eux aussi, en passant par les ventilos, le linge de maison et les tasses à café. Les fringues sont chères mais de belle qualité (« collabs » avec de grandes marques de sportswear, comme *Nike, Champion* ou *Under Armour*). Mais la *COOP,* c'est aussi, sur 4 niveaux, la plus grande librairie de Harvard, très agréable pour fouiner *(entrée au 1400 Massachusetts Ave).*

The COOP MIT (plan III, C2, **224**) ***:*** *3 Cambridge Center. ☎ 617-499-3200. Ⓜ Kendall/MIT. Lun-ven 9h30-18h30, sam 10h-18h. Entrée sur Main St, face à la station de* T. Le même concept que la *COOP Harvard* mais pour les étudiants du MIT (ou les fans !).

Achats dans les environs

Wrentham Village Premium Outlets *(hors plan d'ensemble par A4)* ***:*** *One Premium Outlets Blvd. ☎ 508-384-0600. ● premiumoutlets.com ● Pour y aller, rejoindre de Boston la 95 S jusqu'à l'embranchement avec la 495 ; là, direction 495 N ; sortie 15 puis suivre les panneaux « Wrentham Premium Outlets ». Transport en commun depuis Boston avec* Grey Line of Boston *(● brushhilltours.com ●). Tlj 10h-21h (18h dim).* Pour les fans de shopping, ce *mall* gigantesque situé à 55 km au sud de Boston ne regroupe que des *outlets,* au total 170 magasins d'usine qui vendent des fins de série à prix réduit de 25 à 65 % : *American Apparel, Converse, New Balance, Nike, Brooks Brothers, Lucky Brand, Levi's, Ugg, Ralph Lauren...* En revanche, *Food court* pas terrible si vous devez recharger les batteries...

À voir autour de Harvard Square

Harvard Square *(zoom Harvard Square, B2)* **:** traversée par « Mass Avenue », cette place triangulaire longeant les grilles de la mythique université de Harvard est le cœur battant de Cambridge. Par extension, Harvard Square désigne aussi le quartier cosmopolite qui s'étend autour du campus : plus de 100 nationalités différentes y sont représentées parmi les étudiants. Un coin en constante ébullition où les élèves se pressent entre deux cours, les employés font une

DE FACEMASH À FACEBOOK

C'est dans une chambre d'étudiant de Harvard qu'est né Facebook, en 2004. Son créateur, Marc Zuckerberg, a failli se faire virer de l'université pour avoir hacké les données de Harvard et planté son serveur informatique. Le concept de sa première mouture de Facebook (qui s'appelait alors Facemash), c'était de voter pour les filles les plus cool des résidences universitaires. Les photos mises en ligne furent consultées plus de 22 000 fois dans les quatre premières heures d'existence du site.

pause dans un des nombreux petits restos, les artistes de rue partagent le trottoir avec les messagers politiques ou écolo et les joueurs d'échecs...

☘☘☘ ***Harvard University*** *(zoom Harvard Square, B1-2)* **:** la plus ancienne (1638) et la plus célèbre université du pays, avec le niveau considéré comme le plus élevé au monde, même si ces dernières années elle a eu un peu plus de mal à conserver sa toute première place. Elle a engendré au moins 47 prix Nobel, et 8 présidents des États-Unis ont foulé ses bancs, dont George W. Bush (si, si) et Barack Obama, qui deviendra même le premier métis rédacteur en chef de la *Harvard Law Review.* Quant au fameux *Harvard Crimson,* c'est un des journaux d'information les plus anciens des États-Unis. Franklin D. Roosevelt et JFK y collaborèrent. La liste de superlatifs est intarissable puisque Harvard University est aussi la plus riche (près de 4,5 milliards de revenus annuels pour environ 21 000 étudiants) devant Yale, sa grande rivale au niveau sportif.

POURQUOI PARLE-T-ON DE « BUG » INFORMATIQUE ?

L'expression remonte à 1947, à l'époque des tout premiers ordinateurs. En cherchant la cause d'une panne informatique, on retrouva un papillon de nuit dans une machine de Harvard University. L'insecte fut collé dans le journal de bord du labo avec le titre « First actual case of bug being found » (Premier cas effectif d'insecte recensé). La bestiole a été conservée et appartient au musée d'Histoire américaine de Washington D.C. !

Les frais de scolarité à Harvard s'élèvent à plus de 40 000 $ par an (ajouter 30 000 $ pour l'hébergement et les à-côtés !), mais les étudiants sans le sou sont subventionnés presque entièrement par l'université. La durée des études est de 4 ans (avec 2 années de spécialisation en option). Ce qu'on ne sait pas forcément, c'est que l'admission est conditionnée en bonne partie par les activités parascolaires (le sport, entre autres), car Harvard veut des leaders, des passionnés. En tout cas, les étudiants ont bien de la chance car le cadre est magnifique. Les quelque 400 bâtiments de tous styles architecturaux sont disséminés dans la verdure, le cœur historique du campus étant centré autour du ***Harvard Yard*** (la fameuse pelouse) avec ses édifices en brique rouge, principalement des résidences étudiantes. La plus ancienne *(Massachusetts Hall)* abrite toujours les chambres des *freshmen* (étudiants en 1re année) après avoir hébergé les troupes de George Washington pendant la guerre d'indépendance. Contrairement au MIT (voir plus loin), impossible malheureusement pour les visiteurs de pénétrer à l'intérieur de tous ces bâtiments.

LA FACE CACHÉE DE LA IVY LEAGUE

La très sélect Ivy League regroupe 8 universités d'élite, dont 4 en Nouvelle-Angleterre, les plus connues étant Harvard et Yale. Son nom vient du lierre (« ivy ») qui courait sur les murs des vénérables bâtiments. Leur point commun : une sélection impitoyable, notamment par l'argent. Les taux d'acceptation sont de plus en plus faibles : 5 à 6 % tout au plus. Et comme chaque candidature est payante, les prestigieux établissements gagnent des fortunes grâce aux rejets.

Pour se joindre à une ***visite gratuite menée par un ou une étudiante,*** voir plus haut *Harvard Information Center* dans « Adresses utiles » ; souvent très vivant, sans compter les anecdotes amusantes à glaner. En voici d'ailleurs une, la plus connue. En ce qui concerne la célébrissime statue de John Harvard au milieu du campus (sculptée par Daniel Chester French, celui du *Lincoln Memorial* de Washington), l'usage l'a surnommée « la statue des trois mensonges ». Le premier est que J. Harvard ne fonda pas l'université, il se contenta d'assurer son développement. Ensuite, il semblerait que la date soit fausse. Le troisième mensonge réside dans le modèle, qui ne fut pas J. Harvard, mais un étudiant, tout simplement. Bref, le comble de l'ironie pour une université dont le slogan est *Veritas*. Le grand jeu des touristes consiste à se prendre en photo en touchant de la main le pied gauche de John Harvard, soi-disant porte-bonheur. Son soulier en est tout lustré, même pas besoin de traitement anti-oxydant pour lui polir le bronze à cet endroit-là.

Harry Elkins Widener Memorial Library *(zoom Harvard Square, B2)* **:** des 80 bibliothèques de Harvard, celle-ci est la plus grande. C'est même la troisième en importance aux États-Unis, et la quatrième du monde, avec plus de 3 millions de livres sur au moins 80 km de rayons. La milliardaire qui a fait don de son argent pour faire construire cette bibliothèque a posé deux conditions : la première, qu'on n'en déplace jamais une brique (ce qui n'est pas évident quand on veut l'agrandir ; il a fallu déjà construire une passerelle qui passe par une ancienne fenêtre et créer une extension en sous-sol) ; quant à la seconde, on vous laisse la découvrir dans l'encadré. Au 1er étage, une des 200 bibles de Gutenberg (il n'en reste que 22 au monde) et la première édition réunissant les œuvres complètes de Shakespeare (1623), sans laquelle au moins 17 pièces n'auraient jamais été connues et auraient disparu. On y trouve aussi des manuscrits de Lamartine, de Marguerite Yourcenar et de Courteline. Malheureusement, ceux qui n'ont pas la chance d'être étudiants à Harvard ne sont pas admis dans la bibliothèque. Les universitaires de partout dans le monde peuvent toutefois faire une demande de recherche sur place.

LA TÊTE ET LES JAMBES

La bibliothèque de Harvard, la Widener Library, tire en fait son nom de la milliardaire qui finança sa construction. À quelle condition ? Que tous les étudiants entrant à Harvard possèdent leur brevet de natation. Vous avez dit bizarre ? Pas tellement quand on sait que son fils, Harry Elkins, disparut lors du naufrage du Titanic en 1912... Heureusement pour les étudiants, ce brevet n'est aujourd'hui plus obligatoire !

Memorial Church *(zoom Harvard Square, B2)* **:** *en face de la Widener Library.* Église construite en souvenir des hommes de Harvard morts pendant la Première et la Seconde Guerre mondiale. Des plaques commémoratives portent également les noms des diplômés morts en Corée et au Vietnam. Les marches extérieures forment la scène célèbre des *graduations* (remises de diplômes).

Memorial Hall for the Civil War *(zoom Harvard Square, B1)* **:** *à 500 m de Harvard Sq.* Gros gâteau néogothique qui ressemble à une église en brique et tuiles vernissées, avec gargouilles et campanile. Possibilité d'entrer dans le transept mais malheureusement ni dans l'Annenberg Hall, qui sert de réfectoire pour les *freshmen*, c'est-à-dire les premières années (on se croirait dans la salle des banquets de *Harry Potter* !), ni dans le Sanders Theatre, inspiré du *Globe Theater* de Shakespeare. On y trouve les noms de tous ceux qui sont morts pour les États de l'Union pendant la guerre civile (uniquement les noms des gens du Nord, bien entendu !), ainsi que quelques vitraux exécutés par les écoles de La Farge et Tiffany.

Harvard Art Museums *(zoom Harvard Square, B-C2)* **:** *32 Quincy St (et Broadway). ☎ 617-495-9400. • harvardartmuseums.org • Ⓜ Harvard. Tlj 10h-17h. Entrée : 15 $; gratuit moins de 18 ans.* Le Fogg Art, le plus vieux musée de Harvard, a été entièrement repensé par le célèbre architecte italien Renzo Piano pour accueillir, en plus de ses collections, celles du Arthur M. Sackler Museum et du Buch-Reisinger Museum. Cette nouvelle entité, dont les anciens bâtiments sont dorénavant augmentés d'une séduisante extension lumineuse tout en métal et verre, est désormais un incontournable du circuit culturel bostonien !

Depuis fin 2014, on peut enfin redécouvrir, au gré d'une muséographie moderne, les œuvres des peintres italiens, flamands et préraphaélites, le remarquable département américain (John Singer Sargent, John Singleton Copley, Ellsworth Kelly, Jasper Johns, Jackson Pollock...), celui de l'Europe du Nord (Beckmann, Kandinsky, Klee...), et les fascinantes collections impressionnistes et postimpressionnistes (Monet, Degas, Renoir, Matisse, Braque, Picasso, Van Gogh...). Quelques sections sont également consacrées au monde gréco-romain et à l'art oriental : Asie du Sud-Est, Inde, Islam, Perse, Chine, Japon... Entre autres, une rare collection de jades chinois, de fines miniatures persanes et mogholes, ainsi que des estampes japonaises. Un must !

Harvard Museum of Natural History *(zoom Harvard Square, B1)* **:** *26 Oxford St (et 11 Divinity Ave si l'on passe par le Peabody). ☎ 617-495-3045. • hmnh.harvard.edu • Ⓜ Harvard. Tlj (sf j. fériés) 9h-17h. Entrée : 12 $; 3-18 ans 8 $.*
Trois musées en un : collections de géologie et de minéralogie (somptueuses géodes et de nombreuses pierres météorites), botanique, et pour finir zoologie avec quelques spectaculaires spécimens de dinosaures. Des collections fascinantes, parmi les plus complètes au monde, présentées de manière un peu désuète mais très didactique, sans gadgets ni effets spéciaux. Le plus extraordinaire, ce sont les fameuses ***Fleurs de verre*** exposées dans la section botanique. Ces quelque 800 reproductions de végétaux en verre soufflé et peint furent réalisées par deux naturalistes et maîtres verriers allemands, Leopold et Rudolph Blaschka (père et fils), entre 1886 et 1936. C'était en fait une commande d'un professeur de botanique de Harvard dans un but pédagogique : ces reproductions, bien plus réalistes que celles de l'époque habituellement en cire ou en papier mâché, lui permettaient de montrer à ses élèves certains spécimens toute l'année. Une collection absolument fascinante, devant laquelle on pourrait passer des heures à détailler ce travail d'une précision inouïe, parfois plus vrai que nature. Il y a même de petits insectes dissimulés entre les feuilles ou les pistils. Imaginez que ces fleurs de verre d'une fragilité incroyable ont été expédiées d'Allemagne vers les États-Unis, en bateau et dans les emballages de l'époque, c'est-à-dire du papier, du coton et rien d'autre ! Les deux artistes allemands s'étaient d'abord fait la main sur des reproductions en verre d'espèces marines (méduses, anémones...) exposées dans une salle voisine.
– Une galerie permet de rejoindre un autre grand musée situé dans le même bâtiment, le ***Peabody Museum of Archeology and Ethnology*** *(accès aux mêmes horaires au 11 Divinity Ave ou en passant par le Museum of Natural History ; même tarif ; • peabody.harvard.edu •).* Le premier musée américain à être consacré à cette discipline en 1866. Il rassemble des millions d'objets en provenance du monde entier, mais sa plus grande richesse concerne les civilisations précolombiennes, ainsi que les peuplades des *Native Americans* qui vivaient sur le territoire avant la conquête de l'Ouest. Les expositions sont fréquemment renouvelées en fonction de thématiques sur le commerce, la chasse, l'artisanat, ou les rites, mais, en principe, on a toutes les chances de voir de superbes collections de totems des tribus des rivages du Pacifique, de magnifiques tissages navajos, et quelques raretés comme une blague à tabac ayant appartenu à Sitting Bull ! Également des sections consacrées aux résultats de campagnes de fouilles organisées par l'université de Harvard en Amérique centrale, en Micronésie et en Égypte. Le fonds est tellement riche et insuffisamment exploité qu'il arrive que des chercheurs tombent sur des pièces de très grande valeur scientifique oubliées depuis 100 ans au fond des réserves !

Carpenter Center for the Visual Arts *(zoom Harvard Square, B-C2)* **:** *24 Quincy St. ☎ 617-495-3251. • ccva.fas.harvard.edu • Ⓜ Harvard. Mer-dim 12h-19h. GRATUIT.* La seule grande réalisation signée Le Corbusier aux États-Unis. Expos temporaires et autres événements, mais uniquement pendant la période scolaire (rien l'été). Abrite aussi *The Harvard Film Archive.*

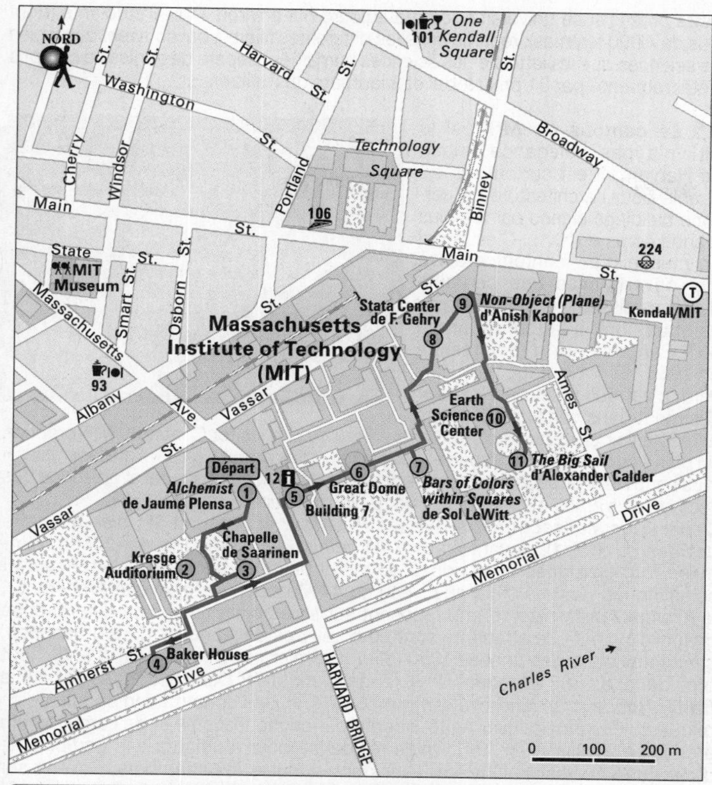

ITINÉRAIRE CAMPUS DU MIT

■ **Adresse utile**

12 MIT Visitor Center

Où faire une pause en cours de balade ?

93 Flour Bakery & Café
101 The Friendly Toast, State Park et Mamaleh's
106 Area Four
224 The COOP MIT

À voir

1 *Alchemist* (Jaume Plensa)
2 Kresge Auditorium (Eero Saarinen)
3 Chapelle du Kresge Auditorium (Eero Saarinen)
4 Baker House (Alvar Aalto)
5 Building 7 (bâtiment historique du MIT)
6 Great Dome
7 *Color within Squares* (Sol LeWitt)
8 Stata Center (Frank Gehry)
9 Non-Objet (Plane) (Anish Kapoor)
10 Green Building (Pei)
11 *The Big Sail* (Alexander Calder)

À voir autour du MIT

Depuis 1865, le *Massachusetts Institute of Technology (MIT)* accueille des étudiants venus du monde entier pour participer au développement des nouvelles technologies et aux avancées scientifiques qui façonneront le monde de demain.

Cette prestigieuse université compte aujourd'hui environ 11 000 étudiants (dont plus de 4 000 femmes), répartis dans les différentes filières, qui couvrent aussi bien les sciences que les lettres et les sciences humaines. Repère de génies, le campus a été fréquenté par 81 prix Nobel et 3 lauréats du Pulitzer.

JEU DE PISTE

Complexe, le dédale des dizaines de bâtiments du MIT. D'abord la plupart sont souvent reliés directement entre eux si bien qu'on ne sait pas dans lequel on est. Il y aurait 11 km de couloirs de liaison sur le campus ! Et pour corser le tout, les étudiants nomment les buildings plus volontiers par leurs numéros que par leurs noms. On est bien chez des matheux.

Le campus du MIT : si le MIT n'a pas l'élégance british de Harvard, il est surtout remarquable pour l'architecture de certains buildings signés par les plus grands noms du XXe s. C'est aussi un musée d'art contemporain à ciel ouvert, avec une centaine d'œuvres disséminées sur ce vaste campus, grâce au programme *MIT Percent-for-Art* commencé en 1968. Et l'avantage sur Harvard, c'est qu'ici, on peut circuler librement dans certains bâtiments et même voir chercheurs et étudiants à l'œuvre ! Le Visitor Center du MIT propose un plan très détaillé du campus et des tours guidés gratuits (voir « Adresses utiles » plus haut) mais on vous a aussi concocté un petit trek architectural et artistique des lieux les plus emblématiques ; voir notre plan Itinéraire campus du MIT.

Départ sur Massachusetts Ave (entre Vassar et Amherst St ; *plan Itinéraire campus du MIT,* **1**), devant l'œuvre *Alchemist* de Jaume Plensa (2010), hommage tout en signes numériques de métal peint en blanc aux chercheurs et scientifiques. Juste à côté, au niveau du 44 Massachusetts Ave et Amherst St, le ***Kresge Auditorium*** (dôme reposant sur trois points au lieu de quatre) et sa chapelle cylindrique attenante sont deux œuvres de jeunesse d'Eero Saarinen, caractéristiques des années 1950 *(plan Itinéraire campus du MIT,* ***2*** *et* ***3****).* Tout près de là, au 362 Memorial Drive (entre Endicott et Danforth St), se dresse la ***Baker House*** *(plan Itinéraire campus du MIT,* ***4****),* une construction ondulante en brique du Finlandais Alvar Aalto, adepte du fonctionnalisme et de l'architecture organique. Réalisée en 1947, cette résidence pour étudiants a la particularité d'offrir une vue sur la Charles River depuis toutes les chambres. Revenir sur « Mass Ave » et entrer au n° 77, dans le hall du bâtiment historique *(building 7 ; plan Itinéraire campus du MIT,* ***5****).* Le ***Visitor Center*** est tout de suite à droite en entrant. Emprunter le couloir de 250 m de long (« *infinite corridor* ») qui dessert bon nombre de départements, salles de cours et labos. Au milieu, possibilité de sortir à droite côté Charles River pour photographier la colonnade néoclassique du ***Great Dome*** (1913), le bâtiment le plus célèbre du campus qui fait souvent l'objet de piratages amusants par les étudiants *(plan Itinéraire campus du MIT,* ***6****).* Tout au bout du couloir, tourner à droite pour trouver le sol multicolore dessiné en 2007 par l'artiste ***Sol LeWitt*** *(building 6 C ; plan Itinéraire campus du MIT,* ***7****),* célèbre pour ses sculptures géométriques. Revenir un peu sur ses pas jusqu'au bout de l'« *infinite corridor* » et continuer tout droit en suivant la direction Vassar St. On débouche alors sur un escalier en brique menant à l'arrière de l'improbable ***Stata Center*** (2004) de ***Frank Gehry*** *(building 32 ; plan Itinéraire campus du MIT,* ***8****),* croisement entre un vaisseau spatial et la maison des schtroumpfs !

L'intérieur du bâtiment *(accès libre en sem 8h-18h30)* est nettement moins délirant que ses façades mais voir au rez-de-chaussée le miroir concave en inox du plasticien ***Anish Kapoor*** *(plan Itinéraire campus du MIT,* ***9****),* écho à la structure de Gehry. Possibilité de manger à la cafét étudiante pour une immersion totale *(lun-ven 11h-15h).* De là, on peut ressortir par le 32 Vassar St ou bien rejoindre le ***Green Building,*** un gratte-ciel tout en béton de 21 étages signé Pei, qui accueille le Earth Science Center (1962-1964 ; *plan Itinéraire* *campus du MIT,* ***10***). À l'extérieur trône un stabile de ***Calder,*** *The Big Sail (plan Itinéraire campus du MIT,* ***11****).* Fin de la visite !

⭑⭑ 👪 ***MIT Museum*** *(plan III, B2) : 265 Massachusetts Ave, près de Central Sq. ☎ 617-253-5927. • web.mit.edu/museum • Ⓜ Central ou Kendall/MIT. Tlj sf j. fériés 10h-17h (18h jeu en juil-août). Entrée : 10 $; 5-18 ans 5 $. Gratuit dernier dim du mois, sept-juin.* Le célébrissime *Massachusetts Institute of Technology,* un des musts mondiaux dans le domaine de l'ingénierie, présente un petit mais très intéressant musée sur son histoire et sur la place extraordinaire qu'il a prise dans le domaine des sciences et de la recherche. Au 1er étage, après un topo sur les génies qui ont marqué le MIT et la naissance en 1959 du premier groupe de recherche au monde sur la cybernétique et l'intelligence artificielle, on découvre toutes sortes de merveilles qui fascinent aussi bien les spécialistes que les néophytes. Entre autres, une salle géniale consacrée au sculpteur Arthur Ganson. L'artiste a inventé des machines cinétiques toutes plus délirantes les unes que les autres. On est loin de la robotique célébrée dans les autres salles, car ici, les créations sont de fins et fragiles squelettes métalliques en mouvement. Chaînes, roues et engrenages animent les sculptures, avec toujours beaucoup d'humour. Tout aussi ludique, une série d'holographes est mise en scène de façon bluffante ! Sinon, en fonction du calendrier, d'autres salles proposent des expos temporaires sur l'informatique, l'engineering, l'architecture, la photo-micrographie, la photo stroboscopique... souvent avec animations à la clé. Enfin, au rez-de-chaussée, un espace est consacré à l'actualité au MIT.

LE PREMIER E-MAIL

C'est un ancien étudiant du MIT, Ray Tomlinson, qui est considéré comme le père du courrier électronique. Après avoir travaillé pour le gouvernement américain sur la conception du réseau Arpanet (l'ancêtre d'Internet), il parvint, en 1971, à envoyer le tout premier message d'un ordinateur à un autre, qui était : QWERTYUIOP, c'est-à-dire la première ligne du clavier américain. Pour séparer le nom de l'utilisateur de celui de l'ordinateur sur lequel se trouvait la boîte de réception, il choisit le symbole le moins utilisé du clavier, l'arobase @.

SALEM

30 000 hab.

À 26 km au nord de Boston, Salem traîne une réputation contrastée. La ville fut fondée en 1626 par une communauté puritaine qui lui donna le nom issu de la Bible qui signifie « paix » en hébreu (*shalom*). Elle passa à la postérité avec le tragique épisode d'intolérance de la chasse aux sorcières de 1692 et à la renommée mondiale, au travers de la pièce de théâtre qu'Arthur Miller (le mari de Marilyn) a écrite en 1953. En revanche, on ignore souvent la splendeur maritime que la ville connut aux XVIIIe et XIXe s. C'est durant la période postrévolutionnaire, à l'apogée des échanges commerciaux avec l'Afrique, les Antilles, la Russie, l'Inde, Sumatra et la Chine, que Salem s'est considérablement enrichie. Les navires partaient chargés de cargaisons de poisson séché, coton, beurre, bœuf, tabac et rhum des colonies, que des marins échangeaient contre des denrées de luxe, comme le thé, le café, le sucre, les épices et les soieries. C'est aux prospères armateurs de Salem de cette glorieuse époque que l'on doit les splendides collections du Peabody Essex Museum.

Salem est aujourd'hui un petit port très touristique qui a conservé de nombreux témoignages de cet âge d'or : quelques intéressants bâtiments historiques, et surtout les demeures des riches marchands qui incarnent mieux que nulle part ailleurs, le style *Colonial Revival,* la première forme d'architecture typiquement « états-unienne », qui s'est démarquée peu à peu de ses origines anglaises après la guerre d'Indépendance. Chestnut Street, un must dans son genre, est considérée comme l'une des plus belles rues du pays.

LES SORCIÈRES ET LE CHAMPIGNON

Tout commence en 1689, lorsque le pasteur ***Samuel Paris*** s'installe à Salem avec sa femme, sa fille et sa nièce, ainsi que leur servante Tituba, ramenée de l'île de la Barbade. Les gamines, en mal de distractions, passent leur temps à écouter des histoires de vaudou racontées par Tituba. Bientôt, elles ont d'étranges comportements (malaises, convulsions, regard fixe) et prennent des « postures indécentes »... Différents médecins sont consultés, mais aucun ne relève de symptômes connus et l'un d'eux finit par suggérer au pasteur qu'elles ont été ensorcelées ! De quoi choquer la communauté puritaine ! Les enfants, inconscientes du vent de panique que leur comportement va soulever, dénoncent illico presto leur pauvre servante noire. Immédiatement, la confusion éclate, et avec des dénonciations arrachées sous la torture, 200 personnes furent accusées de sorcellerie et 60 furent emprisonnées dont la propre femme du gouverneur. On va même jusqu'à tuer deux chiens suspectés d'être des sorciers ! En septembre 1692, 20 hommes et femmes, jugés par le tribunal local sont pendus. Les autres doivent attendre. Devant l'ampleur des événements, la Cour suprême de l'État poursuit le dossier et finit en janvier 1693, par acquitter tous les prévenus, faute de preuves tangibles. Au mois de mai, le gouverneur ordonne la libération de 156 personnes et met ainsi un terme à 7 mois d'hystérie collective. Tout ça à cause des divagations de deux fillettes affabulatrices... mais peut-être pas sans une autre cause.

Car cet épisode a tellement frappé les esprits que de nombreux historiens se sont penchés sur cette énigme. Avec, à chaque fois, la même question lancinante : « Comment deux filles de famille puritaine ont-elles pu avoir simultanément des comportements aussi insensés ? »

Près de 300 ans plus tard, une psychologue du comportement à New York s'est intéressée aux similitudes entre les symptômes des filles de Salem et ceux de malades qui ont ingéré les spores d'un parasite infectant les grains de seigle : l'ergot. L'***ergot de seigle*** se développe lorsque les grains mûrissent et leur donne une écorce violacée qui rappelle l'ergot du coq, d'où le nom donné à la maladie : l'ergotisme, connu en Europe sous le nom de « mal des ardents » ou encore « feu de Saint-Antoine ».

À L'ÉCOLE DES SORCIÈRES

Les Américains n'ont peur de rien. La preuve, ils ont créé cette école sur Internet : • witchschool.com • *Vous trouverez tout sur l'astrologie, la fabrication des potions, les plantes, la magie, les tarots et les horoscopes... En revanche, rien sur la façon d'éviter les arnaques.*

L'ergot de seigle ne se développe que lorsqu'il fait chaud et pluvieux. Ces conditions étaient précisément réunies pendant l'été 1692 qui a précédé l'affaire, le journal intime d'un habitant de Salem en atteste. L'absorption de ce champignon par le système digestif provoque de violents spasmes musculaires et des hallucinations. La chercheuse new-yorkaise avait cependant besoin d'une validation scientifique irréfutable, et c'est dans le village de ***Pont-Saint-Esprit,*** dans le Gard, en France, que ses soupçons ont été confirmés. En effet, le village a été victime de la dernière attaque connue de l'ergot, en 1951. Et c'est grâce aux descriptions du comportement anormal de chiens infectés

qu'elle a pu renforcer sa théorie et démontrer que les jeunes filles en étaient malades. D'autres études ont été menées depuis et ont montré que l'ergot est un alcaloïde, dérivé naturel de l'***acide lysergique,*** qui atteint le système nerveux central et provoque les symptômes qu'autrefois, faute de connaissances, ont a assimilé à l'ensorcellement. Et cet acide lysergique si démoniaque porte un autre nom : le LSD !
Pour revenir à la ville de Salem, chaque année le 1er novembre, 1 000 adeptes célèbrent dans le cimetière le ***Samhain*** (le Nouvel an des sorcières), en mémoire de celles qui furent pendues en 1692. Salem se complaît aujourd'hui en exploitant ce douloureux passé pour répandre des sorcières à tous les coins de rue, business oblige. On ne compte plus les boutiques de souvenirs grand-guignolesques, les musées de cire, les attractions médiocres ou les *night tours* dans le cimetière, qui profitent d'une notoriété quelque peu frelatée et qui atteint son paroxysme pendant la période d'***Halloween.*** Néanmoins, 10 % des habitants pratiqueraient, dit-on, des rites de sorcellerie. Alors, ne riez pas trop vite devant les boutiques de balais, citrouilles et autres chapeaux pointus (turlututu), vous pourriez le regretter... à jamais !
À visiter éventuellement aussi, le village de ***Danvers*** tout proche. C'est ici que les « sorcières » habitaient. On peut y voir leurs tombes, de même qu'un monument érigé à leur mémoire de victimes innocentes.
À signaler enfin : la création par Adam Simon et Brannon Braga, en 2014 d'une ***série télévisée*** de 26 épisodes, sous le titre ***Salem,*** et disponible en France depuis septembre 2016 sur le catalogue de *Netflix.*

Comment y aller depuis Boston ?

Liaisons en bus ou train, entre Boston et Salem, Gloucester ou Rockport. Rens via la *MBTA Commuter Rail Trains.* ☎ *1-800-392-6100 ;* ● *mbta.com* ●

En bus

➢ Bus nº 450 de la station de métro *Haymarket* en sem, ou de la station *Wonderland* (terminus de la Blue Line) le w-e. Ttes les 30 mn au moins en sem, ttes les heures le w-e. Env 50 mn de trajet. Autre possibilité avec le nº 455, au départ de *Wonderland,* ttes les heures env (ttes les 30 mn le sam). Compter de 50 mn à 1h15 de trajet. Liaison directe depuis Logan Airport avec le bus nº 459. Petit trajet à pied depuis le *Salem Depot* vers le centre-ville.

En train

➢ De North Station, compter 30 mn pour Salem, 1h pour Gloucester et 1h10 pour Rockport (voir plus loin). Trains en sem, ttes les 30 mn mat et soir aux heures de pointe et ttes les heures le reste de la journée ; le w-e, trains ttes les heures.

En voiture

➢ Par la I 93 North direction Concord, puis la I 95 North. À la sortie 37 A, suivre la route 128 toujours vers le nord (direction Gloucester), sortie 26 Peabody/Salem. Compter 45 mn de trajet.
➢ Autre route beaucoup plus lente mais plus agréable : la 1 A jusqu'à Lynn puis la 129 N.

En ferry

➢ Depuis le *Boston Long Wharf* (à côté de l'aquarium ; *plan Boston I, D2*), liaison avec le catamaran *Nathaniel Bowditch* vers Salem, en 45 mn. Départ 5 fois/j. dans les 2 sens (9h30-20h). Arrivée à Salem, au quai de Blaney St (à l'est du centre-ville, 3 rues plus loin que *The House of the Seven Gables*). *Rens :* ☎ *1-877-733-9425. Résa en ligne :* ● *bostonharborcruises.com/salem-ferry* ● *Prix : 45 $ A/R, 25 $ trajet simple ; réduc ; gratuit moins de 3 ans.*

Adresse et info utiles

– Site Internet de la ville : ● *salem.org* ●

ℹ ***National Park Service Regional Visitor Center :*** *2 New Liberty St.* ☎ *978-740-1650.* ● *nps.gov/sama* ● *Dans une ancienne armurerie, face à l'immense parking des visiteurs. Tlj 9h-17h ; et parfois fermé lun et mar en hiver.* Un tas d'infos sur toute la région, des brochures et une présentation de l'héritage historique de la Nouvelle-Angleterre (film 4 fois/j. ; durée : 30 mn).

Où dormir ?

Si vous souhaitez passer la nuit à Salem, sachez que les réservations pour la fin octobre (fête d'***Halloween***) se font des mois à l'avance, avec des prix parfois majorés jusqu'à 50 %, et pour un minimum de 4-5 nuits souvent.

Amelia Payson House : *16 Winter St.* ☎ *978-744-8304.* ● *ameliapaysonhouse.com* ● *Doubles 165-250 $ avec petit déj.* Pas loin du parc central (Salem Common), un *B & B* cosy dans une grande maison de style *Greek Revival.* Déco rétro élégante mais un peu chargée : papier peint fleuri, épais rideaux, meubles anciens, lits à baldaquin. Petites attentions et fruits frais au petit déj. Très bon confort général et salles de bains nickel. Hospitalité exemplaire, mais comme souvent dans les *B & B,* réservée aux plus de 14 ans...

Northey Street House B & B : *30 Northey St.* ☎ *978-397-1582.* ● *northeystreethouse.com* ● *Doubles 125-175 $ avec petit déj. Parking privé.* À 5 mn à pied du centre et à proximité de la gare, cette grosse maison bleue historique à 2 étages, située dans une rue résidentielle ne déçoit pas : les chambres très classiques sont impeccables et de bon confort avec une literie de qualité (la familiale dispose de 2 chambres attenantes), le salon commun est parfait pour faire des rencontres, et l'accueil est vraiment attentionné. On s'y sent bien. Petit jardin japonisant.

Où manger ? Où boire un verre ?

Gulu-Gulu Café : *247 Essex St (en plein centre).* ☎ *978-740-8882. Tlj 8h-1h. Plats 7-13 $.* C'est l'adresse sympa de la ville avec en plus un curieux nom : le couple de proprios s'est rencontré dans un lieu du même nom à Prague ! Terrasse stratégique, vaste salle aux murs de brique brassée par des ventilos, parquet patiné et mobilier disparate, un décor convivial qui accueille sa clientèle de tous âges, dans une joyeuse atmosphère. Il y a même plein de jeux pour les gamins ! Côté cuisine, c'est simple et efficace, avec toute une panoplie de petits déj, sandwichs, *panini,* salades et crêpes servis à toute heure. Et pour *Gulu-Gulu* ? Pas moins d'une vingtaine de bières à la pression, histoire de réchauffer l'ambiance les soirs de concert *(mer et sam) !*

Caffe Graziani: *133 Washington St.* ☎ *978-741-4282. Mar-jeu 8h-15h, ven-sam 8h-20h et dim 7h30-13h. Plats 5-14 $.* Petite adresse tenue par une famille italienne, déco désuette sans chichis. Omelettes à confectionner soi-même au petit déj, sandwichs, soupes et salades, pâtes et calzone « comme là-bas » au déjeuner. C'est frais, préparé maison et servi avec le sourire. Et cerise sur le gâteau : du vrai café !

Life Alive : *281 Essex St.* ☎ *978-594-4644. Tlj 10h (11h dim)-20h. Moins de 10 $.* Pour manger sain, direction *Life Alive,* enclave écolo à la déco très nature ! On y mange au coude à coude aux tables communes en bois épais. Les amateurs de produits bio tendance *veggie* ont de quoi se faire plaisir avec des salades originales et des *wraps* copieux, confectionnés à la commande avec des produits archi-frais. Pour le dessert, les délicieux *smoothies* sont incontournables.

Beer Works : *278 Derby St (près du Waterfront). ☎ 978-745-2337. Tlj 11h-minuit (1h ven-sam). Plats 10-15 $.* Ce resto-bar appartient à une chaîne populaire qui brasse sa propre bière (on voit les cuves derrière les baies vitrées). Des brunes, *ale* ou *dark,* des bières parfumées à la *blueberry* et même à la citrouille pour Halloween, et certaines avec un lointain arrière-goût de chocolat. Légères ou plus épaisses, il y en a pour tous les goûts (demandez un *sampler* de 4 pour en goûter plusieurs). Pour accompagner les bières, on sert d'énormes burgers, en terrasse ou dans une grande sa

écrans plats partout, mu

brouhaha ambiant. Pour u

complète dans la culture

Turner's Seafood at L *43 Church St. ☎ 978-745-7665. Tlj 11h-21h (22h sam). Plats 10-16 $. Résa pas inutile.* LE resto de produits de la mer de Salem. Double salle élégante sans être guindée, murs de brique, chaises de cuir. On prend place à table ou au bar. Salades et sandwichs à composer soi-même, soupes (de poisson), moules, haddock, *crab cakes,* pâtes aux fruits de mer... ou dégustation d'huîtres au *raw bar.* Le tout arrosé d'une *Allagash,* une bière blanche du Maine, légèrement citronnée. Parfait pour un lunch entre deux visites.

À voir. À faire

Prenez, pourquoi pas, le trolley pour un tour de ville qui vous balade tout au long des sites historiques, ou bien suivez au sol le trait rouge de l'*Heritage Trail,* jusqu'à la Maison aux sept pignons *(House of the Seven Gables),* qui inspira Nathaniel Hawthorne, auteur du roman du même nom. Au carrefour entre Washington et Essex St, une statue devrait rappeler des souvenirs à certains... c'est le personnage de la ravissante Samantha, dans ***Ma sorcière bien-aimée***, un feuilleton des années 90 avec Elisabeth Montgomery dans le rôle. *Selfie* de rigueur.

Peabody Essex Museum (PEM) : *E India Sq. ☎ 978-745-9500. • pem.org • Tlj sf lun (ouv les lun fériés) 10h-17h (21h le 3e jeu du mois). Entrée : 20 $; réduc ; gratuit moins de 16 ans. Et slt 12 $ après 17h le jour de la nocturne. Le billet ne comprend pas la visite de la* Yin Yu Tang House *(5 $ de plus, et résa d'un créneau horaire de visite) ni des maisons historiques des environs. Possibilité d'achat des billets en ligne.*

Fondé en 1799 par des armateurs de la ***East India Maritime Company,*** c'est le plus ancien musée des États-Unis. Il avait pour vocation de présenter au public les trésors rapportés de par le monde, du XVIIe au XIXe s, par les capitaines au long cours. Riche de plus de deux millions d'objets, le PEM a été agrandi en 2013. Son atrium lumineux reprend la forme d'un bateau à voiles. Cette nouvelle architecture met magnifiquement en valeur ses collections exceptionnelles : scénographie bien pensée, présentation aérée, espaces « *chat & relax* » avec coins canapés, fauteuils et livres d'art à disposition des visiteurs. Peu de monde en prime (les touristes se ruant en majorité vers les attractions liées aux sorcières). On ressort de là avec l'impression d'avoir voyagé. Bref, une visite indispensable !

Rez-de-chaussée (ground level)

– ***Histoire maritime*** (à gauche) **:** un vaste département couvrant les périodes du XVIIe au XIXe s. Maquettes de bateaux *(RMS Queen Elizabeth),* souvent réalisées par les marins pour commémorer un voyage réussi, mais aussi des figures de proue, la reconstitution du salon Empire de la ***Barge de Cléopâtre*** (le premier yacht américain de haute mer de 1816), ou encore des instruments de navigation, figures de proue et des affiches publicitaires de compagnies maritimes... La chasse à la baleine avec les superbes *scrimshaws,* ces dents de cachalot sculptées et gravées (dont John Kennedy était très amateur) et exceptionnelle

collection de peintures de marine... On y trouve aussi le récit de la guerre sur mer entre l'Angleterre et les États-Unis.
– ***Art américain :*** où s'exaltent les valeurs familiales et les vertus domestiques de l'Amérique profonde, à travers mobilier, peintures, sculptures et Arts décoratifs. Intéressante confrontation de portraits masculins de différentes époques. Également des portraits de ***John Singer Sargent, Gilbert Stuart*** et ***John Singleton Copley*** *(Sarah Erving Waldo).*
– ***Yin Yu Tang Chinese House :*** *billet séparé à se procurer à l'avance pour visiter le jour même, sur un créneau horaire précis ; audioguide en anglais compris.* Une authentique maison du XVIIIe s (dynastie Qing) d'un marchand du sud-est de la Chine, cédée par le gouvernement chinois et entièrement remontée ici à Salem, avec tous ses meubles ! Huit générations de la même famille y habitèrent. Construite selon les règles du feng-shui, il se dégage de ses seize pièces une impression de sérénité pleine d'harmonie. À ne pas manquer.
– ***Asian Export, China :*** une collection passionnante, notamment de vaisselle, d'argenterie et de textiles, qui se répartit sur 3 niveaux. Tous les objets ont été fabriqués au XIXe et au début du XXe s pour être exportés à l'Ouest.

Au 1er étage (level 2)
– ***Arts décoratifs américains :*** arts populaires et textiles, mobilier, vaisselle.
– ***Art du Japon :*** magnifiques paravents laqués et boîtes de scribe finement ouvragées, palanquin, étonnante tête d'homme sculptée dans une racine de bambou et un rosaire bouddhiste !
– ***Asian Export, China :*** étonnante vue de Canton en 1800 gravée dans l'ivoire (unique au monde). En ivoire aussi, un panier décoratif travaillé comme de la dentelle (une prouesse technique), lit nuptial *(moon bed).* Cette section se prolonge encore au *level 3,* avec des objets de l'Inde et du Japon.
– Enfin, et compte tenu du grand nombre d'objets en réserve, le musée présente par roulement des expositions portant sur l'***art traditionnel du Pacifique,*** l'***art natif américain*** et l'***art de l'Inde.***

Au 2e étage (level 3)
Expos temporaires.

Nombreux ***ateliers enfants*** ; programme à l'entrée.

I●I ***Café*** dans l'atrium et aussi un adorable petit ***resto*** niché dans la verdure *(**Garden Restaurant,** ouv tlj sf lun 11h30-16h30 ; ouv les lun fériés ; plats 10-18 $ env).*

– En face du musée, la ***Phillips Library*** a conservé les *Real Witchcraft Papers,* les ***minutes des procès en sorcellerie*** du XVIIe s.

Salem Witch Museum : *19 ½ Washington Sq North.* ☎ *978-744-1692.* • *salemwitchmuseum.com* • *Tlj 10h-17h (19h juil-août). Entrée : 11 $; réduc. Représentations ttes les 30 mn. En français sur demande.* Pas loin du Peabody Essex Museum, dans un imposant bâtiment qui ressemble à une église fortifiée. Spectacle son et lumière de 30 mn en tout, retraçant au moyen de saynètes grandeur nature avec personnages grimaçants, la tristement célèbre histoire des sorcières de Salem. Très bien fait. À l'inverse de la suite du programme, une visite guidée des plus banales sur la sorcellerie en général.

The Witch House : *310 ½ Essex St.* ☎ *978-744-8815.* • *witchhouse.info* • *De mi-mars au 1er nov, tlj 10h-17h (plus tard en oct ; se renseigner). Entrée : env 8,25 $ (visite guidée de 30 mn ttes les heures : env 2 $ en sus) ; réduc ; gratuit moins de 6 ans.* C'est la maison du juge qui a ordonné la pendaison des « sorcières ». Construite entre 1661 et 1675, c'est l'une des plus vieilles des États-Unis. On peut y voir quatre pièces restaurées et meublées d'époque, dont la chambre où eut lieu le jugement préliminaire. Une visite pleine de cachet et d'atmosphère, mais trop chère pour ce que c'est.

ASCENDANCE HONTEUSE

L'écrivain Nathaniel Hawthorne rajouta un « w » à son nom pour qu'on ne remarque pas qu'il était l'arrière-arrière-petit-fils du John Hathorne qui présida le tribunal lors des procès faits aux « sorcières ».

The House of the Seven Gables : *115 Derby St. ☎ 978-744-0991. • 7gables.org • Juste à côté du Derby Wharf. Juil-oct, 10h-19h ; nov-juin, 10h-17h. Fermé 1re quinzaine de janv. Entrée : 13 $; réduc. Visite guidée obligatoire de 40 mn env (en anglais, mais audioguide en français à dispo).* La curieuse Maison aux sept pignons, d'allure un peu austère, qui inspira Nathaniel Hawthorne pour son roman du même nom, a été construite en 1668 par le capitaine John Turner qui voulait en mettre plein la vue à ses voisins. À l'intérieur, dédale de pièces restaurées qui servent de prétexte pour évoquer l'architecture des lieux, le quotidien de l'époqueet les personnages de l'œuvre. Mais le plus insolite, c'est l'escalier secret dissimulé derrière la cheminée et qui conduit à une chambre tout aussi discrète à l'étage.
Le site comprend par ailleurs d'autres bâtiments, dont la maison natale de Nathaniel Hawthorne (1804-1864). Celle-ci fut déménagée d'un seul tenant sur une plate-forme depuis Union Street en 1958. Là encore, la visite permet de découvrir différentes pièces dont une partie du mobilier est d'origine, ainsi que quelques vitrines renfermant des objets personnels et de la correspondance. Des jardins, très jolie vue sur le port de Salem.
Juste en face de la maison, une mignonne boutique de bonbons (la plus ancienne des États-Unis, les Américains sont très friands de ce genre de superlatif), *Ye Olde Pepper Companie.*

Salem Maritime National Historical Site : *160 Derby St. • nps.gov/sama •* Les vestiges de ce qui fut le port de Salem ont été restaurés. Des 50 quais d'origine, il ne reste que le Derby Wharf, désormais désert à l'exception de deux anciens bâtiments en bois et de la reconstitution d'un trois-mâts marchand de la *East India Maritime Company,* le *Friendship,* capturé par les Anglais en 1812. En 2016, ce bateau était en cale sèche pour réfection et entretien à Gloucester. Tout autour dans un espace un peu vide, quelques demeures de marchands, des entrepôts et la maison des douanes donnent une idée de l'allure que pouvait avoir la ville. Certains bâtiments, dont le bateau, se visitent à l'occasion de visites guidées organisées par le parc national *(GRATUIT et sur résa au 174 Derby St ; ☎ 978-740-1660).*

DANS LES ENVIRONS DE SALEM

Marblehead : *à 27 km au sud de Salem ; prendre la 114 E au bout de Washington St. De Boston, prendre la 1 A qui longe la côte. À la sortie de Lynn, jetez un œil à la presqu'île de Nahant (qui vaut le détour si vous avez le temps). Cette route traverse également* ***Swampscott*** *et son joli front de mer. Le bus nos 448/449 effectue le parcours entre Boston (Downtown Crossing) et Marblehead.* Assez isolé du reste de la côte, c'est un adorable village de bord de mer, malgré tout bondé l'été. Il connut son heure de gloire au XVIIe s. Une des communes dont les maisons sont les plus chères aux États-Unis. Mignonnettes bâtisses coloniales peintes aux couleurs acidulées (bleu ciel, jaune paille, rose dragée). Concentration de tous les yacht-clubs les plus chics de la région. De magnifiques voiliers dans le port, des régates s'y déroulent chaque année. Un endroit qui a de l'allure, mais très snob.
Poussez jusqu'au ***Marblehead Neck,*** une presqu'île accessible par un pont, où se nichent de somptueuses villas avec plage privée, mouillage à même le portail... À l'extrémité est de cette presqu'île, très belle vue depuis le phare du ***Chandler Hovey Park.*** De retour au centre, faites une promenade jusqu'au fort Seawall, à l'extrémité est de Front Street.

Ne pas manquer non plus d'aller jusqu'à *Peach's Point,* pointe nord-est de Marblehead. C'est une résidence privée superbe. Pas le droit d'y pénétrer, seulement celui d'admirer et de rêver : on y aperçoit de belles maisons (certaines très modernes) au bord de l'eau, avec mouillages privés, bien protégées des regards indiscrets.

Kiosque d'informations : *62 Pleasant St, au milieu d'un carrefour.* ☎ *781-631-2868.* ● *marbleheadchamber.org* ● *De mi-mai à oct, lun-ven 11h-17h, le w-e 10h-17h.* Dépend de la chambre de commerce. Plan de la ville avec promenade fléchée de la partie historique et audiotour à télécharger sur ● *visitmarblehead.com* ●

The Landing : *81 Front St.* ☎ *781-639-1266. Tlj 11h30-23h45. Cuisine jusqu'à 21h. Brunch dim 11h-14h. Plats env 8-18 $ côté pub, 20-35 $ côté resto.* Live music *dim 18h-20h.* Très belle situation sur le port, avec une vaste terrasse abritée et chauffée face à l'eau. Salle à manger claire, au décor sobrement élégant. Au déjeuner, sandwichs sympas, rouleaux *(wraps)* végétariens et bons hamburgers. Le soir, le poisson est roi, spécialité de coquilles Saint-Jacques. Toujours très frais, bien préparé, vous pouvez y aller les yeux fermés. On peut aussi se contenter d'un *gourmet burger* servi dans la section pub.

CAPE ANN

80 000 hab.

À un peu moins de 50 km au nord de Boston s'avance dans l'océan la presqu'île de Cape Ann, baptisée ainsi par le roi Charles Ier d'Angleterre au début du XVIIe s. L'exploration en mer n'était pas le passe-temps favori de ce roi, mais plutôt celui d'un de ses capitaines, du nom de John Smith, qui cartographia les contours de la presqu'île. Plus modeste que Cape Cod quant à son étendue, Cape Ann reste l'une des destinations préférées des Bostoniens, qui viennent se détendre sur la côte et visiter les galeries d'artistes, essentiellement regroupées à Gloucester, sur East Main Street, et à Rockport.

Comment y aller depuis Boston ?

En voiture

➢ Depuis Boston, route 93 en direction du nord, puis route 1 North. À la sortie 44, prendre la route 95 East/North, puis la route 128 jusqu'à Gloucester. Pour les amateurs de chemins de traverse, prendre à partir de Salem, la 127 qui longe la côte.

➢ Pour rejoindre Rockport de Gloucester, continuer sur la 127 ou la 127 A (cette dernière longe la côte), c'est à 10 mn env.

En train

MBTA Commuter Rail Trains : ☎ *617-222-3200 ou 1-800-392-6100.* ● *mbta.com* ● De North Station, départs en train pour Cape Ann.

Transports locaux

Cape Ann Transit Authority (CATA) : ☎ *978-283-7916.* ● *canntran.com* ● Plusieurs bus circulent sur la presqu'île de Cape Ann tlj de la sem. Bon service. On peut stationner à env 1,5 km du centre de Gloucester et prendre un bus touristique qui s'y rend.

GLOUCESTER (33 000 hab.)

Le plus ancien port des États-Unis, à environ 52 km au nord de Boston. Il vivait déjà de la pêche en 1623. D'émouvantes statues illustrent l'histoire la ville et commémorent les nombreux pêcheurs d'origine portugaise ou italienne, morts

en mer au cours de l'histoire (plus de 10 000 !) et leurs familles éplorées. La statue la plus emblématique, *The Man at the Wheel* (l'homme au gouvernail), se trouve dans le prolongement de Main Street, à la sortie ouest de la ville, route principale. Le film ***The Perfect Storm*** de Wolfgang Petersen (2000), avec George Clooney, est inspiré de la vie des pêcheurs de Gloucester.
La ville ne révèle pas d'emblée son charme. Il faut se promener, entre autres, du côté de Harbor Loop, pour mesurer l'activité de ce grand port. Mais surtout, aller visiter le quartier de l'est et la presqu'île *Rocky Neck* en face d'East Main Street. Vous y verrez le plus ancien chantier naval des États-Unis (toujours en activité). Au début du XIXe s, de nombreux artistes américains célèbres vinrent à Rocky Neck chercher l'inspiration, et beaucoup s'y installèrent. Aujourd'hui encore, peintres et photographes choisissent d'y vivre. Ainsi, *The Painter's Path,* comme on l'appelle ici, est jalonné de galeries d'art (vernissages en été). Ceux qui apprécient l'œuvre du peintre ***Edward Hopper*** auront immédiatement l'œil accroché par les maisons de bois colorées qui rappellent celles qu'il a peintes dans les années 1920. Une brochure répertoriant celles qui l'ont inspiré est disponible au *Cape Ann Historical Museum.*
De mignons petits restos viennent compléter le tableau. Ceux situés au bout de *Rocky Neck Avenue* sont construits sur pilotis et offrent l'agrément d'une vue sur le port de plaisance, là où l'on admire les plus belles maisons en bois colorées, presque toutes baignant dans l'eau. Endroit idéal pour un apéro au soleil.

Adresses utiles

ℹ ***Gloucester Welcoming Center :*** *sur Stage Fort Park, près de la route 127 (entrée sud de la ville, fléché) et de la Half Moon Beach.* ☎ *978-281-8865.* • *gloucesterma.com* • *De fin mai à mi-oct.* Nombreuses infos utiles, dont les dates des festivals et les événements marins de l'été. Prendre le dépliant intitulé *Gloucester Maritime Trail,* qui présente les itinéraires historiques des 4 quartiers intéressants de la ville. Une jolie plage *(Half Moon Beach),* un peu cachée, est à proximité du *Welcoming Center.*

■ ***Chamber of Commerce :*** *33 Commercial St.* ☎ *978-283-1601.* • *capeannchamber.com* • *En bordure de Pavillion Beach. Lun-sam 9h (10h sam)-17h, dim 11h-16h. Infos touristiques et brochures.*

Où dormir ? Où manger ?

🏠 ***Accommodations at Rocky Neck :*** *43 Rocky Neck Ave.* ☎ *978-381-9848.* • *rockyneckaccommodations.com* • *Sur la presqu'île de Rocky Neck en contournant tte la ville par l'est. Ouv de mi-avr à fin oct. Doubles 155 $ en sem et 165 $ le w-e ; penthouse 275 $. Ajouter 10 $/pers de taxes/nuit. Pas de petit déj.* Wi-fi. Charmante maison de pêcheur très sobre, construite sur pilotis au-dessus du port de plaisance. Un ponton privé et une galerie en bois donnant sur la mer, avec des terrasses pour les hôtes, qui s'ouvrent sur la vue des bateaux et des demeures en bois meublant la côte. Chambres aux grandes fenêtres bien orientées, avec douche et kitchenette (et BBQ à dispo). Confort simple, même un peu vieillot, mais l'ensemble est vraiment agréable. Accueil chaleureux du couple qui tient la maison.

🏠 ***Bass Rocks Ocean Inn :*** *107 Atlantic Rd.* ☎ *978-283-7600 ou 1-888-802-7666.* • *bassrocksoceaninn.com* • *Mai-oct. Doubles env 150-450 $, avec petit déj. Min 3 nuits à certaines périodes.* Wi-fi. Situation idéale en bordure de l'océan pour ce vaste hôtel chic, une belle demeure du début du XXe s, dont les chambres classiques occupent toutes des extensions modernes face au grand large, avec les mouettes en fond sonore. Celles du rez-de-chaussée profitent en plus d'un tapis de pelouse devant les baies vitrées. Parfait pour dormir la fenêtre ouverte. Quant aux suites, elles sont à l'étage de la maison principale. Piscine chauffée, billard, terrasse d'observation. Petit déj-buffet un peu riquiqui. *Afternoon tea.* Location de vélos. Accueil pro et souriant.

Turner's Seafood Market : *4 Smit St. ☎ 978-281-7172. Lun-sam 10h-18h30.* Le marché aux poissons de Gloucester alimente toute la région. L'occasion de humer les senteurs de la pêche du jour et d'acheter (si vous avez la possibilité de les cuisiner) dans cette cabane de bois quelques produits ultra-frais (huîtres, homards, coquilles Saint-Jacques) avec leurs accompagnements.

Sailor Stan's : *resto adorablement situé, en entrant sur la presqu'île de Rocky Neck, dans une petite maison orange à l'angle de Wonson St et Rocky Neck Ave. ☎ 978-281-4470. Tlj sf lun 7h-13h. Petit déj réputé à des miles à la ronde et sandwichs américains ou mexicains le midi env 6-10 $.* Petite adresse très routarde, entre la cabane de pêcheur en bois et le traditionnel *diner* un peu *roots.* D'un côté, le bar et ses hauts tabourets ; de l'autre, une poignée de tables. Joli intérieur coloré, décoré de peintures. Nous sommes dans le quartier des artistes ! Très chaleureux. Devant, une mignonne terrasse de poche.

Passports : *110 Main St. ☎ 978-281-3680. Tlj 11h30 (w-e 10h)-21h30. Plats 8-20 $.* Avec un tel nom, la cuisine de ce petit café chaleureux, à l'entrée surmontée d'un joli vitrail, ne peut être que *world,* c'est-à-dire internationale ! On y trouve bien une belle sélection de spécialités aux influences méditerranéennes, asiatiques et sud-américaines, mais finalement une bonne partie des plats restent quand même ancrés dans la tradition US. Dans tous les cas, sandwichs, salades et plats du jour se révèlent savoureux et copieux, et servis avec le sourire. Pas mal d'habitués, qui en profitent pour commenter l'expo du moment.

À voir. À faire

Cape Ann Historical Museum : *27 Pleasant St, à* **Gloucester.** *☎ 978-283-0455. • capeannmuseum.org • Tlj sf lun 10h-17h (13h-16h dim). Entrée : 10 $; gratuit moins de 18 ans. Procurez-vous la brochure avec l'itinéraire recensant les maisons peintes par Hopper.* De l'extérieur, on ne s'attend pas à découvrir un aussi grand musée. On y trouve sans surprise une section importante sur l'histoire maritime de la ville (instruments de navigation, matériel de pêche, maquettes, l'ancienne lanterne du phare, et même des bateaux complets, dont un sloop), tandis que d'autres galeries sont consacrées aux arts décoratifs (mobilier américain, une pièce d'orfèvrerie signée Paul Revere...) et aux peintures d'un enfant du pays, Fitz Henry Lane (1804-1865), spécialisé dans la peintures de marines (pas les soldats, *of course !*). Mais la véritable cerise sur le gâteau, c'est d'avoir accès dans le cadre d'une visite guidée (gratuite) à la maison attenante du capitaine Elias Davis, du début du XIXe s, dont les différentes pièces ont été reconstituées (certains meubles sont d'origine). Très complet.

La plage de Manchester-by-the-Sea (Singing Sand Beach) **:** *sur la route 127, en venant de Salem.* Jolie plage de sable fin (qui « chante » sous les pieds), que l'on peut atteindre après 10 mn de marche.

ROCKPORT (7 000 hab.)

À 8 km au nord de Gloucester, c'est un petit port de pêche pittoresque à découvrir à pied. En y arrivant, dirigez-vous vers *Bearskin Neck,* le cœur de l'animation touristique. D'anciennes maisons de pêcheurs en bois, réaménagées en galeries d'art (les peintres y affluèrent dans les années 1920), en boutiques d'artisanat et en restos, bordent quelques adorables ruelles fleuries. Balade agréable en fin de journée, après la plage, lorsque la foule se fait moins dense. Au centre du port, trône un hangar de bois rouge vif. On le nomme « motif # 1 » et c'est une des icônes de la Nouvelle-Angleterre, maintes fois reproduit par les peintres ou immortalisé par les photographes.

TIRE-BOUCHON

La vente d'alcool fut interdite dans la ville à partir de 1850, date à laquelle Hennah Jumper, une épouse de Rockport battue par son mari ivre, investit par vengeance tous les bars de la ville pour y faire scandale. Cette interdiction a été levée en 2005 (!) par vote des habitants, mais la consommation d'alcool n'est autorisée que dans les restos qui ont la licence et uniquement comme accompagnement d'un repas. Ouf !

Jolie ***plagette*** (Front Beach) à 5 mn à gauche du port. Attention, le stationnement n'est vraiment pas évident. Tenez bien compte des panneaux d'interdiction et tentez votre chance sur la jetée *(T-Wharf)*, à droite du port. Une moitié des emplacements est réservée aux résidents, l'autre aux visiteurs... Sinon parkings à l'extérieur, desservis par une navette (ttes les 15 mn) et payante.

Où dormir ? Où manger ?

Emerson Inn by the Sea : *1 Cathedral Ave dans le quartier de Pigeon Cove à 4 km au nord de Rockport, en direction de Halibut Point. ☎ 978-546-6321. • emersoninnbythesea.com • Mai-oct. Doubles env 140-250 $, avec petit déj. Promos fréquentes.* Vénérable demeure riche de deux siècles d'histoire et qui hébergea des célébrités comme les poètes Ralph Waldo Emerson et David Thoreau. Bâtiment double avec terrasses à colonnades face à l'océan. Complètement rénovée, elle accueille ses clients dans la tradition de l'hospitalité cosy-chic de la Nouvelle-Angleterre, mélange heureux d'ancien et de moderne. Chambres d'excellent confort et bien équipées (mais pas très grandes) avec lit moelleux à souhait et, pour certaines, un baldaquin. Les plus chères face à la mer, bien sûr avec balcon et lever de soleil en prime. Piscine chauffée sur l'avant du jardin. Petit déj sur la terrasse aux beaux jours et restaurant (correct, sans plus) dans la belle salle du rez-de-chaussée au charme d'antan. Service attentif.

The Fish Shack Restaurant : *21 Dock Sq. ☎ 978-546-6667. À deux pas de l'entrée de Bearskin Neck. Tlj 11h-21h. Plats env 10-20 $; avec du homard env 20-30 $.* Aux murs, déco marine très balnéaire : casiers à homards, bouées de toutes les couleurs... Homard-frites pas cher, poisson frais cuisiné de toutes les manières (mais majoritairement en friture) et des petits plats pas vraiment raffinés mais pas trop chers. Salle lumineuse et pleine d'ambiance, avec tout l'éventail des touristes et des familles en vacances qui profitent de la vue sur l'eau. Bon accueil.

Blue Lobster Grille: *15 Dock Sq. ☎ 978-546-9990. À droite de l'entrée de Bearskin Neck. Tlj 11h-20h. Plats 6-26 $ (moins cher le midi).* Déco banale, salle avec vue sur le port. Longue carte : salades, burgers et sandwichs classiques mais aussi moules, plat du pêcheur (une *moqueca* brésilienne), *linguine* ou risotto aux fruits de mer et, bien sûr, homard. Ce n'est pas très raffiné, mais c'est ce qu'on a trouvé de mieux ici, à prix encore raisonnables. Accueil sans façons.

My Place by the Sea : *68 Bearskin Neck. ☎ 978-546-9667. Au bout de la jetée. Tlj midi et soir. Resto de poisson dans la catégorie « Chic », mais on peut s'en sortir le midi pour env 20-35 $ (plats 12-25 $) et le soir, coup de fusil, compter min 40-50 $ sans les vins.* Situation idéale pour un dîner romantique face à la baie et au soleil couchant. Terrasses sur 2 niveaux. Carte aux plats créatifs, style *New American*. *Clam chowder* crémeuse à souhait. Poissons en sauce bien tournés et homard dans toutes les positions. Les desserts font la part belle au chocolat. Côté vins, quelques crus néo-zélandais qui ont bien fait de faire le voyage. Service stylé, limite ampoulé.

🍷 Le désert !... Puisque toute vente d'alcool hors restaurant est prohibée...

Halibut Point State Park : *à l'extrémité nord-est de Cape Ann. En sortant de Rockport, continuer sur la 127 (vers le nord-est) et tourner à droite dans Gott Ave ; le parking est un peu plus loin sur la droite. Tlj du lever au coucher du soleil. Entrée : 2 $. Parking 6 $.* Cette réserve naturelle s'étend sur le site d'une ancienne carrière de granit. Depuis qu'elle n'est plus en activité, elle a été remplie d'eau, créant ainsi un charmant petit lac entouré de falaises qui tombent à pic (les murs de la carrière). Il est interdit de s'y baigner, mais le tout forme un joli paysage, avec la mer au second plan. De ces *quarries* (carrières), de petits sentiers partent dans toutes les directions. Continuer au moins jusqu'à la mer, qui offre un spectacle impressionnant par gros temps.

ROUTE 127, NORD DE LA PRESQU'ÎLE

Terminez votre visite de Cape Ann en longeant la route 127 au nord, d'est en ouest. La côte est très découpée et on découvre çà et là de très jolis petits ports et mouillages privés.

Crane Beach : *si vous venez de Cape Ann, prenez la 133 W jusqu'à Essex, puis Ipswich. Peu avant Ipswich, panneau sur la droite pour la plage. Crane Beach et ses alentours appartiennent à une réserve naturelle (ouv 8h-coucher du soleil), l'entrée est donc payante. Prix par véhicule : l'été, 30 $ le w-e et 25 $ en sem ; hors saison, c'est plutôt 15 $. À pied, c'est 2 $/pers (mais sans intérêt, à moins d'arriver en stop, puisqu'on n'a pas le droit de se garer en dehors du parking autorisé). Rens au ☎ 978-356-4354, car les tarifs changent souvent.* Le meilleur moyen d'explorer les alentours est de suivre le *Pine Hollow Trail* (à droite quand on arrive sur le parking), un sentier de 45 mn environ. Attention cependant aux moustiques et aux infernales *black flies* (mouches noires qui vous dévorent), qui sont légion en été. On se balade dans une partie du *Crane Wildlife Refuge,* une réserve naturelle pour la sauvegarde et le développement d'oiseaux de toutes espèces. Dans les dunes, des espaces sont réservés à cet effet. Les amateurs de plage seront enchantés de découvrir cette grande étendue de sable blanc de 6 km entourée de dunes recouvertes de pins et d'arbustes. Magnifique !

LA BELLE HISTOIRE DE LA PALOURDE FRITE

La légende raconte que Lawrence « Chubby » Woodman inventa la palourde frite en 1916. Chubby a eu l'idée de jeter les palourdes dans l'huile de friture des pommes de terre. Après le trempage des palourdes dans le lait évaporé avec de la farine de maïs, et l'accompagnement de sauce tartare, les fried clams *étaient nées et leur succès ne s'est jamais démenti.*

Woodman's of Essex : *sur la route 133 entre Cape Ann et Ipswich, à* **Essex,** *au 121 Main St face à la marina, (entre Eastern Ave et Martin St). ☎ 978-768-6057. Tlj 11h-21h (22h ven-sam). Env 12-30 $.* Attention, adresse culte en Nouvelle-Angleterre. *Woodman's* sert de père en fils, des fruits de mer principalement frits (néanmoins de bonne qualité), sur des tables de bois dans un vaste resto, entre la route et la mer. On commande au comptoir et on reçoit un numéro qui sera appelé. La star gastronomique locale, ce sont les *Ipswich clams,* des palourdes servies avec oignons frits et

French fries. Moins cher ici que dans un « vrai » resto (assiettes de carton, couverts en plastique). Clientèle mélangée de touristes et de cols bleus à midi, venus se taper un homard entre deux chantiers. À l'étage, le *raw bar,* pour ceux qui préfèrent des *clams* fraîches non frites ou une douzaine d'huîtres. Une adresse fétiche des Bostoniens, toujours nostalgiques des *good old days.*

NEWBURYPORT ET PLUM ISLAND

18 000 hab.

Situé à 60 km au nord de Boston, Newburyport est l'un des plus vieux ports des États-Unis, à l'origine peuplé par les Indiens pawtucket. Les émigrants européens s'y installèrent en 1635. La petite ville devint rapidement un port de pêche et de commerce prospère, reconverti en port militaire lors de la révolution : ses bateaux attaquaient les navires britanniques.

Caleb Cushing, premier maire de la ville, élu à la Chambre des représentants et fin diplomate, négocia au milieu du XIXe s le premier traité d'échange entre les États-Unis et l'empire de Chine, où il avait été nommé ambassadeur. Les marins de Newburyport commerçaient jusqu'en Asie, mais la ville connut un déclin à partir de cette période en gardant tout de même une activité de construction navale. Reste aujourd'hui une petite cité agréable, face à la large embouchure de la Merrimack River, où mouillent des navires de plaisance. C'est aussi un point de départ pour aller au large observer les baleines. La campagne est parsemée de maisons douillettes, toutes arborant fièrement la bannière étoilée, et, à l'est de la ville, Plum Island est l'un des plus importants lieux de migration des oiseaux du pays.

Comment y aller ?

En train

Gare ferroviaire de Newburyport : *25 Boston Way, route 1 (angle de Parker St). Rens horaires : ☎ 1-800-392-6100. • mbta.com •*

➢ ***De Boston North Station :*** compter env 1h. 12 trains directs/j. en sem (7h30-0h10), et des trains via Salem ou Beverly. Le w-e, 7 trains directs (8h30-23h30). Navettes de bus vers le centre, le w-e en été.

En voiture

➢ ***Depuis Boston :*** route 1 North et I-95 North. Sortie 57, puis route 113 East. Une fois dans la ville, se garer sur les parkings (horodateurs) en bordure de Merrimac St.

Adresses utiles

Newburyport Chamber of Commerce : *38R Merrimac St (sur le port, à côté du parking). ☎ 978-462-6680. • newburyportchamber.org • Lun-ven 9h-17h.* Très bonnes infos sur la ville et Plum Island. Plan de la ville.

Kiosque d'information : *sur la même place, mais côté opposé du parking, dans un petit bungalow en bois. Mai-oct jeu-dim 9h-18h.* Super accueil. Même genre d'infos sur la ville et la région. Donne des brochures et des explications sur les activités à faire autour de la ville.

Où dormir ?

Prix moyens

🏠 ***Beachway Motel :*** *82 Beach Rd, à* ***Salisbury.*** *☎ 978-465-0336. Depuis le port dans le centre de Newburyport, prendre le pont franchissant la rivière pour rattraper la route 1, puis, tourner au 3e feu à droite. Doubles env 60-110 $.* Dans une zone où il y en a plusieurs, motel classique, aux chambres vieillottes mais propres réparties autour du parking. Ce n'est pas le grand frisson, mais c'est correct et suffisamment confortable, avec douche et TV. Intéressant, une piscine ouverte l'été. Accueil très gentil.

Coup de folie

🏠 ***Blue, The Inn on the Beach :*** *20 Fordham Way. ☎ 855-255-2583. • blueinn.com • Suivre vers l'est, Merrimac St puis Water St le long de la rivière; continuer tout droit jusqu'à Plum Island, et prendre la direction du parc national. Prendre la 2e à gauche avant la guérite, puis à droite et faire le tour du pâté de maisons pour rattraper le bord de mer. Doubles à partir de 385 $ en hte saison (env 235 $ hors saison), avec petit déj.* Un boutique-hôtel, certainement le plus élégant de Plum Island, situé les pieds dans le sable, face à la mer. Ensemble de jolies maisons blanches en bois, parfaitement intégrées dans le paysage... malgré des allées tapissées de cailloux bleus. Très branché ! Les plus belles des 35 chambres s'ouvrent sur de grands balcons avec vue sur l'océan. D'autres à l'arrière, moins chères mais sans vue, forcément. Toutes sont décorées dans un style très minimaliste : murs blancs, mobilier et canapés itou, cheminée, draps de lin et iPad à disposition. Le petit déj (malheureusement assez quelconque) est livré à l'heure de votre choix dans un panier devant votre porte. On allait oublier les 2 jacuzzis en plein air, pour faire trempette, et les bicyclettes... bleues. Un lieu d'un romantisme fou.

Où manger ? Où boire un verre ?

🍽 ♩ ***The Plum Island Grille :*** *2 Sunset Blvd. ☎ 978-463-2290. Prendre la direction Plum Island par Water St (rue qui longe le port vers l'est), tout droit, après le pont bruyant, resto au carrefour suivant. Tlj sf lun-mar 17h (12h le w-e)-21h (20h dim). Plats env 8-23 $ le midi, 12-35 $ le soir (plus portion réduites moins chères env 13-18 $).* Jazz brunch *13h-15h le dim.* Dans une maison basse inspirée des cabanes à *seafood* typiques, un très bon resto de poissons, bien plus intéressant que les adresses du port. La carte fait la part belle aux poissons frais accompagnés de sauces légères aux fruits de saison. Également quelques viandes tendres, comme des *ribs,* une petite sélection de plats simplifiés à prix plus abordables (du genre burger et *fish and chips* de qualité), huîtres en dégustation et excellents desserts.

🍽 🍕 ***Oregano :*** *16 Pleasant St. ☎ 978-462-5013. Dans une rue centrale à 30 m de l'église unitariste. Tlj 11h30-22h.* Restaurant-pizzeria italien. Murs de brique, plancher de bois, four à bois où cuisent des pizzas croustillantes taille XXL. Choix de pâtes, risotto, salades et sandwichs mais aussi falafels, houmous et un joli tartare de thon. Vins italiens au verre. Terrasse sur la rue perpendiculaire. Service souriant et efficace.

🍸 ♩ ***The Grog :*** *13 Middle St. ☎ 978-465-8008. Par la Merrimac St qui longe la rivière vers l'est, remonter State St, puis 2e à gauche. Tlj.* Le pub où tout le village se retrouve pour assister aux fréquents concerts rock *(cover charge).* Décor de grandes affiches, ambiance vraiment entraînante et bon enfant. Cuisine inégale en revanche.

Achats

Oldies Marketplace : *27 Water St, à 300 m du centre côté rivière. ☎ 978-465-0643. • oldies-ma.com • Avr-mai, ven-dim 11h-16h ; juin-août, jeu-dim 11h-16h ; sept-oct, le w-e 10h-16h, nov-mars 11h-15h.* Dans un immense hangar peint en rouge, un bric-à-brac vintage comme les Américains les affectionnent. Affiches, jouets, vinyles, mobilier, porcelaines, tapis, montres, etc. et quelques superbes quilts. On y rentre pour 5 minutes, on y reste 2 heures...

À voir. À faire

Plum Island : *du centre de Newburyport, suivre Merrimac St puis Water St, qui longent la rivière vers l'est ; continuer toujours tt droit jusqu'au bout.* Plum Island est une île très étroite qui s'étend sur près de 14 km. Sa partie nord (accès gratuit) abrite de splendides demeures presque toutes construites en bord de mer. À la pointe nord, surveillée par un ancien phare depuis 1787, les vagues de l'océan Atlantique se jettent dans l'embouchure de la rivière Merrimac. Sur toute la façade est de l'île s'étend une longue plage de sable fin. Très agréable de s'y promener ; les plus courageux tenteront même une vivifiante baignade dans les rouleaux.

Réserve ornithologique du Parker River National Wildlife Refuge : *accès à la réserve par la route qui va vers le sud de l'île ; tlj sf vers avr-juin – au moment de la période de nidification des sternes –, de l'aube au crépuscule ; entrée : 5 $/voiture, 2 $/piéton ou cycliste ; Visitor Centre : lun-ven 8h30-16h. ☎ 978-465-5753. Petite expo didactique.* Entre l'océan et la Parker River, cette étroite bande de terre est bordée de marais, tourbières, dunes et larges plages de sable blanc. Son nom lui vient des *Beach Plum,* nom donné aux buissons qui recouvrent l'île. Dans ce riche milieu naturel ont été recensées 800 espèces de plantes et d'animaux, dont quelque 300 sortes d'oiseaux qui s'arrêtent ici pendant leur migration entre Canada et Brésil. Très jolie balade le soir, mais attention aux mouches dévoreuses, les *black flies.* Manches longues conseillées, même si leurs piqûres ne sont pas bien méchantes. L'étroite route en terre traverse l'île jusqu'à la superbe pointe de *Sandy Point State Reservation.* Tout du long, petites aires de stationnement où l'on peut s'arrêter, admirer le paysage, rejoindre la plage, ou encore faire une petite marche si un *trail* est aménagé à cet endroit.

➢ **Plum Island Kayak :** *92 Merrimac St, à deux pas du port, au pied de la rampe d'accès pour la route 1. ☎ 978-462-5510. • plumislandkayak.com • Pour un kayak double, compter 60 $ pour la ½ journée.* Une équipe sérieuse et super sympa organise des promenades en kayak soit sur la rivière, soit en mer, selon l'importance des marées. On pilote son propre kayak. Il est très fréquent de voir des otaries paresser sur les rochers et se dorer au soleil. Sortie le matin, l'après-midi, ou le soir au coucher du soleil. Emporter à boire et une barre de céréales pour grignoter. On ne le dirait pas, mais ça creuse, et ça crève !

– ***Observation des baleines :*** les *Whale Watch Companies* sont sur le port.

PLYMOUTH

Débarqués du *Mayflower* en 1620 à la pointe de Cape Cod, les 102 passagers ne savaient pas encore qu'ils entreraient dans l'histoire comme les fondateurs de la plus vieille colonie des États-Unis. S'il faut chercher le berceau historique

du pays, on le trouve ici, à une soixantaine de kilomètres au sud de Boston. Plymouth n'est pas le plus ancien site de colonisation des États-Unis, mais il s'agit bien du plus ancien village, car contrairement aux autres colons qui les précédèrent, les passagers du *Mayflower* s'établirent sur la côte dans une baie proche de leur point d'arrivée et fondèrent une ville qui, de 1620 à nos jours, fut toujours habitée. Ils cohabitèrent avec les Indiens wampanoag qui peuplaient la région et qui leur portèrent secours après un terrible hiver qui les décima. Plymouth se visite sur la route de Cape Cod. Si son intérêt historique et culturel est indéniable, la ville est loin d'être une étape gastronomique. Les quelques restos autour du port *(Town Wharf)* proposent une *seafood* quelconque et se valent tous.

DE PLYMOUTH À... PLYMOUTH

Transportant des « Pères pèlerins », des puritains très pieux, persécutés en Europe, et des dissidents politiques, le Mayflower *devait rejoindre la Virginie. Une tempête força les passagers à débarquer loin de leur destination. Ils se retrouvèrent seuls et fondèrent la cité de Plymouth en souvenir de leur port de départ en Angleterre.*

Comment y aller ?

En voiture

➢ ***Depuis Boston :*** route 93 South, puis route 3 South, jusqu'à la sortie 6, arrivant presque au centre-ville. Compter 1h de route.

En train

➢ ***De Boston South Station :*** env 4 trains/j. en sem (dans les 2 sens), mais aucun le w-e. Trajet : 1h-1h30. Arrivée à Cordage Park, dans le nord de Plymouth. ● *mbta.com* ●

En bus

➢ ***Plymouth and Brockton Bus :*** ☎ *508-746-0378.* ● *p-b.com* ● Sur la ligne Boston (South Station)-Provincetown. Jusqu'à 20 bus/j. Arrivée route 3, *exit* 5.

En ferry

➢ ***Captain John P-Town Fast Ferry :*** ☎ *508-746-26-43.* ● *plymouth-ptownfastferry.com* ● Liaison de fin juin à début sept avec Provincetown slt, depuis le Town Wharf à 10h. Retour vers 18h. Les vélos sont acceptés à bord.

➢ ***Provincetown Fast Ferry :*** ☎ *617-748-1428.* ● *baystatecruisecompany.com* ● Mai-oct, 3 départs/j. (à 8h30, 13h, 17h30) depuis le World Trade Center Seaport District. Trajet 90 mn. Au retour de Provincetown : départs à 10h30, 15h, 19h30, plus 6h30 le lun.

Adresse utile

ℹ ***Visitor Center :*** *130 Water St.* ☎ *508-747-7525.* ● *seeplymouth.com* ● *Face au port, à côté du rond-point. Tlj avr-nov 9h-17h (8h-20h mai-sept).* Toutes les infos nécessaires sur les différentes attractions et sites touristiques de la ville.

Où dormir ?

🏠 ***By the Sea Bed and Breakfast :*** *22 Winslow St (angle Water St).* ☎ *508-830-9643 ou 1-800-593-9688.* ● *bytheseabedandbreakfast.com* ● *Presque en face du* Mayflower II, *et donc face à la* *mer en centre-ville. Mai-nov. Doubles 135-190 $ (min 2 nuits en hte saison).* Pour ceux qui désirent rester un peu à Plymouth, cette maison abondamment fleurie, occupe une situation stratégique face à la mer. 3 suites seulement, dont une à l'étage, avec 9 fenêtres, rien que ça, pour être sûr de ne rien manquer du port. Une autre dispose d'un petit porche privé, adorable. Quant à la dernière, véritable petit appartement, elle a même une cuisine. Toutes sont décorées de meubles anciens, dans un style bonbonnière et rétro en diable (lit à baldaquin, napperons sous les lampes, dentelles aux fenêtres), mais avec le confort d'aujourd'hui. Véranda pour se relaxer et prendre le petit déj face à la mer.

Best Western Plus Cold Spring : *180 Court St.* ☎ *508-746-2222.* • *bestwesternmassachusetts.com* • *Dans la rue principale. Doubles env 110-190 $ (min 2 nuits le w-e), avec petit déj.* Les bâtiments de ce motel de style Nouvelle-Angleterre sont répartis sur un agréable terrain verdoyant, tout en dénivelée, et organisés autour d'une piscine. Chambres très classiques et sans surprise, mais impeccables, spacieuses et tout confort (micro-ondes et frigo très pratiques). Une adresse tenue par une équipe efficace et accueillante, qui conviendra aux familles.

À voir

Le Mayflower II : *immanquable, amarré sur le State Pier, près du Plymouth Rock.* • *plimoth.org* • *Fin mars-nov, tlj 9h-17h (19h juil-août). Entrée : 12,50 $; 5-12 ans 8,50 $. Ticket combiné avec la Plimoth Plantation, respectivement 31 $ et 20 $.* Ce trois-mâts jaugeant 108 tonnes (une coquille de noix), construit en Angleterre en 1956 est la réplique à l'échelle du *Mayflower,* le fameux navire qui débarqua les premiers colons à Plymouth en 1620. Visite du bateau animée par des guides en costume, et expo retraçant sa construction et sa traversée symbolique (en 55 jours, en 1957) du Plymouth anglais au Plymouth américain. Rien de très palpitant, il faut l'avouer, la visite se limite à quelques panneaux didactiques et à un tour rapide des trois ponts de ce navire, pas bien grand.

Plymouth Rock : *à droite du* Mayflower II *face à la mer, sous un portique à colonnes un peu surdimensionné.* Le rocher marque le lieu où les colons sont supposés avoir débarqué et sur lequel le premier d'entre eux aurait posé le pied. L'inscription de 1620 n'est pas d'origine, elle fut rajoutée bien plus tard. C'est un objet de vénération pour tous les Américains, et avant qu'il ne soit protégé, des morceaux étaient pillés comme une relique. Jamais un rocher ne fut autant rudoyé ! Quand, en 1774, les insurgés tentèrent de le déplacer pour le porter vers un monument célébrant la liberté, il se brisa en deux. Aussitôt, la symbolique s'empara de l'événement : la rupture du rocher augurait de l'inévitable séparation avec l'Empire britannique.

Plimoth Plantation : *vers le sud, à env 5 km du centre-ville (indiqué), par Main St, toujours tt droit, en laissant la mer à sa gauche.* ☎ *508-746-1622.* • *plimoth.org* • *Fin mars-nov, tlj 9h-17h (ticket en vente jusqu'à 16h30). Brochure en français. Entrée : env 28 $; 5-12 ans 16 $; gratuit moins de 5 ans. Ticket combiné avec le* Mayflower II, *respectivement 31 $ et 20 $.* Ce site pittoresque reconstitue avec

ACTION DE GRÂCE

Pendant le terrible hiver, souffrant du froid et de la faim, les pèlerins enterraient secrètement leurs morts pour que les Indiens ne remarquent pas leur détresse. Pourtant ceux-ci leur apprirent à cultiver la terre, à pêcher et à chasser. La première récolte fut abondante et en novembre une bénédiction fut organisée : le premier Thanksgiving (= merci pour l'offrande !).

soin le quotidien et l'environnement des premiers colons, qui s'étaient en réalité installés autour de l'actuelle Leyden Street (autrefois First Street), une rue perpendiculaire à la mer, à gauche du mouillage du *Mayflower II.* Après un film d'introduction intéressant (il n'occulte pas les relations difficiles entre les nouveaux arrivants et les Indiens vivant dans cette région depuis 12 000 ans), on découvre la reconstitution du village tel qu'il était en 1627, quelques années après l'établissement de la colonie. Le résultat a de l'allure : protégées par une palissade, les petites maisons, leurs dépendances de guingois et les jardins (où batifolent quelques gallinacés pour l'ambiance !) s'organisent de part et d'autre d'une rue qui s'ouvre par une structure plus imposante, qui servait à la fois de salle de réunion, de lieu de culte et de refuge en cas d'attaque. L'étage est d'ailleurs occupé par une plate-forme d'artillerie. Tout est meublé, les feux dans les cheminées réchauffent les marmites, et des comédiens en costume interpellent les visiteurs pour leur conter quelques anecdotes de cette époque et donner des explications sur les conditions de vie ! Le plus intéressant, c'est de pouvoir comparer ce mode de vie avec celui des Indiens wampanoag, dont un petit campement a également été reconstitué dans le même esprit. Si vous avez toujours rêvé d'apprendre à fabriquer une pirogue avec un tronc d'arbre, c'est l'occasion !

National Monument to the Forefathers *(monument national des pères fondateurs)* ***:*** *à l'écart du centre-ville, sur la route de Boston. Demandez un plan au* Visitor Center. *GRATUIT.* Il s'agit d'une immense statue, sur une colline au centre d'un parc, perchée sur un socle, achevée en 1889, dont la construction interrompue par la guerre de Sécession commença en 1859. Sur le socle, les noms des passagers du *Mayflower.* À son pied, quatre petites statues, représentant la Morale, l'Éducation, la Loi et la Liberté, celle-ci assise sur un lion (symbolisant l'Angleterre) et serrant une chaîne brisée. La statue en elle-même est une femme enroulée dans un drap, un pied sur Plymouth Rock, pointant un doigt vers le ciel et portant une bible dans l'autre main. Ça ne vous rappelle rien ? La *statue de la Liberté* ! Certains à Plymouth pensent qu'elle aurait inspiré Bartholdi, qui réalisa sa célèbre statue à la même époque. Pour le moment, aucun élément ne permet de l'affirmer, même si les deux œuvres sont sacrément jumelles.

CAPE COD

• Carte Cape Cod et les îles *p. 166-167*

Ce curieux bras replié qui se divise entre *Lower Cape* et *Outer Cape* avec l'articulation à la hauteur du « coude » du bras à Orleans, s'avance dans l'océan et offre près de 500 km de littoral vierge. C'est la destination favorite des Bostoniens dès les premiers beaux jours. Si l'affluence touristique a parfois laissé des marques indélébiles, comme cette route 28 entre Hyannis et Chatham, dénaturée par sa succession de motels impersonnels, de fast-foods et autres supermarchés, Cape Cod a néanmoins gardé son authenticité : une quinzaine de villages traditionnels aux maisons grises à bardeaux surnommées « boîtes à sel » et d'adorables ports de pêche, de longues plages de sable blanc bordées de hautes dunes et de marais salants peuplés d'oiseaux (une centaine d'espèces endémiques d'Amérique du Nord sont concentrées dans ce petit territoire !), des falaises vertigineuses, des tourbières à canneberges (grosses airelles locales)... Sans oublier la faune marine que l'on peut observer au large du cap, en particulier les cétacés (baleines à bosse, rorquals et dauphins), qui ont fait des eaux froides de l'océan

Atlantique leur zone de reproduction chaque année, d'avril à octobre. Et pour les amateurs de routes historiques, ne manquez pas d'emprunter de préférence la route 6 A, appelée Old King's Road, de Sandwich à Orleans, et qui est restée charmante et bucolique, ambiance *La Petite Maison dans la prairie...*

UN PEU D'HISTOIRE

Apparu au cours de la dernière glaciation il y a quelque 12 000 ans, Cape Cod fut découvert en 1602 par l'explorateur Gosnold, en même temps que les îles de Martha's Vineyard et Nantucket. Frappé par la quantité de morues qui pullulaient au large des côtes, celui-ci baptisa l'endroit tout naturellement Cape Cod (*cod* signifiant « morue », vous l'avez compris !).
En 1620, ce sont les pères pèlerins *(pilgrims)* du *Mayflower* qui accostèrent à Provincetown, espérant aborder les rivages de la Virginie. Les colons s'établirent alors tout au long du cap, chassant de leurs terres les Indiens wampanoag. Leurs ressources principales furent successivement l'agriculture, la récolte du sel, puis la pêche, la chasse à la baleine et le commerce transatlantique.
À partir de la fin du XIXe s, Cape Cod attira de nombreux écrivains et artistes en quête de solitude et d'inspiration, parmi lesquels John Dos Passos, Tennessee Williams, Sinclair Lewis et, enfin, le peintre Edward Hopper qui s'installa à Truro, fasciné par la lumière du cap.

Arriver – Quitter

En voiture

➢ ***De Boston :*** autoroute 3 *(Southeast Expressway)* jusqu'au Sagamore Bridge ou Bourne Bridge pour franchir le Cape Cod Canal, selon sa destination sur Cape Cod. Si l'on va vers Falmouth ou Woods Hole (au sud), prendre la route 28 de Bourne Bridge. Pour se rendre vers le Lower Cape et les villes de Sandwich, Barnstable, Hyannis, Yarmouth, Dennis ou vers la pointe nord, prendre la route 6 de Sagamore Bridge. Environ 1h30-2h de route.
➢ ***De New York :*** I 95 jusqu'à Providence, puis la I 195 E. Ensuite, suivre le même itinéraire que depuis Boston.

En bateau

Bay State Cruise : ☎ *617-748-1428 ou 877-783-3779.* • *mafastferry.com* • Liaisons de Boston à Provincetown. Départs à Boston depuis le quai ouest du port du *World Trade Center (Boston plan II, D3).* Depuis l'aéroport, accès en bus *Silver Line* (2 $/pers), en taxi (env 15 $ la course), ou même en bateau-taxi (indiqué « *Water transportation* » à l'aéroport ; env 7 mn de trajet et 10 $/pers).
– En ***fast ferry*** (1h30), 3 traversées/j. (à 8h30, 13h et 17h30) de mi-mai à mi-oct env (3 départs de Provincetown à Boston à 10h, 14h30 et 19h, plus le lun à 6h30 de fin juin à début sept). Tarifs : 59 $ l'aller, 88 $ l'A/R ; réduc.
– En ***ferry normal*** (3h), 1 liaison/sem slt, le sam à 9h, début juil-fin août (sf j. fériés), retour à 15h. Env 25 $ l'aller, 48 $ l'A/R ; réduc. Dans chaque bateau possibilité d'embarquer son vélo (6 $ le trajet).

Boston Harbor Cruises : ☎ *617-227-4321 ou 1-877-733-9425.* • *bostonharborcruises.com* • Circule de mi-mai à mi-oct. Fréquences de 2 à 3 traversées selon période (voir le site) Trajet : 1h30. Tarifs : 58 $ l'aller, 88 $ l'A/R ; réduc. Possibilité d'embarquer un vélo (6 $ le trajet).

En bus

De Boston

Plymouth and Brockton Bus Line : ☎ *508-746-0378.* • *p-b.com* • Liaisons au départ de Boston (Park Square, South Station ou Logan Airport) vers Provincetown. Les bus marquent plusieurs arrêts sur la route (notamment à Plymouth) jusqu'à la gare routière de Hyannis, puis connexion

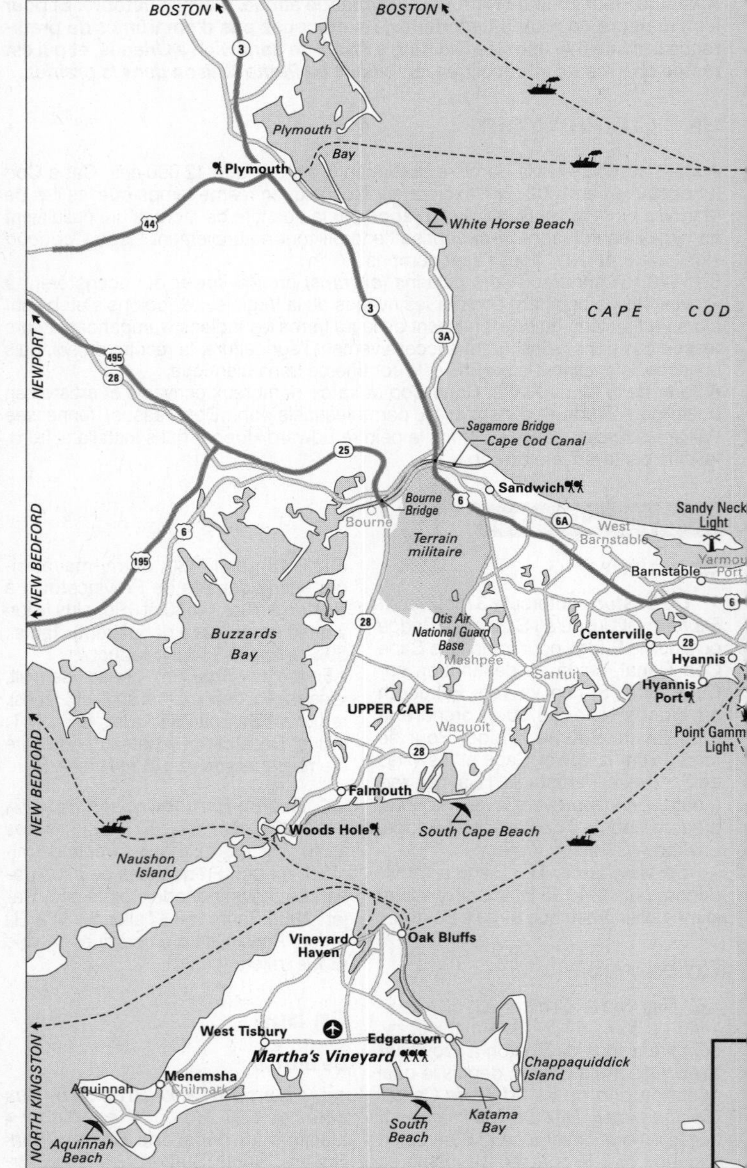

BOSTON
BOSTON
Plymouth Bay
Plymouth
White Horse Beach
CAPE COD
NEWPORT
Sagamore Bridge
Cape Cod Canal
Sandwich
Bourne Bridge
Bourne
Sandy Neck Light
West Barnstable
Terrain militaire
Barnstable
NEW BEDFORD
Buzzards Bay
Otis Air National Guard Base
Centerville
Mashpee
Santuit
Hyannis
Hyannis Port
UPPER CAPE
Waquoit
Point Gamm Light
Falmouth
NEW BEDFORD
Woods Hole
South Cape Beach
Naushon Island
Vineyard Haven
Oak Bluffs
West Tisbury
Edgartown
Martha's Vineyard
Chappaquiddick Island
Menemsha
Aquinnah
Chilmark
Katama Bay
South Beach
NORTH KINGSTON
Aquinnah Beach

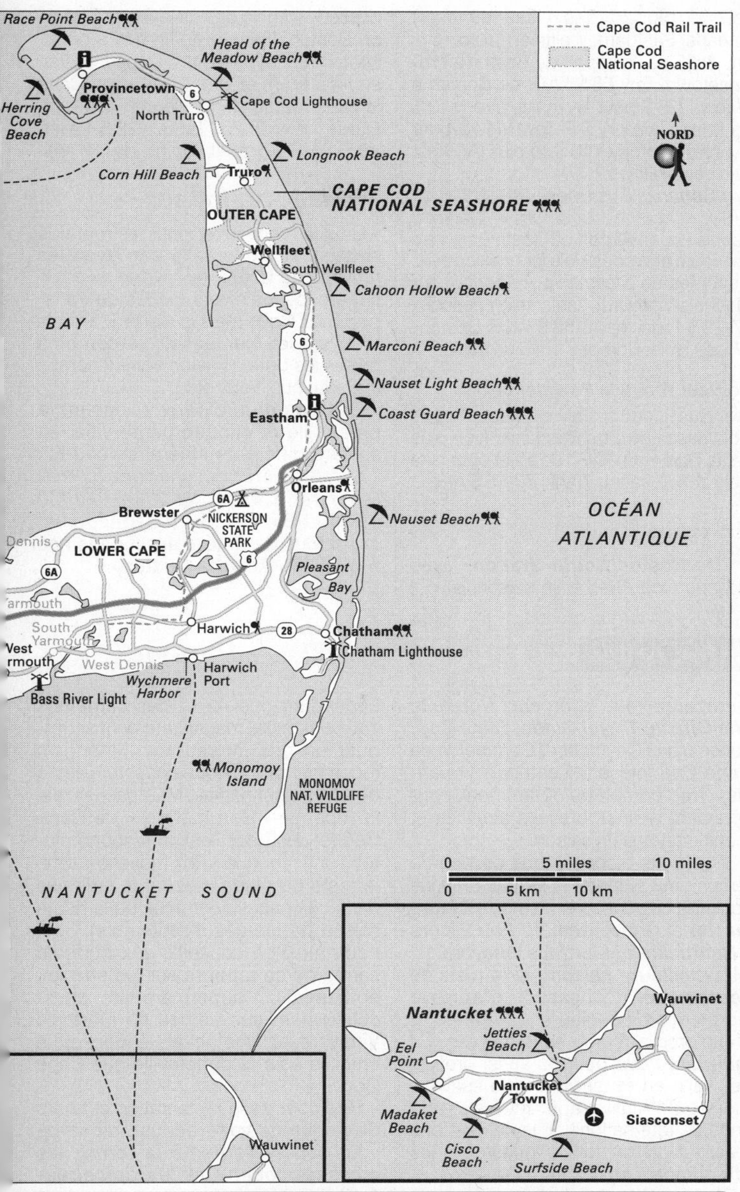

CAPE COD ET LES ÎLES

vers la plupart des villes du cap : Orleans, Eastham, Wellfleet, Truro.
Env 3h35 de l'aéroport de Boston à Provincetown. Env 56 $ l'A/R de Boston à P-Town (36 $ pour Hyannis), et env 67 $ de Logan Airport à P-Town (47 $ pour Hyannis). Compter 10 $ de plus (A/R) par vélo pour P-Town.
Bonanza Bus Lines : ☎ *1-800-343-9999.* ● *peterpanbus.com* ● Liaisons depuis Logan Airport ou South Park vers Falmouth et Woods Hole (connexion avec les ferries de *Steamship Authority* pour Martha's Vineyard). Tarifs selon période : 17-28 $ l'aller et 30-50 $ l'A/R Boston-Woods Hole. Compter 1h45 de trajet.

De New York (via Providence)

Bus jusqu'à Falmouth et Woods Hole avec *Bonanza Bus Lines* (voir plus haut). Durée : 6h30-8h de trajet pour faire New York-Hyannis. Tarif : 70-75 $ A/R.

En train

➢ ***De Boston South Station :*** avec le *Cape Cod Flyer,* train saisonnier qui dessert Hyannis depuis la South Station de Boston, les w-e de fin mai à début sept. ● *capeflyer.com* ● Départ slt ven en fin d'ap-m et le mat sam-dim. Dans le sens retour, départ le soir ven-dim. Durée : env 2h25. Tarifs : 22 $ l'aller, 40 $ l'A/R ; gratuit moins de 12 ans.

Transports locaux

– Un site à consulter pour les routards souhaitant explorer le cap avec les moyens du bord : ● *smartguide.org* ● Il regroupe les divers modes de transports au Cap, mais aussi à Martha's Vineyard et Nantucket, et combine toutes les options selon votre itinéraire (bateau, bus, vélo, etc.).
– Des ***bus municipaux*** sillonnent la presqu'île et chaque petite ville, en suivant différents itinéraires courts : *2 $/trajet et 6 € pour une carte journalière, réduc. Infos :* ☎ *508-385-1430 ou 800-352-7155.* ● *capecodrta.org* ● Plus de détails aussi dans nos rubriques « Arriver – Quitter ».

Infos utiles

– Procurez-vous la brochure gratuite ***The Official Travel Guide, Cape Cod,*** éditée par la *Chamber of Commerce* de Cape Cod (siège à Centerville, Hyannis). Très complète, notamment pour connaître les nombreuses activités et manifestations en saison.
– Si vous ne disposez que de peu de temps pour explorer la région, on vous conseille de consacrer au moins ***2 jours au cap*** et respectivement ***1 ou 2 jours à Nantucket et Martha's Vineyard.***
– La ***meilleure saison*** est le mois de ***septembre.*** L'occasion d'admirer les premières couleurs d'automne et d'explorer la région sans la foule. En ***mai-juin,*** vous pourrez aussi profiter des lieux en évitant la cohue estivale. Alors qu'en juillet-août (et les week-ends de fête nationale), le cap est pris d'assaut par un flot de touristes et les prix grimpent en flèche.
– ***Observation des baleines :*** grosso modo d'avril à octobre.
– Toute ***cette région est très chère.*** Concernant l'hébergement, on trouve cependant des AJ et des campings vraiment extra, magnifiquement situés, pour un prix intéressant. Sinon, on recommande quelques *guesthouses* à des prix raisonnables. Mais sachez que la rubrique « Bon marché » de Cape Cod (et des deux îles) correspond plutôt à une rubrique « Prix moyens » dans le reste du guide. Les tarifs indiqués dans ces pages sont ceux de la haute saison (fin juin-début septembre). Côté nourriture, on conseille aux budgets serrés de se rabattre sur les snacks, épiceries ou supermarchés, particulièrement sur les îles de Martha's Vineyard et Nantucket, encore plus cruelles pour le portefeuille que Cape Cod.
– Si le coût de la restauration est hors de portée de votre budget, rabattez-vous sur les ***ventes à la ferme,*** les ***marchés locaux*** et les ***épiceries-traiteurs*** et petits restos et ***producteurs*** regroupés sous la bannière ***Cape Cod Buy Fresh Buy Local.*** ● *buyfreshbuylocalcapecod.org* ●

SANDWICH *(21 000 hab.)*

Première ville après le pont de Sagamore, à l'entrée de Cape Cod. Si vous comptez après aller vers le sud et Falmouth, il vous faudra longer le Cape Cod Canal jusqu'à la hauteur de Bourne.
Fondée en 1637 par des mécontents de la colonie de Plymouth, c'est la plus vieille ville du cap. Au bord d'un grand étang, un délicieux parfum d'Angleterre flotte dans cette jolie petite bourgade historique à l'habitat très dispersé, qui doit sa renommée à une célèbre fabrique de verre plus qu'au comte anglais du même nom qui inventa cet en-cas pour ne pas avoir à quitter sa table de jeu. Une étape agréable sur la jolie route 6 A.

Adresses et info utiles

i ***Sandwich Chamber of Commerce :*** *128 route 6 A.* ☎ *508-833-9755. • sandwichchamber.org • De mi-mai à début oct, tlj 10h-17h (16h dim).* Infos utiles classiques, cartes, activités, manifestations, etc.

i ***Petit kiosque saisonnier d'infos :*** *au 130 Water St. Lun-sam 10h-17h (12h mer-jeu).* Un nouveau *Visitor's Center* était en construction en 2016.

– ***Service de trolley gratuit :*** circule en boucle de juillet à septembre (ven-dim 10h-16h), selon le système *hop & off*, entre le secteur du musée du Verre et la Marina. On peut l'utiliser à sa guise tout au long des 9 arrêts. Bien pratique, vu l'étendue du district. *• glasstownculturaldistrict.org/glasstown-trolley-tours/ •*

Où dormir dans les environs ?

Campings

⛺ ***Peters Pond Park :*** *185 Cotuit Rd (pas loin de la 130 S).* ☎ *508-477-1775. Résa conseillée au* ☎ *(877) 370-62-67 ou sur • sunrvresorts.com • Ouv de mi-avr à mi-oct. En été, à partir de 44-47 $ la nuit pour une tente, 2 adultes et 2 enfants (sans électricité), env 38-41 $ hors saison. Cabins (2-6 pers) disponibles à la nuit (à partir de 81 $ hors saison) ; cottages également (env 202 $, min 3 nuits).* Wifi. Près de 400 emplacements, pour la plupart bien ombragés. Les meilleures places sont celles qui occupent une péninsule qui s'avance joliment dans un lac *(waterfront)*. Douches gratuites, laverie, épicerie, snack. Pas mal de choses à faire avec la proximité du lac, bordé de 2 plages. Sur place, terrains de volley et de basket.

⛺ ***Shawme-Crowell State Forest :*** *42 Main St (route 130). Proche du pont de Sagamore.* ☎ *508-888-0351. Résa :* ☎ *877-422-6762. • reserveamerica.com • Ouv tte l'année (nov-mars, le w-e slt). Forfait pour 2 env 20 $/nuit. Yourtes 50-60 $.* Dans un bel environnement boisé, un vaste camping très organisé, avec près de 300 emplacements répartis dans la forêt. Départ de nombreux sentiers de randonnées pédestres et équestres. On est en pleine nature.

De prix moyens à chic

🏠 ***Pine Grove Cottages :*** *358 route 6 A.* ☎ *508-888-8179. • pinegrovecottages.com • À 3 bons km à l'est de Sandwich. Ouv mai-oct. En hte saison, 75-180 $ la nuit. Promo : 7 nuits consécutives au prix de 6. Draps et serviettes fournis.* Dans un environnement boisé, 10 cottages (pour 2 à 6 personnes) simples et un peu datés, mais très propres et avec tout le nécessaire (TV, cuisine équipée et salle de bains). Les *deluxe cottages* sont vraiment spacieux. Préférez ceux qui sont les plus éloignés de la route. Petite piscine, jeux pour enfants et BBQ. Accueil très serviable. Un vrai petit chez-soi à un prix ultra-raisonnable pour Cape Cod.

The Earl of Sandwich Motel: *378 route 6 A, à 3 km à l'est du centre, non loin du précédent. ☎ 508-888-1415 • earlofsandwich.com • Env 95-120 $ avec petit déj.* Un peu en retrait de la route sur un terrain arboré et fleuri, un ensemble de 24 chambres dans la verdure plus dignes d'un hôtel de charme que d'un motel. Mobilier cosy, lits à baldaquin, atmosphère champêtre et pose relaxante autour de la piscine et petit déjeuner dehors sur des tables en bois à proximité de la mare aux canards. Accueil décontracté. Prix raisonnables, bref, une bonne affaire. Petit bémol, la présence de moustiques dès la tombée du jour.

Spring Garden Inn : *578 route 6 A. ☎ 508-888-0710 À 8 km à l'est du centre. Ouv avr-fin nov. Env 70-140 $.* Un des motels les plus sympas de la 6 A. Au premier abord, un classique motel de bord de route, à l'ancienne. Mais de l'autre côté, une vue à peine soupçonnable sur les marais et la rivière. Seulement une dizaine de chambres datées mais confortables, avec TV et frigo. Les plus grandes disposent d'une cuisine. Préférer celles avec petit balcon, à l'étage, plus lumineuses. On profite du jardin pour buller dans un hamac ou piquer une tête dans la piscine. Tables de pique-nique et BBQ à disposition, location de vélos et de kayaks. Accueil adorable, gentiment farfelu, et bon petit déj sans chichis, avec parfois de fondants *homemade* muffins. Hmm ! Et la très belle plage de Sandy Neck est à seulement 2 km.

Où manger ?

Farmer's Market : *164 route 6 A, au Village Green. Juin-oct, ts les mar juin-oct 9h-13h.* L'occasion si vous êtes dans le coin ce jour-là de vous procurer de bons produits locaux : fruits et légumes, miel, poisson fumé, fromage et même du savon.

Marshland : *109 route 6 A (Pld King's Hwy). ☎ 508-888-9824. En plein centre, enfin à peu près, à proximité d'un grand carrefour. Tlj 6h-20h (20h30 ven-sam). Plats env 6-20 $.* Rugueux à souhait, c'est THE *US diner* à l'ancienne, dans une cahute de bois hors d'âge où les habitués investissent les box en moleskine et les tabourets autour des tables en U. Service relax et généreux, à l'image d'une cuisine simple, solide et sans chichis, qu'il s'agisse d'un plantureux petit déj, d'un sandwich au haddock, d'un burger ou d'une salade. Le petit déj est servi toute la journée ! Très populaire. Annexe avec boulangerie.

Dunbar Tea Shop : *1 Water St, route 130 S. ☎ 508-833-2485. Tlj 11h-17h. Env 10-12 $ le plat, env 15 $ pour un* afternoon tea. Petit salon de thé donnant sur une terrasse fleurie. Tables dans le jardin l'été. Cuisine très *British style,* comme la clientèle, qui pourrait être de la génération du *Mayflower* ! Déco intérieure dans le même esprit, murs boisés et collection de théières... L'ensemble est un peu compassé, mais on vient volontiers pour les plats et la soupe du jour et, surtout, la sélection de desserts maison. L'*afternoon tea* comprend thé, *scones,* minisandwichs et minipâtisseries, servis sur un présentoir. Une adresse hors du temps.

À voir. À faire

Heritage Museums and Gardens : *67 Grove St (angle Pine). ☎ 508-888-3300. • heritagemuseumsandgardens.org • De mi-avr à mi-oct, tlj 10h-17h (20h mer en juil-août) ; nov-fin déc, ven et w-e slt 16h30-20h30 (mais accès slt aux jardins à cette période). Fermé de janv à mi-avr. Entrée : 18 $; réduc ; gratuit moins de 3 ans.* Ensemble de trois musées dédiés à l'art et l'histoire des États-Unis, répartis dans un immense parc de 40 ha aux pelouses méticuleusement entretenues. La partie la plus spectaculaire est l'***Automobile Museum,*** qui rassemble, dans une rotonde étagée une superbe collection d'une trentaine de

voitures anciennes (Lincoln, Corvette, Bentley, Rolls-Royce...). Les enfants auront leur minute de gloire en s'installant au volant d'une Ford de 1913 ! Mais ils seront tout aussi ravis d'enfourcher l'un des chevaux du carrousel (1912), exposé dans l'*Art Museum,* de s'accrocher à une tyrolienne ou de se perdre dans le labyrinthe végétal. Quant à l'*Exhibition Gallery,* elle accueille des expositions temporaires. En passant d'un musée à l'autre, on croise un moulin datant de 1800, source d'inspiration des peintres locaux, avant de faire une halte au bord du lac.
Ne pas manquer d'arpenter en famille le *Hidden Hollow,* sentier ludique de découverte, parsemé de sculptures et d'instruments de musique en bois... Dans les jardins à l'anglaise, plus d'une centaine de variétés de rhododendrons. En juin, lorsqu'ils sont en fleur, c'est superbe ! Promenade bucolique assurée et pique-nique très agréable.

🚶 ***Sandwich Glass Museum :*** *129 Main St (entre River et Water St). ☎ 508-888-0251. • sandwichglassmuseum.org • Tlj (sf lun-mar en fév-mars) 9h30-17h (16h fév-mars). Fermé janv. Entrée : 9 $; réduc 6-14 ans.* Petit musée aménagé avec soin qui illustre l'importance du verre à Sandwich. En 1825 s'installe dans la ville la première fabrique de verre, qui marque le début d'un succès et d'un noble savoir-faire. Même si la qualité du sable de Sandwich révèle des impuretés, l'eau des marais et le bois pour alimenter les fours furent deux atouts majeurs pour la production. Pendant plus de 60 ans, l'industrie verrière apporte à la ville une certaine renommée et fournit du travail à 500 personnes. L'usine ferma en 1888, à la suite de grèves dans le secteur et l'émergence de concurrents aux coûts de production inférieurs. De superbes pièces sont ici présentées, comme des vases, des lampes, des carafes ou des chandeliers de couleurs variées. Ne manquez pas la démonstration de soufflage du verre *(ttes les heures, 10h-16h30).*

🚶 ***Hoxie House :*** *18 Water St, sur la route 130 S (sud de Main St, à l'intersection avec School St). ☎ 508-888-4361. De mi-mai à mi-oct, tlj 11h (13h dim)-16h30. Entrée : 4 $; gratuit moins de 8 ans. Visite guidée de 1h (un peu long !).* Datant de 1675, cette sombre bâtisse en bardeaux est la plus vieille « boîte à sel » du village. La visite, commentée, permet de découvrir le mobilier d'époque avec une reconstitution qui donne une bonne idée de la vie au XVIIe s. Et pourquoi pas en profiter pour s'offrir une pause pique-nique sur le petit quai en bois au bord du lac ?

LACS D'EAU DOUCE

Cape Cod, dans sa partie méridionale essentiellement, est parsemé de plus de 300 petits lacs ou grands étangs remplis d'eau douce : les ponds. C'est le résultat de la fonte des glaciers, 12 000 ans auparavant. On peut s'y baigner, mais un certain nombre sont réservés aux résidents ou sont difficilement accessibles.

🚶 ***Dexter Grist Mill :*** *Shawme Pond, Water St (route 130). ☎ 508-888-4361. De mi-juin à mi-oct, lun-sam 11h-16h30, dim 13h-16h. Entrée : 4 $; gratuit moins de 6 ans.* Moulin bucolique du XVIIe s, au bord du lac Shawme. Restauré en 1961, son mécanisme est en parfait état de marche et est mis en route à l'occasion de chaque visite guidée. Les amateurs pourront même acheter de la farine de maïs moulue pendant les démonstrations !

🚶🚶 ***Le boardwalk et sa plage :*** *à 5 mn du centre. De Main St, prendre Jarves St ; au bout de la rue, tourner à gauche. Parking 10 $ la journée.* Prendre le long quai en bois, le *boardwalk,* qui traverse les marais où l'on peut observer les oiseaux. Au bout, dunes de sable blanc donnant sur Town Neck Beach et l'océan.

🚶🚶 ***Cape Cod Canal Visitor Center :*** *60 Ed Moffitt Dr. à Sagamore, au débouché du canal vers la baie de Cape Cod. ☎ 508-833-9678. • capecodcanal.us • Mai-oct tlj 10h-17h. GRATUIT.* Pour découvrir les activités qui gravitent autour du canal qui fit de Cape Cod une île, et l'historique de sa construction. Le projet existait depuis 1825 mais ne fut réalisé qu'à partir de 1909. Il a été creusé pour permettre aux navires d'éviter les dangereux bancs de sable qui entourent Nantucket. Nombreuses photos d'archives et infos sur la navigation et les 3 ouvrages d'art qui franchissent le canal ; le ***Buzzard Bay Bridge*** avec son allure de Tower Bridge londonien, était le plus long pont ferroviaire du monde lors de son inauguration en 1935. Expos interactives sur la gestion d'un tel site (on a accès aux caméras de surveillance) et animations (gratuites) assurées par les *US Army Corps of Engineers.* Mais le clou de la visite, c'est de pouvoir grimper à bord d'un patrouilleur remisé dans la deuxième salle !

FALMOUTH

Territoire exploré en 1602 par Bartholomew Gosnold qui lui donna le nom de son port d'attache en Angleterre, c'est à présent la 2e ville de Cape Cod, composée de 8 villages ; plus de 30 000 personnes y habitent l'hiver et la population double l'été. On s'y arrête avec plaisir le temps d'une courte étape, histoire de profiter de son petit centre-ville mignon aux maisons du XIXe s et de ses rues bien achalandées, avant d'aller se relaxer sur les immenses plages. Quant au village de ***Woods Hole*** (connu dans le monde scientifique pour son prestigieux centre océanographique), il est assez animé le soir et constitue un but de balade agréable avec son petit port actif et quelques bonnes adresses le long de Water Street.

Adresses et infos utiles

Falmouth Chamber of Commerce : *20 Academy Lane (donne sur Main St). ☎ 508-548-8500. • falmouthchamber.com • Tte l'année, lun-ven 9h-17h, plus en hte saison, sam 10h-16h.*

Whoosh Trolleys : *infos au ☎ 1-800-352-7155.* De fin juin à début sept, des bus desservent Falmouth et Woods Hole. Départs ttes les 30 mn en saison, tlj 9h45-22h10. Trajet : 2 $; *pass* 1 jour : 6 $.

➢ ***Départs pour l'île de Martha's Vineyard*** du port de Woods Hole ou de Falmouth. Voir la rubrique « Arriver – Quitter » de Martha's Vineyard. Attention, il n'y a pas de parking longue durée à Woods Hole, ce qui signifie qu'il faut prévoir un peu de temps pour rallier le port en shuttle depuis le parking de Falmouth (env 15 $/j.).

Où dormir ?

À Falmouth

Tides Motel : *267 Clinton Ave (sur le port, mais sur le côté opposé au centre-ville). ☎ 508-548-3126. • tidesmotelcapecod.com • De mi-mai à mi-oct. Doubles 185 $ (195 $ avec cuisine) fin juin-début sept, 115-135 $ en mai et sept-oct. Pas de petit déj. Attention : 2 ou 3 nuits min selon saison. Parking.* Superbe situation pour ce motel à bardeaux gris : d'un côté, la plage ; de l'autre, le port et les bateaux. 30 chambres basiques côté déco mais propres et bien équipées (frigo et cafetière, kitchenette pour la plupart). Certaines peuvent héberger 6 personnes. Toutes sont pourvues d'une petite terrasse ou d'un balcon fleuri. Demandez-en une au rez-de-chaussée avec vue directe sur la mer, on frôle presque l'eau de l'orteil depuis la chaise longue de sa terrasse ! En prime, l'accueil est sympathique. Un très bon rapport qualité-prix.

Red Horse Inn : *28 Falmouth Heights. ☎ 508-548-0053. • redhorseinn.com • Doubles env 90-160 $ selon saison et période (pic jusqu'à 225-250 $ ven-sam en juil-août), petit déj inclus. Promos sur le site. Parking.* Un bon plan, surtout si l'on évite d'y séjourner le week-end. Car ce motel bien situé (proche de la plage et du centre-ville), et bien tenu, répartit ses 22 chambres dans différents bâtiments garnis de massifs de fleurs et se révèlent très convenables et de bon confort. Accueil fort sympathique en prime !

À Woods Hole et dans les environs

Woods Hole Passage B & B Inn : *186 Woods Hole Rd. ☎ 508-548-9575. • woodsholepassage.com • Doubles env 225-295 $ en hte saison, mais bien moins cher en dehors, avec petit déj plantureux à prendre sur la terrasse.* On se sent tout de suite à l'aise dans ce charmant *B & B* très branché écolo, isolé en bord de route à mi-chemin entre Woods Hole et Falmouth. La maison en bois rouge a du cachet, les jolies chambres champêtres sont nickel et très cosy (peignoirs dans les salles de bains...), le salon est sympa comme tout avec sa collection de refuges pour oiseaux, et le grand jardin est parfait pour une pause entre deux balades (vélos à dispo). Vraiment bien, d'autant que l'accueil souriant et dynamique est à la hauteur !

Woods Hole Inn : *28 Water St. ☎ 508-495-0248. • woodsholeinn.com • Chambres 155-449 $, petit déj et collation inclus.* Dans le registre « chic » et cher (du moins en haute saison), une adresse élégante au cœur de ce petit port animé. Maison traditionnelle peinte en bleu datant de 1878, entièrement rénovée. Seulement 14 chambres, plus ou moins spacieuses. Déco soignée dans les tons clairs, objets chinés, beau parquet et salles de bains modernes, équipement complet. La meilleure chambre profite de la vue sur le port, une autre est idéale pour un couple avec 2 enfants. Mais évitez, si possible, celles donnant sur la rue. Beaucoup de cachet dans l'ensemble et plein de petites attentions : parking gratuit (pas négligeable ici), cookies maison (à volonté !)... Le petit déj, servi dans une jolie salle aux grandes baies vitrées, est concocté à base de produits frais, que l'on retrouve à la carte du snack au rez-de-chaussée (ah, les tacos au homard !).

Où manger ? Où boire un verre ?

À Falmouth

Betsy's Diner : *457 Main St. ☎ 508-540-0060. Lun-sam 6h-14h dim 7h-14h. Env 6-8 $ pour le petit déj ou un hamburger, 10-15 $ pour un repas complet.* Un *diner* à la déco typique des 50's. Tout est là : carénage en alu, juke-box, banquettes de formica, vieilles pubs aux murs, tabourets fixés devant le long comptoir... En outre, un des endroits les moins chers de la ville, donc forcément populaire. Petit déj servi jusqu'à 14h. Sinon, choix habituel de hamburgers, salades, *deli-style sandwiches, fish and chips,* etc. Un gros néon affiche à l'entrée *« Eat heavy »,* ce n'est pas pour rien... Il y a même une balance à la sortie pour constater les dégâts !

Parkside Market : *281 Main St. ☎ 774-763-2066. Tlj 10h-20h30 (17h lun-mar). Plats env 6-20 $.* Frais, bio et locavore ! C'est le credo de ce petit café pimpant, où les habitués (surtout des habituées, d'ailleurs !) investissent les tables de bistrot pour se régaler au déjeuner d'une soupe du jour, d'un sandwich confectionné à la commande, ou d'une salade copieuse et variée. Savoureux.

Osteria La Civetta : *133 Main St. ☎ 508-540-1616. En été, ouv tlj 16h30-22h pour le dîner et ven-dim 12h-14h30 pour le déj ; hors saison, dîner mar-dim 16h30-21h30, sam-dim 12h-14h30 pour le déj. Plats 10-26 $.* Cadre agréable. On prend place dans une double salle et autour du bar pour apprécier une cuisine piémontaise authentique loin des classiques italo-américains dégoulinant de crème et de fromage. Essentiellement des *antipasti,* et des pâtes fraîches faites maison, les plats en *secondo* sont moins nombreux mais parfaitement maîtrisés. On complète le tout avec la *panacotta* ou l'*affogato.* Vins du Barolo et personnel stylé tout de noir vêtu.

Liam Maguire's : *273 Main St. ☎ 508-548-0285. Tlj 12h-22h, bar jusqu'à 1h. Plats env 9-20 $.* Il n'a plus grand-chose d'Irlandais à part le nom du proprio (un gars d'Irlande du Nord) et les Guinness et Kilkenny à la pression (et c'est déjà pas mal !), mais ce vaste pub toujours bondé est le seul endroit du coin où l'on peut assister presque tous les jours à des concerts, le plus souvent de folk irlandais. Ambiance très touristique mais détendue. Toutes sortes de plats de pub classiques : copieux mais dans l'ensemble sortant peu de l'ordinaire.

Maison Villatte : *267 Main St. ☎ 774-255-1855. Tlj 7h-18h. Petit déj complet 17 $.* Une boulangerie-pâtisserie, bien comme chez nous, avec toutes sortes de pains, des croissants, pains au chocolat, tartelettes, mais aussi des baguettes et des sandwichs tout préparés. Et du vrai café, ça fait du bien !

À Woods Hole

Pie in the Sky Bakery & Café : *10 Water St. ☎ 508-540-5475. Tlj 5h-23h. Compter max 10 $. Sur place ou à emporter.* Une très bonne petite adresse, sorte de cabane néo-baba avec quelques tables et une terrasse. Fait office de boulangerie bio et sert toutes sortes de cafés (bio également et torréfiés sur place), *smoothies* à se damner, pâtisseries joufflues, sandwiches frais et originaux, soupes et salades à base de produits locaux. Accueil décontracté. Un des spots de l'animation à Woods Hole.

Shuckers : *191 A Water St. ☎ 508-540-3850. Ouv mai-oct 11h-23h. Plats 8-25 $. Raw bar* et terrasse sur ponton au fond d'un couloir à côté du Wood's Hole Market. Salle protégée du vent et tables au soleil au bord de la marina. Cuisine de la mer : *lobster pie,* coquilles Saint-Jacques, espadon, moules, saumon et homard mais aussi sushi et sashimi (de juin à septembre) et une ribambelle de *chef's special rolls* (la spécialité de la maison) au crabe, à l'anguille aux crevettes, au thon, etc. C'est frais, bien présenté dans des paniers. Service un peu débordé.

À voir

Wood's Hole Science Aquarium : *166 Water St. Ouv 11h-16h30 : de mi-juin à mi-sept, mar-sam ; le reste de l'année lun-ven. • aquarium.nefs.noaa.gov • GRATUIT, mais dons appréciés.* Dans un grand bâtiment de brique un peu austère, cet aquarium à vocation scientifique n'a rien d'une attraction commerciale. C'est un précieux auxiliaire du *National Fisheries Service* et certaines de ses sections de recherche, où travaillent de nombreux doctorants, sont rattachées au MIT de Boston. Les bassins sont illustrés de panneaux didactiques, néanmoins les enfants seront ravis d'assister aux ébats des phoques qui pataugent à l'extérieur.

Ocean Science Exhibit Center : *15 School St. Ouv 10h-16h30 : 2de quinzaine d'avr lun-ven ; mai-oct lun-sam ; nov-déc mar-ven. • whoi.edu • GRATUIT, mais donation de 2 $ suggérée.* Petit film d'intro puis découverte du submersible des années 1950 *Alvin,* destiné à la recherche océanographique. À l'étage, expo et vidéos consacrées à l'aventure de la recherche et la découverte de l'épave du *Titanic* par une équipe franco-américaine.

HYANNIS (14 000 hab.)

Ce n'est pas vraiment une ville, mais un aggloméral très étendu de villages. Il y a bien un « centre » où l'animation se concentre sur Main Street, agréable artère qui aligne restos, bars et boutiques, mais c'est surtout un carrefour des transports, avec un aéroport et tourné davantage vers son port d'où partent la plupart des bateaux pour Martha's Vineyard et Nantucket. Les habitants du cap y viennent pour faire leurs courses, voir leur médecin ou faire un tour au *mall.* Il y a aussi bien sûr, un peu à l'écart, le célèbre quartier résidentiel de *Hyannis Port,* qui abrite le *Kennedy Compound,* la résidence de vacances du clan Kennedy (qui ne se visite pas).

Adresses utiles

ℹ **Cape Cod Chamber of Commerce :** *5 Patti Page Way à Centerville. ☎ 508-362-3225. • capecodchamber.org • Dans une rue adjacente à la route 132, presque à l'angle de la 6. Éloigné de Hyannis. De mi-mai à fin oct, lun-sam 10h-17h, dim 10h-14h. Le reste de l'année, lun-sam 10h-14h.* Infos générales sur le cap et documentation classique.

ℹ **Point d'information** *(pour la ville de Hyannis) : 388 Main St, non loin du JFK Museum. ☎ 508-775-2201. • hyannis.com • De mi-mai à mi-oct, lun-sam 9h-17h, dim 12h-17h. Horaires réduits hors saison.*

Où dormir ?

Hyannis Hostel : *111 Ocean St. ☎ 508-775-7990. • hiusa.org • ♿ Ouv mai-oct. Lits env 35-40 $, double env 100 $, avec petit déj.* Wifi Face au port, au milieu des restos : difficile de faire plus central ! Pour le reste, cette petite AJ ne révolutionne pas le genre, mais elle dispose de 40 lits et offre tout le nécessaire : cuisine à dispo, salon de poche. Les lits sont répartis en chambres et dortoirs classiques de 4 à 6 personnes, partageant les douches et sanitaires. Pas la plus fun, mais confortable et conviviale.

Seacoast Inn : *33 Ocean St. ☎ 508-775-3828 ou 1-800-466-4100. • seacoastcapecod.com • Ouv avr-oct. Doubles env 90-200 $, avec petit déj.* Wifi Motel de taille raisonnable, très bien situé, en plein centre et à 5 mn à pied des ferries pour les îles. Chambres vastes, fonctionnelles et propres, toutes avec bains et la plupart avec cuisine. Ensemble fort bien tenu. Une adresse classique, mais qui se distingue par un accueil jovial et très serviable, en plus de prix raisonnables. Machine à laver séchante à dispo. Prêt gratuit de matériel de plage (serviettes, palmes, tubas...).

Cape Cod Ocean Manor : *543 Ocean St. ☎ 508-771-2186. • capecodoceanmanor.com • Doubles env 85-170 $, avec petit déj.* Wifi Pour le manoir, on repassera, mais cette petite maison repérable à son carré de gazon envahi de statuettes et autres phares miniature ne manque pas d'atouts : une situation idéale (à deux pas de la plage et du port), 6 chambres *old fashion* mais propres et confortables (toutes avec DVD, micro-ondes, frigo, et certaines avec balcon) et une salle de petit déj prolongée par une terrasse donnant sur les marais salants. Le tout tenu par un Irlandais souriant et pas compliqué ! Une bonne adresse dans le genre, simple, chaleureuse et conviviale.

Captain Gosnold Village : *230 Gosnold St. ☎ 508-775-9111. • captaingosnold.com • Studios env 90-150 $ pour 2 pers. En cottage, env 140-250 $ pour 4 pers et 220-400 $ pour 6 pers. Min 3 nuits en été.* Wifi Idéalement situé, tout près de Hyannis Port et de la plage, dans un joli coin résidentiel verdoyant, un ensemble « condo » de coquets cottages en bois disséminés dans un grand parc fleuri. Chaque hébergement (pour 2 à 6 personnes), propre et confortable, est bien séparé des autres et dispose d'une cuisine équipée, d'une terrasse avec mobilier de jardin et d'un BBQ (clim sur demande, sauf dans les studios qui se contentent de ventilos). Les studios ne sont pas forcément arrangés de la même manière car ils appartiennent à des proprios différents. Linge fourni et ménage fait tous les jours (sauf le dimanche). Piscine et aire de jeux pour les enfants. Une excellente adresse pour les familles et les groupes d'amis.

Où manger ?

|●| ***Black Cat Tavern :*** *165 Ocean St.* ☎ *508-534-9923. Ouv tte l'année sf janv-fév. Mi-mai à mi-oct, tlj 11h30 (11h dim)-21h (plus tard pour le* shack*). Plats env 11-30 $ côté resto, 8-25 $ côté* shack. Grande brasserie populaire et familiale, dans une salle animée ou sur la terrasse face au port, avec une carte suffisamment large pour contenter tous les goûts et toutes les bourses. Qu'il s'agisse de la *clam chowder,* d'un burger, de pétoncles frites ou d'un plat de poisson ou de savoureux desserts faits maison, la satisfaction est au rendez-vous. Mais pour un en-cas rapide, direction le *shack* (cabane à *seafood*) installé dans la maison voisine (le w-e slt hors saison), qui propose une sélection de sandwichs et de plats simples à manger sur place ou à emporter. Très pratique.

|●| ***Thai House :*** *306 Main St.* ☎ *508-862-1616. Lun-sam 11h-22h ; dim 12h-21h30. Plats 6-17 $.* Petit resto à l'allure discrète, murs vert d'eau et ventilos au plafond. Une ribambelle de plats thaïs authentiques, plus ou moins épicés, dont les currys vert, jaune et rouge aux fruits de mer ou les nouilles *pad thaï,* et servis généreusement à des prix démocratiques pour la station, ce qui est l'atout majeur de cette adresse au service tout en gentillesse.

|●| ***Tumi :*** *592 Main St.* ☎ *508-534-9289. Ouv 11h30-22h. Plats 12-29 $. Menus fixes 27-30 €.* Dans un passage donnant sur la rue principale, un resto péruvien avec une pointe d'Italie, plutôt gastronomique. Salle avec bar et cuisine ouverte. Cuisine bien travaillée avec des produits ultra-frais, spécialité de *ceviche, empanadas,* paella, pâtes, risotto, grillades mais aussi burgers, salades à composer, sandwichs et *wraps. Pisco sour* en apéro. Service empressé.

|●| ***Brazilian Grill :*** *680 Main St.* ☎ *508-771-0109. Tlj 11h30-21h (22h en été). Le midi en sem, env 19 $ la formule* rodizio *à volonté et* salad bar *; le w-e et le soir, 33 $. Moins cher pour le* salad bar *slt. Résa conseillée.* Authentique *churrascaria* brésilienne où l'on ne boude pas son plaisir. Dans une belle salle lumineuse où règne un joyeux brouhaha, les serveurs font le tour des tables avec une pique garnie successivement d'une douzaine de viandes grillées fondantes, tandis que vous choisissez les accompagnements variés du buffet. Et, la *caïpirinha* se boit toute seule... Grand choix de vins également. Le samedi, c'est *feijoada,* le plat emblématique brésilien. Gage de qualité, la communauté brésilienne du cap apprécie les lieux.

Où déguster une glace dans les environs ?

Four Seas Ice Cream : *360 S Main St, à* ***Centerville.*** ☎ *508-775-1394. Depuis le centre de Hyannis, accès par Pine St jusqu'au carrefour avec S Main St. Tlj 9h-22h30 l'été, sept-mars ouv ven-dim 11h-17h. Env 4 $ le cornet.* Facile à repérer, l'adresse est connue et il y a du monde à toute heure. Dans une petite maison rustique en bois blanc, le plus ancien glacier du cap et le fournisseur officiel de la famille Kennedy ! Coupures de presse aux murs à l'appui. Bonnes glaces aux fruits frais, *frappes* épais et crémeux à souhait, *sundaes, smoothies...* Sur place ou à emporter.

À voir. À faire

Kennedy Compound : à **Hyannis Port.** *Pour jouer les paparazzi, voici l'itinéraire pour y parvenir : rejoindre Ocean Ave en direction de Hyannis Port Beach ; au stop, à l'angle d'Ocean et Marston Ave, prendre Hyannis Ave, puis tourner à gauche dans Iyanough Ave, ensuite à droite dans Wachusett Ave et, enfin, au 2e stop, à gauche dans Scudder Ave. Vous y êtes :* le Kennedy Compound est *situé à l'angle sud-est de Scudder et Irving Ave (côté mer). Le parking est à gauche de la jetée, face à la mer. Pour voir la propriété, marcher env 200 m à droite sur la plage.* La propriété compte en fait plusieurs maisons, dont la plus connue est celle des parents de John : Joseph et Rose. Contrairement aux idées reçues, l'imposante demeure blanche à colonnades n'a rien à voir avec les Kennedy ; il faut longer la plage pour découvrir la fameuse grande maison blanche aux trois pignons. Une palissade en bois pas très haute sépare la plage de la propriété, mais une pancarte « No trespassing » dissuadera les plus audacieux d'aller au-delà. La maison de JFK, en retrait de celle de ses parents, est beaucoup moins visible.

LE TERRIBLE SECRET DES KENNEDY

Rosemary était le 3e enfant du clan. Elle obtint le diplôme d'institutrice, mais considérée par son père Joseph comme trop instable et fantasque (surtout, pas assez brillante), elle fut lobotomisée à 23 ans. Dans les années 1940, cette pratique était considérée comme révolutionnaire pour soigner les troubles psychiatriques. Son âge mental devint celui d'une enfant de 3 ans. Elle vécut recluse et cachée pendant 60 ans, jusqu'à sa mort en 2005.

John F. Kennedy Hyannis Museum : *397 Main St. ☎ 508-790-3077. • jfkhyannismuseum.org • De mi-avr à mai et nov 10h (12h dim)-16h ; juin-oct, tlj 9h (12h dim)-17h. Fermé de déc à mi-mars. Entrée : 10 $; réduc ; gratuit moins de 7 ans. Billet combiné avec le Maritime Museum : 12 $, réduc.* La ville se devait de consacrer un musée à son président chéri qui passa tant de vacances ici. Bon, soyons francs, il n'arrive pas à la cheville de la *JFK Library,* des environs de Boston. La visite se résume à quelque 80 photos du clan Kennedy, à un arbre généalogique de cette incroyable famille et à un petit film d'intro un peu gnangnan. Néanmoins, dans la première salle, les photos du *Kennedy Compound* vu du ciel vous donnent une bonne idée de la topographie des lieux, à défaut de pouvoir s'y rendre. Sinon, le billet donne également accès au ***Cape Cod Baseball Hall of Fame Museum,*** une salle à la gloire des équipes locales remplie de trophées et de matériel dédicacé. Aucun intérêt.

Cape Cod Maritime Museum : *135 South St. ☎ 508-775-1723. • capecodmaritimemuseum.org • Avr-oct, tlj 10h (12h dim)-16h (jusqu'à 17h jeu-dim juin-oct). Entrée : 6 $; réduc ; gratuit moins de 7 ans.* Petites expos fréquemment renouvelées en fonction des thématiques abordées dans le cadre de l'histoire maritime du cap. Maquettes de bateaux et dents de cachalot gravées. Ateliers organisés pour les enfants. Possibilité d'excursions de 1h30, à bord du *Sarah,* un petit dériveur entièrement construit au musée, réplique d'un bateau du XIXe s. Sympa, mais cher *(36 $, enfants 18 € !).*

➢ **Tour de la ville en trolley :** *se prend à côté du JFK Museum. Juin-sept, tlj 11h-19h ; sept-oct, slt le w-e. GRATUIT.* Balade touristique en tramway sur Main Street et South Street jusqu'au port, avec plusieurs haltes dans la ville.

➢ **Walkway to the sea :** début de cette promenade paysagée à travers pelouses et espaces verts sur Main Street (à côté de la poste et du JFK Museum). Elle évite surtout la bruyante Ocean Street pour se rendre sur le port et à la mer, en 1,5 km.

Cape Cod Potato Chips : *100 Breed's Hill Rd. ☎ 1-888-881-2447. • capecodchips.com • Sur la route 6, prendre la sortie 6 et tourner à droite sur la route 132 ; au 6e feu à gauche, sur Independence Dr, puis 2e à droite. Lun-ven 9h-17h. GRATUIT.* On peut visiter l'usine qui fabrique ces fameuses chips locales, dont on voit les emballages illustrés d'un phare rouge et blanc un peu partout dans la région. Ce qui permet de découvrir, à travers de larges baies vitrées, tout le processus industriel de fabrication des chips. Imposantes machines ! On termine évidemment au *gift shop,* où sont vendues toutes les variétés. Sympa avec des enfants un jour de pluie.

Whydah Pirate Museum: *674 MA-28 à* ***West Yarmouth.*** *☎ 508-534-9571.* *• discoverpirates.com • Sur la route 28, vers l'est. Mar-dim 10h-18h. Entrée : 18,50 $, réduc.* Attraction centrée sur la découverte de l'épave du bateau négrier *Whydah,* capturé par le pirate Samuel « Black Sam » Bellamy et qui fit naufrage en 1717 sur le rivage de Cape Cod. Il est célèbre pour le butin qu'il contenait, constitué par les richesses des 50 navires capturés au cours de sa carrière. Parcours spectaculaire un peu grand-guignol, plutôt destiné aux jeunes et aux familles, mais qui dévoile quelques aspects de la vie tumultueuse des pirates. Ceux qui sont plus intéressés par le point de vue historico-archéologique de la question préféreront le musée consacré au *Whydah* à Provincetown.

– ***Observation des baleines :*** *269 Millway, au départ du port de* ***Barnstable*** *avec la compagnie* ***Hyannis Whale Watcher Cruises,*** *☎ 1-800-287-0374. • whales.net • D'avr à mi-oct : en saison, 2-3 départs/j., 1 seul en sept-oct ; compter env 3h30-4h de navigation. Env 49 $; 4-12 ans 28 $; gratuit moins de 3 ans. Si vous y allez en voiture, comptez env 15 $ de parking, car il est très difficile de se garer aux alentours.* Il n'est pas indispensable de se déplacer jusqu'à Provincetown pour observer ces mammifères marins (certains ont même vu des requins !). En revanche, au départ de Hyannis, le trajet est un peu plus long. Les bateaux vont tous au même endroit. Voir plus loin, à « Provincetown », le chapitre concerné.

➢ ***Départs pour Martha's Vineyard et Nantucket*** du port de Hyannis. Voir les rubriques « Arriver – Quitter » de ces deux îles.

CHATHAM

Protégée au sud par le cordon littoral de Nauset Beach, Chatham est une bourgade côtière, élégante et paisible. L'une des villes les plus anciennes du cap, fondée par une petite communauté agricole, en 1712. Et aujourd'hui un mignon port de pêche tranquille, dominé au sud par un des nombreux phares de Cape Cod. Très longue Main Street, avec multitude de maisons historiques, de boutiques, bars et de restos, qui se termine à l'est sur une plage aux bancs de sable blanc (grand parking sur la droite au croisement avec Stage Harbor Street). C'est là que Mary Higgins Clark situe son roman *Souviens-toi.* Une étape agréable et vivante sur la côte sud.

Adresses utiles

ℹ ***Chatham Chamber of Commerce :*** *dans la Captain Bassett House, 2377 Main St, à l'entrée ouest de la ville, à l'intersection de la 28 S et de la 137. ☎ 508-945-5199 ou 800-715-5567. • chathaminfo.com • Juin-sept lun-sam 10h-17h, dim 12h-15h ; oct-mai, lun-sam 10h-14h.*

ℹ Également un ***kiosque d'infos*** : *533 Main St, dans le centre près du Town Hall. Ouv fin mai-début sept, tlj 10h-17h.*

Où dormir ?

De prix moyens à chic

⌂ ***Chatham Guest Rooms :*** *1409 Main St, West Chatham. ☎ 508-945-1660. • chathamguestrooms.com • Doubles à partir de 75 $ et jusqu'à 200 $ en hte saison. Pas de petit déj.* Un vrai coup de cœur pour cette adresse établie un peu à l'écart du centre dans une maison de 1770 peinte en jaune. C'est d'abord une boutique d'antiquités, spécialisée dans les cartes anciennes (18 000 en réserve !). Les chambres sont vastes (2 sont organisées en duplex), cosy, ultra-confortables (salles de bains impeccables), l'une d'entre elles disposant même d'une vraie cuisine et d'une cheminée. *Very romantic !* Et pour se détendre, direction le jardin à l'anglaise, amoureusement entretenu par les proprios. Du charme à revendre, tant du côté de la déco que de l'accueil assuré par Danielle Jeanloz, d'origine suisse (francophone), qui saura vous conseiller les meilleures adresses et activités de la région. Bref, un excellent rapport qualité-prix.

Surfside Motor Inn : *25 Holway St. ☎ 508-945-9757. • surfsideinnchatham.com/ • Doubles env 150-225 $, avec petit déj. Familiales env 255-350 $ (min 2 nuits le w-e en été).* Une vraie trouvaille que cet hôtel familial établi à Chatham depuis 1944. Bien situé, à 100 m de *Lighthouse Beach* et 5 mn à pied du centre. Une grande maison rustique de caractère, peinte en rouge. Diverses chambres en cours de rénovation avec ou sans vue sur l'océan, avec salle de bains et bien équipées. Toutes n'ont pas la clim, il faut parfois se contenter de ventilos et de la brise marine, mais les prix restent abordables pour la situation. Petit déj continental à prendre sur la véranda. Accueil d'une rare gentillesse. On s'y sent vraiment en famille.

Chatham Seafarer : *2079 Main St, à l'entrée de Chatham. ☎ 508-432-1739. • chathamseafarer.com • De mi-avr à oct. Doubles de 145 $ et jusqu'à 235 $ l'été ; petit déj non compris mais café et thé dans les chambres.* Motel familial bien situé à 10 mn à pied de la plage. Chambres rénovées et spacieuses et au calme, dotées de lits confortables. Coin cuisine dans les plus grandes (mais tout le monde dispose d'un frigo, d'un micro-ondes et d'un équipement de cuisine). Et un plus non négligeable : une grande piscine (chauffée si besoin), entourée d'un très agréable jardin avec BBQ et tables de pique-nique. Stationnement aisé.

Où manger ?

De bon marché à prix moyens

Chatham Fish and Lobster Co : *1291 Main St (route 28), assez loin du centre. ☎ 508-945-1178. Tlj 9h30-17h30. Plats env 7-17 $.* L'adresse préférée des locaux lorsqu'il s'agit de se régaler d'une *clam chowder,* d'un *lobster roll* ou de poissons frits. Il faut dire que ça dépote dans cette poissonnerie et que le débit garantit la fraîcheur des produits ! Côté *deli,* on commande au comptoir, puis on s'installe en salle (déco banale genre cafétéria) ou en terrasse sous la galerie, en attendant qu'on nous appelle. Bien pour un repas sans chichis (couverts en plastique et serviette en papier), bon et pas cher (pas mal de salades et de sandwichs classiques également à la carte).

Chatham Pier Fish Market : *sur le petit port, Shore Rd à la hauteur de Barcliff Ave. ☎ 508-945-3474. Tlj sf mar 10h-17h.* En face de la pointe sablonneuse de North Beach, un rendez-vous incontournable pour assister, sur une passerelle, à l'arrivée des bateaux vers 15h, et se procurer le produit de leur pêche. Dans le comptoir vitré, un tas de bonnes choses à emporter : poissons fumés, *crab cakes, lobster rolls, fish sandwiches,* paniers de crevettes, bisque de homard, clams frites avec *coleslaw,* oignons frits ou *french fries* en accompagnement. Ne reste plus qu'à s'installer sur une des tables de pique-nique le long du port.

Marion's Pie Shop : *2022 Main St (route 28). ☎ 508-432-9439. Assez loin du centre. L'été tlj 8h-18h (16h dim) ; hors saison, tlj sf lun 8h-17h (16h dim). Env 10 $.* Une adresse incontournable dès le petit déj. Délicieuses tourtes *(pies)* salées ou sucrées, au poulet, aux fruits de mer, aux légumes, aux fruits... Également quelques salades aux portions variables à la fraîcheur garantie. Parfait pour un pique-nique ou à déguster sur les quelques chaises dehors, sous les arbres.

Chatham Cookware Café : *524 Main St. ☎ 508-945-1250. En saison, tlj 6h30-16h ; fermé mar hors saison.* Petite adresse agréable pour prendre un petit déj : *breakfast sandwich,* bagels, muffins maison, croissants, etc. Bien aussi pour le pique-nique, avec des soupes, des salades, des bagels et des sandwichs frais préparés à la demande et tout un choix de garnitures. Vente de boissons variées et produits locaux (confitures, miel, muffins, etc.). À manger sur place, dans un cadre agréable, ou à emporter.

Carmine's : *595 Main St. ☎ 508-945-5300. Tlj 10h-22h. Compter moins de 4 $ la part de pizza, 12-25 $ pour une entière (énorme !).* Parts de pizzas et tourtes *(pies)* de toutes sortes pour un repas rapide et économique. Sur place (petite salle fonctionnelle avec une poignée de tables) ou à emporter.

De prix moyens à chic

Chatham Squire : *487 Main St. ☎ 508-945-0945. Tlj 11h30 (12h dim)-1h (22h pour la cuisine). Côté pub, plats 8-15 $; côté resto, env 8-20 $ le midi et 20-30 $ le soir.* Dans une mignonne maison à bardeaux sont réunis côte à côte une taverne chaleureuse et un resto familial qui se partagent les cuisines, mais proposent des menus différents. Côté resto, c'est évidemment plus élaboré et côté pub, on fait dans les classiques du genre : hamburgers, salades et autres *fried seafood* copieuses mais sans surprise. On s'attardera sur la taverne, aux murs recouverts de plaques d'immatriculation, avec un bar central plein à craquer : de loin l'endroit le plus animé de la rue. Une adresse ultra-populaire au cap, qui mêle allègrement habitués et touristes de passage.

Impudent Oyster : *15 Chatham Bars Ave. ☎ 508-945-3545. Tlj 11h30-21h. Plats env 10-22 $ le midi, 30-35 $ le soir.* Grande salle tout en bois sur 2 niveaux et comptoir au fond avec vitraux et affiches publicitaires françaises. C'est l'occasion de goûter d'excellents plats de poisson ou fruits de mer, préparés ici avec soin, dans un esprit fusion mêlant épices, herbes et légumes frais. La nouvelle cuisine américaine, en somme, en plus servie copieusement. À la carte, on retrouve le classique *lobster* grillé (env 35 $ le soir) et toute une variété de poissons et fruits de mer, *clams* (palourdes), Saint-Jacques et crevettes préparées à la basquaise... Service efficace et accueil au diapason. Une valeur sûre, à prix encore raisonnables le midi.

Où déguster une glace ?

Buffy's Ice Cream : *456 Main St. ☎ 508-945-5990. En plein centre. Tlj 11h-23h (horaires réduits hors saison). À partir de 7 $.* Un repaire historique pour les amateurs de crèmes glacées. Tellement de parfums et de possibilités qu'on ne sait que choisir ! Cornets, milk-shakes, *flurries, sundaes, frozen yogurt, smoothies,* et toute une variété de *toppings.* Les prix en refroidiront certains... Mais même la *lemonade* maison est célèbre aussi dans tout Cape Cod !

À voir. À faire

Chatham Lighthouse : *visite guidée à accès limité à certaines dates. Les enfants de moins de 1,25 m ne sont pas admis. Consultez le site pour les horaires : • lighthouse.cc/chatham •* Phare très photogénique, en face de South Beach ; son pinceau lumineux porte jusqu'à 45 km !

➢ **Monomoy Island :** on peut s'y rendre en bateau au départ de Chatham. Amis ornithologues, cette île-réserve naturelle compte jusqu'à 300 espèces d'oiseaux migrateurs. Des tours sont organisés pour aller observer les oiseaux et les phoques qui y sont toute l'année à demeure (env 30-35 $ selon durée). Excursion de 1h30 à 2h30 jusqu'à la pointe sud de l'île. Pensez à prendre appareils photo et jumelles. Infos et résa (impérative) à la *Chamber of Commerce* ou directement sur le port, auprès des compagnies :

■ ***Monomoy Island Ferry :*** *80 Bridge St.* ☎ *508-237-0420.* • *monomoyislandferry.com* • Organise aussi, pour 6 personnes maximum, des sorties de 4h, des balades à pied, des sorties de pêche, et observation des baleines ou des oiseaux.

■ ***Beachcomber :*** ☎ *508-945-5265.* • *sealwatch.com* • *Téléphoner pour connaître les horaires de départ. Compter 29 $; réduc.*

■ ***Monomoy Island Excursions :*** ☎ *508-430-7772.* • *monomoysealcruise.com* • Balade en mer de 2h30 environ pour observer les phoques. On contourne l'île de Monomoy et le circuit approche 3 phares. Également des sorties (de 30 mn) au coucher du soleil.

À voir. À faire dans les environs

Harwich : petite bourgade agricole pimpante et tranquille dotée d'un port de plaisance, *Wychmere Harbor,* qui assure en saison seulement des liaisons avec Nantucket. • *nantucketislandferry.com* •
Harwich est au centre de la région de ***production des canneberges*** **(cranberry),** un petit fruit rouge et amer riche en vitamine C, qui était apprécié des marins pour sa capacité à les prémunir du scorbut. La canneberge a besoin, pour croître, d'un sol acide et sablonneux et pousse sur un lit de tourbe, de sable et de gravier dénommé *bog,* qu'on inonde jusqu'à ce que les fruits se détachent des plants et flottent à la surface. Sa saison s'échelonne d'avril à novembre et on les récolte à partir de septembre, date à laquelle de grandes fêtes réunissant toute la population sont organisées *(17-17 sept env).* La canneberge se retrouve tous les ans sous forme de gelée sur la table familiale de Thanksgiving, pour accompagner la dinde traditionnelle.
Pour toute info et visite de *cranberry farms,* consulter • *cranberries.org* • et pour les réjouissances annuelles, • *harwichcranberryfestival.org* •

Harwich Chamber of Commerce : *Schoolhouse Rd 1.* ☎ *508-430-1165.* • *harwichcc.com* •

ORLEANS

À l'entrée de l'étroite péninsule qui s'étend vers le nord. Le nom de cette petite ville viendrait des échanges entre les insurgés et les Français pendant la révolution américaine. Quelques jolies rues dans le centre et un cordon de dunes flanqué d'une longue plage de 16 km, ***Nauset Beach,*** qui ferme *Pleasant Bay* et fait écran aux fortes tempêtes qui peuvent déferler sur le *Lower Cape.*

Adresses utiles

Orleans Chamber of Commerce : *44 Main St.* ☎ *508-255-7203.* • *orleanscapecod.org* • *Lun-ven 9h-16h.*

Autre ***point d'infos*** un peu à l'écart du centre : *8 Eldredge Park Way. De fin mai à mi-oct, ven-sam 9h-16h.*

Où dormir ?

De prix moyens à chic

The Nauset House Inn : *143 Beach Rd, à East Orleans (à 1 petit km de Nauset Beach).* ☎ *508-255-2195 ou 1-800-771-5508.* • *nausethouseinn.com* • *Ouv avr-oct. Doubles 85-215 $ sans ou avec sdb, avec petit déj. Min 2 nuits le w-e*

LA NOUVELLE-ANGLETERRE

en été. Dans un cadre verdoyant, à 10 mn de marche de la plage, une belle demeure datant de 1810 avec son annexe typiques de la Nouvelle-Angleterre : 14 chambres coquettes, toutes décorées avec goût par l'adorable propriétaire. 6 d'entre elles avec salles de bains commune (une pour 2 chambres), toutes avec la clim, et pour les plus chères, lit *king-size,* grande salle de bains, et balcon donnant sur le jardin fleuri. Salon commun. Copieux petit déj servi dans la salle à manger conviviale. Repos total garanti. Une excellente adresse de charme, pas guindée pour autant.

The Cove Motel : *13 S Orleans Rd ; sur la route 28, non loin du croisement avec la 6 A. ☎ 508-255-1203 ou 1-800-343-2233. • thecoveorleans.com • Env 130-235 $ fin juin-début sept (min 2 nuits) ; et 70-145 $ en basse saison.* Un motel classique, de près de 50 chambres, bien situé, au bord d'une baie ventilée par la brise de mer. La couleur vert grisé des bâtiments est en harmonie avec le paysage. Bon confort général et équipement (frigo et micro-ondes) et belle vue depuis les balcons. Petite piscine et terrasse agréable presque les pieds dans l'eau. Bon accueil.

Où manger ?

Nauset Farms : *199 Main St, sur la route de Nauset Beach. ☎ 508-255-2800. Tlj 7h-20h ; hors saison, tlj sf dim 7h-18h (19h ven-sam).* Grosse épicerie aux allures de ranch, qui vend tout ce qu'il faut pour se confectionner un pique-nique avant de rejoindre Nauset Beach. Sandwichs frais (8-9 $) préparés à la demande, pâtisseries, *salad bar,* coin boucherie, fruits, légumes...

Barkkey Neck Inn : *5 Beach Rd (non loin de Nauset Beach). ☎ 508-255-0212. Tlj à partir de 16h pour un cocktail, 17h pour dîner. Plats 10-35 $.* Ambiance conviviale et populaire dans les 2 salles : à droite, décor cosy avec gros fauteuils et tapis ; de l'autre côté, la grange, plus rustique mais agrémentée d'une cheminée. Carte longue comme le bras. Plats copieux de qualité honorable allant des classiques *cheeseburgers,* pizzas, soupes et salades aux *pork ribs,* en passant par les steaks et autres *fish and chips.* Rien d'inoubliable, mais l'endroit a l'avantage de rester ouvert à l'année.

Où dormir dans les environs ?

Camping

Roland C. Nickerson State Park : *route 6 A, en allant d'Orleans vers Brewster. ☎ 508-896-3491. Résa indispensable longtemps à l'avance pour l'été au ☎ 877-422-6762. • reserveamerica.com/camping/nickerson-state-park • De mi-avr à début oct. Emplacements 6-27 $ (2 tentes max). Yourtes 4-6 pers 50-60 $ (loc à la sem en hte saison). Draps non fournis. Douches chaudes gratuites. Pour les non-campeurs, accès au parc tlj 8h-20h l'été : 10 $. Kiosque d'infos.* Un parc naturel protégé qui donnerait envie de camper aux plus réticents ! Immense espace de forêt et de lacs avec pas moins de 400 emplacements, mais répartis entre différents secteurs et suffisamment espacés pour ne pas s'en rendre compte. Également 6 yourtes (les enfants adorent !). Plein d'activités organisées par les *rangers* : randonnées, vélo (le *Cape Cod Rail Trail* passe par ici), canotage ou baignade dans les lacs, et même ski de fond et patin à glace en hiver (mais, là, on n'y campe plus !). L'alcool est interdit dans l'enceinte du parc.

À voir. À faire à Orleans et dans les environs

Nauset Beach : *de mi-juin à début sept, parking payant 7h-16h30 : 20 $ (à ce prix-là, on a droit aussi aux pipi-rooms et à la douche, ouf !). Elle reste néanmoins* *surveillée par les sauveteurs jusqu'à 18h. À ne pas confondre avec Nauset Light Beach, plus au nord.* Face à l'Atlantique, une des plus belles plages de Cape Cod, dont le nom vient d'un mot indien wampanoag. Longue de 14 km et bordée par une immense dune de sable blanc, elle est vraiment splendide. Elle appartient d'ailleurs au *Cape Cod National Seashore* (on y arrive...). La baignade le long de ce littoral n'est pas idéale pour les enfants : eau froide, fonds de galets à la pente rapide, sans compter la force des vagues et le risque de la présence de requins, surtout là où on aperçoit des phoques. Très fréquentée en été ; mais il y a de la place pour tout le monde.

➢ ***Cape Cod Rail Trail :*** circuit de cyclotourisme qui s'étend de Dennis à Wellfleet, sur 35 km le long d'une ancienne voie ferrée, et traverse le Nickerson State Park. La piste (bitumée) serpente entre marais, *cranberry bogs,* lacs et forêts...

French Cable Museum : *41 South Orleans Rd, à l'angle de la route 28 et de Cove Rd. ☎ 508-240-1735. • frenchcablestationmuseum.org • Juin-sept, ven-dim 13h-16h (dernière entrée à 15h30 ; le reste de l'année sur rdv). GRATUIT (donation souhaitée).* Les premières communications entre l'Europe et l'Amérique datent de 1879, via l'île de Saint-Pierre au large du Labrador. Cette station a été bâtie en 1891. Pour la petite histoire, son nom provient des liens établis avec la France pendant la Première Guerre mondiale. C'est également ici qu'arriva en 1927 le message confirmant l'atterrissage au Bourget de Charles Lindbergh après sa traversée de l'Atlantique. Courte expo à l'ancienne qui présente câbles et instruments de l'époque.

Cape Cod Museum of Natural History : *869 route 6 A, à **Brewster,** à 9 km à l'ouest d'Orleans. ☎ 508-896-3867. • ccmnh.org • De mi-fév à mars, jeu-dim 11h-15h ; avr-mai mer-dim 11h-15h ; juin-août, tlj 9h30-16h ; sept, tlj 11h-15h ; oct-déc, mer-ven et dim 11h-15h. Entrée : 10 $ en basse saison, 11 $ en hte saison, incluant la Butterfly House ; réduc.* La visite de cet écomusée instructif et original fait partie des bonnes surprises, surtout en famille. On commence par la partie musée, où les enfants prendront plaisir à découvrir la faune et la flore du cap. Ateliers interactifs, oiseaux naturalisés, aquariums, etc. Puis on enchaîne avec la partie pratique... dans la nature ! De petits sentiers de balade *(walking trails)* parfaitement aménagés permettent d'observer les paysages typiques : marais, dunes et océan. Baignade possible sur une plage de sable fin. Des visites guidées sont organisées, mais on peut aussi se promener librement, le nez au vent. D'ailleurs, l'accès aux sentiers est gratuit.

Brewster General Store: *1935 Main St à **Brewster,** à l'ouest d'Orleans. ☎ 508-896-3744. • brewsterstore.com • Tlj 6h-22h en été, 7h-19h en hiver.* Une curiosité historique qui a fêté ses 150 ans en 2016 ! Un « magasin général », comme on dit au Québec, qui avait pour fonction (avant l'automobile) de fournir tout ce dont on avait besoin pour vivre dans des contrées reculées : épicerie, mercerie, journaux, quincaillerie, vaisselle et boîtes postales pour entreposer le courrier. À la fin du XIXᵉ s l'étage était même aménagé en salle de bal. À présent on y sert de la crème glacée et c'est une boutique où l'on vend des douceurs, des confitures, des livres, des jouets, des verres à lampe, des vêtements... avec un joyeux bric-à-brac de souvenirs vintage.

EASTHAM

Porte d'entrée de l'***Outer Cape,*** bordée de chaque côté par de longues plages, Eastham est le lieu où les pères pèlerins du *Mayflower* auraient rencontré pour la première fois les natifs sur la plage. L'activité principale de la ville a longtemps été tournée vers l'exploitation du sel. Aujourd'hui, Eastham est une ville de passage sans charme, sans centre-ville homogène, éclaté par la présence de plusieurs *ponds.* Les locaux ont beau vous assurer que la ville recèle des coins cachés absolument *lovely,* nous, on n'a retenu que cet alignement de motels le long de la route 6. On vous conseille de filer sur Provincetown pour passer la nuit.

Adresses utiles

🅸 ***Visitor Information Booth :*** *sur la route 6, sur la droite en venant d'Orleans au coin de Governor Prence Rd, pas très loin de Fort Hill.* ☎ *508-255-3444.* ● *easthamchamber.com* ● *Tlj 10h-16h de juin à mi-oct ; horaires restreints hors saison.*

■ ***Location de vélos :*** **Idle Times Bike Shop,** *4550 route 6.* ☎ *508-255-8281.* ● *idletimesbikes.com* ● *Ouv tte l'année 9h-19h. 19 $ pour un vélo à la journée (8h) et 23 $ pour 24h.* Loue aussi des tandems, vélos et accessoires pour enfants, casques, etc. 3 autres adresses sur le cap, notamment à Orleans.

Où dormir ?

Où manger sur la route de Provincetown ?

🏠 ***Hi-Eastham Hostel :*** *75 Goody Hallet Dr.* ☎ *508-255-2785.* ● *hiusa.org* ● *Sur la route 6, après la sortie 12, continuer jusqu'au rond-point d'Orleans, faire trois quarts de tour et prendre Rock Harbor Rd, puis à droite sur Bridge Rd et encore à droite (panneau* Hostelling International*). Ouv de mi-juin à début sept. Nuitée 33 $ (en sem)-37 $ (le w-e) en dortoir mixte ou non, ou en chambre privée (4-5 pers) avec petit déj (3 $ de moins pour les membres).* 💻 📶 L'originalité de cette minuscule AJ (à peine 37 lits), c'est que les douches et sanitaires occupent le bâtiment principal, tandis que les dortoirs sont répartis dans de petites cabanes en bois pour 5-8 personnes, en pleine nature. Pas de chauffage (prévoir un bon duvet à la mi-saison), ni de clim (et en plein été, c'est littéralement un four !). L'ensemble est donc des plus rustique, voire rudimentaire, mais c'est convivial et c'est ce qu'il y a de moins cher dans le coin ! Grande cuisine ouverte sur la salle commune (jeux et livres), qui a tout du hangar amélioré, et barbecue et tables à l'extérieur. Une adresse routarde, avec un accueil chaleureux, pour ceux qui ne sont pas trop regardants côté confort.

🍽 ***Arnold's Lobster and Clam Bar :*** *3580 route 6 sur le parcours du Bike Trail.* ☎ *508-255-2575. Slt en été, tlj 10h-22h. En-cas env 6-9 $,* seafood *env 14-35 $.* Vaste, efficace et pas chère, cette cantine populaire sous auvent est l'une des étapes obligées des familles en balade dans le coin ! Les queues sont démentes mais se résorbent vite. On patiente pour obtenir au comptoir une portion de *clams* frites à la minute, un *lobster roll* frais et copieux, des *onion rings* croustillants, ou un cornet de glace, avant d'aller se dégoter une place en salle ou en terrasse. Et si ça tarde un peu, il y a toujours le minigolf attenant pour s'occuper ! Vraiment sympa.

🍽 ***The Friendly Fisherman :*** *4580 route 6, North Eastham.* ☎ *508-255-6770. En été, tlj 11h30-21h (21h30 ven-sam) ; en demi-saison, horaires réduits. Env 17 $ l'assiette de fruits de mer frits, 20 $ pour un* lobster roll. En retrait de la route, un genre de snack familial au cadre rigolo et sans chichis, avec quelques tables de pique-nique, entourées de homards en plastique et de bouées accrochés à la palissade. C'est pourtant « *the place to go* » pour manger un *lobster roll* généreusement servi. Également des calamars frits ou du crabe accompagnés de frites croustillantes. C'est aussi un *fish market* réputé dans le coin, où l'on peut se procurer à la poissonnerie attenante les produits de la pêche locale, mais aussi du pain frais, des fruits et *pies* maison et, bien sûr, le homard qu'on paye au poids et qui sera cuit gratuitement. On en a plein les doigts, mais on repart ravi de cette gargote de pêcheurs, vraiment *friendly* !

🍽 ***The Beachcomber of Wellfleet :*** *sur Cahoom Hollow Beach, tt au bout de Cahoom Hollow Rd.* ☎ *508-349-6055. Sur la route 6, en direction de Provincetown, tourner à droite après le resto* PJ's Seafood, *à l'entrée de* **Wellfleet.** *Parking gratuit pour ceux qui viennent déjeuner ici (le montant du* *ticket – 20 $ – est un à-valoir sur l'addition). Resto ouv fin mai-début sept, tlj 11h30-1h. Env 25 $ l'assiette de fruits de mer, salades et sandwichs 9-16 $.* Niché au creux des dunes, LE vrai resto de plage archipopulaire et souvent plein comme un œuf. À l'intérieur, une grande salle à la déco bien ricaine, avec de grandes tablées familiales. Dehors, une vaste terrasse en bois en bord de plage, mais vue masquée vers la mer. La qualité de la cuisine est très satisfaisante. Pas mal de choix, dont une version « marine » du hamburger, où le steak est remplacé par du thon. Le soir en saison, c'est l'effervescence quand le *Beachcomber* se transforme en bar-discothèque, avec musique live ou DJ, soirées rock, reggae... *(Cover charge de 10 $ dans ce cas ; voir ● beachcomber.com ● pour la programmation.)*

|●| ***Mac's Shack :*** *91 Commercial St à **Wellfleet,** à 600 m de la route 6 et 400 m du Wellfleet Town Pier. ☎ 508-349-6333. Plats 15-30 $. Tlj 11h-21h (22h ven-sam).* Une maison blanche en bois avec, sur le toit, une barque de pêcheur qui tient un homard géant dans ses filets. *Raw bar* et terrasse couverte au sol de gravier, en face du parking, mais ces détails sont rattrapés par la fraîcheur des huîtres, la perfection des sushis, la saveur des fruits de mer au quinoa et aux petits légumes ou les gnocchi à la ricotta, chair de homard et fenouil. Mention spéciale pour la *key lime pie.* Une bonne surprise pour les fins becs, peut-être une des cuisines les plus inventives du cap. L'attente peut être longue le week-end. Annexe saisonnière sur le port, ***Mac's on the Pier*** avec produits à emporter.

|●| ***PB, Boulangerie-Bistro :*** *15 Lecount Hollow Rd, à **South Wellfleet** en bordure de la route 6, direction Provincetown. ☎ 508-349-1600. Plats 11-45 € et menu* early bird *29 $ (servi 17h-17h30 slt). Boulangerie ouv 7h-19h, resto 17h-22h en juin mer-dim et tlj juil-août ; brunch dim 10h-14h.* Adresse 100 % française, avec d'un côté une boulangerie-pâtisserie vendant pains divers, baguettes et viennoiseries fraîchement sorties du four, plus tartes et gâteaux fleurant bon les traditions hexagonales. Quelques suggestions d'en-cas rapides pour le lunch, à manger sur la terrasse extérieure. Côté resto, avec cuisine ouverte, les classiques de la cuisine française avec des produits d'importation mais aussi de producteurs locaux. Selon saison, escargots de Bourgogne, tartine de foie gras, quenelles de Lyon, hachis Parmentier, œufs à la neige et vacherin à la fraise. Et vins de notre terroir, ça va de soi. Franchement, ça fait du bien...

À voir. À faire

✱ ***Eastham Windmill :*** *sur Windmill Green, 2510 route 6, en face de la caserne de pompiers. Tlj en été, 10h (13h dim)-17h.* Ce petit moulin du XVIIe s est le dernier du cap. À l'intérieur, on peut observer au rez-de-chaussée et à l'étage tous les mécanismes en bois parfaitement restaurés. À l'entrée du moulin, la meule à grains (grosse pierre ronde) est encore visible. Pittoresque à souhait !

➢ ***Bicycle trail :*** deux pistes cyclables traversent Eastham ; le *Cape Cod Rail Trail* du nord au sud (de Dennis à Wellfleet) et le *Nauset Bike Trail* (du *Salt Pond Visitor Center* à Coast Guard Beach, voir plus loin), qui offre de beaux aperçus sur les marais salants.

CAPE COD NATIONAL SEASHORE

✱✱✱ Déclaré zone protégée en 1961 grâce à l'appui du président Kennedy, le *Cape Cod National Seashore,* qui s'étend d'Eastham à Provincetown, est comme un petit bout de Bretagne échoué de l'autre côté de l'Atlantique : paysage intact d'une beauté sauvage, patchwork de landes battues par les vents, immenses plages de sable blanc et une végétation couverte de *cranberry bogs* (canneberges). Le meilleur du cap, sans hésitation.

Adresses utiles

Le site internet officiel des parcs nationaux est très complet et fournit toutes les infos pratiques : • *nps.gov/caco* • Sur place, deux *Visitor Centers* gèrent le *Cape Cod National Seashore,* au sud et au nord de la réserve :

ℹ ***Salt Pond Visitor Center :*** *50 Nauset Rd, sur la route 6, après le* Visitor Information Center *d'Eastham.* ☎ *508-255-3421. Tte l'année, tlj 9h-16h30 (17h l'été).* Gère la partie sud du *Cape Cod National Seashore.* Infos, livres et cartes diverses. Très bons conseils donnés par les *rangers*. Pas mal d'activités proposées. Également un petit espace muséal sur les thèmes de l'environnement.

ℹ ***Province Lands Visitor Center :*** *171 Race Point Rd, à 2 petits km du centre de Provincetown.* ☎ *508-487-1256. Mai-oct, tlj 9h-17h.* Gère la partie nord de la réserve, de North Truro à Provincetown. Il propose le même programme d'activités que celui de Salt Pond : canoë, pêche, randonnées, marches sur les dunes de sable. Films de 10 mn projetés à la demande et petite expo sur la flore et la faune (principalement sur les baleines), ainsi qu'un rapide historique de la région. Grimper sur le toit pour profiter de la terrasse d'observation, qui offre une vue géniale à 360° sur les dunes et l'océan (binoculaires à disposition).

Les plages

Les plus spectaculaires du cap sont ici. Savoir que de fin juin à début septembre et les week-ends de fin mai à fin septembre, l'accès aux plages du Cape Cod National Seashore, et donc aux parkings, est ***payant en journée*** (et cher). Compter pour une journée, 3 $ pour les piétons, cyclistes et motards, et 20 $ pour une voiture, (*pass* à 45 $ pour la saison, intéressant pour ceux qui séjournent quelque temps). Parkings gratuits en sem, hors saison. Les plages sont accessibles jusqu'à minuit. Elles sont toutes surveillées (en été) et équipées de douches, eau potable et toilettes.

Du sud au nord

⛱ ***Coast Guard Beach :*** *à Eastham. La plus proche du* Salt Pond Visitor Center, *au bout de Doane Rd.* Considérée comme l'une des plus belles plages des États-Unis, idéale pour la baignade (comme la suivante). En raison de l'affluence, de mi-juin jusqu'au Labor Day (1er lundi de septembre), le parking n'est plus autorisé à proximité directe de la plage (système de navettes depuis le parking de Little Creek).

⛱ ***Nauset Light Beach :*** *à 1,5 km au nord de Coast Gard Beach ; de la route 6, à North Eastham, suivre les panneaux (Ocean View Dr). Parking souvent complet en hte saison.* Une des plages décrites dans *Cape Cod* de Thoreau : son sable blanc, ses hautes dunes et son phare rouge et blanc en retrait de la mer. Bon spot de surf. À quelques minutes à pied de là, vous pourrez jeter un œil aux *Three Sisters Lighthouses,* trois petits phares en bois entièrement restaurés.

⛱ ***Marconi Beach :*** *à 10 petits km au nord du* Salt Pond Visitor Center *; par la route 6 jusqu'à Wellfleet, puis suivre les panneaux. Dispose de douches et de toilettes.* Une magnifique plage sauvage. Plate-forme d'observation pour une vue panoramique sur les marais et l'océan, depuis Eastham jusqu'à Truro. La plage fut baptisée en hommage au célèbre inventeur italien Marconi, qui réalisa la première liaison radiophonique entre les États-Unis et l'Angleterre, en 1901.

Cahoon Hollow Beach : *près de Wellfleet.* Fréquentée par les jeunes qui viennent faire la fête au *Beachcomber of Wellfleet* (voir « Où manger ? »).

Longnook Beach : *à côté de Truro.* Très spectaculaire avec ses hautes dunes. Parking minuscule, arriver tôt pour avoir de la place.

Corn Hill Beach : *à l'opposé, côté Cape Bay, donc eaux plus tranquilles.* Ne dépend pas du Cape Cod National Seashore.

Head of the Meadow Beach : *en poursuivant sur presque 10 km au nord la route 6, prendre la sortie Cape Cod Light/Highland Rd, puis à droite (panneau marron et blanc) sur 3 bons km.* Gérée à la fois par le Cape Cod National Seashore et la ville de Truro, une autre belle plage, surveillée en été, donc appréciée des familles.

Race Point Beach : *la plus au nord du cap. Prendre la route 6 jusqu'à Provincetown, puis suivre Race Point Rd jusqu'au bout.* Ensoleillée toute la journée, il n'est pas rare d'apercevoir les jets de vapeur d'eau sortis des évents des baleines au large.
On peut aussi rejoindre ***Herring Cove Beach*** par la célèbre Province Lands Road, qui serpente à travers les dunes. La plage est magnifique, ses eaux sont plus chaudes et on peut y observer de grandioses couchers de soleil.

Randonnées et promenades

Avant toute chose, procurez-vous la feuille ***Self-guiding Trails*** dans l'un des *Visitor Centers*, qui recense une petite douzaine de circuits pédestres au départ d'Eastham, de Wellfleet, Truro et Provincetown, celle sur les circuits à vélo ***(Bicycle Trails)***, ainsi qu'une carte détaillée du cap indiquant tous les sentiers de randonnée et les pistes cyclables. De plus, un petit fascicule est mis à disposition à chaque début de promenade sur l'itinéraire et ses points d'intérêt. Demander également l'***Activity Guide*** édité par le *Cape Cod National Seashore,* programme des activités proposées par les *rangers* : promenades guidées à pied (gratuites) ou en canoë, leçons de pêche (petite contribution), etc. Vous voilà armé.
Voici quelques idées de balades parmi les circuits proposés dans la brochure :

➢ ***Nauset Marsh Trail :*** *accès par le* Salt Pond Visitor Center. Cette promenade de 2 km environ longe le *Salt Pond* et offre de très belles vues sur les marais. On peut suivre en 45 mn un sentier jusqu'à l'aire de pique-nique de Doane, et la *Coast Guard Beach* (30 mn).

➢ ***Fort Hill Trail :*** *peu après Orleans, dans Eastham, indiqué depuis la route 6. Compter 1h de marche.* Ce *trail* croise le *Red Maple Swamp Trail.* Ici aussi, superbes vues des marais de Nauset. Promenade à faire en automne, quand les érables prennent leurs couleurs dorées. Petit tour également apprécié des ornithologues.

➢ ***Great Island Trail :*** *pour accéder au parking, du* Salt Pond Visitor Center *à Eastham, prendre la 6 E sur près de 13 km, puis tourner à gauche en direction du « Wellfleet Center and Harbor ». Après avoir passé le port* (harbor), *continuer sur 4 km env, jusqu'au Great Island Trail Parking.* Très beaux paysages et calme assuré. La randonnée se situe du côté de la baie de Cape Cod et s'étend sur toute la presqu'île à l'ouest de Wellfleet. C'est la plus longue balade du parc (14 km, env 4h, arrêts compris). Environnement sauvage où l'on marche aussi bien le long des marais que sur la plage ou dans la forêt. Prévoir de l'eau et un chapeau. Le but, c'est d'atteindre le *Jeremy Point,* accessible à marée basse. Variante dans le parcours.

➢ ***Atlantic White Cedar Swamp Trail :*** *au départ du parking du Marconi Station Site (South Wellfleet).* Une promenade courte et facile (30-40 mn environ) qui sillonne à travers les pinèdes, les cèdres blancs et les marais. On y croise plein de petits écureuils et le parcours jusqu'à la jolie plage est vraiment très agréable.

➢ D'autres ***sentiers faciles*** (environ 30 mn) autour de North Truro et une balade de 1h dans ***Beech Forest,*** à proximité de Provincetown.

➢ ***Wellfleet*** et ***Truro*** sont des localités dont une trentaine de maisons ont été peintes par Edward Hopper. Possibilité de visite guidée de 2h, avec Beth Chapman, à partir du Wellfleet Town Pier. *Tlj à 10h et 14h. Compter 59 $/pers. ☎ 508-479-1033. • hopperhousetours.com •*

TRURO

Un hameau de quelques maisons disséminées en pleine nature, d'un côté ou de l'autre de la route 6. Son intégration au *National Seashore* en 1960 a permis de conserver un environnement assez sauvage.

Où dormir ? Où manger ?

Auberge de jeunesse

🏠 ***Truro Hostel :*** *au bout de North Pamet Rd. ☎ 508-349-3889 ou 1-888-901-2086 (hors saison). • hiusa.org • Par la route 6 en venant d'Eastham, accès à droite direction « Pamets Road/Truro Center », puis tt de suite à gauche, suivre la N Pamet Rd. Le bus local qui relie Hyannis à Provincetown peut vous déposer à env 3 km de l'AJ, à la poste de Truro exactement. Ouv fin juin-fin sept (check-in 16h-22h). Résa indispensable. Nuitée en dortoirs de 7-14 lits env 45-50 $ (3 $ de plus pour les non-membres de* Hostelling International*), avec petit déj.* 💻 📶 Ancienne *coastguard house* perchée en haut des dunes, en pleine nature. Beaucoup de cachet dans cette maison traditionnelle en bois, offrant un magnifique panorama sur la mer. Garçons et filles séparés, mais il y a aussi un dortoir mixte. C'est de l'un des dortoirs des filles, au 1er étage, que l'on a la plus jolie vue ! Confort et aménagement classiques, avec des sanitaires très corrects et des douches en commun. Grande cuisine à l'américaine, vieux poêle dans le salon douillet et ambiance conviviale. Très sauvage, la plage, accessible par un sentier sablonneux, n'est qu'à 200 m. Idéal pour un séjour au calme.

🍽 🧺 ☕ ***Salty Market :*** *2 Highland Rd (sur la 6A) à North Truro. ☎ 508-487-0711. Lun-sam 7h-21h, dim 8h-20h. Compter 8-9 $.* Le *deli* où faire ses emplettes avant de partir à la plage. Soupes, sandwichs chauds ou froids et salades tous prêts à l'emploi. Petit déj servi jusqu'à 11h. Rayon de vins impressionnant.

À voir

👁 ***Cape Cod Lighthouse :*** *à* ***North Truro,*** *peu avant Provincetown (bien indiqué). ☎ 508-487-1121. • highlandlighthouse.org/ • De mi-mai à mi-oct, tlj 10h-17h30. Entrée : 6 $.* Le plus vieux phare de Cape Cod date de 1797, mais ses bâtiments actuels ont, en réalité, été reconstruits en 1857. De taille assez modeste, cette *lighthouse* emblématique fut d'ailleurs peinte par Edward Hopper, accolée à la maison grise. Petit laïus d'intro, puis montée au sommet. De là-haut, belle vue sur la baie de Cape Cod d'un côté, sur l'océan Atlantique de l'autre.

Tout proche, le ***Highland House Museum*** : *juin-sept tlj sf dim 10h-16h30. Entrée 5 $; réduc.* ● *truro historical.org* ● Une vaste maison de 1907, qui fut autrefois un hôtel, qui présente une collection hétéroclite collectée par l'association historique de Truro. Meubles victoriens, photos d'époque, ustensiles, maisons de poupée, maquettes, etc. Intéressante salle relatant les naufrages sur les rivages de la région avant 1970.

PHARE AWAY

Le phare n'est plus en haut de la falaise : comme il menaçait de basculer dans la mer à cause de l'érosion, il a été déplacé de 130 m en arrière en 1996. Une vidéo explique les moyens déployés pour réaliser ce déplacement. Mais si la mer continue à gagner du terrain, il n'est pas exclu que l'opération doive être renouvelée. Les experts estiment toutefois que le phare peut encore garder la tête hors de l'eau pendant deux siècles !

PROVINCETOWN

● Plan *p. 191*

Provincetown (P-Town pour les intimes) est une ville bien à part sur le cap. Historiquement, c'est à la pointe de Cape Cod que les *Pilgrim Fathers* foulèrent du pied pour la première fois la terre promise. Ce thème sera au centre des festivités prévues pour les 400 ans de leur arrivée en 2020.

Depuis plus d'un siècle, la ville est connue pour être fréquentée par les artistes, excentriques et marginaux de tout poil, dont une grande partie de la communauté LGBT. Il y règne une atmosphère particulière : toute la population se promène à vélo et cohabite dans une ambiance bon enfant. On est loin des premières colonies de pêcheurs, notamment portugaises, qui, dès le XVIIe s, prospéraient grâce à la chasse à la baleine. Une activité florissante qui, jusqu'au début du XIXe s, a aussi largement profité à la contrebande et au brigandage. À partir de la fin du XIXe s, sous la houlette de Charles W. Hawthorne, qui créa *The Cape Cod School of Art,* de nombreux artistes vinrent planter leur chevalet à Provincetown, dont Mark Rothko et Jackson Pollock pour ne citer qu'eux. Depuis, poètes, peintres, sculpteurs et autres curieux ne se lassent pas de la lumière insaisissable de Provincetown.

À tel point que l'été, la population passe de 3 500 à 50 000 habitants ! Ajoutez à cela un décor de jolies maisons blanches aux volets bigarrés, flanquées de jardins soignés, un petit port pittoresque, quelques belles plages alentour, pléthore de galeries d'art, de restos et de magasins sur Commercial Street (certains sont interdits aux moins de 21 ans...), et le drapeau arc-en-ciel, symbole de la communauté gay, qui flotte un peu partout. Pour un peu, on se croirait à Key West.

Avec l'été – chaleur oblige –, les beaux mâles n'hésitent pas à rouler ostensiblement des mécaniques sous leur marcel XXS. Avis tout de même aux familles en voyage sur le cap : le soir, autour des bars animés de Commercial Street, on se croirait en pleine *Gay Pride,* tendance cuir et harnais ! Quant à la fameuse Bear Week (du 7 au 14 juillet en 2017), c'est carrément le grand show hot ! Les *Bears* étant une sous-catégorie de la culture gay qui rassemble des hommes plutôt costauds et velus – des ours quoi – mais réputés doux comme des agneaux.

Un conseil pour ceux qui veulent éviter la frénésie du plein été : préférez les mois de mai, juin et septembre.

Arriver – Quitter

Infos détaillées dans la rubrique « Arriver – Quitter » de Cape Cod.

Adresses utiles

🛈 ***Provincetown Chamber of Commerce*** *(plan zoom,* ***1****)* **:** *307 Commercial St, sur Lopes Sq en face du MacMillan Pier.* ☎ *508-487-3424.* • *ptownchamber.com* • *Juil-août, 9h-19h ; mai-juin et sept, 10h-16h45. Horaires restreints hors saison.* Pas mal de doc. Possibilité de les contacter pour connaître les disponibilités des hôtels le jour même.

🛈 ***Provincetown Tourism Office*** *(plan zoom,* ***2****)* **:** *330 Commercial St.* ☎ *508-487-3298. Lun-jeu 10h-17h ; ven 9h-12h.* Plans et infos utiles. Cartes des routes cyclistes.

✉ ***Post Office*** *(plan zoom).*

@ ***Public Library*** *(plan zoom)* **:** *à l'angle de Commercial et Center St.* ☎ *508-487-7094. Mar-jeu 10h-20h, ven-lun 10h-17h. Accès Internet gratuit pdt 15-30 mn, selon affluence.*

Circuler à Provincetown

➢ ***À pied*** d'abord. La ville est assez étendue mais parfaitement plate et agréable à parcourir en flânant tranquillement.

➢ Sinon, le ***vélo*** est le moyen de transport le plus adapté. Oubliez de toute façon la voiture en ville, ça bouchonne en permanence. Vous trouverez de nombreux loueurs, qui pratiquent tous plus ou moins les mêmes prix.

■ ***Arnold's*** *(plan zoom,* ***3****)* **:** *329 Commercial St ; juste à côté de MacMillan Wharf.* ☎ *508-487-0844. Mai-oct, tlj 9h-18h (20h ven-dim). Casque gratuit.* En activité depuis 1937 ! Loue aussi des poussettes 3 roues adaptées aux sentiers de rando, des chaises de plage et des parasols.

■ ***Ptown Bikes 42*** *(plan A2,* ***4****)* **:** *42 Bradford St.* ☎ *508-487-8735.* • *ptownbikes.com* • *D'avr à mi-oct, tlj 9h-18h. Env 23 $ les 24h pour un VTT.* Casques, cadenas et cartes gratuits.

■ ***Gale Force Bikes*** *(plan A2,* ***5****)* **:** *144 Bradford St Extension (angle de West Vine).* ☎ *508-487-4849.* • *galeforcebikes.com* • *Ouv avr-oct, juil-août 8h-19h ; horaires restreints les autres mois.* Prix intéressants : à partir de 18 $ les 24h. La location inclut casque, cadenas et carte détaillée. Sur place, une épicerie avec un *deli* (salades et sandwich frais), très pratique pour se constituer un pique-nique avant d'enfourcher sa bécane pour un *bike trail.*

🚌 ***Shuttle :*** ☎ *1-800-352-7155.* • *capecodrta.org* • *Fin mai-fin sept, départs tlj, ttes les 30 mn ou ttes les heures, 7h/9h-minuit/0h30.* Bus municipaux en service toute l'année, reliant d'un côté Herring Cove Beach (et le Cape Cod National Seashore) et de l'autre North Truro (et le Highland Light). Les bus s'arrêtent n'importe où en route. Possibilité d'acheter les billets à bord et aussi d'embarquer son vélo. Compter 2 $ le trajet ou 6 $ la journée ; réduc.

🅿 ***Parkings :*** très compliqué de se garer, contrairement aux autres villes du cap ; les automobilistes devront se rabattre sur les parkings payants (très chers !) du centre. Évitez le grand parking du port, qui est hors de prix et préférez celui situé derrière le Pilgrim Monument *(plan zoom).* Et pour une durée de stationnement inférieure à 10h, il est plus avantageux de se garer un peu à l'extérieur. Un parking est situé au bout de Winslow Street *(plan A1),* un autre au bout de Commercial Street, près du restaurant *Red Inn (plan A2).* Sinon, quelques hôtels ont un parking réservé aux clients.

Où dormir ?

AUBERGE DE JEUNESSE

⌂ ***The Outermost Hostel*** *(plan A1,* ***11****)* **:** *28 Winslow St.* ☎ *508-487-4378.* • *outermosthostel.com* • *Ouv mai-oct. Env 38 $ la nuit.* À 5 mn à pied du centre (derrière le *Pilgrim Monument*), cette AJ indépendante dispose de 5 bungalows en bois, vétustes et mal entretenus, avec lits superposés, minuscule

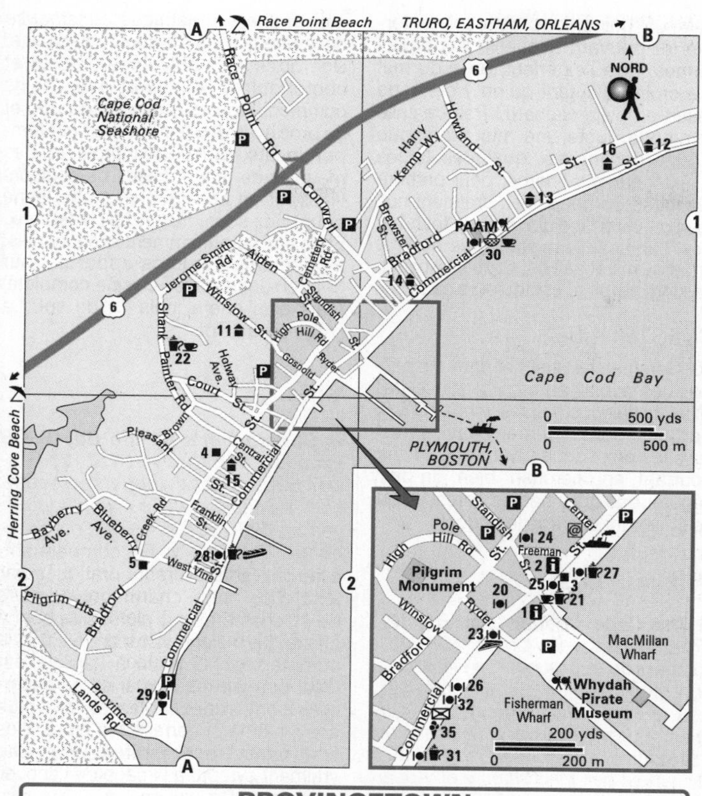

PROVINCETOWN

Adresses utiles

- 1 Provincetown Chamber of Commerce *(zoom)*
- 2 Provincetown Tourisme Office *(zoom)*
- @ Public Library *(zoom)*
- 3 Arnold's *(zoom)*
- 4 Ptown Bikes 42
- 5 Gale Force Bikes

Où dormir ?

- 11 The Outermost Hostel
- 12 The Cape Codder
- 13 White Horse Inn
- 14 Carpe Diem Guesthouse & Namasté Spa et Christopher's by the Bay B & B
- 15 The Bradford House & Motel
- 16 Surfside Hotel & Suites

Où manger ?

- 20 The Mayflower Café – Family Dining *(zoom)*
- 21 Provincetown Portuguese Bakery *(zoom)*
- 22 Chach
- 23 George's Pizza *(zoom)*
- 24 Napi's *(zoom)*
- 25 Lobster Pot *(zoom)*
- 26 Ross' Grill *(zoom)*
- 27 Café Edwige *(zoom)*
- 28 Relish
- 29 The Red Inn Restaurant
- 30 Angel Foods
- 31 Bubala's *(zoom)*
- 32 Canteen *(zoom)*

Où déguster une glace ?

- 35 I dream of Gelato *(zoom)*

salle de bains, pas de casiers fermés et pouvant accueillir 4 à 6 personnes... De l'extérieur, on a du mal à le croire, d'autant qu'on y crève de chaud en plein cagnard ! Pas de salle commune, juste une microscopique cuisine déglinguée, quelques tables à l'extérieur, sur l'herbe, pour prendre ses repas ou bouquiner. Vraiment nul, mais on vous l'indique malgré tout, car c'est l'adresse la moins chère de Provincetown. Le staff est souvent absent. Parking gratuit, c'est toujours ça !

GUESTHOUSES

Sur Commercial Street et dans les petites rues avoisinantes, on trouve des dizaines de *guesthouses, Inns* et *B & B.* Certains sont vraiment ravissants, mais les prix sont souvent très élevés. Pourtant, en cherchant bien, on peut dégoter quelques petites adresses qui ne grèveront pas trop le budget.

Prix moyens

■ ***The Cape Codder*** *(plan B1,* ***12****) : 570 Commercial St.* ☎ *508-487-0131.* • *capecodderguests.com* • *Dans la rue principale mais un peu excentré vers l'est (à 15 mn à pied du centre). Ouv mai-oct. Résa à l'avance, l'adresse est très demandée. Doubles env 50-90 $ (avec petit déj, mais slt en été). Appart avec cuisine tt équipée 125-185 $ pour 2 pers. Parking.* Cette *guesthouse* idéalement située, dans un coin calme face à la plage, propose une quinzaine de petites chambres lumineuses, simples, à l'ancienne et très convenables. Pas de TV, et toutes se partagent les 4 salles de bains. C'est ce qui explique les prix modiques. Jardin fleuri devant la maison et terrasse géniale en surplomb du petit coin de plage privée équipé de chaises longues et de tables de pique-nique. Notre meilleur plan à Provincetown, d'autant qu'il y a même un parking (indispensable ici !). Accueil très sympa.

■ ***White Horse Inn*** *(plan B1,* ***13****) : 500 Commercial St.* ☎ *508-487-1790.* • *whitehorseinnprovincetown.com* • *En saison, doubles env 120-160 $ avec sdb commune ou privée.* À 10 mn à pied du centre, au calme en face d'une église, une sympathique *guesthouse* dans une grande maison de capitaine. Une dizaine de chambres propres et confortables, la plupart avec bains communs, toutes décorées de bric et de broc avec des œuvres d'art contemporain aux murs, des tapis et des meubles de récup' peints de couleurs vives, et un côté bohème, pas léché pour deux sous, mais très chaleureux. Et des prix étonnamment raisonnables. Également 6 studios-apparts pour 3-4 personnes (avec cuisine complète) mais plus chers, cela va de soi. La plage est à 25 m.

Chic

■ ***Christopher's by the Bay B & B*** *(plan B1,* ***14****) : 8 Johnson St.* ☎ *508-487-9263.* • *christophersbythebay.com* • *Doubles sans ou avec sdb privée env 125-295 $, avec petit déj continental. Parking.* En comparaison avec les tarifs délirants pratiqués par les *B & B,* cette charmante adresse de 10 chambres est plutôt une bonne affaire. La maison victorienne est jolie comme tout, le patio à l'arrière est idéal pour se ressourcer et les chambres sont impeccables et des plus cosy, même si certaines d'entre elles sont relativement petites. Une halte vraiment sympa, à l'image de l'accueil souriant de Dave et de Jim.

■ ***Carpe Diem Guesthouse & Namasté Spa*** *(plan B1,* ***14****) : 12-14 Johnson St (angle de Bradford).* ☎ *1-800-487-0132.* • *carpediemguesthouse.com* • *Doubles 270-550 $ en hte saison (les plus chères, très luxueuses, avec jacuzzi), 125-295 $ en basse saison, avec petit déj. Parking.* Derrière les drapeaux arc-en-ciel et... et de toutes les nations (par roulement), une adresse de charme que nous recommandons, malgré le prix, pour son caractère d'exception. Réparties dans plusieurs maisons, 18 magnifiques chambres portent des noms d'écrivains. Elles sont parfaitement équipées (clim, lecteur DVD...), spacieuses, et la déco raffinée renforce l'atmosphère cosy : cheminée pour certaines, tissus précieux, coussins rebondis... Les salles de bains sont à l'avenant. Terrasse très agréable pour se prélasser, notamment au moment de l'*happy hour,* avec vin et fromage. Sauna et massages sur demande. Accueil adorable et francophone de surcroît (pour l'un des deux hôtes). Une petite folie pour épicuriens fortunés pouvant « cueillir le jour » sans souci du lendemain !

MOTELS & HÔTELS

The Bradford House & Motel (plan A2, **15**) **:** *41 Bradford St. ☎ 508-487-0173. ● thebradfordhousemotel.com ● Ouv mai-oct. Doubles env 145-195 $ en demi-saison et 225-300 $ l'été. Parking.* Jolie maison blanche traditionnelle, à deux pas du *Pilgrim Monument* et seulement 5 mn à pied du centre. Tarifs encore relativement raisonnables pour la ville. Les chambres de motel situées dans un bâtiment indépendant à l'arrière disposent de tout le confort. Déco tendance marine avec pas mal de bois et des touches de bleu et de blanc. Pas un charme fou, mais c'est nickel. Les chambres de la maison ont beaucoup plus de cachet, avec du mobilier ancien, du papier peint fleuri ad hoc, des tapis qui recouvrent les parquets. Boiseries partout pour les penthouses. Une bonne adresse.

Surfside Hotel & Suites *(plan B1,* ***16****)* **:** *543 Commercial St. ☎ 508-487-1726. ● surfsideinn.cc ● Un peu excentré, à 15 mn à pied du centre. Ouv avr-oct. Doubles env 100-300 $ (2 nuits min hte saison), avec petit déj sommaire. Parking.* Une bonne alternative entre nos adresses « Bon marché » et les *guesthouses* hors de prix du centre-ville. Partie motel très classique avec des chambres de motel impeccables et bien équipées. Déco sobre et assez moderne. Éviter celles côté parking, moins glamour. Le must : toute une partie de l'hôtel située face à la mer, avec des chambres donnant directement sur la petite plage privée. Autres atouts : une belle piscine chauffée (en plein air) et un accueil très serviable. Un bon rapport qualité-prix, en particulier hors juillet-août.

LA NOUVELLE-ANGLETERRE

Où manger ?

Spécial petit déjeuner

Provincetown Portuguese Bakery (plan zoom, **21**) **:** *299 Commercial St. ☎ 508-487-1803. Mars-oct, tlj 7h-23h. Env 10 $ pour un copieux petit déj.* Cadre de cafétéria on ne peut plus banal pour une boulangerie améliorée qui sert à toute heure des douceurs lusitaniennes. Les fameux *pasteis de nata* (petits flans) sont irrésistibles, mais les *pasteis de torres* (à l'amande) les valent bien ! Également quelques bouchées salées, type feuilletés ou *bolhinos de bacalhau* (beignets à la morue). On peut emporter le tout pour le déguster sur la plage ou face aux bateaux. (Hors saison, plus de sandwichs après 13h.)

Chach (plan A1, **22**) **:** *73 Shank Painter Rd. ☎ 508-487-1530. Tlj sf mer 8h-14h. Compter 10-12 $ le petit déj et 10-15 $ pour le lunch. Parking aisé.* Authentique *diner* à l'écart de l'animation, idéal pour s'offrir un petit déj complet après une nuit festive. Cadre typique, 2 salles aux murs colorés, tables en formica et banquettes en skaï. Toute la variété de pancakes, *eggs* et autres *wraps* bien cuisinés, frais et copieux. Bons sandwichs et *today's specials* inscrits à l'ardoise. Mention spéciale pour la tarte au citron vert. Une adresse populaire à P-Town, mêlant jeunes et vieux, gays et hétéros.

Café Edwige (plan zoom, **27**) **:** *333 Commercial St (Freeman St). ☎ 508-487-2008. Mai-oct, tlj 8h30-13h pour le petit déj (le w-e slt à la mi-saison). Env 15-18 $ le petit déj. Le soir, tlj sf mer 17h30-22h, mais les prix s'envolent !* Salle à manger chaleureuse et fleurie au 1er étage d'une petite maison en bois. Probablement le meilleur petit déj de la ville, en tout cas le plus élaboré : omelettes en tout genre accompagnées d'une salade de mesclun, pancakes, mais aussi assiettes de tofu, *granola...* Pensez aux quelques tables à l'extérieur, bien agréables aux beaux jours. Le soir, ambiance romantique.

Relish *(plan A2, **28**) : 93 Commercial St. ☎ 508-487-8077. Tlj 7h30-18h. Env 10 $.* Sans doute le *deli* le plus couru de P-Town ! Alors attendez-vous à faire la queue avant de goûter à leurs fameux « sandwichs parisiens » qui se distinguent par leur originalité et la qualité des produits. Même constat pour les copieuses salades. En revanche, c'est uniquement à emporter comme les scones et bagels garnis pour le petit déj ; rien pour s'asseoir.

Bon marché

The Mayflower Café – Family Dining *(plan zoom, **20**) : 300 Commercial St. ☎ 508-487-0121. Avr-oct, tlj 11h30 (12h dim)-21h. Plats env 7-25 $;* lobster roll *20 $.* Voilà un nom qui colle parfaitement à l'atmosphère de cette adresse qui résiste au temps depuis 1929. Dans une déco vieillotte et une ambiance populaire, on retrouve tous les éléments des traditionnels *diners* (banquettes de moleskine dans les box, tables en formica...) avec une carte idoine, déclinant salades, pizzas, hamburgers et sandwichs sous toutes les formes. Ce sont probablement les moins chers de la ville. Également quelques plats italiens et portugais ; steaks et *seafood* bon marché et homard sous toutes les formes. Le tout très correct et copieux.

Angel Foods *(plan B1, **30**) : 467 Commercial St. ☎ 508-487-6666. Tlj 8h-18h (17h dim). Env 8-10 $ pour un sandwich.* Petite épicerie fine proposant légumes et fruits frais, vins, fromages, pâtisseries, confitures... On peut y confectionner son propre sandwich avec 3 ingrédients au choix ou opter pour les sandwichs maison aux parfums méditerranéens (olives, feta, tomates séchées, herbes aromatiques...). Également taboulé, couscous, salade de quinoa. Le tout à emporter pour un pique-nique sur la plage. Un peu excentré et pas vraiment donné, mais d'excellente qualité et moins cher qu'un resto « assis ».

George's Pizza *(plan zoom, **23**) : 275 Commercial St. ☎ 508-487-3744. En juil-août, tlj 11h-2h ; jusqu'à 23h dim-jeu hors saison. Pizzas 10-20 $ env.* Pas de quoi s'enthousiasmer outre mesure, mais les pizzas sont correctes (à la part ou entières, à manger sur place ou à emporter), pas trop chères pour la ville, et servies tard. Également des *gyros,* salades et spaghettis. On commande à la caisse. La salle est sombre et quelconque, mais la terrasse donnant sur la plage est vaste et très agréable. Populaire et sans chichis.

Prix moyens

Napi's *(plan zoom, **24**) : 7 Freeman St. ☎ 508-487-1145. Tte l'année, tlj pour le dîner à partir de 17h ; également au déj sept-avr à partir de 11h30. Plats 18-30 $. Menu* early bird *17h-18h. Parking gratuit.* Cadre extérieur assez chargé, avec une myriade de guirlandes lumineuses accrochées un peu partout. C'est Noël toute l'année ! Les 2 salles sont chaleureuses et décorées d'œuvres d'art hétéroclites. Côté cuisine, c'est l'une des valeurs sûres de P-Town, fréquentée par les gens du coin. Longue carte de spécialités aux influences méditerranéennes et asiatiques : poulet et canard cuisinés de différentes façons (dont *thaï chicken and shrimp*), grillades, poissons, plats végétariens... Assiettes appétissantes, saveurs fines et parfumées. Carte des vins décevante et service pas toujours au meilleur de sa forme.

Lobster Pot *(plan zoom, **25**): 321 Commercial St. ☎ 508-487-0842. Avr-nov, tlj 11h30-21h30 ou 22h selon affluence. Sandwichs env 9-15 $, plats 20-30 $.* Est-ce le homard en guise d'enseigne qui attire autant les chalands ? C'est, en tout cas, en grappes serrées que les amateurs de fruits de mer s'y engouffrent. Installée sur 2 étages juste en face du port, cette « usine à *seafood* » est une institution toujours bondée de P-Town. Après avoir franchi le *checkpoint,* on attend son tour le long des cuisines en pleine activité ou autour du grand bar circulaire. Les jours de forte affluence, il faut patienter avant qu'une table ne se libère, en particulier si vous souhaitez profiter de la vue derrière les baies vitrées ! *Seafood* fraîche, classique et de qualité : homard (au poids), sashimi de thon, huîtres, pétoncles, araignées de mer...

Bubala's *(plan zoom,* ***31****) : 185 Commercial St. ☎ 508-487-0773. Tlj 11h-1h. Plats 11-19 $; brunch 9-13 $.* Une des terrasses très prisées de Provincetown. Vaste et à l'ombre de grands parasols et bien isolée de la rue, on prend un verre en profitant de l'animation bigarrée de Commercial Street. Côté cuisine, tous les classiques à prix raisonnables : *wraps, fajitas,* pâtes, fruits de mer servis copieusement. Spécialité de *fish soup.* Belle carte des vins. Concerts gratuits certains jours.

Canteen *(plan zoom,* ***32****) : 225 Commercial St. ☎ 508-487-3800. Tlj 11h-23h. Plats 7-14 $.* Petite adresse qui se distingue par une entrée surmontée d'un balcon de bois blanc. Salle avec tables communes, mais le plus agréable est de s'installer au fond, sur la terrasse abritée face au Fischerman Wharf et de consulter le tableau noir avec les *specials* du jour. Idéal pour un lunch léger : cuisine sans fioritures mais pleine de fantaisie, présentée dans des *baskets* (non, pas des chaussures !), salades, sandwichs, tacos au poisson et les incontournables *lobster rolls.* Le tout a des allures de « snack chic » un peu chérot mais la qualité y est. Bières de microbrasserie locale. Accueil adorable, avec même un peu de français.

Ross' Grill *(plan zoom,* ***26****) : 237 Commercial Wharf (au fond du petit centre commercial* Whaler's Wharf*, au 1*[er] *étage). ☎ 508-487-8878. Avr-déc, tlj (sf mar midi), midi et soir jusqu'à 21h30. Plats env 10-15 $ le midi ; le soir, env 10-15 $ pour les plats de bistrot et 24-38 $ pour les spécialités.* La salle est agréable avec ses beaux volumes, mais ce qui justifie le détour, c'est la formidable vue sur le port depuis l'étage de la rotonde. Solide cuisine de brasserie : hamburger accompagné d'excellentes frites, plats de viande, poissons et fruits de mer... Une carte restreinte mais à prix raisonnables. On vous conseille vivement la terrasse pour apprécier au mieux l'une des très nombreuses références de vins servis au verre (plus de 70 !).

Très chic

The Red Inn Restaurant *(plan A2,* ***29****) : 15 Commercial St, tout au bout vers la pointe sud. ☎ 508-487-7334. Résa vivement conseillée.* Raw bar *14h30-17h. Lunch jeu-dim 10h-14h30, dîner lun-mer 17h30-21h30. Plats 28-37 $.* Pour ceux qui sont prêts à y mettre le prix, voici sans conteste la meilleure table de Provincetown, unanimement plébiscitée. Située à l'extrémité de la rue principale, à l'endroit même où les Pilgrim Fathers ont débarqué du *Mayflower,* cette auberge tout en rouge bénéficie d'une situation exceptionnelle sur la baie, avec vue sur le phare de Long Point et le port. La salle de resto, très élégante avec cheminée, parquet à grosses lattes et poutres au plafond, lui donne un cachet romantique. On y sert une cuisine de la Nouvelle-Angleterre revue au goût du jour. Les fruits de mer sont bien sûr à l'honneur ; le homard y est le roi et le crabe son dauphin, mais les carnivores y trouveront aussi de quoi contenter leur appétit. Bien aussi pour un cocktail au bar ou en terrasse. Service pas toujours à la hauteur de la réputation du lieu.

Où déguster une glace ?

I dream of Gelato *(plan zoom,* ***35****) : 205 Commercial St. ☎ 508-487-3780. Mai-oct, tlj 9h-23h. Petit comptoir à gauche au fond de la galerie.* 50 variétés de glaces italiennes, à déguster sur le ponton voisin face à la mer. Sublimes sorbets aux fruits, mais aussi des smoothies, des milk-shakes et du café.

Où boire un verre ? Où sortir ?

Le soir, surtout le week-end en été, la ville prend des allures de *Gay Pride* endiablée, et l'ambiance est chaude et festive le long de Commercial Street ! De nombreux spectacles et shows homos sont proposés par des *drag queens (compter 15-25 $).* Ceux du *Post Office* ou du *Crown and Anchor* figurent parmi les plus connus. Pour s'informer du programme des spectacles, procurez-vous l'hebdo gratuit *Provincetown Magazine,* disponible entre autres à l'office de tourisme. Pour le reste vous pourrez déambuler le long de Commercial Street et prendre un verre en terrasse, dans un des nombreux resto-bars animés. Fiez-vous à votre flair et à l'affluence...

À voir. À faire

Pilgrim Monument *(plan zoom) : High Pole Hill. ☎ 508-487-1310. • pilgrim-monument.org • Avr-fin nov, tlj 9h-17h (19h de fin mai à mi-sept). Entrée : 12 $; réduc.* Inspirée de l'architecture toscane du XIVe s, cette tour de granit centenaire, haute de 77 m, commémore l'arrivée du *Mayflower* à Provincetown en 1620. Du haut des 116 marches, large panorama sur le cap.

– En redescendant, arrêtez-vous au **Provincetown Museum** *(entrée comprise avec la tour).* Un coup de projecteur rapide sur les enfants du pays, dont l'explorateur Donald MacMillan, une section sur l'histoire maritime et le voyage des *Pilgrims,* avec quelques souvenirs et une belle reconstitution du *Mayflower.* La partie moderne est consacrée à la scène théâtrale contemporaine de Provincetown.

Whydah Pirate Museum *(plan zoom) : 16 Mac Millan Wharf. ☎ 508-487-8899. • whydah.com • Mai-oct, tlj 10h-17h. Entrée : 10 $; 6-12 ans et séniors 8 $.* Petit musée intéressant pour les amateurs d'histoires de pirates et d'épaves, et plus didactique que celui de West Yarmouth (voir plus haut). En 1717, le *Whydah* fit naufrage au large de Marconi Beach. Ce navire négrier qui pratiquait le commerce triangulaire entre Afrique, Amérique et Angleterre avait été capturé par le pirate Sam Bellamy, qui y avait accumulé le butin de 50 captures au cours des 15 mois précédents. Une expédition menée par Barry Clifford en 1984, a permis de mettre au jour les vestiges de cette épave par 20 m de fond. Parmi les pièces archéologiques les plus spectaculaires figurent la cloche du navire, un canon et un trésor en pièces de monnaie. L'expo retrace le mode de vie et les rudes mœurs des pirates de cette époque dont la devise était : « *Liberté, égalité, fraternité* » (eh oui !). Entre eux, aucun racisme, un code d'honneur respecté, une élection démocratique pour choisir leur chef, un partage du butin équitable, mais une pendaison garantie en cas d'arrestation par les autorités. Peu d'entre eux faisaient de vieux os.

ORIGINE DE LA PIRATERIE

Lorsque la guerre de Succession d'Espagne (1716-1726) s'est terminée, de nombreux marins anglo-américains et des corsaires se sont retrouvés au chômage. Ils se sont alors enrôlés au service de capitaines sans foi ni loi, dont des femmes, et ont écumé les océans bordant les Caraïbes, les côtes américaines, africaines et jusque dans l'océan Indien.

Provincetown Art Association and Museum *(**PAAM** ; plan B1) : 460 Commercial St. ☎ 508-487-1750. • paam.org • Juin, tlj 11h-17h (22h ven) ; juil-sept, lun-jeu 11h-20h (18h en sept), ven jusqu'à 22h, sam 18h et dim 17h ; oct-mai, slt jeu-dim 12h-17h. Entrée : 10 $; gratuit moins de 12 ans et pour tous le ven soir oct-mai.* Ce musée fondé en 1914 par des artistes et des personnalités locales propose, dans un espace aéré, des expositions temporaires de peintres, de sculpteurs ou de photographes de la région.

➢ ***Piste cyclable de Province Lands :*** 13 km de parcours au milieu des dunes, autour de petits étangs, traversant les *cranberry bogs* entre Herring Cove Beach et Race Point Beach (là où est situé le *Province Lands Visitor Center,* voir plus haut « Cape Cod National Seashore »). Superbe !

➢ ***Balades en mer pour observer les baleines :*** *avec la compagnie* ***Dolphin Fleet.*** *Infos et billets en vente sur le MacMillan Wharf, à côté de la* Chamber of Commerce, *au Fisherman's Wharf, ainsi qu'au* Dolphin Fleet Gift Shop, *307 Commercial St.* ☎ *508-240-3636 ou 1-800-826-9300.* • *whalewatch.com* • *Résa avantageuse via Internet. Tlj 7h-21h en saison. Sorties tlj avr-oct : 2-4 fois/j. hors saison, jusqu'à 10 fois/j. en juil-août. Tarifs au guichet : env 47 $ l'excursion (env 3h) ; 5-12 ans 31 $; gratuit moins de 5 ans ; 5 $ de moins en passant par votre hôtel. Départs du MacMillan Wharf. Pensez à récupérer, avant, des coupons de réduc (2 $) dans les hôtels et* B & B, *ainsi que dans les brochures gratuites de la ville (réduc aussi en réservant en ligne).*

– ***À savoir :*** si les baleines se font timides le jour de l'excursion, on vous offre un billet pour un autre jour. Un conseil aussi : évitez de prendre le premier départ de la journée, vers 9h (10h hors saison) ; il y a certes beaucoup moins de monde, mais cette première sortie permet en fait le repérage des baleines... pour les sorties suivantes ! En été, la dernière sortie (vers 17h) permet de profiter du coucher du soleil. Une expérience mémorable, d'autant que c'est l'un des trois meilleurs endroits au monde pour observer cet impressionnant mammifère. Les baleines « à bosse » *(humpback whales),* qui séjournent d'avril à octobre dans les eaux de la Nouvelle-Angleterre, sont les plus ludiques et les plus joyeuses de toutes les espèces. Dans *Moby Dick,* Herman Melville s'extasie d'ailleurs devant leur tempérament joueur. Le saut est l'une des figures les plus attendues : la baleine sort comme une fusée, le corps souvent entièrement hors de l'eau et les nageoires tendues comme un avion (beau splash au retour). Ça, c'est pour les jours de chance, autrement dit pas tout le temps... Pour les plus veinards, l'occasion d'un spectacle saisissant : voir les baleines se nourrir en faisant des bulles (ouvrez l'œil !), elles capturent les poissons, et elles éjectent alors la tête hors de l'eau, à la verticale, gueule grande ouverte. Le lot de consolation, déjà très émouvant : admirer le dos de la baleine se dérouler majestueusement à la surface de l'eau, avant de voir la queue se soulever dans une dernière révérence au public. Outre la baleine à bosse, qui peut atteindre 18 m de long, d'autres espèces évoluent dans la baie de Cape Cod : le rorqual commun *(Fin whale), Minke whale...* Pendant la traversée, un commentateur naturaliste vous rebattra les oreilles avec les mœurs des cétacés. Difficile de se soustraire à la cacophonie des haut-parleurs, mais l'approche est pédagogique et assez intéressante. En outre, le silence est respecté à l'approche des baleines. Et la magie reste intacte.

L'OR DU LARGE

La baleine n'en finit pas de faire recette ! Après avoir engraissé ceux qui lui faisaient la peau jusqu'à la moitié du XIXe s, elle participe à nouveau, depuis plus de 30 ans, à l'essor économique de Provincetown et de la région. Les harpons ont été remplacés par les jumelles et les appareils photo. Aujourd'hui, les bateaux se succèdent devant les baleines et les touristes ne se lassent pas d'admirer leur prodigieux ballet.

Manifestations

– ***Provincetown International Film Festival :*** *ts les ans, pdt 5 j. en juin (14-18 juin en 2017).* • *ptownfilmfest.org* • Festival de films indépendants, documentaires et courts métrages, américains et internationaux. Dans l'esprit cosmopolite et avant-garde de la ville, le « Filmmaker on the Edge Award » est décerné chaque année au cinéaste le plus « innovant ».

– ***Bear Week :*** *ts les ans, pdt 1 sem en juil (7-14 juil en 2017).* • *ptownbears.org* • L'occasion de célébrer une partie de la communauté gay, les *bears* (ours) donc, oui vous comprenez bien, ces messieurs arborant grosse barbe, pectoraux gonflés, cuir moulant, *tattoos* et harnais... Au programme, une semaine de fête dans la rue et les bars de Commercial Street (strictement réservés aux plus de 21 ans !). Les *pool parties* sont aussi très prisées.

– ***Carnaval :*** *ts les ans, pdt 1 sem en août (12-18 août en 2017), dans tte la ville.* • *ptown.org* • Le carnaval gay et lesbien de Provincetown s'articule chaque année autour d'un thème différent. Le point culminant est la grande parade dans Commercial Street. Ambiance festive assurée par les drag-queens.

– ***Women's Week :*** *ts les ans en oct (9-15 oct en 2017), dans tte la ville.* • *womeninnkeepers.com* • La communauté lesbienne est à l'honneur, avec diverses animations et festivités dans toute la ville, théâtre, spectacles, expos et soirées.

MARTHA'S VINEYARD

• Carte Cape Cod et les îles *p. 166-167*

Nombreuses sont les personnalités qui ont succombé aux charmes du « Vineyard », comme on dit ici : William Styron, Spike Lee, Steven Spielberg, Bill Clinton, Barack Obama (qui y a passé la plupart de ses vacances présidentielles, à Chilmark principalement), et surtout Jackie Kennedy, qui possédait une propriété près de Gay Head. Il faut dire que l'île ne manque pas d'attraits avec ses petits villages pimpants et fleuris, ses plages de sable blanc sur fond de mer bleu océan et ses paysages enchanteurs. En outre, il y a moins de rupins qu'à Nantucket, voilà pourquoi c'est moins léché et plus convivial.

LES DENTS DE LA MER, UN VRAI FILM CATASTROPHE

Steven Spielberg était quasi inconnu quand il réalisa Les Dents de la mer, *en 1974. Au lieu de tourner les scènes du requin dans un bassin aux studios Universal, il le fit en pleine mer sur l'île de Martha's Vineyard. La petite station balnéaire d'Amity fut reconstituée à Edgartown (les touristes s'amusent toujours à sauter du pont sur Beach Road au sud d'Oak's Bluff, dans les eaux où le « grand blanc » apparaît pour la première fois à l'écran). Si le film fut un énorme succès public, le tournage fut un fiasco : requins mécaniques sans cesse en panne ou bateau qui faillit couler avec les acteurs...*

Arriver – Quitter

En bateau

➢ Avec la compagnie ***The Steamship Authority,*** au départ du car-ferry de *Woods Hole* (sud-ouest du cap) et arrivée à *Vineyard Haven* ou *Oak Bluffs* 45 mn plus tard. Fonctionne tte l'année (slt de mi-mai à mi-oct pour *Oak Bluffs*). Compter 8,50 $ l'aller (réduc 5-12 ans ; gratuit moins de 4 ans), 4 $/vélo. Pour embarquer sa voiture sur le ferry, 68,50-78,50 $ l'aller en saison selon le type de véhicule (43,50-53,50 $ hors saison) ; résa indispensable. De mi-mai à mi-oct, env 10 liaisons/j. dans les 2 sens pour *Vineyard Haven* et 4 pour *Oak Bluffs,* 6h-21h45 env. Hors saison, env 14 liaisons/j. pour *Vineyard Haven.* Se présenter 30 mn avt l'heure de départ.

➢ La compagnie ***The Island Queen*** transporte slt des passagers. Départ du cap sur le port de *Falmouth,* arrivée à *Oak Bluffs.* Prix de la traversée (35-40 mn) : 12 $ l'aller et 20 $ l'A/R (réduc), 8 $/vélo (A/R). CB refusées. Les ferries fonctionnent de fin mai à mi-oct avec 7-12 départs/j. en plein été. Se présenter au moins 45 mn avt l'heure d'embarquement. Compter 15 $/j. pour le parking au départ de Falmouth.

➢ La compagnie ***Hy-Line Cruises*** propose de mai à oct des liaisons au départ de *Hyannis* jusqu'à *Oak Bluffs* (passagers slt) :

– *En ferry rapide (High-speed ferry) :* trajet 1h. Env 29,50 $ l'aller et 59 $ l'A/R ; enfants (5-12 ans) 19,50 $ et 39 $; vélo 14 $ (A/R). De mi-juin à fin oct, 2-5 départs/j. Résa vivement recommandée en hte saison.

– *Hy-Line Cruises* est la seule compagnie qui propose ***1 liaison directe entre Martha's Vineyard (Oak Bluffs) et Nantucket,*** de mi-juin à fin sept slt. Traversée en ferry rapide (1h20) : 36 $ (65 $ A/R), enfants 24 $ (45 € A/R) ; 7 $/vélo (14 € A/R).

– Si vous souhaitez laisser votre voiture à Hyannis ou Falmouth pour visiter l'île à pied ou à vélo, il y a plusieurs ***parkings*** près du port (compter 18-20 $/j. l'été). Attention, le décompte se fait par jour calendaire, et non à partir de l'heure à laquelle on dépose son véhicule ! Ce qui signifie que si l'on passe la nuit sur l'île, on paiera 2 jours, même si l'on ne s'est absenté que 24h.

Steamship Authority : *infos et résas au ☎ 508-477-8600 ou 508-693-0367. • steamshipauthority.com •*

The Island Queen : *☎ 508-548-4800. • islandqueen.com •*

Hy-Line Cruises : *☎ 1-800-492-8082 ou 508-778-2600 (à Hyannis) ou 508-693-0112 (à Oak Bluffs). • hylinecruises.com •*

En avion

➢ La compagnie ***Cape Air*** assure des liaisons tte l'année entre le petit aéroport de *Martha's Vineyard* (à West Tisbury) et *Boston* (connexion avec ttes les grandes compagnies). En juil-août, jusqu'à 15 liaisons/j. Compter env 150 $/pers, taxes incluses. *Infos et résas : ☎ 1-800-227-3247. • flycapeair.com •*

Comment se déplacer sur l'île ?

À vélo

L'île mesure grosso modo 30 x 15 km. Le moyen le plus agréable pour la découvrir est bien sûr le vélo, mais, à moins de s'appeler Lance Armstrong, il est difficile d'en faire le tour en une seule journée. On trouve des dizaines de boutiques de location sur l'île, ouvertes généralement d'avril à octobre. Les *Visitor Centers* distribuent aussi des cartes gratuites détaillant les circuits à vélo. La location à la journée tourne autour de 20 $. À partir de 2 jours de location, les loueurs peuvent vous apporter un vélo où vous le désirez, renseignez-vous. Pour les adresses, voir plus loin dans les villes concernées.

En scooter ou en voiture

Le mieux, si l'on ne reste qu'un jour sur place, est de louer un scooter. On trouve des loueurs un peu partout, notamment près de l'arrivée des ferries à Oak Bluffs et Vineyard Haven. Il est possible de grappiller quelques dollars en négociant avec les vendeurs. Une voiture peut être pratique si vous séjournez plusieurs jours, et bien sûr en famille. Les plus fortunés loueront une jeep, idéale pour sillonner Martha's Vineyard dans ses moindres recoins. En haute saison, compter à partir de 70 $ la location d'une voiture à la journée et 160 $ pour un 4x4.

En bus

🚌 ***Martha's Vineyard Transit Authority (VTA) :*** ☎ *508-693-9440.* • *vineyardtransit.com* • Regroupe tous les transports en bus de Martha's Vineyard. Nombreux arrêts sur toute l'île et notamment au port de débarquement des ferries. Procurez-vous le dépliant avec la carte de l'île avec tous les horaires et les tarifs.

➢ De fin avr à mi-oct, une douzaine de lignes de ***bus municipaux de couleur blanche*** desservent ***Edgartown, Vineyard Haven, Oak Bluffs, West Tisbury, Chilmark, Menemsha*** et ***Aquinnah.*** Ils fonctionnent de 6-7h à minuit environ et s'arrêtent là où vous le souhaitez. Certaines lignes fonctionnent même toute l'année. Procurez-vous une *System Route map*, avec les horaires et le parcours. Le prix de la course est de 1,25 $ par ville, mais si vous allez de Vineyard Haven à Edgartown par exemple, vous paierez 3,75 $, car le bus passe obligatoirement par Oak Bluffs. Prévoir de la monnaie. Il existe aussi des *passes* : 8 $ pour la journée ou 18 $ pour 3 jours. Bon à savoir, tous les bus sont munis de racks à vélo.

En taxi

Tarif des courses fixé à l'avance. Procurez-vous le *Visitors Guide* de Martha's Vineyard, où tous les taxis sont référencés.

OAK BLUFFS

C'est la ville la plus active de l'île, avec un petit port affairé, un front de mer propice à la balade et des rues où s'égrène une ribambelle de restos et de bars pris d'assaut en soirée. Elle vaut également le détour pour ses 300 *gingerbread cottages* (maisons de pain d'épice), ces adorables cabanons peints de couleurs vives et ornées de frises de bois dentelées, de pignons tarabiscotés et de flèches gothiques. Ce sont les méthodistes qui firent construire ce *campground* au milieu du XIXe s pour raviver ensemble leur foi. Et pour l'anecdote, c'est aux alentours d'Oak Bluffs que les Obama ont passé leurs vacances d'été présidentielles, dans la *Blue Heron Farm* (depuis rachetée par le « starchitecte » britannique Norman Foster qui ne la loue plus).

LE REPAIRE DE L'ÉLITE NOIRE

De Martin Luther King à Barack Obama en passant par Spike Lee et Oprah Winfrey, la communauté afro-américaine aisée a beaucoup fréquenté le village d'Oak Bluffs. Il faut dire que l'île bobo de Martha's Vineyard a longtemps été la seule station balnéaire où les Noirs pouvaient s'acheter une maison. En 1912, un ancien esclave ouvrit le premier B & B accessible aux gens de couleur. Ce fut le début de l'histoire.

Adresses utiles

ℹ ***Visitor Information Center :*** *sur Circuit Ave, au niveau de Lake Ave.* ☎ *508-693-4266. Petit kiosque ouv de mi-mai à mi-oct, tlj 9h-17h et plus tard en soirée le w-e en été.* Infos sur la ville, les événements (concerts, tours guidés...).

■ ***Location de vélos :*** *plusieurs loueurs dont* ***Anderson's Bike Rentals,*** *23 Circuit Ave Extension.* ☎ *508-693-9346.* • *andersonsbikerentals.com* • *À gauche en sortant du débarcadère. Mai-oct, tlj 9h-21h ; le reste de l'année, sur résa. Tarifs intéressants : env 20 $/j. et dégressifs pour plusieurs jours.* On apporte, dans ce cas, le vélo jusqu'à votre hôtel.

■ ***Location de scooters et voitures : Sun'n'Fun,*** *28 Lake Ave (face à la station Shell).* ☎ *508-693-5457.* • *sunnfunrentals.com* • *Tlj en saison.* Scooters, mais aussi vélos, voitures et jeeps. Sur résa, transfert gratuit depuis le débarcadère du ferry ou l'aéroport. *Également* ***Kings Rentals,*** *1 Circuit Ave Extension.* ☎ *508-693-1887. Ou* ***Island Hoppers,*** *23 Lake Ave, en sortant du débarcadère à droite.* ☎ *508-696-9147.* Scooters, voitures et jeeps.

■ ***Consignes à bagages :*** dans la galerie attenante à la boutique de *Black Dog. Tokens* à acheter à l'*Ice Cream Store*.

Où dormir ?

Prix moyens

Nashua House : *9 Healy Way (en face du Offshore Ale Co).* ☎ *508-693-0043 ou 1-888-343-0043.* • *nashuahouse.com* • *Doubles 70-220 $. Min 2-3 j. les w-e et en hte saison. Pas de petit déj.* Au cœur de la ville, dans une maison ancienne typique d'Oak Bluffs. Une quinzaine de chambres pas bien grandes mais mignonnes, décorées de photographies et profitant pour certaines d'un balcon ou d'une belle vue sur la mer. Elles se partagent 5 salles de bains, très propres. Un bon rapport qualité-prix, mais les enfants de moins de 7 ans ne sont pas acceptés.

Surfside Motel : *7 Oak Bluffs Ave.* ☎ *508-693-2500 ou 1-800-537-3007.* • *mvsurfside.com* • *Ouv début avr-début nov. De mi-juin à début sept, 225-350 $; à la mi-saison, env 145-275 $. Min 3 nuits les w-e d'été.* Motel classique de 30 chambres aux prestations de qualité, situé juste à côté du ferry et des restos. Chambres spacieuses et bien équipées, réparties sur 2 niveaux. Celles à l'arrière donnent sur un petit bout de jardin fleuri et le parking. Sans grand charme, mais pratique et relativement abordable pour l'île en dehors du pic de haute saison.

Madison Inn : *18 Kennebec Ave (à côté des ferries).* ☎ *508-693-2760 ou 1-800-564-2760.* • *madisoninnmv.com* • *Tte l'année. Env 90-320 $ selon saison avec petit déj léger.* Une quinzaine de chambres pimpantes et confortables avec clim, TV écran plat et petite salle de bains privée. Déco soignée, coloris pastel. Atmosphère très relax, à l'image de la jolie terrasse aménagée entre les 2 bâtiments qui composent l'ensemble. Accueil très aimable. Un bon rapport qualité-prix.

Chic

Isabelle's Beach House : *83 Seaview Ave.* ☎ *508-693-3955 ou 1-800-674-31-29.* • *isabellesbeachhouse.com* • *Tte l'année. Doubles avec sdb 150-350 $, jusqu'à 375 $ en juil-août.* Situation idéale, à 5 min à pied du port, en face de la plage pour cette adresse de charme tenue par une Québécoise énergique et tout sourire. La maison date de 1900 et a été soigneusement rénovée. La plupart des 12 chambres bénéficient de la vue sur le large. Salles de bains privées, confort irréprochable (frigo). L'ensemble est coquet, spacieux, lumineux, vraiment agréable, à l'image de la vaste suite familiale très bien conçue. Grande véranda ombragée à l'avant pour prendre un verre ou savourer le copieux petit déj, à base de gaufres et de muffins maison. Une excellente adresse.

Où manger ? Où boire un verre ?

Bon marché

Slice of Life : *50 Circuit Ave.* ☎ *508-693-3838. Tte l'année ; en saison, tlj 11h-21h (8h-21h sam-dim). Compter 10-20 $ selon appétit. Vente à emporter.* Une belle « tranche de vie » que cette adresse au cœur de l'animation. Quelques tables sous une véranda et une petite salle chaleureuse, avec parquet et tables de bistrot. La maison embaume du fumet des petits plats et snacks concoctés avec les produits des fermes locales. Salades originales, fraîches et goûteuses (copieuse *slice salad*), pizzas au feu de bois à la pâte croustillante, paninis aux légumes grillés, sandwichs variés, etc. Bien aussi pour le petit déj, avec tous les classiques aux œufs frais, ou encore pour une pause sucrée : les muffins, *crumbles* et autres cookies maison sont aussi fameux ! Un coup de cœur.

Nancy's : *29 Lake Ave ; en face de la mer. ☎ 508-693-0006. Tlj de mai à mi-sept (mi-oct pour la partie resto), 11h30 (11h ven-dim)-1h. Plats et en-cas env 5-30 $.* Le plus vieux resto sur le port d'Oak Bluffs, on le reconnaît au « grand blanc » qui orne sa façade. On vous conseille la partie snack, en bas, à la déco de bois clair ; d'abord, parce que l'ex-président Obama vient y commander des huîtres frites, ensuite parce que le resto, à l'étage, est plus cher et convenu. On y retire au comptoir des portions de frites, *fried seafood, lobster roll,* burgers, kebabs, etc., à grignoter ensuite en terrasse, à l'ombre des parasols, en profitant de la vue extra. Ambiance très animée en été.

Bangkok Cuisine : *67 Circuit Ave. ☎ 508-596-6302. Tlj 11h-22h (16h30-21h dim). Plats 7-24 $.* Un peu à l'écart, une petite maison de bois et salle donnant sur un *bow-window.* Cuisine thaïe authentique à prix modérés. Soupes, salades, nouilles, riz frit et une variété de currys au bœuf, porc, poulet, crevettes ou tofu. C'est frais, sain (pas d'OGM) bien servi (avec le sourire légendaire) et épicé à votre convenance. Les grosses faims apprécieront le *hot pot.* Une alternative à la cuisine locale parfois répétitive. Petite terrasse sur le côté.

Linda Jean's : *25 Circuit Ave. ☎ 508-693-4093. Tlj 6h-20h (19h en hiver). Presque tout à moins de 13 $ (sf la* seafood*). Le dim* « all you can eat » *à 15 $.* Cash only. Toujours un monde fou dans ce resto familial genre cafétéria améliorée, qui sert à prix démocratiques de copieux breakfasts, sandwichs, salades, soupes, hamburgers... Bref, les classiques américains ! Une valeur sûre, très populaire à Oak Bluffs.

Sharky's Cantina : *31 Circuit Ave. ☎ 508-693-7501. Tlj 11h-1h30. Plats env 10-25 $.* C'est une effervescence toute latine qui anime cette *cantina* bruyante et colorée, à mi-chemin entre le resto et le bar. Ici, à l'heure de pointe (celle de l'apéro), on joue des coudes au bar avant d'obtenir l'une des différentes versions de margarita. Au menu, la litanie habituelle des spécialités mexicaines à petits prix. Très correct, mais on vient surtout pour l'ambiance festive. Le succès est tel qu'ils ont ouvert une autre adresse à Edgartown.

De prix moyens à plus chic

Coop de Ville : Dockside Marketplace. *☎ 508-693-3420. Sur le port, près du débarcadère de la compagnie* Hy-Line Cruises. *Tlj 11h-22h. Sandwichs et burgers env 10-15 $,* seafood *env 15-30 $.* Plus un bar qu'un resto, car en guise de salle il faut se contenter d'une petite terrasse carrée, protégée par un toit. On vient donc humer l'air du large et manger un morceau sans façon (une des 15 variétés de *chicken wings,* sandwichs, *seafood,* huîtres de Martha's Vineyard), depuis les tables communes ou perché sur un tabouret. On se sent un peu à l'étroit ici... c'est fait pour ! Le soir en saison, menus thématiques et ambiance musicale garantie autour d'une bière fraîche ou d'une bonne margarita. L'adresse idéale pour s'offrir un verre et un snack en fin de journée.

Offshore Ale Co : *30 Kennebec Ave. ☎ 508-693-2626. Tlj 11h30-15h30 et de 17h jusqu'à plus soif ! Plats env 10-25 $, pizzas env 15-20 $.* Combles apparents, bateaux suspendus, cuves de cuivre à côté du bar et un tonneau rempli de cacahuètes à l'entrée. La tradition veut qu'on se serve en arrivant, et qu'on jette les coquilles sur le sol pour former un joli tapis... Cette brasserie artisanale a du caractère ! On y propose une solide nourriture de pub, des hamburgers et des pizzas cuites au feu de bois. Le *shell fish* est aussi réputé. Côté boisson, ne pas rater la production locale en plus d'une dizaine de bières à la pompe. Musique live le week-end en saison.

Où s'offrir une douceur ?

Back Door Donuts : *5 Post Office Sq.* ☎ *508-693-3688. De mi-avr à oct, tlj 19h-1h. À l'angle du parking situé au milieu de la rue.* Ce qui au départ relevait de la plaisanterie est devenue une institution ! Car cette fameuse *back door* est bien la porte de service d'une boulangerie, qui, dès la fermeture de la boutique principale *(ouv 6h-18h),* prépare en direct des fournées de *donuts* et les vend à la volée. Nature, au chocolat ou garnis de confiture, ils sont délicieux, et servis encore chauds et moelleux à des queues interminables de gourmands affamés ! Mais pas de panique, ça défile très vite... et ça vaut la peine !

À voir. À faire

Il faut absolument se promener dans le ***campground des méthodistes,*** installés au XIXe s à Oak Bluffs, à Trinity Park, derrière Lake Avenue. Des maisons de toutes les couleurs sont alignées autour du « Tabernacle », une grande halle métallique avec vitraux et poutres aménagée en église qui leur sert de lieu de réunion. Plus loin, ne manquez pas de jeter un coup d'œil à l'adorable placette, nommée *Wesleyant Grove.* Un vrai décor d'*Alice au pays des merveilles* : un festival de couleurs et d'ensembles floraux, soutenant la décoration exubérante des maisons. Celles-ci ne se visitent pas, mais un petit ***Cottage Museum*** permet de découvrir l'histoire du *campground* et de se faire une idée de l'intérieur des *cottages (2 Trinity Park ; lun-sam 10h-16h ; dim 13h-16h ; entrée 2 $).*
– Chaque année depuis plus de 100 ans, lors du 3e mercredi d'août, vous pouvez assister à la ***Grande Illumination.*** Toutes les maisons du *campground* sont alors ornées de centaines de lanternes chinoises. Un spectacle féerique qui attire jusqu'à 30 000 visiteurs ! Chorale et *big band* au *Tabernacle.*

Flying Horses Carousel : *33 Circuit Ave, près du kiosque d'infos, dans une construction en bois rouge. En été, tlj 10h-22h ; à la mi-saison, slt le w-e 11h (11h30 en automne)-16h30. Tour : 3 $.* C'est le plus vieux manège des États-Unis (il date de 1876). Il fut d'abord installé à Coney Island, dans l'État de New York, avant d'être déplacé à Martha's Vineyard, en 1884. Détails insolites : la crinière des chevaux est constituée de vrais crins, et leurs yeux de verre abritent de petites figurines d'animaux en porcelaine.

➢ ***African-American Heritage Trail :*** *sur résa, visite guidée (1h30) au départ d'Oak Bluffs : env 35 $; tour complet (4h) : 65 $; réduc. Infos :* ☎ *508-693-4361.* Une visite guidée consacrée à l'histoire des Noirs-Américains sur l'île, du début du XVIIIe s à nos jours. Tour des différents lieux historiques de l'île, notamment la maison du capitaine William Martin et l'île de Chappaquiddick. On apprend aussi que la religion méthodiste aurait été introduite sur l'île par John Saunders, ancien esclave de Virginie qui s'y installa avec sa femme en 1787.

VINEYARD HAVEN

Fondée au milieu du XVIIe s, elle fait partie de la commune de Tisbury. Son port actif permet de rallier le cap toute l'année.

Adresses utiles

Visitor Information Center : *petit kiosque au* Steamship Authority Terminal, *sur le port, à droite en sortant du débarcadère. Mai-oct, lun-ven 9h-12h, 16h30-19h30 ; le w-e 9h30-19h30.*

■ **Martha's Vineyard Haven**

Chamber of Commerce : *Beach St. ☎ 508-693-0085 ou 800-505-4815. • mvy.com • Lun-ven 9h-17h.* Diverses informations, cartes, etc.

■ ***Location de vélos : Martha's Bike Rentals,*** *4 Lagoon Pond Rd, proche de la poste. ☎ 1-800-559-0312. • marthasbikerentals.com • Ouv avr-oct, tlj 8h-19h. Livraison à l'hôtel.*

■ ***Location de scooters et voitures : AA Island Auto Rentals,*** *Beach et 4 Water St à 100 m du Wharf ; ☎ 1-800-627-6333 ou 508-696-5300 ; • mvautorental.com •* ***Budget,*** *45 Beach Rd ; ☎ 508-693-1911 ; tlj 8h-17h.* ***Hertz,*** *29 Water St ; ☎ 508-693-4196 ; tlj 8h-20h.*

■ ***Librairie : Bunch of Grapes Bookstore,*** *44 Main St. ☎ 508-693-2291. Tlj 9h-18h.* Grande librairie pourvue d'un rayon tourisme (guides et cartes).

Où dormir ?

⌂ ***Mansion House :*** *9 Main St, sur le coin de Beach St. ☎ 508-693-2200 ou 1-800-332-4112. • mvmansionhouse.com • En plein centre. Doubles env 100-200 $ hors saison, jusqu'à 310-420 $ en juil-août, avec petit déj riquiqui (mieux vaut le prendre ailleurs). Parking.* Belle bâtisse d'architecture traditionnelle aux infrastructures modernes, qui cache de nombreux atouts. Si les chambres sont à la hauteur des attentes (vastes, lumineuses élégantes et vraiment tout confort), certaines avec grand balcon, on ne s'attend pas à découvrir au sous-sol un club de sport auquel les hôtes ont accès ! Le must : une piscine intérieure assez grande pour faire ses longueurs, une salle de fitness et un vrai spa (soins et massages). Mais la vraie cerise sur le gâteau, c'est la grande terrasse sur le toit avec vue à 360° ! Accueil et services irréprochables. Une adresse de charme.

Où camper dans les environs ?

Martha's Vineyard Family Campground : *569 Edgartown Rd. ☎ 508-693-3772. • campmv.com • À un peu plus de 3 km du centre. Pour s'y rendre, prendre le bus VTA à Vineyard Haven, en direction d'Edgartown, et demander l'arrêt au chauffeur. Ouv de mi-mai à mi-oct. Env 58 $ la nuit pour 2 avec tente ; 15 $/pers supplémentaire. Cabins (bungalows en bois très basiques, sans commodités mais avec électricité) pour 4-6 pers 145-165 $ la nuit.* Le seul camping de l'île est bien aménagé, dans une forêt de chênes. Douches chaudes, tables de pique-nique, machines à laver, jeux pour enfants, terrain de volley, terrain de foot, location de vélos. Au-dessus de la réception (épicerie d'appoint), billard, ping-pong et jeux vidéo. Agréable et très familial.

Où manger ? Où boire un verre ?

L'alcool a longtemps été prohibé à Vineyard Haven, qui est restée une *dry town* jusqu'en... 2010. À l'instar de ceux d'Oak Bluffs et Edgartown (des *wet towns*), les clients des restos et bars de la ville ont désormais le droit de siroter une bière fraîche ou une *margarita,* à condition toutefois de prendre un repas.

Art Cliff Diner : *39 Beach Rd. ☎ 508-693-1224. Tlj sf mer 7h-14h. Fermé janv-fév. Petit déj env 15 $, déj max 30 $. Diner* qui fait le plein depuis 1943 avec sa salle typique à souhait et ses grosses poutres au plafond. En saison, il n'est pas rare de devoir patienter une petite demi-heure avant de dégoter une table ! La carte propose tous les standards de la cuisine américaine : grosses salades, soupes, *fish and chips, specials of the day.* Copieux et appétissant. Petit déj très prisé et servi jusqu'à 14h, y aller le plus tôt possible : omelettes, *eggs*

Benedict, et des crêpes toutes fines, nappées de délicieuses myrtilles *(blueberries),* comme on n'en fait qu'ici... Indéniablement, un endroit qui a son caractère, mais aussi son prix.

The Net Result : *79 Beach Rd. ☎ 508-693-6071. En hte saison, tlj 6h-20h ; en basse saison, lun-sam 9h-18h, dim 11h-16h. En-cas et sandwichs env 5-12 $ (15 $ pour le* lobster roll*).* Un bon plan pour manger frais et pas cher. Car cette poissonnerie avec ses homards en vivier, possède un comptoir de vente à emporter, où l'on commande *chowder soup,* salades, sandwichs et toute une sélection de makis, sushis et sashimis, avant d'attendre d'être appelé à l'une des tables en terrasse. Cadre basique, mais impeccable pour un déjeuner léger.

The Black Dog Tavern : *20 Beach St Extension, près du débarcadère du ferry (en arrivant à gauche). ☎ 508-693-9223. Tlj 7h-21h et 22h pour la taverne. Fermé lun-mar en basse saison. Pas de résa, et souvent beaucoup de monde. Env 15 $ au petit déj, 20-30 $ à midi et 40 $ le soir.* Si cette adresse archi-célèbre et touristique à l'emblème du labrador noir, ne vaut pas le détour pour le dîner, spécialisé dans les fruits de mer, elle reste *The place for breakfast !* Une carte longue comme le bras d'œufs cuisinés de toutes les manières possibles et imaginables, *French toast* et pancakes divers, et encore des tas de *specials.* Chaleureuse salle en bois sombre et patiné, avec sa grande cheminée, ses vieilles gravures de bateaux et quelques tables donnant sur le port (très jolie vue). Les tables avec bancs le long des fenêtres et vue directe sur le port sont recommandées pour le coucher du soleil. Également un patio à l'arrière, mais sans intérêt car sans vue. Sinon, la ***Black Dog Bakery,*** sur Beach Road, fait office de *deli* et dispense de bons petits déj, snacks et autres sandwichs frais à emporter.

Où grignoter dans les environs ?

Scottish Bakehouse : *977 State Rd. Pour les motorisés slt, à 3 bons km du centre de Vineyard Haven, sur la route de West Tisbury, à droite. ☎ 508-693-6633. Tlj 6h-19h30 ; (18h30 en basse saison, 17h30 dim). Plats et sandwichs env 5-13 $; petit déj à partir de 5 $.* Le meilleur rapport qualité-prix du coin pour les petits déj ! Plusieurs formules copieuses au tableau, auxquelles s'ajoutent de savoureux sandwichs, plats du jour et tourtes à la viande servies dans du papier d'alu, ainsi qu'une ribambelle de gourmandises : *shortbreads* (sablés), viennoiseries (ah, les croissants aux amandes !), brownies, tartes aux *blueberries, scones* et autres guet-apens sucrés. Pas de salle, mais quelques rares tables pour pique-niquer sous les arbres. Une adresse très réputée qui sert un café très correct.

MENEMSHA

Un minuscule et paisible village de pêcheurs et ses « boîtes à sel » (maisons à bardeaux) mignonnes comme tout. Dans les années 1970, Steven Spielberg y planta une partie du décor des *Les Dents de la mer.* L'activité maritime y est toujours présente, comme en témoignent la flottille de chalutiers et les piles de casiers qui s'entassent sur les quais. Depuis plusieurs générations, le business est aux mains des Larsen, une famille d'origine scandinave issue d'anciens pêcheurs à la baleine. Un conseil : allez-y au coucher du soleil, la lumière y est vraiment extraordinaire. L'occasion aussi de vous offrir un bon plat de fruits de mer ou de poissons frits dans une ambiance authentique.

– ***Spécial cyclistes :*** un bac (payant) réservé exclusivement aux vélos permet de rejoindre directement la pointe d'Aquinnah sans faire marche arrière. On embarque sur le port : il suffit de sonner la cloche, et le bac arrive !

Où manger ?

The Galley : *515 North Rd, sur le port. ☎ 508-645-9819. De mi-mai à fin juin et de début sept à mi-oct, tlj 11h-15h (20h sam). De fin juin à début sept, tlj 11h-20h ; comptoir de glaces jusqu'à 21h. Pas plus de 14 $.* Des snacks de toutes sortes pour un prix défiant toute concurrence (le *lobster roll* est le sandwich le plus cher). On commande au guichet côté « rue » et on peut ensuite s'installer sur la terrasse à l'arrière, bien abritée et face au port. Les locaux y viennent surtout pour ses fameuses crèmes glacées.

The Bite : *29 Basin Rd. ☎ 508-645-9239. Mai-début oct, tlj 11h-20h.* Juste à l'écart du port, un *clam shack* typique dans une petite bicoque en bois rudimentaire fréquentée par les habitués. C'est ici qu'on s'arrête pour prendre un plat de *fried seafood.* Pas de langouste, mais le meilleur *fish and chips* du coin ! Pour les enfants : des *chicken nuggets* maison. 2 tables de pique-nique. Accueil adorable des deux sœurs. Le mieux est d'aller manger le tout sur la plage à 200 m de là.

Menemsha Fish Market : *54 Basin Rd, sur les quais. ☎ 508-645-2282. Tlj 9h-20h (21h juil-août).* Petite poissonnerie tenue par les Larsen, où vous pourrez vous fabriquer votre propre pique-nique, avec des produits de première fraîcheur. L'adresse est réputée pour ses *lobster rolls,* ses moules et sa bisque de homard.

Larsen's Fish Market : *56 Basin Rd, à côté du précédent. ☎ 508-645-2680. Mai-fin oct, 9h-18h. Compter 15-20 $.* Une autre excellente adresse (aux mains des Larsen !) pour déguster un homard, pêché quelques heures auparavant. On le mange à la bonne franquette, assis sur des cageots, nez à nez avec les chalutiers. Spécialité de *clam chowder* (soupe de palourdes) et *steamed crab* (crabe vapeur) également. Prix du marché.

Beetlebung Coffee House : *24 Basin Rd, sur la route qui va vers la plage, le long du port. ☎ 508-645-9956. Mai-oct, 8h-19h. Env 5-10 $.* Une bonne adresse pour prendre un vrai *espresso,* accompagné d'un bagel préparé à la commande, ou d'un *cookie* avec un smoothie ou une limonade. Quelques tables à l'intérieur ou petite terrasse.

À voir dans les environs

Gay Head Cliffs of Aquinnah : sur 1,5 km, des falaises érodées aux tons ocre et gris, formée il y a 10 000 ans. Site archéologique où on a trouvé de nombreux fossiles, elles ne sont pas accessibles pour cause d'érosion. Près du poste d'observation se trouve un joli petit phare en brique rouge. • *gayheadlight.org* • Possibilité d'y monter pour profiter du superbe panorama *(de fin-mai à mi-oct, tlj 11h-16h – 17h30 le jeu ; 5 $; gratuit moins de 12 ans),* mais on voit largement aussi bien en restant sur le plancher des vaches, ou, mieux, depuis le point de vue aménagé à deux pas, à côté des snacks et boutiques d'artisanat *(parking gratuit pdt 1h).* Belle plage en contrebas *(Moshup Beach).* Parking à proximité *(payant en été : 15 $),* puis y aller à pied (10 mn). Le territoire est désormais préservé et la petite ville d'Aquinnah, anciennement baptisée Gay Head, abrite la communauté d'Indiens wampanoag la plus importante de l'île.

WEST TISBURY

Une petite halte sur la route de Menemsha ou d'Edgartown, pour s'arrêter dans un village doté d'une église toute blanche et jeter un œil au ***Alley's General Store*** *(299 State Rd, lun-sam 7h-18h, dim 7h-17h),* une authentique épicerie-bazar datant de 1858, toujours en activité ! Le *general store* dans toute sa splendeur, avec une grande section bazar (ustensiles de cuisine, bricolage, vaisselle, etc.), des souvenirs, cartes postales, plusieurs rayons épicerie (de quoi faire ses provisions pour le pique-nique), un coin *deli* avec café, sandwichs frais, salades et gâteaux à emporter.

Un peu plus loin sur State Road, ***The Grange*** accueille chaque mercredi (de mi-juin à fin août) et samedi (9h-12h, de mi-juin à début octobre) un *farmer's market* très animé, sympa pour faire le plein de bons produits locaux. Les jeudi et dimanche, place au marché des artisans.

Et tant que vous y êtes, vous pouvez visiter gratuitement la ***Field Gallery*** (presque en face du *Alley's General Store*), qui expose en plein air des sculptures contemporaines, avec quelques œuvres assez insolites.

Où dormir dans les environs ?

HI-Martha's Vineyard : *525 Edgartown Rd, West Tisbury. ☎ 508-693-2665 ou 1-888-901-2087. • hiusa.org/marthasvineyard • Depuis Vineyard Haven, accès en bus n° 3 puis n° 6 en direction de West Tisbury ; depuis Oak Bluffs, bus n° 13 puis n° 6 ; demandez au chauffeur de vous déposer devant. Le meilleur plan : y aller à vélo depuis Edgartown, par la piste cyclable ! Ouv fin mai-début oct. Résa conseillée l'été.* Check in *15h-22h. Env 35-40 $ la nuit (3 $ de plus pour les non-membres de* Hostelling International*), avec petit déj. Chambres privées 100-150 $ pour 2-4 pers.* Agréable AJ dans une vaste maison en pleine nature, à la lisière de la forêt (*Bike Path* juste derrière). Un avantage : sa situation privilégiée au centre de l'île ; et un inconvénient : la plage et les animations des villes ne sont pas tout près ! Dortoirs classiques de 8 à 20 lits, séparés ou non, sans clim mais équipés de ventilos et sanitaires en commun très propres. Préférer les lits du bas par forte chaleur, il y fait plus frais. Un dortoir a été divisé en 3 chambres doubles pour recevoir les couples et les familles. Pièce commune sympa avec jeux de société, livres et TV, et grande cuisine ouverte sur la salle à manger. Terrain de volley, barbecue. Accueil très chaleureux. *Pancakes* au petit déj.

EDGARTOWN

La plus bourgeoise des six villes de l'île, et la plus ancienne, fondée en 1642. Petit port et superbes maisons coloniales traditionnelles datant de l'âge d'or de la pêche à la baleine, dont la plus ancienne construction de l'île : ***The Vincent House*** qui date de 1672. Ici, elles sont toutes blanches, contrairement au reste de l'île où le gris domine. Atmosphère très chic, *preppy* comme on dit (B.C.B.G.).

Adresses et infos utiles

Information Center : *dans une épicerie qui fait aussi office de poste, sur Church St, devant l'arrêt des bus. Tlj sf dim 9h-21h. Doc à emporter slt.*

Location de vélos : RW Cutler Bike Rentals, *1 Main St ; tt près du port. ☎ 800-627-2763. • marthasvineyardbike.com • Avr-oct, tlj 9h-18h.* Bons matériel et services de livraison à l'hôtel, mais les tarifs sont assez élevés : à partir de 30 $/j. pour un vélo adulte.

Ferry pour Chappaquiddick Island : *avec* **Chappy Ferry,** *sur le port. ☎ 508-627-9427. • chappyferry.com • Fonctionne tte l'année : de fin mai à mi-oct, 6h45-minuit ; horaires restreints le reste de l'année. On paie sur le ferry : 4 $/pers A/R ; 12 $/véhicule + conducteur et 6 $/cycliste + vélo.*

Où dormir ?

Edgartown est la ville la plus onéreuse pour se loger à Martha's Vineyard. Ce n'est déjà pas bon marché ailleurs, mais là, on atteint des sommets. On vous indique 2 adresses pratiquant des tarifs encore raisonnables.

■ ***Edgartown Inn :*** *56 N Water St. ☎ 508-627-4794. • edgartowninn.com • Ouv avr-oct. En été, doubles env 225-325 $; hors saison, 125-200 $. Petit déj continental.* Superbe *guesthouse* dans une élégante maison de capitaine, datant de 1798. Pièces communes et chambres avec AC, pleines de cachet : mobilier de style, livres anciens, canapés Chesterfield et tableaux aux murs. Un patio-jardin agréable est ouvert aux hôtes. Les chambres les plus économiques sont de l'autre côté du patio, dans la *Garden House.* Pour quelques dollars de plus, vous pourrez prendre votre petit déj dans la jolie salle à manger et goûter aux *pancakes* maison. Une excellente adresse, qui cultive une atmosphère vieille époque (pas de TV dans la plupart des chambres).

■ ***Edgartown Commons :*** *20 Pease Point Way. ☎ 508-627-4671 ou 1-800-439-4671. • edgartowncommons.com • Quelques studios pour 2 env 100-375 $ (moins en très basse saison et prix discount en sem) ; apparts 2-4 pers 150-375 $. Parking.* Dans le style motel mais beaucoup plus charmant, un ensemble de petits bâtiments et de cottages répartis autour de la piscine et des pelouses avec l'aire de jeux pour les enfants. Tous les studios et appartements disposent d'une salle de bains, d'une cuisine et d'un coin salon : fonctionnel et impeccable. Intéressant pour les familles et pour ceux qui tiennent à leur indépendance.

Où manger ? Où boire un verre ?

The Newes from America : *23 Kelley St (et N Water St). ☎ 508-627-4397. Tlj 11h30-21h (22h ven-sam) et ouv dès 7h en saison pour le petit déj. Compter 15 $.* Dans une vieille taverne du XVIIIe s, un pub bien patiné, tout en briques et bois sombre. On peut y descendre une bière brassée maison, mais aussi y manger une bonne petite cuisine locale, généreusement servie : délicieuse *Caesar salad, clam chowder, steack & cheese.* Une ambiance chaleureuse, pas du tout guindée, et des prix très abordables pour le secteur.

Among the Flowers : *Mayhew Lane (près du port). ☎ 508-627-3233. Avr-oct, tlj pour le petit déj et le déj, ainsi que pour le dîner en juil-août. Compter 11-13 $ pour le petit déj, 16 $ max pour le déj. Le soir en revanche, plats env 25-35 $.* Une adresse fraîche et pas sophistiquée. Peu de tables à l'intérieur, mais aux beaux jours, terrasse extérieure fleurie, fermée et chauffée en cas de frimas. Quiches et omelettes au petit déj. Le midi, sandwichs, salades, soupes, crêpes et glaces. À consommer sur place ou à emporter. C'est nettement plus cher et moins informel le soir. Bien aussi pour un cocktail.

Seafood Shanty : *31 Dock St ; au bout de Kelley St. ☎ 508-627-8622. Tlj de mi-mai à mi-oct 11h-21h (22h ven-sam). Plats 10-20 $ le midi, env 18-35 $ le soir.* Directement sur le port. Situation idéale pour profiter de la vue sur les bateaux, en particulier depuis la grande terrasse géniale sur le toit *(rooftop bar & dining).* Carte variée de fruits de mer, *of course,* mais aussi les traditionnels sandwichs, *lobster rolls, fried chicken* aux herbes, etc. Avis aux amateurs : la maison propose également un beau choix de sushis (fraîcheur garantie). Toutefois, la cuisine reste banale et pas vraiment donnée. On ira donc de préférence y prendre un verre en fin de journée, sur la terrasse.

The Wharf Restaurant & Pub : *5 Lower Main St (en descendant, sur la gauche, près du port). ☎ 508-627-9966. Tlj 11h30-22h. Env 10-15 $ le midi ; le soir, plats simples env 12-18 $ ou viande et seafood env 25-35 $.*

À côté, un pub ouv tlj jusqu'à 1h. Resto familial assez traditionnel, tout en bois, proposant une carte variée à prix corrects mais sans grande finesse : hamburgers, oignons frits, sandwichs, *fish and chips,* salades, poissons et fruits de mer. Bonne ambiance au pub le soir avec un *dance floor* à 22h (21 ans requis).

À voir. À faire

Farm Institute : *14 Aero Ave. ☎ 508-627-7007. • farminstitute.org • Depuis Edgartown, suivre la direction South Beach et Katama Rd ; à la patte-d'oie, prendre à gauche. Lun-sam 9h-16h. Résa très conseillée. Visites guidées en été, lun-ven à 10h et 14h. Donation suggérée : 10 $/famille. Également une boutique de bons produits fermiers : tlj 9h-16h en saison.* Ferme pédagogique (à but non lucratif) particulièrement adaptée aux enfants de 2 à 14 ans. Une belle réussite et un moyen ludique de se familiariser avec les travaux agricoles par le biais d'ateliers de un à plusieurs jours. Les enfants ne sont pas peu fiers d'endosser le rôle du fermier, de traire les vaches, ramasser les œufs, entretenir le potager ou cueillir fruits et légumes bio cultivés ici. Tous les animaux de la ferme sont présents, des cochons aux lapins en passant par les poules. Accueil très compétent et amical de toute l'équipe.

Cape Poge Wildlife Refuge and Wasque (prononcez way squie) **Reservation :** *Dike Rd, au sud-est de Chappaquiddick Island (Chappy pour les intimes). ☎ 508-627-7689 et 3599 (résa). • thetrustees.org/places-to-visit/cape-cod-islands/cape-pogue • Réserve ouv tte l'année, 24h/24 ; refuge slt de fin mai à mi-oct, 9h-16h45. Tarif : 5 $; réduc ; gratuit moins de 15 ans. Tours organisés accompagnés par un guide naturaliste avec* Natural History Tours *; à partir de 35 $/adulte, 12 $/enfant. Durée : 1h30-2h30 (résa nécessaire). D'autres formules sont proposées (sorties plus longues, mais aussi kayak, pêche...).* Bord de mer sauvage et isolé, entouré de dunes couvrant 8 ha. Près de la moitié des coquilles Saint-Jacques du Massachusetts se récolte là, à côté du *Cape Poge Lighthouse.* Endroit rêvé pour échapper à la foule estivale. Les excursions sont assurées par des guides érudits et passionnés, une belle occasion de découvrir la faune et la flore spécifiques à l'île. À découvrir : l'aigrette, le balbuzard (un aigle pêcheur), le grand héron et le papillon monarque qui y fait escale au cours de sa migration, à la fin de l'été. Ne pas manquer aussi la sortie en kayak le long des falaises, superbe !

Felix Neck Wildlife Sanctuary : *100 Felix Neck Dr, entrée sur Vineyard Haven Rd. ☎ 508-627-4850. • massaudubon.org • Juin-août,* Nature Center *ouv lun-sam 9h-16h, dim 10h-15h ; sept-mai, horaires restreints. Entrée : 4 $; réduc.* Près de 7 km de chemins de promenades accessibles de l'aube au coucher du soleil. Par ces sentiers *(trails)* parfaitement balisés qui sillonnent la forêt, on découvre de petits lacs, des plages, prairies et marais... On y observe, selon les saisons, des papillons, des tortues, et bien sûr de nombreux oiseaux. En saison, le centre organise des sorties nocturnes en kayak et des randonnées accompagnées.

LES PLAGES

La plupart sont superbes mais souvent privées malheureusement et donc accessibles uniquement aux propriétaires ou aux locataires. Cependant, selon la loi, tout le monde a le droit de pêcher sur n'importe quelle plage entre les limites (sur le sable) de la marée basse et de la marée haute. Alors, tous à vos épuisettes et vos cannes à pêche pour aller explorer les plages des nantis ! Et rassurez-vous, l'île est aussi parsemée de belles plages publiques. Parmi nos préférées :

Katama Beach (ou South Beach) : *proche d'Edgartown.* Près de 5 km de long. Sable blanc et dunes hautes face au sud. Superbe, mais pas idéale avec des enfants, car le courant peut être fort et les vagues assez hautes. En conséquence, très prisée des surfeurs !

East Beach (Cape Poge Wildlife Refuge and Wasque Reservation) : *sur Chappaquiddick Island. Accès en ferry d'Edgartown.* Plage paisible dans une zone protégée : magnifiques dunes, cèdres, marais...

Aquinnah Beach : *stationnement 15 $.* Elle s'étale sur 8 km et est appelée, du nord au sud, *Aquinnah, Moshup, Philbin,* puis *Zack's Cliff.* Pas mal de falaises du côté d'Aquinnah. Plus on descend vers le sud, plus la plage s'élargit. *Philbin* et *Zack's* sont des plages réservées aux résidents, mais si vous passez en restant au bord de l'eau, vous ne devriez pas rencontrer de problème.

Lobsterville Beach : *pas loin de Gay Head Cliffs.* Plage de 3 km de long populaire et familiale car l'eau y est très bonne et peu profonde. Difficile de stationner (parking réservé aux résidents sur Lobsterville Road), mieux vaut s'y rendre à vélo. Prisé aussi pour la pêche à la ligne, le lieu abrite une colonie d'oiseaux marins.

Long Point Beach (Wildlife Refuge) : *Waldron's Bottom Rd, West Tisbury. Petit droit d'accès en été.* Splendide plage isolée d'où vous pourrez emprunter les chemins de rando de *Tisbury Great Pond.* Les petits bassins sont propices à la baignade des enfants.

NANTUCKET

15 000 hab.

Carte Cape Cod et les îles *p. 166-167*

Des landes désolées, parsemées de maisons en bois aux jardinets fleuris de roses sauvages, de majestueuses plages bordées de dunes balayées par les vents, un port enveloppé dans une brume grisâtre... « The little grey Lady of the Sea » a l'âme d'une sauvageonne. Située à 2h des côtes de Cape Cod – son nom signifie « île lointaine » en indien wampanoag –, Nantucket ne se donne pas à tout le monde. Quand Martha's Vineyard révèle ses charmes sans fausse pudeur, Nantucket la puritaine s'apprivoise doucement, timidement. Quand la première attire les stars du show-biz, la seconde accueille la haute bourgeoisie bostonienne, les amoureux de la mer et du calme et les nostalgiques de *Moby Dick.*

Toute l'histoire de Nantucket est liée à la chasse à la baleine, qui joua un rôle majeur dans la prospérité économique de l'île jusqu'à la moitié du XIXe s. Les baleiniers rentraient avec leurs cales remplies de barils de graisse, laquelle assura pendant plus d'un siècle l'éclairage des grandes villes américaines et européennes. La production était telle qu'à son âge d'or, Nantucket atteignit le premier rang mondial. Les riches capitaines et armateurs se firent construire de luxueuses maisons que l'on peut toujours voir dans Main Street et les rues

WIDOW'S WALKS

On aperçoit de petites plates-formes sur le toit des grandes maisons en bois d'architecture XIXe s, parfois surmontées d'une coupole. Appelées Widow's walks, « promenades de la veuve », en référence aux femmes de marins qui scrutaient ainsi l'horizon, guettant le retour – parfois incertain – de leur mari.

avoisinantes. 800 demeures construites avant 1850 font de l'île la plus vaste concentration de bâtiments historiques des États-Unis.
Dès la seconde moitié du XIXe s, la corne d'abondance se tarit : le terrible incendie de 1846 et l'apparition du pétrole comme nouveau mode d'éclairage mirent un terme à l'activité baleinière qui avait contribué à la richesse de Nantucket. La population baissa de 10 000 habitants en 1840 à seulement 4 000 en 1870. L'époque des cétacés était révolue pour faire place à celle des touristes. Aujourd'hui, les artisans continuent de façonner avec fierté et respect des traditions les célèbres paniers, petites œuvres d'art en rotin finement tressé, ornés de *scrimshaw* (dents de baleine gravées et sculptées), jadis fabriqués par les marins. Il va sans dire que pour apprécier tout le charme de Nantucket, mai-juin et septembre-octobre sont infiniment préférables à juillet-août. Et c'est surtout votre portefeuille qui en sera reconnaissant parce que, vraiment, tout est très, très cher.

LES FAMEUSES « BOÎTES À SEL »

Vous serez sans doute frappé par l'harmonie architecturale de l'île. Toutes les maisons sont à bardeaux, c'est-à-dire recouvertes de petites lattes de cèdre rectangulaires. Au départ, le bois est beige, puis il se patine avec le temps, prenant ces jolis tons gris plus ou moins foncés, plus ou moins délavés. D'où ce surnom de « boîtes à sel ». Les bardeaux doivent être changés tous les 30 ans.

Arriver – Quitter

En ferry

➢ La compagnie ***Steamship Authority*** effectue la traversée toute l'année entre ***Hyannis*** et Nantucket Town. Départs du South St Dock :
– En ***ferry traditionnel*** (pour les voitures également) : env 18,50 $ l'aller (5-12 ans 9,50 $; gratuit moins de 5 ans), 7 $/vélo. Embarquer sa voiture coûte très cher (résa obligatoire), et les tarifs varient selon les saisons : 280-320 $ l'A/R en hiver, 400-450 $ en avr-oct. 3-6 traversées/j. selon saison ; fin mai-début sept, dernier départ à 20h de Hyannis, 17h30 de Nantucket. Trajet : env 2h15.
– En ***High-speed ferry*** (passagers slt) : 36,50 $ l'aller, 69 $ l'A/R ; 5-12 ans 19 $ et 35 $, gratuit moins de 5 ans. Fonctionne de mi-avr à début janv slt, 4-5 fois/j. Trajet : 1h.
➢ Mêmes prestations avec ***Hy-Line Cruises,*** mais le *regular ferry* fonctionne slt de mi-mai à mi-oct. Départs de l'Ocean St Dock. Pas de transport de voitures avec cette compagnie.
– 2 tarifs différents selon la durée du trajet : env 41 $ l'A/R (gratuit moins de 12 ans !) en 1h50 de traversée (1-3 départs/j.), ou 77 $ l'A/R (5-12 ans 51 $; gratuit moins de 5 ans) pour le ferry rapide qui met 1h.
Ce dernier est en service tte l'année et effectue jusqu'à 6 trajets/j. de mi-mai à mi-oct. Dans les 2 cas, ajouter 14 $ A/R pour un vélo.
On peut laisser sa voiture à Hyannis pour visiter l'île à pied ou à vélo, il y a plusieurs parkings près du port (compter 18-20 $/j. en été). Attention, le décompte se fait par jour calendaire, et non à partir de l'heure à laquelle on dépose son véhicule ! Ce qui signifie que si l'on passe la nuit sur l'île, on paiera 2 jours, même si l'on ne s'est absenté que 24h.
➢ ***Hy-Line Cruises*** est la seule compagnie qui assure ***la liaison entre Martha's Vineyard et Nantucket.*** De mi-juin à fin sept, avec 1 traversée/j. en ferry rapide (1h10). Compter 36 $ l'aller (65 $ l'A/R) ; 5-12 ans 24 $ (45 $ A/R) ; vélo 7 $/trajet.
■ ***Steamship Authority :*** *infos et résas au ☎ 508-477-8600 ou 508-228-0262 (à Nantucket). • steamshipauthority.com •*
■ ***Hy-Line Cruises :*** *☎ 1-800-492-8082. • hylinecruises.com •*

➢ Au départ de Harwich Port, à Chatham, avec ***Freedom Cruise Line.***

☎ 508-432-8999. ● *nantucketisland ferry.com* ●. Env 39 $, trajet simple et 74 $ A/R (29 $ et 51 $ moins de 11 ans) et 8 $ et 15 $/vélo pour 1h20 de traversée. Fonctionne de fin mai à fin sept. Jusqu'à 3 départs/j. en juil-août. Parking gratuit si vous faites l'aller-retour dans la journée ; sinon, comptez 17 $/j.

En avion

➢ Vols depuis ***Boston*** ou ***New York.*** Parmi les différentes compagnies, ***Cape Air*** assure des vols réguliers toute l'année. Jusqu'à 15 liaisons/j. en juil-août. *Infos et résas : ☎ 1-866-227-3247.* ● *capeair.com* ● *Env 170 $.*

Comment se déplacer sur l'île ?

➢ ***À vélo,*** bien sûr. L'île ne mesure que 22 km sur 6 km : on peut en faire le tour dans la journée, même si on n'est pas un pro de la petite reine. Vu le nombre de pistes cyclables (une dizaine), ce serait dommage de s'en priver. Attention, certains sites, comme Great Point et Eel Point, ne sont accessibles qu'à pied.

➢ ***En bus avec NRTA Shuttle :*** *☎ 508-228-7025.* ● *nrtawave.com* ● Le trajet coûte 1 ou 2 $ selon la destination ; gratuit moins de 6 ans. *Pass* à 7 $ pour 1 j., 12 $ pour 3 j., 20 $ pour la sem. Fonctionne de mi-mai à début sept ou mi-oct, tlj 7h-23h30 (variable selon la ligne).

Plusieurs destinations : *Siasconset, Madaket, Mid-Island Loop, Miacomet Loop,* l'aéroport et les plages comme *Jetties Beach* ou *Surfside Beach.* Pour Surfside et Jetties Beach, de mi-juin à début sept, liaisons ttes les 30-40 mn env 10h-17h30. Pour l'aéroport, de fin juin à début sept, ttes les 20 mn env 10h-18h. Pour Siasconset, liaisons en juil-août slt.

Les bus se prennent en ville, au croisement de Washington et Salem Street (parallèle à Main Street) ; pour Madaket et Jetties Beach, sur Broad Street. D'autres arrêts le long du parcours. Transport des vélos autorisé sur des racks à l'avant du bus.

Dépliant avec les horaires précis et le plan des lignes dans les *Visitor Centers* ou directement dans les bus.

➢ ***En taxi :*** *☎ 508-325-5508, 508-228-6610 ou 508-228-9410, par exemple (liste exhaustive au* Visitor Center*).* Tarif des courses fixé à l'avance.

➢ ***En voiture :*** il va sans dire que vu la taille de l'île, le prix prohibitif de l'accès des voitures à Nantucket et celui du carburant (+ 25 % !), il vaut mieux s'en passer. Possibilité malgré tout de louer des véhicules (agences à l'aéroport et en ville).

NANTUCKET TOWN

*** Fière de ses racines et de la richesse de son patrimoine architectural, épargnée par les promoteurs immobiliers, la « capitale » de l'île a conservé son aspect d'autrefois. Le port, bien que très rénové, est vraiment charmant. Quel régal de se promener dans les pittoresques rues du centre, bordées de maisons de capitaines aux bardeaux blancs et aux jardins coquets, témoignages encore vivants de la prospérité de Nantucket au XIXe s ! Main Street fut pavée en 1837 avec les galets qui servaient de lest dans les bateaux, afin de décharger

UN MYTHE BIEN RÉEL

Lorsque Melville rédigea Moby Dick, *qui parut en 1851, il se basa sur une histoire vraie ! Celle de l'Essex, un baleinier de Nantucket, qui fit naufrage en novembre 1820 au milieu de l'océan Pacifique, après avoir été attaqué par un grand cachalot de 25 m. Sur les 20 hommes d'équipage présents lors du désastre, il n'y eut que 8 rescapés. Un film de Ron Howard,* Au cœur de l'océan *(2015), restitue cette histoire.*

LA NOUVELLE-ANGLETERRE

plus facilement les barils de graisse de baleine. À vélo, ça secoue sec ! À la tombée de la nuit, il arrive que le port s'enveloppe d'un linceul de brume, un moment magique et étrange...

Adresses utiles

Nantucket Visitor Services and Information Bureau : *25 Federal St. ☎ 508-228-0925. • nantucket-ma.gov • Juin-oct, 9h-17h dim-mer et 9h-18h jeu-sam ; horaires restreints hors saison.* Ils peuvent vous aider à trouver un logement en fonction des disponibilités des hôtels et des *B & B* de l'île. Sur Straight Wharf, un kiosque sert d'antenne l'été.

■ **Nantucket Island Chamber of Commerce :** *0 Main St, presque à l'angle (au 1er étage). ☎ 508-228-1700. • nantucketchamber.org • Lun-ven 9h-17h.* Demander *The Official Guide,* très complet, et l'excellente carte de l'île, avec index des rues.

■ **Location de vélos :** nombreux loueurs ; dans les 3 adresses qui suivent, livraison gratuite du vélo/scooter/véhicule à votre hébergement pour toute location à partir de 2-3 jours. À noter que les routes sont souvent rendues glissantes par le sable apporté par le vent : méfiance donc, surtout pour les conducteurs de scooters ou de motos.

– **Young's Bicycle Shop :** *6 Broad St, Steamboat Wharf. ☎ 508-228-1151. • youngsbicycleshop.com • À deux pas du débarcadère. En été, tlj 8h30-18h ; le reste de l'année, tlj sf mer 9h-17h (dim 10h-16h). Fermé Noël-début mars. Compter 27 $/j. pour un vélo (30 $ pour 24h).* Demander une carte des pistes cyclables de l'île (1 $). Loue également des voitures (100 $ les 24h) et des jeeps (le double).

– **Nantucket Bike Shop :** *près du débarcadère de Steamboat Wharf. ☎ 508-228-1999 ou 1-800-770-3088. • nantucketbikeshop.com • Autre kiosque sur Straight Wharf (même tél). Avr-oct, tlj 9h-17h (8h-18h l'été). Mêmes tarifs que Young's. Également des scooters (85 $/j. ou 105 $/j pour 2 pers).* Vélos et deux-roues de bonne qualité dont ceux à pneus larges pour rouler sur le sable.

– **Cooks Cycle Shop :** *6 South Beach St. ☎ 508-228-0800. À slt 100 m des loueurs précédents. • cookcyclenantucket.com • En été, tlj 8h-17h. Un peu moins cher.* La boutique fait aussi office de café *(7h30-17h),* avec un large choix de petits déj, *wraps,* salades, crêpes, etc.

Où dormir ?

Les ***tarifs*** de l'hébergement sont vraiment démentiels sur Nantucket d'autant que ***le camping est interdit*** (protection du site oblige). Quelques suggestions encore raisonnables plus bas, mais mieux vaut ne pas s'y prendre au dernier moment. Souvent, une réservation pour 2 nuits minimum est requise, et les prix sont majorés le w-e.

The Carriage House : *5 Ray's Court. ☎ 508-228-0326. • carriagehousenantucket.com • Ouv de mi-mai à fin oct. Doubles avec sdb 100-200 $ en été, 70-140 $ à la mi-saison, avec petit déj.* Dans une très jolie rue au calme, à 5 mn à pied du centre, un *B & B* dans une maison victorienne de 1865, tenu par Haziel Jackson et sa femme japonaise Tomomi. Leurs chambres à l'ancienne ne sont pas immenses, mais coquettes et confortables, toutes avec salle de bains et décorées avec les créations de madame. Atmosphère cosy et agréable, enfants bienvenus, coin salon-bibliothèque et petit patio. Le copieux petit déj bio maison, sur la terrasse est un must. Accueil charmant des proprios. Tout n'est pas parfait (pas de clim mais des ventilos), mais c'est de loin le meilleur rapport qualité-prix de l'île. Prêt de vélos.

Brant Point Inn : *6 N Beach St. ☎ 508-228-5442. • brantpointinn.*

com • À moins de 500 m du centre de Nantucket Town. Tte l'année. Env 225-295 $ en hte saison, 145-195 $ le reste de l'année, avec petit déj. Parking. L'adresse se distingue par l'accueil de Thea et Peter, qui bichonnent leurs hôtes depuis près de 30 ans. Les 19 chambres confortables, réparties dans 2 jolies maisons, sont vraiment charmantes, certaines avec poutres sous la toiture et impeccablement tenues (bonne literie, clim et frigo). Certaines disposent même d'une petite cuisine. Belle vue sur la verdure. Petit patio fleuri à l'arrière où il fait bon prendre son petit déj avec des muffins frais, et salle commune bien agréable. Rien de clinquant ici, mais plutôt une atmosphère cosy et familiale. Matériel de plage à disposition.

The Barnacle Inn : *111 Fair St, légèrement sur les hauteurs à 300 m à gauche, dos au port. ☎ 508-228-0032. • thebarnacleinn.com • De mi-avr à début nov. Env 150-395 $ en hte saison, 95-215 $ le reste de l'année, avec petit déj. Min 3 nuits.* Dans un quartier calme, au fond d'un jardin, belle maison coloniale avec véranda et balcon de bois. Grande pièce d'entrée avec cheminée, bibliothèque et jeux. Une quinzaine de chambres douillettes dans les tons pastel, au fond et à l'étage. Certaines sont de dimension réduite et disposent d'un lavabo seulement, donc sanitaires à partager. D'autres sont communicantes avec salle de bains entre elles, pratique pour les familles. Accueil aux petits oignons de Suzie et Phil. Beaucoup de charme.

Où dormir dans les environs ?

Hostelling International : *31 Western Ave. ☎ 508-228-0433. • hiusa.org • À 5,5 km de Nantucket Town. Pour s'y rendre, prendre le bus en direction de Surfside Beach (mai-début sept slt, dernier départ à 17h30). Ouv fin mai-début oct.* Check-in *16h-22h. Nuitée env 42 $/pers en dortoir (3 $ de plus pour les non-membres), avec petit déj (basique). Chambre privée (jusqu'à 5 pers) env 200 $ pour 2.* Idéalement située, à deux pas de la plage, cette grande maison rouge et gris fut, à partir de 1874, le premier centre de sauvetage en mer de l'île. La tourelle d'observation qui permettait de surveiller la côte est d'ailleurs toujours accessible pour contempler le large ! Quant aux dortoirs, mixtes ou non, ils sont vastes (16 et 23 lits), sans surprise, et répartis entre la maison principale et ses annexes. Pas de clim, mais bon confort général : grande cuisine, coin salon, tables de pique-nique dans le jardin (avec un filet de volley) et des serviettes de plage à dispo. Une adresse originale, propre et très conviviale.

Nantucket Inn: *1 Miller Lane, en face de l'aéroport ☎ 1-800-321-84-84. • nantucketinn.net • À 5 km de Nantucket Town. Chambres env 250-350 € avec petit déj. Pour s'y rendre, emprunter la navette gratuite qui embarque les clients à heures régulières, pile devant le* Visitor Services and Information Bureau, *25 Federal St.* Dans plusieurs bâtiments de brique et bardeaux qui se suivent, séparés par des cours et petits jardins, une centaine de chambres de bon confort avec frigo. La proximité de l'aéroport ne constitue pas une nuisance, les vols sont rares. Excellents petit déj-buffet à prendre sur la terrasse face au trafic aérien. Piscine et jacuzzi. Navette également vers Surfside Beach et location de vélos. Un bon rapport qualité-prix.

Où manger ?

La concentration de restos gourmets à Nantucket est l'une des plus denses des États-Unis. Ces restos sont aussi parmi les plus coûteux, vous vous en apercevrez rapidement. Les plats principaux des restaurants avoisinent souvent les 40-50 $ et trouver un dîner pour deux à moins de 100 $ relève du miracle. Pour le routard lambda, il est donc difficile de se nourrir sans faire saigner portefeuille. Enfin, on a tout de même réussi à vous dégoter quelques adresses... À la mi-saison, beaucoup de restos ne servent pas tous les soirs, seulement du vendredi au dimanche. Précisions utiles : on dîne tôt à Nantucket, n'espérez pas trop être servi après 21h.

De bon marché à prix moyens

Nantucket Harbor Stop and Shop : *9 Salem St, tt près du débarcadère. Tlj 6h-23h (22h dim).* Grand supermarché très bien approvisionné.

Provisions : *7 Bayberry Court. ☎ 508-228-8766. Tlj 7h-16h (17h30 ven-dim). Autour de 8-12 $.* À deux pas de l'embarcadère, au fond du petit square donnant sur le port, c'est l'adresse idéale pour un en-cas avant ou après la traversée. Sandwichs et salades sont préparés à la commande et se révèlent nettement meilleurs que la plupart de ceux qui sont vendus ailleurs sur l'île. Quelques tables sur place, ou des bancs sur la placette.

Nantucket Pharmacy : *45 Main St. Tlj 7h30-22h30.* Une curiosité, car cette ancienne pharmacie-drugstore a conservé un comptoir pour les consommateurs. Vous y trouverez des petits déj, sandwichs, *cookies*, glaces, *smoothies* et boissons à prix très raisonnables. Ambiance animée dans un cadre authentique. À consommer sur place ou à emporter.

Prix moyens

Fog Island Café : *7 S Water St (et Cambridge). ☎ 508-228-1818. Tlj 7h-12h (13h dim). Lunch 11h-14h. Env 10 $ le petit déj, plats env 11-15 $.* À deux pas du débarcadère, la cafét à l'américaine, simple, animée et toujours populaire. Large éventail d'omelettes, de salades, sandwichs, hamburgers... Même les végétariens y trouveront leur compte. Cuisine assez banale pour le prix, mais l'ambiance est conviviale. Adresse BYOB *(bring your own bottle).*

Sayle's Seafood : *99 Washington St Ext. ☎ 508-228-4599. Tlj 10h-20h. Plats 2 tailles env 7-20 $; formules avec homard, compter 32-47 $.* On en pince pour cette gargote à 15 mn de marche du centre-ville, séparée de la mer par la route. Une adresse à la bonne franquette, mais sans charme aucun, bien connue pour la fraîcheur de ses homards, qui attendent leur funeste sort dans les nombreux viviers. On passe commande au comptoir avant d'emporter sa barquette en carton pour un pique-nique royal ou pour une dégustation sur les tables dehors ou sur la plage. Apprécié surtout pour le homard, mais les fruits de mer frits et les soupes *(lobster bisque, clam chowder)* sont fort bons et plus économiques.

The Brotherhood of Thieves : *23 Broad St. ☎ 508-228-2551. Tlj 11h30-22h. Plats env 15-20 $ (jusqu'à env 30 $ le soir).* Le nom de l'endroit est inspiré d'un pamphlet anti-esclavagiste. 3 espaces, 3 ambiances (mais cuisine unique !)... Au rez-de-chaussée, grande salle rustique un peu solennelle aux murs de brique et aux poutres apparentes, façon taverne avec un choix d'alcools à étancher la soif d'un équipage de flibustiers ; c'était déjà un repaire de loups de mer en 1840. Sombre, sonore, mais convivial, surtout lorsque de bons feux crépitent dans les cheminées. À l'étage, enfilade de plusieurs salles à la déco marine. Patio très agréable l'été. À la carte, que du classique : burgers, *chicken wings*, salades et soupes. Au dîner, quelques plats plus élaborés, avec poisson et fruits de mer du jour, et le classique steak-frites ! Mention spéciale justement pour les frites tirebouchonnées, croustillantes à souhait.

Chic

Centre Street Bistro : *29 Centre St (entre Chestnut et India St). ☎ 508-228-8470. Tte l'année. Petit déj servi le w-e et le lun slt, 8h-13h ; déj mer-ven 11h30-14h ; dîner mer-lun 17h30-21h. Env 12 $ pour le petit déj ; plats 8-15 $ le midi (sandwichs, rolls, etc.) et env 25-30 $ le soir.* Une adresse confidentielle, très prisée des Nantucketers (ça se dit, ça ?). Une salle de poche aux murs orangés et une terrasse à peine plus grande au fond d'un centre commercial riquiqui, une ambiance feutrée le soir et une cuisine... mémorable ! Carte courte, pour des spécialités d'inspiration méditerranéenne ou asiatique élaborées avec les meilleurs produits. Bonnes odeurs d'herbes aromatiques et d'ail. Assiettes élégamment présentées. Le midi, c'est évidemment plus simple. Délicieux en tout cas et d'un excellent rapport qualité-prix pour l'île, d'autant que la possibilité d'apporter sa propre bouteille permet de contrôler son addition (c'est *BYOB,* + 2,50 $ de supplément).

Black-Eyed Susan's : *10 India St. ☎ 508-325-0308. Mai-oct, tlj sf dim soir pour le dîner (18h-22h) ; petit déj tlj 7h-13h. Env 15 $ pour le petit déj, plats env 25-30 $ le soir. Également* BYOB, *avec droit de bouchon. CB refusées.* Ici aussi, on fait dans la nouvelle cuisine américaine tendance *world food,* tout en saveurs. Très connu également pour ses excellents petits déj gargantuesques. Tout est préparé devant vous, dans une cuisine ouverte sur la petite salle à la déco sobre mais chaleureuse. Miniterrasse à l'arrière, sur une courette en longueur. Ambiance assez branchée en soirée mais pas guindée pour autant. Seul inconvénient, c'est toujours bondé, alors mieux vaut réserver à temps. Accueil très sympa.

Où boire un bon jus de fruits ?
Où déguster une glace ?

The Juice Bar : *12 Broad St, à l'angle de South Water St. ☎ 508-228-5799. Tlj en saison 12h-21h30.* Passage obligé pour avaler un bon jus de fruits frais ou un *smoothie,* et surtout pour déguster une *homemade ice cream* (à emporter seulement) à fondre de plaisir. Sans oublier de savoureux *sundaes...* Très populaire à toute heure : queue inévitable !

Où boire un café ou un verre ?

The Bean : *4 India St. ☎ 508-228-6215. À l'entrée d'un petit centre commercial. Tte l'année, tlj 6h-18h (19h ven-sam).* Une bonne petite adresse pour siroter un café (un vrai !) dans une ambiance *easy going* tendance baba, et grignoter un petit gâteau ou un cookie maison. Large choix de cafés « fraîchement moulus », de tisanes et thés variés. Petite salle de poche très chaleureuse où il ne manque rien pour se sentir comme à la maison et lire son journal ! Aux beaux jours, quelques tables en terrasse sur la rue tranquille. Vente à emporter.

The Rose & Crown : *23 S Water St. ☎ 508-228-2595. • therosean dcrown.com •* Un pub incontournable à Nantucket, à deux pas du port et au cœur de l'animation. Les habitués et touristes de passage y affluent en été pour boire une pinte en fin de journée. Mais en saison, changement de registre à partir de 22h les vendredi et samedi : les tables sont poussées pour dégager un *dance floor* dès que les DJs s'affairent derrière les platines ! Sinon, karaoke et live music les autres soirs.

À voir

– La plupart des sites de la ville sont regroupés dans un unique ***pass*** *(20 $/adulte ; réduc ; gratuit moins de 6 ans)* qui permet de visiter le *Whaling Museum* et les demeures historiques appartenant à la *Nantucket Historical Association (attention toutefois, car celles-ci ne sont accessibles que de fin mai à mi-oct, tlj 11h-16h) :*

Oldest House (la plus vieille maison de l'île, datant de 1686), *Old Gaol* (la prison, utilisée de 1806 à 1933), *Old Mill* (voir plus bas), *Greater Light* (grange du XVIIIe s transformée en habitation dans les années 1930) et la *Fire Hose Cart House* (la petite caserne des pompiers, où l'on verra du matériel ancien). En revanche, pour visiter la *Hadwen House,* il faut impérativement participer aux ***Walking Tours,*** visites guidées de Nantucket Town *(env 1h ; départ du Whaling Museum tlj à 11h15 et 14h15 de mi-mai à fin oct ; 10 $/pers, réduc ; infos et résas : ☎ 508-228-1894 ; ● nha.org ●).*

Whaling Museum : *13 Broad St. ☎ 508-228-1894. ● nha.org ● ♿. De mi-avr à fin oct, tlj 10h-17h (11h-16h de mi-avr à fin mai) ; le reste de l'année slt le w-e 11h-15h (16h en nov, 17h en déc). Fermé en janv. Entrée comprise dans le pass. Visites guidées gratuites tlj : se renseigner.* Ce vaste et passionnant musée, implanté dans une ancienne fabrique de bougies est consacré à l'âge d'or de la chasse à la baleine. La première section retrace l'historique de la ville (qui peut être complété par un excellent film d'environ 1h), avant d'aborder le cœur du sujet : la traque des cétacés ! Accueil impressionnant d'un squelette de cachalot de 14 m, découvert sur une plage de Siasconset, entouré d'une baleine et de toute la panoplie des harpons et autres outils utilisés par les équipages. L'intéressante section suivante évoque le retour à terre après une campagne réussie. On découvre une énorme presse en bois qui servait à extraire la graisse pour en faire des bougies. À l'étage, des expositions temporaires présentent régulièrement les peintures d'artistes locaux. Enfin, des maquettes de navires, quelques portraits de capitaines et une exceptionnelle collection de *scrimshaws* (couteaux gravés de baleiniers faits dans de l'os ou des dents de cachalot) complètent cette visite instructive. Depuis la terrasse, sur le toit, très belle vue sur le port.

L'ARGENT A DE L'ODEUR

À l'époque de l'âge d'or de Nantucket, entre 1700 et 1830, l'île était la capitale mondiale de la chasse à la baleine. C'étaient les pêcheurs qui avaient leur maison le plus près du port, dans la puanteur de la cuisson du blanc de baleine (destiné à la fabrication de chandelles essentiellement). Plus on grimpait dans la hiérarchie sociale, plus les habitations étaient éloignées des effluves portuaires. Les capitaines et les armateurs étaient au sommet de la colline. Ce sont leurs maisons qu'on observe sur Main Street.

Hadwen House : *96 Main St. Ouv slt dans le cadre des visites guidées.* Luxueuse demeure ayant appartenu à un riche marchand de chandelles au milieu du XIXe s. Façade en style *greek revival* typique de cette période de prospérité. M. Hadwen était le propriétaire de la fabrique de bougies où se trouve le *Whaling Museum.* Visite rapide et parsemée d'anecdotes, et très beau jardin à l'anglaise.

Old Mill : *50 Prospect St, à l'angle de West York St. Ouv de fin mai à mi-oct, tlj 11h-16h. Accessible avec le pass.* Construit en 1746, c'est le plus vieux moulin encore en activité des États-Unis ! Lors des démonstrations, la farine de maïs est encore moulue à la force du vent.

First Congregational Church : *62 Centre St. ☎ 508-228-0950. De mi-juin à mi-oct, lun-sam 10h-16h. Donation : 5 $.* Très beau point de vue sur l'ensemble de l'île depuis le sommet (100 marches !) du clocher, très hitchcockien.

À voir. À faire dans les environs

➢ ***Balades à vélo :*** le meilleur moyen de visiter Nantucket ! Une dizaine de pistes bitumées sillonnent l'île d'est en ouest. Le *Polpis Bike Path* (environ 13 km) permet notamment de rallier Siasconset en traversant de superbes paysages. Quelques légères dénivelées et des passages venteux, mais rien de bien méchant. Et il existe aussi de petits sentiers de 2-3 km sur terrain plat, accessibles à toute la famille. En cas de fatigue, le trajet de retour peut toujours se faire en embarquant son vélo à l'avant du bus.

Siasconset : situé à 11 km de Nantucket, « Sconset », comme l'appellent les locaux, est un adorable village où il faut absolument aller se balader. Le plus simple, c'est à vélo, mais il existe également des bus (voir plus haut « Comment se déplacer sur l'île ? »). Les maisons construites ici servaient d'abris aux pêcheurs et aux chasseurs de baleines qui habitaient seuls sur l'île pendant que leurs familles vivaient sur le continent. Quand femmes et enfants ont rejoint les hommes, ces *shanties* (baraques) ont été agrandies. À la fin du XIXe s, Sconset devint un lieu de villégiature très recherché du gratin new-yorkais et autres artistes de la côte Est. John Steinbeck y a travaillé à l'écriture de *À l'est d'Éden.* De grosses propriétés apparurent. Mais pas de fausse note, rien n'est venu enlever à ce village son unité. L'été, toutes les maisons de bardeaux gris aux jardins parfaitement entretenus croulent sous les fleurs et c'est magnifique ! Il faut déambuler dans les petites ruelles autour du centre du village pour apprécier le calme qui règne ici. Beaucoup de maisons ont vue sur la belle grande plage de sable blanc, pas trop bondée.

Si vous êtes là seulement pour la journée, possibilité de vous bricoler un pique-nique au **Siasconset Market,** sur la place du village *(de mi-mai à début oct, tlj 8h-19h et jusqu'à 22h en plein été).* On trouve dans cette petite épicerie des salades et des sandwichs tout prêts *(env 8-12 $),* mais aussi tout ce qu'il faut pour préparer soi-même son casse-croûte avec une vraie baguette. Café, bagels, cookies et brownies, glaces sont également en vente au comptoir.

Wauwinet : *au nord de l'île ; accessible par le Polpis Bike Path, puis par la Wauwinet Rd. À l'entrée de ce « village », vous devez laisser votre véhicule sur le parking. Ce coin est en effet protégé et seuls les 4x4 avec un permis spécial peuvent le traverser (il s'achète à la cahute sur le parking ; 125 $/voiture !).* Quand on marche sur cette bande de sable, entouré par l'océan Atlantique d'un côté et le port de l'autre, on passe devant de superbes maisons, toutes les pieds dans le sable et avec vue imprenable sur la mer. Partout autour, des fleurs sauvages roses et blanches poussent à même le sable. Pour rejoindre la plage, pas de problème, mais comme chaque proprio a son petit coin de plage privée, il faut marcher jusqu'à la dernière maison (environ 2,5 km après le parking) et se poser seulement après. Pas beaucoup de monde sur cette immense étendue de sable blanc, et on ne s'en plaint pas !

➢ Il est possible de partir de là à pied pour accéder au **Brant Point Lighthouse.** C'est une balade de 18 km aller-retour, en partant du village. Prévoir une bonne journée de marche, car tout le parcours est dans le sable. Les moins courageux opteront pour un tour en jeep accompagné par un guide naturaliste, qui vous conduit jusqu'en haut du phare pour une vue spectaculaire *(de mi-mai à mi-oct ; compter 40 $; réduc ; résas au ☎ 508-228-6799).* Avec un peu de chance, vous y verrez des phoques...

LES PLAGES

Jetties Beach : facilement accessible à vélo ou en bus (en été), c'est la plage la plus proche, à 5 km à l'ouest de la ville. Beaucoup de monde l'été. Cabines, jeux pour enfants, terrains de tennis, location de planches à voile et kayaks de mer, etc. Si elle reste jolie, elle est vraiment un peu trop fréquentée en été.

Children's Beach : une plage pas très grande aménagée sur le port, à distance du centre. Comme son nom l'indique, idéale avec des enfants : jeux, tables de pique-nique, etc. Animations et ciné en plein air le vendredi soir en saison, concerts le dimanche.

Surfside Beach : accès en bus (en été seulement) ou par le *Surfside Bike Path* (4,5 km). Superbe plage de sable blanc avec gros rouleaux s'étendant sur plusieurs km, et très populaire parmi les jeunes (l'AJ se trouve ici ; voir « Où dormir ? »).

Dionis Beach : à environ 5 km de Nantucket Town, cette plage est la seule de l'île à être bordée de dunes. Elle est très agréable pour s'y baigner en famille (la mer est calme) ou pour y ramasser des coquillages.

Cisco Beach et Madaket Beach : deux autres belles plages sur la côte sud-ouest à 6 km, fréquentées cette fois par les surfeurs. Baignade sportive donc, et belles vagues. Celle de Madaket est aussi très populaire pour ses couchers de soleil.

Festival

– ***Festival de la jonquille :*** *le dernier w-e d'avr, sur 3 j.* Organisé par la *Chamber of Commerce.* Au programme, diverses animations et un défilé de vieilles voitures décorées de fleurs, qui sillonne l'île jusqu'à Siasconset. Pourquoi des jonquilles plus que des tulipes ? Parce que leurs bulbes sont épargnés par les biches et les lapins !

NEW BEDFORD

95 000 hab.

À 110 km au sud de Boston et seulement 55 km au nord de Newport, New Bedford est un port industriel vivant aussi de la pêche et qui fut un rival de Nantucket dans le lucratif commerce résultant de la chasse à la baleine. De son passé prestigieux subsiste un petit quartier aux rues pavées (classé Historical Park), bordées de boutiques d'antiquaires, qui abrite le passionnant musée consacré à cette activité qui fit sa prospérité. Halte méritée.

Adresse utile

Whaling Visitor Center : *33 William St. ☎ 508-996-4095. Tlj 9h-17h sf lun-mar janv-mars.* Toute la doc pour découvrir les 13 blocs et les 70 bâtiments qui constituent le périmètre du Whaling National Historic Park.

À voir

New Bedford Whaling Museum : *18 Johnny Cake Hill. ☎ 508-997-0046. • whalingmuseum.org • Avr-déc, tlj sf lun 9h-17h ; janv-mars, tlj sf lun 9h-16h (11h dim). Entrée 16 $; réduc.*
Sans aucun doute le plus intéressant musée sur le sujet, il va ravir ceux qui ont lu le *Moby Dick* d'Herman Melville. Le ton est donné par le gigantesque squelette de cétacé accroché au plafond du hall d'entrée. Le visiteur est invité à faire le tour des mers durant l'âge d'or de la marine à voile lorsque la flotte de chasse à la baleine

sillonné les océans à la poursuite des géants des mers et en éclairait les lampes du monde entier et lubrifiait les roues de la elle. Ses 20 salles d'art maritime et d'expositions à caractère ennent aussi à l'échelle ½ le plus grand modèle réduit de bateau re baleinier ***Lagoda,*** à bord duquel on peut grimper. Magnifique *imshaws,* ces ivoires d'os et dentures de cétacés finement gravés, utilis i comme pommeaux de cannes. On découvre en leur compagnie les usages multiples des fanons de baleine, utilisés à la fois pour les parapluies, les corsets des dames et les *swifts* pour dévider les pelotes de laine.

Une section est consacrée à l'œuvre d'Herman Melville qui exploita les journaux de bord des capitaines pour rédiger son roman. Un squelette humain voisine avec celui d'un cachalot et permet de visualiser la différence de taille de ces deux mammifères. Dans la même salle, possibilité d'« écouter » le chant des baleines. Section consacrée aux îles Açores, archipel sur la route des baleiniers et dont les habitants avaient de nombreux contacts avec les ports de la Nouvelle-Angleterre. L'exposition « De la poursuite à la préservation » invite à considérer l'impact environnemental, économique et social que la chasse a eu sur le monde. La peinture des artistes locaux, le mobilier et autres beaux-arts et arts décoratifs sont présentés au sous-sol. Un pont d'observation offre les meilleures vues sur le front de mer de New Bedford.

NEWPORT

30 000 hab.

À 1h30 de Boston, Newport, 2e ville du Rhode Island (le plus petit des États américains), mérite bien une escapade d'une journée. C'est au premier abord une ville guindée, destinée aux *wealthy people.* Architecture et décors sont soignés, parfois un peu surfaits. Mais en déambulant dans les rues, comment ne pas être charmé par ce vieux port aux couleurs vives ? Les quais, bien que truffés de restos, cafés et autres nécessités touristiques, lui apportent une animation estivale intense. Sans oublier les incontournables *mansions* qui méritent indéniablement une visite. Ces immenses demeures furent construites au tournant du XXe s (ce qu'on appelle le *Gilded Ages*) pour le compte des milliardaires de l'époque qui venaient profiter de la fraîcheur littorale. Les fêtes extravagantes qui y étaient données inspirèrent Francis Scott Fitzgerald pour son *Gatsby le Magnifique.* Au cœur du circuit des *mansions,* la vénérable université privée *Salve Regina* égrène elle aussi des dizaines d'édifices tout aussi cossus.

UN PEU D'HISTOIRE

La ville de Providence (capitale de l'État) fut fondée en 1636 par Roger Williams, un pasteur exilé du Massachusetts pour ses opinions novatrices. Il fut ensuite rejoint par un groupe de Bostoniens fuyant le manque de tolérance religieuse des puritains.

Suite à une embrouille politique entre deux des « ténors » de Providence, William Coddington s'installa au sud de la baie avec un groupe de disciples : Newport était né. Attirés par l'ouverture d'esprit des

UNE DÉCOUVERTE COLOSSALE

En 1524, Giovanni Da Verrazano, explorateur italien, aborda l'île nommée Aquidneck par les Indiens. Il fut tellement ébloui par sa luminosité qu'il la compara à Rhodes (Grèce). Plus tard, l'île où Newport était établi fut rebaptisée Rhode Island et a donné son nom à l'État.

habitants du Rhode Island, quakers, baptistes, juifs et autres minorités religieuses s'établirent dans ce petit État. Au XVIIIe s, Newport devint un grand port. La ville prospéra, notamment grâce au commerce triangulaire.
La guerre d'Indépendance et l'occupation anglaise réduisirent Newport à l'état de ruine. Jamais par la suite la ville ne retrouva sa splendeur commerciale. Mais ce qui la sauva, c'est que dès le XVIIIe s, idéalement située entre Boston et New York, elle devint un lieu de villégiature très prisé d'abord des riches planteurs du Sud, puis de toute la bonne société de la côte est.
Les richissimes familles américaines recrutèrent l'élite des architectes américains pour se faire construire, à la fin du XIXe s, des *mansions* (manoirs) au luxe incroyable et dont le style était largement emprunté à l'Europe. L'été, tout ce beau monde se retrouvait à Newport. Les dames organisaient bals, tournois de bridge et réceptions caritatives. On mettait à l'eau des maquettes de bateaux grandeur nature pour donner à la mer un air de port ; on dînait au champagne et au caviar en compagnie des chiens et autres animaux de compagnie... L'introduction de l'impôt sur le revenu en 1913 et la Première Guerre mondiale sonnèrent le glas de cette période fastueuse. Des charges financières trop lourdes obligèrent la plupart des héritiers à vendre leur propriété. C'est ainsi que la *Preservation Society of Newport County* put en racheter un bon nombre pour les ouvrir ensuite au public.

UN PEU DE SPORT ET DE MUSIQUE

Quels passe-temps occupaient ces nantis de Newportais ? Golf, polo, tennis et voile, pardi ! C'est d'ailleurs ici que se tinrent les premiers championnats de tennis américain sur herbe et de golf amateur (respectivement en 1881, sur les terrains du Newport Casino, devenu depuis le ***Tennis Hall of Fame,*** et ensuite en 1894).
Mais la renommée internationale de Newport vient de la voile. Entre 1930 et 1983, la ville accueillit les régates de l'***America's Cup.*** Cette compétition internationale naquit en 1851, quand le *New York Yacht Club* faisait traverser l'Atlantique à sa goélette *America* pour défier les Britanniques dans la *Hundred Guineas Cup.* Les Américains, vainqueurs, emportèrent chez eux cette coupe en argent qui porte depuis le nom de « coupe de l'America ». Elle y resta jusqu'en 1983, date à laquelle les Australiens s'emparèrent du trophée.
Aujourd'hui, Newport est toujours la destination d'une course célèbre (bien qu'un peu éclipsée en France par le *Vendée Globe* et la *Route du Rhum*) : la *Transat anglaise en solitaire,* qui elle, part de Plymouth (Angleterre).

Arriver – Quitter

En bus

🚌 ***Peter Pan Bus Lines / Bonanza :*** ☎ *1-888-751-8800.* • *peterpanbus.com* • Env 5 bus/j. A/R vers Newport entre Boston et New York. Durée du trajet : 1h30 de Boston et 3h de New York.
– *À Boston : South Station Bus Terminal, 700 Atlantic Ave.* ☎ *1-888-751-8800.* Ⓜ *South Station (Red Line). Compter 50 $ A/R.*
– *À Newport : Gateway Center (à côté du* Newport Visitors *Center), 23 America's Cup Ave.* ☎ *401-846-1820.*

En voiture

➢ De Boston Downtown, prendre la 1 S *(JFK Expressway)* jusqu'à la 495 W. Après quelques kilomètres, bifurquer sur l'autoroute 24 S qui devient la 114 avant d'arriver à Newport. Cette route est plus rapide et moins encombrée que celle, plus évidente, qui passe par l'I 95 et le magnifique pont suspendu en dos d'âne de Newport (péage de 4 $).

Adresses utiles

- ℹ ***Newport Visitor Center :*** *23 America's Cup Ave, au terminal de bus. ☎ 401-845-9123 ou 1-800-326-6030.* • *discovernewport.org* • *Tlj 9h-17h (18h ven-sam). Fermé pour Thanksgiving et Noël.* Brochures en abondance. Infos sur les transports. Vente de billets pour les événements. Lignes téléphoniques directes avec des hôtels et des *B & B.* Liaison en trolley avec le quartier.
- ■ ***Ten Speed Spokes :*** *18 Elm St, pas loin du* Newport Visitor Center, *sur l'America's Cup Ave. ☎ 401-847-5609.* • *tenspeedspokes.com* • *En été, lun-ven 10h-18h, sam 10h-17h ; en hiver, tlj sf dim-lun 10h-18h (17h sam). Loc de vélos à l'heure (7 $) ou à la journée (35 $). Caution obligatoire.* Le moyen de transport idéal à Newport, très encombré par les voitures l'été.
- ■ ***Scooter World :*** *11 Christie's Landing. ☎ 401-619-1349.* • *scooterworldri.com* • *Tlj 9h-19h. Loc de scooters : 30 $ la 1re heure, puis 15 $/h ou 125 $/j. Loc aussi de* Scoot Coupé *(drôles de véhicules à 3 roues) : 50 $/h, puis 35 $ à partir de la 2e heure. Loc de vélos : 7 $/h ou 30 $/j.* Ces moyens de locomotion sont très pratiques pour découvrir Newport.

Où dormir ?

- ***William Gyles Guesthouse (Newport International Hostel) :*** *16 Howard St. ☎ 401-369-0243.* • *newporthostel.com* • *Nuitée en petit dortoir simple et propre à partir de 29 $, draps et serviettes compris (plus cher le w-e et en hte saison). Petit déj basique en self-service. Quelques chambres privatives 110 $. Résa indispensable. Parking payant dans la rue.* Petite AJ dans une maison historique non loin d'une belle plage. Confort sommaire. Pièce commune agréable, cuisine, jardin et laverie. Accueil amical mais un peu rugueux de la gérante.

Côté hôtellerie plus classique, au vu des prix exagérés, on vous conseille plutôt d'y passer seulement la journée. Si vous tenez à dormir sur place, une adresse nous a paru assez originale pour la citer :

- ***Jailhouse Inn :*** *13 Marlborough St (à slt un bloc du* Visitors Center, *entre le stade et Farewell St). ☎ 401-847-4638.* • *jailhouse.com* • *Doubles env 200-350 $, avec petit déj. Parking.* Comme son nom l'indique, le bâtiment de 1772 a servi de prison municipale jusqu'en 1886. Il en subsiste une réception au guichet grillagé, mais les chambres n'ont rien de carcéral et se révèlent à l'inverse très sobres et classiques. Confort cosy et service aux petits oignons assurés par le tenancier plutôt jovial. Petit déj continental avec fruits et viennoiseries, thé et cookies l'après-midi.

– Autrement, il y a aussi la solution des *B & B* : voir • *newportinns.com* • qui proposent de très agréables adresses.

Où manger ?

Les quais, avec les anciens entrepôts de Bannister's et Bowen's Wharf, transformés en restos et boutiques, et Thames Street sont les deux lieux les plus animés de la ville. Bien sûr, c'est touristique, mais on y trouve sans problème de quoi se restaurer dans des endroits agréables, à des prix raisonnables. Pour trouver de la place et ne pas faire la queue, n'hésitez pas à réserver.

- ***Corner Café :*** *110 Broadway, en face du City Hall et à côté du poste de police. ☎ 401-846-0606. Lun-mer 7h-14h30, jeu-sam 7h-22h, dim 7h-16h. Env 10 $.* Avec son enseigne Art nouveau, un petit café bien agréable, avec tables en bois, et des banquettes couvertes de petits coussins pour s'asseoir en rond. Cuisine sur le pouce : petits déj variés, omelettes, sandwichs, salades copieuses, burgers à prix raisonnables et servis avec célérité. Accueil aimable.

Rosemary & Thyme Artisan Bakery : *382 Spring St. ☎ 401-619-3338. Tlj sf lun 7h30-15h (11h30 dim). Salades, soupes, et sandwichs env 8-9 $.* Les gourmands connaissent bien cette échoppe discrète isolée dans une rue résidentielle. Et c'est vrai qu'elle vaut le détour : ses sandwichs sont inventifs, préparés avec un pain délicieux (le boulanger est allemand) et garnis avec les meilleurs ingrédients qui soient. En revanche, c'est riquiqui, donc à moins d'avoir la chance de s'installer à l'une des rares tables, c'est à emporter. Et à midi, il faut souvent patienter 20-30 mn une fois la commande passée. Mais ça vaut le coup !

Coffee Grinder : *à l'extrémité du Bannister's Wharf. Slt en saison, 7h-23h30. Env 10 $.* Petite baraque pour un petit café accompagné d'un brownie ou autre douceur. Sandwichs et quiches également. Peu de sièges à l'intérieur, mais c'est de toute façon la terrasse face à la marina qui en fait tout l'attrait.

Scales & Shells : *527 Thames St. ☎ 401-846-3474. Tlj 17h-21h ou 22h. Plats 20-25 $. Pas de résa.* Un peu à l'écart du centre touristique, voici un authentique resto de poisson fréquenté par les locaux. Ici, pas de vue mer mais on se régale de *seafood* à l'italienne cuisinée sans chichi. Linguine aux clams, aillés et relevés à souhait (servis directement dans le poêlon), poissons grillés, tout est pêché dans le coin, sauf les crevettes. Si vous voulez dîner au calme, optez pour la partie bar, car côté resto-bar à huîtres c'est souvent effervescent et donc bruyant.

Malt : *150 Broadway, juste après le City Hall. ☎ 401-619-1667. Tlj 17h-22h (23h ven-sam). Plats env 10-25 $.* Avec un nom pareil c'est forcément un pub ! Atmosphère tranquille et conviviale dans une jolie salle de bistrot avec parquet, lanternes et photos en déco. Cuisine un cran au-dessus de la moyenne, qu'il s'agisse d'un burger (cuit à son goût), d'un *fish and chips* ou d'un plat de viande ou de poisson plus élaboré. Le résultat est à la hauteur de l'attente : frais, bon et copieux. Une adresse un peu à l'écart du centre touristique, plébiscitée par les locaux.

Brick Alley Pub and Restaurant : *140 Thames St. ☎ 401-849-6334. Tlj 11h30-1h (service jusqu'à env 21h30-22h).* Sunday brunch *très couru. Plats env 12-25 $. Résa conseillée.* Grosse taverne toujours en ébullition, très appréciée pour son atmosphère conviviale et sa déco délirante : plaques émaillées, néons, matériel de sport, moto... et même un camion de pompiers au milieu de la salle ! Menu typique d'un pub américain : sandwichs, soupes, plats mexicains, *seafood,* poisson et plats de pâtes. *Burger bar* à l'étage au nom de *Plumby.* Rien de sophistiqué ici, mais c'est copieux et correct. Bonnes bières à la pression. Grande terrasse derrière. Très touristique.

The Red Parrot : *348 Thames St. ☎ 401-847-3140. Lun-ven 11h30-22h, le w-e 10h-23h. Plats env 15-30 $. Une grande façade de brique sur un coin au sud du port.* Comme un grand pub un peu bruyant sur 3 niveaux. La bonne surprise est dans l'assiette : longue carte très variée, aux plats vraiment cuisinés sortant de l'ordinaire, avec des touches méditerranéennes ou asiatiques et servis généreusement. Un bon rapport prix-qualité assuré.

The White Horse Tavern : *angle Marlborough et Farewell. ☎ 401-849-3600. Tlj 11h30 (11h dim)-21h (22h ven-sam). Très cher le soir (repas env 50 $) mais abordable pour le déj (plats env 15-25 $).* La maison existe depuis plus de 3 siècles (1673), un âge très respectable au Nouveau Monde. Ce serait d'ailleurs la plus ancienne taverne encore en activité. Le décor et l'ambiance en attestent : cheminée, poutres vénérables, escaliers patinés, planchers qui craquent, éclairage à la bougie qui projette des ombres dansantes sur les murs garnis de gravures anciennes. Côté assiettes, on n'est pas déçu : le chef connaît son boulot et sa cuisine *New American* est bien goûteuse. Belles pièces de viande, de gibier en saison, homards, soles, etc. Bon, le décor, la notoriété, la qualité entrent en ligne de compte pour l'addition, mais si on s'abstient de choisir les mets les plus chers, ce n'est pas trop le coup d'arquebuse.

À voir

The mansions (les manoirs)

Ils furent bâtis au tournant des XIXe et XXe s (le *Gilded Age*) par les représentants des plus riches familles américaines qui avaient fait fortune dans les chemins de fer, la banque ou les mines après la guerre civile. Les Astor, Vanderbilt et autres Belmont rivalisèrent à coups de millions de dollars pour se faire construire de véritables demeures princières en s'inspirant des châteaux français ou des palais italiens. Rien n'était trop beau pour épater la galerie : marbres précieux, boiseries exotiques luxueuses, tapisseries, mobilier extravagant, bronzes, albâtres, dorures, vitraux et œuvres d'art achetées à prix d'or à Florence, Paris ou Londres... Ils reflètent par leur démesure l'orgueil d'une génération de parvenus qui espéraient par leur argent s'acheter un vernis aristocratique. Le comble est qu'ils n'y passaient que quelques semaines au cœur de l'été pour échapper à la chaleur new-yorkaise et que, 10 mois sur 12, les demeures étaient inoccupées. C'est d'ailleurs le coût prohibitif de leur entretien qui leur fit renoncer progressivement à y séjourner. Ces demeures comptent parmi les plus surprenantes des États-Unis. Elles combinent l'élégance européenne et les avancées techniques américaines (ces propriétés avaient l'électricité, le gaz, l'eau courante...).

■ ***Preservation Society of Newport County :*** *424 Bellevue Ave.* ☎ *401-847-1000.* • *newportmansions.org* • Infos sur les tours organisés, les horaires et directions, les prix... par téléphone ou sur leur site internet. Demandez la brochure *Newport Mansions* avec la carte indiquant l'emplacement de chaque résidence.
– Manoirs ouv tlj 10h (9h pour The Breakers et pour Rosecliff)-18h (19h fin juin-début sept pour The Breakers et 17h pour Rosecliff) ; dernière admission 1h avt ; d'oct à nov, fermeture 17h ; de fin nov à mi-mars seuls The Breakers, The Elms et Marble House (ainsi que Rosecliff à partir de fin janv) sont ouverts 10h (9h The Breakers et Rosecliff)-17h. Tous fermés à Thanksgiving et les 24-25 déc, et quelques fermetures exceptionnelles (voir site). Le coût de la visite pour une demeure est de 17,50 $/adulte (env 24 $ pour The Breakers, et 27 $ plus une au choix) ; réduc 6-17 ans ; gratuit moins de 6 ans. Mais il est plus judicieux de prendre le pass *à env 35 $ pour 5 propriétés au choix (sf Hunter House). L'été et les j. fériés, l'affluence frise la démence ; mieux vaut faire la visite des manoirs les plus populaires le matin. Parkings gratuits. Pas d'endroit pour se restaurer dans les manoirs.* Manoirs ou jardins, ce sont 12 lieux au total qui sont ouverts au public. En fonction des sites, les visites sont soit guidées (en anglais seulement), soit audioguidées (très bons audioguides gratuits en français à *Marble House, The Breakers* et *The Elms,* en anglais à *Rosecliff*). Prévoir 1h par site.

🏛🏛🏛 ***The Breakers :*** Cornelius Vanderbilt II, autre petit-fils du Cornelius cité plus haut et héritier d'un empire ferroviaire, se fit construire en 1895 cet opulent cottage de plus de 70 pièces. Vu de l'extérieur, *The Breakers* rappelle la Renaissance italienne par ses arcades, ses colonnes cannelées, ses corniches et l'utilisation de la pierre et du marbre. À l'intérieur, ornements de bois, plâtres dorés, mosaïques et plafonds peints. À noter : la grande salle au décor théâtral autour de laquelle s'ordonnent les pièces de façon géométrique. La salle à manger est également remarquable, dans son décor d'albâtre rouge et de dorures (15 m de hauteur sous plafond !). Les pièces du rez-de-chaussée donnent sur des terrasses avec vue sur la mer. À l'étage, après avoir emprunté un escalier inspiré de celui de l'Opéra de Paris, succession de chambres et de salles de bains (la maison en compte 20 !) débouchant sur une vaste loggia profitant d'une vue géniale. L'argent ne faisant pas le bonheur, Cornelius mourut à 56 ans d'une crise cardiaque. Pourtant, on le disait plus riche que le Trésor américain. On peut aussi visiter les écuries.

👁👁 ***Isaac Bell House :*** une des plus intéressantes, car de style *Arts & Crafts,* donc mâtiné d'influences diverses et pas seulement calqué sur le modèle européen (1881-1983). Le richissime Isaac Bell (il prit sa retraite à 31 ans !) fit appel au cabinet d'architecture le plus prestigieux de l'époque, McKim, Mead & White, pour construire cette maison qui inspira par la suite le grand Frank Lloyd Wright dans son concept de *Prairie House.* Harmonieuse façade *shingle style,* c'est à dire en bardeaux de bois et briques, mêlant des styles variés : colonial américain, français, allemand et asiatique (les colonnades des porches évoquant des bambous). Des références japonisantes que l'on retrouve aussi à l'intérieur, où tout a été mis en œuvre pour faire entrer la lumière naturelle et jouer avec ses effets. Une visite passionnante qui met aussi l'accent sur le processus de restauration encore en cours et ravira les passionnés d'architecture américaine.

👁👁 ***The Elms :*** de 1898 à 1901, Edward Berwind se fit construire une maison sur le modèle du château d'Asnières édifié au XVIIIe s. Pour mener à bien les travaux de ce véritable palais, l'un des premiers entièrement électrifié de l'époque, il fallut injecter l'équivalent de 22 millions de dollars actuels ! Edward souhaitait rivaliser avec les belles demeures de Newport et espérait ainsi s'intégrer à la société newportaise, qui le considérait comme un parvenu, lui qui faisait fortune avec le charbon. Aux Elms, les proportions des pièces sont impressionnantes, notamment celles du hall et de la salle de bal. C'est le style classique qui domine ici : jardin d'hiver pour les plantes tropicales, salon de réception Louis XVI, salle de petit déjeuner agrémentée de panneaux laqués chinois... Détail architectural intéressant : le crénelage en haut de la façade dissimule un 3e et dernier niveau réservé aux domestiques, avec une coursive leur servant de promenade, mais sans vue sur l'extérieur (à part le ciel !). À propos, la visite guidée *Servant Life Tour* nous a semblé plutôt insipide, même pour des fans de la série *Downton Abbey.*

👁 ***Château-sur-Mer :*** avant l'arrivée des Vanderbilt à Newport, cette demeure de style Second Empire était la plus imposante de la ville. À force de restructuration et d'arrangements successifs, cette maison rassemble toutes les tendances en vogue dans la société newportaise de l'époque. À l'intérieur, quelques effets décoratifs, comme les boiseries de chêne très travaillées du hall. Dans le salon victorien, mobilier et objets orientaux, européens et américains. Rien que ça ! La bibliothèque et la salle à manger sont, elles, de style Renaissance. Ironie du sort, ce Château-sur-Mer ne donne pas sur l'eau. Cette juxtaposition de styles n'étant pas toujours du meilleur goût, on gardera cette visite pour la fin.

TRAITÉ COMME UN CHIEN

Il faisait bon être un toutou chez les rich and famous *! Un certain Harry Lehr eut un jour l'idée d'organiser un dîner de chiens. On scia les pieds d'une table en acajou, et l'on fit porter avec tout le tralala des mets fins cabots, triés sur le volet. On ne sait pas qui a eu droit aux restes, si restes il y eut...*

👁 ***Rosecliff :*** *visite début avr-début oct.* En 1891, Theresa Oelrichs, née Fair, fille d'un riche propriétaire de mines d'argent, s'installe à Newport avec son mari. Ils achètent le domaine de Rosecliff, surnommé ainsi pour sa roseraie, et décident de le transformer en une imitation du Grand Trianon de Versailles, histoire d'impressionner la galerie. On s'y croirait presque ! Notez sur les murs extérieurs l'utilisation de terre cuite émaillée blanc cassé, qui imite la pierre. À l'intérieur se trouve la plus grande salle de bal de Newport, qui servit d'ailleurs de décor pour quelques scènes de *Gatsby le Magnifique* avec Robert Redford et Mia Farrow, ainsi que pour *True Lies* de James Cameron. À l'étage, les chambres meublées renferment des collections de costumes et de robes de soirée.

Marble House : construite entre 1888 et 1892 pour William Vanderbilt (petit-fils de Cornelius, qui établit la fortune de la famille dans les bateaux à vapeur), qui en fit cadeau à son épouse Alva, aussi connue pour ses fêtes délirantes que pour son engagement pour le droit de vote des femmes. La décoration de cette propriété est, dit-on, un mélange du Parthénon d'Athènes et du Petit Trianon de Versailles. Ne partez pas en courant, elle vaut le détour. 11 millions de dollars de l'époque furent engloutis dans sa construction, dont 7 pour le marbre (15 000 m³, quand même !). Le résultat n'est pas des plus léger ! Dans l'entrée, belles tapisseries des Gobelins. Dans la salle de bal, marbres, miroirs et lustres en cristal à vous donner le vertige ! Parmi les curiosités, un étonnant salon de style gothique, plus propice au recueillement qu'au bavardage, et la salle à manger toute de marbre rose d'Algérie. Autour de la table, les chaises en bronze Louis XIV sont tellement lourdes que les maîtres de maison devaient prévoir, quand ils recevaient, un valet de pied par invité pour bouger la chaise ! Le jardin, où l'on découvre un adorable pavillon de thé chinois, donne directement sur la mer.

Dans le Newport historique

Tous les styles architecturaux qu'ont connus les États-Unis entre les XVIIe et XIXe s sont représentés à Newport. Il y a tout d'abord les imitations des châteaux français et des palais italiens décrits plus haut. Ensuite, le style colonial, présent dans des bâtiments tels que la *Quaker Meeting House* ou la *Trinity Church.* Enfin, le style géorgien que l'on retrouve dans la *Touro Synagogue* ou dans le *Brick Market.*

■ ***Newport Historical Society :*** *82 Touro St. ☎ 401-846-0813. • newporthistory.org • Organise des visite guidées thématiques de la ville tte l'année.*

Trinity Church : *en face du Queen Ann Sq. ☎ 401-846-0660. • trinitynewport.org • Visites guidées proposées par des bénévoles de mai à mi-nov lun-sam 10h-16h (15h avr-mai). Également dim tte l'année après la messe de 10h (11h30-12h30). Donation suggérée : 5 $.* La chaire à trois étages vaut le coup d'œil.

Touro Synagogue : *85 Touro St, à 7-8 mn de marche du* Visitor Center. *☎ 401-847-4794. • tourosynagogue.org • Visites guidées obligatoires. Horaires variables selon saison. Fermé sam et pour les fêtes juives. Entrée : 12 $.* Bâtie en 1759, c'est la première synagogue construite aux États-Unis, et la première de l'époque coloniale. Son architecture intérieure, qui contraste avec la simplicité de l'extérieur, est marquée par le chiffre sacré 12 : 12 colonnes soutiennent les tribunes, 12 autres le plafond...

Museum of Newport History : *127 Thames St, près du Brick Market. ☎ 401-841-8770. • newporthistory.org/museum • Tlj 10h-17h. Donation suggérée : 4 $.* Petit musée sur 2 étages, qui retrace l'histoire navale de la ville, le commerce maritime et la vie quotidienne des premiers colons. On y apprend qu'en plus de la pêche, la ville a vécu de l'exportation de bougies faites à partir de la graisse de baleine. Dans les vitrines, quelques documents anciens, des uniformes et des collections d'argenterie.

International Tennis Hall of Fame : *194 Bellevue Ave, avt d'arriver aux* mansions. *☎ 401-849-3990 ou 1-800-457-1144. • tennisfame.com • Tlj 10h-17h (18h juil-août). Fermé mar janv-mars et pour Thanksgiving et Noël. Entrée : 15 $; réduc ; gratuit moins de 16 ans.* Un musée dédié au tennis, dans l'ancien casino du country-club victorien entouré d'un gazon plus tendre qu'en Angleterre. C'est ici, à partir de 1881, que se disputèrent les tout premiers championnats de tennis, qui devinrent ensuite le fameux *US Open* (aujourd'hui à Flushing Meadows à New York).

Le *Hall of Fame* consacre les plus grands joueurs de l'histoire de ce sport. En 2016, ce sont Amélie Mauresmo et Justine Henin qui firent leur entrée au Panthéon de Newport ! Le musée est bien ficelé et très complet, les amateurs y passeront des heures. Cerise sur le gâteau : on peut même y louer un court, à condition d'avoir le porte-monnaie bien rempli *(à partir de 80 $/30 mn à 2)* et de venir avec la tenue adéquate, car ici on joue en blanc, comme à Wimbledon. La classe !

Audrain Automobile Museum : *222 Bellevue Ave, à droite du précédent. ☎ 401-856-4420. Tlj 10h-16h. Entrée : 14 $.* Pour les amateurs de belles carrosseries, un hall d'exposition aux élégantes arcades de brique, avec par roulement, une petite vingtaine des plus beaux modèles de prestige de l'industrie automobile américaine depuis la fin du XIXᵉ s jusqu'à nos jours. Vu le prix d'entrée, on peut tout aussi bien les admirer à travers les baies vitrées.

Fort Adams : *Fort Adams State Park. ☎ 401-841-0707. • fortadams.org • De mi-mai à oct, tlj sf jours de grosse pluie 10h-16h. Entrée : 6 $ pour la visite libre, 12 $ pour la visite guidée ; réduc. Accès possible via une navette-taxi depuis Ann St Pier, près du* Visitor Center. Le plus vaste complexe de défense côtière des États-Unis fut en activité de 1824 à 1950. Conçu par un ancien aide de camp de Napoléon, il abritait une garnison de 2 400 soldats. Pas grand-chose à voir cela dit, puisque la visite se résume à une balade dans l'immense cour et dans de sombres couloirs voûtés, et à un coup d'œil à une expo historique maigrichonne installée dans quelques casemates.

À faire

➢ ***Cliff Walk :*** sentier de 5,5 km surplombant la mer d'un côté et les *mansions* de l'autre. Il commence au *Chanler Hotel,* près de la route 138 A, juste à l'ouest d'Easton Beach, et passe devant les Breakers, Rosecliff et Marble House (plusieurs entrées possibles le long du parcours). Au XIXᵉ s, pour avoir la paix, les propriétaires des *mansions* ont essayé de faire fermer l'accès de ce chemin. Mais les pêcheurs ont protesté, et l'État leur a donné raison. La deuxième partie, non pavée et un peu escarpée, est moins fréquentée et plus sauvage. Dommage que certaines barrières et protections érigées par les *Mansions* pour se préserver des regards ne soient pas toujours harmonieuses. Gratuite, cette balade est l'une des activités les plus populaires ici.

Les plages : les plages publiques se situent sur le côté est de l'île, le long de *Memorial Boulevard.* Elles n'ont rien de sensationnel, mais un peu d'air frais ne peut pas faire de mal après tant de culture américaine ! Attention, les parkings sont payants en été. Renseignez-vous à l'office du tourisme.
– *Easton's Beach,* nommée aussi *First Beach* : la plus grande.
– *Sachuest Beach* ou *Second Beach,* à l'est d'Easton's. C'est la plus sympa des trois.
– *Third Beach,* surtout fréquentée par les fanas de planche à voile.
– Il existe d'autres plages le long d'Ocean Avenue. Souvent minuscules et la plupart du temps privées.
– D'autres plages se trouvent à Narragansett, en passant par la « Scenic Route 1 A », au sud-ouest de Newport.

– ***Assister à un match de base-ball :*** dans un petit stade historique des années 1920 d'une capacité de 3 000 places, peint en vert bouteille, devant le *Visitor Center.* De juin à août, les *Newport Seagulls (☎ 401-845-6832 ; • newportgulls.com •),* composés de l'élite collégiale de la région, jouent contre leurs rivaux de la *New England Collegiate Baseball League.* Les billets coûtent une poignée de dollars. Atmosphère familiale et *all American.* L'occasion de vivre l'esprit bon enfant mais toujours compétitif de l'Amérique.

Festivals

– ***Newport Music Festival :*** *ts les ans, 2 sem en juil. Rens : ☎ 401-846-1133.* Des concerts de musique classique sont donnés dans les grands *mansions* comme Rosecliff, The Breakers, The Elms...

– ***Newport Folk Festival :*** *ts les ans ; 28-30 juil en 2017. Rens : ☎ 401-848-5055. ● newportfolk.org ●* Les concerts sont donnés au Fort Adams State Park. Bob Dylan y fit scandale parmi les puristes en électrifiant sa guitare en 1965.

– ***Newport Jazz Festival*** *(JVC Jazz Festival)* ***:*** *3 j. début août. ● newportjazzfest.net ●* Né en 1954, ce festival annuel est renommé dans le monde de la musique. Les concerts sont donnés au Fort Adams State Park.

QUAND LE FESTIVAL DÉRANGEAIT LES BOURGEOIS

Dans les années 1960, le Newport Jazz Festival perturbait la tranquillité des résidents fortunés de Newport. Ils voyaient débarquer le temps d'un week-end des foules de prolétaires et beaucoup d'étudiants qui dormaient sur les pelouses. Le racisme était encore latent et comme la plupart des musiciens et leur public étaient afro-américains, ces « nuisances » servaient de prétexte à un boycott larvé. La garde nationale dut même intervenir en 1960 pour cause de « tapage nocturne ».

MYSTIC

Mystic n'a plus rien à voir avec la ville portuaire qu'elle a été ; ce n'est plus qu'un joli village de Nouvelle-Angleterre parmi tant d'autres. Mais la popularité du *Mystic Seaport Museum* (un million de visiteurs par an) en fait un lieu touristique majeur du Connecticut.

UN PEU D'HISTOIRE

Colonisée au XVIIe s, Mystic s'est développée le long du fleuve du même nom. Profitant du boom de l'économie maritime et de la construction navale américaines, la paisible bourgade portuaire prospéra rapidement. On assembla là les fameux *clippers* (navires à grande vitesse qui transportaient des marchandises), dont la marine américaine est encore si fière. À la même époque, Mystic fut elle aussi un haut lieu de la chasse à la baleine et abritait dans son port près d'une vingtaine de navires baleiniers. Au début du XXe s, fini la pêche à la morue et l'éclairage à l'huile de baleine. Place aux loisirs et à la voile. Les chantiers de la région se reconvertissent dans la construction de bateaux de plaisance et, depuis la Seconde Guerre mondiale, de vaisseaux de guerre pour la *Navy* !

Arriver – Quitter

➢ ***En train :*** les trains d'*Amtrak* entre Boston et New York s'arrêtent à New London, à 15 mn en taxi de Mystic.

➢ ***En voiture :*** compter 2h de Boston (160 km) et 1h de Newport. De l'une ou l'autre de ces villes, il faut rejoindre la 95 S et sortir à l'*exit* 90. De là, prendre la route 27 (appelée aussi Greenmanville Ave), puis suivre les indications.

Adresse utile

Mystic & Shoreline Visitor Information Center : *Building 1-D, route 27, juste au sud de la 95 ; sur la gauche (bien fléché) dans Old Mystic Village.* ☎ *860-536-1641.* • *mysticinfocenter.com/* • *Tlj 9h-18h (16h30 dim et en hiver).*

Où dormir ? Où manger ?

The Inn at Mystic : *3 Williams Ave.* ☎ *860-536-9604* • *innatmystic.com* • *À partir de 220 $ pour une double avec petit déj.* Perché sur une colline surplombant la Mystic River, cet hôtel présente un compromis prix/qualité acceptable pour ceux qui veulent être sur place avant de visiter le musée de Mystic Seaport. Privilégiez les chambres façon motel qui sont les moins chères, avec vue sur le paysage depuis la petite terrasse, à celles de la partie hôtel avec jacuzzi et tout le tralala, beaucoup trop onéreuses. Micro-piscine. Petit déj continental assez décevant. Accueil banal.

Engine Room : *14 Holmes St (en plein centre).* ☎ *860-415-8117. Tlj 12h (10h sam et 11h dim pour le brunch)-22h (23h ven-sam). Burgers env 15 $, plats plutôt 20 $.* Happy hour *tlj 16h-18h (cheeseburger et hot dog à 5 $ au bar !).* Ce vaste gastro-pub au look industriel est l'adresse jeune et branchée de Mystic. Deux parties : une plutôt bar avec comptoir, tables hautes et quelques boxes. L'autre plus resto, donnant sur la cuisine ouverte. Le tout bien bruyant comme souvent dans ce genre d'endroit. On vient ici pour s'enfiler un burger gourmet *juicy* ou une spécialité *Southern Style (shrimp & grits, chicken & waffles...)*, en descendant une bonne bière micro-brassée. Souvent bondé, mais l'attente sur la terrasse en bois très « Sud » n'est pas désagréable du tout.

Abott's Lobster in the Rough : *117 Pearl St à* ***Noank*** *à 3-4 km de Mystic.* ☎ *860-536-7719. Tlj 11h30-21h. Compter 25-30 $ pour un homard.* Face à une petite jetée, un *shack* très populaire comme on les aime. C'est *BYOB,* on apporte donc sa bouteille. Comptoir où l'on passe sa commande : homards, *lobster roll, stuffed clams,* huîtres, etc., tous les prix sont affichés. On paie et reçoit un numéro avant de s'installer sur les tables réparties sur pelouse en sirotant l'apéro apporté. Un haut-parleur vous prévient que votre plat est prêt et hop, on y met les doigts, et la fête aux papilles peut commencer. C'est ça, la Nouvelle-Angleterre !

À voir. À faire

Mystic Seaport Museum : *75 Greenmanville Ave (route 27).* ☎ *860-572-0711 ou 1-888-973-2767.* • *mysticseaport.org* • *Avr-oct, tlj 9h-17h ; nov-mars, jeu-dim 10h-16h. Fermé à Noël. Entrée (valable 2 j.) : 26 $; réduc ; gratuit moins de 6 ans. Petit dépliant en français.*

Ce musée en plein air regroupe, sur près de 7 ha, 60 bâtiments maritimes originaux soigneusement restaurés, qui donnent l'impression de se balader dans un port authentique et très vivant. La visite se concentre autour des quais, le long desquels sont amarrés navires et bateaux de pêche d'époque. On débute par la gauche, où, sans être expert en charpenterie navale, on apprécie à sa valeur le travail réalisé dans les immenses hangars où l'on retape les carcasses de rafiots ! Juché sur une galerie surplombant le chantier, on observe les artisans avec leurs scies stridentes, occupés à équarrir les troncs pour en faire de solides planches, avant de les assembler avec un art consommé. On déambule ensuite dans les rues adjacentes, pour découvrir la voilerie, la corderie, les magasins, la banque, l'imprimerie, la forge, le phare, etc. Bref, tout ce qui faisait la vie d'une petite ville portuaire au XIXe s. Chaque bâtiment est meublé comme à l'époque et un peu partout des guides en costume racontent des anecdotes, et ajoutent toutes sortes de détails qui accentuent l'impression de faire un voyage dans le temps.

On se rend compte à quel point, pour rivaliser avec la puissance navale britannique, cette communauté a travaillé, souffert et contribué au cours des siècles à l'élaboration de sa propre autonomie dans le but de protéger les routes commerciales et les navires de migrants.

Les expositions du Mystic Seaport illustrent cette ambition. La principale, *Voyages : Stories of America and the Sea,* est une apologie de la marine américaine, tant militaire que marchande. Du *Mayflower* aux transatlantiques, des clippers cap-horniers aux *Liberty ships,* des premiers vaisseaux cuirassés de la guerre civile aux porte-avions et sous-marins nucléaires, celle-ci a imposé, malgré le choc de Pearl Harbor, sa présence sur (et sous) toutes les mers du monde pour faire régner la *Pax Americana.* Qu'on l'accepte ou non, c'est indéniablement dans des lieux comme Mystic que cette volonté a pris son essor. Une autre section, très intéressante, s'intéresse à l'immigration via la voie maritime, avec tous les drames inhérents à ce type de voyage.

Une nouvelle expo a ouvert ses portes en 2015 : *Voyaging in the wakes of the whalers.* Récit passionnant accompagné de nombreux objets relatant une campagne de chasse à la baleine en 1841, avec 80 cétacés au tableau et un gain final fructueux de 1,7 million de dollars. En vedette une incroyable parka imperméable confectionnée à partir d'intestins de phoques en provenance du peuple inuit au nord de l'Alaska.

Trois navires se visitent :

– le ***Charles W. Morgan*** : construit en 1841, classé Monument historique, c'est le seul survivant de la flotte baleinière américaine du XIXe s et le plus vieux du monde dans sa catégorie. On remarquera le quartier des officiers et les sections de la cale où l'on faisait fondre la graisse de baleine...

– Le ***Joseph Conrad*** : construit en 1882 à Copenhague pour servir de bateau-école, il fut ensuite racheté par un Australien, puis par des Américains. Le Mystic Seaport en fit l'acquisition dans les années 1940 et lui rendit sa vocation initiale. La complexité des cordages et voilures est remarquable.

– Le ***L.A. Dunton*** : construit en 1921 et classé Monument historique également. Cette goélette (de type *Gloucester Fishing*) est l'un des derniers modèles en activité de ces bateaux de pêche des années 1920 qui naviguaient entre la Nouvelle-Angleterre et les bancs de Terre-Neuve. Le quartier des officiers se visite, de même que celui de l'équipage, et un guide montre comment on pêchait et salait la morue.

|●| ***Galley Restaurant :*** *c'est le resto le plus abordable du Mystic Seaport Museum (11h-16h). Env 10 $.* Le musée compte 3 lieux pour se restaurer : le *Latitude 45°*, un restaurant chic, la *Schaeffer's Spouter Tavern,* une agréable petite auberge dotée d'une terrasse sous les arbres avec un service à table (*lobster roll* à 20 $ par exemple), et le *Galley Restaurant,* qui, comme son nom ne l'indique pas, est un self vaste et sans chichis qui propose une ribambelle de sandwichs et salades à prix doux. Parfait pour les familles.

➢ Possibilité de se balader sur la Mystic River à bord du mignon ***bateau à vapeur Sabino*** *(de mi-mai à mi-oct ; durée 30 mn ; ajouter env 6 $ au prix de la visite du musée ; la dernière excursion de la journée est plus longue et coûte plus cher).* Construit dans le Maine en 1908, ce bateau adorable a été en activité pendant une cinquantaine d'années. Sinon, possibilité également de faire des tours en ***voiture à cheval,*** ou encore d'utiliser les services d'un ***bateau-taxi*** (gratuit) qui va d'un bout à l'autre du site.

DANS LES ENVIRONS DE MYSTIC

Stonington : *à 3 km à l'est de Mystic par la route 1 puis 1A.* Village de bord de mer pittoresque et préservé qui sert régulièrement de cadre à des tournages de films. Se promener le long de Main et Water Streets, bordées de maisons très élégantes (certaines du XVIIIe s). Tout au bout de Water St, un adorable petit phare et une micro-plage.

Et si la faim vous saisit, direction ***Noah's*** au 113 Water St *(tlj sf lun du matin au soir).* Un gentil bistrot qui fait l'unanimité parmi les locaux.

AUTOUR DES GRANDS LACS

LES CHUTES DU NIAGARA (NIAGARA FALLS)

• Plan *p. 235*

De part et d'autre la frontière, la mainmise des magnats du tourisme est omniprésente : tout est aménagé pour permettre aux « toutous » d'admirer les chutes de tous les points de vue. D'en haut, tours panoramiques et hélicoptères ; d'en bas, bateaux et passages sous les chutes. Il faut dire que c'est la capitale de la lune de miel (et également des noces d'or...). Rares sont les sites naturels qui ont subi une telle exploitation commerciale. Motels, fast-foods, affreuses tours « champignonnesques » avec restaurants tournants (pour la vue), enseignes clignotantes à tout-va, magasins de souvenirs kitsch, la liste est longue...
Du côté américain, la ville de Niagara est une grosse bourgade plutôt tranquille (surtout le soir) et sans grand charme, à l'urbanisme très étendu. En revanche, les chutes bénéficient d'un environnement naturel verdoyant puisqu'elles font partie d'un petit State Park charmant. De l'autre côté de la *Niagara River,* l'ambiance est toute différente : les Canadiens ont bâti un véritable mini-Las Vegas et ce sont eux qui récoltent le jackpot. Normal, c'est du Canada qu'on a la plus belle vue sur les chutes : de face, et bien plus impressionnante que de l'autre côté. Jetons-nous à l'eau (!) en risquant d'énoncer une évidence : l'essentiel à Niagara, c'est quand même les chutes. Et en faisant abstraction de toute l'artillerie touristique qui les environne, on n'est pas déçu : elles sont grandioses !
La haute saison s'étend de mi-mai à fin septembre. Pendant cette période, pour en profiter pleinement, préférez les visites tôt le matin. Loin des ruées de touristes, vous apprécierez toute la majesté du lieu. Sinon, venez en hiver : vous éviterez la foule, vous ferez des économies car les prix des hébergements fondent comme neige au soleil, et le spectacle des chutes prises dans la glace est exceptionnel.

UN PEU DE GÉOGRAPHIE

Les chutes du Niagara sont situées sur la rivière... Niagara, qui relie entre eux les deux Grands Lacs Érié et Ontario, marquant la frontière entre les États-Unis

et le Canada. Trois ponts relient les villes jumelles de Niagara Falls ; eh oui, elles portent le même nom de part et d'autre de la frontière.
Si les chutes du Niagara sont les plus connues dans le monde, ce n'est pas pour leur hauteur (une cinquantaine de mètres au plus) mais plutôt pour leur largeur (675 m pour le Fer à cheval, la plus grande) et surtout pour leur puissance et leur bouillonnement surréaliste. Leur débit dépasse les 2 800 m^3 par seconde ! Pour limiter l'érosion de la couche calcaire, responsable du recul régulier des chutes (elles sont aujourd'hui à une dizaine de kilomètres de leur position d'origine), leur puissance est utilisée comme source d'énergie. Plus de la moitié du débit de la rivière est ainsi détourné dans de gigantesques tunnels situés assez loin en amont des chutes. L'eau passe ensuite dans des turbines hydroélectriques, approvisionnant en électricité les communes environnantes côtés canadien et américain.

UN PEU D'HISTOIRE

Il y a bien longtemps, les chutes se nourrissaient uniquement de quelques vierges indiennes que les Iroquois sacrifiaient à Niagara, « le Grand Tonnerre des eaux ». Elles coulaient alors des jours heureux, jusqu'à ce que le jésuite français, Louis Hennepin, vienne y mouiller sa soutane en 1678 ; il trouva les lieux sublimes et effrayants. Tocqueville ne put s'empêcher – à son tour – d'y jeter un coup d'œil. « Dépêche-toi d'y aller. Ils ne tarderont pas à en faire une horreur », écrivait-il à un ami vers 1805. Comme c'était bien vu ! Dès 1825, les auberges, hôtels de fortune et animations en tout genre se succédèrent au fil des décennies pour arriver à ce que sont les *Falls* aujourd'hui.
C'est en fait Joseph Bonaparte, le frère de l'autre, qui est, en partie, responsable de la mode de « la lune de miel » aux chutes. Intrigué par le récit que Chateaubriand en fit (dans *Atala*), il décida, en 1803, accompagné de sa jeune épouse, d'effectuer le voyage en diligence depuis la Louisiane. Une fois rentré, il en fit une telle description aux notables et personnalités du coin que ceux-ci se mirent en tête de l'imiter. La mode était lancée.
Pendant l'entre-deux-guerres, le développement des automobiles accéléra l'engouement des jeunes mariés. Enfin, en 1953, Marilyn Monroe vint y tourner *Niagara,* de Henry Hathaway, ce qui permit à la *Fox* de dire : « *Niagara,* le film où deux Merveilles du monde se partagent la vedette. » Aujourd'hui, des dizaines d'attractions, toutes aussi décadentes les unes que les autres, viennent prouver au visiteur qu'il « s'amuse » follement. Le soir, on illumine les chutes, qui passent par toutes les couleurs de l'arc-en-ciel. Complètement psychédélique.

HISTOIRE D'EAU

Le 29 mars 1848 reste une date-clé dans les annales de Niagara Falls. Ce jour-là, les chutes s'arrêtèrent de couler ! Les gens affluèrent pour assister à ce spectacle insolite et improbable, certains en profitèrent même pour traverser, en toute sécurité, la rivière Niagara. L'explication de ce phénomène étrange était, en fait, très rationnelle : un gros bloc de glace en amont empêchait ainsi l'eau de descendre la rivière normalement. Deux jours après, la glace avait fondu, et les chutes retrouvèrent tout leur panache.

DÉFIER LES CHUTES

Les festivités démarrent dès 1827. Des hôteliers n'hésitent pas à envoyer à la mort de véritables arches de Noé : bisons, ours, renards, chiens, aigles et ratons laveurs enfermés dans des tonneaux ou des rafiots de fortune. Toute la faune locale y passe. Puis c'est au tour des humains d'effectuer plongeons et descentes en tonneaux, bouées... Beaucoup y laissent leur vie. En 1859, le Français Jean-François

Gravelet, dit « Blondin », fut le premier casse-cou à défier les rapides de la Niagara River. Il les traversa d'abord sur un filin tendu entre les rives américaine et canadienne avec son imprésario perché sur ses épaules. Il fallait que le manager ait sacrément confiance en son poulain ! En 1901, ce fut Annie Edson Taylor, une institutrice du Michigan, qui réalisa la première descente des chutes... dans un tonneau. Elle en sortit quasiment indemne.
Le côté américain est le plus dangereux, à cause des nombreux rochers, du manque de profondeur et du faible courant. Les chutes du Fer à cheval (les plus célèbres, à cheval sur la frontière) sont moins rocheuses, et le fort courant a tendance à projeter les gens loin des chutes, ce qui explique qu'il y ait eu une poignée de survivants parmi les cascadeurs. Depuis 1950, toutes ces prouesses sont déclarées illégales côtés américain et canadien.

Arriver – Quitter

Côté américain

En avion

✈ ***Buffalo Niagara International Airport*** *(hors plan par B3) : Genesee St.* ☎ *716-630-6000.* ● *buffaloairport.com* ● Point Info (brochures, plans) au sous-sol. De là, on peut prendre le train ou un autre avion pour New York, un *super shuttle (☎ 716-685-2550 ; ● buffaloairportshuttle.com ●)* ou un taxi pour Washington. Différentes compagnies desservent ces 2 dernières villes mais le vol coûte cependant très cher.

De l'aéroport de Buffalo vers Niagara Falls

➢ ***En bus : Greyhound*** *(☎ 1-800-231-2222 ; ● greyhound.com ●)* assure 1-2 liaisons/j. Compter env 1h20.

➢ ***En taxi : Buffalo Airport Taxi Service*** *(☎ 716-633-8294 ou 1-800-551-9369 ; ● buffaloairporttaxi.com ●).* Env 60 $ pour aller de l'aéroport aux chutes.

Adresses utiles

Côté américain
- 1 Niagara Falls State Park Visitor Center
- 2 Niagara Tourism and Convention Corporation
- 4 Gare Amtrak

Côté canadien
- 3 Ontario Travel Information Centre
- 8 Niagara Falls Tourism
- 5 Gare ferroviaire

Où dormir ?

Côté américain
- **10** Niagara Falls KOA
- **11** Wanderfalls Guesthouse & Hostel
- **13** Hanover House B & B
- **14** Hillcrest Inn
- **15** Rainbow House B & B
- **19** Comfort Inn « The Pointe »
- **20** The Giacomo et Quality Hotel & Suites
- **21** Red Coach Inn

Côté canadien
- **22** Niagara Falls KOA
- **25** Bedham Hall B & B
- **27** Chestnut Inn
- **28** HI-Niagara Falls
- **29** Fairway Motor
- **30** Days Inn & Suites
- **31** Niagara Inn Bed & Breakfast
- **32** Old Stone Inn

Où manger ?

Côté américain
- **21** Red Coach Inn
- **42** Top of the Falls
- **43** Thunderfalls Buffet (Casino Seneca Niagara)
- **83** Pizza Bistro

Côté canadien
- **44** Buffet du Fallsview Casino Resort
- **45** The Keg Steak House & Bar
- **46** Paris Crêpes Café
- **47** Flying Saucer
- **48** Queen Charlotte Tea Room

Où boire un verre ?

Côté américain
- **80** Hard Rock Café
- **83** Wine on Third

Côté canadien
- **49** Taps
- **81** Weinkeller

Achats
- **70** Fashion Outlets (côté américain)
- **71** Canada One Brand Name Outlets (côté canadien)

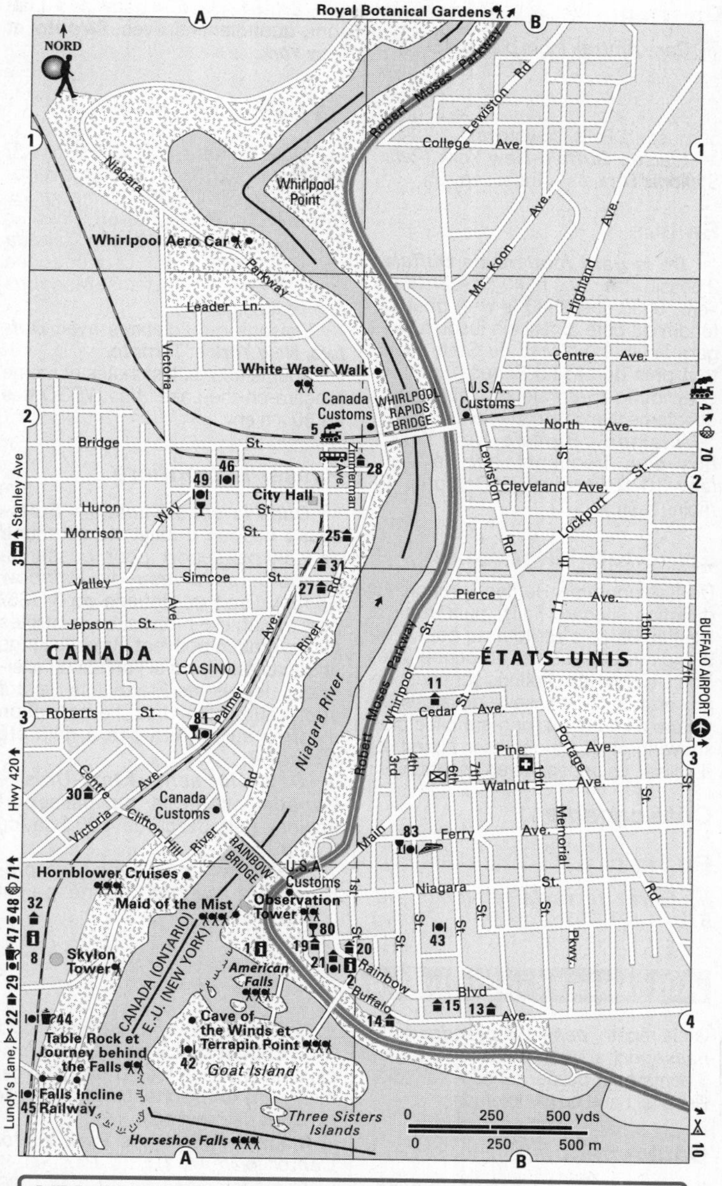

LES CHUTES DU NIAGARA (NIAGARA FALLS)

En train

Gare Amtrak (hors plan par B2, **4**) **:** *à l'angle de 27th St et Lockport Rd, un bloc à l'est de Hyde Park Blvd. ☎ 716-285-4224. • amtrak.com •* De la gare, bus jusqu'à Falls/Downtown.

➢ ***Liaison Buffalo-New York*** *(Penn Station)* **:** 3 trajets/j. Trajet : env 9h.

En bus

➢ ***De la gare routière de Buffalo,*** 2 possibilités **:** bus n° 40 (5h-23h40 en sem, 6h30/8h-23h30 le w-e) pour se rendre du côté américain jusqu'à Niagara Falls (à 3 *blocks* du State Park, tout près du casino *Seneca*), ou bus *Greyhound* (5-8 trajets/j.) qui rejoint directement le côté canadien.

➢ ***Liaison Buffalo-New York :*** bus plus fréquents que le train (env 10-15 liaisons/j.). Compter au moins 8-9h.

En voiture de location

De l'aéroport de Buffalo, prendre la direction Niagara Falls, puis sortir à Niagara Blvd ; c'est tout au bout. Env 30-40 mn pour arriver au centre-ville. Bon à savoir, les parkings sont hors de prix en ville ; on conseille de laisser sa voiture à l'hôtel (parking gratuit le plus souvent) et de se déplacer à pied ou d'utiliser les transports en commun.

Côté canadien

En train

Gare ferroviaire *(plan A2,* **5**) **:** *4267 Bridge St. Rens : ☎ 1-888-842-7245. • viarail.ca •* Liaisons quotidiennes avec ***Toronto*** et ***New York.***

En bus

Gare routière *(plan A2)* **:** *Bridge St (et Erie Ave), en face de la gare ferroviaire. Tlj 7h-22h30. Compagnies* **Greyhound** *(☎ 1-800-661-8747 ; • greyhound.ca •) et* **Coach Canada** *(☎ 1-800-461-7661 ; • coachcanada.com •) et la* low-cost ***Megabus*** *(• megabus.com •).*

➢ Liaisons quotidiennes avec ***Buffalo, New York*** et ***Toronto.***

➢ Pour le centre, les chutes et même Niagara-on-the-Lake : bus *WEGO* ttes les 30 mn env.

Passer la frontière

➢ ***Dans le sens Canada – États-Unis :*** ne pas oublier de se munir de son passeport pour passer la frontière (au niveau du *Rainbow Bridge*). Droit de douane de 6 US$/pers (valable 3 mois). Les contrôles d'immigration peuvent être très longs et tracassiers (sauf si l'on fait un aller-retour depuis les États-Unis : ayant atterri aux États-Unis, l'autorisation d'entrée sur le territoire a déjà été accordée).

➢ ***Dans le sens États-Unis – Canada :*** contrôle du passeport (rapide), puis péage de 4,25 $Ca (ou 3,50 US$).

➢ ***Dans les deux sens :*** les ***piétons*** sont favorisés et ne paient que 0,50 $!

Adresses et infos utiles

On le répète, ***pensez à prendre votre passeport*** si vous traversez l'un des 3 ponts pour passer du côté canadien (lire plus haut) ou inversement.

Côté américain

Niagara Tourism and Convention Corporation *(plan A-B4,* **2**) **:** *10 Rainbow Blvd. ☎ 716-282-8992. • niagara-usa.com • De juin à mi-sept, tlj 9h-19h ; le reste de l'année, jusqu'à 17h.* C'est l'office de tourisme principal de la ville. Infos sur les hébergements, les transports, plans de la ville et cartes des environs.

Niagara Falls State Park Visitor Center *(plan A4,* **1**) **:** *332 Prospect St (dans le State Park). ☎ 716-278-1796. • niagarafallsstatepark.com • Tlj 8h-21h (22h ven-sam) en hte saison (horaires restreints sinon).* Toutes les infos sur les chutes et leurs attractions. Vente de *pass*, cafétéria et point de départ pour visiter à pied les chutes, à quelques minutes de là. On peut également prendre à gauche de la cafétéria un trolley (vert) pour aller à *Cave of the Winds* sur Goat Island *(tlj 9h-21h30 – 22h30 ven-sam – en saison ; env 3 $, réduc).* Propose aussi un film IMAX de 40 mn sur l'histoire des Niagara Falls : 12 $.

✉ **Poste** *(plan B3) : 615 Main St. Tlj sf dim et j. fériés 8h30-17h (14h sam).*

✚ **Hôpital** *(plan B3) : 621 10th St et Pine Ave. ☎ 716-278-4000.* Urgences 24h/24.

Côté canadien

Niagara Falls Tourism *(plan A4, **8**) : 5400 Robinson St, près de la Skylon Tower. ☎ 905-356-6061 ou 1-800-563-2557. • niagarafallstourism.com • En saison, lun-ven 8h30-17h ; restreint hors saison.* Le plus grand bureau officiel d'informations touristiques.

Ontario Travel Information Centre *(hors plan par A2, **3**) : 5355 Stanley Ave (et Roberts St). ☎ 1-800-668-2746. • ontariotravel.net • Juil-août, tlj 8h-20h ; ferme plus tôt le reste de l'année.* Nombreuses brochures et informations utiles à disposition.

WEGO *(bus locaux) : ☎ 905-356-1179. • wegoniagarafalls.com • Fin juin-début sept, 9h (dès 6h pour certaines lignes)-minuit ; hors saison, env 10h-20h. Pas de ticket à l'unité, slt pass 24h ou 48h 7,50-11,50 $; 6-12 ans 4,50-8 $.* Plusieurs lignes desservent les principaux centres d'intérêt des chutes, ainsi que *Lundy's Lane* (la route des motels et de l'*outlet*).

■ **Niagara Falls Incline Railway :** *• niagaraparks.com • Ouv tte l'année, en saison 9h-22h30. Env 2,75 $ l'aller, pass journée 7 $.* Funiculaire entre les attractions du Niagara Parks et Fallsview, la zone où se concentrent la plupart des hôtels (côté canadien).

Où dormir ?

À Niagara Falls, côté américain

– On rappelle que ***les deux villes de la frontière portent le même nom : Niagara Falls.***

– ***Côté canadien,*** c'est très animé et festif dans le centre (plus tranquille dans les quartiers périphériques résidentiels). Côté américain, c'est à l'inverse très calme, presque trop.

– ***Les prix des hôtels sont très fluctuants*** selon la saison, le taux de remplissage, etc. Les tarifs les moins chers sont en semaine (les hôteliers ayant tendance à se lâcher les vendredi et samedi), et en hiver bien sûr. Si vous venez un week-end d'août, attendez-vous à payer bonbon. Les *B & B,* eux, pratiquent généralement des prix similaires toute l'année, la semaine comme le week-end.

– Pas de problème de ***stationnement*** à Niagara Falls, presque tous les hôtels ont des parkings privés et gratuits.

Camping

▲ ***Niagara Falls KOA*** *(hors plan par B4, **10**) : 2570 Grand Island Blvd (sur Grand Island, sortie 20 B de la Hwy 190). ☎ 716-773-7583 ou 1-800-562-0787. • koa.com/campgrounds/niagara-falls-new-york • À 12 km des chutes et à proximité de quelques plages. Prévoir 1 $ de péage pour se rendre sur l'île. Ouv avr-oct. Emplacements env 25-60 $. Aussi des cabins 4-8 pers 80-200 $ et emplacements camping-cars.* Un endroit idéal pour passer des vacances en famille que ce camping convivial et bien équipé, avec piscines chauffées et de charmants petits étangs pour la pêche. Minigolf, canoë, embarcations à pédales. Emplacements plus ou moins ombragés, équipés ou nus, mais dans l'ensemble bien agréables. Location de bungalows.

Auberge de jeunesse

Wanderfalls Guesthouse & Hostel *(plan B3, **11**) : 601 Spruce Ave. ☎ 716-804-6235. • wanderfallshostel.com • Doubles env 65-70 $; lits en dortoir env 25-30 $, avec petit déj.* Une adresse atypique, à mi-chemin entre l'auberge

AUTOUR DES GRANDS LACS

de jeunesse et la chambre d'hôtes. L'accueil est chaleureux et pas compliqué, à l'image du salon cosy, de la cuisine comme à la maison et du petit bout de jardin pour lézarder au soleil. Quant aux chambres, qui se partagent 2 salles de bains, il faut se contenter d'une double pour les amoureux et de 3 dortoirs de 4 lits. Intimiste et fraternel.

Bed & Breakfast

Nombreux *B & B* dans la jolie zone pavillonnaire. Mieux vaut réserver et passer un coup de fil avant, pour s'assurer que les proprios sont présents.

Hillcrest Inn *(plan B4,* ***14****) : 1 Hillcrest St. ☎ 716-278-9676. • hillcrestniagara.com • Dans une impasse perpendiculaire à Buffalo Ave. Doubles env 150-240 $.* Carton plein pour cette belle maison géorgienne qui cumule les atouts : un emplacement idéal (au calme et proche de tout), une vue géniale sur les rapides depuis le petit jardin ou la véranda, une déco soignée, un confort au top (chambres nickel et douillettes, avec coussins, bibelots et parfois des lits à baldaquin), et un accueil au diapason, attentif et souriant. Du sur mesure !

Hanover House B & B *(plan B4,* ***13****) : 610 Buffalo Ave. ☎ 716-278-1170. • hanoverhousebb.com • Doubles env 170-200 $.* À deux pas des chutes, au calme, un *B & B* cossu dans une maison victorienne pleine de cachet. Chambres classiques dans le même esprit (mobilier vintage et pléthore de bibelots ad hoc). Quant aux hôtes, ils se mettent en quatre pour satisfaire leurs invités et préparer de bons petits déj. Impeccable !

Rainbow House B & B *(plan B4,* ***15****) : 423 Rainbow Blvd S. ☎ 716-282-1135. • rainbowhousebb.com • Doubles 90-165 $.* Maison en bois datant du XIXe s, peinte en bleu et blanc et toute fleurie. Elle dispose à l'étage de 4 chambres pas très grandes mais nickel et confortables, avec bains, ventilo et AC. Chacune porte un nom représentatif de sa déco : *Jardin, Bord de mer, Campagnarde* et la suite *Lune de miel,* de style victorien, avec terrasse, balancelle et lit *king-size, of course.* Le tout est un peu chargé, façon bonbonnière, mais convient bien à la fonction de la maison : les cérémonies de mariage ! Car la véritable curiosité ici, c'est bel et bien la petite chapelle ! Accueil sympathique.

De prix moyens à chic, motels de chaîne

Quality Hotel & Suites *(plan A-B4,* ***20****) : 240 1st St. ☎ 1-877-282-1212. • qualityniagarafalls.com • Doubles 100-180 $. Parking gratuit.* Vieillissant, mais abordable, fonctionnel et bien placé. Sa petite piscine fera la joie des familles. Correct pour une nuit.

Comfort Inn « The Pointe » *(plan A4,* ***19****) : 1 Prospect Pointe. ☎ 716-284-6835. • comfortinnthepointe.com • Doubles 85-200 $ avec petit déj. Parking gratuit.* Une situation exceptionnelle, juste en face de la promenade menant aux points de vue sur les chutes. On peut donc tout faire à pied en laissant sa voiture à l'hôtel : pratique. Une centaine de chambres classiques, nickel et confortables (ouvrez la fenêtre et vous entendrez le grondement des chutes !). Excellent accueil.

De chic à très chic, hôtels

The Giacomo *(plan A-B4,* ***20****) : 222 1st St. ☎ 716-299-0200. • thegiacomo.com • Doubles 140-280 $ avec petit déj.* Dans un très bel immeuble Art déco classé au National Register of Historic Places, le *Giacomo* est le 1er hôtel design des chutes. Une quarantaine de chambres seulement, ainsi qu'une vingtaine de suites, toutes au décor Art déco revisité, spacieuses et ultra-cosy. Plein de petites attentions sympathiques : cookies l'après-midi, chocolats dans la chambre... Mais la cerise sur le *cupcake,* c'est le bar-lounge au dernier étage avec vue plongeante sur les chutes. Vraiment génial, surtout lorsqu'elles sont illuminées le soir et pour le feu d'artifice. Accueil charmant.

Red Coach Inn *(plan A4,* ***21****) : 2 Buffalo Ave. ☎ 716-282-1459 ou*

1-866-719-2070. ● redcoach.com ● Doubles 150-260 $, apparts 250-460 $. C'est l'hôtel historique de Niagara Falls, au style de vieille auberge très british. Pour ceux qui voudraient casser leur petit cochon, des suites, et même des doubles suites cossues (de vrais appartements avec 2 chambres, 2 salles de bains, cuisine complète, etc.), ainsi que de petites chambres à prix presque raisonnables. Toutes sont meublées « avec style » comme on dit, décorées à foison et très bien équipées : moquettes moelleuses, lit à baldaquin et cheminées dans les suites, jacuzzi privatif. On a l'impression d'être un lord dans son cottage à la campagne ! En revanche, mieux vaut savoir que l'établissement, bien que tout proche des chutes, n'offre aucune vue sur ces dernières, mais seulement sur les rapides. Fait aussi resto (voir « Où manger ? »).

Côté canadien

Camping

Niagara Falls KOA *(hors plan par A3-4,* **22***) : 8625 Lundy's Lane. ☎ 905-356-2267 ou 1-800-562-6478. ● niagarakoa.net ● En retrait de la ville, à 5 petits km des chutes. En saison, bus WEGO ttes les 30 mn 9h-1h30. Ouv de mi-avr à oct. Forfait pour 2 à partir de 45-50 $Ca ; bungalows et cabins 2-6 pers à partir de 120 $Ca.* Spacieux et très bien équipé. Épicerie, resto, aires de jeux, piscines intérieure et extérieure, sauna, cinéma en plein air, laverie, location de vélos. Les emplacements pour les tentes sont un peu à l'écart et bénéficient d'une cuisine extérieure avec BBQ. Malheureusement, un peu bruyant à cause de la route toute proche. Ambiance familiale, avec animations à thème.

Auberges de jeunesse

HI-Niagara Falls *(plan A-B2,* **28***) : 4549 Cataract Ave. ☎ 905-357-0770 ou 1-888-749-0058. ● hostellingniagara.com ● Dans une petite rue parallèle au River Blvd, à côté du pont du chemin de fer (donc proche à pied des gares, à env 3 km des chutes). Ouv 24h/24 (mais réception 8h-minuit l'été, 8h-22h l'hiver). Env 33-37 $Ca en dortoirs 4-6 lits ; double env 80 $Ca ; réduc membres ; avec petit déj. Emplacement de camping 15 $Ca/pers. Parking gratuit.* Petit immeuble en brique peint en bleu et orange, avec une terrasse en bois devant. À l'intérieur, la déco chaleureuse confirme l'ambiance : décontractée et conviviale, tendance écolo. En sous-sol, grande salle commune avec salon TV doté de gros coussins, bibliothèque, billard, babyfoot (et laverie). Possibilité de se faire son frichti dans l'agréable cuisine. Côté logement, c'est basique, mais bien entretenu et propre. À l'arrière, un carré de pelouse permet de planter quelques tentes (on utilise alors les commodités de l'auberge). Nombreuses infos, activités (jardinage, randonnées, location de vélos, yoga...). Une bonne adresse, tous âges confondus.

Motels

Fairway Motor *(hors plan par A3-4,* **29***) : 5958 Fallsview Blvd, presque à l'angle de Ferry St. ☎ 905-357-3005. ● fairwaymotorinn.net ● Double env 160 $Ca.* Certes, ce petit motel familial mériterait un sérieux rafraîchissement. Mais compte tenu de sa situation stratégique (il y a un parking et on peut tout faire à pied !) et de ses prix très raisonnables (surtout en demi-saison), on ne va pas bouder des chambres sans doute datées (les plafonds de certaines salles de bains fatiguent un peu, les moquettes ne sont pas de la première jeunesse...), mais encore convenables pour une étape. D'autant que l'accueil est gentil comme tout.

Days Inn & Suites *(plan A3,* **30***) : 5068 Centre St. ☎ 905-357-2550 ou 1-866-706-7666. ● daysbythefalls.com ● Doubles 70-300 $Ca. Parking gratuit.* Dans le prolongement de Clifton Hill, avec ses avantages (restos, boutiques, attractions) et ses inconvénients (bruit, passage). Sur les différents *Days Inn* de Niagara Falls, c'est le plus beau et le mieux tenu. Chambres spacieuses, classiques et tout confort, avec machine à café, frigo (les suites avec micro-ondes en plus). Piscine couverte chauffée, jacuzzi, centre de musculation. Laverie à pièces. Excellent accueil, et rapport qualité-prix du tonnerre en demi-saison.

– Nombreux ***autres motels sur Lundy's Lane*** *(hors plan par A3-4),* accessibles par les navettes de bus WEGO. Plus on s'éloigne des chutes, moins c'est cher... et plus c'est déglingué.

BED & BREAKFAST

Sur River Road, qui longe les gorges de Niagara River, nombreux panneaux « Tourist Home ».

Prix moyens

🏠 ***Chestnut Inn*** *(plan A3,* ***27****)* **:** *4983 River Rd. ☎ 905-374-7623. • chestnutinnbb.com • Arrêt de bus WEGO juste à côté. Doubles env 100-130 $Ca. Parking gratuit.* Grande maison avec beaucoup de cachet, entièrement réservée aux hôtes (les proprios habitent à côté). On a par conséquent accès au salon très chic. Super ! Quant aux chambres, parfaitement tenues, elles sont peintes de couleurs différentes (bleu, rose, gris...) et élégantes avec leur lit à baldaquin et le beau parquet vernis. Chacune possède sa salle de bains, une cheminée ou un poêle, et son petit balcon privé, quand ce n'est pas carrément une grande terrasse. Quant à la table du petit déj, elle est dressée comme dans un grand resto ! Un excellent rapport qualité-prix.

🏠 ***Niagara Inn Bed & Breakfast*** *(plan A2-3,* ***31****)* **:** *4300 Simcoe St. ☎ 905-353-8522 ou 1-877-353-8522. • niagarainn.com • Double env 100 $Ca. Parking gratuit.* Établissement *gay-friendly.* David, un ancien danseur chaleureux et attentionné, a voulu créer dans sa jolie maison victorienne une atmosphère alliant style et élégance. Le résultat est coquet : meubles anciens, bibelots, et souvenirs de voyage, le tout s'harmonisant avec un beau parquet d'époque (on laisse ses chaussures à l'entrée, *siou plaît*). Les petites chambres, toutes avec salle de bains privée (l'une d'elles est toutefois sur le palier), ont du charme. Quant au petit déj, il est délicieux. Si la maison est pleine, David devrait pouvoir vous dépanner car il fait partie d'un réseau de *B & B* partenaires.

De prix moyens à chic

🏠 ***Bedham Hall B & B*** *(plan A2,* ***25****)* **:** *4835 River Rd. ☎ 905-374-8515. • bedhamhall.com • À côté de l'église. Doubles 90-200 $Ca. Enfants de moins de 16 ans non admis.* Belle maison victorienne du XIXe s, avec bow windows et jolies fleurs, à 1,5 km des chutes (20 mn de marche). Heather, très sympathique hôtesse d'origine anglaise, tient à l'atmosphère british de son *B & B.* Rien d'étonnant à ce que les 4 chambres à un lit (*queen* ou *king-size*), toutes avec cheminée et 3 avec jacuzzi (pour ceux qui ont encore envie d'eau), adoptent une déco très florale et portent les noms des bicoques de Sa Majesté The Queen : Windsor, Buckingham, Balmoral... Une adresse de charme.

🏠 ***Old Stone Inn*** *(plan A4,* ***32****)* **:** *5425 Robinson St ou 6080 Fallsview Blvd. ☎ 905-357-1234. • oldstoneinnhotel.com • Doubles 130-220 $Ca.* L'hôtel historique de la ville, dans un vieux moulin, très restauré certes, mais dans un esprit rustique ancien. Beau lobby, bien sombre, avec des meubles de qualité et salle à manger cossue, tout en pierre apparente et boiseries (resto pas terrible cela dit). Chambres agréables mais de confort inégal. Certaines sont cosy et très classiques (mobilier de style, lits bien douillets et cheminée, voire jacuzzi dans les plus chères), d'autres sont plus simples, plus neutres, et parfois un brin datées. Piscines extérieure et intérieure. Un îlot de charme au beau milieu des attractions disneylandisées des chutes.

Où manger ?

On ne vient pas à Niagara Falls pour ses tables. Cela dit, en louvoyant habilement entre les baraques à frites et les chaînes médiocres, on trouve tout de même quelques adresses qui permettent de se restaurer correctement à prix raisonnables.

Côté américain, à Niagara Falls

De bon marché à prix moyens

|●| ***Top of the Falls*** *(plan A4, **42**) : sur Goat Island. ☎ 716-278-0348. Ouv mai-sept. Tlj 11h-21h l'été (slt le w-e en demi-saison). Sandwichs et salades env 10-17 $.* Stratégiquement situé à côté de *Terrapin Point,* un bar-resto envahi par les touristes mais très agréable avec ses grandes baies vitrées ouvertes sur les chutes (un peu au loin quand même). Pas de la grande cuisine, juste la panoplie habituelle de sandwichs, burgers, salades et autres *fish and chips* roboratifs et pas trop chers...

|●| ***Pizza Bistro*** *(plan B3, **83**) : 507 3rd St. Tlj sf dim 11h-21h (22h ven-sam). ☎ 716-284-0275. Pizzas env 12-15 $.* Le cadre ne fait pas dans le glamour, avec une petite salle proprette et fonctionnelle, mais la star ici, c'est le four en brique où l'on cuit de bonnes pizzas à pâte fine et croustillante. Impeccable pour un repas à prix doux à 10 mn des chutes.

|●| ***Thunderfalls Buffet*** (***Casino Seneca Niagara*** *; plan B4, **43**) : 310 4th St. ☎ 716-299-1100 ou 1-877-873-6322. En sem 11h-21h (22h ven), le w-e 9h-22h (21h30 dim). Petit déj (le w-e slt) 15 $, déj 17 $ et dîner 22-24 $ (29 $ le w-e), boissons incluses (2 $ de moins avec la carte de joueur du casino). Gratuit moins de 5 ans, moitié prix 6-12 ans. Parking gratuit.* Après avoir traversé les machines à sous, on atterrit dans l'immense salle bruyante des buffets à volonté (asiatique, méditerranéen, italien, gril...). Disons-le franchement, le cadre est sans équivalent avec celui de son alter ego canadien (lire plus bas). Mais pour les affamés qui ne passeraient pas la frontière, ce buffet à volonté reste un bon plan dans cette catégorie de prix, malgré l'absence de vue de la vaste salle.

Chic

|●| ***Red Coach Inn*** *(plan A4, **21**) : 2 Buffalo Ave. ☎ 716-282-1459 ou 1-866-719-2070. Tlj 7h30-21h (22h ven-sam). Plats 15-40 $ (le midi, sandwichs, burgers et autres* fish and chips *env 10-15 $).* Cette pittoresque auberge anglaise avec poutres et vitraux est l'adresse historique de Niagara Falls côté américain. Au choix, on se pose dans une belle salle à manger pleine de caractère ou sur une terrasse d'où l'on entend le rugissement des chutes. Bonne cuisine de pub améliorée le midi, plus chère et plus aboutie le soir. Après le repas, profitez-en pour faire une balade digestive sur *Goat Island,* que contournent les rapides.

Côté américain, à Buffalo

|●| ***Anchor Bar :*** *1047 Main St, pas loin du centre de **Buffalo.** ☎ 716-883-1134. Tlj 11h (12h ven-dim)-22h. Plats env 10-20 $.* Une référence dans la région que ce *sports bar,* toujours complet surtout le week-end. C'est ici que furent inventées les mythiques *chicken wings* grillées et pimentées. *Buffalo + chicken wings = Buffalo wings* (fallait trouver !). Cadre pas tout à fait Midwest crapuleux mais assez sombre : véhicules de toutes sortes (moto, poussette, etc.), foultitude de plaques minéralogiques... Portions très généreuses (*small pizzas* énormes !). La sauce qui accompagne les *wings,* inventée par le proprio Franck, est une « *world famous sauce* », rien que ça. Pour preuve, elle est commercialisée dans les supermarchés. *Live jazz* les vendredi et samedi soir. Bon rapport quantité-prix.

Côté canadien

De bon marché à prix moyens

|●| ***Queen Charlotte Tea Room*** *(hors plan par A3-4, **48**) : 5689 Main St. ☎ 905-371-1350. Tlj sf lun 9h-19h (16h mar-mer, 20h ven). Sandwichs et plats env 5-15 $Ca.* Tasses en porcelaine, serviettes en tissu, napperons brodés, papier peint fleuri, bibelots : plus british, tu meurs ! Il faut dire que le charmant

couple aux commandes de ce salon de thé improbable vient de Chesterfield, et s'efforce de tout faire comme là-bas. Au final, les *chicken pies, sunday roasts* et autres plats typiques sont très bons (avec les *mashed potatoes* et les petits pois fluo qui vont bien avec), et il y a même le cérémonial de l'*afternoon tea* pour les amateurs (avec sandwichs et scones maison). Super !

Flying Saucer *(hors plan par A3-4,* ***47****)* **:** *6768 Lundy's Lane. ☎ 905-356-4553. Tlj 6h-1h (4h ven-sam). Formule petit déj à partir de 10 $Ca (3 $Ca avt 10h) ; plats à partir de 9 $Ca (mais quand même jusqu'à 30 $Ca).* Gros succès populaire pour cet ovni dans l'univers des fast-foods. Les horaires extra larges sont bien pratiques, mais ce qui explique l'affluence, ce sont les tarifs. Surtout pour le petit déj servi en *early bird* avant 10h à... 3 $! On ne fait pas dans la finesse, mais le rapport qualité-prix est imbattable. Pour le reste, c'est dans le même esprit (plats costauds à tous les prix). Le paradis des familles, d'autant que les gamins adorent la salle en forme de soucoupe volante des 60's !

Prix moyens

Paris Crêpes Café *(plan A2,* ***46****)* **:** *4613 Queen St. ☎ 289-296-4218. Tlj 11h (10h le w-e)-14h, 17h-20h (20h30 sam). Crêpes et galettes env 5-20 $; plats 18-25 $. Paris Crêpes Bistro :* il ne manque que la tour Eiffel pour compléter l'image d'Épinal ! Mais rassurez-vous, elle figure en bonne place dans la déco soignée de ce très agréable bistrot, qui fait bel et bien de bonnes crêpes préparées à la commande. Le reste de la carte est à l'avenant, tout aussi typiquement français : soupe à l'oignon, magret et confit de canard, escargots... Franchouille donc, mais après les errements culinaires de Clifton Hill, ça fait du bien de trouver enfin quelque chose d'appétissant dans le coin ! Une adresse sympa et décontractée, comme l'accueil de la *French team,* et largement plébiscitée par les locaux.

Buffet du Fallsview Casino Resort *(plan A4,* ***44****)* **:** *6380 Fallsview Blvd. ☎ 1-888-325-5788. Tlj 8h-23h. Petit déj lun-sam env 12 $Ca (dim, c'est brunch à 21 $Ca), déj et dîner env 21 $Ca. Boissons (sf alcool) et taxes incluses, mais 4 $Ca de majoration si on n'a pas la carte de joueur. Se munir de son passeport ;* **les moins de 19 ans ne sont pas admis.** Dans le *Casino Resort,* suivre les flèches « Casino » puis « Grand Buffet », via les innombrables machines à sous (pas bête !). Buffet à volonté, sans génie mais très varié et bien présenté, avec vue panoramique sur les chutes américaines. Si vous avez la chance d'avoir une table contre la baie, c'est magique (on ne peut pas choisir sa table !). Si vous êtes toujours en train de boulotter au bout de 1h30, on vous poussera gentiment vers la sortie... C'est qu'il y a du monde qui attend. Dommage qu'on ne puisse pas venir avec des enfants.

The Keg Steak House & Bar *(plan A4,* ***45****)* **:** *au 9e étage de l'hôtel* Embassy Suites, *6700 Fallsview Blvd. ☎ 905-374-5170. Tlj 12h-23h (minuit le w-e). Résa conseillée le w-e. Plats 33-60 $Ca ; quelques options moins chères le midi. Parking gratuit avec l'addition du resto.* D'accord, c'est une chaîne (de *steak-houses* haut de gamme), mais les viandes y sont excellentes (elles peuvent, vous nous direz !), et le cadre est hors pair, puisque la majorité des tables ont vue sur les chutes. On domine littéralement *Horseshoe Falls.* L'adresse de rêve pour les *honeymooners,* exception faite du bruit ambiant. Sympa pour boire un cocktail en profitant du spectacle, si vous êtes assez proche de la baie vitrée panoramique.

Où boire un verre ?

Côté américain

Pas grand-chose en soirée, c'est assez désert.

Wine on Third *(plan B3,* ***83****)* **:** *501 3rd St. Tlj 16h-minuit (1h ven, 2h le w-e ; 21h/22h pour la cuisine). ☎ 716-285-9463. Plats env 10-35 $.* Petit bar à vins convivial au cadre moderne et chaleureux, impeccable pour découvrir les jeunes (et prometteurs) vins de la *Niagara County.* Sélection de bonnes tapas, de salades et de burgers, ainsi que quelques spécialités classiques pour éponger le tout. Une poignée de tables en terrasse.

Hard Rock Café *(plan A4,* ***80****) : 333 Prospect St. Tlj 11h-23h (minuit ven-sam).* Certes, c'est l'un des rejetons d'une chaîne bien connue, mais c'est l'un des seuls endroits animés le soir en ville, et comme c'est ici que sont formées les futures équipes pour l'Amérique du Nord, le service est plutôt meilleur qu'ailleurs.

Côté canadien

Taps *(plan A2,* ***49****) : 4680 Queen St (situé en fait sur le côté du pâté de maisons, face à une placette). ☎ 289-477-1010. Tlj 12h-minuit (2h pour le bar). Plats 10-15 $Ca.* L'une des rares adresses authentiques du coin. Car cette microbrasserie située dans la vieille ville fait plutôt bien les choses : le billard, les concerts réguliers et l'écran géant pour les matchs garantissent de bonnes soirées, tandis que la cuisine de pub, solide et sans esbroufe, permet de manger correctement sans se ruiner. Et les bières ? Très appréciées des locaux si l'on en juge par le nombre de cuves alignées derrière le comptoir en plein milieu de la salle !

Weinkeller *(plan A3,* ***81****) : 5633 Victoria Ave. ☎ 289-296-8000. Tlj 17h-minuit (1h ven-sam). Menus prix fixe 3 plats ou dégustation 50-60 $ (possible avec vins assortis), sinon plats à la carte.* En plein centre, ce bistrot à vins nous a séduits. Cadre chaleureux, sombre et patiné comme on aime (cheminée, ambiance feutrée...), petits vins locaux sélectionnés par le patron et cuisine savoureuse à base de produits. Pas donné (notamment le menu avec *wine pairing*) mais la qualité est au rendez-vous.

Achats

Fashion Outlets *(hors plan par B2,* ***70****) : 1900 Military Rd (côté américain). ☎ 716-297-2022. • fashionoutletsniagara.com • Tlj 10h-21h (18h dim).* Les prix sacrifiés de ce magasin d'usine XXL attirent, le week-end, de nombreux Canadiens qui viennent y faire des affaires. Ça vaut le coup : le site regroupe plus de 200 enseignes !

Canada One Brand Name Outlets *(hors plan par A4,* ***71****) : 7500 Lundy's Lane (côté canadien). ☎ 905-356-8989. • canadaoneoutlets.com • Tlj 10h-21h (18h dim).* L'alter ego du précédent, situé à 10 mn en voiture des chutes (en Ontario, donc), mais plus petit. Quelques enseignes intéressantes (Roots, Tommy Hilfiger...), mais la version US est nettement mieux.

À voir. À faire

Les chutes du Niagara : mieux vaut le savoir, elles sont plus belles (mais terriblement commercialisées du coup) du côté canadien où on les voit toutes de face. Toutes, car il y a en fait trois chutes proprement dites : côté américain, *American Falls* (la grande) et *Bridal Veil Falls* (« chute du Voile de la mariée », la petite à droite), et faisant la jonction entre les deux pays, *Horseshoe Falls* (« chute du Fer à cheval » – nom dû à la forme de cette cataracte). Les Américains, moins chanceux (sur ce coup-là en tout cas !), ne

EAUX SECOURS !

Pendant l'été 1960, un garçonnet de 7 ans, Roger Woodward, tomba du bateau de son oncle, en amont de la rivière. Projeté au-dessus des Horseshoe Falls, il fut miraculeusement sauvé par une bouée de sauvetage lancée par l'équipe du Maid of the Mist *qui naviguait alors tout près des chutes. Cette incroyable histoire fut relatée partout dans le monde, et Roger reste encore aujourd'hui un des rares humains à avoir survécu à un saut accidentel dans les chutes du Niagara.*

les voient que de côté. Néanmoins, ils ont eu la sagesse de préserver le site dans un environnement verdoyant et bucolique, réparti sur différents îlots principalement piétons, à l'inverse des Canadiens, qui ont furieusement bétonné.
Pour voir l'essentiel côté américain, 2 ou 3h suffisent, mais il serait vraiment dommage de manquer la vue depuis l'Ontario.
Tous les soirs de l'année, les chutes sont illuminées aux couleurs de l'arc-en-ciel. Feu d'artifice à 22h les vendredi, dimanche et jours fériés de mi-mai à début septembre, plus à certaines dates hors saison.

Côté américain

La force des Américains, c'est d'avoir limité les constructions aux abords immédiats des chutes du Niagara. Elles font partie d'un charmant *State Park,* pas bien grand mais mignon comme tout, avec des espaces verts agréables et ombragés où l'on peut s'allonger tout en profitant du spectacle et du bruit caractéristique. Les sentiers longent les rivages d'une poignée de petites îles reliées par des ponts, jusqu'à effleurer les eaux tumultueuses qui prennent de la vitesse avant de se précipiter dans les chutes. Impressionnant ! Parking payant (cher). Mieux vaut se garer en ville et venir se balader à pied. Le *Discovery Pass* couvre cinq attractions : *Niagara Legends Adventur Theater,* un film qui constitue une bonne introduction, *Maid of the Mist, Cave of the Winds, Aquarium of Niagara, Niagara Gorge Discovery Center,* ainsi que l'accès au Trolley pour rejoindre les différents points. *Tarifs : 45 $; 6-12 ans 34 $.*

Observation Tower : *env 1 $; gratuit avec l'attraction* Maid of The Mist *(et gratuit pour tous nov-mars).* C'est une plateforme reposant sur une tour de 86 m de haut qui avance en proue dans la rivière. Pour ceux qui ne passeraient pas du côté canadien, le point de vue vaut vraiment le coup, car on profite d'une vue plus dégagée des *Horseshoe Falls.* C'est un bon moyen de s'approcher un peu plus des chutes pour vraiment pas cher. Le billet inclut aussi une petite balade *(Craw's Nest)* le long de l'*American Fall.* Attention, ça mouille, mais on vous propose d'enfiler un ciré bleu déjà utilisé si vous ne voulez pas être trempé.
L'ascenseur pour descendre à *Maid of the Mist* part également de cette tour.

LE PÈRE DES PARCS

Créé le 15 juillet 1885, le Niagara Falls State Park *est le plus vieux State Park des États-Unis ! Et quitte à bien faire, celui qui en a dessiné les plans n'est autre que Frederick Law Olmsted, le célèbre architecte paysagiste de Central Park à New York. La classe !*

Maid of the Mist : *• maidofthemist.com • Avr à début nov slt : 9h-20h en été, jusqu'à 17h ou 18h le reste de la saison. Tarifs : 18,25 $; 6-12 ans 10,65 $; gratuit moins de 6 ans.* L'une des plus vieilles attractions touristiques d'Amérique du Nord, et la meilleure de Niagara. Elle a accueilli de nombreuses célébrités et têtes couronnées. Rapport qualité-prix, c'est sensationnel, puisque le bateau emmène les passagers jusqu'au pied des chutes. On vous donne un poncho, et c'est parti pour une séance vivifiante de brumisateur. Essayez de vous mettre à l'avant du bateau, pour être aux premières loges quand il s'avance littéralement dans le Fer à cheval. Incontournable ! La balade existe aussi du côté canadien, mais à bord de plus gros bateaux. C'est donc ici qu'on est au plus près de l'action ! Autre avantage : on a accès à l'*observation tower* (voir ci-dessus), et on peut emprunter au retour de la balade une série d'escaliers qui conduisent au pied des *American Falls* (un genre de petit Cave of the Winds).

Cave of the Winds : *sur Goat Island, dans le Niagara Reservation State Park. ☎ 716-278-1730. Ouv de mi-mai à mi-oct, lun-sam 9h-19h, dim 9h-21h (jusqu'à 21h dim-jeu et 22h ven-sam de mi-juin à début sept). Tarifs : env 14 $;*

6-12 ans 11 $; gratuit moins de 6 ans. La seule attraction que les Canadiens envient aux Américains ! On vous donne un poncho jaune et des sandales antidérapantes (que vous garderez en souvenir), puis vous descendez en ascenseur ; et, 35 m plus bas, au bout d'un long tunnel humide, vous vous retrouvez sur un enchevêtrement génial de passerelles de bois qui épousent le pied des chutes américaines. Le fun consiste à s'en approcher le plus possible pour la toucher du doigt (si si !) ou se faire arroser un max dans un bruit d'enfer. Le *Hurricane Deck* est là pour ça. On est complètement trempé, mais la sensation est unique. C'est l'une des scènes emblématiques du film *Niagara* d'Henry Hathaway, qui lança la carrière de Marilyn Monroe en 1953. Vous ne serez pas seul, autant le préciser. Au retour, une petite halte pour admirer les milliers de mouettes qui ont élu domicile à cet endroit.

Terrapin Point : *au-dessus de Cave of the Winds. GRATUIT.* Pour jeter un coup d'œil de près aux chutes canadiennes *(Horseshoe Falls)*. Ça mouille, mais quel spectacle ! On les voit de côté, mais on ressent vraiment la force de l'eau et on ne se lasse pas de contempler sa couleur verte, d'étudier comment elle se transforme en chutant. Plusieurs belvédères tout autour de Goat Island permettent de voir les rapides menant aux chutes. Ne ratez pas les ***Three Sisters Islands,*** une brochette d'îlots reliés par de petits ponts qui conduisent au cœur de la rivière : magique !

Côté canadien

Malgré tout le merchandising délirant qui tourne autour, on préfère voir les chutes du côté canadien plutôt que du côté américain. Tous les soirs de l'année, elles sont illuminées aux couleurs de l'arc-en-ciel. Feu d'artifice à 22h, les vendredi, dimanche et jours fériés de mi-mai à début septembre, plus à certaines dates hors saison.

Il existe un *pass* (Adventure Pass *: 55 $, 6-12 ans 37 $)* qui inclut *Journey Behind the Falls, Hornblower Cruises* (ex-*Maid of the Mist*) et *White Water Walk,* ainsi qu'un film en 4D *(Niagara's Fury)* et les trajets en bus *WEGO* pour rallier les sites. Valable seulement si vous avez l'intention de tout voir, notamment le film. En vente entre autres au *Welcome Centre* de Table Rock.

Table Rock : immense balcon dominant les chutes *(GRATUIT).* Tous les ans, quelque 15 millions de visiteurs venus de toute la planète s'accoudent à la balustrade pour admirer ce spectacle grandiose. Très impressionnant, car on surplombe les *Horseshoe Falls* à l'endroit même où elles tombent. *Welcome Center* sur place (vente de billets, boutiques, resto). Un ***funiculaire (incline railway)*** relie Table Rock à la zone touristique de Fallsview (casino). *Tarifs : aller simple 2,75 $, pass journée 7 $.*

Journey behind the Falls : *guichet au* Welcome Center *de Table Rock, tlj dès 9h et jusqu'à 22-23h en été (beaucoup plus tôt sinon). Tarifs : de mi-avr à mi-déc, env 17 $ et 11 $ pour les 6-12 ans ; le reste de l'année, respectivement 11 $ et 7 $ (moins cher car tout n'est pas accessible).* Cette fois, on vous file une cape jaune canari et vous vous retrouvez embarqué dans un ascenseur qui mène à l'entrée de tunnels humides. Deux débouchent sous la chute (on ne voit donc rien), le troisième sur le côté offrant une vue vraiment sympa.

White Water Walk : *entrée en face du temple bouddhiste. Tlj d'avr à fin oct ; 9h-20h en été, 10h-17h hors saison. Tarifs : 12,50 $Ca ; 6-12 ans 8 $Ca.* Là encore, on descend en ascenseur jusqu'au niveau de la rivière, pour accéder d'abord à une plate-forme d'observation avant de suivre une passerelle en bois qui longe les rapides, parmi les plus dangereux du monde. Au cours de la balade de 300 m environ, différents accès permettent d'approcher les flots tumultueux. La vitesse de l'eau atteint plus de 35 km/h et les vagues font entre 3 et 5 m ! C'est ici précisément que Blondin fut le premier à risquer sa vie en traversant la rivière Niagara sur un filin, en 1859. Impressionnant, mais trop cher pour ce que c'est.

Skylon Tower : *tlj 8h-minuit (9h-22h en hiver). • skylon.com • Tarifs : env 15 $Ca ; enfants (3-12 ans) 9 $Ca ; réduc via leur site internet.* C'est la tour qui ressemble vaguement à la *CN Tower* de Toronto, en modèle réduit. Du haut, superbe vue sur les chutes et les environs. Possibilité d'y déjeuner ou dîner, mais ce n'est pas renversant.

Whirlpool Aero Car : *l'été, tlj 9h-20h ; début avr-fin juin et début sept-fin oct, tlj 10h-17h. Tarifs : env 15 $Ca ; 6-12 ans 10 $Ca.* Pour les amateurs de vues aériennes, cet antique téléphérique vous balade pendant 10 mn au-dessus du tourbillon et des rapides de la Niagara River, à quelque 76 m de haut. Même si vous ne montez pas à bord, arrêtez-vous pour jeter un coup d'œil depuis les rambardes de la terrasse panoramique : ébouriffant !

Hornblower Cruises *(plan A4)* **:** *5920 Niagara Pkwy. ☎ 905-394-3030. • niagaracruises.com • De mai à nov slt : tlj à partir de 8h30 (9h en mai 10h en nov) et jusqu'à 16h-20h30 selon la saison (20h30 mi-mai à début août, 20h jusqu'à fin août), plus croisières du soir pour observer les illuminations et/ou les feux d'artifice. Départ ttes les 30 mn. Tarif pour les 20 mn de balade : 20 $ (5-12 ans 12 $) ; croisière nocturne 35 $ (5-12 ans 32 $).* L'une des plus vieilles attractions d'Amérique du Nord, même si ce n'est plus le *Maid of the Mist* original, celui qui a vu défiler de nombreuses célébrités et têtes couronnées. En effet, la compagnie a été reprise en 2013 et les bateaux sont désormais un peu plus gros et modernes... Ils emmènent les passagers jusqu'au pied des chutes. On vous donne un poncho et c'est parti pour une séance de brumisateur. Essayez de vous mettre à l'avant du bateau, pour être aux premières loges quand il s'avance littéralement dans le Fer à cheval. Longues files d'attente, mais ça vaut vraiment le coup. C'est même incontournable ! Noter que le *Maid of the Mist* existe toujours côté américain.

Niagara Helicopter Tours : *3731 Victoria Ave. ☎ 905-357-5672 ou 1-800-281-8034. • niagarahelicopters.com • Tlj de 9h au coucher du soleil, non-stop. Compter 140 $ (87 $ enfants).* La demande est telle que les vols (6 passagers/hélico) se font en continu, sans résa, au fur et à mesure de l'arrivée des clients ! La balade ne dure que 12 mn, mais la plongée sur les chutes, après la remontée de la Niagara River, est franchement impressionnante. Pour les photos, préférer le côté gauche.

Royal Botanical Gardens *(hors plan par B1)* **:** *2565 Niagara Parkway. ☎ 905-356-8119. Tlj de 8h30 au coucher du soleil. GRATUIT. Parking : 5 $. Situé à 10 mn en voiture au nord des chutes.* Le parc botanique (après des années de fermeture) a été entièrement réaménagé. Il abrite 40 ha de jardins, de sentiers pédestres, des centaines d'essences de fleurs ainsi que sa célèbre roseraie (2 400 espèces) et son conservatoire aux papillons.

LEWISTON ET SES ENVIRONS

Ça vaut la peine de s'éloigner un peu de Niagara et de la pression touristique qu'elle génère. À quelques kilomètres de la ville, on raccroche la *Lower River Road* qui permet de musarder le long de la *Niagara River* dans un environnement verdoyant. En remontant vers le lac Ontario, on traverse de paisibles bourgades cossues, proprettes, dont la charmante Lewiston. La jolie rue principale bordée de maisons typiques dégringole vers les berges, jalonnées de parcs et de petits restos. Une très agréable étape avant de poursuivre jusqu'à l'embouchure de la rivière pour découvrir le superbe site du fort Niagara. Quant aux amateurs d'œnotourisme, ils apprendront avec plaisir que la région a décidé de suivre l'exemple de son illustre voisin en Ontario. Après tout, le climat est à peu près le même, et les sols côté américain sont également propices à l'épanouissement de la vigne. Évidemment, les domaines sont encore tout jeunes et ont besoin d'affiner leurs techniques, mais une route des vins a déjà été mise en place et permet de déguster dans une vingtaine de maisons. Infos sur le site. • *niagarawinetrail.org* •

NOM DE CODE : UNDERGROUND RAILROAD

Dans la 1re moitié du XIXe s, les habitants de Lewiston étaient de farouches opposants à l'esclavage, et aidaient les fuyards à gagner le Canada après les avoir cachés chez eux. Ensuite, ils franchissaient la frontière canadienne cachés dans des wagons de marchandises !

Où dormir ? Où manger ?

Barton Hill Hotel & Spa : *100 Center St, à* **Lewiston.** ☎ *716-754-9070.* • *bartonhillhotel.com* • *Doubles 150-260 $ avec petit déj.* Romantique à souhait ! Idéalement situé en retrait de la Niagara River et de sa promenade bucolique, ce bel établissement à taille humaine privilégie une atmosphère chic et sereine, à l'image de ses parties communes élégantes et de ses chambres cossues et tout confort (toutes avec cheminée). Il y a même un spa complet pour les amateurs... et un audioguide gratuit pour partir à la découverte du village ! Une bonne alternative aux grands complexes de Niagara Falls.

The Village Diner : *425 Main St, à* **Youngstown.** ☎ *716-745-9858. Tout proche du Fort Niagara. Lun-jeu 6h-20h, ven-dim 6h-14h (13h30 dim). Petit déj et plats env 5-10 $.* Un petit café de village comme on les aime, bourré d'habitués qui profitent d'une belle vue sur la rivière depuis la salle en surplomb de la berge, tout en dégustant une bonne cuisine maison, simple et sans chichis (super *pancakes* pour le petit déj, mais aussi des sandwichs variés, salades et autres plats du jour bien costauds).

Center Cut : *453 Center St, à* **Lewiston.** ☎ *716-246-2023. Tlj à partir de 17h. Plats env 20-50 $.* C'est la bonne *steakhouse* du coin : décor de brasserie cosy (box, lumières tamisées, bouteilles alignées derrière le comptoir), un fond sonore jazzy très relax, et surtout des viandes formidables, goûteuses et juteuses à souhait. Avec un accompagnement maison et un verre de vin local, la soirée est bien partie !

À voir. À faire

Old Fort Niagara : *1 Scott Ave, à* **Youngstown.** ☎ *716-745-7611.* • *oldfortniagara.org* • *Tlj 9h-17h (19h juil-août). Entrée : 12 $; réduc ; gratuit moins de 6 ans.* L'emplacement est superbe... et hautement stratégique ! Il commande l'embouchure de la rivière, tandis qu'au loin, de l'autre côté du lac Ontario, on distingue par beau temps Toronto. C'est évidemment ici que les Français construisirent dès 1679 un fort pour contrôler le commerce juteux de la fourrure. Agrandi et renforcé, il fut pourtant pris par les Anglais en 1759, puis cédé aux États-Unis à la fin de la guerre de 1812. La visite permet de découvrir un fort en parfait état (c'est d'ailleurs le plus ancien bâtiment historique du nord-est du pays !), puissamment défendu par un réseau de fossés, de casemates et de redoutes encore équipées de canons. Après un arrêt dans la poudrière, la cuisine extérieure et différents entrepôts (expo sur le portage à l'époque épique des coureurs des bois !), direction le « château », où l'on passe en revue magasins, dortoirs, chambres et autres pièces à vivre meublées comme à l'époque (animées en saison par des figurants et des artisans). En cherchant bien, on trouve même des graffitis laissés en souvenir par les différentes garnisons ! Vraiment intéressant, d'autant que le musée à l'accueil permet d'approfondir certains sujets (comme les alliances avec les Iroquois pendant la guerre).

Whirlpool Jet Boat Tours : *115 S Water St, à* ***Lewiston.*** *☎ 905-468-4800 ou 1-888-438-4444. • whirlpooljet.com • Départs tlj mai-oct. Résa nécessaire. Tarifs : 61 $; 6-13 ans 51 $. Enfants de moins de 6 ans non acceptés.* Virée de 45 mn sur la Niagara River, depuis Lewiston jusqu'au fameux tourbillon (le *Whirlpool*), situé à un gros kilomètre des chutes. Mais rien à voir avec une croisière ! En cours de route, on affronte les rapides de *Devil's Hole.* Vous serez secoué, entièrement trempé, mais ça fait partie du jeu. Les sandales antidérapantes, les combinaisons et le gilet de sauvetage sont fournis, à vous de prévoir une tenue de rechange. Vraiment fun !

Jet Boat Adventure : *555 Water St, à* ***Youngstown.*** *☎ 716-745-7121. • niagarajet.com • Ouv tte l'année (sf lorsqu'il y a de la glace). Départ tlj l'été (hors saison, se renseigner). Résa nécessaire. Tarifs : 61 $; 4-13 ans 51 $. Enfants de moins de 4 ans non acceptés.* Même concept que le *Whirlpool Jet Boat Tours,* mais dans une version hybride. Leurs bateaux étant en partie fermés, on choisit son siège en fonction de son envie à boire la tasse ou pas ! Pour le reste, ça swingue autant !

Lockport Locks & Erie Canal Cruise : *210 Market St, à* ***Lockport.*** *☎ 716-433-6155. • lockportlocks.com • De mai à mi-oct, tlj à 12h30 et à 15h (plus à 10h l'été, ainsi que certains jours à 17h30). Tarifs : 18 $; 4-10 ans 9 $.* Pour changer de la sauvagerie des rapides, une petite balade pépère sur le canal Érié, qui permet de vivre l'amusante expérience du passage de différentes écluses et d'un pont levant.

CHICAGO

3 millions d'hab. (9 millions avec la banlieue)

• Plan d'ensemble *p. 250-251* • Nord (plan I) *p. 254-255* • Near North et Gold Coast (plan II) *p. 258-259* • Loop et South Loop (plan III) *p. 262-263* • Bucktown et Wicker Park (plan IV) *p. 265*

« L'architecture est l'Art majeur.
Sans architecture propre à notre culture,
nous n'aurions pas de civilisation américaine. »

Frank Lloyd Wright.

Au cœur du Midwest industrieux, la capitale mondiale de l'architecture moderne a depuis longtemps liquidé sa mauvaise réputation. Il faut dire que c'est une ville agréable et vivante, bénéficiant d'une situation extraordinaire au bord du lac Michigan (si vaste qu'on dirait une mer), et qui se laisse, pour l'essentiel, découvrir à pied. L'offre culturelle y est riche et sa *skyline,* plus spectaculaire encore que celle de New York.

Chicago est aussi la ville de tous les superlatifs. Elle possède la rue la plus longue du monde (Western Avenue), le plus vaste nœud de communications ferroviaires, le deuxième plus gros trafic aérien de la planète (Atlanta lui a piqué la première place) et même, sur Clark Avenue, le *McDo* qui réalise le plus gros chiffre d'affaires des États-Unis ! C'est à l'université de Chicago

que fut réalisée la première réaction atomique, sous la direction d'Enrico Fermi en 1942, et c'est aussi à Chicago que fut créé *Playboy,* en 1952, par Hugh Heffner ! Ernest Hemingway et Hillary Clinton y sont nés, Oprah Winfrey, la très influente productrice et présentatrice de TV, y a installé son Q.G, et c'est là qu'œuvrait Barack Obama comme travailleur social dans les quartiers défavorisés avant de devenir sénateur de l'Illinois et le premier président noir des États-Unis.

Pendant longtemps, la *Willis Tower* (ex-*Sears Tower,* achevée en 1974) fut, avec ses 443 m, ses 110 étages et ses 100 ascenseurs, la plus haute tour du monde. Même New York faisait pâle figure avec les défuntes *Twin Towers du World Trade Center* (412 m). Mais depuis, l'Asie l'a détrônée, avec notamment les 828 m de la *Burj Khalifa* de Dubaï.

Par ailleurs, saviez-vous que le chewing-gum fut inventé à Chicago ? Comme les rollers, la pilule contraceptive et le flipper.

Mais à Chicago, plus rien n'étonne : quand on estime qu'une rivière ne coule pas dans le bon sens, eh bien, on inverse son cours ! Après l'épidémie de choléra et de typhoïde provoquée par la forte montée des eaux en 1885, on décida de détourner la rivière pour préserver l'eau potable du lac, en creusant un canal qui s'ouvre sur le Mississippi. Ainsi, la Chicago River ne se déverse plus dans le lac Michigan, mais coule en direction du golfe du Mexique !

Chicago a eu de nombreux surnoms au cours de son histoire. Notamment « Porcopolis » (à cause des abattoirs), mais c'est celui de « Windy City » qui lui est resté. Probablement parce qu'il correspond bien à sa situation climatique, avec les vents venant du lac qui balaient la ville. Ce n'était pourtant pas l'origine de ce surnom, donné à la ville du fait de son incapacité d'inaugurer à temps en 1892, l'Exposition de la célébration du 400e anniversaire de l'arrivée de Christophe Colomb. Celle-ci fut inaugurée un an plus tard, en 1893 ! « Windy City » était alors un surnom péjoratif signifiant « qui brasse du vent » (qui bidonne). Avec le temps, cette première signification a néanmoins tendance à s'estomper dans la mémoire collective.

À propos de climat, attention aux températures : outre leurs variations importantes d'un jour à l'autre, elles vont jusqu'à - 35 °C en hiver et + 40 °C en été. Le printemps et l'automne sont les meilleures périodes.

UN PEU D'HISTOIRE

Avant même que la ville ne soit créée, cette région était recouverte par les eaux. ***Les Indiens appelèrent leur rivière Checagou,*** du nom des oignons sauvages qui poussaient dans cette zone marécageuse.

Cet ancien bivouac, point de contact entre les Indiens, les explorateurs et les missionnaires, entre le Canada et le bassin du Mississippi, devient ***poste permanent de la traite des fourrures.*** C'est le coureur des bois Jolliet et le jésuite Marquette qui, en 1673, revenant d'une expédition dans le Mississippi, parviennent au site actuel de Chicago. Cavelier de La Salle, un autre explorateur français, prend possession des lieux, au nom du roi de France. Il nomme « Louisiane » ce nouveau territoire qui s'étale du Mississippi jusqu'aux Rocheuses. Vers 1779, Jean-Baptiste Point du Sable, encore un Français, négocie alors les fourrures avec les Indiens locaux, les Potawatomis. La Louisiane est vendue, elle, par Napoléon au jeune État américain, en 1803. La même année, les Américains entament la conquête de l'Ouest et l'éviction des Indiens potawatomis.

Au milieu du XIXe s, la ville devient la plaque tournante du réseau ferroviaire américain, avec la fameuse ligne *Union Pacific* qui permet de rejoindre San Francisco dès 1869. C'est l'époque où affluent quantité d'émigrés irlandais et allemands, à qui les protestants d'origine anglo-saxonne reprochent un penchant notoire pour les réjouissances bruyantes et alcoolisées. En 1855, une « émeute de la bière »

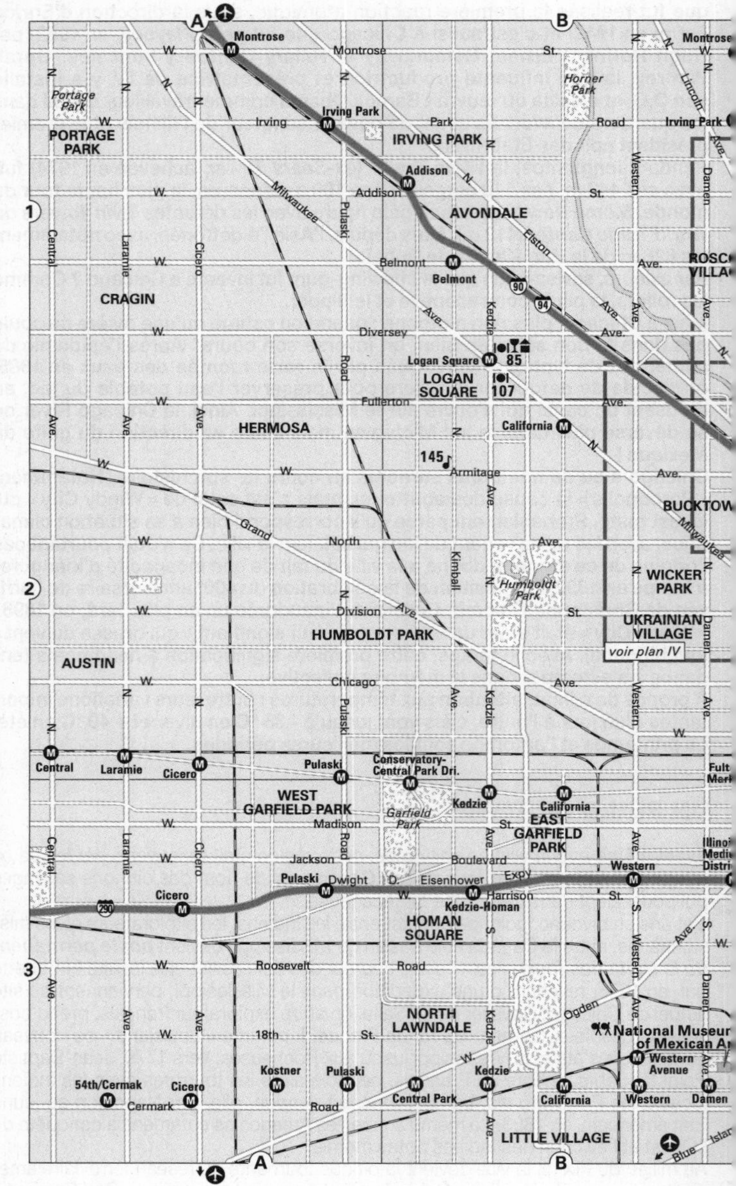
A
B
1
2
3
Montrose
W. Montrose St.
Horner Park
Portage Park
PORTAGE PARK
W. Irving Park Road
Irving Park
IRVING PARK
Addison
W. Addison St.
AVONDALE
Milwaukee
Elston
Lincoln
Damen
Western
Central
Laramie
Cicero
Pulaski Road
Kedzie
W. Belmont Ave.
Belmont
90
94
CRAGIN
ROSCOE VILLAGE
W. Diversey Ave.
Logan Square
85
107
LOGAN SQUARE
W. Fullerton Ave.
California
HERMOSA
145
W. Armitage Ave.
W. Grand
BUCKTOWN
W. North Ave.
Kimball
Humboldt Park
WICKER PARK
W. Division St.
HUMBOLDT PARK
UKRAINIAN VILLAGE
voir plan IV
AUSTIN
W. Chicago Ave.
Central
Laramie
Cicero
Pulaski
Conservatory-Central Park Dri.
Kedzie
California
WEST GARFIELD PARK
Garfield Park
EAST GARFIELD PARK
W. Madison St.
W. Jackson Boulevard
Pulaski
Dwight D. Eisenhower Expy
Cicero
290
W. Harrison St.
Kedzie-Homan
Western
HOMAN SQUARE
Illinois Medical District
W. Roosevelt Road
NORTH LAWNDALE
Ogden Ave.
National Museum of Mexican Art
W. 18th St.
Western Avenue
Kostner
Pulaski
54th/Cermak
Cicero
Central Park
Kedzie
California
Western
Damen
Cermark Road
LITTLE VILLAGE
Blue Island

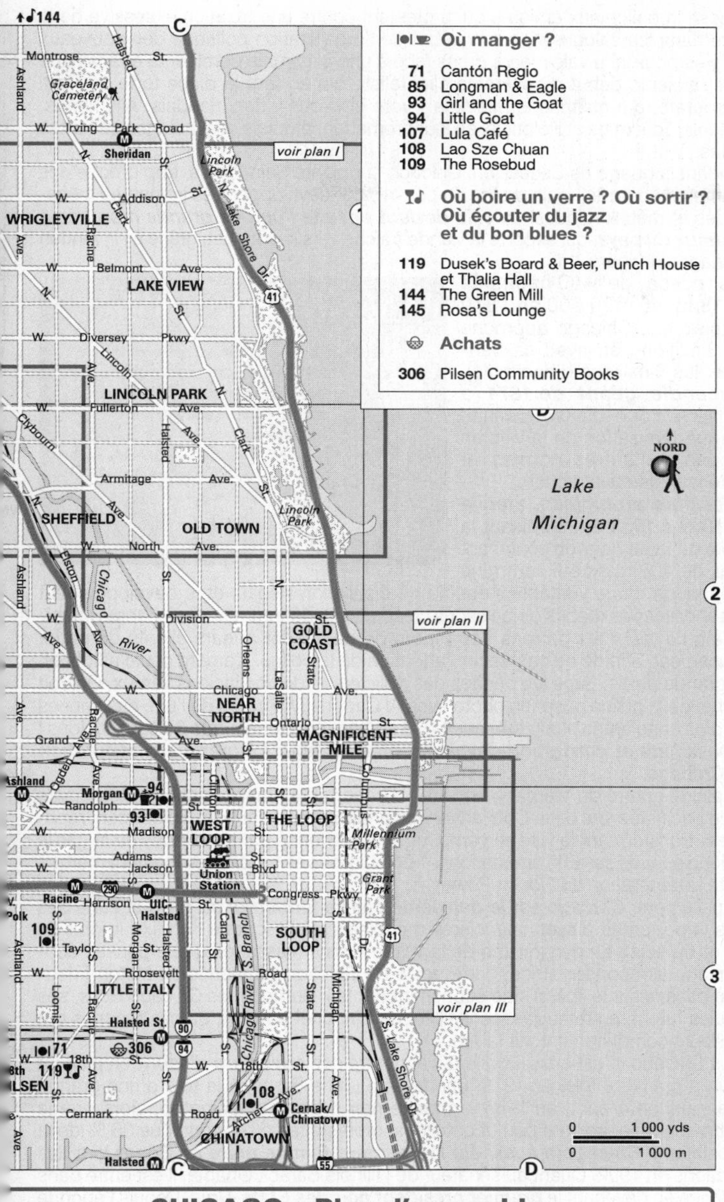

CHICAGO – Plan d'ensemble

oppose la police aux émigrés qui protestent contre une taxation excessive de la bière dans les saloons. C'est le début de l'organisation politique des nouveaux émigrés pour faire valoir leurs droits face à une oligarchie dominante et affairiste. C'est aussi le début du système clientéliste qui en fera la place forte du Parti démocrate, qui maîtrise le mieux le « vote ethnique » des Irlandais, Allemands, Suédois, Tchèques et Polonais, en leur promettant emplois et avantages de toutes sortes.

Pendant la guerre de Sécession, Chicago supplante Saint Louis, trop proche des champs de bataille, mais profite du conflit pour développer des industries mécaniques et métallurgiques. ***La ville devient ensuite l'un des grands marchés à bestiaux du pays,*** qui exporte la viande fraîche vers la côte Est, grâce à l'invention du wagon réfrigéré.

Elle passe de 400 habitants en 1833 à 300 000 en 1870 (aujourd'hui, Chicago approche les 3 millions et, avec sa banlieue, les 9 millions d'habitants). ***L'incendie géant de 1871*** a donné le coup d'envoi définitif à la modernisation de la ville en imposant d'autres normes et matériaux de construction.

LA NAISSANCE DU 1er MAI

Le 1er mai 1886, des ouvriers manifestèrent pour la journée de 8h. Des policiers chargèrent, et huit d'entre eux furent tués. Des manifestants furent jugés et cinq furent pendus. En 1893, ces martyrs furent déclarés innocents et réhabilités. Ce tragique événement fut à l'origine du 1er Mai, une date devenue fériée pratiquement dans le monde entier.

La célèbre prohibition, établie de 1919 à 1933 et interdisant la vente de toute boisson contenant plus de 0,5° d'alcool, entraîne l'apparition d'une véritable industrie de distillation illégale et le développement des *speakeasies* (débits de boissons clandestins), dénommés ainsi d'après l'habitude qu'avaient les patrons des tripots de demander à leurs clients de parler doucement, afin de ne pas attirer l'attention de la police. L'argent coule à flots et, en grande partie, dans les poches des policiers et des politiciens véreux. On voit le chef de la police poser en photo avec Al Capone ! Au cours de l'une des années les plus sanglantes, il n'y eut, sur 1 059 crimes répertoriés, que 25 cas élucidés ! ***Assassinats et corruption devaient entacher pour longtemps la réputation de Chicago.***

En pleine guerre du Vietnam, en 1968, d'importantes manifestations d'étudiants et de pacifistes lors de la Convention nationale démocrate sont violemment réprimées, transformant la ville en camp retranché sillonné par les blindés de la garde nationale. Avec ses 600 arrestations, 1 000 blessés et 1 mort, l'événement marqua toute la génération du *Flower Power.*

Actuellement, ***Chicago est le deuxième centre industriel du pays*** et l'une des plus importantes places financières mondiales (c'est ici que l'on fixe le prix du blé et du soja). Le dynamisme de la ville a donné naissance à une pensée économique ultraconservatrice, dite « école de Chicago » (théories de Milton Friedman basées sur le libéralisme économique total). Surnommés *Chicago Boys,* ses émules furent, entre autres, conseillers de Pinochet au Chili, où ces théories ont d'ailleurs complètement fait faillite.

Mais Chicago, c'est aussi la ville qui a montré son ***ouverture d'esprit*** en plaçant pour la première fois, en 1979, une femme (Jane Byrne) à la tête d'une grande ville, puis en élisant, en 1983, un maire noir (Harold Washington, alors que la communauté noire vote peu et qu'elle ne représentait à l'époque que 36 % de la population). ***Chicago a aussi élu la première femme noire au Sénat*** lors des élections en 1992. Quant au sénateur de l'Illinois Barack Obama, il est entré dans l'histoire en devenant le ***premier président noir des États-Unis.*** Depuis l'époque d'Al Capone, l'histoire a tourné bien des pages, même si à l'échelle nationale, Chicago détient encore en 2016 le triste record du nombre d'homicides commis par an.

LES ABATTOIRS DE CHICAGO

Chicago doit sa fortune et sa réputation aux énormes abattoirs *(Union Stock Yards),* installés à l'ouest de la ville en 1865. À l'époque, ces abattoirs (les plus grands du monde, bien sûr) traitaient jusqu'à 19 millions de têtes de bétail par an, et faisaient vivre d'innombrables usines de traitement de la viande, où travaillaient plus de 30 000 ouvriers. ***Les abattoirs fermèrent définitivement leurs portes en 1971.*** En l'honneur du sympathique ruminant qui a quand même largement contribué à l'enrichissement de Chicago, on a choisi le bœuf comme symbole de la ville. Les *Chicago Bulls,* ça vous dit quelque chose ?

D'AL CAPONE À JOHN DILLINGER

Quelques mots sur le « massacre de la Saint-Valentin ». Le 14 février 1929, une dizaine de gangsters irlandais rivaux sont dézingués contre le mur d'un garage par les hommes d'Al Capone, déguisés en flics. Symbole d'un passé honteux, le garage qui s'élevait au 2122 N Clark fut démoli à la fin des années 1960. Le mur, démonté brique par brique (417 briques pour être précis !), fut vendu pièce par pièce au Canada, mais il semblerait que ces briques aient toutes porté la poisse à leurs acquéreurs (maladie, divorce, ruine, et même mort...). On peut, en revanche, visiter le *Metropolitan Hotel,* qui fut l'un des quartiers généraux d'Al Capone. Ce dernier reste quand même moins « sympathique » aux yeux des Chicagoans que son « homologue » John Dillinger, interprété à l'écran par Johnny Depp, en 2009. Beau gosse, ce dernier incarne pour eux (et surtout pour elles) une sorte de Robin des Bois.

L'AUTRE ENNEMI N° 1

John Dillinger fut abattu par le FBI en 1934, en sortant du Biograph Theater (aujourd'hui Victory Gardens Theater), près du Lincoln Park. Il venait de voir... L'Ennemi public n° 1, *avec Clark Gable. Mais il fut trahi par l'une de ses copines, une prostituée qui négocia son visa avec le FBI en échange du tuyau. La fascination du public était telle qu'on autorisa de longues files d'attente pour voir le cadavre à la morgue. Un policier serra même la main du mort et un hurluberlu lui déroba son cerveau, extrait au cours de l'autopsie ! Moralité : choisissez bien vos amis !*

Au cours des *Untouchable Tours* (lire plus loin « À faire »), vous pourrez visiter les hauts lieux des faits d'armes de Joe. Si Dillinger est mort criblé de balles par les « Incorruptibles », il n'en est pas de même d'Al Capone qui, lui, est décédé dans son lit d'une syphilis non soignée (il avait peur des piqûres !).

CHICAGO ET L'ARCHITECTURE

Un soir de l'année 1871, la vache de Mrs O'Leary aurait donné un coup de pied dans une lampe à pétrole posée dans son étable. Ainsi aurait débuté le grand incendie qui ravagea pendant 3 jours un tiers de la ville ! C'est en tout cas ce qu'écrivit à l'époque un journaliste pour donner un peu de corps à son article. Et, bien qu'il ait reconnu 30 ans plus tard avoir inventé cette histoire, celle-ci circule toujours. Ce qui reste bel et bien vrai en revanche, ce sont les conséquences de cet incendie, soit 300 morts et 18 000 maisons détruites. Les milliers de tonnes de gravats poussés dans le lac formèrent d'ailleurs le remblai de la future voie express *Lake Shore Drive.* Le bois étant inflammable, ingénieurs, urbanistes et architectes se penchèrent sur les métaux. Découverte essentielle, car l'armature des buildings avait besoin de répondre à divers

WRIGLEYVILLE
ROSCOE VILLAGE
BOYSTOWN
LAKE VIEW
LINCOLN
BUCKTOWN
Wrigley Field Chicago Cubs
DePaul University
Addison
Paulina
Southport
Wellington
Diversey
Fullerton
Armitage
North/Clybourn
Chicago River
John F. Kennedy Expwy
Byron St.
Grace St.
Waveland Ave.
Cornelia
Roscoe St.
School St.
Belmont
Barry
Wellington
Oakdale Ave.
George St.
Wolfram St.
Diversey Pkwy
Wrightwood Ave.
Altgeld St.
Fullerton Avenue
Belden Ave.
Webster Avenue
Dickens
Armitage Ave.
Cortland St.
Wabansia Ave.
Willow St.
West North
Sheridan Rd
Lincoln Avenue
Clybourn Avenue
Elston Ave.
Clark Street
Halsted
Sheffield Avenue
Racine Ave.
Southport Avenue
Ashland Avenue
Paulina St.
Wolcott Ave.
Damen Avenue
Greenview Avenue
Seminary Ave.
Clifton Ave.
Kenmore Ave.
Wilmont Ave.
Fremont St.
Pine Grove Ave.
Burling St.
Orchard St.
Bissel St.
Dayton St.
Aldine
Oz Park
115
111
43
82
56
301
74
116
304
300
33
112
72
140
141
61
118
76
80
303
3
A
B
1
2
3
90
94

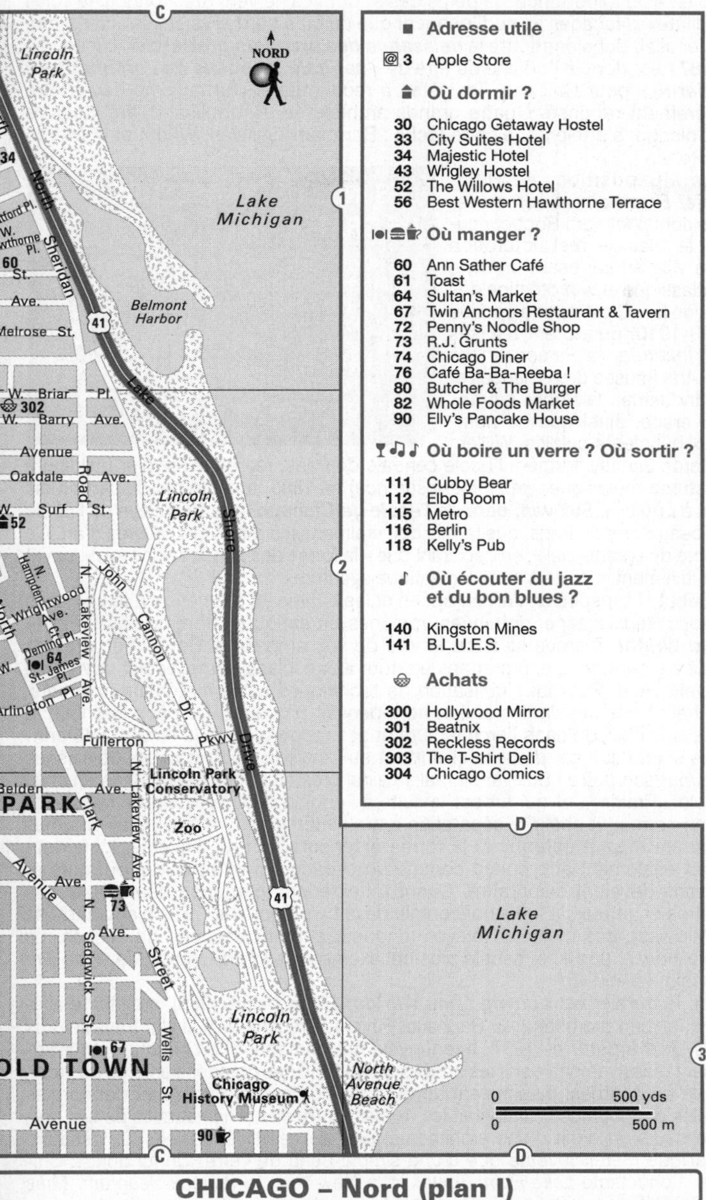

CHICAGO – Nord (plan I)

problèmes d'importance : le poids des structures, le vent (très fort ici), le soleil qui dilate les façades au sud, pendant que du côté nord elles se rétractent, etc. L'acier allait donc permettre la ***naissance des premiers gratte-ciel.*** L'incendie de 1871 est donc à l'origine du titre de ***« capitale mondiale de l'architecture moderne »*** pour Chicago. Tout était à reconstruire. L'urbanisme devait être entièrement repensé. Quatre grands architectes, symbolisant l'architecture de Chicago, s'attelèrent à cette tâche : Burnham, Sullivan, Wright et Mies Van der Rohe.

Pour l'Exposition de 1893, ***Daniel Burnham*** et son partenaire John Wellborn Root conçurent le plan de restructuration de la ville en imposant un style néoclassique et la protection des rives du lac. C'est à cette époque (1893-1910) que furent réalisés l'*Art Institute,* le *Palace of the Fine Arts* (musée des Sciences et de l'Industrie), la *Public Library,* l'université, ainsi que de nombreux bâtiments publics. William Le Baron Jenney, formé à l'École centrale de Paris, réalisa le premier building à structures métalliques (le *Home Insurance*) en 1885, aujourd'hui disparu. Mais c'est à ***Louis H. Sullivan, père de l'école de Chicago*** et ancien élève de l'École des beaux-arts de Paris, que la ville doit vraiment ses premières œuvres d'art. Ce « poète des gratte-ciel », en déclarant que « la forme doit suivre la fonction », ouvrit définitivement la porte à cette fantastique aventure.

LES INDIENS, BÂTISSEURS DE GRATTE-CIEL

Les Mohawks sont célèbres pour travailler à 200 m du sol, sans aucune difficulté. On les dit insensibles au vertige. Quel est leur secret ? Aucun. En fait, c'est la misère et le chômage qui les ont attirés dans ce métier à haut risque. Par fierté, ils cachent juste leur peur du vide... depuis six générations !

Au début, il s'inspira de l'art européen et les bâtiments s'ornèrent d'incroyables façades Renaissance, gothiques, romanes ou antiques. Son assistant, ***Frank Lloyd Wright,*** marqua lui aussi la ville de son empreinte. Ce dernier, d'esprit plutôt anticonformiste, regrettant le retour au néoclassicisme, voulut ouvrir une nouvelle voie. Pour lui, l'utilisation de techniques et de matériaux nouveaux montrerait vite ses limites si l'on ne repensait pas aussi l'espace intérieur, la place de l'individu dans l'architecture et ses rapports avec la nature. Ses principes s'appliquèrent d'abord et surtout aux maisons individuelles, délaissées alors par son patron Sullivan. Il réalisa ainsi près de 300 maisons dans un style appelé « Prairie », et qui fut par la suite à l'origine de la création de l'école du même nom. Il fit abolir la séparation entre l'intérieur et l'extérieur, les volumes intérieurs devant déterminer la forme extérieure, et non l'inverse. L'intérieur devait également être conçu comme un espace ouvert et fluide, où murs et cloisons devaient disparaître. Quant à l'extérieur, composé de nombreuses fenêtres et vitraux, la ligne horizontale devait y prédominer. Très bien adaptées au Midwest, ces maisons tout en longueur eurent beaucoup de succès. La *Robie House,* probablement le plus bel exemple de *Prairie House,* se visite (lire plus loin « À voir »).

Enfin, le dernier est ***Ludwig Mies Van der Rohe*** (1886-1969), architecte allemand, ancien promoteur du Bauhaus. Fuyant le régime nazi, il vint travailler aux États-Unis à partir de 1937. Il renouvela profondément l'architecture en introduisant massivement, dans les années 1940-1950, les grandes surfaces de verre, planes ou courbes, manifestant un goût raffiné des proportions et des formes simples et rigoureuses. Il rejetait les formes lourdes et ornementales de ses prédécesseurs au profit d'une architecture plus sobre et dépouillée, où l'ossature métallique n'était revêtue que d'une simple peau de verre. On lui doit, à Chicago, l'ondulante *Lake Point Tower* et, à New York, le fameux *Seagram.* Mies Van der Rohe aussi fit école, et ses épigones se lancèrent tous dans l'architecture de fer et de verre, donnant aux édifices ces fantastiques effets de verticalité, ces formes élancées à l'assaut du ciel...

CHICAGO, VILLE DU BLUES

Le Chicago Blues est une forme de blues qui s'est développée à Chicago par l'ajout d'instruments comme la guitare électrique, la guitare basse, la batterie, le piano, voire des cuivres, à la base instrumentale classique du *Delta Blues,* à savoir guitare acoustique et harmonica.

L'essor du *Chicago Blues* est dû à l'exode rural, lors de la Grande Dépression, des ouvriers noirs et pauvres du sud des États-Unis vers les villes industrialisées du Nord, et vers Chicago en particulier à partir des années 1920-1930.

Mais le style dit *Chicago Blues* recouvre, en fait, plusieurs genres différents de blues qui se sont successivement développés – tout en coexistant – dans les quartiers noirs jusqu'aux années 1960. Big Bill Bronzy, Sonny Boy Williamson, Howlin' Wolf, Bo Didley, Buddy Guy, Elmore James, Albert King, Freddie King, Muddy Waters et, surtout, John Lee Hooker sont les maillons les plus connus d'une chaîne qui, malgré ses ruptures souvent mises en avant, n'en conserve pas moins une réelle continuité. Quelques clubs en vue de Chicago continuent d'assurer la pérennité du mouvement.

« ARMSTRONG, JE NE SUIS PAS NOIR... »

*En 1917, le premier disque de jazz de l'histoire a été enregistré à Chicago... par cinq Blancs de chez Blancs ! Il s'agit des membres de l'*Original Dixieland Jazz Band.

À LA POINTE DE LA LUTTE CONTRE LE CHANGEMENT CLIMATIQUE

Cela mérite d'être souligné : la ville fut membre fondateur du *Chicago Council on Climate Change,* le ***seul programme de réduction de l'empreinte carbone juridiquement contraignant des États-Unis.*** Sur la base de cet engagement, l'ancien maire Richard M. Daley réunit en 2007 un groupe de travail pour élaborer le *Chicago Climate Action Plan* destiné à analyser les émissions de gaz à effet de serre (GES) de Chicago et à identifier des stratégies pour les réduire.

Le groupe de travail consulta des dizaines d'experts, un comité consultatif de recherche reconnu à l'échelle internationale et de nombreux représentants des entreprises, de la municipalité et des affaires environnementales de la région de Chicago. En 2008, la ville publia son plan définissant trois objectifs en matière d'émissions de gaz à effet de serre : 25 % de réduction des émissions d'ici 2020, pour aboutir à 80 % de réduction d'ici 2050, tout en menant un programme de préparation aux effets du changement climatique.

Tandis que d'autres villes ont établi des objectifs similaires, Chicago fut la première à identifier les sources de carbone, à calculer l'impact estimé de chacune et à exposer les solutions spécifiques répondant à la recherche. Les stratégies définies visent à augmenter l'efficacité énergétique des bâtiments, à assurer la transition vers des sources d'énergie propres et renouvelables, à améliorer les options de transport et à réduire les déchets et la pollution industrielle.

Arriver – Quitter

En avion

Il y a 2 aéroports, O'Hare et Midway Airport.

✈ ***O'Hare*** *(hors plan d'ensemble par A1) : 10000 W O'Hare-Bessie Coleman Dr. ☎ 1-800-832-6352. • flychicago.com • C'est le principal aéroport, situé à 40 km au nord-ouest de Chicago.* La plupart des vols domestiques

■ **Adresses utiles**

5 Pharmacie Walgreens
@ 8 Apple Store
10 Alliance française

Où dormir ?

35 Freehand Chicago
38 The James Hotel
40 Best Western River North
44 Ohio House Motel
45 Red Roof Inn
47 MileNorth Chicago
53 Hotel Felix

Où manger une *deep dish pizza* ?

67 The Original Gino's East of Chicago
91 Pizzeria Due
101 Giordano's
102 Lou Malnati's

Où manger ?

63 The Original Pancake House
65 Corner Bakery
66 McDonald's
68 Mr. Beef
82 Whole Foods Market

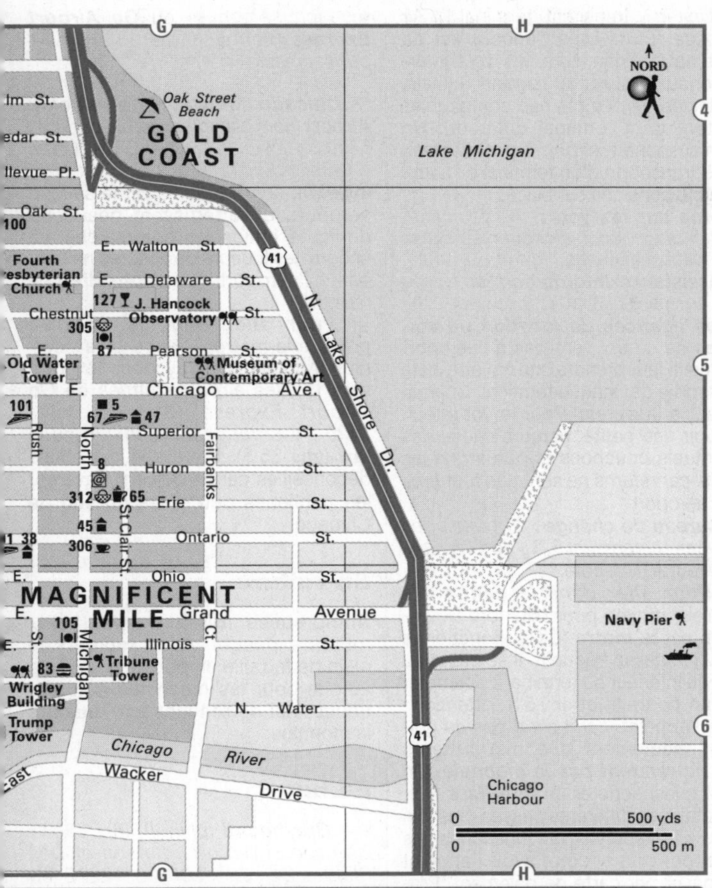

CHICAGO – Near North et Gold Coast (plan II)

83 Billy Goat Tavern	**Où manger du pop-corn ?**	**Où écouter du jazz et du bon blues ?**
84 Portillo's Hot Dogs	**306** Garrett Popcorn	**106** Andy's Jazz Club
87 Foodlife	**Où boire un verre ? Où sortir ?**	**147** House of Blues
88 Protein Bar	**117** Redhead Piano Bar	**152** Blue Chicago
96 Xoco et Frontera Grill	**123** Butch McGuire's	**Achats**
97 Carnivale	**127** Signature Lounge	**305** American Girl Place
100 Le Colonial		**308** Barnes & Noble
103 Fogo de Chão		**312** Niketown
104 Gibsons		
105 The Purple Pig		
106 Shaw's Crab House		

de *United* y transitent (terminal 1). *Air Canada* (États-Unis/Canada) est au terminal 2. Enfin, tous les vols internationaux arrivent au terminal 5 (mais, certaines de ces mêmes compagnies partent d'un terminal différent). Un train suspendu *(Airport Transit System)* vous transporte d'un terminal à l'autre. Aucune consigne sur place.

– ***Infos sur les vols :*** *• flychicago.com • Sinon, contacter directement sa compagnie aérienne.*

Assistance-Information : *au niveau des arrivées. Tlj 8h30 (10h le w-e)-21h.*

– ***Les agences de location de voitures*** ne se trouvent pas à l'aéroport même. Il faut prendre une navette juste à la sortie de chaque terminal. Chaque loueur a la sienne. Pour le vol retour, prévoir une petite marge à cause des éventuels bouchons et parce que les *rental car returns* ne sont pas tout près de l'aéroport.

■ ***Bureau de change :*** *au niveau des arrivées du terminal 5. Tlj 8h-20h.* Distributeur *ATM* à côté.

➢ ***Pour aller dans le centre :*** le meilleur moyen pour rejoindre Downtown est le ***métro*** *(CTA).* Fonctionne 24h/24 ; assez fréquent. Il se prend au niveau inférieur du terminal 2. Compter 45 mn de trajet et env 5 $. Attention : faire l'appoint, car il n'y a pas de guichet, seulement des distributeurs ***qui ne rendent pas la monnaie.*** On peut aussi acheter un *CTA Pass* (voir le détail des différents *passes* plus loin dans « Transports ») qui fonctionne dès l'aéroport. Là encore, avoir l'appoint ou payer par carte de paiement. Pratique : la *Blue Line* dessert directement le *Loop.* Les stations intéressantes, point de rencontre de nombreuses lignes : *Clark & Lake, State & Lake* et *Jackson.*

Le ***taxi*** coûte environ 55 $ et risque d'être pris dans les interminables embouteillages de l'autoroute (sauf tard le soir). Il est parfois possible de partager un taxi si l'on se met d'accord sur une destination commune (compter env 24 $/pers). Il y a aussi des ***navettes*** *(shuttles)* qui desservent les principaux hôtels du centre. Tarif selon votre point de chute. Parmi celles-ci, citons : ***Coach USA*** *(☎ 1-800-248-8747 ; • coachusa.com •)* ou ***Go Airport Express*** *(☎ 1-888-284-3826 ; • airportexpress.com •)*

✈ ***Chicago Midway International Airport*** *(hors plan d'ensemble par A3)* **:** *5700 S Cicero Ave. ☎ 773-838-0600. • flychicago.com • À 20 mn au sud-ouest du centre-ville.* C'est le second aéroport, où atterrissent beaucoup de lignes nationales bon marché. Là encore, les loueurs de voitures ne sont pas à l'aéroport. Il faut prendre une navette.

➢ ***Pour aller dans le centre :*** prendre le *métro* (*Orange Line* ; dernier train de Midway pour le Loop vers 1h), les *airport shuttles* de *Go Airport Express (☎ 1-888-284-3826 ; • airportexpress.com •)* ou le *taxi* (env 35 $). Il y a des bus, mais déconseillés car ils doivent traverser les banlieues peu sûres du sud de Chicago.

En voiture

Nombreuses *toll freeways* (autoroutes à péage). Avoir toujours le plein de ferraille en poche (pièces de 25 cts) pour les machines automatiques, qui ne rendent pas toujours la monnaie.

En bus

Greyhound *(plan III, I8)* **:** *630 W Harrison St, entre Jefferson et Des Plaines St. ☎ 1-800-231-2222 ou 312-408-5821. • greyhound.com • Ⓜ Clinton. Ouv 24h/24.*

En train

Amtrak **(*Union Station*** *; plan III, I8)* **:** *225 S Canal St. ☎ 1-800-872-7245. • amtrak.com • Ⓜ Clinton. Gare ouv tlj 5h-1h.* Consignes et *food court.*

■ ***Metra :*** *☎ 312-322-6777. • metrarail.com •* Dessert la banlieue de Chicago (O'Hare inclus), au départ de Union Station *(plan III, I8)* et, pour la banlieue sud, de ***Millenium Station*** seulement *(plan III, J-K7).*

Les différents quartiers

– **Le Loop** *(plan III)* **:** situé au sud de la Chicago River, c'est le quartier des affaires, mais avec tous ses buildings historiques et ses attractions majeures, c'est aussi le grand quartier touristique de Chicago. En journée du moins, car le soir, c'est mort !

– ***Magnificent Mile, Near North, Gold Coast et Old Town*** *(plans I et II)* **:** au nord de la Chicago River, longue série de superbes buildings et d'avenues bordées de commerces de luxe. Le quartier le plus commerçant de la ville, mais pas le plus excitant. Dans la partie nord, il devient résidentiel et très chic.

– ***Lincoln Park*** *(plan I)* **:** quartier coquet et propre sur lui avec de belles rues où s'alignent de jolies maisons très british. Au milieu des zones résidentielles, plusieurs poches ou des bouts d'artères (Armitage Avenue, Sheffield Avenue, Halsted Street) plus animés, avec de petites boutiques tendance, des restos et endroits où sortir plutôt chic. C'est là que se retrouvent les jeunes et les étudiants de l'université DePaul.

– Au nord, ***Lake View*** *(plan I)* se révèle un peu plus disparate et gris, mais pas moins vivant. Bien que, là encore, les quartiers résidentiels alternent avec des rues moins séduisantes, mais plus animées. À la limite nord de Lake View, le stade de Wrigley, dédié au club de base-ball des *Chicago Cubs,* marque l'entrée de ***Wrigleyville.*** Autre enclave : celle de ***Boystown*** (entre Belmont, Halsted et North Broadway), le plus grand quartier LGBT de Chicago.

– ***Bucktown et Wicker Park*** *(plan IV)* **:** à l'ouest de la Chicago River. Anciens repaires d'artistes et d'immigrés, Bucktown et Wicker Park se sont aujourd'hui bien boboïsés. Toujours le même principe, les quartiers purement résidentiels alternent avec des artères plus animées (Division, Damen et Milwaukee). On y trouve galeries et magasins de déco branchés, des revues d'art et des labels de rock indépendant, mais aussi beaucoup de poussettes et des bons plans pour manger ou boire un verre pour pas trop cher ! Wicker Park est bordée au sud par ***Ukrainian Village,*** quartier aujourd'hui plutôt bourgeois qui accueillit au début du XX[e]s de nombreux émigrés polonais, slovaques et ukrainiens. Tandis que ***Logan Square,*** à l'ouest de Bucktown, est un sympathique quartier gentiment alternatif, où l'on trouve de belles adresses où manger. Enfin, précisons que Bucktown et Wicker Park sont traversés sur 5 km par ce qu'on appellerait chez nous une coulée verte aménagée sur une ancienne voie de chemin de fer. Sur Bloomingdale, la ***606*** (c'est son nom) offre une jolie promenade entre Ashland Avenue à l'est et North Ridgeway Avenue à l'ouest.

– ***West Loop*** *(hors plan III et plan d'ensemble)* **:** l'ancien quartier des abattoirs, situé comme son nom l'indique à l'ouest du Loop, est devenu un des quartiers branchés de Chicago. Les entrepôts réhabilités accueillent désormais lofts, restos chic et conceptuels ou bars *trendy.*

– ***South Loop*** *(plan III et plan d'ensemble)* **:** Grant Park, les musées scientifiques du Museum Campus, le Prairie Avenue Historic District, Chinatown, Little Italy et ***Pilsen,*** quartier mexicain particulièrement intéressant car toujours doté d'une identité forte (mais pour combien de temps encore ?). Puis fragment de la Black Belt, le quartier défavorisé de Bronzeville. Plus au sud encore, Hyde Park et l'Université, quartier aéré et calme.

Orientation

State Street (direction nord-sud) coupe *Madison Street* (est-ouest), au point 0. C'est à partir de ce point central que commencent l'orientation nord-sud-est-ouest et la numérotation. C'est en quelque sorte le point cardinal de Chicago. De là, il faut savoir qu'un *block* (un pâté de maisons) vaut environ – et en principe – 100 numéros. Ainsi, si l'on veut aller au 825 N Michigan, on sait qu'à l'intersection de Michigan (vertical) et de Madison (horizontal), il faudra compter 8 *blocks* vers le nord.

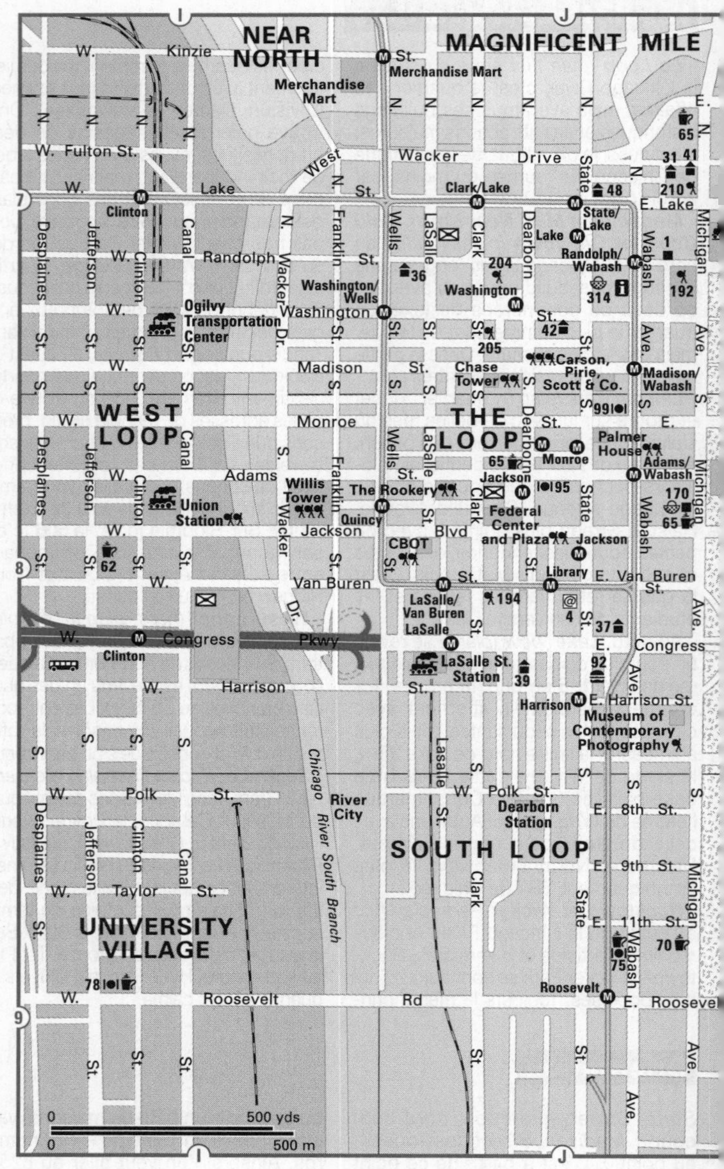
NEAR NORTH
MAGNIFICENT MILE
WEST LOOP
THE LOOP
SOUTH LOOP
UNIVERSITY VILLAGE
Merchandise Mart
Merchandise Mart
Ogilvy Transportation Center
Union Station
Willis Tower
The Rookery
CBOT
Chase Tower
Carson, Pirie, Scott & Co.
Palmer House
Federal Center and Plaza
LaSalle St. Station
Dearborn Station
Museum of Contemporary Photography
River City
Chicago River South Branch
Clinton
Clark/Lake
State/Lake
Lake
Randolph/Wabash
Washington/Wells
Washington
Madison/Wabash
Monroe
Jackson
Adams/Wabash
Quincy
Library
LaSalle/Van Buren
LaSalle
Harrison
Roosevelt
W. Kinzie St.
W. Fulton St.
W. Lake St.
E. Lake
Wacker Drive
West
W. Randolph St.
W. Washington St.
W. Madison St.
W. Monroe St.
W. Adams St.
W. Jackson Blvd
W. Van Buren St.
E. Van Buren St.
W. Congress Pkwy
E. Congress
W. Harrison St.
E. Harrison St.
W. Polk St.
E. 8th St.
E. 9th St.
E. 11th St.
W. Taylor St.
W. Roosevelt Rd
E. Roosevelt
S. Desplaines St.
S. Jefferson St.
S. Clinton St.
S. Canal St.
N. Wacker Dr.
S. Wacker Dr.
S. Franklin St.
S. Wells St.
S. LaSalle St.
S. Lasalle St.
S. Clark St.
S. Dearborn St.
S. State St.
S. Wabash Ave.
S. Michigan Ave.
1
4
31
36
37
39
41
42
48
62
65
70
75
78
92
99
170
192
194
195
204
205
210
314
0 500 yds
0 500 m
I
J
7
8
9

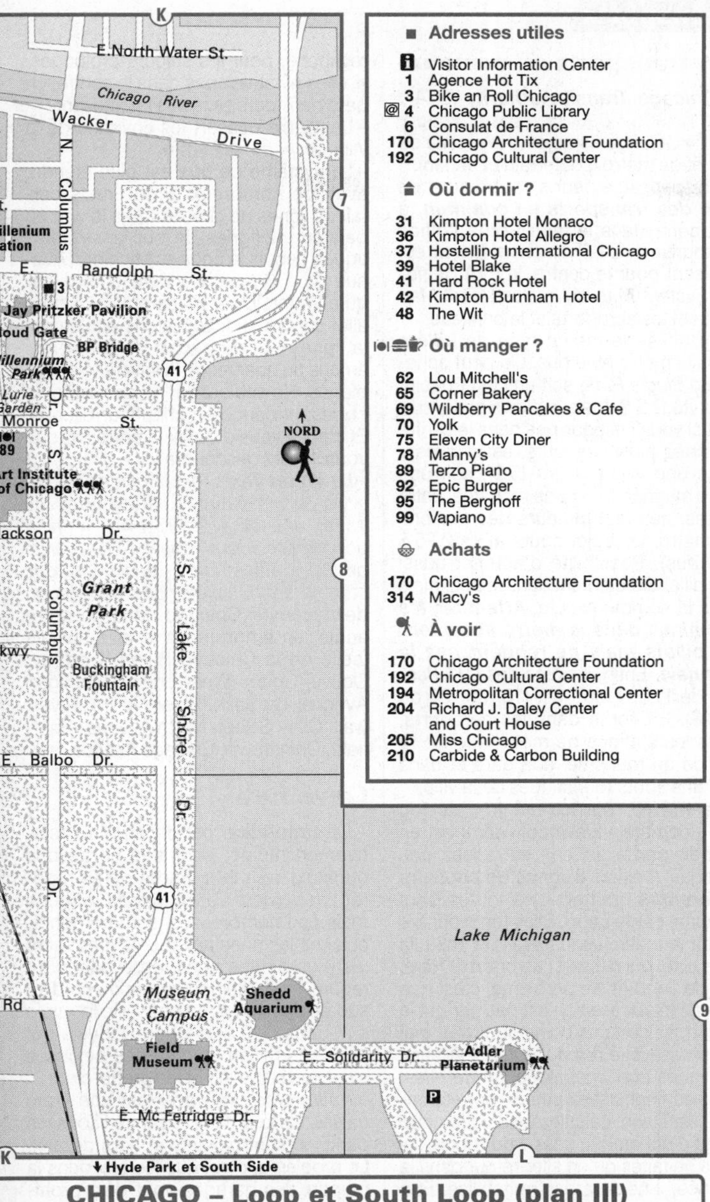

Adresses utiles

- Visitor Information Center
- 1 Agence Hot Tix
- 3 Bike an Roll Chicago
- 4 Chicago Public Library
- 6 Consulat de France
- 170 Chicago Architecture Foundation
- 192 Chicago Cultural Center

Où dormir ?

- 31 Kimpton Hotel Monaco
- 36 Kimpton Hotel Allegro
- 37 Hostelling International Chicago
- 39 Hotel Blake
- 41 Hard Rock Hotel
- 42 Kimpton Burnham Hotel
- 48 The Wit

Où manger ?

- 62 Lou Mitchell's
- 65 Corner Bakery
- 69 Wildberry Pancakes & Cafe
- 70 Yolk
- 75 Eleven City Diner
- 78 Manny's
- 89 Terzo Piano
- 92 Epic Burger
- 95 The Berghoff
- 99 Vapiano

Achats

- 170 Chicago Architecture Foundation
- 314 Macy's

À voir

- 170 Chicago Architecture Foundation
- 192 Chicago Cultural Center
- 194 Metropolitan Correctional Center
- 204 Richard J. Daley Center and Court House
- 205 Miss Chicago
- 210 Carbide & Carbon Building

CHICAGO – Loop et South Loop (plan III)

Transports

Les transports en commun

■ ***Chicago Transit Authority** (CTA) :* ☎ *312-836-7000.* ● *transitchicago.com* ● Cet organisme gère le réseau de bus et de métro (souterrain et aérien).

– Indispensable pour s'y retrouver : un ***plan des transports en commun,*** à récupérer dans le métro ou à l'office de tourisme. Le *Downtown Transit* est suffisant pour le centre, la *RTA Regional System Map* ou la *Bus & Rail Map* incluent les aéroports et la banlieue.

– On utilise le même type de ***billets*** dans le métro et le bus. On peut acheter un *Single Ride,* soit un ticket papier à l'unité, à 3 $. Mais le plus simple, surtout si vous ne logez pas dans le centre et restez plusieurs jours, est d'investir dans une *Ventra Card* (5 $), soit une carte magnétique qui se recharge, entre autres, aux distributeurs des stations de métro. Le trajet coûte alors 2,25 $ (2 $ bus). Possibilité d'acheter aussi son billet directement dans le bus, mais avec la somme exacte. ***Attention, les machines dans le métro acceptent les billets mais ne rendent pas la monnaie.*** Enfin, il existe des *CTA Passes* de 1, 3, 7 ou 30 j. (10, 20, 28 ou 100 $). En vente dans les aéroports, dans les stations de métro du « L », à l'office de tourisme, à la gare et dans certains spots touristiques de la ville.

– ***Le métro,*** surnommé le « L » (ou « El » comme « Elevated » car il est en grande partie aérien), est assez peu pratique. Il existe ***8 lignes de couleurs différentes*** qui transitent toutes (sauf la jaune) par le Loop. Elles fonctionnent de tôt le matin jusqu'à environ 1h30 (la *Blue Line,* qui dessert l'aéroport O'Hare, circule 24h/24). Le problème, c'est que la densité du réseau n'est pas partout la même, et certains coins sont très mal desservis, voire pas du tout. Par ailleurs, les lignes sont mal reliées entre elles, avec au final, assez peu de correspondances. Donc, calculez bien votre coup avant d'acheter un *pass* 1 ou 3 jours : si vous ne faites qu'un aller-retour dans la journée, il ne sera pas rentabilisé. Et à plusieurs, il est plus rapide, moins fatigant et pas si onéreux que cela de prendre un taxi pour changer de quartier. En revanche, pour les séjours prolongés, si vous n'habitez pas dans le centre, un *pass* de 7 jours se révèle intéressant.

– Le ***Metra*** dessert les environs de la ville. ● *metrarail.com* ●

– Le système de ***bus*** est plus étendu, avec de nombreux arrêts, mais certaines lignes ne circulent pas le w-e en banlieue. 2 lignes de bus assez pratiques depuis le Loop et Michigan Avenue : la n° 3 pour aller vers le nord jusqu'à Water Tower Place et la n° 4 pour aller vers le sud. Signalons également la ligne n° 6, au départ de State, qui amène au quartier de l'Université et aux plages. Ne pas oublier de demander la correspondance au chauffeur de bus. Et c'est à vous d'ouvrir la porte lorsque vous voulez descendre !

– ***Le Water Taxi :*** *fonctionne en saison slt, à partir de mars ; bateaux ttes les 15 mn env.* ☎ *312-337-1446.* ● *chicagowatertaxi.com* ● *Trajet : 4-6 $ selon le parcours.* Pass : *8 $/j. ; également des carnets de 10 tickets.* Une belle façon de découvrir Chicago sous un autre angle, en empruntant la voie fluviale (celle de la Chicago River). 7 arrêts : Ogilvie/Union (West Loop), Michigan Avenue, La Salle (River North), Riverwalk Clark Street, North Avenue/ Sheffield, Chinatown, Chicago Avenue.

La voiture

– ***La circulation*** est dense mais relativement fluide, sauf à la sortie des bureaux, vers 18h. Facile de se repérer : les rues de Chicago, longues mais peu nombreuses, sont perpendiculaires les unes aux autres. Les tours les plus hautes servent de points de repère. Pour aller facilement du nord au sud et vice versa, on conseille la « voie sur berge » (Lake Shore Drive), qui passe au milieu d'immenses pelouses avec vue sur le lac et les gratte-ciel.

– ***À l'inverse, se garer*** est une vraie galère, surtout dans le centre ! Tous les parkings sont payants et hors de prix. Le problème, c'est que les prix dans la plupart des garages sont déjà prohibitifs pour une seule heure (genre 20 $ ou plus) ; ils sont proportionnellement moins élevés pour 24 h, même si dans

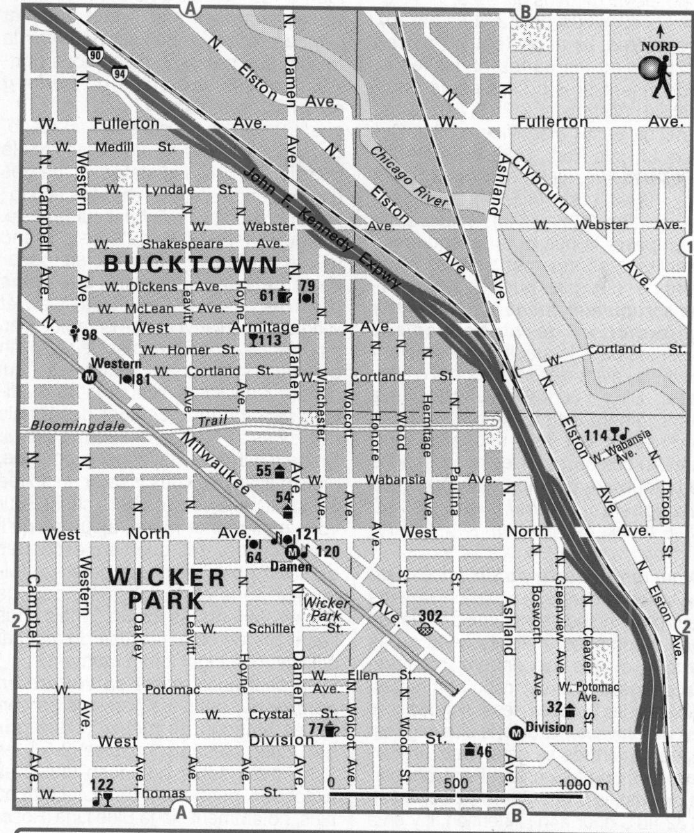

CHICAGO – Bucktown et Wicker Park (plan IV)

Où dormir ?

- **32** House of Two Urns B & B
- **46** Holiday Jones
- **54** IHSP Chicago
- **55** Urban Holiday Lofts

Où manger ?

- **61** Toast
- **64** Sultan's Market
- **77** Milk & Honey
- **79** Coast Sushi Bar
- **81** Irazu

Où déguster une glace ?

- **98** Margie's Candies

Où boire un verre ? Où sortir ?

- **113** Map Room
- **114** Hide Out
- **120** Double Door
- **121** Subterranean
- **122** Empty Bottle

Achats

- **302** Reckless Records

les hôtels ou certains garages, ils s'élèvent à plus de 60 $ pour 24h. Quant aux ***parcmètres,*** ils acceptent les pièces de 25 cts ou les cartes bancaires et fonctionnent tlj 24h/24 dans le Loop (6,50 $/h 8h-21h et 3,25 $ 21h-20h) ; 8h-minuit tlj sur Magnificent Mile, Old Town, Lincoln Park, Lake View et Wrigleyville (4 $/h) ; tlj 8h-22h dans South Loop, West Loop (4 $/h) ; autrement lun-sam 8h-22h (2 $/h). Impossible de prépayer la nuit pour le lendemain matin et stationnement de 2h max. Avant de vous garer quelque part, ***vérifiez scrupuleusement les panneaux d'interdiction de stationnement*** implantés dans la rue. Il y en a souvent plusieurs, avec des infos complémentaires... S'il y a écrit *« Tow Away »,* lisez attentivement les indications de jours ou d'heures, car vous risquez la fourrière. Au cas où, voici les coordonnées de la fourrière principale où l'on vous renseignera : *Central Auto Pound, 500 E Wacker Dr (plan III, K7).* ☎ *311.* • *cityofchicago.org* • *Ouv 24h/24.*

– ***Pour une courte durée (moins de 2h),*** dans le centre, les stationnements les moins onéreux sont ceux dans la rue avec parcmètres, mais il n'y en a pas partout, et une fois encore, attention aux panneaux de restriction et à ne pas dépasser les horaires : les amendes sont très vite arrivées. Au-delà, le plus sage est probablement de se garer dans un parking. Ceux du Millennium Park font partie des moins chers (30-35 $ pour 8-12h et 32-40 $ pour 24h). Attention, il y en a plusieurs et tous ne pratiquent pas les mêmes prix ! Le *Millenium Lakeside* est à ce jour le moins coûteux *(5 S Columbus Dr ;* • *milleniumgarages.com* •*)*

– Cela demande une certaine organisation, mais pour trouver le parking le plus économique et vous éviter de tourner des heures et d'avoir de mauvaises surprises (car il faut souvent s'engager dans le parking pour voir la totalité des prix pratiqués), vous pouvez ***réserver une place de parking au préalable sur*** • *spothero.com/chicago-parking* • ou sur • *chicago.bestparking.com* • Vous entrez le quartier désiré, les dates et heures d'entrée et de sortie souhaitées et hop ! les propositions s'affichent sur la carte.

– Précisons, enfin, qu'il est quand même ***moins difficile de se garer dans certains quartiers que dans d'autres*** : Lincoln Park, Lake View et Wrigleyville *(plan I)* sont « garables » en journée ; le problème, c'est le soir. Afin d'éviter les « voitures ventouses » qui restent plantées plusieurs jours d'affilées sans bouger, ce sont désormais des zones à « Residential Permit Only ». On peut parfois y stationner en journée, mais n'allez pas vous y garer en soirée et la nuit, cela vous coûtera cher ! Pour vous remonter le moral, ajoutons qu'il existe encore des quartiers excentrés où il est possible de se garer gratuitement dans certaines rues, comme Wicker Park ou Bucktown... mais nous l'écrivons de la pointe des doigts, car cela peut changer à tout moment !

– On peut aussi ***garer sa voiture en périphérie,*** dans les parkings de certaines stations de métro, à des prix beaucoup plus raisonnables (2-5 $ les 12h), mais seuls quelques-uns, très excentrés, permettent de rester 24h ou plus, notamment sur la Blue Line (Rosemont et Cumberland, près de l'aéroport O'Hare), la Purple Line (Linden) ou la Yellow Line (Dempster-Skokie). • *transitchicago.com/parking* •

– Une ***application*** utile : • *beatthemeters.com* •

Adresses et infos utiles

Informations touristiques et culturelles

🅸 ***Visitor Information Center*** *(plan III, J7)* **:** *111 N State St.* ☎ *312-781-4483.* • *choosechicago.com* • Ⓜ *Randolph. Au sous-sol* (lower level) *de Macy's. Lun-ven 10h-19h, le w-e 11h-18h.* Riche documentation. S'ils ne sont pas exposés, n'hésitez pas à demander les plans des différents quartiers. Vente du *City Pass* (lire plus loin dans « À voir ») et du *CTA Pass* (métro et bus).

– Pour avoir des infos sur l'***agenda*** et les ***nouveaux lieux à la mode,*** consulter • *chicago.metromix.com* •

■ ***Agence Hot Tix*** *(plan III, J7,* ***1****)* ***:*** *72 E Randolph St. ☎ 312-977-8483. • hottix.org • Ⓜ Randolph. Tlj sf lun 10h-18h.* Pour acheter des places de spectacles à prix réduits.
■ ***Alliance française*** *(plan II, F5,* ***10****)* ***:*** *810 N Dearborn St. ☎ 312-337-1070. • af-chicago.org • Ⓜ Chicago. Tlj sf dim, 9h-21h30 (17h ven, 15h30 sam).* Programme culturel destiné surtout aux Français séjournant longtemps à Chicago.

Postes, Internet

✉ ***Post Offices :*** *540 N Dearborn St (plan II, F6) ; lun-ven 8h30-18h, sam 9h-15h, dim 10h-14h. Également au 211 S Clark, à l'angle de W Adams St (plan III, J8) ; lun-ven 7h-18h. Ou encore au 100 W Randolph St (plan III, J7). Lun-ven 8h-17h30.*
@ ***Apple Stores :*** *679 N Michigan Ave (plan II, G5,* ***8****). ☎ 312-529-9500. Lun-sam 10h-20h, dim 11h-19h. Ou 801 W North Ave (plan I, B3,* ***3****). ☎ 312-777-4200. Lun-sam 9h-21h, dim 11h-19h.* Connexions gratuites sur les nombreux ordinateurs de démonstration.
@ ***Chicago Public Library*** *(plan III, J8,* ***4****)* ***:*** *Harold Washington Library Center, 400 S State St. ☎ 312-747-4300. • chipublib.org • Ⓜ Harold Washington Library. Lun-jeu 9h-21h, ven-sam 9h-17h, dim 13h-17h.* 💻 📶 C'est le curieux bâtiment à la toiture « harry potterienne » éclairé la nuit. Ce temple de la culture, tout de verre et de brique, organise conférences, débats, récitals, concerts, projections et expos. À son ouverture (en 1991), elle eut droit à son inscription dans le *Livre Guinness des records* en tant que plus grande bibliothèque municipale du monde ! Accès Internet gratuit au 3e étage et espace wifi. Certains postes sont limités en temps.

Consulats

■ ***France*** *(plan III, J7,* ***6****)* ***:*** *205 N Michigan Ave, suite 3700. ☎ 312-327-5200. Lun-ven 9h (8h ven)-12h30, 14h-16h30. • consulfrance-chicago.org •* Le consulat peut, en cas de difficultés financières, vous indiquer la meilleure solution pour que des proches vous fassent parvenir de l'argent, ou encore vous assister juridiquement en cas de problème.
■ ***Suisse :*** *201 Victoria Lane, Elk Grove Village. ☎ 312-505-5406.*
■ ***Belgique :*** *slt un consulat honoraire, mieux vaut s'adresser à l'ambassade à Washington. Néanmoins, en cas d'urgence : ☎ 773-342-6884. • diplomatie.belgium.be •*
■ ***Canada :*** *Two Prudential Plaza, 180 N Stetson Ave, Suite 2400. ☎ 312-616-1860. • can-am.gc.ca/chicago • Lun-ven 8h30-12h30, 13h-16h30.*

Location de vélos

Transporter son vélo dans le métro est autorisé, sauf aux heures de pointe en semaine.

■ ***Vélos partagés :*** Chicago aussi a son système de vélos partagés (couleur bleu ciel). *• divvybikes.com • Au choix, la cotisation annuelle (*Annual Membership *env 100 $) ou le pass 24h (*24 hours Pass *env 10 $). Pour tous, le même principe : les 30 premières minutes gratuites, puis 2 $ 30-60 mn, 6 $ 60-90 mn ; au-delà des 90 mn, 8 $ ttes les 30 mn.*
■ ***Bike and Roll Chicago*** *(plan III, K7,* ***3****)* ***:*** *239 E Randolph St. ☎ 312-729-1000. • bikechicago.com • Ⓜ Randolph/Wabash. Dans le* McDonald's Cycle Center*. En été : lun-ven 6h30-20h (22h ven), sam 8h-22h, dim 8h-20h. Au printemps et à l'automne : en sem 6h30-20h, le w-e 9h-19h. En hiver : lun-ven 6h30-18h30. Vélos à partir de 10 $/h, 36 $/j.* Également des vélos et sièges pour enfants, tandems, etc. Propose aussi des visites guidées à vélo ou en segway.

Santé

■ ***Pharmacie Walgreens*** *(plan II, G5,* ***5****)* ***:*** *757 N Michigan Ave. ☎ 312-664-4000. Ouv 24h/24.* Nombreuses autres succursales en ville.

Où dormir ?

Logement ***très cher,*** même si les prix peuvent varier du simple au triple d'un jour à l'autre. Il n'y a ni haute, ni basse saison, mais théoriquement, janvier et

AUTOUR DES GRANDS LACS

février sont les mois les moins chers (et pour cause, il fait un froid de gueux !). Seule certitude : en juillet et août, votre portefeuille risque fort de grincer des dents.
Très peu d'hébergements de moyenne catégorie, on passe direct de l'AJ à l'hôtel de grand standing ! Cela dit, plusieurs de ces AJ sont de qualité et vraiment plaisantes.

Dans le Loop (plan III)

De bon marché à prix moyens

Hostelling International Chicago *(plan III, J8, **37**)* **:** *24 E Congress Pkwy (angle S Wabash Ave).* ☎ *312-360-0300.* • *hichicago.org* • Ⓜ *Harold Washington Library. Ouv 24h/24. Lits en dortoir 30-67 $ (3 $ de plus sans la carte de membre), bon petit déj-buffet, serviettes et draps compris. Également des chambres privées.* Avec ses quelque 500 lits, cette AJ n'est rien de moins que le 2e plus grand *hostel* des États-Unis ! Installé dans un bâtiment historique de 1806 (c'est là qu'étaient autrefois imprimées les *Encyclopedia Britannica*) joliment restauré, elle se révèle parfaitement tenue, confortable et conviviale, malgré sa taille. Dortoirs de 4, 8 ou 10 lits, plusieurs cuisines communes, salle à manger avec vue imprenable sur le El, immense salon TV, billard et ping-pong, laverie, consigne. Les chambres privées, étroites mais agréables, sont installées dans d'anciens logements étudiants : elles forment comme de petits appartements se partageant la cuisine, la salle de bains et le salon. Au rez-de-chaussée, une cafét' cubaine *(Cafecito)* pour les petits creux. Un excellent rapport qualité-situation-ambiance-prix pour Chicago.

De prix moyens à très chic

Hotel Blake *(plan III, J8, **39**)* **:** *500 S Dearborn St.* ☎ *312-986-1234.* • *hotelblake.com* • Ⓜ *LaSalle ou Harrison. Doubles standard 130-300 $. Parking env 50 $.* Dans un bel immeuble du début du XXe s, des chambres à la déco contemporaine classique, mais élégantes et confortables. Une partie d'entre elles jouit d'une jolie vue sur la Washington Library, tandis que les autres donnent sur le centre de détention ! Accueil souriant et attentionné.

Kimpton Hotel Allegro *(plan III, J7, **36**)* **:** *171 W Randolph St.* ☎ *312-236-0123. Résas :* ☎ *1-800-643-1500.* • *allegrochicago.com* • Ⓜ *Washington. Doubles standard 90-360 $. Parking env 50 $.* En plein cœur du Loop, boutique-hôtel au look contemporain à la fois tendance et fun. Le vaste lobby, glamour et sophistiqué, donne le ton : on est ici dans le très chic. Grands tapis colorés, lustres imposants, dorures qui scintillent, mais cadre néanmoins contemporain avec photos *arty* et cheminée à « feu artificiel ». Pas de fausse note du côté des chambres, plus sobres : ultra-confortables et tendance, avec une déco en dégradé de noir et de gris et quelques touches de couleur vive apportées par les photos aux murs.

Kimpton Burnham Hotel *(plan III, J7, **42**)* **:** *1 W Washington St.* ☎ *312-782-1111 ou 1-877-294-9712.* • *burnhamhotel.com* • Ⓜ *Washington. Doubles standard 120-460 $. Parking (valet) env 60 $.* Un bel exemple illustrant la carte postale « Chicago, capitale de l'architecture ». Bâti en 1895 par le célèbre architecte Burnham, ce fut l'un des premiers gratte-ciel de la ville, même s'il ne comportait « que » 14 étages. Conçu dès le départ comme un hôtel, il a conservé quelques beaux vestiges d'époque, tels les cages d'ascenseur et son magnifique escalier en fer forgé. Très fréquenté par les hommes d'affaires, il a un côté assez sérieux. Dans les chambres sobres, élégantes et tout confort, on a pris soin de préserver une touche rétro, ambiance début du siècle dernier, avec notamment les hauts plafonds et le mobilier choisi.

Hard Rock Hotel *(plan III, J7, **41**)* **:** *230 N Michigan Ave.* ☎ *312-334-6767.* • *hardrockhotelchicago.com* • Ⓜ *State/Lake. Doubles standard 120-380 $.* On ne pouvait passer sous silence cette enseigne à l'esprit musical, certes un peu

AUTOUR DES GRANDS LACS

banalisée aujourd'hui, mais ici logée dans l'incroyable *Carbide & Carbon Building* de 1929, une espèce de bouteille de champagne architecturale en plein Loop ! C'est déjà un bonheur pour les yeux et pour le cerveau de pénétrer dans ce hall historique, où l'on est ébloui par le bronze avant de pénétrer dans la pénombre du marbre noir de la réception. Quant aux chambres, elles portent la marque *Hard Rock Café*, c'est-à-dire le confort américain plus une décoration fun, certaines avec vue sympa sur Michigan Avenue. Joli contraste entre le noir et blanc et les touches de couleur, plus quelques photos et les inévitables guitares et panoplies de rockers dans les parties communes, sans oublier la boutique. Bon, si vous avez gagné au loto, payez-vous une suite à l'intérieur du bouchon de champagne, tout en haut !

🏠 ***Kimpton Hotel Monaco*** *(plan III, J7,* ***31****) : 225 N Wabash Ave.* ☎ *312-960-8500 ou 1-866-610-0081.* • *monaco-chicago.com* • Ⓜ *State/Lake. Doubles standard 120-460 $. Parking env 60 $.* Wi-Fi Le plus de ce boutique-hôtel posé à l'entrée du Loop, c'est la vue sur la Chicago River et la Marina City (les jolies tours jumelles en épis de maïs qui abritent des parkings). Mais pour cela, il faut grimper au moins jusqu'au *6th Floor.* Quoi qu'il en soit, toutes les chambres jouissent d'une banquette surélevée collée à la baie vitrée pour profiter de la vue, rêvasser, bouquiner ! On aime ou pas la déco, style néorococo assez chargé, mais c'est assez rigolo, et puis les chambres sont tout confort.

🏠 ***The Wit*** *(plan III, J7,* ***48****) : 201 N State St.* ☎ *312-467-0200.* • *thewithotel.com* • Ⓜ *State/Lake. Doubles standard 180-350 $. Parking env 60 $.* 💻 Wi-Fi Un fleuron de l'architecture contemporaine de Chicago, un immeuble de verre lézardé par un zig-zag, vert lui aussi, où les riches Cendrillon américaines viennent étrenner leurs toutes nouvelles pantoufles de... vair. Certes, il ne plaît pas à tout le monde, mais les 27 étages abritent plus de 300 chambres au superbe design, certaines avec une très belle vue sur le quartier et même au-delà. Également 2 restaurants, dont un avec un beau *rooftop bar* au 27e étage, un vrai must en été, avec DJ et clientèle hyper branchée. Plus un spa, une salle de fitness et même une salle de ciné.

Dans Magnificent Mile, à Near North et Gold Coast *(plan II)*

De bon marché à chic

🏠 🍸 ***Freehand Chicago*** *(plan II, F6,* ***35****) : 19 E Ohio St.* ☎ *312-940-3699.* • *thefreehand.com/chicago* • Ⓜ *Grand. Lit en dortoir de 4, 30-80 $/pers. Doubles avec sdb privée 120-250 $, voire 300 $ à certaines périodes chargées.* 💻 Wi-Fi Une AJ nouvelle génération dont on adore le concept, né à Miami. Intérieur entièrement conçu par un cabinet de design, dans un esprit folk-vintage original et chaleureux. Les dortoirs sont bien conçus, composés de 2 fois 2 beaux lits superposés, genre cabine de bateau luxueuse avec un petit rideau pour l'intimité. On n'est pas habitué à trouver ce charme et ce niveau de confort dans un *hostel.* Sans parler du magnifique salon commun, à l'ambiance intimiste avec éclairage tamisé et de confortables canapés. En soirée, ambiance pêchue au bar ultra-branché *The Broken Shaker,* réputé pour ses cocktails élaborés par de vrais mixologistes. Également un café pour le matin et une cuisine commune en sous-sol pour se bricoler un frichti.

🏠 ***Red Roof Inn*** *(plan II, G5,* ***45****) : 162 E Ontario St.* ☎ *312-787-3580. Résas :* ☎ *1-800-733-7663.* • *redroof.com* • Ⓜ *Grand ou Chicago. Doubles 60-180 $. Parking env 50 $.* Wi-Fi C'est l'hôtel le moins cher du quartier. Entretien un peu aléatoire dans les parties communes, accueil plus ou moins pro et rien de luxueux dans la déco, mais les chambres sont fonctionnelles et propres.

De prix moyens à très chic

🏠 ***MileNorth Chicago*** *(plan II, G5,* ***47****) : 166 E Superior St.* ☎ *312-787-6000.* • *milenorthhotel.com* • Ⓜ *Chicago. Doubles standard 110-280 $. Parking env 60 $.* Wi-Fi Cet hôtel haut de gamme,

AUTOUR DES GRANDS LACS

fréquenté par une clientèle aisée ou d'« affaires », propose des chambres très spacieuses (avec coin salon pour la plupart), offrant pour certaines une belle vue sur la ville. Déco contemporaine, literie d'un confort exceptionnel, photos de Chicago aux murs, salles de bains design. Bref, un endroit où il fait vraiment bon poser ses valises (et le comptoir de la réception pourrait même laisser penser que certains ont oublié de les reprendre !). Excellent accueil.

Best Western River North (plan II, F6, **40**) : *125 W Ohio St. ☎ 312-467-0800 ou 1-800-727-0800. • rivernorthhotel.com • Ⓜ Grand. Doubles 90-300 $. Parking 25-35 $.* De prime abord, le bâtiment de brique beige semble figé quelques décennies en arrière, mais l'intérieur est bien actuel. Déco contemporaine noire, grise et blanche respirant le confort. Par ailleurs, la plupart des chambres sont vraiment spacieuses. Autre avantage : la grande piscine couverte et son solarium avec vue sur les buildings, et le parking à prix doux pour le coin. Une bonne adresse pour les familles notamment, si on fait abstraction de l'environnement pas toujours folichon.

The James Hotel (plan II, G5, **38**) : *55 E Ontario St. ☎ 312-337-1000. • jameshotels.com • Ⓜ Grand. Doubles standard 120-280 $. Parking 65 $.* Le *James Hotel* joue la carte du design urbain tendance écolo-chic *arty*. Les matériaux utilisés sont locaux ou recyclés. Dans les chambres, déco très épurée, avec palette de tons naturels et mobilier en bois d'inspiration vintage. Spa, fitness et très bon *steak-house* (cher, forcément), signé David Burke, un des grands noms de la nouvelle cuisine américaine.

Ohio House Motel (plan II, F5-6, **44**) : *600 N La Salle St. ☎ 312-943-6000 ou 1-866-601-6446. • ohiohousemotel.com • Ⓜ Grand. Doubles 110-250 $.* En plein centre, un motel à l'américaine sur 2 niveaux, où l'on gare gratuitement sa voiture devant sa chambre... en tout cas, quand on peut, car il y a plus de chambres que d'emplacements (« premiers arrivés, premiers servis »). À part ça, confort très correct même si, côté déco, faut pas faire le difficile. Très bon accueil.

Hotel Felix (plan II, F5, **53**) : *111 W Huron St. ☎ 312-447-3440. • hotelfelixchicago.com • Ⓜ Chicago. Doubles 100-520 $. Parking (valet) env 60 $.* Un hôtel sans originalité ni grain de folie, mais beaucoup de confort et une décoration à la fois design et épurée. Le plus, c'est la touche écolo, avec pas mal de matériaux écologiques, jusque dans les draps. Spa et salle de fitness.

Dans Bucktown et Wicker Park (plan IV)

Ce quartier boboïsé a de nombreux avantages : il abrite des adresses pas trop chères, il est vivant, sympathique et, en outre, bien relié par le métro (la Blue Line qui est, en plus, celle de l'aéroport !).

De bon marché à prix moyens

IHSP Chicago (plan IV, A2, **54**) : *1616 N Damen Ave. ☎ 312-731-4234. • ihspusa.com • Ⓜ Damen. Lits en dortoir 15-50 $/pers, doubles 50-100 $. Petit déj inclus (gaufres, pancakes, café ou thé).* Un gros *hostel* avec pas moins de 30 dortoirs, filles ou garçons, et une vingtaine de chambres privées. Dortoirs dotés de lits superposés en métal, avec casiers. Les chambres doubles sont petites mais pas très chères pour la ville. Du parquet partout et des salles de bains communes pour tout le monde. Grands espaces communs aux murs tapissés de petits messages laissés par ceux qui vous ont précédé dans ces lieux, avec cuisine, laverie, TV et billard. Amusante et agréable terrasse sur le toit, au milieu des antennes paraboliques, avec vue sur un bout de la *skyline* et en fond, le bruit des clim.

Urban Holiday Lofts (plan IV, A2, **55**) : *2014 W Wabansia Ave. ☎ 312-532-6949. • urbanholidaylofts.com • Ⓜ Damen (Blue Line). Lits en dortoir 18-41 $/pers, chambres privées 60-130 $/pers selon nombre de pers et saison, petit déj inclus.* Ce petit *hostel* propose seulement 4 dortoirs (4 à 8 lits) non mixtes et quelques chambres privées. On loge néanmoins dans de beaux espaces, d'où le nom. Déco soignée avec briques, parquet et dessins sur les murs. Notez aussi la carte du monde graffitée. Grand salon avec cuisine, billard et laverie.

Holiday Jones (plan IV, B2, **46**) **:** *1659 W Division St. ☎ 312-804-3335. • holidayjones.com • Ⓜ Division. Lits en dortoir (3-6 lits) 18-85 $, doubles 40-150 $, petit déj inclus.* Un *hostel trendy* doté d'un beau café ouvert à tous au rez-de-chaussée, avec malles encastrées dans les murs et une jolie collection de tennis en poster. Au sous-sol, la grande cuisine et le salon commun. C'est sombre et sans ouverture sur l'extérieur, mais au moins le bruit ne monte pas jusqu'aux chambres. Dans ce domaines, 4 dortoirs (non mixtes) et une vingtaine de chambres privées, avec ou sans salle de bains. C'est clean, pratique et la déco est soignée... même si on n'est pas forcément fan des tartans écossais ou des motifs de chaussettes Burlington en guise de tapisserie.

De prix moyens à très chic

House of Two Urns B & B (plan IV, B2, **32**) **:** *1239 N Greenview Ave. ☎ 773-235-1408. • twourns.com • Ⓜ Division. Doubles 139-260 $, petit déj inclus.* Un vrai petit *B & B,* dans une maison centenaire possédant un salon, une cuisine pour les hôtes, ainsi qu'un lave-linge. Toutes les chambres disposent de leur propre salle de bains, même si celles-ci se trouvent parfois sur le palier. Certaines ne sont pas bien grandes, mais l'atmosphère de bonbonnière cosy y est bien agréable. Autre immense avantage si vous êtes en voiture : vous pourrez vous garer gratuitement et le métro est à portée de pieds ! Mais au fait, où sont les deux urnes ? Sur les vitraux et sur une petite tapisserie dans l'entrée, brodée par une Française d'ailleurs.

À Lincoln Park et Lake View (plan I)

Des quartiers beaucoup plus aérés, résidentiels et humains que le Loop ou le Magnificent Mile, qui ont aussi l'avantage de vivre en soirée.

De bon marché à prix moyens

Chicago Getaway Hostel (plan I, B2, **30**) **:** *616 W Arlington Pl. ☎ 773-929-5380 ou 1-800-HOSTEL-5. • getawayhostel.com • Ⓜ Fullerton (et 15 mn à pied). Lits en dortoir 27-60 $; doubles 70-135 $; petit déj inclus, serviettes et draps fournis. Parking env 30 $.* Une AJ 4-étoiles, très bien managée, située dans un quartier résidentiel verdoyant, près de l'université DePaul. Dans un immeuble ancien entièrement réhabilité à la mode *arty,* répartis dans les étages, une douzaine de dortoirs (4-12 personnes) et une centaine de chambres (2-6 personnes), avec salle de bains privée ou non. Superbes espaces communs, divisés en différentes sections, murs gris clair alternant avec des touches de couleur flashy. Salon TV, salle à manger avec billard et baby-foot ouvrant sur la cuisine à l'équipement quasiment professionnel et sur un patio à l'arrière où sont installées tables et chaises longues. Laverie à pièces, consigne et location de vélos. Également des *social events* comme les BBQ gratuits en été ou des *free dinners* hors saison...

Wrigley Hostel (plan I, B1, **43**) **:** *3514 N Sheffield Ave. ☎ 773-598-4471. • wrigleyhostel.com • Ⓜ Addison. Lits 20-90 $, doubles 100-250 $, petit déj, draps et serviettes inclus.* Dans une maison de brique centenaire qui a conservé ses vieux carrelages et son parquet, voici un petit *hostel* plutôt sympathique. Les couleurs claquent sur les murs de cet intérieur autrement assez sombre, sans doute pour donner à l'ensemble un air un peu plus pêchu ! Dortoirs (4-10 lits) de bonne taille, une poignée de doubles seulement et pour tout le monde, des salles de bains partagées. Salle commune en sous-sol, cuisine équipée et une agréable terrasse surélevée à l'arrière. Vu sa situation, autant vous dire que la maison fait le plein quand les Cubs jouent au Wrigley Field voisin.

De prix moyens à très chic

Best Western Hawthorne Terrace (plan I, B1, **56**) **:** *3434 N Broadway St.*

☎ 773-244-3434 ou 1-888-675-2378. ● hawthorneterrace.com ● Ⓜ Belmont ou Addison (et 15 mn à pied). Doubles standard 130-300 $. Suites dans l'annexe. Petit déj inclus servi dans le lobby. Parking env 35 $. Dans un immeuble en brique à l'ancienne couvert de lierre, précédé d'un jardinet-patio, un hôtel certes de chaîne, mais à l'atmosphère feutrée et plutôt intime. Bonne surprise, les chambres sont vraiment grandes pour des *standard* ! Et jolies en plus ! Frigo, micro-ondes dans chacune. Seul petit point négatif : la clim parfois un peu bruyante. Mais on se console avec le sauna, le *hot tub* et la salle de fitness en accès libre.

Majestic Hotel *(plan I, C1,* ***34****) : 528 W Brompton St. ☎ 773-404-3499 ou 1-800-727-5108. ● majestic-chicago.com ● Ⓜ Addison (et 15 mn à pied). Doubles standard 100-230 $, petit déj,* afternoon tea *avec cookies et journaux inclus.* Situé dans une rue arborée et calme, l'hôtel parfait pour filer des amours clandestines ou pour tourner un film d'espionnage. Style vieille Angleterre : salon avec cheminée, lumières tamisées, musique classique à la réception... La taille des chambres standard, en revanche, se révèle elle aussi de format plutôt européen : on peut s'y sentir à l'étroit. Bon accueil.

City Suites Hotel *(plan I, B1,* ***33****) : 933 W Belmont Ave. ☎ 773-404-3400 ou 1-800-248-9108. ● chicago citysuites.com ● Ⓜ Belmont. Doubles standard 100-230 $, petit déj continental servi dans le lobby et journaux compris.* Petit hôtel cosy, entretenu de manière irréprochable. Même style rétro que le *Majestic Hotel* car même proprio, mais dans une rue beaucoup plus animée. Les chambres sont très confortables bien que pas très grandes pour les moins chères. Celles donnant sur la rue sont un poil bruyantes. Une bonne adresse malgré tout.

The Willows Hotel *(plan I, C2,* ***52****) : 555 W Surf St. ☎ 773-528-8400 ou 1-800-787-3108. ● willowshotelchi cago.com ● Ⓜ Diversey ou Wellington (et 15 mn à pied). Doubles standard 100-260 $, petit déj continental compris (dans le lobby).* Fait partie du même groupe que les 2 précédents. Quartier calme pas loin du lac, mais avec des commerces et restos à proximité. Façade hispano-gothico-romane et lobby avec belle cheminée. Les chambres les moins chères ne sont pas très grandes, mais le tout dégage un petit charme de bon aloi qui se veut inspiré de la campagne française.

Où manger une *deep dish pizza* ?

C'est ***LA spécialité incontournable de Chicago.*** En fait, l'idée a germé dans l'esprit d'un certain Ric Riccardo en 1943. Il voulait offrir aux GI's qui revenaient d'Italie la possibilité de retrouver dans leur pays la pizza qu'ils avaient goûtée là-bas. C'est ainsi qu'il imagina une recette originale de pizza cuite dans un moule à hauts bords, avec une croûte épaisse et, dans l'ordre, une sauce tomate bien relevée, une garniture généreuse (saucisse, *pepperoni,* poivrons, oignons, etc.) et une demi-tonne de fromage dégoulinant par-dessus. Une invention qui fit d'ailleurs la fortune de son resto *Pizzeria Uno.* Depuis, la notoriété de la *deep dish pizza* a largement dépassé les frontières de sa chaîne de restos, désormais omniprésente sur le sol américain. Et d'autres pizzerias ont ouvert leurs portes.

Au fait, la cuisson de la fameuse pizza est longue ; logique, vu l'épaisseur ! Une fois la commande passée, il vous faudra donc ***patienter minimum 45 mn à table.*** Eh oui, ça se mérite ! Une astuce : on peut parfois passer sa commande avant d'avoir sa table (il y a souvent la queue dans les pizzerias...), ce qui réduit considérablement l'attente une fois assis. Généralement, elles sont servies en quatre tailles, de l'individuelle à la familiale pour 4 personnes. On vous rappelle que les tailles américaines sont bien supérieures aux standards européens...

Allez, voici sans plus tarder notre best of. *Enjoy !*

Lou Malnati's *(plan II, F4, **102**) : 1120 N State St. ☎ 312-725-7777. Ⓜ Clark/Division. Tlj 11h-minuit (1h ven-sam). Pizzas 1-4 pers 8-21 $.* Lou Malnati était l'associé de Ric Riccardo (lire intro plus haut) avant de devenir son rival en ouvrant son propre établissement en 1971 ! Cette succursale est notre préférée pour son bel espace au décor industriel très travaillé et sa terrasse en retrait du trottoir. Carte de pizzas courte mais efficace. La *Malnati* est la classique de Chicago : saucisse, fromage et tomates, avec une pâte pas trop épaisse mais très croustillante. Autre adresse centrale : *439 N Wells St (plan II, F6, **102**). ☎ 312-828-9800. Tlj jusqu'à 23h, minuit ven-sam.*

Giordano's *(plan II, G5, **101**) : 730 N Rush St. ☎ 312-951-0747. Ⓜ Chicago (Red Line). Tlj 11h-23h (minuit le w-e). Petites pizzas (pour 2 pers au moins) 16-23 $.* Pizzeria ouverte dans les années 1970 par Efren Boglio et son frère Joseph. Originaires de Turin, ces derniers apportèrent dans leurs bagages une recette familiale de *stuffed pizza.* Pas mal, et très nourrissant ! L'équilibre parfait entre pâte bien croustillante, garniture abondante et fromage fondant. Le tout à déguster dans une vaste salle avec mezzanine, colonnes et cuisine ouverte où le pizzaiolo jongle avec la pâte. Une dizaine d'autres adresses en ville.

Pizzeria Due *(plan II, G5, **91**) : 619 N Wabash Ave. ☎ 312-943-2400. Ⓜ Grand. Tlj 11h-1h30 (2h30 ven-sam). Bondé le w-e et résas limitées. Pizzas 10-28 $ selon taille (la plus petite convient parfaitement pour 2).* Ici, les moules à pizzas sont exposés à l'entrée, au-dessus de la caisse, mais ne pas les confondre avec l'horloge... Pratique pour choisir en fonction de sa faim et du nombre de convives. Plusieurs petits patios pour s'asseoir. Les gros appétits s'en mettront plein la lampe, les autres demanderont gentiment qu'on leur emballe les restes *(« Could you wrap it up for me, please? »).* À trois pas de là, la ***Pizzeria Uno*** *(29 E Ohio et Wabash ; ☎ 312-321-1000),* propose les mêmes bonnes pizzas : normal, c'est la même maison.

The Original Gino's East of Chicago *(plan II, G5, **67**) : 162 E Superior St. ☎ 312-266-3337. Ⓜ Chicago (Red Line). Tlj 11h (12h dim)-21h (22h ven-sam). Petites pizzas (pour 2 pers) 15-24 $.* Encore une institution de la légendaire *deep dish pizza,* dans un décor marrant, puisque les 2 niveaux du resto sont entièrement couverts de graffitis. Les pizzas sont bonnes, rien à dire, et pour ceux qui n'aiment pas trop la croûte, ils servent aussi le modèle à pâte fine (mais pour les puristes, ce n'est pas la vraie pizza de Chicago). Cela dit, l'accueil et le service gagneraient à être plus souriants. Atmosphère rugissante le week-end, ce qui renforce ce petit côté usine pas très sympa. Plusieurs autres adresses en ville.

Où manger ?

Dans le Loop et South Loop (plan III)

Spécial petit déjeuner

Lou Mitchell's *(plan III, I8, **62**) : 565 W Jackson St. ☎ 312-939-3111. Ⓜ Clinton. Lun-ven 5h30-16h (15h lun), le w-e 7h-15h (16h sam). Attente fréquente. Plats 6-10 $.* Atmosphère et bruit de hall de gare, mais normal, on est à deux pas de Union Station ! Vaste *diner* avec box et bar en formica. Ici, on sert les voyageurs depuis 1923, alors tchou-tchou, ça dépote ! Le genre d'adresse populaire et familiale, typiquement ricaine, pour prendre son petit déj. Excellentes omelettes servies dans le poêlon et grassouillettes comme il faut, bagels, pancakes, confitures maison sur les tables. Hormis les petits déj, servis d'ailleurs jusqu'à la fermeture, on retrouve à la carte les classiques du genre : salades, sandwichs, hamburgers et pâtisseries maison...

Wildberry Pancakes & Cafe

*(plan III, J7, **69**) : 130 E Randolph St. ☎ 312-938-9777. Ⓜ Randolph/Wabash. Tlj 6h30-14h30. Plats 10-12 $.* Juste au nord du Millennium Park, une excellente adresse pour le petit déj, où vous serez accueilli par une équipe de serveurs hyper souriants. Une fois attablé dans cet agréable décor moderne, prenez donc votre temps pour choisir vos pancakes, la spécialité de la maison. À la banane, à la pomme, aux fraises, aux myrtilles, aux fraises des bois... Tout est copieux et délicieux ! Également *French toast,* gaufres belges et un bon choix d'œufs. Sandwichs et salades pour le déjeuner.

***Yolk** (plan III, J9, **70**) : 1120 S Michigan Ave. ☎ 312-789-9655. Ⓜ Roosevelt. Tlj 6h (7h le w-e)-15h. Plat 10-15 $. Yolk* signifie « jaune d'œuf », ce qui explique peut-être que l'immense salle aux couleurs IKEA, à l'heure du petit déj, s'avère... pleine comme un œuf. Et c'est mérité. Des œufs comme s'il en pleuvait, mais aussi du porridge, des pancakes, le tout de bonne qualité et présenté de manière esthétique. Également des sandwichs, burgers et salades le midi. Service efficace.

***Corner Bakery** (plan III, J7, **65**) : 360 N Michigan Ave. ☎ 312-236-2400. Ⓜ State/Lake. Tlj 6h30-20h (19h dim). Env 8-12 $.* Une chaîne de boulangeries très appréciée des Chicagoans, qui viennent nombreux avaler de savoureux *scones,* muffins, bagels et autres croissants dans un cadre aéré ou sur la belle terrasse au bord de la Chicago River, avec vue sur le Wrigley Building et la Trump Tower. Idéal pour un petit déj léger et peu onéreux, mais si vous voulez du solide, il y a aussi des assiettes complètes à base d'œufs brouillés, ou du *oatmeal* (porridge) à l'ancienne. Bonne sélection de cafés et thés pour faire glisser tout ça. Le midi, ils servent aussi des salades, sandwichs, soupes, pâtes... Autres succursales dans le Loop : *au 140 S Dearborn St (plan III, J8, **65**), au 224 S Michigan Ave (plan III, J8, **65**) et sur Magnificent Mile, au 676 N St Clair St (plan II, G5, **65**).*

Et aussi : ***Manny's*** *(plan III, I9, **78**)* et ***Eleven City Diner*** *(plan III, J9, **75**).* Voir ci-après.

Bon marché

***Vapiano** (plan III, J8, **99**) : 44 S Wabash Ave. ☎ 312-384-1960. Ⓜ Monroe. Tlj 11h-23h (minuit jeu-sam). Plats 10-16 $.* Une chaîne de self-service nouvelle génération. On retire une carte magnétique à la caisse à l'entrée, puis on commande aux comptoirs respectifs, qui sa pizza, qui sa salade, son risotto ou son plat de pâtes. À chaque fois, tout est ajouté sur votre carte. Puis on s'installe, on mange et, en cas de faim encore non assouvie, on fait un petit tour à la *station* des desserts. On paie en partant. C'est simple, mais les ingrédients sont frais, bons, les prix doux. Et puis le cadre est franchement agréable (sauf quand la sono beugle) : lumineux, aéré, il est humanisé par la forte présence du bois et de végétaux en tout genre.

***Epic Burger** (plan III, J8, **92**) : 517 S State St. ☎ 312-913-1373. Ⓜ Harrison. Tlj 10h30-22h (23h ven-sam, 21h dim). Env 8-12 $.* Un néo-fast-food au décor banal, spécialisé dans le burger, et à prix raisonnables. Ici, on choisit son pain (blanc ou complet), sa viande, et ça nourrit son homme (et sa femme). Frites excellentes. Rien d'épique, mais adapté aux petits budgets.

***Eleven City Diner** (plan III, J9, **75**) : 1112 S Wabash Ave. ☎ 312-212-1112. Ⓜ Roosevelt. Lun-ven 8h-21h30 (22h30 ven), sam 8h30-22h, dim 8h30-21h. Plats 12-15 $.* Dans cette partie du South Loop peu prolixe en adresses, on est content de trouver ce *diner* à l'ancienne, haut de plafond, avec colonnes, box et une ambiance jazzy plutôt sympa. On y vient surtout pour ce décor, car si la cuisine est honnête, elle ne casse pas non plus les briques de l'édifice. Petit déj servi toute la journée. Plat du jour, burgers, salades et sandwichs sont quasi au même prix et nourrissent largement un estomac européen.

***Manny's** (plan III, I9, **78**) : 1141 S Jefferson St (parking juste derrière). ☎ 312-939-2855. Ⓜ Clinton (et 15 mn à pied). Tlj sf dim 6h-20h. Plats 10-15 $ (moins pour le petit déj).* À Chicago, tout le monde connaît *Manny's,* en témoignent les nombreux articles aux murs à la gloire de cet immense *deli*. Depuis 1942, ce self-service propose des *huge breakfasts,* d'énormes sandwichs au pastrami et au corned-beef, des bagels au saumon *(lox)* et de la *comfy food* d'Europe centrale : chou farci, goulasch, spaghettis-boulettes... Rien de gastronomique, on vient plutôt par curiosité (et uniquement si on est motorisé, car c'est à Pétaouchnok !). La 3e génération est déjà aux commandes. Précisons enfin que Manny's, malgré son grand âge, affiche une mine plutôt fraîche.

De prix moyens à chic

|●| *The Berghoff* *(plan III, J8,* ***95****) : 17 W Adams St.* ☎ *312-427-7399.* Ⓜ *Adams/Wabash ou Monroe (Blue Line). Tlj sf dim 11h (11h30 sam)-21h ; plats 9-13 $ le midi, 16-20 $ le soir.* Berghoff Café *lun-ven 11h-14h ; soupes du jour env 4 $, salades 9 $, pizzas 8 $ et plats traditionnels 14-16 $.* Un grand classique de Chicago, qui rappelle l'importance de la communauté allemande. La maison *Berghoff* date de 1887. Ce fut d'abord une grande brasserie et le premier établissement à avoir servi de la bière après la Prohibition comme en témoigne la petite licence de 1935 derrière le *sandwich counter.* À l'entrée, un menu avec les prix de 1932 ! En 2006 le resto ferma ses portes... mais juste pour 6 mois car les habitués se sont révoltés ! La maison n'a donc pas quitté le giron familial et le beau décor de boiseries et de vitraux, agrémenté de nombreuses photos du vieux Chicago, a été conservé. Certains plats sont toujours servis (au côté de plats américains), comme le *Sauerbraten* et le *Wiener Schnitzel,* à arroser d'une excellente bière brassée maison. Ne manquez pas le magnifique bar et son long comptoir, surmonté de panneaux de bois peint, qui délivre le midi de bons sandwichs fort abordables. Au sous-sol, le ***Berghoff Café,*** un self très fréquenté par les employés du coin, permet aussi de se restaurer rapidement à très bon marché.

|●| *Terzo Piano* *(plan III, K8,* ***89****) : dans l'Art Institute, 159 E Monroe.* ☎ *312-443-8650.* Ⓜ *Adams/Wabash. Tlj 11h-15h, le soir slt le jeu 17h-20h. Le midi, plats 13-26 $; jeu soir, compter 30-45 $.* Le nom du resto de l'Art Institute est un jeu de mots avec celui de Renzo Piano, l'architecte de la *new wing.* Logique, donc, qu'il ait belle allure avec sa lumière naturelle distillée par les grandes baies vitrées, qui suffit à mettre en valeur le camaïeu de gris et blanc du mobilier design. Défilé de plats à connotation italienne et à la présentation sophistiquée. Sandwichs raffinés, soupes, salades fraîches, excellente *pasta* et plats de tous horizons. Le tout à base de bons produits locaux (le plus souvent bio). Service stylé. Terrasse avec vue superbe sur la *skyline.*

Dans West Loop (plan d'ensemble et plan II)

☕ **|●| *Little Goat*** *(plan d'ensemble, C3,* ***94****) : 820 W Randolph St (angle N Green St).* ☎ *312-888-3455.* Ⓜ *Morgan Station. Tlj 7h-22h (minuit ven-sam). Plats 12-16 $. Petit déj servi tte la journée.* Un *diner,* oui, mais étant à Yuppieland, un *diner* trendy, branché *world food,* sans la moindre odeur de graillon pour vous asticoter les narines. Dans une grande salle à déco rétrofuturiste chic (mais point trop) et illuminée au centre par un atrium, une nuée de serveurs s'activent. Un bon endroit pour le petit déj : omelettes, *waffles* et *pancakes* plutôt fins, inventifs, où l'on ose les associations les plus surprenantes. Les petits estomacs ou becs sucrés se contenteront pour leur part d'aller prendre un café et un bon scone ou muffin dans la *LG Bakery* adjacente *(tlj 6h-18h).*

|●| *Girl and the Goat* *(plan d'ensemble, C3,* ***93****) : 809 W Randolph St (entre N Halsted et N Green St).* ☎ *312-492-6262.* Ⓜ *Morgan. Souvent plein, misez sur un désistement de dernière minute et prévoyez de l'attente ! Tlj 16h30-23h (minuit ven-sam). Petites portions 10-16 $.* Décor industriel de rigueur dans ce vaste resto de nouvelle cuisine américaine. Cuisine ouverte au fond, beaux volumes bien agencés, atmosphère branchée et *friendly,* bruyant mais sans excès. Ici aussi, le concept *small plates to share* (petites assiettes façon tapas) a encore frappé ! Les produits, en provenance directe des fermes des environs, sont locaux et de saison, et le pain est maison. Pas mal d'abats à l'honneur et aussi des créations/associations un peu osées mais réussies. Très bons vins (américains et européens) et bières brassées localement.

I●I 🍸 ***Carnivale*** *(plan II, E6,* ***97****)* **:** *702 W Fulton Market (entre N Union Ave et la I94).* ☎ *312-850-5005.* Ⓜ *Clinton. Tlj lun-ven 11h30-23h (minuit jeu, 1h ven), sam 17h-1h, dim 10h30-22h. Plats 6-18 $ midi, 20-45 $ soir.* Ancien entrepôt de poisson reconverti en un immense resto latino au décor... carnavalesque ! La façade à rayures multicolores donne le ton, mais ce n'est rien à côté de la salle aux volumes impressionnants, dominée par d'énormes lustres à pastilles bariolées. On vient ici pour passer une soirée flamboyante et *caliente* (*live music* le mercredi soir et parfois le vendredi soir). Dans l'assiette, une cuisine *nueva latina* à accompagner d'une tequila, d'un *mojito* ou d'une *caïpirinha.*

Dans Magnificent Mile, à Near North et Gold Coast (plan II)

Spécial petit déjeuner et brunch

☕ ***The Original Pancake House*** *(plan II, F4,* ***63****)* **:** *22 E Bellevue Pl.* ☎ *312-642-7917.* Ⓜ *Clark/Division. Tlj 7h-15h (17h le w-e). Pancakes 10-12 $.* Cette mignonne petite maison blanc et bleu attire toujours beaucoup de monde. C'est pourtant une chaîne où les pancakes n'ont rien d'original, sauf qu'elle n'en produit pas moins d'une quinzaine de sortes, toutes servies copieusement. Leurs spécialités, l'*apple pancake* (20 mn d'attente !) ou les *dutch babies* (des pancakes creux et cuits au four) sont carrément gigantesques. Grand choix aussi d'omelettes, de gaufres et de crêpes. Prix encore raisonnables et service attentionné. Petite terrasse.

☕ ***Corner Bakery*** *(plan II, G5,* ***65****)* **:** *676 N St Clair St.* Voir « Où manger ? Dans Le Loop et South Loop ».

☕ Et aussi (lire plus loin) : le ***McDo*** « historique » pour ses formules à prix imbattables, ***Whole Foods Market, Protein Bar*** (pour un petit déj futuriste) et ***Frontera Grill*** (pour son brunch du samedi).

Sur le pouce

🌭 ***Portillo's Hot Dogs*** *(plan II, F5,* ***84****)* **:** *100 W Ontario St.* ☎ *312-587-8910.* Ⓜ *Grand. Tlj 10h-23h (minuit ven-sam). Hot dogs 3-5 $, sandwichs 6-8 $.* Un grand *food court* pour déguster l'autre spécialité de Chicago, le hot dog, popularisé par Dick Portillo dans les années 1960. Prévoyez-en au moins 2 pour vous caler. Ou alors gardez un peu de place pour l'*Italian sandwich* si vous avez très faim. Plusieurs comptoirs colorés où l'on paie avant d'être appelé par son numéro, comme à la sécu. Côté décor, des panneaux partout, des nappes à carreaux et de « faux gens » pour la touche humoristique. Nourrissant, à défaut d'être fin, amusant et pas cher.

🌭 ***Mr. Beef*** *(plan II, E-F5,* ***68****)* **:** *666 N Orleans St.* ☎ *312-337-8500.* Ⓜ *Chicago. Tlj sf dim 10h-18h (5h ven-sam). Env 5-8 $.* Après avoir testé la *deep dish pizza* et le hot dog, passez donc à l'*Italian beef sandwich* ! C'est un petit pain blanc fourré de lamelles de bœuf, puis trempé dans du jus de viande et enveloppé dans du papier. Le piment est en option, comme le fromage. Si vous voulez tenter l'expérience, c'est dans ce petit rade bien populaire qu'il faut venir. Prévoyez un bon paquet de serviettes en papier, parce que ça coule ! Sur les murs, les photos des people qui s'en sont mis plein les doigts avant vous, dont le beau, le grand, Paul Newman.

Bon marché

I●I ***Protein Bar*** *(plan II, F6,* ***88****)* **:** *352 N Clark St.* ☎ *312-527-0450.* Ⓜ *Merchandise Mart. Lun-ven 7h-20h, le w-e 9h-18h. Snacks 6-10 $.* Le concept à l'américaine, poussé à l'extrême ! Un fast-food « futurisco-revival » à dominante orange où les serveurs en tee-shirt maison dépotent à la chaîne salades, *bowls* (quinoa bio, *noodles*, etc.) et « bar-ritos » (sortes de *burritos* ou *wraps*), tous bourrés de protéines. Certains sont végétariens, d'autres sans gluten ou avec du poulet garanti sans antibiotiques. Surprenant, pas très cher, nourrissant, et surtout : les saveurs sont au rendez-vous. Également des petits déj, d'étranges cocktails de fruits ou de légumes et du café bio. Succursales dans le Loop : *du nord au sud, 10 W Lake St, 221 W Washington St ou encore 135 S Franklin St.*

Xoco *(plan II, F6,* ***96****) : 449 N Clark St. ☎ 312-334-3688. Ⓜ Grand. Mar-sam 8h-21h (22h ven-sam). Petits plats 10-13 $.* C'est l'annexe bon marché du *Frontera Grill,* situé juste à côté (voir plus loin). Une petite salle jaune et bleu où l'animation bat son plein toute la journée. Bonnes *tortas, caldos* savoureux, petites salades fraîches et surtout de délicieux *churros* pour le dessert ou pour un goûter impromptu. Le petit Jésus en culotte de velours ! Service rapidement dépassé mais ambiance toujours bon enfant.

Whole Foods Market *(plan II, F5,* ***82****) : 30 W Huron St. ☎ 312-932-9600. Ⓜ Chicago (Red Line). Tlj 7h-22h. Prix au poids : 9 $ la livre (repas 10-15 $).* Chaîne de supermarchés presque entièrement bio, qui connaît un succès colossal aux États-Unis. Tout y est sacrément bien présenté et les produits, surtout les fruits et légumes, sont de qualité (mais pas donnés). Rayon traiteur et *deli,* avec *salad bar* et *hotbar,* idéal pour faire le plein de verdure et goûter des saveurs inédites. Pour savourer tout ça, un long comptoir donnant sur la rue et quelques tables, ou alors on embarque le tout ! Autre adresse dans Wrigleyville : *3640 N Halsted (plan I, B1,* ***82****).*

McDonald's *(plan II, F5,* ***66****) : 600 N Clark St. ☎ 312-867-0455. Ⓜ Grand. Ouv 24h/24 (fait aussi drive-in). Env 8-12 $.* Un *McDo* dans le *Routard* ? Oui, mais pas n'importe lequel. Ce mastodonte de verre, repérable de loin à ses deux immenses arches jaunes, a été inauguré en 2005, pour le 50e anniversaire du tout premier *McDo* ouvert en banlieue de Chicago, à Des Plaines (au 400 N Lee Street, pour être exact, pas très loin de l'aéroport O'Hare, mais le bâtiment original a été démoli en 1984). Et il fait déjà vintage ! Il faut dire qu'à l'étage, les canapés en cuir et les tables basses sont signés des plus grands noms du design (Mies Van der Rohe and Co). Au fond, dans une galerie-musée circulaire donnant sur une toiture-terrasse, des vitrines exposent, par décennie, les objets cultes de 1950 à nos jours, dont les célèbres cadeaux *McDo* bien sûr, avec encore des tables pour poser son plateau et engloutir son hamburger. Le fin du fin, le mobilier et les luminaires sont adaptés à chaque vitrine : Verner Panton pour les 60's, Starck pour les années 1990, etc. Même la musique est assortie à chaque époque !

Billy Goat Tavern *(plan II, G6,* ***83****) : 430 N Michigan Ave. ☎ 312-222-1525. Ⓜ Grand. Juste devant le n° 430, descendre l'escalier sur le trottoir qui ressemble à une bouche de métro, puis prendre à droite. Tlj 6h (9h dim)-1h (2h ven et dim, 3h sam). Hamburgers 4-8 $.* Dans un environnement de parkings souterrains, voici un resto insolite où l'on fait escale surtout pour la petite histoire. Il faut dire que l'ancien proprio, un Grec surnommé William « Billy Goat » Sianis, valait son pesant d'anecdotes. Il doit son surnom à un bouc qui serait tombé d'un camion et se serait réfugié dans sa taverne. Mais ce n'est pas tout ! Le fameux William « Billy Goat » Sianis était aussi un grand fan des Cubs, une des plus grandes équipes de base-ball du pays mais qui n'avaient plus remporté les World Series depuis 1908. Et un jour de 1945, il lui prit l'idée d'aller assister à la finale de ces World Series opposant les Cubs aux Tigers de Detroit avec son bouc, pour porter chance à son équipe favorite. Mais le bouc fut refoulé à l'entrée. Furieux, son propriétaire aurait alors juré que « les Cubs ne remporteraient jamais les World Series tant que son bouc ne serait pas admis dans le stade de Wrigley Field »... et de fait, les années passèrent et à force de se qualifier pour les World Series sans jamais les remporter, les Cubs finirent par gagner le surnom de « perdants magnifiques ». Il fallut attendre 2016 pour que le « mauvais sort » jeté par William Sianis soit rompu avec la victoire des

Cubs ! À part ça, la spécialité de la maison, c'est le *cheezborger* servi dans un emballage de papier et que l'on assaisonne soi-même. Mais, ici, ni frites ni Coca !

|●| ***Foodlife*** *(plan II, G5,* ***87****)* **:** *835 N Michigan Ave, dans le* Water Tower Place, *niveau mezzanine.* ☎ *312-335-3663.* Ⓜ *Chicago (Red Line). Lun-sam 11h30-20h (20h30 ven-sam), dim 12h-19h. Plats à partir de 9 $, repas 12-15 $.* Un *food court* à l'américaine, mais assez moderne dans sa déco, avec une quinzaine de petits stands : pizzas, BBQ, soupes, plats asiatiques, mexicains, bar à jus de fruits et smoothies... À l'entrée, on vous remet une *foodcard* magnétique qui enregistre la totalité de vos achats. Rapide et plutôt bon dans le genre ; beaucoup de monde le week-end. À côté, le *Foodease* propose un grand choix de salades fraîches et variées, ou les ingrédients nécessaires pour se composer sa propre assiette (facturée au poids).

De prix moyens à chic

|●| ***Frontera Grill*** *(plan II, F6,* ***96****)* **:** *445 N Clark St.* ☎ *312-661-1434.* Ⓜ *Grand. Mar-sam 11h30-14h30, 17h (17h30 mar)-22h (23h ven-sam). Brunch sam 10h30-14h. Plats 14-35 $ le midi, 20-36 $ le soir. Plats brunch 12-16 $.* Resto mexicain chic et branché recevant régulièrement les honneurs des critiques gastronomiques. Le cadre est un festival de couleurs. Aux murs, beaucoup de tableaux, de masques sud-américains ; au bar, des marionnettes et des dragons volants. Excellente cuisine tex-mex, fine et parfumée, concoctée à base de produits de qualité, souvent bio, à savourer sur un rythme endiablé de salsa. Une de nos adresses préférées. Le revers de la médaille : comme on n'est pas les seuls gringos à adorer ce resto et que la réservation n'est pas possible, l'attente peut s'avérer très longue. Si la salle est complète, allez voir à côté le ***Topolobampo*** ; c'est la même maison, mais encore plus chic et cher.

|●| ***The Purple Pig*** *(plan II, G6,* ***105****)* **:** *500 N Michigan Ave (un peu en retrait de l'avenue).* ☎ *312-464-744.* Ⓜ *Grand. Tlj 11h30-minuit (2h ven-sam). Repas 25-35 $.* Ce bar à vins s'est spécialisé dans les crus européens s'accordant avec une cuisine tendance méditerranéenne. Les *small plates,* petites assiettes créatives à partager pour accompagner une bonne bouteille de vin, sont ici classées par genre (charcuterie, fromage, *antipasti...*) et par prix. Certaines font même honneur aux abats genre museau, langue, boudin noir. À la salle décorée d'azulejos (très bruyante malheureusement), on préfère la terrasse sous son dais violet, à l'écart de la circulation. Grandes tablées communes, pour la convivialité, et accueil très cool.

|●| ***Le Colonial*** *(plan II, G5,* ***100****)* **:** *937 N Rush St.* ☎ *312-255-0088.* Ⓜ *Chicago (Red Line). Tlj 11h30-15h, 17h-22h (23h ven-sam). Plats 20-28 $ le midi, 25-38 $ le soir.* En plein « Triangle d'or », *Le Colonial,* avec son cadre raffiné et romantique, évoque l'Indochine française des années 1920 et 1930 : mobilier en rotin, ventilos, persiennes et plantes vertes. Ambiance feutrée et service classe pour une cuisine vietnamienne bien troussée. Le resto est au rez-de-chaussée, le bar à l'étage (c'est le rendez-vous des yuppies le soir). Souvent plein et très animé.

De chic à très chic

|●| ***Fogo de Chão*** *(plan II, F5,* ***103****)* **:** *661 N La Salle Blvd.* ☎ *312-932-9330.* Ⓜ *Chicago. Lun-ven 11h-14h et 17h-22h, sam 14h-22h30, dim 16h30-21h. Résa conseillée. Formule à volonté 55 $ le soir, 35 $ le midi en sem (boisson en sus).* Chaîne de *churrascarías* brésiliennes ultra-classe, qui marche du *fuego de Dios.* Les énormes pièces de viande qui rôtissent à l'entrée donnent le ton : mieux vaut avoir l'estomac dans les talons quand on arrive ici ! Gigantesque salle de resto avec murs-fontaines en faïence, impressionnants lustres en fer forgé et, au centre, un *salad bar* abondamment garni où l'on peut se servir à foison. Allez-y mollo, car les serveurs-gauchos déambulent

entre les tables avec de grandes broches chargées de grillades, pour en trancher de solides portions à volonté. Plus d'une dizaine de sortes, toutes succulentes : filet mignon, *picanha, alcatra, cordeiro...* Difficile de résister.

Ⓘ **Shaw's Crab House** *(plan II, F6,* ***106****) : 21 E Hubbard St. ☎ 312-527-2722. Ⓜ Grand. Tlj 11h30-22h (23h ven-sam) ; brunch dim 10h-14h. Lunch jusqu'à 16h30 à l'*Oyster Bar. Happy hours *tlj 16h-18h (huîtres à moitié prix).* Live music *mar, jeu et dim 19h-22h.* À l'Oyster Bar, *plats 13-40 $ le midi, 22-40 $ le soir ; au resto, 15-36 $ le midi, 36-65 $ le soir ; plateau de fruits de mer 85 $ (pour 4 pers).* À 1 500 km de tout océan, ce *Crab House* réputé approvisionne Chicago depuis plus de 50 ans en crabe d'Alaska, huîtres Jefferson, coquilles Saint-Jacques de Nantucket, crabe bleu de Nouvelle-Angleterre, capitaine de Floride ou saumon de rivière... 2 options : la grande salle aux sombres lambris patinés, brassée par la rotation des pales de ventilo, ou l'*Oyster Bar* (notre endroit préféré), où l'on casse les pattes de homard perché sur de hauts tabourets, dans un décor magnifiquement américain. Excellents vins pour arroser ces merveilles de la mer. La *Key Lime Pie* en dessert est incontournable. Au final, une douloureuse qui porte bien son nom mais justifiée par la qualité.

Ⓘ **Gibsons** *(plan II, F5,* ***104****) : 1028 N Rush St. ☎ 312-266-8999. Ⓜ Clark/Division. Tlj 11h-2h. Résa quasi impérative. Tenue habillée le soir. Plats 13-35 $ le midi, 25-60 € le soir (mais burger 14 $).* Au cœur du *Golden Triangle,* vaste salle à l'ambiance bourdonnante et animée, dont le cadre évoque une brasserie des Années folles. La spécialité de la maison : la viande grillée. Un serveur vient présenter sur un plateau toutes les pièces possibles : filet mignon, *London broil, sirloin, porterhouse steak, Chicago cut...* Portions tendres et copieuses qui raviront les carnivores. Impressionnante palette de vins, à tous les prix. Piano-bar dès 17h. Service malheureusement un peu guindé.

À Old Town, Lincoln Park, Lake View et Wrigleyville (plan I)

Spécial petit déjeuner et brunch

☕ ***Toast*** *(plan I, B3,* ***61****) : 746 W Webster Ave. ☎ 773-935-5600. Ⓜ Fullerton ou Armitage. Tlj 8h-15h (16h le w-e). Plats 8-13 $.* Dans un quartier mignon comme tout avec ses maisons british, une petite adresse à retenir pour la qualité de ses petits déj sains et originaux. Les classiques américains (œufs, pancakes) y sont revisités avec raffinement et légèreté. Tout est franchement délicieux. Durant la semaine, beaucoup de jeunes mamans, en promenade avec leurs enfants dans le parc d'à côté (ils servent aussi le lunch). Le week-end, ça ne désemplit pas, et la salle étant petite, il faut s'armer de beaucoup de patience pour obtenir une table... Succursale à Bucktown (lire plus loin).

☕ ***Ann Sather Café*** *(plan I, C1,* ***60****) : 3415 N Broadway. ☎ 773-305-0024. Ⓜ Addison (Red Line). Tlj 7h-15h (16h le w-e). Env 8-13 $ (viennoiseries à partir de 3 $).* Boulangerie suédoise créée il y a plus de 50 ans par Mme Sather, dans un quartier où ses compatriotes étaient très nombreux. La déco, avec les grandes fresques peintes sur les murs de brique, rappelle un peu celle d'une cafét' d'auberge de jeunesse scandinave. Les *cinnamon rolls* frais sont énormes et délicieux, les *scones* tout aussi gigantesques et les *waffles* vous rassasieront pour une bonne partie de la journée. Quant aux amateurs d'*eggs Benedict,* ils seront comblés puisqu'on en propose ici moult variantes. Le petit déj est servi toute la journée, mais il y a aussi d'autres options pour le déjeuner.

☕ ***Elly's Pancake House*** *(plan I, C3,* ***90****) : 101 W North Ave. ☎ 312-643-2300. Ⓜ Sedgwick. Tlj 4h-22h. Plats 8-15 $.* Wi-Fi Amateurs de calme, mettez vos boules Quies : la vaste salle contemporaine avec ventilos tourbillonnant au plafond, d'où tombe une pluie de jolies ampoules, est le plus

AUTOUR DES GRANDS LACS

souvent pleine d'une clientèle joyeuse et bourdonnante. Excellents pancakes, on s'en serait douté : *old fashioned, oven-baked,* aux fruits, avec des œufs, du bacon, des saucisses, etc. À la carte également : crêpes, gaufres, *French toast,* omelettes, sandwichs, soupes, salades, burgers et des *lunch specials.* Service efficace et souriant.

Et aussi ***R.J. Grunts*** pour son brunch-buffet à volonté du week-end (voir ci-après).

Bon marché

Penny's Noodle Shop *(plan I, B2,* ***72****) : 950 W Diversey. ☎ 773-281-8448. Ⓜ Diversey (Brown et Purple Lines). ☎ 773-281-8222. Tlj 11h-22h (22h30 ven-sam). Plats 5-10 $.* Une chaîne sino-thaïlando-nippone dans un décor moderne et minimaliste : tables en bois clair, grosses gaines de ventilation et spots éclairant quelques toiles. Copieux et rapide.

Sultan's Market *(plan I, C2,* ***64****) : 212 N Clark St. Tlj 10h-22h.* Lire « Où manger ? À Bucktown, Wicker Park et Logan Square ».

Butcher & the Burger *(plan I, B3,* ***80****) : 1021 W Armitage Ave. ☎ 773-697-3735. Ⓜ Armitage. Tlj 11h-21h (22h jeu-sam). Burgers 12-15 $.* À vous de composer votre burger. Vous choisissez le pain, la viande ou le poisson, le mélange d'épices souhaité (petits pots à disposition pour les sentir), le type de fromage, les *toppings.* Avec plus d'un million de combinaisons possibles, vous devriez réussir à concocter le hamburger de vos rêves, ou en tout cas celui que réclame votre estomac à l'heure donnée : un léger, un gourmand, un à la viande, un au saumon ou carrément *vegan.* Le plus dur, c'est de faire son choix : pour peu qu'il y ait un peu de monde derrière vous, cela peut se révéler légèrement stressant ! Mais tout est fait pour éviter l'ambiance usine. Cadre à l'ancienne, avec mobilier adéquat, et tout ce qu'il faut pour peser les bêtes (belles balances) et les crochets du fameux boucher (le *butcher*).

R.J. Grunts *(plan I, C3,* ***73****) : 2056 N Lincoln Park W. ☎ 773-929-5363. Ⓜ Armitage (et 20 mn à pied). Tlj 11h30 (10h le w-e)-23h (21h dim). Brunch-buffet dim 10h-14h (env 17 $). Burgers 11-13 $, plats du jour 15-22 $,* salad and soup bar *15 $.* Qu'est-ce qu'un *grunt* ? C'est un grognement, et c'est aussi le bruit que l'on fait en mangeant. Pour nous, ce sera un « hmm » de plaisir. La carte, genre B.D. à la Crumb, est géniale. Quant aux burgers, servis avec des chips maison, ils sont vraiment bons. Mention spéciale pour le *Hickory bacon cheddar burger.* Le buffet de hors-d'œuvre ultra-frais et de soupes constitue aussi un repas à lui seul. Portions monstrueuses. Ambiance musicale *seventies,* en accord avec le lieu ouvert depuis 1971.

Chicago Diner *(plan I, B1,* ***74****) : 3411 N Halsted St. ☎ 773-935-6696. Ⓜ Addison (Red Line). Tlj 11h (10h le w-e)-22h (23h ven-sam). Brunch servi tlj jusqu'à 15h30. Pas de résa (venez tôt...). Plats 11-13 $.* Un *diner* végétarien dans une curieuse petite maison victorienne, étonnant, non ? Et on ne pourra pas reprocher à cette petite adresse de céder aux effets de mode dans la mesure où, ayant ouvert en 1983, elle serait plutôt un précurseur en la matière ! Déco toute de rouge, blanc et noir, avec des box intimes en bois et un mignon patio à l'arrière. Une oasis au cœur du quartier gay.

Café Ba-Ba-Reeba ! *(plan I, B3,* ***76****) : 2024 N Halsted St. ☎ 773-935-5000. Ⓜ Armitage. Lun-jeu 16h-22h, ven 11h30-minuit, le w-e 9h-minuit (22h dim). Le bar ferme à 4h. Tapas 6-12 $.* Une incursion ibérique haute en couleur dans ce quartier très british. Belles salles de bistrot contemporain avec 2 bars à tapas. Terrasse bâchée à l'extérieur, très agréable l'été. La devise de la maison, « tapas, *pintxos* & sangria », plaît à tout le monde, nous compris. Fort logiquement, donc, bon choix de tapas, de *pintxos* (tapas du nord de l'Espagne et du Pays basque, plus petites) et de sangria (6 variétés !), sans oublier les différentes sortes de paella (commande pour 2 personnes minimum et 30-45 mn d'attente en perspective).

Whole Foods Market *(plan I, B1,* ***82****) : 3640 N Halsted. ☎ 773-472-0400. Ⓜ Addison (Red Line).* Voir « Où manger ? Dans Magnificent Mile, à Near North et Gold Coast ».

De prix moyens à chic

|●| ***Twin Anchors Restaurant & Tavern*** *(plan I, C3,* ***67****) : 1655 N Sedgwick St. ☎ 312-266-1616. Ⓜ Sedgwick. Tlj 17h (12h le w-e)-23h (minuit ven-sam, 22h30 dim). Plats 16-28 $, sandwichs 8-12 $.* Un des plus vieux restos de Chicago, autant dire une institution, en activité depuis 1932. Dans un décor de taverne marine sans aucune originalité, on se goinfre de *baby back ribs* (travers de porc), la spécialité maison qui fit d'ailleurs craquer Frank Sinatra, grand habitué des lieux. Cuits lentement au barbecue, ils sont fondants à souhait et la chair se détache littéralement de l'os. En revanche, si vous ne mangez pas de viande, partez en courant... même si la carte propose aussi quelques rares options maritimes. Un bémol : l'attente, souvent de mise.

À Bucktown, Wicker Park (plan IV) et Logan Square (plan d'ensemble)

Dans ces quartiers, pas mal d'adresses sont ***BYOB,*** donc sans licence d'alcool. Prévoir sa bouteille !

Spécial petit déjeuner et brunch

☕ ***Milk & Honey*** *(plan IV, A2,* ***77****) : 1920 W Division St. ☎ 773-395-9434. Ⓜ Division. Petit déj en sem 7h-16h, le w-e 8h-16h. Plats 6-8 $.* Dans le quartier ukrainien, ambiance bobo dans ce *local favorite* avec parquet et murs en brique, connu pour ses petits déj équilibrés à prix raisonnables. Délicieux *granola* maison, *scones,* muffins et quelques plats plus élaborés : pancakes, salades de fruits, *French toast* et, le week-end seulement, *huevos rancheros* du tonnerre. À partir de 10h aussi, de bons et beaux sandwichs. Aux beaux jours, terrasse sur la rue, mais entourée d'une agréable végétation. Bref, une expérience culinaire réussie, même s'il faut faire fi des longues files d'attente et du service un peu expéditif.

☕ ***Toast*** *(plan IV, A1,* ***61****) : 2046 N Damen Ave. ☎ 773-935-5600. Ⓜ Western (et 15 mn à pied). Tlj 8h-15h (16h le w-e).* Voir « Où manger ? À Old Town, Lincoln Park, Lake View et Wrigleyville ».

Bon marché

|●| ***Irazu*** *(plan IV, A1,* ***81****) : 1865 N Milwaukee Ave. ☎ 773-252-5687. Ⓜ Western. Tlj sf dim, 11h30-21h30. Sandwichs 7-10 $, plats 10-15 $. CB refusées. Adresse* BYOB. À l'angle d'une avenue passante, avec le métro aérien en décor visuel et sonore, une terrasse aux tables de métal et une déco quelconque dans un intérieur minuscule. Pas de quoi faire rêver à priori, mais connaissez-vous la cuisine du Costa Rica ? Eh bien, voici l'occasion d'essayer : *ceviche* parfumé, *burritos* végétariens ou de poulet, *guacamole* onctueux, riz costaricain avec haricots noirs, portions copieuses arrosées d'une sauce mystérieuse.

|●| ***Sultan's Market*** *(plan IV, A2,* ***64****) : 2057 W North Ave. ☎ 773-235-3072. Ⓜ Damen. Tlj 10h-22h. CB refusées.* BYOB *(mais boutique vendant des bières juste en face). Plats 6-7 $.* Petite adresse un rien kitschouille et crapouilleuse, mais sympathique, entre self-service et fast-food, où l'on peut se sustenter à moindres frais d'une cuisine orientale fraîche et très honnête : *salad bar* au choix varié, falafels, copieuses assiettes composées. On mange dans les petits box ou, quand le temps le permet, sur la grande terrasse à l'extérieur. Une vraie adresse de quartier, à l'ambiance détendue. Autre adresse : *à Lincoln Park au 212 N Clark St (plan I, C2,* ***64****).*

De prix moyens à chic

|●| ***Lula Café*** *(plan d'ensemble, B1,* ***107****) : 2537 N Kedzie Ave. ☎ 773-489-9554. Ⓜ Logan Square. Sur le Logan Square. Tlj sf mar, 9h-22h (23h ven-sam). Plats 10-20 $ le midi, 15-30 $ le soir.* Certes, c'est excentré, mais l'ambiance du quartier de Logan Square se révèle plutôt sympathique et on aime beaucoup cette adresse. Un bistrot contemporain, branché mais

pas trop, avec un joli bar, quelques toiles au goût du jour et du parquet. Son charme, c'est cette vraie cuisine créative que l'on aimerait bien retrouver plus souvent chez certains confrères plus tapageurs... Chez *Lula,* les produits sont impeccables, mélanges audacieux et goûts réellement mis en valeur. On ne vous citera aucun plat, vu que la carte change en permanence, mais on vous conseille vivement de réserver si vous rêvez d'une véritable soirée gastronomique ! Ambiance décontractée, qui plus est.

|●| 🍸 🏠 ***Longman & Eagle*** *(plan d'ensemble, B1,* ***85****) : 2657 N Kedzie Ave. ☎ 773-276-7110. Ⓜ Logan Square. Quasiment sur le Logan Square. Tlj 9h-2h (3h sam) ; brunch le w-e 9h-15h.* Small plates *10-18 $, plats 16-32 $.* Plus un bar qu'un resto, à vrai dire, attendez-vous donc à une ambiance pour le moins bruyante ! Terrasse aux beaux jours, murs de brique, lumière tamisée et petites bougies le soir dans la salle, plus un comptoir très fréquenté par les amateurs de whiskey (200 étiquettes !). Pour commencer, quelques olives et des cuisses de grenouilles, à faire suivre de *small plates* ou d'un plat raffiné d'inspiration italienne ou d'un simple (mais excellent) burger. C'est bon et plutôt original. Bien aussi pour boire un verre, vous l'aurez compris. De plus, la maison loue 6 belles chambres d'hôtes *(85-200 $ la nuit).*

|●| ***Coast Sushi Bar*** *(plan IV, A1,* ***79****) : 2045 N Damen Ave. ☎ 773-235-5775. Ⓜ Western. Tlj 16h (12h le w-e)-23h (minuit jeu-sam). Résa conseillée. Plateau de sushis/sashimis env 25 $. À la pièce 2-6 $; autres plats 15-22 $. Adresse* BYOB. Sushi-bar au décor zen, mais très bruyant à cause du monde. Derrière le comptoir, alignés comme à la parade, les cuistots exécutent leurs gestes à la manière d'automates, avec une dextérité et une rapidité époustouflantes. Les assortiments sur plateaux étant très classiques, mieux vaut choisir plusieurs pièces à la carte et partager, pour goûter des saveurs plus originales. Leur spécialité, ce sont les *makis.* Et toutes ces petites bouchées sont présentées avec une belle esthétique, ultra-contemporaine ! Quelques plats « cuisinés » aussi pour les allergiques au cru.

Dans Pilsen, Chinatown et Little Italy (plan d'ensemble)

|●| ***Cantón Regio*** *(plan d'ensemble, C3,* ***71****) : 1510 W 18th St (entre Ashland Ave et S Laflin St). ☎ 312-733-3045. Ⓜ 18th St. Tlj 8h-22h. Plats (à partager car copieux) 9-18 $. CB refusées. Adresse* BYOB. Ambiance de taverne mexicaine avec une grande salle très haute de plafond, des lustres au format correspondant, des selles sur les murs de brique rouge, des fers à cheval en guise de portemanteaux, de solides tables de bois et une ambiance à la fois festive, conviviale et détendue... et évidemment assez bruyante car les tablées sont souvent importantes. On vient ici en famille, entre amis, avec la glacière pour garder au frais les bières. Les carnivores sont à la noce, avec notamment de très bonnes brochettes, le tout servi copieusement, avec simplicité, mais aussi une certaine classe.

|●| ***Lao Sze Chuan*** *(plan d'ensemble, C3,* ***108****) : 2172 S Archer Ave (et Princeton Ave). ☎ 312-326-5040. Ⓜ Cermak-Chinatown. Tlj 10h30-minuit. Plats 13-27 $.* À l'entrée d'un petit centre commercial du quartier chinois. Salle pas désagréable avec chaises transparentes, tables nappées de rouge et une grande frise ornée de belles frimousses de pandas photographiés en noir et blanc. Carte longue comme le fleuve Jaune, dans laquelle on a du mal à s'y retrouver. Cuisine authentique du Sichuan, à choisir épicée (à vos risques et périls...) ou non. Rien ne manque : estomacs ou intestins de porc, langues de canard, liserons à l'ail, poulet aux 3 piments, excellents *dim sum...* mais la grande spécialité c'est le *hot pot* (à partir de 2 personnes). Vraiment bon et portions gigantesques (la plupart des convives repartent avec leur *doggy bag*). Sur la table, pot de thé et bières chinoises.

|●| ***The Rosebud*** *(plan d'ensemble, C3,* ***109****) : 1500 W Taylor St (angle S Laflin St). ☎ 312-942-1117. Ⓜ Polk. Tlj 11h (12h le w-e)-22h30 (23h30 ven-sam, 22h dim). Plats 13-18 € le midi, 16-26 $ le soir.* Au cœur de Little Italy, voici le fer de lance historique d'un

petit empire culinaire qui a essaimé dans la ville. Salle élégante, tables nappées de blanc, laissées dans une relative pénombre, service à l'ancienne. On se croirait dans un film de Scorsese, bien que le nom évoque davantage *Citizen Kane.* Déclinaison presque complète de la cuisine italienne traditionnelle : portions de pâtes pas destinées aux picoreurs d'assiette, délicieux gnocchis aux épinards, *linguine* aux *clams.* Agréable terrasse qui s'étend le long de la rue aux beaux jours.

Où manger du popcorn ? Où déguster une glace ?

Garrett Popcorn *(plan II, G5,* ***306****) : 625 N Michigan Ave (entrée sur Ontario St). Ⓜ Grand. Tlj 10h-20h (22h ven-sam, 19h dim).* L'odeur de caramel au beurre qui chatouille les narines dans tout le pâté de maisons est tout simplement irrésistible, et le popcorn de *Garrett,* mémorable... tout comme la file d'attente ! Testez le *Caramel Crisp,* avec noix de pécan, macadamia ou cajou, notre préféré. Mais il y en a plein d'autres, dont un au fromage... D'autres adresses dans le Loop *(26 W Randolph St, 4 E Madison ou encore 27 W Jackson Blvd).*

Margie's Candies *(plan IV, A1,* ***98****) : 1960 N Western Ave. ☎ 773-384-1035. Ⓜ Western. Tlj 9h-minuit (1h ven-sam).* Depuis 1921, Margie veille sur cette petite bonbonnière totalement rétro, avec ses box en skaï et son vieux juke-box de table... La carte, longue comme le bras, propose d'énormes glaces servies dans des coquillages en plastique blanc, tout aussi ringards ! Plein de sortes de *banana split,* de *sundaes* (dont le *swiss milk chocolate sundae,* servi depuis 1935) et pas mal de *world's largest* dans toutes les catégories, un vrai livre des records. Néanmoins, rien d'exceptionnel, on s'y rend plutôt pour l'atmosphère désuète. Un conseil : jeûner avant de venir !

AUTOUR DES GRANDS LACS

Où boire un verre ? Où sortir ?

Pour affiner ses recherches, on conseille de jeter un œil aux journaux hebdomadaires gratuits ou de consulter leur site internet : le *Reader (• chicagoreader.com •),* le *New City (• newcity.com •)* ou encore *Key, This Week in Chicago (• keymagazinechicago.com •).* Bonne nouvelle, la scène musicale de Chicago est vraiment dynamique et la ville regorge d'endroits où s'en mettre plein les oreilles à des prix très démocratiques, dans une ambiance conviviale, pas coincée pour deux sous. Les boîtes de Chicago sont elles aussi plutôt abordables, parfois même gratuites. Mauvaise nouvelle, en revanche, pour les plus jeunes : l'entrée est souvent interdite aux moins de 21 ans.

Dans Gold Coast et Old Town (plan II)

Signature Lounge *(plan II, G5,* ***127****): 875 N Michigan Ave. ☎ 312-787-9596. Ⓜ Chicago (Red Line). Au* 96th floor *du* Hancock Observatory. *Tlj 11h-0h30 (1h30 ven-sam).* Il faut, certes, supporter le petit discours dans l'ascenseur en montant et il n'est pas rare qu'il faille faire la queue pour redescendre. Mais quand même, quelle vue ! Intérieur sombre et éclairage minimal le soir pour profiter au maximum des lumières de la ville qui s'étendent à perte de vue. Si l'ambiance du restaurant le *Signature Room* au *95th floor* est chic, la clientèle du *Signature Lounge,* en mezzanine, est plus mélangée. Cela va de la tennis citadine à l'escarpin à talon vertigineux. Le genre d'endroit où les Chicagoans amènent volontiers leurs visiteurs. Certes, la bière frôle les 10 $ et les cocktails les 17 $...

Butch McGuire's *(plan II, F4,* ***123****) : 20 W Division St. ☎ 312-787-4318. • butchmcguires.com • Ⓜ Clark/Division. Tlj 11h (sam 8h)-4h (5h sam). Resto ouv jusqu'à 23h. Hamburgers, salades,* fish & chips *12-17 $.* Dans ce bastion très marqué verte Érin, un « bar familial » pas banal. À l'origine, le patron, architecte irlandais, voulait créer un endroit pour réunir tous ses amis. Or sa bande de copains a amplement grandi depuis. Il adore les rousses et, bien sûr, les Irish, mais aussi les locales. Déco bien patinée avec chopes, guitares et CD aux plafonds, des poutres apparentes, une collection de bibelots en cristal et des souvenirs marins.

🍸 ♩ ***Redhead Piano Bar*** *(plan II, F5,* ***117****) : 16 W Ontario St. ☎ 312-640-1000. • theredheadpianobar.com • Ⓜ Grand. Tlj 19h-4h (5h sam). Pas de cover charge.* Une formule bien rodée, qui plaît toujours. Un bar bondé où on se fraie un chemin en jouant des coudes vers le piano devant lequel se relayent les chanteurs-pianistes. De petits papiers circulent, sur lesquels on inscrit l'air qu'on désire entendre, et un public plus tout jeune mais bon enfant reprend à tue-tête les standards des variétés des 40 dernières années ; on vous fournit la liste. Grosse ambiance le week-end.

À Lincoln Park, Lake View et Wrigleyville (plan I)

🍸 ♩ ***Cubby Bear*** *(plan I, B1,* ***111****) : 1059 W Addison St. ☎ 773-327-1662. • cubbybear.com • Pile en face du stade Wrigley Field. Mer-jeu 6h jusqu'à la fermeture du stade, ven-dim 11h-2h (3h sam) ; ouv lun-mar slt en cas de match. Concerts de rock fréquents (mais pas systématiques) jeu-sam ; 3-12 $ (moins cher en préachat). Âge min : 21 ans.* Y aller absolument un soir de victoire des Cubs, l'équipe de baseball de Chicago : c'est le rendez-vous des supporters. Ambiance très chaude pour y rencontrer des *frat boys,* sportifs scotchés devant les nombreux écrans de TV. D'autres *sports bars* tout autour, mais celui-ci, c'est le must !

🍸 ♩ ***Elbo Room*** *(plan I, B2,* ***112****) : 2871 N Lincoln Ave. ☎ 773-549-5549. • elboroomlive.com • Ⓜ Diversey (Brown et Purple Line) ou Wellington. Ouv le soir en fonction des concerts et soirées proposés. Âge min : 21 ans. Entrée : 5-20 $.* Côté look, une cave-parking fréquentée par des musicos. Au bar, large éventail de bières (près de 50 variétés du monde entier). Au-dessus, il y a un autre bar avec jukebox. *Open micro* certains soirs.

🍸 ♩ ***Metro*** *(plan I, B1,* ***115****) : 3730 N Clark St. ☎ 773-549-4140. • metrochicago.com • Ⓜ Addison (Red Line). Ouv vers 18h. Shows 18h30/19h-21h en général (parfois à 22h ou 23h en fin de sem), le plus souvent accessibles à partir de 18 ans. Entrée : 20-40 $ en moyenne, selon la pointure des musiciens.* Aux limites du quartier branché, un ancien théâtre installé dans un bel immeuble de 1928, qui a conservé toute sa déco intérieure, sur plusieurs niveaux. Concerts presque tous les soirs. Musique souvent rock, voire *metal,* alors attention à vos oreilles ! Sinon, un peu de tout : blues, new wave, alternative jazz... Allez faire un tour au bar, il mérite le coup d'œil... À côté, boutique rock : pin's, CD et T-shirts à l'effigie de vos stars préférées.

🍸 ♫ ***Berlin*** *(plan I, B1,* ***116****) : 954 W Belmont Ave. ☎ 773-348-4975. • berlinchicago.com • Ⓜ Belmont. Mar et dim 21h-4h, mer-sam 17h-4h (5h sam). Âge min : 21 ans. Entrée : 5-7 $.* Derrière une vitre noire, une des premières boîtes gay de Chicago, connue pour son ouverture d'esprit : les *straights* y sont bienvenus ! Musique alternative : jazz, punk, house, et soirées assez variées avec shows de *drag queens,* performances ou DJ. Assez petit, donc rapidement bondé.

🍸 ***Kelly's Pub*** *(plan I, B3,* ***118****) : 949 W Webster Ave. ☎ 773-281-0656. • kellyspub.com • Ⓜ Armitage ou Fullerton. Tlj 11h-2h (3h sam).* Bar d'étudiants ouvert depuis 1933, le jour qui a suivi l'abolition de la prohibition. Déco d'inspiration irlandaise, bien sûr. Petite terrasse quasiment sous le métro aérien : parlez fort ! Fait aussi resto avec des *specials* (plats et boissons) à prix plancher.

À Bucktown, Wicker Park et Sheffield (plan IV)

♩ 🍸 ***Hide Out*** *(plan IV, B2,* ***114****) : 1354 W Wabansia Ave. ☎ 773-227-4433. • hideoutchicago.com • Ⓜ North/Clybourn (et 20 mn à pied). Dans le quartier de Sheffield. Lun-mar 17h-2h, mer-ven 16h-2h, sam 19h-3h. Entrée : 5-15 $. Âge min : 21 ans.* Bien caché au milieu d'une zone industrielle, mais facilement repérable à sa guirlande lumineuse, dans une bicoque en bois toute de traviole (unique rescapée dans le quartier de ces maisons pour ouvriers construites en 48h à la fin du XIXe s). Rien qu'avec ses barrières blanches ornées de jardinières et sa petite terrasse, elle inspire la sympathie. À l'intérieur, c'est plutôt ambiance chalet de montagne avec le bar tout en bois et, juste derrière, la salle de concert et son plafond illuminé de loupiotes. Dans un tel décor, on s'attendrait presque à assister à un spectacle de fin d'année donné par l'école du coin. Or, si l'ambiance est effectivement bon enfant, très chaleureuse, la programmation, très éclectique, elle, tient la route et séduit par sa diversité : concerts (indie, free jazz, country, punk, rock), soirées poésie, performances...

Map Room (*plan IV, A1,* **113**) **:** *1949 N Hoyne Ave. ☎ 773-252-7636. • maproom.com • Ⓜ Western. Lun-ven 6h30-2h, sam 7h30-3h, dim 11h-2h.* Le rade des routards ! Comme son nom le laisse présager, la thématique est tournée vers le voyage. Des drapeaux du monde entier pendent du plafond, un planisphère en relief court sur les murs et une collection de *National Geographic* remplit les rayonnages. Une atmosphère de *traveller's tavern* qu'on aime beaucoup évidemment. Les amateurs de bière seront aussi à la fête : plus d'une vingtaine de pressions au choix. On peut même apporter son casse-croûte (pas de cuisine sur place) mais pas sa boisson, *of course.* D'ailleurs, chaque jour ou presque, on a droit à une p'tite réduc sur certaines consos !

Double Door (*plan IV, A2,* **120**) **:** *1551 N Damen Ave. ☎ 773-489-3160. • doubledoor.com • Ⓜ Damen. Concerts le plus souvent mer-sam, à 20h ou 21h selon les jours. Âge min : 18 ou 21 ans selon groupe. Entrée : 10-30 $, parfois même gratuit.* Du vrai rock alternatif plus que solide. Les Smashing Pumpkins sont passés par ici à leur époque. Si vous voulez voir de vrais Midwesterners aux gros bras et aux cheveux longs, genre ex-fan d'AC-DC ou de David Lee Roth, cet endroit est pour vous. Grande salle sombre, look gothique. Bonne acoustique.

Subterranean (*plan IV, A2,* **121**) **:** *2011 W North Ave. ☎ 773-278-6600. • subt.net • Ⓜ Damen. Dim-jeu 19h-2h, ven-sam 18h-3h ; concerts à horaires variables, entre 19h et 22h selon les jours. Tarifs : 5-20 $. Env 10 $ pour manger un morceau.* Non loin du *Double Door.* Forcément, le *Subterranean* en pâtit un peu. De ce fait, les groupes qui s'y produisent sont de moindre notoriété. Déco intérieure originale : comme une sorte de petit théâtre avec plusieurs galeries. Plusieurs atmosphères et zik variée : hip-hop, rock indépendant, reggae... On peut aussi y dîner : hamburgers-frites, tortillas, sandwichs et salades.

Empty Bottle (*plan IV, A2,* **122**) **:** *1035 N Western Ave (angle Cortez St). ☎ 773-276-3600. • emptybottle.com • M. : Western Avenue (et 20 mn à pied). Dans Ukrainian Village. Lun-mer 17h-2h, jeu-ven 15h-2h, sam 12h-3h, dim 12h-2h. Âge min : 21 ans. Concerts : 10-45 $, ou même gratuits pour les groupes locaux.* Une succession de salles en brique couvertes d'affiches (voir même de photos lors d'expos informelles) avec, au fond, la petite scène et juste devant, ce qui peut rapidement se transformer en piste de danse. Ne vous fiez pas à son air un peu pouilleux : l'*Empty Bottle* fait partie des temples du rock indépendant de la ville ! En revanche, le « *Friendly* » affiché en grand sur le devant de la bâtisse, lui, n'est pas qu'une façade : l'atmosphère à l'intérieur est vraiment cool avec un brassage des générations. Et si vos oreilles crient grâce, il y a même une salle légèrement en retrait avec billard... et Photomaton. Et autre argument choc : les bières ne sont pas très chères !

Pilsen (plan d'ensemble, C3)

Dusek's Board & Beer, Punch House et Thalia Hall (*plan d'ensemble, C3,* **119**) **:** *1227 W 18th St (angle S Allport St). ☎ 312-526-3851. • dusekschicago.com • M. : 18th St. Lun-ven 11h-2h, sam 9h-3h, dim 9h-2h. Punch House : dim-ven 18h-2h, sam 18h-3h. Âge min : 21 ans.* Un trois-en-un situé dans une magnifique bâtisse de style néoroman (1892), à l'époque où Pilsen était encore un quartier bohémien et non mexicain. Le proprio, Dusek, voulait un lieu polyvalent, dédié aux arts et aux divertissements. De 1910 jusqu'à sa fermeture dans les années 1960, le lieu changea à maintes reprises de propriétaires. Entièrement restauré, il a rouvert ses portes en 2013. Toujours polyvalent puisqu'il abrite au rez-de-chaussée, un bon resto et bar à bières (assez chic), le *Dusek's,* avec son magnifique *tin ceiling* d'origine. En sous-sol, le superbe et très cosy *Punch House* avec ses banquettes de cuir, son grand aquarium derrière le bar et une ambiance moins guindée qu'à l'étage. Et enfin, la salle de concerts, le très beau *Thalia Hall,* à l'architecture inspirée de l'opéra de Prague, dont on a préservé au maximum le décor d'origine.

Où écouter du jazz et du bon blues ?

On dit souvent que New Orleans est la capitale du jazz, et Chicago, celle du blues. C'est vrai. Néanmoins, c'est à Chicago que le jazz a réellement été baptisé. En effet, en 1917, quand les autorités ferment le quartier chaud de Storyville (New Orleans), les musiciens désormais au chômage décident de migrer vers Chicago. La plupart des clubs mythiques des années 1920, qui se trouvaient initialement dans le South Side et le West Side, ont aujourd'hui disparu et l'activité s'est déplacée vers le centre et le nord de la ville.

– ***Hot Tix*** commercialise les invendus des places de concerts, théâtres, opéras, jusqu'à 50 % du prix le jour même de la représentation. Vente en ligne (*● hottix.org ●*) ou aux guichets *Hot Tix* (voir « Adresses et infos utiles).

Dans le Loop, à Near North et Gold Coast *(plan II)*

♩ **Blue Chicago** *(plan II, F6,* **152***) : 536 N Clark Ave. ☎ 312-661-0100. ● bluechicago.com ● Ⓜ Grand. Tlj 20h-1h30 (2h30 sam). Live à partir de 21h. Entrée : 10 $ (12 $ ven-sam). Âge min : 21 ans.* Un petit bar dans son jus, avec une belle fresque sur le flanc de l'immeuble et une salle tout en longueur terminée par un *stage.* Une clientèle de fidèles, comme à l'église, s'agglutine autour du bar ou se presse au fond de la salle pour écouter les formations locales de *bluesmen* et en particulier de *blueswomen.* Certains soirs, ça dépote tellement que toute la salle vibre à l'unisson. Une petite adresse qui a su rester authentique.

♩ I●I ***Andy's Jazz Club*** *(plan II, F6,* **106***) : 11 E Hubbard St. ☎ 312-642-6805. ● andysjazzclub.com ● Ⓜ Grand. Tlj 16h-1h. Entrée : 10-15 $, le double pour certains événements. Moins de 21 ans autorisés pour les concerts de 17h et 19h à condition d'être accompagnés. Pizza et burger 12-15 $. Andy's,* ce resto-boîte de jazz, fait le bonheur des couche-tôt depuis 1950 ! 2 groupes par soirée et 4 concerts, à 17h et 19h, puis 21h30 et 23h30. Quel plaisir de manger une pizza tout en écoutant un traditionnel *'Round Midnight,* un *Take the « A » Train* ou un *Girl from Ipanema !* Sur les murs, le *Wall of Fame* avec les photos des musiciens qui ont joué ici. Parmi les plus prestigieux : Buddy Rich, Max Roach et Dizzy Gillespie. Excellent jazz, même aujourd'hui. Ambiance sage et chaleureuse. Classe mais pas trop sélect. La preuve, on peut y emmener ses ados (en tout cas en début de soirée)...

♩ I●I ***House of Blues*** *(plan II, F6,* **147***) : 329 N Dearborn St. ☎ 312-923-2000. ● houseofblues.com/chicago ● Ⓜ State/Lake. Tlj 17h-1h (2h ven-sam). Env 10-15 $ pour les concerts dans la salle de resto, au rdc ; 20-60 $ dans la salle de concerts, à l'étage.* Vous ne pouvez pas louper ce bâtiment en forme de carapace avec de gros néons bleus, derrière les 2 tours en forme d'épi de maïs *(Marina City).* Déco géniale et atypique, genre western australien mâtiné d'opéra viennois. C'est Dan Aykroyd qui possède cette chaîne de boîtes, pas vraiment spécialisées en blues (contrairement à ce que le nom pourrait laisser croire), mais en groovy-jazzy et tout ce qui swingue. Quand les grosses pointures viennent (Chick Corea, Joshua

Redman, Aretha Franklin, Groove Collective), s'armer de patience et d'obstination pour obtenir un ticket. Fait aussi resto midi et soir (spécialités de BBQ et *soul food*), et *gospel brunch* le dimanche (buffet à volonté servi à 10h et 12h30 ; env 45 $ pour seulement 40 mn de gospel et 1h30 de buffet !). À recommander, même si très touristique.

Sur Halsted Street (plan I et plan d'ensemble)

♪ ***Kingston Mines*** *(plan I, B2,* ***140****) : 2548 N Halsted St. ☎ 773-477-4646. • kingstonmines.com • Ⓜ Fullerton. Lun-jeu 19h30-4h, ven 19h-4h, sam 19h-5h, dim 18h-4h. Les shows commencent vers 21h30, mais sont précédés d'un set acoustique jeu-sam 19h30-20h30. Entrée : 12 $ en sem, 15 $ le w-e. Âge min : 21 ans. Entrée gratuite pour étudiants dim-jeu. On peut aussi y dîner.* Créé en 1972, ce bar porte le nom d'une ville du sud de l'Illinois. Le *Kingston Mines* est sans doute le meilleur bar de blues de Chicago. 2 salles de concert contiguës dans un décor de saloon. Du bon gros blues qui groove. Pour ceux qui aiment le genre « *Tonight, I got the blues but I feel goooood!* » Au fait, Mr et Mrs Theblues ont eu une fille, comment s'appelle-t-elle ? Réponse... Agathe (vous l'aviez trouvé, bien sûr) !

♪ ***B.L.U.E.S.*** *(plan I, B2,* ***141****) : 2519 N Halsted St. ☎ 773-528-1012. • chicagobluesbar.com • Ⓜ Fullerton. Tlj 20h-2h (3h sam). 1er concert à 21h30. Entrée : env 8 $ en sem, 10 $ le w-e.* Petit bâtiment en brique de style victorien. Tout en longueur et plus intime que le *Kingston Miles* voisin. Clientèle surtout jeune et étudiante. Si le concert vous a plu, vous pourrez vous procurer les CD au bar. Le dimanche (seulement), la *cover charge* du *B.L.U.E.S.* permet d'entrer gratuitement au *Kingston Mines*.

♪ ***The Green Mill*** *(hors plan d'ensemble par C1,* ***144****) : 4802 N Broadway St (angle Lawrence Ave). ☎ 773-878-5552. • greenmilljazz.com • Ⓜ Lawrence. On repère de loin son enseigne clignotante. Tlj 12h-4h (5h sam), dim ouv à partir de 11h. Show principal à 21h mais il y a parfois d'autres concerts plus tôt ou plus tard. Entrée : gratuite au bar tant qu'il n'y a pas de concert, puis 5-15 $.* Cette boîte de jazz ouverte depuis 1907 fut jadis fréquentée par Al Capone et ses porte-flingues. Louis Armstrong y a joué. N'hésitez pas à y faire un saut. Déco années 1940 au charme suranné, atmosphère pleine d'entrain au rythme du swing. Un de nos coups de cœur sur Broadway. Le dimanche soir, déclamation de slam.

♪ ***Rosa's Lounge*** *(plan d'ensemble, B2,* ***145****) : 3420 W Armitage Ave. ☎ 773-342-0452. • rosaslounge.com • À 20-30 mn de marche de ttes les stations de métro les plus proches (California, Logan Square, Western) ; taxi recommandé. Tlj sf dim-lun 20h-2h (1h mer, 3h sam), mais les concerts ne commencent qu'à 21h30 ou 22h sam. Âge min : 21 ans. Entrée : 5-20 $.* Cette boîte de blues est une affaire familiale qui tourne depuis le début des *eighties*. Porte avec guitariste à la Matisse et splendides photos en noir et blanc aux murs. Une référence pour les aficionados.

Achats

Dans le Loop (plan III)

Chicago Architecture Foundation *(plan III, J8,* ***170****) : building Santa Fe, 224 S Michigan Ave. ☎ 312-922-3432. • architecture.org • Tlj 9h-21h.* Un des plus grands choix de livres d'architecture, affiches, cartes postales, mais aussi pas mal de gadgets design. Assez cher quand même.

Macy's *(plan III, J7,* ***314****) : 111 N State St. ☎ 312-781-1000. Lun-sam 10h-21h, dim 11h-19h.* *Macy's* a racheté le fameux magasin *Marshall Field and Co*, l'un des plus grands du monde, avec 12 étages de surface de vente. On y trouve de tout, même des déguisements pour chiens ! Très beau plafond de Tiffany.

Dans Magnificent Mile et à Near North (plan II)

C'est sur Michigan Avenue (les Champs-Élysées de Chicago), entre la Chicago River et le John Hancock Building, que sont rassemblées la plupart des marques de vêtements américaines : ***Gap, Levi's, Banana Republic, Ralph Lauren, Victoria's Secret*** (énorme boutique entre Chicago et Superior Street), etc. Signalons également ***Anthropologie*** (vêtements et vaisselle hippie chic, au 111 E Chicago Avenue) et ***Crate & Barrel*** (la marque de déco née à Chicago en 1962 ; à l'angle de Erie Street)... Un peu plus au nord, Oak Street concentre les boutiques de grand luxe (haute couture...).

American Girl Place *(plan II, G5,* ***305****) : 835 N Michigan.* ☎ *1-877-247-5223. Au rdc du centre commercial* Water Tower Place*. Tlj 9h-21h (19h dim) en été ; le reste de l'année, lun-jeu 10h-20h, ven-sam 9h-21h, dim 9h-18h.* Le concept de ce magasin totalement ricain : faire de sa poupée une personne à part entière. On commence par élire la sienne (et hop, 100 $ de lâchés), puis on lui choisit vêtements et accessoires (ils ont même pensé à l'appareil dentaire !), animaux de compagnie, avant de la faire coiffer dans un vrai salon de coiffure, de se faire photographier à ses côtés dans un vrai studio et de lui offrir une tasse de thé dans un vrai restaurant. On oubliait, il y a aussi une clinique pour les poupées malades... Nous, on aime bien les vitrines aménagées comme un musée avec des reconstitutions historiques des poupées de la maison, époque par époque. Un monde rose bonbon à prendre impérativement au second degré.

Barnes & Noble *(plan II, F4,* ***308****) : 1130 N State St.* ☎ *312-280-8155. Tlj 9h-20h (21h ven-sam).* Une des rares librairies du centre. Celle-ci est spacieuse, sur 2 niveaux, avec un bon coin tourisme sur Chicago et l'Illinois.

Niketown *(plan II, G5,* ***312****) : 669 N Michigan. Tlj 10h-21h (19h dim).* Sur 3 niveaux, toutes les dernières créations de la marque (running, basket-ball, base-ball et sportswear). Ambiance décontractée, choix impressionnant d'articles et pour toutes les bourses (un peu moins cher qu'en France).

À Lincoln Park et Lake View (plan I)

Reckless Records *(plan I, C2,* ***302****) : 3126 N Broadway.* ☎ *773-404-5080. Tlj 10h-22h (dim 20h).* Grande boutique avec un beau choix de CD ou vinyles neufs ou d'occasion. En plus, les artistes originaires de Chicago sont signalés par le drapeau de la ville. Vendent aussi quelques beaux posters, sachant qu'il existe aux États-Unis une tradition toujours vivace d'affiches spécifiquement créées pour une tournée, une simple date de concert. Autre boutique bien achalandée : *à Wicker Park, au 1379 N Milwaukee Ave (plan IV, B2,* ***302****).*

Hollywood Mirror *(plan I, B1,* ***300****) : 812 W Belmont Ave.* ☎ *773-404-2044. Tlj 11h-20h (21h ven-sam, 18h30 dim).* Véritable caverne d'Ali Baba cool, c'est le paradis des néo-hippies. Joli bric-à-brac de souvenirs et trésors vintage (fringues marrantes, déguisements, un peu de déco, gadgets...). Tout y est classé par thèmes, ce qui facilite les choses. Et il y en a à tous les prix.

Beatnix *(plan I, B1,* ***301****) : 3400 N Halsted St.* ☎ *773-281-6933. Tlj 10h-22h (minuit ven-sam).* Boutique tout en couleur de Boystown. Fantastique collection de fripes et de tenues vintage. Et toute la panoplie des *drag queens* : perruques, boas, *platform shoes* à paillettes, déguisements délirants...

Chicago Comics *(plan I, B1,* ***304****) : 3244 N Clark St.* ☎ *773-528-1983. • chicagocomics.com • Tlj 12h (11h sam)-20h (19h dim).* Toutes sortes de B.D. et *comics* pour compléter sa collection (une foule de vintage) ou découvrir quelques ersatz américains de *Fluide Glacial.* Vous y trouverez également des B.D. en langue européenne (c'est l'occasion de lire *Tintin* en anglais), et des produits dérivés (figurines, super héros et autres gadgets, genre PEZ).

À Bucktown et Wicker Park *(plan I et plan IV)*

The T-Shirt Deli *(plan I, A3,* ***303****) : 1739 N Damen St. ☎ 773-276-6266. Lun-ven 11h-19h, sam 11h-18h, dim 11h-17h.* Dans ce *deli* pas comme les autres, les vitrines réfrigérées ne regorgent pas de *pastrami* ou de corned-beef, mais de... T-shirts. Le menu est affiché au-dessus du comptoir, on choisit son modèle, sa couleur, le dessin à appliquer dessus, et on récupère sa commande au fond, emballée comme un hot dog. Un peu gadget quand même, mais les prix restent raisonnables. En principe, pour 10 achetés, un T-shirt gratuit...

Reckless Records *(plan IV, B2,* ***302****) : 1379 N Milwaukee Ave.* Voir « À Lincoln Park et Park View ».

À Pilsen *(plan d'ensemble)*

Pilsen Community Books *(plan d'ensemble, C3,* ***306****) : 1102 W 18th St. • pilsencommunitybooks.org • Tlj 11h-21h (19h dim-lun).* Une superbe librairie (neuf et d'occasion), avec pour optique de soutenir la communauté et les écoles du quartier. Le lieu lui-même (parqueté, avec des murs tapissés de rayonnages de bouquins) et l'ambiance sont très agréables. Si vous parlez bien l'anglais, choix intéressant de livres sur Chicago et/ou l'architecture. Certains sont des éditions anciennes, mais à des prix très réduits. Également quelques ouvrages en français. Et pour ceux qui aiment tout ce qui est papeterie, quelques beaux petits objets vintage.

À voir

Il y a profusion de musées et attractions à Chicago, mais nombre d'entre eux sont très cher. Le ***CityPass*** *(• fr.citypass.com/chicago •), valable 9 j., donne accès à 5 attractions majeures pour 98 $ (au lieu de 208 $) et 82 $ pour les 3-11 ans (au lieu de 174 $).* Le choix des visites est le suivant : *Hancock Observatory* ou *Museum of Science and Industry, Skydeck Chicago (Willis Tower), Field Museum, Shedd Aquarium, Art Institute* ou *Adler Planetarium.* Disponible dans tous les lieux concernés. À vous de voir si ces attractions vous intéressent. Le gros intérêt, c'est qu'on bénéficie d'un *Fast Pass* et que, du coup, on entre sans faire la queue. Par ailleurs, pour le *Museum of Science and Industry,* le *pass* donne droit à quelques attractions normalement en supplément avec le billet de base. Également quelques réductions proposées sur d'autres attractions et quelques spectacles.

Pour les visiteurs boulimiques, il existe aussi la ***Go Chicago Card*** *(• smartdestinations.com/chicago •). Pas moins de 25 sites et attractions à visiter en 1, 2, 3 ou 5 jours pour respectivement 92, 130, 160 et 190 $ (réduc 3-12 ans ; parfois des réduc sur Internet).* Évidemment, il est impossible de profiter des 25 attractions en 1 jour ou 2, même si la carte est un coupe-file ! Inutile de vous dire que c'est uniquement valable si vous prenez la carte de 5 jours et que vous êtes un sacré routard.

– Les plus grands musées ou attractions font le plein en saison et les ***files d'attente*** peuvent être longues. ***Acheter au préalable votre ticket sur Internet*** vous permettra de réduire cette attente, même si certains musées ne vendent par Internet qu'un certain quota de tickets ou limitent cette possibilité au billets « tout inclus » ou « coupe file ».

Dans le Loop *(plan III)*

Quartier des affaires, situé au sud de Chicago River, bordé à l'est par le lac Michigan, au sud par Congress Parkway. C'est dans le Loop que fut construit le tout premier gratte-ciel (aujourd'hui démoli) et que vous verrez ***la plus grosse concentration de buildings historiques.*** Le quartier bourdonne en semaine d'une activité fébrile qui électrise la ville. Le week-end, c'est plutôt désert et certains buildings sont inaccessibles.

Avant de vous organiser un ***trek architectural,*** on vous conseille de relire la rubrique « Chicago et l'architecture » en introduction et de passer à la *Chicago Architecture Foundation.*

■ ***Chicago Architecture Foundation (plan III, J8, 170) :*** *building Santa Fe, 224 S Michigan Ave.* ☎ *312-922-8687 (pour les résas de visite).* ● *architecture.org* ● *Tlj 9h-21h. Résa à l'avance conseillée (sur place, par tél ou via Internet).* Le ***Santa Fe Building*** fut construit en 1904 par Daniel Burnham pour une compagnie de chemins de fer. Sa façade en terre cuite blanche vernissée de 17 étages est animée d'une ondulation de l'encorbellement des fenêtres. Burnham y avait ses bureaux lorsqu'il travailla au fameux plan d'urbanisme de Chicago, en 1909. Normal donc que la *Chicago Architecture Foundation* l'ait choisi pour siège. La fondation propose plus de 85 visites guidées différentes (en anglais) sur l'architecture de la ville, à pied, à vélo, en trolley, en bus, en métro, en bateau et même en segway (véhicule électrique à deux roues sur lequel on se tient debout). Les plus courus sont la *river cruise* (voir dans « À faire »), les visites à pied qui permettent de découvrir les incontournables du Dowtown tels la *Must-See Chicago,* l'*Historic Treasures of Culture and Commerce* et la *Chicago Modern (1h30-2h ; 20 $/pers)* ou encore l'*Architectural Highlights by bus (3h30, 45 $/pers).*

La Chicago Architecture Foundation mérite aussi la visite pour la grande maquette de la ville, située dans le hall derrière la boutique, qui permet de repérer les différents bâtiments et aussi de prendre connaissance des projets ou études en cours.

➢ ***The « L » (ou « El ») :*** abréviation d'*Elevated* pour « aérien », c'est en fait le nom du métro de Chicago dans son ensemble, qu'il soit aérien ou non. Ses premiers tronçons furent inaugurés en 1892, ce qui fait de lui le second plus vieux réseau de métro du pays après celui de New York. Construit et géré au départ par 4 compagnies différentes, le métro n'a pas été pensé comme un ensemble, ce qui explique son manque de cohérence encore aujourd'hui, ou en tout cas le nombre restreint de correspondances et de liens entre les différentes lignes.

Sa section la plus connue est celle qui parcourt le Loop. Face aux gratte-ciel modernes, le L apporte une dimension supplémentaire au quartier. Bien que tout rouillé, bringuebalant et bruyant, il en est même devenu son symbole. C'est aussi le cadre de certains films. Rappelez-vous dans les *Blues Brothers,* Jake et Elwood habitent pile en face.

Impossible de quitter Chicago sans avoir acheté un ticket de métro pour faire la « boucle » en empruntant la ligne rose *(Pink Line).* Le trajet dure 15 mn à peine, et la vision très différente de celle qu'on a de la rue permet notamment d'admirer certains détails sur les façades que l'on ne verrait pas autrement.

LE MÉTRO A CHAUD !

Chicago connaît une amplitude de 60 °C entre l'hiver et l'été. Bonjour la dilatation des métaux ! Voilà pourquoi les rames de métro arrosent régulièrement les rails, lors des fortes chaleurs.

➢ ***Chicago River Walk :*** sans même prendre le bateau, voici une belle façon de découvrir Chicago sous un autre angle et par ses propres moyens : en se promenant sur les rives joliment réaménagées de la Chicago River. On découvre notamment tous ces ponts que l'on remarque à peine autrement. Aux beaux jours, le midi, les employés du coin viennent en nombre se poser sur les volées de marches ou les bancs qui la bordent. On peut aussi boire un verre ou manger un morceau dans les différentes adresses installées là, ou même louer un kayak. La promenade proprement dite s'étend entre Wells et State, mais on peut aussi poursuivre jusqu'au Chicago Harbour. ● *chicagoriverwalk.us* ●

➢ ***Le départ de notre balade dans le Loop*** se fait à partir de Michigan Avenue à la hauteur de E Congress Parkway.

⁋ ***Metropolitan Correctional Center*** *(plan III, J8,* ***194****)* **:** *71 W Van Buren (et Clark St).* Érigé en 1975, ce curieux Toblerone géant posé verticalement et criblé de meurtrières est une prison. Comme quoi, même les centres de détention peuvent inspirer les architectes ! Son toit-terrasse est équipé d'un terrain de sport. Sa forme triangulaire a permis de réduire considérablement la longueur des couloirs devant être surveillés. Mais elle n'a pas empêché de multiples évasions ou projets d'évasion. Tous avaient opté pour la traditionnelle corde à base de draps attachés les uns aux autres, histoire de sortir par la fenêtre... Un peu plus loin sur Van Buren, on aperçoit un immeuble tout rouge, repérable de loin, le ***CNA Center,*** parallélépipède typique du style international en vogue dans les années 1960-1970.

⁋⁋ ***Federal Center and Plaza*** *(plan III, J8)* **:** *219 S Dearborn St.* La seule réalisation de Mies Van der Rohe dans le Loop. Débutée en 1960, sa construction ne fut achevée qu'en 1974. Tout de verre et d'acier, sans ornementation, il est bien dans la ligne du style international. Trois bâtiments forment l'ensemble du *Federal Center* : le *Dirksen Building,* le *John C. Kluczynski Federal Complex* (230 S Dearborn) de 158 m et 43 étages, et la *Post Office* (superbe réalisation en verre fumé). Aujourd'hui, ils abritent le bureau de recrutement de la Force aérienne (si ça vous intéresse !) et les bureaux des sénateurs de l'Illinois. Sur la *plaza* s'élance, du haut de ses cinq pattes, le ***Flamant rouge de Calder*** : son revêtement vermillon tranche avec l'austérité du pavement de granit et des noires façades de verre tout autour.
Non loin, sur E Adams Street, le ***Berghoff,*** l'un des tout premiers immeubles reconstruits après le grand incendie (1872) ; voir « Où manger ? Dans le Loop... ».

⁋⁋ ***The Rookery*** *(plan III, J8)* **:** *209 S La Salle St (et Quincy).* ☎ *312-553-6100.* ● *flwright.org/visit/rookery.html* ● *Visite du lobby lun-ven (sf j. fériés) à 11h, 12h et 13h. Tarif : 7 $; réduc. Attention, ticket à 12 $ le mer, incluant la* Burnham Library. *Résa préférable par tél ou en ligne. Durée : 30 mn.*
Œuvre de Burnham et Root (1888), considérée comme le plus ancien gratte-ciel de Chicago encore visible. Burnham et Root furent chargés de construire l'espace de bureaux le plus vaste des États-Unis, soit un building pouvant accueillir 600 bureaux. La structure en fonte permit d'élever cette bâtisse sur 11 niveaux. Root y expérimenta aussi la technique des « fondations flottantes », un méli-mélo de rails métalliques noyés dans le béton, ce qui évitait d'avoir recours à des tonnes de pierres. Dès le départ, le bâtiment fut surnommé « The Rookery » (venant de *rook,* corbeau). D'ailleurs, les architectes, comme un clin d'œil, ont fait sculpter plusieurs de ces oiseaux de chaque côté de l'entrée.
En 1905, alors que l'ère victorienne était révolue, le propriétaire de l'immeuble estima qu'il était temps de remettre sa déco intérieure au goût du jour. Il confia cette tâche à Frank Lloyd Wright qui s'y attela de 1905 à 1907. Il décida de conserver la structure telle quelle, avec sa magnifique verrière métallique, mais de couvrir tous les piliers du hall de marbre blanc (alors que ceux-ci avaient gardé la couleur naturelle de la fonte) et d'ajouter des dorures.
En entrant dans le hall, faites donc le tour du premier pilier sur votre gauche : on peut encore apercevoir un pilier dans son état original. On doit aussi à Wright les luminaires discrets, conçus pour donner une touche plus humaine au lieu. Il a aussi refait les rampes d'escaliers, même si ses motifs reprennent de très près les originaux (dans le magnifique escalier montant dans les étages, on peut voir d'un côté la rampe originale et de l'autre, celle de Wright). Dans les années 1930, The Rookery subit une nouvelle remise au goût du jour, moins heureuse celle-ci. Ce qui explique que lors de la restauration du bâtiment dans les années 1980, il fut décidé de le restaurer tel qu'en 1910.

Chicago Board of Trade (CBOT *; plan III, J8)* **:** *141 W Jackson Blvd. Ne se visite pas, mais possibilité d'entrer dans le lobby (lun-ven 8h-18h).*
Le Board of Trade Building (la Bourse de Chicago) est un magnifique bâtiment Art déco de 45 étages, construit en pyramide en 1930 par Holabird and Root. Sur la placette, côté gauche, statues représentant l'Agriculture et l'Industrie. Au sommet, la statue de Cérès, déesse romaine de la Fécondité, de l'Agriculture et de la Moisson, veille au grain.
C'est dans ce lieu d'une importance économique considérable que se négocient des contrats à terme sur les taux d'intérêt, les indices boursiers, les produits manufacturés, les denrées alimentaires (blé, soja...), les métaux précieux et les devises. Une histoire boursière de plus de 150 ans, qui débuta avec la viande, le blé, les produits laitiers et les œufs.
Le hall d'entrée du CBOT est considéré comme l'un des plus beaux exemples encore existants du style Art déco. Grandiose ! Pas moins de neuf sortes de marbre sont utilisées et de nombreux éléments décoratifs évoquent l'agriculture. Le maïs est omniprésent, sur les balustrades et les portes d'ascenseurs notamment, et les aigles symbolisent l'esprit de l'Amérique gardant les cultures. Pour conforter l'importance économique du lieu, il a été flanqué, sur La Salle, de deux temples de la finance, érigés dans un style néoclassique sans fantaisie, la *Federal Reserve Bank* et la *Bank of America.*

Willis Tower *(ex-***Sears Tower***)* ou **Skydeck Chicago** *(plan III, I8)* **:** *233 S Wacker Dr ; l'entrée du Skydeck se trouve sur W Jackson Blvd (billetterie au sous-sol). ☎ 312-875-9696 (infos enregistrées). • theskydeck.com • Mars-sept, tlj 9h-22h ; oct-fév, 10h-20h. Entrée : 22 $; réduc ; compris dans le* CityPass *; 33 $ le billet permettant de monter tout en haut une fois de jour et une fois de nuit. Très longue attente (parfois 2h), qu'on peut écourter grâce au* CityPass *ou en achetant un* fast pass *pour 49 $. Film de 8 mn sur la construction, pour patienter. Ensuite, une fois dans l'ascenseur, on met à peine 1 mn pour atteindre le 103e étage !*
L'emblème de Chicago. Dessiné par Bruce Graham et érigé en 3 ans, à partir de 1971, par Skidmore, Owings et Merrill. Jusqu'en 1998, ce fut le plus haut bâtiment du monde avec ses 110 étages, ses 443 m de haut et 527 m si l'on tient compte de ses deux antennes blanches. Il fut à l'origine bâti pour la compagnie de grands magasins *Sears, Roebuck and Co,* fondée au XIXe s, qui voulait regrouper tous ses employés dans la même tour. Aujourd'hui, c'est la deuxième plus haute tour du continent américain après le *One World Trade Center* qui remplace à New York les défuntes tours jumelles. Comme son nom l'indique, elle appartient à la compagnie d'assurances *Willis.* Quelques chiffres (les Américains adorent ça) : l'ensemble a coûté 150 millions de dollars de l'époque (soit six fois plus en dollars d'aujourd'hui), pèse 222 500 t (dont 76 000 t d'acier), possède 16 100 fenêtres nettoyées huit fois par an par des robots, 69 000 km de câbles téléphoniques et 100 ascenseurs. Tous les ans est organisée une course à pied pour gravir les 2 232 marches. Le record serait de 13 mn ! On pourrait construire 52 000 voitures, ou 6 500 bus, rien qu'avec l'armature ! 16 500 personnes y travaillent. Elle est visitée par quelque 1 500 000 touristes par an, soit plus de 4 000 quotidiennement... quand on vous disait que l'attente pouvait être longue !
L'ascenseur vous dépose au 103e étage (412 m) en 45 secondes. Par beau temps, vous ne serez pas déçu du spectacle de la *skyline* au bord du lac. On peut apercevoir trois autres États en plus de l'Illinois (Indiana, Wisconsin, Michigan) et admirer l'horizon jusqu'à 80 km à la ronde. Le soir, la vue est féerique. Mais le must, c'est l'attraction ***The Ledge,*** soit quatre cabines de plexiglas (plancher compris) qui ressortent en saillie du bâtiment, au-dessus du vide ! Elles furent ajoutées en 2009 par les architectes originels de la tour. L'effet est vertigineux : on serre les fesses ! N'oubliez pas votre appareil photo...

Union Station *(plan III, I8)* **:** *210 S Canal St. GRATUIT.* Une gare co-los-sa-le, l'équivalent de neuf pâtés de maisons, dont une grande partie en sous-sol.

De style *American Renaissance*, elle date de 1925 et fut conçue (encore une fois) par l'architecte Daniel Burnham, qui ne la vit pas achevée de son vivant. C'est dans l'un des deux escaliers du magnifique *greater hall* (34 m de haut !) que fut tournée la scène mythique du landau dans *Les Incorruptibles* de Brian De Palma (avec Kevin Costner et Sean Connery), au cours de laquelle le comptable d'Al Capone est arrêté. La grande différence avec le *Cuirassé Potemkine* d'Eisenstein, dont s'inspire la scène, c'est que l'action se passe dans une gare et surtout au ralenti, histoire d'en rajouter dans le suspense...

ET AL CAPONE INVENTA LES RESTOS DU CŒUR

En 1930, la crise battait son plein. Al Capone avait une image détestable. Il fit installer une soupe populaire au 935 South State Street où il nourrit jusqu'à 5 000 chômeurs. Quelques mois plus tard, le gouvernement fédéral lui offrit, à lui aussi, gîte et couvert à Alcatraz.

Palmer House (plan III, J8) **:** *17 E Monroe et State St.* Construit en 1925, l'édifice porte le nom de Potter Palmer, le prince des marchands de Chicago qui plaçait son argent dans l'immobilier et les impressionnistes (riche collection qu'il légua à l'Art Institute). Il abrite aujourd'hui l'hôtel *Hilton.* Voir absolument l'hyper luxueux lobby victorien et sa décoration grandiloquente : statues-chandeliers, mobilier ancien. Le plafond « Beaux-Arts », souligné par un bas-relief rappelant la porcelaine Wedgwood, a été restauré par un artisan florentin qui a travaillé sur celui de la chapelle Sixtine (excusez du peu !). Pour ceux qui auraient gagné au Loto, offrez-vous le 24e étage, le *Penthouse* de 11 pièces, rien que pour vous... Comptez quand même plusieurs milliers de dollars la nuit. Les moins fortunés se contenteront d'une visite gratuite de l'hôtel grâce à l'écran vidéo situé juste à côté de la réception, ou iront prendre un cocktail au *Potter's,* le superbe bar au fond du lobby, ouvert de 16h à minuit.

Carson, Pirie, Scott & Co (plan III, J7-8) **:** *State et Madison St.* Le chef-d'œuvre de Sullivan et Burnham (1899). Construit avec les techniques de structure d'acier propres aux gratte-ciel, mais cette fois-ci sur un plan horizontal plutôt que vertical. Ce sont surtout les deux niveaux inférieurs de la façade qui sont remarquables, avec cette foisonnante décoration de feuillages entrelacés, l'admirable dentelle de bronze ornant l'arrondi des portes de ce qui fut le grand magasin le plus célèbre de la ville. Sullivan avoua qu'il voulait avant tout séduire les femmes et leur donner l'impression que l'on honorait leur visite de façon princière. Au bonheur des dames ! Une vaste campagne de rénovation lui a redonné son lustre d'antan. À noter que l'immeuble sert de point de départ à la numérotation des rues de Chicago.

Chase Tower (plan III, J7-8) **:** *Madison et Dearborn St.* L'un des ensembles architecturaux les plus remarquables, datant de 1969. Stupéfiante façade incurvée qui se lance à l'assaut des 60 étages. Sur la *plaza,* admirer les *Quatre Saisons* de Chagall (1974), une mosaïque de pierre et de verre pour laquelle il usa de plus de 250 nuances de couleurs.

Richard J. Daley Center and Court House (plan III, J7, **204**) **:** *Washington et Dearborn St.* Plus que le bâtiment, qui porte le nom du célèbre maire (en poste de 1955 à 1976), en acier pré-rouillé, construit en 1965 (dont Mies Van der Rohe fit pourtant l'éloge), et qui fut en son temps le plus haut de Chicago avec 198 m, c'est la monumentale ***statue de Picasso*** sur la *plaza* qui tient la vedette. Fondue en 1967 dans le même acier que le building, elle déclencha au début une hostilité et des polémiques comparables à celles que suscitèrent la tour Eiffel, le Centre Pompidou et la pyramide du Louvre à Paris. Aujourd'hui, les habitants de Chicago en sont évidemment très fiers : la présence de la bannière étoilée est là pour en témoigner. Même les enfants l'ont adoptée : c'est leur toboggan préféré.

À côté, la flamme du soldat inconnu.
En face du Daley Center, un peu coincée entre le *Brunswick Building* et le *Chicago Temple* (curieux compromis hybride entre église et gratte-ciel, c'est d'ailleurs l'église la plus élevée du monde), ***Miss Chicago*** *(plan III, J7,* ***205****),* une œuvre de Miró, aux allures féminines et guerrières (1981).
Une curiosité : de l'autre côté de la rue, au coin, le ***McCarthy Building,*** le premier immeuble de l'après-incendie (1872).
À quelques pas, au 1 West Washington Street, le ***Burnham Hotel,*** une des réalisations les plus audacieuses de Burnham (1891). La façade en terre cuite couleur crème est encore très travaillée, mais les larges surfaces vitrées évoquent déjà les gratte-ciel modernes. Jetez un coup d'œil à l'intérieur sur les grilles ouvragées des ascenseurs d'époque.

👁👁 ***Chicago Cultural Center*** (plan III, J7, **192**) **:** *78 E Washington St.* ☎ *312-744-6630. Lun-jeu 9h-19h, ven-sam 9h-18h, dim 10h-18h. GRATUIT.* De 1897 à 1977, cette impressionnante bâtisse abrita la principale bibliothèque municipale de Chicago. Elle est depuis devenue un centre culturel vivant, accueillant de nombreuses expositions, rencontres, performances. Le rez-de-chaussée est un vrai lieu de vie où nombre de gens viennent profiter du wifi gratuit ! Mais les étages recèlent quelques splendeurs, comme le dôme de style Tiffany au *2nd Level* ou encore, à l'étage au-dessus, la très belle et très grande *Sidney R. Yates Gallery,* avec son magnifique plafond en mosaïque.

👁👁 ***Carbide & Carbon Building*** (Hard Rock Hotel ; plan III, J7, **210**) **:** *230 N Michigan Ave (angle W Wacker Dr).* Superbe building Art déco de 37 étages s'élevant sur 153 m de haut, réalisé en 1929 par les fils de Daniel Burnham et aujourd'hui investi par le *Hard Rock Hotel.* Façade en granit noir et décorations à la feuille d'or qui seraient inspirées par une bouteille de champagne. Même si on n'a pas les moyens de s'y payer une nuit, il faut au moins entrer dans le lobby ultra-design de marbre noir et de bronze...

👁👁👁 ***Millennium Park*** (plan III, J-K7-8) **:** *dans le prolongement de Grant Park, entre Michigan Ave à l'ouest et Columbus Dr à l'est.* ☎ *312-742-1168. • millenniumparkfoundation.org • Parc ouv tlj 6h-23h. GRATUIT. Tours guidés gratuits du parc tlj à 11h30 et 13h mai-oct ; rdv au* Chicago Cultural Center *(plan III, J7,* **192***). Mai-sept, visite en 20 mn du* Laurie Garden *ven 11h-13h30 et dim 10h-13h30 ; rdv devant l'entrée du jardin.*
Construit sur un terrain de 10 ha occupé auparavant par d'anciennes voies ferrées, le Millennium Park fut inauguré en 2004. En un rien de temps, ce musée d'architecture et de sculpture contemporaine à ciel ouvert est devenu un des lieux de promenade favoris des Chicagoans. Le must du parc est incontestablement le ***Cloud Gate*** de l'artiste anglo-indien Anish Kapoor, qui a remporté le « marché » sur l'artiste vivant le plus cher du monde Jeff Koons. Surnommé *The Bean,* c'est un haricot géant en inox poli, inspiré par la forme d'une goutte de mercure liquide, dans lequel se reflètent le parc, les gratte-ciel de Chicago, le ciel, les nuages, et vous avec ! Un kaléidoscope fascinant. Le grand jeu des touristes consiste évidemment à photographier leur reflet dans le *Bean.*
Un peu plus loin, le ***Jay Pritzker Pavilion,*** l'auditorium en plein air de Frank Gehry, dont on reconnaît aisément la signature architecturale, avec sa toiture ondulante en rubans de métal abritant la scène. La pelouse, qui peut accueillir 7 000 spectateurs, est surplombée d'un treillis de tubes d'acier contenant un ingénieux système sonore, permettant une répartition du son aussi performante que dans une salle de concert classique. Le contraste entre l'acier, le rouge des sièges de l'auditorium et le vert intense de la pelouse est d'autant plus saisissant que le soleil est de la partie. Gehry a aussi réalisé la passerelle ***(BP Bridge)*** qui serpente au-dessus du trafic des voitures et offre des vues sur la *skyline* et le lac pour se terminer dans un grand parc avec pelouses pour pique-niquer, des jeux pour enfants, un mur d'escalade...

On traverse ensuite le ***Lurie Garden,*** un jardin naturel planté de vivaces d'Amérique du Nord et protégé par de hautes haies à la manière d'un bosquet. Aux beaux jours, sa végétation sauvage et foisonnante, dont les couleurs changent constamment, offre un contraste parfait avec la *skyline* qui se découpe à l'horizontale.

Un peu plus loin, l'étonnante ***Crown Fountain*** de l'Espagnol Jaume Plensa, à l'angle de Michigan et Monroe : deux tours en brique de verre, érigées face à face, sur lesquelles sont projetés à tour de rôle les visages animés d'un millier d'habitants de Chicago, dont les bouches crachent de l'eau, pour le plus grand plaisir des mômes qui se font arroser au milieu de la pataugeoire, tandis que des effets de lumière complètent l'ensemble. À voir le soir, de préférence. Ne fonctionne pas en hiver.

Enfin, le Millennium Park est directement relié à la ***Modern Wing*** de l'Art Institute, via la passerelle piétonne dessinée par Renzo Piano, la *Nichols Bridgeway.* D'ici, le panorama est très beau.

MAIS QUI EST DONC CE JAY PRITZKER ?

Un membre de l'éminente famille Pritzker, bien implantée à Chicago où elle est connue pour ses actions philanthropiques et où ses ancêtres sont arrivés d'Ukraine en 1881. Elle fait partie des plus riches familles des États-Unis. Elle est, entre autres, la propriétaire de la chaîne d'hôtels Hyatt. C'est au fameux Jay que l'on doit la création du Pritzker Architectural Prize, qui est à l'architecture ce que le Nobel est à la littérature et aux sciences.

⚲⚲ Depuis le parc, belle perspective sur la *skyline* au nord de la Chicago River : l'***AON Center*** (1973), longiligne parallélépipède (346 m, deuxième en hauteur jusqu'en 2008, après la Willis Tower) en granit blanc, le ***Two Prudential Plaza*** (1990) qui culmine à 303 m et se distingue par son sommet en pyramide coiffée d'un mât, ainsi que, à sa gauche, le ***Crain Communications Building*** (1984), facilement reconnaissable à son sommet à 177 m en forme de losange biseauté. À l'arrière de l'ensemble se trouve l'***Aqua Tower*** (2009 ; 266 m), une tour résidentielle et hôtelière (elle abrite le *Radisson*) particulièrement réussie avec un jeu d'ondulations dans les balcons, qui évoque les vagues du lac. Son architecte est, chose rare dans ce milieu, une femme : Jeanne Gang.

⚲⚲⚲ ***The Art Institute of Chicago*** *(plan III, J-K8)* **:** *111 S Michigan Ave ; entrée également par la Modern Wing, sur E Monroe St.* ☎ *312-443-3600.* ● *artic.edu* ● Ⓜ *Monroe. Tlj 10h30-17h (20h jeu). Entrée : 25 $; gratuit moins de 14 ans ; compris dans le* CityPass *; réduc. Audioguide : 7 $ mais gratuit avec le* CityPass *(version française décevante car seules sont traitées la section française et les œuvres principales du musée). Également une application gratuite à télécharger pour une visite en anglais. Vestiaire obligatoire pour les sacs à dos (1 $).*

PICASSO, LE MAL-AIMÉ

En 1913, l'Art Institute fut le premier musée américain à exposer les œuvres du grand Picasso, même s'il ne mit jamais les pieds à Chicago. Exposées ensuite avec celles de Marcel Duchamp et d'Henri Matisse, elles provoquèrent un immense scandale. Roosevelt entra dans une colère noire, et des étudiants brûlèrent même des copies de leurs œuvres ! L'art moderne venait de débarquer aux États-Unis... quasiment par effraction.

Inauguré en 1893, c'est *THE* musée d'Art de Chicago, particulièrement d'art moderne, et l'un des plus importants musées américains. Aujourd'hui, c'est une sorte de petit Louvre-Orsay-Pompidou, avec plusieurs sections riches et variées. Plusieurs jours seraient nécessaires pour en faire le tour, donc si vous n'avez que 2-3h à lui consacrer, il vous faudra faire des choix. Le plan-guide distribué à l'entrée vous y aidera ; il est d'ailleurs indispensable pour se retrouver dans ce labyrinthe de salles. Sur la dernière page du *Visitor Guide,* on vous indique même les 12 chefs-d'œuvre à voir si vous n'avez qu'une heure ! Ce que l'on vous déconseille fortement...

En 2009, l'Art Institute s'est enrichi d'un nouveau bâtiment, la ***Modern Wing,*** entièrement dédié aux collections d'art contemporain. Jouxtant le Millennium Park, auquel il est d'ailleurs directement relié par une passerelle d'acier, il est signé Renzo Piano. Si le choix du matériau de façade (du calcaire de l'Indiana) rappelle le style et la robustesse de l'édifice d'origine, la légèreté et la transparence des murs-rideaux s'inscrivent dans la vitalité du Chicago d'aujourd'hui. L'ingénieux brise-soleil flottant au-dessus des galeries et d'une partie de la cour-jardin a été imaginé par Renzo Piano comme un modèle d'architecture durable. Chargé de capter la lumière du jour, il la restitue ensuite dans les galeries supérieures de façon à ce que les œuvres d'art soient éclairées naturellement et sans surexposition.

Dans la Modern Wing, entrée du côté Millennium Park

– *Au 2e étage (3rd level, prendre les ascenseurs sur la gauche ; salles 389 à 399) :* ***peinture et sculpture européennes de 1900 à 1950.*** Que des chefs-d'œuvre ! Plusieurs Picasso, dont une superbe *Mère à l'Enfant,* composition classique empreinte d'une grande sérénité, reflet de la stabilité affective qu'il connaissait à cette époque (1921) avec sa nouvelle femme Olga, une danseuse russe qui lui avait donné son premier fils, Paulo. De lui encore, un portrait cubiste de Daniel Kahnweiler, le marchand d'art, et *Le Vieil Homme à la guitare* (période bleue, 1903). Au rayon des surréalistes : *Inventions des monstres* et *visions d'éternité* de Dalí, ainsi qu'une de ses fameuses *Vénus à tiroirs,* avec pompons de fourrure. De Max Ernst, *Forêt et soleil,* bien représentatif de sa technique favorite du frottage. Man Ray, Miró, Magritte, Delvaux, Tanguy, Chirico (et on en passe), sont aussi bien présents. Côté sculpture : florilège de têtes de Brancusi, Rodin, Lipchitz, Giacometti, le *Cheval* de Duchamp-Villon, une danseuse de Degas, un *Nu assis* de Matisse. Du peintre abstrait Piet Mondrian, une œuvre de jeunesse : *Ferme près de Dordrecht* où, en regardant bien, on trouve déjà les éléments géométriques qui feront plus tard sa renommée. Puis Klee, Kandinsky, Léger, Bacon, Dubuffet, Braque, Gris, Robert Delaunay, Picabia, Matisse, Bonnard, Rousseau, Balthus... – impossible de les citer tous – font de cette partie de la *New Wing* un premier spot incontournable, avec quelques expressionnistes pour finir.

– On descend d'un étage *(2nd level, salles 291 à 299)* pour découvrir l'***art contemporain après 1950.*** Les grands noms de la production américaine y sont évidemment représentés en force : Jackson Pollock, Robert Motherwell, Mark Rothko, Jasper Johns, Willem De Kooning, Joseph Cornell, Archile Gorky, Roy Liechtenstein et, bien sûr, Andy Warhol avec un magnifique et immense portrait de *Mao,* abondamment photographié par tous les touristes chinois de passage. En y regardant bien, on trouvera aussi

MANIAQUERIE

Pierre Bonnard était ultra perfectionniste. Il se baladait dans les musées, observant ses œuvres accrochées aux murs. À la moindre imperfection, il sortait ses pinceaux pour d'ultimes retouches. On imagine assez bien les foudres des gardiens !

SE FAIRE AVOIR COMME UN BLEU

1958. Vernissage d'Yves Klein, célèbre pour ses monochromes bleus. Mais ce soir-là, que des tableaux... blancs. Après avoir bu un verre, les invités repartent, déçus. Une fois rentrés chez eux, ils se rendent compte que leur urine est bleue ! Le cocktail servi contenait du bleu de méthylène.

les gouaches de Kara Walker, une artiste noire (c'est assez rare pour être signalé), et de David Hockney, un des plus inventifs parmi les contemporains. Et tout ça avec le Millennium Park et la *skyline* en toile de fond !
Une très intéressante section Architecture (on est dans la ville qui compte beaucoup en ce domaine) et Design se trouve au même niveau mais de l'autre côté de la galerie centrale (salles 283-286). Maquettes, plans, dessins témoignent de la créativité des architectes chicagoans.
– *Au rez-de-chaussée de la Modern Wing (1st level, salles 186-188)* : les amateurs seront ravis de parcourir la section photo, où par roulement sont exposés les travaux d'artistes encore peu connus, ainsi que des performances d'art électronique. La peinture américaine de cette époque est également représentée, même si l'essentiel de la collection se trouve au 1er étage *(2nd level)* du bâtiment d'origine. Également une terrasse de sculptures et le resto le plus chic du musée (voir *Terzo Piano* dans « Où manger ? »).
Autour du Mc Kinlock Court (salles 151 à 159), petite déambulation circulaire pour découvrir de très belles collections d'***art islamique et indien*** (miniatures persanes, poteries, faïences, estampes mogholes, châles brodés, poignards laqués, bijoux). Ensuite, une ***section grecque, byzantine et romaine*** (sarcophages du Fayoum, barque funéraire, cratères, fibules, bronzes, mosaïques de Pompéi).
En continuant tout droit, en descendant d'un niveau, autour du Sculpture Court, on aborde l'***art américan avant 1900.*** C'est l'occasion de découvrir, si vous ne les connaissez pas encore, une partie des superbes portraits de John Singleton Copley, et surtout ceux de John Singer Sargent, un des plus fameux portraitistes de la haute société à la fin du XIXe s ; les scènes de genre de William Glackens, les paysages de James Whistler, la tendresse des sujets de Mary Cassatt entourés de mobilier et d'objets des XVIIIe et XIXe s. Un de nos coups de cœur : *Averse, rue Bonaparte* de Childe Hassam.
– C'est au *niveau supérieur (2nd level, salles 261 à 273)* que se trouve logiquement l'***art américain de 1900 à 1950.*** L'Art Institute peut se vanter de posséder deux véritables « icônes » de l'art américain : LE chef-d'œuvre d'Edward Hopper, *Nighthawks* (vous savez, les personnages assis à un comptoir de *diner,* à New York la nuit, sous une lumière très « artificielle » comme dans un studio), interprété par beaucoup comme une symbolisation de la solitude des grandes villes, et le couple de paysans le plus célèbre d'Amérique, *American Gothic,* de Grant Wood. Ce tableau, réalisé à la manière des artistes d'Europe du Nord de la Renaissance, a fait l'objet de nombreuses parodies, notamment sur les étiquettes des produits alimentaires *Paul Newman* et au générique de la série TV *Desperate Housewives.* Citons également le très élégant *Blues,* de l'artiste noir Archibald J. Motley Jr.

FERMIERS MALGRÉ EUX

Les personnages au regard triste, peints de manière très réaliste par Grant Wood dans son American Gothic, *ne sont absolument pas des paysans misérables posant devant leur grange de l'Iowa. En effet, le peintre a demandé à sa sœur et à son dentiste personnel de lui servir de modèles.*

De Georgia O'Keefe, vous verrez son plus grand format, des nuages vus d'avion *(Sky above Clouds IV)* dans le grand escalier. Ne pas manquer non plus une composition de Diego Rivera, *Portrait de Marvna,* dans un style cubiste très loin de ses fresques monumentales.
On accède au bâtiment d'origine par les *Alsdorf Galleries (salles 140-142),* situées au 1er niveau. Cette galerie abrite une riche collection d'art indien et de l'Himalaya.

Dans le bâtiment d'origine

Au rez-de-chaussée (*1st level*), au même niveau que la monumentale cage d'escalier, la belle bibliothèque et le Museum Shop, ainsi que les salles (101 à 109 et 130 à 135) consacrées à l'art d'Extrême-Orient (Chine, Japon, Corée).

– *Au 1er étage (2nd level, salles 201 à 248) :* ***la peinture européenne,*** présentée chronologiquement du Moyen Âge au XIXe s, avec une profusion de chefs-d'œuvre encore une fois : primitifs italiens et flamands, Cranach, Titien, Greco, Rubens. Superbe portrait réalisé par le jeune Rembrandt, *Vieil Homme à la chaîne d'or,* restituant toute la suffisance du personnage. Van Ruysdael, Tiepolo, Guardi, Goya, Reynolds, Turner... on ne sait où donner de la tête ! L'école française est loin d'être sous-représentée : Fragonard, Watteau, La Tour, Boucher, Poussin, Gros, Chardin, Hubert Robert, David, Ingres, Delacroix, Millet, Manet, Bazille, Corot, Gustave Moreau... les Américains nous ont tout raflé ; même les peintres pompiers Bouguereau et Jean-Léon Gérôme sont là ! En complément, petite incursion dans le Folk Art et vers les Arts décoratifs en Europe (1600-1900). Dans cette partie, des bornes interactives vous offrent une étude approfondie de certains objets.
– Pour terminer en apothéose, dirigez-vous vers les salles 201, 225, 226 et 240 à 243 : c'est ici qu'est exposée la fameuse collection d'***impressionnistes*** et de ***postimpressionnistes,*** absolument extraordinaire, qui fait la gloire de l'Art Institute. Une grande partie des œuvres fut léguée au musée par Bertha Palmer, l'épouse du milliardaire. Tous les plus grands maîtres sont réunis, de Manet à Monet, en passant par Degas, Renoir, Matisse, Gauguin, Cézanne, Pissarro, Vuillard, Signac, Courbet, Turner... N'en jetez plus !
Chef-d'œuvre de Caillebotte, *Rues de Paris, temps de pluie,* où l'on « sent » littéralement, à la vue de ce couple de promeneurs foulant les pavés, l'air saturé d'humidité du Paris haussmannien ; *Un dimanche après-midi à l'île de la Grande Jatte* de Seurat, vrai manifeste de l'art pointilliste ; une salle Monet avec une déclinaison de *Meules de foin,* plus des vues de *Londres dans le brouillard* et de *Vétheuil.* Ne manquez pas l'incroyable éclairage à la bougie du *Pardon en Bretagne* de Gaston la Touche. De Van Gogh, l'inoubliable *Chambre à Arles* (l'une des trois de la série) et un des 24 *Autoportrait.* De Gauguin et Van Gogh encore, exposés côte à côte, *Arlésiennes* et *Madame Roulin* donnent à penser qu'ils se sont partagé les mêmes tubes de couleur en Arles. Rayon symboliste, une délicate *Nature morte aux fleurs* d'Odilon Redon.
– *Enfin, au sous-sol (lower level, salle 11) :* gardez un peu d'énergie pour découvrir, de vos yeux ébahis, encore un autre des trésors du musée, la galerie des miniatures ***(Thorne Miniature Rooms).*** Un art exceptionnel et très méconnu en Europe. Dans des vitrines, plusieurs dizaines d'aménagements d'intérieurs de différentes époques, par exemple une salle de bains française de la fin du XVIIIe s, un salon californien 1940 ou une salle à manger shaker. Aussi plusieurs intérieurs français du XIIe s jusqu'à 1930. Chaque pièce ouvre en prime sur un jardin, une rotonde, un corridor... Le concept, génial (les Ricains sont experts en reconstitution historique), nous permet véritablement une immersion hors du temps. On passerait des heures à décortiquer chaque détail, la finesse d'une tapisserie, la taille des tasses à thé posées sur un guéridon, la lumière. Un rêve pour les amateurs de maisons de poupées et de vieux trésors. Et vous savez quoi ? Fernand Léger a réalisé un certain nombre des minitableaux de la collection...

I●I ***Café-resto*** presque à chaque niveau. Le moins onéreux est le ***Caffè Moderno,*** le plus chic le *Terzo Piano* (voir « Où manger ? »). Sinon, il y a un ***Corner Bakery*** juste en face du musée, au 224 S Michigan (voir plus haut « Où manger ? Dans le Loop et South Loop »).

– Au sud de l'*Art Institute* commence ***Grant Park*** *(plan III, K8)* qui porte ce nom en l'honneur du général et président américain Ulysses S. Grant. Officiellement, il est le point de départ de la ***route 66,*** même si le panneau indiquant celle-ci se trouve au début d'Adams Street, juste en face de l'Art Institute. La ville créa un premier parc en 1844 pour protéger l'espace le long du lac de l'urbanisation. Avec les gravats du grand incendie de 1871, le terrain s'agrandit sur le lac. Le soir du 4 novembre 2008, Barack Obama y prononça son discours de victoire à l'élection présidentielle. En plus d'une entrée du *Metra,* copiée sur celles de Guimard à

Paris, on peut y voir la célèbre ***Buckingham Fountain,*** inspirée, elle, du bassin de Latone à Versailles. Tout au sud du parc, à l'angle de Roosevelt, ne manquez pas ***Agora,*** une étonnante installation de sculptures représentant 106 corps sans tête (quasiment que des jambes !), œuvre de la Polonaise Magdalena Abakanowicz. Très beau, là encore avec la perspective du parc et la *skyline* en arrière-plan.

South Loop et le Museum Campus *(plan III)*

Museum of Contemporary Photography *(plan III, J8) :* *Columbia College Chicago, 600 S Michigan Ave. ☎ 312-663-5554. • mocp.org • Ⓜ Harrison. Tlj 10h (12h dim)-17h (20h jeu). GRATUIT.* Ce musée dépend de l'université de Columbia et celle-ci se donne les moyens de proposer des expos temporaires d'une belle diversité et de qualité.

– ***Museum Campus :*** c'est le grand parc au bord du lac Michigan, où se trouvent le Field Museum, le Shedd Aquarium et l'Adler Planetarium. La vue sur la *skyline* y est superbe, surtout depuis l'esplanade de l'Adler Planetarium. Si les trois musées furent construits au début des années 1920, le parc lui-même ne date que de 1998. *Accès : bus n° 146.*

Field Museum of Natural History *(plan III, K9) :* *1400 S Lake Shore Dr. ☎ 312-922-9410. • fieldmuseum.org • Tlj 9h-17h (dernière entrée à 16h). Entrée : 22-38 $ selon formules ; 3-11 ans 15-26 $; réduc ; compris dans le* CityPass. *Éviter le w-e, c'est bondé, ou alors y aller dès l'ouverture. Parking 19 $ pour 4h et 22 $ pour 12h.*
Ce bel édifice aux allures de temple grec fut construit par l'architecte Daniel Burnham dans les années 1920. Sur 3 niveaux et plus de 4 ha d'expositions permanentes et temporaires sont rassemblés à la fois un musée de l'homme, des sciences, de la nature, des minéraux, de la préhistoire et des civilisations. Une grande partie du musée est consacrée aux dinosaures. Présentation un peu vieillie mais qui reste assez ludique. Beaucoup de bruit lorsque le musée est envahi de groupes scolaires. On le répète, le musée est immense : prévoir au moins 4h pour en avoir un petit aperçu. L'idéal reste d'y passer la journée en s'octroyant une pause déjeuner dans une des cafétérias sur place.

Au rez-de-chaussée (main level)
Dans le hall, deux impressionnants éléphants empaillés et, la vedette du musée, le plus grand squelette de *Tyrannosaurus rex* (âgé de 67 millions d'années !), à qui il ne manque aucun petit os, prénommé Sue. Ce n'est pourtant pas une femelle, mais il porte le nom de Susan, la femme qui l'a découvert. Le crâne est une réplique : l'original, trop lourd, se trouve à l'étage.
– Près de Sue et des guichets, la *galerie des animaux empaillés* mérite le détour pour sa magnifique collection de dioramas où les bêtes sont présentées dans leur environnement naturel : marais, sous-bois enneigés, paysages de l'Ouest américain...
Changement de décor dans la section *Inside Ancient Egypt,* où l'on peut visiter l'intérieur d'un mastaba, grandeur nature. Le parcours égyptien se poursuit au sous-sol, avec une momie sans ses bandelettes, des sarcophages, les berges du Nil et un village égyptien vers 2450 av. J.-C. dans une reconstitution un peu carton pâte quand même.

LE PHARAON DE LA POP

Depuis la mort de Michael Jackson, ses fans se ruent vers la section égyptienne du Field Museum pour tomber en pâmoison devant un buste datant du Moyen Empire (1500-1000 av. J.-C.) qui offre quelque ressemblance (il faut le reconnaître) avec le défunt roi de la pop ; mais de là à le diviniser ?

AUTOUR DES GRANDS LACS

– La section *Africa,* en évoquant le commerce triangulaire entre l'Europe, les côtes de l'Ouest africain et les colonies américaines, apporte un éclairage précis sur la douloureuse histoire de l'esclavage.
– *The Ancient Americas* est une passionnante exposition consacrée aux civilisations d'Amérique. Le parcours commence il y a 10 000 ans à Chicago, durant l'âge de glace, lorsque des populations venues d'Asie ont franchi le détroit de Behring, puis on parcourt les siècles, avec les débuts de l'agriculture, la reconstitution d'un *pueblo* vers 1250 av. J.-C., les civilisations précolombiennes, les premières formes de gouvernement, la civilisation maya, l'Empire aztèque, les Incas et, enfin, l'arrivée des Européens, en 1492, qui mirent fin à ces civilisations. Une leçon d'histoire pour toute la famille.
– Elle est très joliment prolongé par la section *Northwest Coast and Arctic People* consacrée à la vie quotidienne des peuples de l'Arctique : costumes, coiffes, masques, reconstitutions d'intérieurs, gigantesques totems. La section sur les Indiens *(North American Indians)* avec encore des costumes, des poupées, des tissus, clôt l'ensemble en beauté.
Enfin, grand *gift shop* (avec évidemment beaucoup de dinosaures), d'où il est difficile de ressortir les mains vides.

Au 1er étage (upper level)
– *Evolving Planet :* c'est dans cette partie du musée, consacrée à l'évolution de la planète depuis 4 milliards d'années, que sont exposés les squelettes de dinosaures et de plein d'autres bébêtes ainsi qu'une fabuleuse collection de fossiles. Là encore, prévoir du temps... L'expo se termine devant un écran digital indiquant le nombre d'espèces animales disparues depuis le matin même. En moyenne, plus de 80 par jour...
– *Traveling the Pacific :* ou les dessous de ce qui ressemble de prime abord à un paradis terrestre, avec la reconstitution de plages du Pacifique, d'un marché tahitien avec ses échoppes de tissus et vanneries, son étal de poisson et son petit bar. Plus impressionnant : les masques dans la section *Pacific Spirits.*
– Le *Hall of Jades* et le *Grainger Hall of Gems* exposent quant à eux plus de 300 pierres précieuses ou semi-précieuses, taillées ou serties, fort joliment présentées.

Au sous-sol (ground level)
– *Underground Adventure* (non compris dans le billet d'entrée de base) *:* ici, vous êtes carrément sous terre, au milieu des racines des arbres et en compagnie des vers de terre et autres insectes, grossis bien sûr et en mouvement pour certains ! Le but de cette expérience insolite est de vous sensibiliser à l'importance du sous-sol dans le monde vivant, par le biais d'une immersion 100 % *Microcosmos.*

Shedd Aquarium (plan III, K9) **:** *1200 S Lake Shore Dr.* ☎ *312-939-2438.* • *sheddaquarium.org* • *Tlj 9h-18h (17h en sem fin août-début juin). En saison, arriver avt l'ouverture pour éviter la foule. Entrée : 8-40 $ selon formule ; 3-11 ans 6-31 $; compris dans le* CityPass *(sf* Aquatic Show*). Prévoir une petite laine en été, il y fait frisquet.*
Aménagé en 1929, il offre deux attractions principales : l'*aquarium* et l'*oceanarium.* Dans le premier, on constate qu'il ne fait pas bon faire trempette sur la barrière de corail. Autour du *reef,* une multitude de petits bassins et aquariums arrangés en étoile (de mer) : grenouilles, requins-léopards, poissons vénéneux, anguilles électriques (600 volts !), piranhas, iguanes, crabes géants, poissons fluo, tortues, et même une pieuvre du Pacifique. Les plus grosses bébêtes (y compris un *shark* un peu antipathique) sont dans l'aquarium en sous-sol, qui contient des centaines de poissons. L'été, des plongeurs descendent nourrir les poissons trois fois par jour.
L'*oceanarium,* magnifique reconstitution d'un écosystème de la côte nord-ouest du Pacifique, est très bien fait. Il y a des dauphins (et un inévitable show quotidien), des bélugas et des lions de mer ; et du côté de la *polar zone,* des loutres, des manchots, des pingouins et des otaries... À chaque étape, des spécialistes sont là pour fournir toutes les explications.

Possibilité, enfin, d'assister à un spectacle en 4D (horaires à l'accueil, non compris dans le billet de base). Entendez par 4D un film en relief avec, en plus, des effets spéciaux dans la salle : odeurs, bruitages, etc., qui raviront petits et grands.

Adler Planetarium *(plan III, L9)* **:** *1300 S Lake Shore Dr.* ☎ *312-922-7827.* • *adlerplanetarium.org* • *Tlj 9h30-16h (16h30 le w-e) ; le 3e jeu du mois 18h-22h* Adler after Dark, *un programme spécial et nocturne. Entrée : 12-35 $ selon formules ; 3-11 ans 8-30 $; compris dans le* CityPass. Musée sur l'astronomie et l'Univers. Pour les scientifiques ou pour ceux qui sont toujours dans les nuages. À quoi ressemblent les autres planètes ? De quoi sont faites les étoiles ? Sommes-nous seuls dans l'Univers ? L'Adler Planetarium apportera une réponse à (presque) toutes vos questions galactiques. C'est aussi une belle collection d'instruments de mesure et d'exploration, comme le télescope utilisé par Galilée. Également des projections de films sous un dôme (à peu près toutes les 45 mn) ; le programme change régulièrement, mais ça tourne toujours autour des mêmes thèmes : l'Univers en 3D (avec lunettes), le Soleil et la *Milky Way* (notre galaxie, pas la barre chocolatée...) ; mieux vaut cependant bien comprendre l'anglais pour suivre ce qui s'apparente parfois à un véritable show.

Near North, Magnificent Mile et Gold Coast (plan II)

Magnificent Mile : *c'est la portion de N Michigan Ave entre Chicago River et Oak St.* L'équivalent de la 5th Avenue à New York, un alignement de boutiques et grands magasins, agrémenté de jardinets fleuris où poussent un certain nombre de *landmarks* architecturaux (décrits plus loin). À la hauteur du pont, en traversant la Chicago River (côté sud), superbe perspective sur les édifices la bordant, notamment la ***Marina City*** *(plan II, F6).* Construites en 1964, ces tours jumelles cylindriques à alvéoles, surnommées « les épis de maïs », ouvrent leurs balcons-corolles au-dessus de garages en spirales. Des copies « miniatures » ont été réalisées en Île-de-France, à Créteil. Sur sa droite, le gros parallélépipède de 52 étages ***IBM Plaza*** de Mies Van der Rohe (1973) et la ***Trump International Tower*** (2009), le deuxième plus haut building de Chicago (après la Willis Tower), avec 360 m de hauteur. Le projet initial prévoyait d'en faire carrément le plus haut building du monde, mais les attentats du 11 septembre 2001 ont changé la donne et la hauteur a été réduite pour prévenir les risques d'attaques terroristes. La Trump International Tower, devenue un des nouveaux *landmarks* de la ville, occupe l'emplacement laissé vacant par le *Chicago Sun-Times,* en bordure de la Chicago River. Composée de trois parties emboîtées l'une sur l'autre, la tour prend des reflets bleutés magnifiques par beau temps. Elle abrite à la fois un hôtel et des appartements de grand luxe.

Wrigley Building *(plan II, G6)* **:** *410 N Michigan Ave.* Œuvre de Graham qui, entre 1920 et 1924, réalisa deux immeubles reliés par deux passerelles aux 2e et 13e étages pour William Wrigley Jr, le propriétaire de la fameuse marque de chewing-gums. La première tour construite, celle de gauche, est une réplique de la Giralda de Séville et son horloge sur quatre côtés. Le revêtement est constitué de terre cuite blanche de six nuances différentes. Premier grand building à avoir été construit sur le Magnificent Mile et premier aussi à Chicago à avoir été équipé de l'air conditionné, il est le chouchou des Chicagoans. À l'époque, ils allèrent même jusqu'à proclamer orgueilleusement que l'endroit deviendrait « aussi célèbre que la place de la Concorde à Paris ».

Tribune Tower *(plan II, G6)* **:** *435 N Michigan Ave.* Comme son nom l'indique, ce célèbre building abrite le journal de l'Illinois, *Chicago Tribune.* Le summum du pastiche néogothique flamboyant (1925), qui s'élance avec finesse, entre verre et pierre. Ce gratte-ciel de 141 m, construit comme une cathédrale est inspiré de la tour de Beurre de la cathédrale de Rouen ! Une curiosité amusante : dans la base du building sont incrustés une centaine de pierres provenant des grands parcs nationaux américains et d'éléments décoratifs récupérés (on se demande comment) sur les monuments les plus célèbres de la terre : Parthénon, Colisée, Taj Mahal, Kremlin, Angkor, Grande Muraille de Chine, Cité interdite, Maison-Blanche, Arc de triomphe et Notre-Dame de Paris...

Merchandise Mart *(plan II, F6) : sur la Chicago River, à hauteur de Wells St.* Le magasin-entrepôt le plus grand du monde (410 000 m²) lors de sa construction, en 1930, dans le style Art déco. Les dimensions de sa façade sont, en effet, impressionnantes. Jolies frises aux motifs de losanges en corniche. Ode de pierre au commerce, devant l'entrée, des piliers en marbre supportent des bustes de bronze : ce sont les grands capitaines du commerce de détail des États-Unis. À l'intérieur, ce sont principalement des showrooms d'ameublement, sans intérêt pour le visiteur de passage. Le *Merchandise Mart* est à présent dominé par les 60 étages de son voisin tout de verre et d'acier, le ***300 North LaSalle*** (2009), qui culmine à 239 m.

CHICAGO ET LA CHOCOLATERIE

Dans tout le quartier situé au nord de Merchandise Mart, vos narines seront certainement flattées par des effluves sucrés de cacao. Rien à voir avec la pollution, ce sont des émanations provenant de l'usine de chocolat Blommer, installée au 600 W Kinzie Street ! On préfère ça.

AMA Building *(plan II, F6) : 515 N State St (et Grand Ave).* Réalisation du génial architecte japonais Kenzo Tange (1990). En levant la tête, vous remarquerez que ce building, à la superbe façade saillante, a une case de 4 étages en moins !

The Old Water Tower *(plan II, G5) : 806 N Michigan Ave, angle Pearson. ☎ 312-744-2400.* L'un des rares édifices du centre à avoir échappé au grand incendie de 1871, d'où son importance symbolique. Construit en 1869 dans un style éclectique (gothico-rococo-kitsch) invraisemblable, sa tour, même si elle paraît lilliputienne dans l'environnement, fait quand même 47 m de haut. Le bâtiment, surnommé « le moulin à poivre gothique » par Oscar Wilde, servait à contrôler la distribution de l'eau potable dans la ville.

360° Chicago – J. Hancock Observatory *(plan II, G5) : 875 N Michigan Ave. ☎ 1-888-875-VIEW. • 360chicago.com • Ⓜ Chicago (Red Line). Accès à l'ascenseur au sous-sol. Tlj 9h-23h. Entrée : 20 $; réduc ; compris dans le* CityPass *; 24 $ pour un billet permettant 2 visites en 48h, l'une en journée, l'autre la nuit. Audioguide en français compris. Les fauchés iront s'offrir un Coca au* Signature Lounge *(voir « Où boire un verrre ? Où sortir ? Dans Gold Coast et Old Town).* Tour toute noire, en forme de derrick, érigée en 1969 par Skidmore, Owings & Merrill. Avec ses 96 étages et ses 350 m, le Hancock (Big John pour les intimes) fait partie du top 5 des plus hauts buildings de la ville. De l'observatoire au 94e étage, qu'on rejoint en à peine 40 secondes, panorama époustouflant, surtout au soleil couchant et à la nuit tombée. Beaucoup de Chicagoans et de touristes préfèrent la vue qu'on a d'ici plutôt que celle de la Willis Tower, pourtant plus haute de 98 m. Sans doute à cause du must à ne pas rater : l'attraction ***TILT*** (7 $). Imaginez-vous à 310 m au-dessus du sol, le nez collé à une vitre pas comme les autres, qui, reliée à une plateforme bascule dans le vide grâce à un système de vérins unique au monde ! Y'a pas à dire, les Américains n'ont pas froid aux yeux ! Voici Chicago comme vous ne l'aviez encore jamais vu... dans votre plongée au cœur de la ville, face à face inoubliable avec *The Magnificent Mile,* la *skyline* et plus loin encore, à l'horizon, sur plus de 90 km... Le panorama surplombe le lac Michigan (tout proche), les petites plages des alentours, et les trois États frontaliers. Personnes sujettes au vertige, s'abstenir ! Quant aux amateurs de rigolade bien épaisse, ils ne manqueront pas la petite plate-forme où l'on peut se prendre en photo derrière une vitre, une brosse à la main, pour faire croire aux potes qu'on a lavé les carreaux du gratte-ciel !

Juste en face, sur North Michigan Ave, la ***Fourth Presbyterian Church*** *(plan II, G5)*, une adorable petite église néogothique, et son cloître noyé dans la végétation forment un contraste saisissant avec la Hancock Tower. Elle fut construite entre 1912 et 1914. Son architecte est plus connu pour la réalisation de la cathédrale Saint John The Divine à New York. À l'intérieur, remarquable plafond en bois peint, en forme de carène de bateau renversée. « Jazz service » à 16h le dimanche !

Museum of Contemporary Art (MCA** ; plan II, G5)* ***: *220 E Chicago Ave. ☎ 312-280-2660. • mcachicago.org • Ⓜ Chicago (Red Line). Tlj sf lun 10h-17h (20h mar). Entrée : env 12 $; réduc.* Le MCA est à Chicago ce que le Palais de Tokyo est à Paris ou le MoMA PS1 à New York. Soit un musée d'Art contemporain d'envergure ne proposant que des expos temporaires impeccablement présentées et vraiment réfléchies. Celles-ci donnent voix autant aux artistes locaux qu'à des artistes originaires des quatre coins du monde. Et ce qui frappe peut-être plus encore en déambulant dans ces beaux espaces, c'est la diversité du public et la réelle attention que celui-ci porte aux œuvres (contrairement, par exemple, à l'ambiance de foire qui peut régner dans la Modern Wing de l'Art Institute of Chicago !).

La plage *(plan II, G4)* ***:*** à partir d'Oak Street s'étend la *Gold Coast* (Côte Dorée), un des quartiers résidentiels les plus chers d'Amérique. Et surtout, devant lui s'étale la plage la plus populaire de Chicago (bien que bordée par la *highway*) : ***Oak Street Beach.***

Le Navy Pier *(plan II, H6)* ***:*** *le long du lac Michigan, 600 E Grant Ave. • navypier.com •* Après avoir traversé un parc parsemé de sculptures, on arrive sur l'ancien quai, construit en 1916. Le pont et ses bâtiments furent utilisés tour à tour par la marine marchande, puis militaire (1940-1945), ensuite par l'université (1945-1965). Après plusieurs plans de restructuration et d'aménagement, il fut transformé en vaste complexe récréatif avec restos, terrasses, glaciers, *biergarten.* Vous y trouverez tout ce qui peut attirer les petits : manèges et attractions, minigolf, grande roue (45 m de haut), patinoire, cinéma IMAX... Pour l'anecdote, sachez que c'est à l'occasion de l'Exposition universelle de 1893, à Chicago, que fut installée la première grande roue de l'Histoire, censée concurrencer la tour Eiffel... Beaucoup de monde le week-end et parking prohibitif.

UNE MER D'EAU DOUCE

Avec 57 750 km², 190 km de largeur et 494 km de longueur, le lac Michigan est le seul parmi les Grands Lacs à faire intégralement partie du territoire américain. Ses eaux sont filtrées et alimentent le réseau de distribution d'eau de l'Illinois. La Chicago River, autrefois polluée, ne s'y déverse plus depuis que son cours a été inversé vers le bassin du Mississippi.

Lincoln Park, Lake View et Wrigleyville *(plan I et plan d'ensemble)*

Chicago History Museum *(plan I, C3)* ***:*** *1601 N Clark St. ☎ 312-642-4600. • chicagohistory.org • Ⓜ Sedgwik. Bus nos 22 ou 36 à prendre sur Dearborn St (descendre à N Ave ou La Salle St). Lun-sam 9h30-16h30, dim 12h-17h. Entrée : 16 $; réduc ; gratuit moins de 12 ans. Audioguide en anglais inclus.*

C'est donc l'histoire de Chicago qui est abordée dans ce musée. Avec 22 millions d'objets et de documents de toutes sortes en réserve, il y a de quoi alimenter des dizaines d'expos temporaires, ce dont le musée ne se prive pas ! Muséographie plutôt ludique avec des animations sonores et visuelles, et des textes moins touffus que dans beaucoup d'autres musées. Cela dit, si la visite offre un panorama instructif de l'histoire de la ville, le traitement semble parfois un peu elliptique, pour ne pas dire (trop) éclectique, ce qui laisse un peu sur sa faim.

– ***Au rez-de-chaussée (1st floor) :*** série de dioramas datant des années 1930 et offrant un panorama des différents visages de Chicago, depuis le commerce des fourrures jusqu'après le grand incendie qui détruisit quelque 18 000 bâtiments. À ce niveau, également, un film destiné aux enfants (et à leurs parents), *The Great Chicago Adventure,* retrace (en anglais uniquement) les moments clés de l'histoire de la ville.

UN PROCÈS CONTESTÉ

Booth, l'assassin de Lincoln, fut rapidement tué par la police. Pour satisfaire la vindicte populaire, on procéda à l'arrestation massive de suspects. John Surratt fut le seul présumé coupable à réussir à s'enfuir. Par dépit, on arrêta alors sa mère, certainement innocente, mais qui avait hébergé les conjurés dans sa pension de famille. Mary Surratt fut la première Américaine à être pendue.

– ***Au 1er étage (2nd floor) :*** l'expo permanente *Crossroads of America* met en scène tous les grands événements et symboles de Chicago, du tableau dantesque de l'incendie de 1871 aux abattoirs, en passant par l'expo de 1893, les gangsters et l'architecture moderne, sans oublier le jazz, le blues et les fameuses équipes sportives Sox, Cubs and Co. On apprend aussi que les *macaroni and cheese* de Kraft, un des plats emblématiques de la *junk food* américaine, sont nés ici en 1937, tout comme les *Quaker Oats* ; et que l'on doit à *Motorola* (firme de l'Illinois) la commercialisation du tout premier téléphone portable dans les années 1970. Parmi les temps forts de l'expo : un des tout premiers wagons du L datant de 1892 (dans lequel on peut monter). Également une section jazz et blues avec notamment des clips bien nostalgiques de Muddy Waters. Belle expo de photos en noir et blanc de Vivian Maier avec les habitants de Chicago en sujet principal. Et puis, tâchez de repérer ce tableau de Norman Rockwell représentant le postérieur efflanqué de la vache Daisy, prête à ruer dans la lanterne qui aurait, selon la légende, déclenché le grand incendie de 1871. La propriétaire irlandaise de la vache, Catherine O'Leary, habituellement représentée sous les traits d'une vieille sorcière, a ici une apparence beaucoup plus humaine. Il faut dire que le tableau date de 1935 et qu'à cette époque déjà, le journaliste à l'origine de cette histoire avait avoué l'avoir inventée. Catherine O'Leary et sa vache ne furent cependant officiellement reconnues non coupables qu'en 1998 !

Au même étage, autre expo permanente consacrée à Abraham Lincoln, premier président assassiné de l'histoire américaine. On y voit, entre autres, son lit de mort et une copie de son masque mortuaire portant les stigmates de sa fatigue morale et physique, après toutes ses années de combat. À 56 ans, il ressemblait un vieillard.

– Le musée organise aussi d'intéressantes ***visites guidées thématiques de la ville*** à pied, en bus, bateau ou L *(● chicagohistory.org/tours ●).*

Lincoln Park Zoo *(plan I, C3) : 2001 N Clark St. ☎ 312-742-2000. ● lpzoo.org ● Ⓜ Sedgwick (puis 15 mn à pied). Tlj 10h-17h. GRATUIT, mais parking payant : env 20 $ pour 2h et les prix grimpent encore ensuite !* Un zoo très fréquenté par les nurses ou jeunes filles au pair baladant les bambins dans des poussettes grandes comme des limousines. Avouons que de voir ces bêtes enfermées dans des espaces clos relativement étroits fait mal, surtout dans les espaces intérieurs. Et si la galerie des grands singes est très prisée, grimaces et cris stridents ne sont pas toujours du côté que l'on croit... Il faut cependant reconnaître que le vaste parc, lui, est beau et agréable, avec ferme modèle et même des aires de pique-nique pour se poser.

☆ ***Lincoln Park Conservatory*** *(plan I, C2)* **:** *2391 N Stockton Dr (et Fullerton). ☎ 312-742-7736. Ⓜ Fullterton (puis 20 mn à pied). À côté du zoo. Tlj 9h-17h. GRATUIT.* Quatre grandes serres fin de siècle, style palais de verre des Expositions universelles, construites entre 1890 et 1895. Elles abritent aujourd'hui des plantes exotiques, des espèces anciennes de fougères, ainsi qu'une belle collection d'orchidées.

☆ ***Le cimetière de Graceland*** *(plan d'ensemble, C1)* **:** *4001 N Clark St (angle W Irving Park Rd). ☎ 773-525-1105. • gracelandcemetery.org • Ⓜ Sheridan. Tlj 8h (9h le w-e)-16h. Accueil fermé dim.* Les gens célèbres (les *tycoons*) de Chicago y sont enterrés : Marshall Field (le commerçant), Allan Pinkerton (le détective), George Pullman (les trains), Louis Sullivan et Daniel Burnham (les belles façades), Mies Van der Rohe (les buildings), Potter Palmer (le magnat du coton)... Grand cimetière à l'anglo-saxonne, où les tombes sont disséminées dans de vertes pelouses ornées d'arbres et de bosquets touffus. L'ensemble dégage une douce sérénité. Beaucoup de mausolées kitsch à l'architecture éclectique ou s'inspirant de l'Antiquité. De l'autre côté d'Irving Park Road, un ancien cimetière juif dans un cadre boisé tout aussi romantique.

Pilsen *(plan d'ensemble)*

☆☆ ***The National Museum of Mexican Art*** *(plan d'ensemble, B3)* **:** *1852 W 19th St (angle S Wolcott Ave). ☎ 312-738-1503. • nationalmuseumofmexicanart.org • Ⓜ 18th St. Mar-dim 10h-17h. GRATUIT.* Musée qui, avec ses quelque 10 000 œuvres, possède une des plus grandes collections d'art mexicain des États-Unis. Celle-ci est présentée sous forme d'expositions temporaires de qualité, qui peuvent revêtir des formes très variées, d'autant que les œuvres elles-mêmes le sont et vont de l'art précolombien à aujourd'hui : Folk Art, dessins, photos, vidéo, peinture, sculptures, textiles, etc. Après Los Angeles, Chicago est la ville des États-Unis qui abrite la plus grande communauté mexicaine, une communauté qui garde une identité forte et dont la création se révèle foisonnante, ce qui transparaît fort peu dans les musées et institutions « officiels » de la ville. D'où l'intérêt de ce musée !
En vous promenant dans Pilsen, vous découvrirez aussi de nombreux *murals* (peintures murales).

Hyde Park et le South Side *(hors plan III par K9)*

Hyde Park se situe dans le South Side, à environ 12 km au sud du Loop ; accessible en voiture par la S Shore Drive ou en Metra (trains de banlieue).
À la fin du XIXe s, c'est dans Hyde Park que les riches familles de Chicago avaient leurs résidences d'été. C'est aussi ici que se tint l'Exposition universelle de 1893. Aujourd'hui, ce quartier abrite la ***Chicago University.*** Véritable ville dans la ville (avec tout ce qu'il faut de restos et cafés pour s'accorder une petite pause), cet immense campus est délimité au nord et au sud par les 56th et 60th Streets et à l'ouest et à l'est par les Blackstone Avenue et Cottage Ground. Institution privée, fondée en 1890 par les baptistes de la ville, aidés financièrement par John D. Rockefeller, elle s'ordonne autour d'une vaste esplanade de pelouses. Certains bâtiments s'ornent d'une architecture inspirée par des cloîtres médiévaux, ce qui donne au campus un petit côté université anglaise, genre Oxford ou Cambridge. Figurant parmi les 10 premières universités du pays, elle a produit près de 90 Prix Nobel. Elle est réputée pour ses facultés d'économie (ultra-libérale) et de sociologie.

Un œil un tant soit peu attentif ne manquera pas de remarquer que Hyde Park est une enclave riche dans un South Side autrement très noir et bien pauvre.

🚶🚶 👨‍👧 ***Museum of Science and Industry*** *(hors plan III par K9)* **:** *5700 Lake Shore Dr (et 57th St), Hyde Park. ☎ 773-684-1414. • msichicago.org • À l'est de l'université, près du lac. Accessible par le* Metra *à destination de* University Park *(station : 55th-56th-57th Street) ou les bus nos 2 ou 6. Parking du musée : 22 $ (attention, l'entrée au bout de 57th St mène directement dedans ; bien veiller à la contourner si on veut l'éviter) ! Stationnement possible dans les rues adjacentes, très réglementé mais à des prix plus humains. Tlj 9h30-16h (17h30 en été). Fermé 25 déc. Entrée : 18-54 $ selon formules ; 3-11 ans 11-25 $; compris dans le* City-Pass. *CONSEIL : allez-y plutôt le matin.* Ce bâtiment monumental, avec son dôme majestueux et sa longue colonnade ionique de 276 colonnes, est le plus ancien et le plus grand musée du genre. Il plaira sans aucun doute à toute la famille, mais prévoir de lui consacrer une bonne demi-journée. Ici, on apprend en s'amusant, tout est ludique, avec toujours cette touche américano-écolo-didactique.

Parmi les fleurons du musée, se trouve incontestablement l'***U-505,*** un impressionnant ***sous-marin allemand*** de 77 m de long, datant de la Seconde Guerre mondiale. Capturé intact en 1944 par une flottille de destroyers de l'US Navy, au large des côtes africaines, et remorqué secrètement jusqu'aux Bermudes, fleuron de la technologie sous-marine allemande, il fut examiné sous toutes les coutures (surtout ses codes de transmissions et ses torpilles acoustiques dernier cri) par les services de renseignements. Après la guerre, le sous-marin fut exposé dans plusieurs ports de la côte est. Daniel V. Gallery, le commandant de l'escadre qui l'avait arraisonné, originaire de Chicago, eut alors l'idée de suggérer au *Museum of Science and Industry* de le récupérer. Cela tombait bien : ce dernier cherchait un sous-marin pour compléter sa collection ! L'US Navy accepta de le lui céder, à condition que celui-ci prenne en charge son acheminent jusqu'à Chicago. Une souscription de 250 000 $ fut lancée (soit 35 millions de dollars d'aujourd'hui !), et le sous-marin amené à Chicago en remontant le cours du fleuve Saint-Laurent et en traversant les Grands Lacs jusque sur les rives du Michigan. Restait à accomplir le trajet de 250 m sur la terre ferme jusqu'au musée, opération qui se révéla un vrai défi technologique, finalement résolu grâce à un treuil et à 42 vérins hydrauliques, pour le faire glisser sur des cylindres d'acier. Finalement, en 1954, le *U-Boot 505* fut présenté au public. C'est le seul sous-marin de ce type existant encore au monde. Présentation un peu mélodramatique pour amener le visiteur à ressentir les conditions de la guerre sous-marine. Tout le monde peut admirer le sous-marin de l'extérieur, en revanche pour visiter l'intérieur, il faut payer ; c'est rapidement complet, donc visite (guidée) à réserver.

Dans la section *Farm Tech,* vous saurez tout sur l'***agriculture moderne,*** notamment tout ce qu'on peut faire avec du soja : de la peinture aux détergents en passant par les pancakes ! Et puis vous pourrez conduire une moissonneuse-batteuse dans un champ de maïs et aussi apprendre à traire une vache (pas facile !).

La section dédiée aux ***transports*** est assez spectaculaire. On en a un avant-goût dès l'entrée du musée avec le luxueux train *Zéphyr* tout en alu, conçu en 1934, pour présenter un profil aérodynamique. On peut

FEMME, NOIRE, PILOTE ET FRANCOPHILE !

Née en 1892 dans une famille d'ouvriers agricoles, la petite Bessie Coleman montra très tôt des dispositions pour les maths. En 1918, ses frères lui racontèrent l'implication des femmes dans le conflit européen. Handicapée dans son pays par la couleur noire de sa peau et sa féminité, elle partit en France où elle apprit à piloter. En 1921, elle se lança aux États-Unis dans une carrière de pilote acrobatique. En 1926, Bessie se tua en avion. Elle entra alors dans la légende de l'aviation.

AUTOUR DES GRANDS LACS

embarquer dans un simulateur de vol (sans résa mais en supplément et pas terrible...), voir l'intérieur d'un *Boeing 727,* monter à bord de la locomotive 999 de 1893, et bien sûr s'extasier devant un certain nombre d'engins volants, parmi lesquels l'avion des frères Wright, qui effectua le premier vol motorisé, un bombardier en piqué *Stuka* en camouflage de l'*Afrika Korps,* un *Spitfire,* héros de la bataille d'Angleterre, et *Jenny,* un avion d'acrobaties aériennes qui appartenait à une figure légendaire de l'aviation : Bessie Coleman. Est exposé également le *Spirit of America,* la fusée sur roues, propulsé par un réacteur d'avion et qui battit, en 1964, le record de vitesse sur terre (le premier à plus de 800 km/h) sur le lac Salé, dans l'Utah.

Ne manquez surtout pas la ***maquette géante de Chicago,*** où l'on s'amuse à reconnaître les fameux buildings. Elle sert de décor à un circuit de train électrique surdimensionné *(The Great Train Story).* Si vous l'aviez perdue, c'est une excellente façon de retrouver votre âme d'enfant.

Très intéressante section *Science Storms* également, pour tout savoir sur ***les rapports entre la science et la nature.*** Voir le magnifique pendule de Foucault taille XXL, l'*Avalanche Motion* (une roue géante faisant tourner des millions de grains de sable, actionnée par toi, enfant !), les reconstitutions d'une tornade et d'un minitsunami (plus des exemples réels projetés en vidéo).

Dans l'une des salles consacrées à la ***médecine*** (tout en haut du musée), vous pourrez suivre l'évolution de la vie, d'un embryon de 28 jours jusqu'au terme de la grossesse, à travers une quarantaine de fœtus illustrant cette formidable aventure humaine, le tout éclairé faiblement sur fond noir. Très impressionnant. Et pour ceux qui se poseraient la question, ce sont de vrais embryons et de vrais fœtus, décédés de manière naturelle ou accidentelle dans les années 1930.

Difficile de tout détailler, tant le musée est riche. Il y a aussi d'autres sections sur ***l'univers et les planètes,*** un ***cinéma Omnimax*** (plusieurs séances par jour ; en supplément et à réserver à la caisse), une mini-usine où l'on peut se faire fabriquer (toujours en payant...) un jouet, descendre dans une mine de charbon (payant, *à réserver à la caisse*), se promener dans une rue pavée des années 1910, la *Yesterday Main Street,* avec son cinéma (dans lequel on peut vraiment entrer), son cabinet de médecin qui ne donne pas envie de tomber malade et la réplique du fameux resto *Berghoff...* Bref, de quoi satisfaire tout le monde, même les tout-petits puisque plusieurs sections leur sont exclusivement dédiées, indépendamment du fait que le système des petits suppléments à payer tout le temps se révèle assez agaçant...

Frederick C. Robie House *(hors plan III par K9)* **:** *5757 S Woodlawn Ave, Hyde Park. ☎ 312-994-4000. • flwright.org • Jeu-lun 10h30-15h. Visite guidée (obligatoire) à 10h30, 11h, puis ttes les heures (ttes les 30 mn en hte saison). Durée : env 1h. Résa conseillée via Internet : 1 sem avt en été et 1 j. avt hors saison. Tarif : 17 $; réduc. Permis photo : 5 $. Également une visite plus complète (limitée à 10 pers) incluant aussi le 3e étage : le w-e à 9h ; tarif : 55 $.*

Construite en 1909, la Robie House est une des maisons les plus étudiées en cours d'architecture, et le plus bel exemple de ***Prairie House*** dessinée par l'immense Frank Lloyd Wright. Sa visite est un parfait complément à la visite de la Frank Lloyd Wright Home and Studio à *Oak Park* (voir plus loin « À Oak Park »). Précisons cependant que, contrairement à cette dernière, la Robie House est encore en cours de restauration et très peu meublée. Elle fut bâtie pour Mr Robie, un businessman spécialisé dans la petite reine et grand amateur d'automobiles, pour la somme de 58 000 $ (coquette somme à l'époque). Mais celui-ci n'y vécut qu'un an avant de devoir la revendre. La maison servit ensuite de dortoirs, de réfectoire et de bureaux à différentes organisations qui en changèrent aussi la structure. Elle fut même menacée de destruction à plusieurs reprises.

La philosophie de Frank Lloyd Wright était d'adapter ses constructions en fonction du site, jusqu'à rendre ses maisons « vivantes », comme habitées par la nature des alentours (Wright parlait d'« ***organic architecture*** »). Il avait pris en grippe la

rigoureuse verticalité des maisons victoriennes. D'ailleurs, dans la Robie House, c'est l'horizontal qui prime, pour être en harmonie avec les prairies de l'Illinois. Le toit, inspiré de ceux des maisons japonaises, est pensé avec finesse, tout comme les briques : vous noterez que les joints verticaux, de la même teinte que la brique, disparaissent alors que les horizontaux, de couleurs claire, accentue la ligne et cette impression d'horizontalité. En la voyant, on a peine à croire que la Robie House fut l'une des premières bâtisses à avoir été construites dans le quartier...
À l'intérieur, le living-room est la pièce maîtresse de la maison. Entièrement vitré et, du coup, totalement ouvert sur l'extérieur, la lumière pénétrant de tous côtés. Notez les *French doors* et les vitraux des fenêtres *(art glass windows)* dessinés par F. L. Wright (qui, à l'époque, dessina aussi tout le mobilier et la plupart des éléments décoratifs de la maison). La cheminée, très large, s'inspire du modèle écossais et sépare le salon de la salle à manger. Équipée de façon extrêmement moderne : cette maison était dotée de l'électricité (avec un éclairage pour la journée et un autre pour la nuit), de plusieurs salles de bains, du téléphone et même d'un garage (la boutique du musée aujourd'hui) pouvant accueillir trois voitures, alors qu'en ce temps-là peu de familles n'en possédaient ne serait-ce qu'une.

– Sur 59th Street, en face de la Robie House, remarquez la ***Rockefeller Memorial Chapel*** (1928). Difficile de croire que cette surprenante cathédrale de style néo-gothique possèdant un carillon de 72 cloches fut construite près de 20 ans après la Robie House !

AUTOUR DES GRANDS LACS

🎥🎥 ***David and Alfred Smart Museum of Art*** *(hors plan III par K9)* **:** *5550 S Greenwood Ave, Hyde Park.* ☎ *773-702-0200.* • *smartmuseum.uchicago.edu* • *M. : Garfiled (et 25 mn à pied). En* Metra*, station 55th-56th-57th Street. Bus n° 6 jusqu'à 55th St puis le n° 55. Tlj sf lun 10h-17h. GRATUIT.* Inauguré en 1974, ce musée dédié aux arts visuels a pu voir le jour grâce à la fondation Smart (créée par les frères Smart, fondateurs, entre autres, du magazine *Esquire*) qui, en 1967, fit un don important à l'université de Chicago afin que celle-ci crée un musée d'Art. Dépendant à l'origine du département d'Histoire de l'art, il est aujourd'hui indépendant mais collabore toujours étroitement avec l'université et le volet éducatif y reste important (ce qui rend les expos d'autant plus intéressantes). L'endroit n'est pas très grand, mais la collection, elle, se révèle riche et variée. Présentée à travers des expos temporaires uniquement, on y découvre des œuvres venant aussi bien d'Asie que d'Europe ou des États-Unis, toutes époques confondues. En effet, si arts moderne et contemporain y sont particulièrement bien représentés, quelques œuvres séculaires clés permettent d'apporter un éclairage intéressant sur l'art des siècles passés et son évolution.

– La richesse de la Chicago University transparaît dans la présence de nombreux départements d'Art, qui possèdent chacun leur propre galerie (dont l'entrée est en général gratuite). Nous ne pouvons que conseiller à ceux qui s'intéressent à l'art contemporain et aux artistes émergents de se procurer la *UChicago Arts Visitor Map* qui répertorient les différents sites. Parmi eux, consulter la programmation du ***Reva and David Logan Center for the Arts*** *(915 East 60th Street et Drewel Ave ;* • *arts.uchicago.edu/explore/reva-and-david-logan-center-arts* •*).*

🎥 ***Stony Island Arts Bank*** *(hors plan III par K9)* **:** *6760 S Stony Island Ave.* ☎ *312-857-5561.* • *rebuild-foundation.org/site/stony-island-arts-bank* • *Au sud du* Jackson Park *(celui du Museum of Science and Industry). Accessible en Metra (stations* 59th St *et* 71st St*) ou par le bus n° 6. Mar-sam 12h-19h. GRATUIT. Visite guidée gratuite (de l'espace et des expos) sam à 13h.* Dans une ancienne banque construite en 1923, quand le quartier était encore dynamique et non déserté par la classe moyenne. Fermée dans les années 1980, la bâtisse fut laissée à l'abandon jusqu'à ce que la Rebuild Foundation la rachète et la restaure complètement. Elle abrite aujourd'hui un bel espace d'exposition, un centre d'archives et une bibliothèque, et œuvre pour développer l'offre culturelle et donner une place à la pratique artistique dans des quartiers où celles-ci sont pratiquement inexistantes.

Un beau projet initié par Theaster Gates (artiste afro-américain de renommée internationale, lui-même originaire de ce quartier et qui enseigne aujourd'hui à la Chicago University), qui permet ainsi de découvrir une autre facette de Chicago, nettement moins glamour que celle des buildings du Loop, mais bien réelle. Elle illustre aussi l'implication d'une population très attachée à sa ville qui cherche à faire bouger les lignes.

South Shore Beach *(hors plan III par K9)* **:** *S Lake Shore Dr, au niveau de E 71st St. Derrière le golf.* Franchir le portail du *South Shore Cultural Center* (ça a l'air privé, mais ça ne l'est pas), poursuivre la route en contournant le club par la gauche (avec un bâtiment ancien qui a plutôt belle allure). Là, au bout de la route, il y a un parking payant (parcmètre : prévoir de la monnaie). La plage publique est derrière le parking et le grand et bel espace vert. Certes c'est un peu loin, mais vous avez incontestablement là une des plus belles plages de Chicago : aucun bruit de voiture, baignade surveillée, et de grands espaces verts sous les arbres avec des endroits pour pique-niquer.

Oak Park

À env 15 km à l'ouest du Loop. Accessible en voiture par l'Interstate 290 ou en remontant toute la Chicago Ave. Ⓜ *Oak Park (Green Line).*

Oak Park est une banlieue résidentielle de Chicago, intéressante à plusieurs égards. Déjà, elle abrite la ***Frank Lloyd Wright Home and Studio*** et le plus gros parc au monde de maisons dessinées par l'architecte. Par ailleurs, en traversant Chicago d'est en ouest sur une quinzaine de kilomètres pour s'y rendre, on ne peut qu'être frappé par le contraste offert par les quartiers très riches et chic (dont une partie d'Oak Park fait partie) d'une part et de l'autre, les quartiers franchement pauvres.

OAK PARK FAIT DE LA RÉSISTANCE

En plus d'être un des rares quartiers de Chicago a avoir œuvré pour une meilleure intégration de la population afro-américaine dans les années 1960-1970, il est aussi celui où la prohibition dura le plus longtemps. La vente d'alcool y resta en effet interdite jusqu'en 1973 ! Et encore, à cette époque seuls les hôtels et restaurants servant des repas étaient autorisés à vendre de l'alcool. Lequel ne peut être vendu dans les magasins que depuis 2002 !

Quand l'architecte s'y installa, à la fin du XIXe s, Oak Park était encore la campagne. Mais bientôt, ce bout de campagne fut relié au centre de Chicago par les transports en commun et sa population explosa, passant de 1 870 habitants en 1890 à 40 000 en 1920.

Frank Lloyd Wright Home and Studio : *951 Chicago Ave.* ☎ *312-994-4000. • gowright.org •* Ⓜ *Oak Park (Green Line). Visites tlj, 10h-16h, ttes les 20 mn, 30 mn ou 1h selon saison. Visite guidée de la maison-studio de l'architecte (env 1h) : 17 $; réduc. Permis photo : 5 $. Visite du quartier avec un audioguide en français (env 45 mn) : 15 $; réduc. Autres visites thématiques proposées en saison et le w-e. Prévoir d'arriver au moins 15 mn avt le début de la visite, voire plus le w-e. Résa conseillée via Internet ou par tél. Possibilité de demander le livret de la visite en français.*
Entre 1889 et 1909, le grand architecte Frank Lloyd Wright et sa famille vécurent dans cette maison aux allures de chalet. Il avait 21 ans lorsqu'il en dessina les plans et on y trouve les prémisses du style qu'il développera par la suite : le Prairie Style. Pour l'époque, cette maison offrait un confort hyper moderne : téléphone, salle de bains avec eau courante, chauffage central, et même plafond électrifié alors qu'Edison avait découvert l'électricité à peine 16 ans auparavant... Wright dessinait tout, des murs au mobilier, en passant par les lampes et les cadres des tableaux. On constate d'ailleurs

combien ses meubles, toujours très fonctionnels et astucieux, sont aujourd'hui encore d'une étonnante modernité. Au fil du temps, Lloyd transforma sa maison pour l'adapter à ses besoins ou à ses idées. Son atelier, par exemple, se trouvait à l'origine dans la chambre des enfants. Celui dans lequel lui et son équipe développèrent le Prairie Style et conçurent nombre de maisons du quartier ne fut construit qu'en 1898. Pareil pour la magnifique salle de jeux, ajoutée en 1895.

– Une fois là, on ne peut que vous recommander de vous ***promener dans ce quartier résidentiel très plaisant*** et verdoyant où Wright construisit près de 25 édifices. Vous pourrez facilement faire la différence entre l'architecture victorienne (que Wright détestait par-dessus tout !) et la sienne. Le plan vendu au *gift shop* peut être intéressant pour se retrouver dans le dédale des rues, à moins que vous n'optiez pour l'audiotour.

Vous pouvez aussi profiter de votre passage dans le quartier pour visiter la ***maison natale d'Ernest Hemingway,*** dissimulée dans un écrin de verdure, au 339 N Oak Park Avenue, ainsi que le ***musée*** dédié au célèbre écrivain, à un bloc de là, au 200 N Oak Park Avenue. *(☎ 708-848-2222. • ehfop.org • Mer-ven et dim 13h-17h, sam 10h-17h ; horaires et billets communs aux 2 sites : 15 $, réduc ; la maison natale ne peut-être découverte qu'à travers une visite guidée).*

À faire

Visites guidées en bus

■ ***Untouchable Tours*** *(plan II, F6) : ☎ 773-881-1195. • gangstertour.com • Départ en face du* McDo, *600 N Clark St. Résa obligatoire. En été, 2-6 tours selon les jours ; 1er départ à 11h (9h sam). Hors saison, horaires restreints. Durée : 1h45. Tarif : 30 $; réduc.* 8 acteurs et un historien (qui a rédigé le script du tour) vous emmènent sur les traces d'Al Capone, dans un bus qui ressemble plus à un théâtre sur roues qu'à un véritable véhicule. Les guides sont déguisés en gangsters et, mitraillette à la main, vous content les histoires secrètes de la ville d'Al Capone et recensent les coins de rue à éviter pour rester en vie...

■ ***Chicago Trolley & Double Decker Co. :*** *☎ 773-648-5000. • chicagotrolley.com • Tlj 9h-19h (dernier départ à 17h) ; bus ttes les 20-30 mn. Achat du billet soit sur Internet, soit à l'un des arrêts. Tarif : 35 $ le billet 24h pour un* Downtown Tour *ou 45 $ pour 48h ce qui vous permet de profiter des autres parcours proposés (et aussi du* Night Tour *en saison) ; réduc.* Promenade à travers la ville autour des principaux sites, en trolley rouge ou en *double deck* l'été. Haltes aux Skydeck Chicago, Millennium Park, Art Institute, Field Museum, Navy Pier, Hancock Center... Prévoir 2h de trajet, commenté par le chauffeur (seulement en américain). On peut s'arrêter à chaque station et prendre le bus suivant.

Visites guidées à pied

■ ***Chicago Greeter :*** *☎ 312-945-4231. • chicagogreeter.com • Départ des tours dans le hall du* Chicago Cultural Center, *72 E Randolph St (plan III, J7, **192**).* Une manière originale de découvrir Chicago. *Chicago Greeter* est une association de bénévoles (*volunteers* ou *greeters*), qui sont de vrais Chicagoans amoureux de leur ville et désireux de la faire connaître. Deux possibilités : soit une visite guidée approfondie d'un quartier ou une visite thématique (le Chicago ethnique, Gay Chicago...), à réserver au moins 10 jours à l'avance via leur site internet ou par téléphone. Soit un tour d'une heure du Loop ou de Magnificent Mile avec un « InstaGreeter », sans réservation préalable *(GRATUIT, ven-sam, 10h-15h, dim 11h-14h).*

Balades en bateau sur la rivière et sur le lac

■ ***Chicago Architecture Foundation*** *(plan III, J8, **170**) : Michigan Ave et E Wacker Dr. ☎ 312-922-3432. • cruisechicago.com • Mai-nov. Résa* *conseillée. Env 45 $; durée 1h30.* Croisière architecturale à bord du bateau *First Lady,* menée par des guides spécialisés qui organisent aussi de passionnantes visites à pied (lire « À voir. Dans le Loop »). La plus chère de toutes mais assurément la plus sérieuse. Prévoir un imperméable en saison humide (sinon, vente de ponchos sur le bateau) et un chapeau en plein été (ça tape !).

■ ***Mercury Chicago Skyline Cruiseline :*** *sur la Chicago's Riverwalk, au 112 E Wacker Dr (et Michigan Ave). ☎ 312-332-1353. • mercuryskylinecruiseline.com • Mai-début oct, tours de 1h30 ou 2h. Env 5 départs/j., 10h-18h. Prix : env 35 $; réduc.*

■ ***Wendella Boats :*** *400 N Michigan Ave, devant le Wrigley Building. ☎ 312-337-1446. • wendellaboats.com • Avr-nov. Env 19-36 $ selon le tour ; réduc. 4 à 10 départs/j. en été. Durée : 45 mn à 2h.*

■ ***Shoreline Sightseeing :*** *Navy Pier ou 401 N Michigan Ave. ☎ 312-222-9328. • shorelinesightseeing.com • L'été, départ tlj, ttes les 30 mn 10h-23h. Arrêts et billetteries au Navy Pier. Durée de la balade sur le lac : 40 mn. Tarif (tour classique) : env 21-25 $; réduc. D'autres croisières plus longues et plus chères, comme la croisière architecturale ou avec feux d'artifice (env 35-45 $).*

Assister à une manifestation sportive

Pour assister à une manifestation sportive, encore faut-il venir quand il y a des matchs ! D'où ce petit rappel des saisons des principales équipes de Chicago.

Basket : octobre-avril

– ***The Chicago Bulls :*** • *nba.com/bulls* • Fondée en 1966, cette équipe mythique a remporté en 1998 son sixième titre de champion de la NBA, dont les trois derniers d'affilée (le fameux *Three-peat*). Et c'est l'année que choisit Michael Jordan pour mettre fin à son extraordinaire carrière. Les matchs à domicile se déroulent au *United Center,* 1901 W Madison Street.

Hockey sur glace : octobre-avril

– ***The Chicago Blackhawks :*** • *nhl.com/blackhawks* •

Base-ball : avril-septembre

– ***The Chicago Cubs :*** • *chicago.cubs.mlb.com* • Soutenus par les habitants de *North Side.* C'est la plus ancienne équipe de base-ball des États-Unis (1876). Elle joue au *Wrigley Field.* Nombreux *sports bars* autour de celui-ci, pour les amateurs de grosse ambiance.

– ***The Chicago White Sox :*** • *chicago.whitesox.mlb.com* • Équipe soutenue par les habitants de *South Side.* Elle fut à l'origine d'un des plus grands scandales sportifs des États-Unis. En 1919, équipe favorite, elle accepta un pot-de-vin en échange de sa défaite. C'est de cette époque que date le « commissaire au base-ball ». L'équipe joue au *U.S. Cellular Field* (ou *Guaranteed Rate Field) : au 333 W 35th St (Ⓜ Sox-35th).*

Football américain : septembre-janvier

– ***The Chicago Bears :*** • *chicagobears.com* • Au *Soldier Field,* au sud de Grant Park. Neuf fois vainqueur de la *N.F.L.,* l'ancêtre du *Super Bowl,* l'équipe n'a remporté qu'une seule fois ce dernier, en 1986.

Fêtes, manifestations et parades

Fêtes et manifestations

– ***Ravinia Festival :*** *de début juin à mi-sept.* • *ravinia.org* • C'est Le grand événement qui comprend musique classique, danse, jazz, gospel ; les plus grands noms sont à l'affiche.

UNE ORIGINE BIEN CULOTTÉE

Savez-vous quelle est l'origine du terme « jazz » ? Un jour, un ivrogne enthousiaste s'écria pour encourager les musiciens : « Jass it up ! » En gros : « Vas-y, chauffe ! », avec une certaine connotation sexuelle. Sur les affiches, on découvrit le nom Stein's Dixie Jass Band. Mais comme les gamins s'amusaient à arracher les « j », modifiant « jass » en « ass » (cul), on changea le mot en « jazz ».

– ***Chicago Blues Festival :*** *mi-juin, sur 3 j., dans Millennium Park et Grant Park.* ● *chicagobluesfestival.us* ● Le plus grand festival de blues gratuit au monde. 500 000 spectateurs chaque année...
– ***Grant Park Music Festival :*** *de mi-juin à mi-août.* ● *grantparkmusicfestival.com* ● Le soir, 3 ou 4 fois par semaine, concert de musique classique. C'est amusant de voir les Américains pique-niquer en écoutant du Brahms...
– ***Old Town Art Fair :*** *un w-e en juin. Entre 1900 N Lincoln Ave et 1800 N Orleans Ave.* ● *oldtowntriangle.com* ● Foire artistique en plein air, depuis 1950.
– ***Taste of Chicago :*** *début juil. Dans Grant Park.* ● *tasteofchicago.us* ● C'est la fête des gourmets, toutes les cuisines du monde et de Chicago sont réunies. Nombreux concerts gratuits.
– ***Ginza Festival :*** *2e w-e d'août, au 435 W Menomonee St.* Fête japonaise très colorée.
– ***Chicago Jazz Festival :*** *début sept, sur 4 j., au Chicago Cultural Center et à Millennium Park.* ● *chicagojazzfestival.us* ● *Entrée gratuite.* Un des plus grands festivals du monde.
– ***World Music Festival :*** *mi-sept, sur 10 j.* Nombreux artistes et groupes du monde entier se produisent dans différents lieux de la ville.
– ***Chicago Architecture Biennale :*** *sept-déc.* ● *chicagoarchitecturebiennial.org* ● Cela aurait été un comble que la capitale mondiale de l'architecture n'ait pas sa grande biennale en la matière. Prochaine édition en 2017.
– ***31 décembre :*** feux d'artifice et éclairage de la Buckingham Fountain dans Grant Park.

Parades

Très nombreuses parades, pratiquement chaque minorité a la sienne. Voici les principales :

– ***Chinese New Year Parade :*** *en fév, dans Wentworth et Cermak.*
– ***Saint Patrick's Day Parade :*** *17 mars, dans le Loop, sur Columbus Dr (entre Balbo et Monroe).* C'est la journée des Irlandais.
– ***Chicago's Memorial Day Parade :*** *le dernier sam de mai, sur State St (entre Lake St et Van Buren). Au même endroit que les Irlandais, sur Columbus Dr.*
– ***LGBT Pride Parade :*** *le dernier dim de juin, sur Halsted et Belmont.*
– ***Bud Billiken Parade :*** *le 2e sam d'août, dans les quartiers de Bronzeville et Washington Park.* La plus ancienne (1929) et la plus grande parade afro-américaine des États-Unis. Une véritable institution lancée par Robert Abbott, fondateur au début du XIXe s du grand journal destiné à la communauté noire *Defender.* Chaque année des personnalités participent au défilé (on a pu y voir, entre autres, le président Harry Truman, Michael Jordan, Mohammed Ali, Duke Ellington, Barack Obama...)
– ***Mexican Independence Day Parade :*** *début sept, sur la 26th St, entre Albany et Kostner Ave.*
– ***Von Steuben German Day Parade :*** *début sept. La German American Parade défile sur Lincoln Ave, entre Irving Park Rd et Lawrence.* Les flonflons retentissent dans les restos allemands.
– ***Magnificent Mile Lights Festival :*** *mi-nov, sur Michigan Ave, de Oak St à Wacker.* C'est aussi la fête de *Tree Lighting,* où les arbres sont illuminés.

PHILADELPHIE ET SES ENVIRONS

PHILADELPHIE

2 millions d'hab. (plus de 6 millions avec les banlieues)

• Plan d'ensemble *p. 316-317* • Old City (zoom) *p. 321*

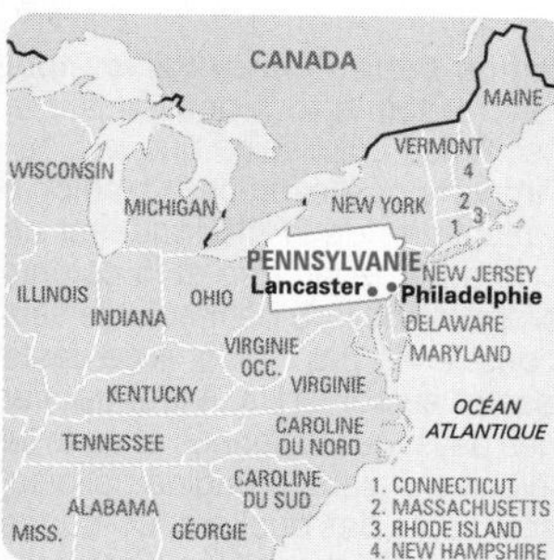

Longtemps restée dans l'ombre de ses prestigieuses voisines New York et Washington, Philly, comme les Américains l'appellent avec tendresse, s'est démenée comme une diablesse pour ravir à ses rivales la faveur des touristes. Un enjeu de taille, qui s'est concrétisé en 2015 : Philadelphie est la première ville des États-Unis à être inscrite au Patrimoine mondial de l'Unesco ! Il faut avouer qu'elle a de quoi séduire ! La belle cultive l'Histoire à grands coups de briques rouges, de pittoresques venelles pavées et de vieilles demeures caressées par les frondaisons des arbres. Car Philadelphie est fière d'être le berceau de la démocratie américaine, le lieu historique de tous les débats d'idées qui ont conduit à l'indépendance du pays. Les Américains ne s'y trompent pas, ils s'y rendent en famille pour se faire prendre en photo à côté des statues des « pères de la nation ».

Mais le meilleur atout de Philadelphie, c'est l'art. Non contente de posséder une poignée de musées d'exception parmi les plus réputés de l'Union, elle est aussi un formidable musée à ciel ouvert, avec plus de 3 800 *murals*, d'immenses fresques urbaines communautaires habillant les murs, façades et parkings de la ville entière. Vous l'aurez compris, Philly rime avec *arty*... mais aussi avec gastronomie ! Le *Philly cheesesteak* a beau être la plus populaire des spécialités locales (un gros sandwich garni de lamelles de bœuf, d'oignons et de fromage fondu), la ville est aussi une pionnière du renouveau culinaire américain, avec un vivier de jeunes chefs inventifs à la tête de restos branchés. C'est tout le charme de Philadelphie : ce constant mélange de tradition et de modernité créative.

Ville attachante à taille humaine où il fait décidément bon vivre, Philly se parcourt à pied, le nez au vent, à l'affût des murs peints. Dotée de cinq parcs, dont le gigantesque Fairmount Park (10 fois plus grand que Central Park !), elle s'est fixé pour objectif de devenir à court terme la ville la plus verte des États-Unis. Bref, vous l'avez compris, cette ville ni trop petite ni trop grande est un bon compromis entre Boston, New York et Washington : arrêt obligatoire !

PHILLY FAIT SON CINÉMA

La ville a servi de décor à de nombreux films et téléfilms (re)connus. Avant Philadelphia qui consacra Tom Hanks en avocat atteint du sida se battant contre les préjugés, il y avait eu les Rocky avec Stallone, lui-même originaire de la ville. Et puis, Sixième Sens, avec Bruce Willis, la série policière Cold Case et, plus récemment, After Earth, dans lequel Will Smith se démène pour sauver son fils de fiction joué par son vrai fiston dans une Philadelphie dévastée.

UN PEU D'HISTOIRE

Philadelphie tient ***une place à part dans l'histoire américaine.*** C'est peut-être la seule ville, avec Boston, que l'on puisse qualifier d'historique sans faire sourire un Européen. Mais c'est son classement à l'Unesco qui lui offre une reconnaissance internationale et entérine son statut d'épicentre de la démocratie américaine.

Le berceau de la nation

Les débuts de Philadelphie sont liés à ***la fondation de la Pennsylvanie*** : tout commence en 1681, lorsque Charles II d'Angleterre donne tout pouvoir sur la région à William Penn, en remboursement des sommes colossales que la Couronne doit à son père et dont il a hérité. Et pas n'importe quelle région ! La colonie (***une des 13 colonies anglaises*** sur le littoral atlantique de l'Amérique) est un immense domaine de 120 000 km², délimité au nord par le lac Érié et la colonie de New York, au sud par le Maryland qui est la propriété de lord Baltimore (le seul catholique dans cet univers protestant), et à l'ouest enfin par l'Ohio. À ce vaste territoire au climat tempéré, aux forêts giboyeuses et au sol fertile, il faut trouver un nom. Penn propose « Nouvelles-Galles », car les paysages vallonnés et verts lui rappellent cette contrée. Mais le ministre des Colonies d'alors, d'origine galloise, refuse de donner ce nom à une terre peuplée par la secte des quakers. On songe à « Sylvania » (à cause des bois). Finalement, le bon roi Charles, pour honorer la mémoire du père de William, propose ***« Penn-Sylvania », ce qui signifie « la forêt de Penn ».***

Chef de file des quakers anglais persécutés par la religion anglicane officielle et le pouvoir monarchique, William Penn rêve d'une sorte de ***Terre promise,*** un Nouveau Monde où les quakers peuvent trouver refuge et vivre en paix, selon leur conscience. La Pennsylvanie est ainsi dotée d'un type de gouvernement radicalement nouveau, fondé sur des idées avant-gardistes pour l'époque : ***liberté de conscience, pacifisme, souveraineté du peuple, suffrage élargi, non-violence, tolérance.*** « Il se peut qu'on trouve là-bas ce qui n'a pas été possible ici : l'espace nécessaire à la création d'une Expérience sacrée » *(Holy Experiment),* affirme Penn. « Dieu m'a donné ce pays à la face du monde. Il le bénira et en fera la semence d'une nation », prophétise-t-il. Pas de soldats, pas d'armes, aucune forteresse dans ce nouvel État non conformiste. L'idée même de légitime défense est proscrite, à cause du cycle de représailles que celle-ci suppose. Et au centre de cette « Expérience sacrée » fondée sur l'égalité et les Droits de l'homme : la ville de Philadelphie, « Cité de l'amour fraternel ».

À la fin du XVIIe s, elle a une telle réputation de tolérance qu'***elle attire de nombreux immigrants persécutés en Europe*** : quakers d'Angleterre, on l'a vu, de Hollande et de Suède (quelques-uns, très rares, de France), baptistes irlandais et gallois, mais aussi des mennonites d'Allemagne, de Suisse et d'Alsace. La cité ne compte alors que quelques milliers de familles, vivant d'une façon très simple et austère. En 1702, elle est considérée comme l'égale de New York pour la richesse de ses commerçants.

Penn applique aussi ses principes évangéliques avec les Indiens. Du jamais vu dans l'histoire de l'Amérique (lire la rubrique « Histoire » dans le chapitre « Hommes, culture, environnement »). Au printemps 1701, celui que les autochtones appellent *Onas* (« Plume » en dialecte indien) reçoit dans sa propriété de Pennsbury (à côté de Philadelphie) 4 rois, 40 chefs et des milliers de guerriers indiens, peinturlurés et armés jusqu'aux dents. Il signe avec eux un traité d'amitié reposant sur la confiance mutuelle *(mutual trust).* Si un Indien de la région est injurié, offensé ou blessé, les Européens doivent voler à son secours. Et vice versa. Résultat : on prétend que pendant 75 ans, il n'y eut pas un seul crime de sang en Pennsylvanie ! Mais le 30 juillet 1718, William Penn s'éteint à l'âge de 72 ans. L'« Expérience sacrée » est menacée. Les relations entre colons et Indiens se durcissent, et Philadelphie glisse lentement vers la normalisation...

Néanmoins, aujourd'hui encore, on continue de l'appeler *The Quaker City.* L'esprit des origines n'a déserté la ville qu'en apparence...

De la Déclaration d'indépendance à la Constitution

De 1766 à 1774, les lois anglaises, instaurant des taxes écrasantes, exaspèrent les colons, et c'est tout naturellement à Philadelphie que les « rebelles » se réunissent en congrès pour décréter la ***rupture des relations commerciales avec l'Angleterre*** et fomenter la révolte. De 1774 à 1776, les actions contre les Anglais s'intensifient pour aboutir à la rédaction, par Thomas Jefferson, de la ***Déclaration d'indépendance,*** proclamée ***le 4 juillet 1776.*** Cette date marque la ***naissance des États-Unis d'Amérique.***

LA CONSTITUTION AMÉRICAINE INSPIRÉE PAR LA CORSE

On le sait peu, mais la Constitution corse de 1755, rédigée par Pasquale Paoli et fondée sur la séparation des pouvoirs et le suffrage universel, inspira directement les rédacteurs rassemblés autour de Jefferson. En 1776, les insurgés américains montaient à l'assaut au cri de « Viva Paoli ! ». Plusieurs villes américaines portent le nom de Paoli ou Corsica en souvenir de cette constitution novatrice inspirée des Lumières.

De son côté, Benjamin Franklin vient à Paris en 1778 pour négocier un ***traité d'amitié et d'alliance avec la France,*** qui trouve là une revanche inespérée contre la perfide Albion. ***George Washington*** prend la tête des troupes constituées de milices et bat les Anglais, dont l'armée est considérée comme la plus puissante du monde. Il devient le ***premier président des États-Unis.*** En 1787, c'est encore à Philadelphie qu'est élaborée la première Constitution, qui met en place le système fédéral avec deux chambres indépendantes. ***La ville devient alors capitale des États-Unis de 1790 à 1800,*** en attendant la construction de la ville de Washington.

Francophilly

Rêve et refuge, telle est la double attirance qu'exerce Philadelphie au fil de son histoire sur les Français. Rêve d'abord, parce que, longtemps avant New York, la *Quaker City* fut ***la vraie porte d'entrée des États-Unis.*** C'est ici que les voyageurs de la vieille Europe encaissent pour la première fois le choc du Nouveau Monde. Après avoir traversé l'Atlantique et remonté le fleuve Delaware,

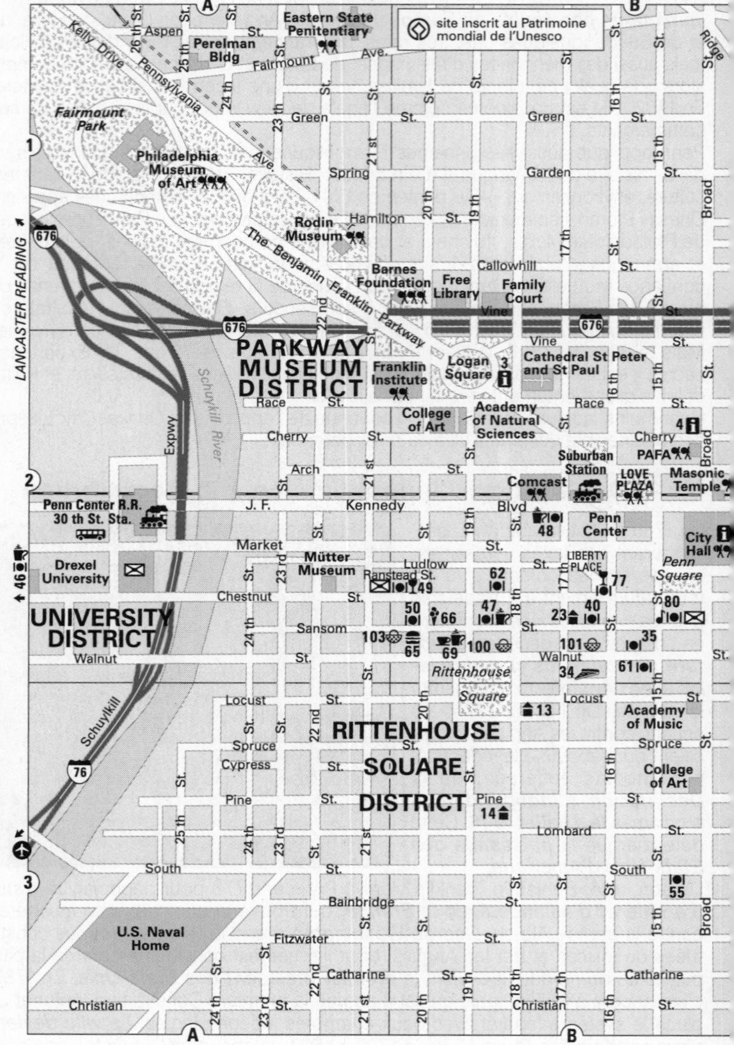

■ **Adresses utiles**

- 2 City Hall Visitor Center
- 3 Sister Cities Park Visitor Center
- 4 Visitor Center

Où dormir ?

- 12 The Independent
- 13 Rittenhouse 1715
- 14 La Réserve B & B
- 17 Alexander Inn
- 22 Morris House Hotel
- 23 The Palomar

Où manger ?

- 30 Jim's Steaks
- 33 Sam's Morning Glory Diner
- 34 Pizzeria Vetri
- 35 Oyster House
- 36 Sabrina's Café
- 40 Dizengoff
- 41 Talula's Garden
- 43 Pat's King of Steaks et Geno's
- 45 Jones
- 46 White Dog Café
- 47 The Dandelion
- 48 Corner Bakery
- 49 El Rey
- 50 Village Whiskey
- 52 Dim Sum Garden
- 53 Standard Tap
- 55 Jamaican Jerk Hut
- 56 El Vez

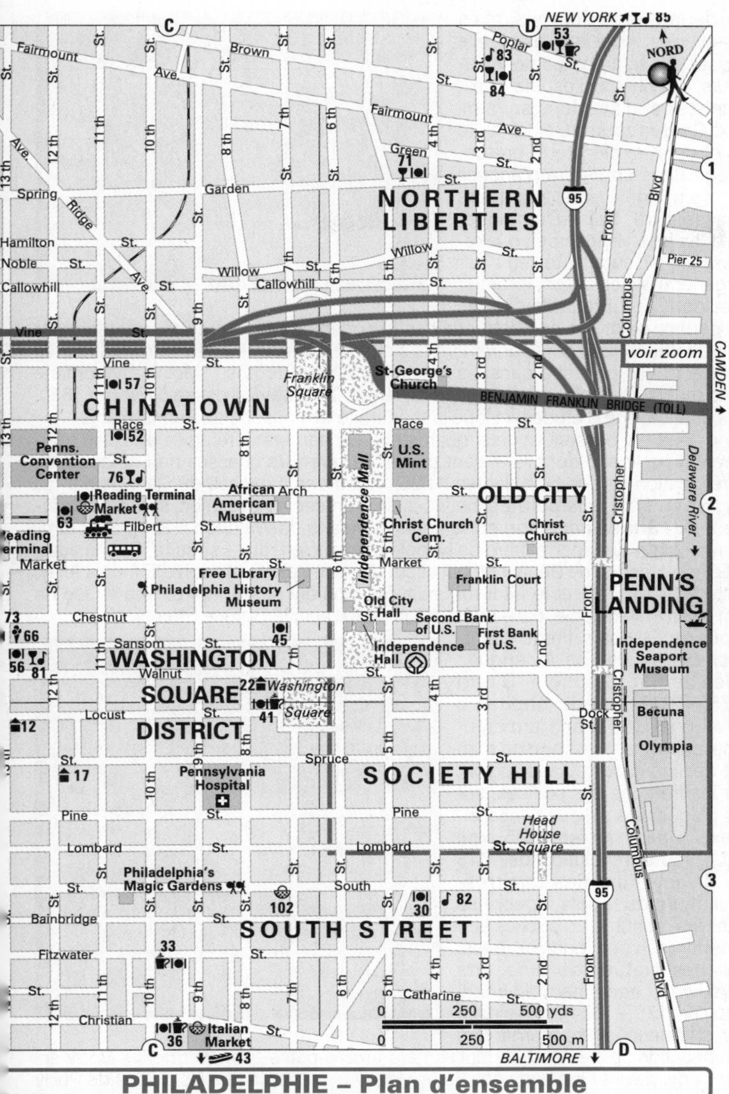

PHILADELPHIE – Plan d'ensemble

57 Vietnam
61 Butcher & Singer
62 Continental Midtown
63 Reading Terminal Market
65 Shake Shack
71 Silk City

Où déguster un vrai café ou une bonne glace ?

66 Capogiro
69 La Colombe Café

Où boire un verre ? Où sortir ? Où écouter de la musique ?

49 The Ranstead Room
71 Silk City
73 McGillin's Olde Ale House
76 Trocadero Theatre
77 R2L
80 Chris'Jazz Café
81 Fergie's Pub
82 Theater of Living Arts (TLA)
83 Ortlieb's Lounge
84 North Third Restaurant (N3Rd)
85 Johnny Brenda's Tavern

Achats

100 Anthropologie
101 Urban Outfitters
102 Greene Street
103 Fat Jack's

ils débarquent, fourbus mais émerveillés. Ainsi la ville voit-elle passer des ribambelles de voyageurs, de curieux, d'esprits libres, d'artistes et d'aventuriers. Parmi eux, ***Chateaubriand,*** alors jeune et obscur explorateur breton. Il loge dans un centre d'accueil en compagnie des planteurs chassés de Saint-Domingue, note les jolis visages des quakeresses (!) et aurait été reçu par le général Washington, premier président des États-Unis. Mais ce dernier point est contesté par des historiens de la littérature, qui affirment que Chateaubriand aurait purement et simplement inventé cette entrevue, relatée pourtant avec panache dans les *Mémoires d'outre-tombe...* Moins mythomane mais tout aussi génial dans un genre différent, ***Tocqueville*** passe par ici en 1830, lors d'un voyage d'études, et loue la modernité des prisons de Pennsylvanie.

GRACE KELLY, PRINCESSE DE PHILADELPHIE

À Philadelphie, bon nombre de bâtiments sont construits en brique. Voilà l'origine de la fortune des Kelly. De souche irlandaise, son père fut d'abord athlète et aventurier, avant de diriger une gigantesque briqueterie. Riche et célèbre, toute la haute bourgeoisie les enviait. Nous aussi.

Il y a ceux qui passent et ceux qui restent. De nombreux réfugiés et exilés trouvèrent ici la liberté dont ils étaient privés : ***huguenots*** chassés de France après la révocation de l'édit de Nantes (1685), ***Acadiens*** expulsés du Canada par les Anglais en 1755, ***aristocrates*** menacés de mort par la Révolution, ***soldats et officiers de l'armée napoléonienne*** après la défaite de Waterloo (1815), et notamment Joseph Bonaparte, frère de Napoléon et ancien roi d'Espagne. Citons aussi Talleyrand, prince de Bénévent, qui vécut dans une petite maison d'Elfreth's Alley, entre 1794 et 1796, et le futur roi Louis-Philippe qui passa la première année de son exil à Philadelphie, dans une maison située au 322 Spruce Street.

D'autres Français firent définitivement souche en Amérique : Étienne (dit Stephen) Girard (1750-1831), petit capitaine devenu le plus grand armateur américain de son temps (son nom est décliné dans toute la région, sur les frontons des édifices, sur les plaques de rues...) ; Joseph-Alexis Bailly, né en 1825, qui fuit après la révolution de 1848 et devint l'un des maîtres-sculpteurs de la ville, spécialisé dans les monuments publics et... funéraires (vous pourrez aussi voir ses statues au *Fine Arts Museum*) ; également Michael Bouvier (1792-1874), qui s'exila après Waterloo et se tourna vers la fabrication de meubles, et dont l'arrière-arrière-petite-fille, ***Jacqueline Bouvier-Kennedy,*** devint First Lady des États-Unis. Autre people que les guides de Philly se plaisent à citer parmi les célébrités locales : ***Grace Kelly,*** actrice fétiche d'Alfred Hitchcock, devenue princesse à Monaco. Son frère John a été maire de la ville.

ÉTIENNE GIRARD, LE 1er MILLIONNAIRE AMÉRICAIN

Le Bordelais Étienne Girard débarqua à Philadelphie le 4 juillet 1776, jour de la Déclaration d'indépendance, avec pour unique bien un modeste bateau. Très vite, il rejoignit la bonne société commerçante de la ville pour devenir négociant, armateur et banquier. C'est lui qui lança les premiers bateaux à vapeur sur le Mississippi. En 30 ans, il devint l'Américain le plus riche et mit son immense fortune au service de l'Amérique pour l'aider à lutter contre l'Angleterre.

Une des figures les plus attachantes parmi ces exilés français est Antoine Benezet (1713-1784). Né à Saint-Quentin, dans une famille protestante, devenu quaker, il partit pour Philadelphie en 1736 et y resta toute sa vie. Pionnier de l'égalité raciale, il s'insurgea violemment contre l'esclavage, prit la défense des Indiens et fonda l'*African School.* Ses écrits influencèrent Thomas Clarkson, qui fut à l'origine du vote en 1807, par le Parlement britannique, de l'abolition de la traite des Noirs. Une rue de Philadelphie porte encore son nom. Mais qui connaît cet idéaliste en France ? Aujourd'hui, la communauté française de Philly est estimée à 5 000 personnes, parmi lesquelles le footballeur Sébastien Le Toux, évoluant au poste d'attaquant de l'*Union* !

Arriver – Quitter

En avion

✈ ***Aéroport*** *(hors plan d'ensemble par A3)* **:** *situé à env 13 km au sud-ouest de la ville. Infos : ☎ 215-937-6937 ou 215-937-6755. • phl.org •* Information Center *à l'arrivée.*

Pour rejoindre le centre

➢ ***En train :*** prendre l'*Airport Regional Rail Line* ; rens sur *• septa.org •* Compter 8 $. Départ de l'aéroport ttes les 30 mn 5h10-minuit. Chaque terminal possède une plate-forme de départ. 5 arrêts en ville : à University City (quartier des universités), à l'Amtrak 30th St Station (la gare ferroviaire), à la Suburban Station (JFK Plaza, près des musées d'art), puis à Jefferson Station (sous le Reading Terminal Market, sur Market St dans Downtown, près du quartier historique) et Temple University. Compter 25-30 mn jusqu'à Jefferson Station. On achète son billet directement au contrôleur (prévoir du cash).

➢ ***En bus :*** c'est possible avec le bus n° 37, mais il vous conduit dans le sud de Philadelphie, très loin de tout. Bref, c'est galère. Mieux vaut prendre le train.

➢ ***En van :*** à chaque terminal, des vans passent par tous les grands hôtels du centre. (Voir le *Ground Transportation Information Desk* dans les zones de récupération des bagages.)

➢ ***En taxi :*** tarif forfaitaire d'env 30 $ pour rejoindre le centre-ville en 15 mn env.

En bus

🚌 ***Greyhound Bus Terminal*** *(plan d'ensemble, C2)* **:** *à l'angle de Filbert et 10th St. ☎ 215-931-4075. Billetterie ouv tlj 5h30-2h.* Nombreux départs dans toutes les directions, de tôt le matin à tard le soir. On peut y acheter des billets directement sur un terminal en français. Attention : Philadelphie est au cœur de la *Megalopolis* américaine, les bus sont donc souvent pris dans des bouchons dans les villes et sur les autoroutes.

🚌 ***Megabus :*** *• megabus.com •* Le *low-cost* du voyage en bus (mais avec wifi gratuit à bord !). Navettes à prix plancher (certains trajets à 6-7 $!) vers New York jusqu'à plus de 15 fois/j. 3h50-20h30 (parfois 23h). Départ de la 30th St, à 3 blocs de la gare de Penn Station. Trajet en 2h.

🚌 ***Peter Pan Trailways :*** *1001 Filbert St. ☎ 1-800-343-9999. • peterpanbus.com •* Wi-Fi. Fait partie du groupe *Greyhound* et assure la liaison Philadelphie-New York (10-15 $ l'aller simple via Internet) et Washington.

En train

🚂 ***Amtrak*** *(plan d'ensemble, A2)* **:** *à l'angle de 30th et Market St. ☎ 1-800-872-7245.* Immense gare, magnifique et propre. Liaisons fréquentes, plus pratiques mais beaucoup plus chères que le bus, avec New York, Baltimore, Washington et Boston ; aussi des trains *Acela Express* encore plus chers (1re classe slt). Enfin, des trains vers la Floride.

Les différents quartiers

Philly est une ville qui vit. C'est une juxtaposition de pâtés de maisons divers et variés qu'il faut découvrir à pied. Tout le centre (au sens large) de la ville s'organise dans un grand rectangle bordé à l'est par la Delaware River et à l'ouest par la Schuylkill River. Vous remarquerez que pas mal de rues portent des noms d'arbres. Le *waterfront,* avec *Penn's Landing* pour pivot, est un terme usurpé (ne pas s'attendre à la Croisette) et ne présente qu'un intérêt limité en raison de la proximité de la voie express qui le longe... sauf dans le secteur du *Seaport Museum* où l'été, *food trucks* et bars investissent les contre-allées.

– ***À l'est*** s'étend ***Historic District,*** composé de deux quartiers ***: Old City*** (vieilles maisons en brique et anciens bâtiments à usage commercial reconvertis en restos), où se concentre l'essentiel de l'activité nocturne (bars, pubs, restos), et ***Society Hill*** (anciennes demeures en brique, rues pavées frangées d'arbres et bâtiments religieux), très agréable à visiter de jour. Old City, c'est l'Amérique des pères de la nation et des premiers colons, avec le fameux Mall, où sont concentrés tous les bâtiments historiques de la Déclaration d'indépendance des États-Unis.

– ***Au nord*** de Old City, une zone de friches industrielles contrastant avec les constructions proprettes des bobos, ***Northern Liberties,*** où l'on consomme de la musique (jazz essentiellement) jusque tard dans la nuit. C'est d'ici qu'est parti le mouvement des *murals* qui ont essaimé dans toute la ville. Voiture préférable.

– ***Au sud*** de Society Hill et Washington Square District : ***South Street,*** le quartier jeune de Philadelphie. Le long de cette rue, les adresses bon marché pour boire un verre ou casser une petite graine sont au coude à coude, dans une ambiance assez *roots.* De la Delaware River à 9th St, un alignement de petits restos et boutiques colorées et bon marché (*tatoos,* fripes, vêtements de sport, bimbeloterie de tous les coins du monde...), puis ça se boboïse à partir de 9th St. À ne pas manquer : les *Philadelphia's Magic Gardens* d'Isaiah Zagar.

– ***Au centre,*** de part et d'autre d'un axe est-ouest matérialisé par *Chestnut Street* (ininterrompu de part et d'autre de la ville), on trouve tout un secteur articulé autour du City Hall : au nord, ***Chinatown,*** dont la colonne vertébrale est *Race Street* et l'activité concentrée entre 11th St et 9th St (à visiter en fin de journée pour son animation et ses quelques bons restos) et, autour du Reading Terminal Market (à ne pas manquer), ***Midtown Village,*** le quartier des affaires, des institutions et du shopping ; au sud, le quartier bourgeois de ***Washington Square,*** avec pour centre d'intérêt la célèbre *Pine Street* (antiquaires entre 12th et 9th). À partir de ce quartier, la liaison avec Historic District se fait par Independence Mall.

– ***Au sud-ouest,*** le charmant et très sélect ***Rittenhouse Square District,*** qui s'étend autour du délicieux square du même nom (marché le samedi matin, avec de nombreux stands amish). Les créateurs de cet îlot de verdure ont pris comme modèle le parc Monceau à Paris. Même les marronniers ont été plantés pour faire français ! Très agréable pour flâner et faire du shopping tendance chic (le long de Walnut St, entre 20th et 15th St). Tout ce quartier *trendy* regorge de restos, bars et hôtels élégants.

– ***Plus à l'ouest et au nord : Parkway Museums District.*** Au départ de Logan Square, le Benjamin Franklin Parkway part vers le nord-ouest en direction de Fairmount Park et les rives de la Schuylkill River (belle balade à faire pour voir le *Boathouse Row*). On y trouve les plus grands musées d'art de la ville : la Barnes Foundation, à côté du musée Rodin, et un peu plus loin le Philadelphia Museum of Art.

– ***De l'autre côté de la Schuylkill River,*** c'est ***University District*** avec également la gare, le centre hospitalier universitaire et le musée d'Anthropologie. Pas le meilleur endroit pour aller se promener, car la trame urbaine est fragmentée par une multitude de voies d'accès et autres bretelles (notamment autour de la gare Amtrak). Bien sûr, la ville ne s'arrête pas là ; les beaux quartiers se diluent, la trame urbaine s'étiole, laissant souvent les laissés-pour-compte se regrouper pour constituer des quartiers désignés impudiquement sous le terme de « ghettos » mais qui ne demandent qu'à être découverts, ne fût-ce que pour les centaines de fresques *(murals)* qui ornent les murs de la ville. Alors si vous sortez du périmètre décrit, la nuit, prenez un taxi, ça fait marcher le commerce...

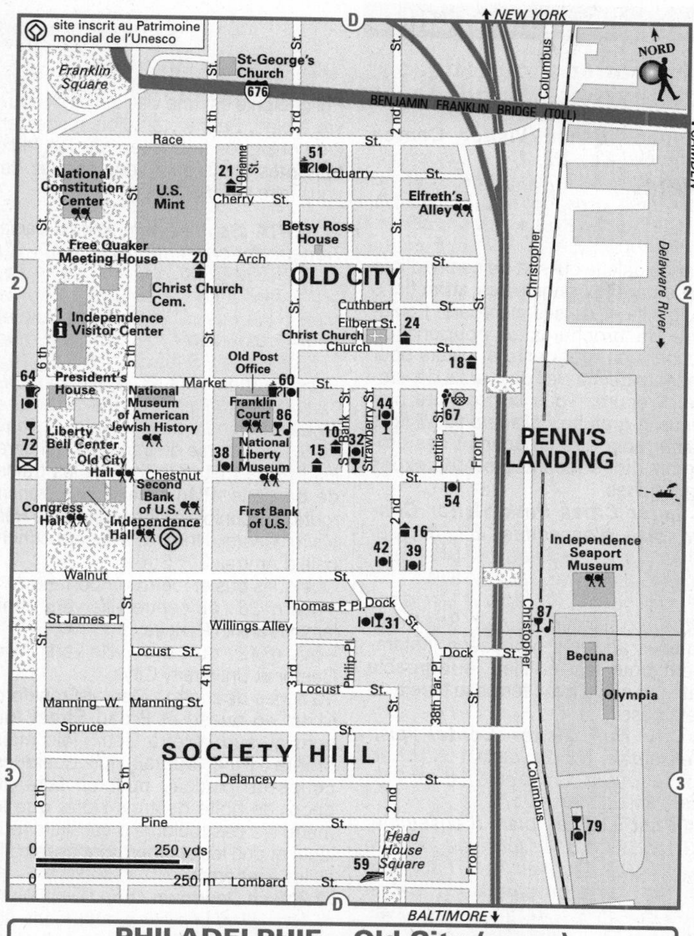

PHILADELPHIE – Old City (zoom)

■ **Adresse utile**

1 Independence Visitor Center

Où dormir ?

10 Apple Hostels
15 Best Western Independence Park
16 The Thomas Bond House B & B
18 Penn's View Hotel
20 Wyndham Historic District
21 Old City Philly House
24 The Philadelphia House

Où manger ?

31 Zahav
32 Amada
38 Buddakan
39 The Olde Bar
42 City Tavern
44 Cuba Libre
51 Café Olé
54 Kabul Restaurant
59 Pizzeria Stella
60 High Street
64 La Colombe Café at Independence Mall

Où déguster une bonne glace ou une sucrerie ?

67 The Franklin Fountain et Shane Confectionery

Où boire un verre ? Où sortir ? Où écouter de la musique ?

72 Independence Beer Garden
79 Moshulu
86 National Mechanic's
87 Spruce Street Harbor Park

Adresses et infos utiles

Informations touristiques et culturelles, services

Independence Visitor Center *(zoom Old City, D2,* ***1****)* **:** *1 N Independence Mall W, à l'angle de 6th et de Market St, près de la Liberty Bell. ☎ 1-800-537-7676. • phlvisitorcenter.com • Tlj 8h30-18h (19h juin-août).* Grande galerie qui sert de centre d'info présentant les principales attractions de la ville et de ses alentours. Foultitude de brochures et coupons de *discount* en tout genre et billets pour l'Independence Hall de mars à décembre. Procurez-vous la brochure bisannuelle gratuite *Philadelphia Visitors Guide,* pour être au courant des programmations récentes et des expos temporaires.

Sister Cities Park Visitor Center *(plan d'ensemble, B2,* ***3****)* **:** *sur Logan Sq, à l'angle de 18th St et Benjamin Franklin Pwy. ☎ 267-514-4760. Tlj mai-oct 9h30-17h30 (17h dim). Situé au cœur de Logan Sq.* Nombreuses activités proposées, notamment pour les familles, et agréable café sur place avec terrasse face à un petit bassin.

City Hall Visitor Center *(plan d'ensemble, B2,* ***2****)* **:** *dans le City Hall, entrée sous le porche côté Est. ☎ 215-686-2840. Lun-ven 9h-17h.*

Post Office *(plan d'ensemble, A2)* **:** *2039 Chestnut (presque à l'angle de 21st St). Lun-ven 9h-17h30, sam 9h-14h.* ***Autre bureau*** *dans Broad St (près du City Hall, à l'intersection avec Sansom St ; plan d'ensemble B2). Lun-ven 8h30-17h.*

Consulats

■ **France** *(plan d'ensemble, B2)* **:** *1617 JFK Blvd, suite 1500. ☎ 215-557-2975.* Le consulat peut, en cas de difficultés financières, vous indiquer la meilleure solution pour que des proches vous fassent parvenir de l'argent, ou encore vous assister juridiquement en cas de problème.

■ **Suisse** *(zoom Old City, D2)* **:** *145 N 2nd St. ☎ 215-380-6709.*

Transports en ville

Philadelphie est une ville qui se découvre à pied. Sachez toutefois respecter les consignes imposées par les feux tricolores, sans quoi vous risquez de vous faire tailler un short !

■ **SEPTA** *(Southeastern Pennsylvania Transportation Authority)* **:** *infos au ☎ 215-580-7800 ou 7853. • septa.org • Tarif à l'unité pour le métro, le tram ou le bus : 2,25 $. Jeton* (token) *non remboursable : slt par 2 ou plus (3,60 $ les 2, 9 $ les 5 et 18 $ les 10).* Pass *journée : 8 $ (8 trajets max) ou 12 $ (trajets illimités ; 29 $ pour une famille de 5 pers max) ; à la sem : env 24 $.* Compagnie de transport qui gère les bus, le métro, le tram et les trains de banlieue. Plan détaillé des *transit routes* disponible à l'*Independence Hall Visitor Center.* Horaires à la gare principale d'Amtrak 30th Street.

Quelques bus et métros importants :

– *bus n° 38 :* du centre-ville vers Benjamin Franklin Parkway ;

– *bus n° 42 :* du centre-ville vers Civic Center et University City ;

– *2 lignes de métro :* Market-Frankford (d'est en ouest) et Broad Street (du nord au sud). Métro vieux, laid mais propre ; il ne faudrait que quelques coups de pinceau pour en faire un décor de boîte destroy. Noter que le métro n'a pas toujours d'escaliers roulants et que les stations sont assez difficiles à repérer.

■ **Phlash Dowtown Loop :** *fonctionne tlj 10h-18h de fin avr à début janv (slt ven-dim de mi-sept à fin nov). 2 $/trajet ; forfait journée 5 $, forfait famille possible ; gratuit moins de 4 ans et pour les seniors. Gratuit avec le* pass *SEPTA.* Vieux bus de couleur violette passant par tous les sites intéressants. Fréquence toutes les 15 mn. Une vingtaine d'arrêts en ville dans un axe Penn's Landing-Philadelphia Museum of Art. On est libre de monter ou de descendre quand on veut. Idéal pour découvrir la ville.

Taxis : ***Olde City Taxi,*** *☎ 215-338-0838 ;* ***Liberty Cab,*** *☎ 215-389-8000 ;* ***Yellow Cab,*** *☎ 215-*

333-3333. Pas très cher si vous ne sortez pas du quartier. Plus onéreux si vous allez à l'aéroport ou si vous êtes coincé dans la circulation. Surveillez le compteur.

■ ***Location de voitures :*** *ts les loueurs de voitures sont basés dans la gare Amtrak 30th St.* En principe, les prix dégringolent à l'approche du week-end. Bon courage dans les embouteillages !

■ ***Stationnement :*** pas évident. Système d'horodateurs et de kiosques, ou gratuit avec durée de stationnement limitée à 2h ou 3h selon les zones (gratuit toute la journée de dimanche). • *philapark.org* •

🅿 ***Parking :*** *env 6 $/h. La nuit revient à 25-30 $.* Les moins chers sont les parkings publics *(• philipark.org/locator •)*, les plus chers ceux des hôtels (jusqu'à 50 $!).

■ ***Riverlink Ferry :*** *☎ 215-625-0221. • delawareriverwaterfront.com • Mai-sept tlj 10h-18h ; rotations ttes les heures. Embarquement à Penn's Landing. Traversée : 7 $ A/R ; réduc.* Petit ferry *double-deck* genre *houseboat* qui vous conduit, l'été, sur l'autre rive de la Delaware River, dans le New Jersey, le meilleur moyen d'aller visiter le croiseur de bataille *New Jersey.*

Urgences, santé

✚ ***Pennsylvania Hospital*** *(plan d'ensemble, C3) :* *800 Spruce St. ☎ 215-829-3000.*

■ ***Urgences dentaires (Dental Emergency) :*** *☎ 215-240-4875.*

Où dormir ?

Trouver un hébergement bon marché à Philadelphie n'est pas une sinécure. La ville est pauvre en hôtels à bas prix ou à prix moyens. Les *B & B* ne sont pas légion non plus. Réserver à l'avance via les sites internet des hôtels est la meilleure solution. Les familles opteront pour les motels ou les petits hôtels du New Jersey (de l'autre côté de la Delaware).

CAMPING

⛺ ***Philadelphia West Chester KOA :*** *1659 Embreeville Rd,* ***Coastesville.*** *☎ 610-486-0447 (infos) ou 1-800-562-1726 (résas). • philadelphiakoa.com • À 1h de Philly, en allant vers Lancaster. Prendre la direction de King of Prussia ; sortie 328 A, puis 30 W vers Coatesville, sortie vers la 82 (Coasteville) ; prendre la 82 S en direction de Kennett Sq jusqu'à l'intersection avec la 162 ; ensuite, c'est fléché. Ouv avr-oct. À partir de 45 $ l'emplacement (4 adultes ou 1 famille) ; forfait de 3 nuits min en hte saison. Bungalows pour 4 env 80-200 $.* 📶 Un camping très agréable, noyé dans un adorable coin de campagne paisible et verdoyant, au bord d'une rivière (location de canoës). Emplacements bien tenus, répartis sur un beau terrain tout en dénivelés. Épicerie. Piscine en été.

AUBERGES DE JEUNESSE

⌂ ***Apple Hostels*** *(zoom Old City, D2,* ***10****) :* *32 Bank St (ruelle perpendiculaire à Chestnut St). ☎ 215-922-0222 ou 1-877-275-1971. • applehostels.com • Ⓜ 2nd St (ligne bleue). Ouv 24h/24. Résa impérative. Lits en dortoir env 36-40 $, draps inclus. Moins cher en hiver (et petite réduc tte l'année via leur site internet).* 💻 📶 AJ officielle (affiliée *Hostelling International*) au cœur du quartier historique et près des endroits où sortir. Complètement rénovée, avec des couleurs flashy, et très bien managée. Excellente ambiance, conviviale et internationale. Mieux vaut d'ailleurs aimer la fête, car les dortoirs alignent jusqu'à 28 lits (petits rideaux pour s'isoler quand même), et sont mixtes pour certains ! En revanche, les douches sont bien séparées. Sinon, il y a quelques chambres privées pour les rétifs. Cuisine commune au sous-sol, propreté impeccable et fonctionnement *eco-friendly.* Salon TV (avec DVD) et baby-foot dans le *lobby-lounge.* Tous les soirs, une animation gratuite : *pub crawl...* Également une fois dans la semaine, une promenade historique guidée de 1h30 pour 2 $. Bref un très bon point de chute dans son genre.

Old City Philly House *(zoom Old City, D2,* ***21****) : 325 Cherry St. ☎ 267-318-7062. • oldcityphillyhouse.com • Nuitée en dortoir env 25-40 $.* Impec ! Car cette AJ de poche d'à peine 20 lits cultive un bon esprit (c'est tout petit et fraternel), est très bien située et propose une qualité de confort simple mais correct pour sa catégorie (dortoirs classiques de 4-6 lits, blocs sanitaires communs peu nombreux mais convenables, coin cuisine suffisant, salon TV coloré et cosy). Et pour une fois, c'est plutôt bien tenu, d'ailleurs on se déchausse !

The Philadelphia House *(zoom Old City, D2,* ***24****) : 17 N 2nd St. ☎ 267-639-2607. • thephiladelphiahouse.com • Lits en dortoir env 25-40 $.* Situation stratégique pour cette petite AJ pimpante située face à Christ Church. Ajoutez un salon sympa donnant sur la cuisine ouverte, des dortoirs convenables (4-12 lits), des sanitaires communs bien tenus (à l'image des chaussures qu'on laisse à l'entrée), et vous obtenez un vrai bon plan !

BED & BREAKFAST

Une formule intéressante pour loger à Philly. Dommage qu'il n'y en ait pas beaucoup ! Néanmoins, ne pas compter faire des économies : les *B & B* ne sont pas meilleur marché que les hôtels. En revanche, le breakfast est inclus *(of course !)*. Avant de réserver, bien se faire préciser s'ils prennent les cartes de paiement, et lesquelles. 2 associations susceptibles de vous dénicher une adresse en plein centre :

■ **Bed & Breakfast Center City :** *☎ 215-735-1137 (tlj 9h-21h).* C'est le propriétaire de *La Réserve* qui répond (voir adresse plus loin).

■ **A Bed & Breakfast Connection of Philadelphia :** *☎ 1-800-448-3619. • bnbphiladelphia.com • Doubles 100-300 $.* Maisons dans le centre, dans le secteur universitaire et les environs de la ville.

De prix moyens à chic

The Thomas Bond House B & B *(zoom Old City, D2,* ***16****) : 129 S 2nd St. ☎ 215-923-8523 ou 1-800-845-BOND. • thomasbondhousebandb.com • Résa conseillée. Doubles et suites 130-200 $ avec petit déj (le w-e* full American breakfast, *en sem petit déj continental copieux) ainsi qu'un verre de vin le soir.* En plein cœur du site historique, une demeure de 1769 construite pour le fameux Thomas Bond, un copain de Benjamin Franklin connu pour avoir fondé le premier hôpital public des États-Unis, ici à Philadelphie. Ameublement dans le style XIXe s, avec beaucoup de goût et de charme. Les 8 chambres et 4 suites sont étagées sur 3 niveaux ; chacune possède sa touche d'originalité (mobilier, vue, cheminée ou non...). Très cosy (en revanche, vieille maison oblige, l'escalier est un peu raide). Dans la salle à manger, voir l'étonnante collection de dollars continentaux, édités par les Confédérés lors de la guerre d'Indépendance. Accueil attentif et soigné, à l'image des cookies maison offerts chaque soir. Un excellent rapport qualité-charme-prix.

La Réserve B & B *(plan d'ensemble, B3,* ***14****) : 1804 Pine St. ☎ 215-735-1137 ou 1-800-354-8401. • lareservebandb.com • Résa conseillée. Doubles 100-170 $ (avec sdb privée ou partagée), studios avec cuisine 140-225 $ (dégressif). Petit déj américain le w-e, continental en sem (avec gâteaux maison). Parkings à proximité (env 25-30 $ pour 24h).* Coquettes maisons mitoyennes en brique du milieu du XIXe s, hautes de 4 étages, qui rassemblent une dizaine de belles chambres meublées d'ancien et toutes différentes : cheminées pour certaines, toile de Jouy... Élégant salon avec piano *Steinway* et portraits de Louis XVI et Marie-Antoinette dans la maison principale. Cuisine à dispo des hôtes si c'est demandé gentiment ! Une très bonne adresse dans un adorable quartier.

HÔTELS

Prix moyens

Alexander Inn *(plan d'ensemble, C3,* ***17****)* ***:*** *301 S 12th St (et Spruce St).* ☎ *215-923-3535.* • *alexanderinn.com* • *Résa à l'avance fortement conseillée. Doubles 130-150 $, quadruple 160 $, petit déj inclus.* Construit dans les années 1890, c'est l'un des plus anciens hôtels de la ville. Il a d'ailleurs conservé quelques détails d'époque, comme ce vieux standard téléphonique au 5e étage. Une cinquantaine de chambres pas immenses (du moins à l'échelle locale !), mais confortables, classiques, décorées sobrement (quelques affiches d'art moderne) et réparties dans les 7 étages, avec vue agréable depuis les plus élevés. Les plus : l'accueil aux petits oignons, la situation dans le sympathique quartier gay et le très bon rapport qualité-prix.

Chic

Penn's View Hotel *(zoom Old City, D2,* ***18****)* ***:*** *à l'angle de Front et Market St.* ☎ *215-922-7600 ou 1-800-331-7634.* • *pennsviewhotel.com* • *Résa fortement conseillée. Chambres 170-300 $, avec petit déj. Également des suites familiales. Parking à proximité env 28 $/j.* Dans une ancienne *warehouse* datant de 1829, une adresse de charme aux chambres meublées dans un style Chippendale fleuri. Parquet, tapis d'Orient, murs en brique apparente... chaque chambre possède son décor et sa propre configuration : certaines sont logées au cœur du building, d'autres, donnant sur Market Street, ont une vue bien dégagée sur la rivière. La plupart ont, en tout cas, balcon métallique ou petite terrasse en bois. Accueil souriant. Un bémol : la proximité de la voie express qui longe le *waterfront,* mais l'isolation phonique est efficace, surtout si on loge sur l'arrière.

The Independent *(plan d'ensemble, C3,* ***12****)* ***:*** *1234 Locust St (réception au 2e étage).* ☎ *215-772-1440.* • *theindependenthotel.com* • *Doubles 130-350 $, avec petit déj.* Au cœur du charmant quartier gay de Philly, un petit hôtel... indépendant d'esprit donc, à l'image de cette étonnante peinture dédiée à la Liberté, au-dessus du *front desk.* Réalisée par un artiste de Philadelphie célèbre pour ses *murals,* elle s'étend sur 3 étages ! L'hôtel abrite dans ce petit immeuble *Georgian Revival* une vingtaine de chambres toutes différentes, parquetées et rénovées avec beaucoup de goût (pour la touche fonctionnalité, frigo et micro-ondes dans toutes). *Wine and cheese* offert le soir en semaine. Juste en face, ne manquez pas le magnifique *mural* sur un parking *(Philadelphia Muses).*

Best Western Independence Park *(zoom Old City, D2,* ***15****)* ***:*** *235 Chestnut St.* ☎ *215-922-4443.* • *independenceparkhotel.com* • *Doubles 160-300 $, avec petit déj.* La situation, à quelques enjambées de Independence Hall, est l'atout principal de cet hôtel de chaîne très confortable et bien tenu, par un staff toujours souriant et prêt à rendre service. Les chambres, pas bien grandes, sont classiques de chez classique, très américaines. Mais encore une fois, un emplacement de choix, surtout pour ceux qui se concentreraient sur les visites du cœur historique de la ville (d'autant que, gros avantage, le parking est à prix d'ami pour la ville : *16 $* !). Thé et cookies le soir servis dans le lobby très cossu.

Wyndham Historic District *(zoom Old City, D2,* ***20****)* ***:*** *400 Arch St (entrée sur 4th St).* ☎ *215-923-8660.* • *phillydowntownhotel.com* • *Doubles 200-300 $.* Un hôtel de chaîne classique et sobre au confort standard, mais bien placé, à deux pas de l'*Independence Mall.* En prime, la petite piscine sur le toit, bien rafraîchissante dans la touffeur de l'été, est un atout indéniable pour les familles.

Très chic

Morris House Hotel *(plan d'ensemble, C2,* ***22****)* ***:*** *225 S 8th St.* ☎ *215-922-2446.* • *morrishousehotel.com* • *Doubles 160-390 $ avec petit déj.* L'adresse historique et de charme par excellence, dans une magnifique demeure de 1787 précédée par un porche à colonnes. À peine une dizaine de chambres et de suites, toutes avec parquet du XVIIIe s et meubles anciens : lit à baldaquin, cheminée dans certaines. Spacieuses, elles ont en plus de jolies salles de bains fraîches et lumineuses. Demandez à voir l'horloge portant à l'intérieur les impacts de balles datant de la guerre d'Indépendance. On se croirait presque dans un château ! Comble du luxe, le petit déjeuner peut être servi dans une salle à manger raffinée, dans la bibliothèque attenante ou encore dans le jardin.

The Palomar *(plan d'ensemble, B2, **23**) : 117 S 17th St (et Sansom St). ☎ 215-563-5006 ou 1-888-725-1778. • hotelpalomar-philadelphia.com • Doubles 200-350 $. Formules intéressantes avec parking, sinon c'est 50 $...* Le building, Art déco pur jus (1929), est classé. Et dans le lobby, les 3 bustes détournés de Benjamin Franklin donnent le ton de cet hôtel design hyper chic : décalé, moderne et *arty,* à l'image de Philly. Les œuvres contemporaines d'artistes locaux, non dénuées d'humour pour certaines, côtoient les éléments architecturaux d'époque judicieusement conservés, comme les portes d'ascenseur. Voir aussi au 2e étage, plafond, frises de carrelages et panneaux en bois sculptés, tous d'origine. Dans les quelque 250 chambres, sophistication et originalité sont de mise. Superbes vues urbaines, spectaculaires depuis les étages les plus élevés. Thé et café à dispo le matin et tous les soirs, verre de vin offert.

Rittenhouse 1715 *(plan d'ensemble, B3, **13**) : 1715 Rittenhouse Square St. ☎ 877-791-6500 (gratuit) ou 215-546-6500. • rittenhouse1715.com • Chambres 250-450 $ avec petit déj continental.* Dans une adorable maison centenaire, retirée dans une petite rue à deux pas du charmant square du même nom. Ce nid douillet abrite seulement une vingtaine de chambres élégantes et raffinées, toutes personnalisées avec des meubles anciens et dotées du meilleur confort : literie au top, lecteur DVD et tout le tremblement. Salon commun ouvrant sur une courette. *Wine and cheese* offert en fin d'après-midi. Accueil aux petits oignons.

Où manger ?

Avis aux gourmets, ***Philly est l'un des hauts lieux gastronomiques des États-Unis*** ! On y trouve des chefs talentueux et créatifs, travaillant avec beaucoup d'inspiration les produits locaux. Prévoir un budget repas suffisamment copieux, donc, pour pouvoir s'offrir quelques expériences gustatives mémorables.

Attention, de nombreux restos de tous styles et prix, mais particulièrement les tables de chefs, sont ce qu'on appelle communément des ***BYOB** (Bring Your Own Bottle),* un système très répandu en raison du nombre limité de licences d'alcool accordées à Philadelphie (lois post-prohibition). En pratique, ça consiste à apporter sa propre bouteille au resto, ce qui a l'avantage d'alléger considérablement l'addition, même si un petit droit de bouchon est parfois demandé. En revanche, il faut prévoir son coup bien sûr car il n'y a pas toujours de *liquor store* juste à côté. Pour vous faciliter la tâche, on précise pour chaque adresse décrite si c'est un *BYOB.*

Côté restos branchés, deux célébrités locales, ***José Garces*** et ***Stephen Starr,*** se partagent le gros du gâteau, dans des concepts un peu différents. Le premier est un vrai chef qui possède une poignée de restos à Philadelphie, aux accents souvent hispanisants. Stephen Starr, le roi des tables branchées, est plus un businessman créateur d'ambiance. Sa marque de fabrique, c'est d'associer designers de renom et top chefs pour créer des atmosphères uniques. On vous indique une sélection de leurs meilleures adresses.

Mais la spécialité la plus populaire de Philadelphie, celle qui mettra tout le monde d'accord, c'est le ***Philly cheesesteak,*** une véritable institution qui trouve son origine dans les années 1930. Un énorme sandwich dans un pain italien, fourré de lamelles de bœuf, d'oignons grillés et de fromage fondu genre provolone, qui se déguste penché en avant pour éviter que la garniture ne vous dégouline sur les pieds !

Dans Old City et Society Hill

Tout se passe grosso modo dans le rectangle délimité du nord au sud par Race Street et Chestnut, et d'ouest en est par 4th Street et 2nd Street. Cette dernière étant l'épine dorsale qui permet de remonter jusqu'à Northern Liberties. En revanche, pour rejoindre South Street, descendre de préférence 3rd Street.
L'animation commence pendant les *happy hours* (entre 17h et 19h), où les *early birds* pourront dîner en avance à prix réduit. Jusqu'à environ 21h-22h, les restos sont pleins ; ensuite, ils se vident et les bars se remplissent (principe d'Archimède), la soirée finissant vers 2h du mat. En semaine, ça peut être calme (façon de parler), mais le vendredi et le samedi, la rue ne désemplit pas. Penser à réserver. Pas de crainte à avoir la nuit dans ce périmètre très *safe*, en dépit d'un éclairage public faiblard qui rappelle les films où les mauvais garçons et les marins en goguette tenaient le haut du pavé.

Spécial petit déjeuner

Café Olé *(zoom Old City, D2,* **51***) : 147 N 3rd St (entre Cherry et Race). ☎ 215-627-2140. Tlj 7h30 (8h30)-19h. Env 8-15 $.* Dans le quartier historique, un petit café local bien agréable pour siroter un *espresso* fraîchement moulu, déguster de bons muffins et cookies ou grignoter des sandwichs ou de belles salades. Pour les lève-(très) tard, petit déj servi jusqu'à 15h. Quelques tables sur le trottoir. Voir la fresque sur le mur extérieur.

High Street *(zoom Old City, D2,* **60***) : 308 Market St. ☎ 215-625-0988. Tlj sf lun soir 7h (8h le w-e)-22h. Petit déj, salades et sandwichs env 8-15 $.* Pas de bons sandwichs sans bon pain. Et ceux de High Street cassent la baraque ! Leurs boulangers en créent sans cesse de nouveaux, à mie ferme et croûte craquante. Ajoutez des associations souvent inventives d'ingrédients locaux (provenant majoritairement de fermes amish), et vous obtenez des sandwichs gourmands, impeccables pour un repas léger. À moins d'opter pour une salade ou un *granola* tout aussi frais et bons. Vraiment bien, d'autant que le cadre est simple et agréable (tables en bois, cuisine ouverte...).

Bon marché

La Colombe Café at Independence Mall *(zoom Old City, D2,* **64***) : 100 S Independence Mall W (angle Market et 6th St). ☎ 267-479-1650. Tlj 7h (8h le w-e)-20h. Env 7 $.* C'est la même maison que l'adresse cosy du *Rittenhouse Square District* (voir plus bas « Où boire un vrai café ? »), mais le changement de décor est radical. Ici, on fait dans le sobre et le fonctionnel. Pas très glamour, mais le café reste top, et surtout cette succursale a l'avantage de proposer de bons sandwichs pour un en-cas rapide. En terrasse, face au Mall, c'est impeccable.

De prix moyens à plus chic

Pizzeria Stella *(zoom Old City, D3,* **59***) : 420 S 2nd St. ☎ 215-320-8000. Tlj 11h30 (11h el w-e)-22h (23h ven-sam). Pizzas et pâtes env 10-20 $.* Ça vaut la peine de faire la balade jusqu'à Head House Square. D'abord, parce que la place est charmante, tout en brique, pavés et réverbères *old school*. Ensuite, parce que la pizza est un must ! La pâte est pétrie avec soin, les ingrédients des garnitures sont top, et le tout cuit comme il se doit dans un four à bois. Légère et croustillante, elle se déguste dans une salle sobre, ou mieux, en terrasse. Pas mal de monde (normal, c'est un autre maillon de la chaîne Stephen Starr !).

The Olde Bar *(zoom Old City, D2,* **39***) : 125 Walnut St. ☎ 215-253-3777. Lun-ven 17h-minuit (1h ven), le w-e 11h-15h, 16h-1h (minuit dim). Plats 15-32 $.* Il fut un temps où ce beau pub patiné était le bar à huîtres préféré des dockers du coin. C'était fin XIXe s. Aujourd'hui, c'est (beaucoup !) plus huppé, mais l'atmosphère reste conviviale grâce à la déco chaleureuse (banquettes moelleuses, miroirs, comptoir et chaises hautes...), et surtout grâce à une cuisine de qualité. Car c'est la *seafood* qui justifie le détour : *clam chowder* crémeuse à souhait, *fish and chips* impeccable, poisson du jour parfaitement cuit... Et pour les inconditionnels, il y a toujours les huîtres !

IOI ***Kabul Restaurant*** *(zoom Old City, D2,* ***54****)* **:** *106 Chestnut St. ☎ 215-922-3676. Dim-jeu 15h-22h, ven-sam 16h-23h. Plats 16-20 $.* Une petite communauté afghane a élu domicile à Philly. Quelques adresses y ont fleuri. Le *Kabul* émerge parmi celles-ci grâce à son excellente cuisine à prix raisonnables. Salle simple et chaleureuse couverte d'épais tapis, costumes pachtounes, tables éclairées à la bougie. Assiettes parfumées à choisir parmi les différents *pilav,* brochette de bœuf ou d'agneau. Adresse *BYOB,* on apporte donc sa boisson alcoolisée ou on se contente de thé.

Chic

IOI 🍸 ***Cuba Libre*** *(zoom Old City, D2,* ***44****)* **:** *10 S 2nd St. ☎ 215-627-0666. Tlj 11h30-15h, 16h-23h ; brunch le w-e 10h30-14h30. Résa fortement conseillée. Plats env 14-17 $ le midi, 20-35 $ le soir.* Attention les yeux ! Dès le seuil franchi, c'est La Havane dans les années 1950. La hauteur sous plafond est telle qu'on a aménagé un très beau patio avec carrelage coloré, murs chatoyants, mezzanine avec ferronneries et ventilateurs, palmiers : on se croirait sur une place. À la carte, des spécialités d'inspiration cubaine, forcément, servies copieusement et avec une touche d'originalité. L'endroit est aussi réputé pour ses *caïpirinhas,* les meilleures de la ville, à siroter au bar au rythme d'une musique cubaine *(*happy hours *lun-ven 17h-19h).* Salsa vendredi et samedi soir dès 23h. *Viva Fidel-phia !*

IOI 🍸 ***Amada*** *(zoom Old City, D2,* ***32****)* **:** *217-219 Chestnut St. ☎ 215-625-2450. Tlj 11h30-14h30, 17h-22h (23h ven-sam). Résa quasi obligatoire le w-e. Formule déj 15,50 $. Assortiment de tapas (pour 2) 55-65 $; plats 20-35 $.* Superbe décor à la fois sobre, contemporain et chic pour cette énième création de José Garces, déclinée sur le thème ibérique cette fois. Grande salle aux multiples recoins, avec parquet ou galets au sol, bois noir, éclairages diffus. Brouhaha permanent, musique groove et clientèle yuppie. Dans l'assiette, en plus de la générosité des portions, véritable feu d'artifice de saveurs. On retrouve les traditionnelles tapas, mais revisitées avec un twist contemporain, desserts compris. Le midi, on peut s'en tirer à bon prix.

Très chic

IOI 🍸 ***Zahav*** *(zoom Old City, D2,* ***31****)* **:** *237 Saint James Pl (en surplomb de Dock St, repérable à sa grande enseigne). ☎ 215-625-8800. Tlj sf ven 17h-22h (23h sam-dim). Repas env 40 $ hors boisson (*mezze *10-15 $).* Dans un building moderne de Society Hill (au sud de Old City), ce resto israélien très branché a vite créé le buzz et reste la valeur sûre de la ville dans sa catégorie. Côté décor, la vaste salle, avec cuisine ouverte au fond, se donne des airs de souk moderne et chic. Malgré les volumes, le niveau sonore reste supportable. Petites touches orientalisantes, mais discrètes et design surtout. Et dans l'assiette ? De la gastronomie moyen-orientale de haute volée, originale et inspirée, servie sous forme de *mezze.* Certains sont vraiment copieux, comme le houmous, décliné de plusieurs façons et servi avec le fameux pain laffa, cuit dans un four spécial. Du coup, avec 2-3 *mezze,* on fait un très bon repas. On peut aussi venir simplement y boire un verre en picorant une bricole.

IOI ***Buddakan*** *(zoom Old City, D2,* ***38****)* **:** *325 Chestnut St. ☎ 215-574-9440. Lunch lun-ven 11h30-14h30,* dinner *tlj 17h (16h dim)-23h (minuit ven-sam et 22h dim). Formules déj 15-25 $; le soir env 35-60 $.* Une des créations de Stephen Starr, moderne, *trendy* et toujours bondée. Grande salle haute de plafond décorée à l'orientale tendance zen. Un bouddha monumental et presque bodybuildé veille sur l'assemblée bourdonnante. Préférer le bar en mezzanine pour son ambiance moins assourdissante. Dans l'assiette (copieuse), une succulente cuisine asiatique haut de gamme. En sachant surfer sur la carte, on ne s'en sort pas trop mal.

|●| **City Tavern** *(zoom Old City, D2,* **42***) : 138 S 2nd St. ☎ 215-413-1443. Tlj à partir de 11h30, le soir 16h (15h dim)-22h. Plats 14-22 $ le midi, 20-35 $ le soir.* Un des restos les plus touristiques de la ville. Les célébrités qui y ont dîné ne se comptent plus et les Américains adorent. Excellente reconstitution datant de 1976 d'une taverne qui abritait ici, en 1774, les réunions des membres du First Continental Congress. Le banquet de la Constitutional Convention s'y tint en 1787. Le *City Tavern* comprend différents salons et une terrasse donnant sur un beau jardin ombragé. L'atmosphère est recréée par le mobilier de style colonial, la vaisselle et le personnel en costumes d'époque. Pas rare d'être accueilli par Thomas Jefferson ou John Adams ! Le chef-proprio, Walter Staib, reconnu comme ambassadeur culinaire de Philadelphie, a réintroduit des recettes appréciées des Pères fondateurs, comme la soupe poivrée des Antilles ou le canard rôti au chutney de pêche ; sans oublier la mousse au chocolat de Martha Washington, la première First Lady. Avec des enfants-ados, l'expérience peut être assez amusante.

Vers South Street et l'Italian Market

Spécial petit déjeuner

|●| ***Sam's Morning Glory Diner*** *(plan d'ensemble, C3,* **33***) : 735 S 10th St (angle de Fitzwater St). ☎ 215-413-3999. Breakfast et lunch tlj 7h-15h, brunch sam-dim 8h-15h. Plats 10-15 $. Cash slt.* À quelques blocs de la partie la plus bobo de South Street, cette maison d'angle en briquette rouge sert parmi les meilleurs petits déj de la ville. Le week-end, il faut faire fi de l'attente et de la rudesse du staff qui a tendance à vous expédier dès la dernière bouchée avalée. Heureusement l'assiette rattrape tout ! La spécialité de la maison, c'est la *frittata,* une sorte d'omelette avec plein de bonnes choses dedans. Mais tout est délicieux, des *French toast* aux pancakes en passant par les sandwichs du midi. 2 options pour déguster tout ça : la salle, dans les tons bleu-vert, avec ses banquettes et ses tabourets vissés devant le comptoir, ou le patio, très sympa avec ses parasols et ses guirlandes de couleur.

Bon marché (spécial *Philly cheesesteak*)

|●| ***Jim's Steaks*** *(plan d'ensemble, D3,* **30***) : South St, à l'angle de 4th St. ☎ 215-928-1911. Lun-jeu 10h-1h, ven-sam 10h-3h, dim 11h-1h. Env 8-10 $ pour un* cheesesteak *énorme.* Immanquable façade en céramique noir et blanc et chromée, jolies compositions de néon. On fait la queue devant depuis 1939 pour déguster le fameux *Philly cheesesteak* qu'un cuistot prépare sous vos yeux (la recette n'a jamais changé). Agrémenté d'oignons grillés (que l'on flaire dès l'entrée), de fromage type provolone, de tomate, de salade, ce sandwich juteux et régressif à souhait est à déguster en *takeaway* ou sur place. Choix de *pepper steak* aussi, *mushroom steak,* et de *hoagies,* l'autre spécialité de Philadelphie avec le *cheesesteak* (dont un *Italian special* avec salami, *capocolla,* provolone, etc.). Une institution que les locaux adorent (et nous aussi).

Pat's King of Steaks *(hors plan d'ensemble par C3,* **43***) : 9th St (angle avec Wharton et Passyunk). ☎ 215-468-1546. 5 rues au sud de Christian St. Ouv 24h/24.* Cheesesteak *env 9-11 $.* Un petit tour dans l'Amérique populaire avec ses légendes de réussites à la force du poignet. Car c'est ici, chez *Pat's,* qu'est né en 1930 le *Philly cheesesteak,* dont la recette n'a pas changé depuis. Les locaux ont une préférence pour ceux de *Jim's,* mais honnêtement, ça ne se joue pas à grand-chose, d'autant qu'on ne parle pas là de gastronomie. On passe sa commande au comptoir extérieur, après avoir fait une queue interminable, et on s'assied dehors, sur le trottoir aménagé avec tables et bancs. Simple et sans chichis, mais *so Philly.*

Geno's *(hors plan d'ensemble par C3, **43**) : 1219 S 9th St. ☎ 215-389-0659. Ouv 24h/24.* Steak sandwich *env 10 $.* À peine moins célèbre que son voisin *Pat's* juste en face, *Geno's,* le roi du néon, affiche lumineusement sa façade en céramique orange qui vaut la photo. Pour le reste, le principe est le même : on croque son *cheesesteak* dehors, sous une série d'écussons de la police de tous les États et autres photos de vedettes locales et nationales : catcheurs, tatoués, *bikers* fans de Harley, Donna Summer, Nancy Sinatra, Oprah Winfrey, Nicolas Cage, Rocky Marciano, Clinton en campagne, Elton John, etc. Un véritable plongeon dans l'Amérique des *sixties.*

Bon marché

Sabrina's Café *(plan d'ensemble, C3, **36**) : 910 Christian St (entre 9th et 10th St). ☎ 215-574-1599. Tlj 8h-17h. Salades, burgers, sandwichs, omelettes, tout à env 10-13 $.* À une encablure d'Italian Market, un petit café-resto éclectique, jeune et branché, digne rejeton d'une minichaîne locale qui marche fort. Devanture bleu et rose, chaises colorées en terrasse et à l'intérieur, 3 salles différentes, sans chichis mais non sans charme. Carrelage ancien aux murs, grande *Joconde* peinte tout au fond. Bref, une atmosphère simple mais chaleureuse pour démarrer la journée ou pour déguster à toute heure salades, burgers, sandwichs joliment composés avec des produits bien frais. Et le week-end, un brunch très prisé.

Prix moyens

Jamaican Jerk Hut *(plan d'ensemble, B3, **55**) : 1436 South St. ☎ 215-545-8644. Tlj 11h (15h dim)-23h (minuit ven-sam, 22h dim). Plats 15-20 $.* Live music *ven-sam soir.* La petite salle est franchement basique, pour ne pas dire moche. Mais l'originalité de ce resto jamaïcain (qui a servi de cadre au film *In Her Shoes,* avec Cameron Diaz), c'est aux beaux jours l'immense cour-jardin en retrait de la rue, avec pelouse et tables en bois aux couleurs du pays. L'été, tout le monde est dehors, dans une super ambiance, authentiquement *roots.* Le vendredi, c'est *reggae night,* on se croirait à la Jamaïque. Attention d'ailleurs car la cuisine n'est pas américanisée mais diablement épicée, surtout tout ce qui est jerk *(chicken, shrimps...),* donc méfiez-vous ! Les curries sont un chouia moins décapants mais très relevés quand même. Pensez à prévoir votre boutanche (petit droit de bouchon) car c'est un *BYOB* et pas de *liquor store* dans les environs immédiats. Sinon, les jus de fruits frais ont le mérite d'éteindre le feu des épices !

Vers Washington Square, Reading Terminal Market et Chinatown

Bon marché

Reading Terminal Market *(plan d'ensemble, C2, **63**) : à l'angle d'Arch et 12th St. • readingterminalmarket.org • Lun-sam 8h-18h, dim 9h-17h (stands amish mer 8h-15h, jeu-sam 8h-17h).* Un incontournable ! Dans une joyeuse cohue, touristes et employés arpentent ce vaste labyrinthe gourmand, attirés selon leurs goûts par leurs stands préférés. Il y a de tout, de qualité, et à prix doux. Et après avoir récupéré sa commande, tout le monde se retrouve au coude à coude autour des tables mises à disposition. Très festif ! Un indice qui ne trompe pas : les files d'attente devant ***DiNic's,*** dont le *roast pork sandwich* hyper calorique (vous êtes prévenu !) a été élu meilleur sandwich des États-Unis, et, dans une moindre mesure, devant le *deli* ***Dutch Eating Place.*** Pour les *soft pretzels,* direction ***Miller's Twist,*** où ils sont servis chauds, en version nature, salée ou fourrée de saucisse (délicieuse *lemonade* naturelle pour faire glisser tout ça). Pour les gâteaux et *pies,* aller chez ***Beiler's Bakery,*** et pour les cookies, chez ***Flying Monkey.*** Si possible, allez faire un tour dans ce vaste marché du mercredi au samedi, les jours où les amish tiennent leurs stands. On les distingue par leur tenue : robe unie souvent terne, tablier et coiffe blanche pour les femmes, chapeau de paille et collier de barbe pour les hommes. L'occasion de tester leurs spécialités : *pretzels,* saucisses, purée maison et pâtisseries.

lel ***Dim Sum Garden*** *(plan d'ensemble, C2,* ***52****) : 1020 Race St. ☎ 215-873-0258. Tlj 10h30-22h30. Env 10-15 $.* Ne soyez pas effaré par la longueur de la queue : ça tourne vite, et surtout ça vaut le coup ! Car c'est l'un des rares restos à faire ses *dim sum* sur place, pour la plupart en direct dans la cuisine semi-ouverte. Alors (et même si le reste de la carte tient bien la route) on en commande plusieurs sortes pour les partager façon tapas. Festif et délicieux. Et tant pis si le cadre ne fait pas dans le glamour.

lel ***Vietnam*** *(plan d'ensemble, C2,* ***57****) : 221 N 11th St. ☎ 215-592-1163. À ne pas confondre avec le* Vietnam Palace *juste en face. Tlj 11h-21h30 (22h30 ven-sam). Plats 10-18 $.* Joli resto sur 2 étages, décoré à la façon d'un bistrot de Hanoï à l'opposé du folklore de Chinatown. Murs en bois foncé avec juste quelques photos noir et blanc, sobre et chic. Atmosphère joviale et bruyante. À la carte, vaste choix de spécialités typiques : soupes, nouilles, riz sauté, plats végétariens. Une référence en matière de cuisine asiatique à Philadelphie. Excellent rapport qualité-prix et service attentionné.

De prix moyens à plus chic

lel ***Jones*** *(plan d'ensemble, C2,* ***45****) : 700 Chestnut St (angle 7th St). ☎ 215-223-5663. • jones-restaurant.com • Tlj 11h30-23h (minuit ven-sam) ; brunch sam-dim 9h30-15h. Résa conseillée. Plats 10-25 $.* Le moins cher des restos branchés de Stephen Starr, le magnat de la gastronomie à Philly, et l'un des plus familiaux. En gros, c'est la version « Starrisée » dirons-nous, et design du mythique *diner* américain. Brique apparente, caressée par un éclairage subtil distillé par les persiennes, fauteuils et tabourets en skaï vert, musique forte. Dans les assiettes, tous les classiques de la *comfy food* comme on dit ici.

lel ***El Vez*** *(plan d'ensemble, C2,* ***56****) : 121 S 13th St (et Samson). ☎ 215-928-9800. Tlj 11h30-15h, 17h-23h (minuit ven-sam, 22h dim). Le midi, plats 10-12 $ et formule entrée + plat 15 $ en sem, le soir 12-20 $.* Ambiance électrique dans ce resto-bar tex-mex jeune et branchouille, au volume assourdissant. On se laisse agiter au son de la salsa autour du grand bar circulaire central, surmonté d'un deux-roues rutilant. Pour profiter du repas, on essaiera une ambiance un peu moins bruyante dans de grands sofas jaunes très baroques, en cuir capitonné. Au menu : *enchiladas, huevos rancheros, burritos* et autres tacos. Pour commencer la soirée sur les chapeaux de roues !

Encore plus chic

lel ☕ ***Talula's Garden*** *(plan d'ensemble, C2-3,* ***41****) : 210 W Washington Sq. ☎ 215-592-7787. Tlj 17h-22h (23h ven-sam) ; brunch dim 10h-14h. Plats env 28-35 $ (*small plates *de légumes à picorer env 8 $). Plats brunch 10-20 $.* Une création très conceptuelle de Stephen Starr sur le thème de la nature et du bio. Si le building Art déco est de toute beauté (il abrita la première agence de pub du pays), le jardinet fleuri, en bordure de Washington Square, est une oasis mimi tout plein avec sa fontaine arty, très Philly. Dans la salle, on a l'impression d'être dans une serre géante. La cuisine, *locavore* haut de gamme, met en scène légumes, jeunes pousses, fleurs et fruits cultivés et travaillés dans les règles de l'art. Bons cocktails et vins *organic* ou *bio-dynamic.* Possibilité aussi d'acheter des produits à l'épicerie tout à côté, et de pique-niquer à l'intérieur ou en terrasse.

Dans Rittenhouse Square District

Bon marché

lel ***Dizengoff*** *(plan d'ensemble, B2,* ***40****) : 1625 Sansom St.*

☎ *215-867-8181. Tlj 10h30-19h. Env 9-11 $.* C'est le temple de la houmousmania ! Un genre d'houmous-bar jeune et fun créé par l'équipe du célébrissime *Zahav* (voir « Où manger très chic à Old City et Society Hill ? »). Chaque jour, il y en a 4 ou 5 différents à l'ardoise (à la tomate confite, à la dinde...), servis avec une petite salade, des pickles et un pain délicieux cuit en direct au gré des commande. Frais, copieux et savoureux. En revanche, il faut se contenter de quelques tables communes ou de la micro-terrasse, à moins d'emporter le festin dans un square voisin.

Shake Shack *(plan d'ensemble, B2,* ***65****) : 2000 Sansom St (angle 20th St).* ☎ *215-809-1742. Tlj 11h-23h. Env 7-10 $.* Le succès de cette minichaîne de burgers née à New York ne se dément pas. Il faut dire que la recette est plutôt bonne et les prix doux ! N'oubliez pas de préciser la cuisson de la viande et si vous voulez laitue, tomates, oignons et *pickles* dedans. En dessert, des crèmes glacées bien onctueuses *(frozen custard)* dont les parfums changent tous les jours. En revanche, la salle fait dans le basique, fast-food oblige. Terrasse.

De prix moyens à plus chic

The Dandelion *(plan d'ensemble, B2,* ***47****) : 124 S 18th St (et Sansom St).* ☎ *215-558-2500. Tlj 11h30-23h (minuit ven-sam et 22h dim) ; le bar ferme à 2h. Brunch sam-dim 10h-15h. Plats 10-20 $ le midi, 10-20 $ brunch et jusqu'à 30 $ le soir.* Un hommage aux pubs anglais signés... Starr (encore lui). À l'intérieur de cette superbe maison aux bow-windows fleuris, un dédale sur différents niveaux de salons et de mini-alcôves thématisés, tous recréant l'esprit chaleureux d'un club époque victorienne. La salle la plus croquignolette est celle dédiée aux toutous mais le moindre recoin est travaillé, avec vitraux, cheminées, tableaux, trophées, le tout avec des petites touches d'humour *(British of course).* Dans l'assiette (à fleurs), de la *pub food* classique de qualité : *mac and cheese* goûteux, *rabbit pie,* saucisses-purée au romarin, *sticky toffee pudding.* Belle sélection de bières et de vins.

El Rey *(plan d'ensemble, B2,* ***49****) : 2013 Chestnut St.* ☎ *215-563-3330. Tlj 11h30-16h, 17h-23h (minuit ven-sam). Formule déj en sem 10 $. Plats env 9-19 $.* Ce bar-resto mexicain tout en longueur fait un carton chez les jeunes. Dès la devanture façon vieux cinoche, le décor est top. À l'intérieur, c'est plutôt vintage 70's. Affiches de films patinées, papier peint kitschouille, murs en grosses pierres ou faux bois, loupiotes colorées... Aux *happy hours (lun-ven 17h-18h30),* la *margarita* coule à flots et l'ambiance est électrique. Côté cuisine, c'est un peu moins convaincant, mais convenable dans l'ensemble. Après le dîner, possibilité de rejoindre le *speakeasy* ***The Ranstead Room*** (voir « Où boire un verre ? ») en passant par les cuisines et les sous-sols du resto !

Pizzeria Vetri *(plan d'ensemble, B2,* ***34****) : 1615 Chancellor St.* ☎ *215-763-3760. Tlj 11h-23h (1h ven-sam). Pizzas env 12-18 $.* *Vetri,* l'incontournable (et hors de prix !) restaurant italien de Philadelphie, s'est lancé dans la pizza. Rien de gastronomique donc, mais tout est à l'image de la maison : rigoureux. Ingrédients de qualité, pâte bien travaillée, et cuissons parfaites au feu de bois pour de belles pizzas à pâte fine et croustillante. Impeccable pour un repas sans chichi dans une vaste salle sobre et bourdonnante, où les gourmands investissent le comptoir et les tables communes organisées autour de la cuisine ouverte. Bonne sélection de bières artisanales.

Village Whiskey *(plan d'ensemble, B2,* ***50****) : 118 S 20th St.* ☎ *215-665-1088. Tlj 11h30-23h (minuit mar-jeu, 1h ven-sam). Résa recommandée. Burger env 10-15 $ (15-20 $ avec frites).* Un néo-bistrot branché sur le thème burger, frites et whisky. Peu de places assises, une poignée de tables rondes avec banquettes Chesterfield et la rangée de tabourets hauts au comptoir, face à l'impressionnante collection de whiskies. Ambiance jeune et bruyante (fond musical qui dépote). Filez en terrasse si vous voulez discuter. Carte très courte, ça tombe bien on vient pour le burger. Le pain est brioché, la sauce maison et la viande épaisse et *juicy.* Ajoutez du fromage et c'est parfait. Frites à la graisse de canard en option. Le top, c'est le burger au whisky, bacon fumé à l'érable et foie gras, mais 26 $ quand même...

Ⅰ●Ⅰ ***Continental Midtown*** *(plan d'ensemble, B2,* ***62****) : 1801 Chestnut St (angle 18th St). ☎ 215-567-1800. Tlj 11h30-15h30, 17h-23h (1h pour le bar), sam minuit, dim 22h. Plats et tapas 10-20 $ le midi, jusqu'à 30 $ le soir.* Immanquable, avec son olive géante accrochée sur la façade vermillon et sa déco de *diner* revisité design : banquettes turquoise, murs en polychromie et sur la mezzanine, des fauteuils-cages en rotin, suspendus au plafond. Insoupçonnable, le *rooftop bar* aménagé sur le toit pour profiter du ciel étoilé et de la faune moderne et branchée. Énormes salades, cuisine fusion, musique *lounge,* service jeune. Pas surprenant que l'endroit (signé Starr, vous l'auriez deviné) continue de rester à la mode.

Encore plus chic

Ⅰ●Ⅰ ***Oyster House*** *(plan d'ensemble, B2,* ***35****) : 1516 Sansom St. ☎ 215-567-7683. Lun-jeu 11h30-22h, ven-sam 11h30-23h (*happy hours *17h-19h en sem, 21h-23h sam). Plats env 10-15 $ le midi, 15-30 $ le soir,* small plates *9-15 $.* Une vieille institution familiale pour la *seafood* (1976), modernisée au gré des générations dans un style aujourd'hui dépouillé et chic. Clin d'œil aux origines du restaurant, la délirante collection d'assiettes à huîtres courant sur les murs de briques blanchies. La carte change presque tous les jours, en fonction de l'arrivage des huîtres : Nouvelle-Écosse, Maine, New Jersey, Virginie... On les sert dans de la glace, ou cuisinées, en version chaude. Si vous n'avez jamais goûté les huîtres Rockefeller, c'est l'occasion. En faisant attention, on peut naviguer sur la carte sans se retrouver en cale sèche, notamment en piochant parmi les *small plates* et les *chowder* crémeuses. Belle carte de vins, bières et cocktails.

Coup de folie

Ⅰ●Ⅰ ***Butcher & Singer*** *(plan d'ensemble, B2,* ***61****) : 1500 Walnut St. ☎ 215-732-4444. Lunch lun-ven 11h30-14h30 ;* dinner *17h-22h (23h ven-sam, 16h-21h dim). Burgers et sandwichs dès 13 $ le midi, steak à partir de 35 $ le soir.* Cette *steakhouse* ultra-classe et sophistiquée se veut un hommage aux années paillettes 1930-1950 de Hollywood. *Amazing !* Volumes cathédrale, colonnes en marbre, lustres colossaux, amusante fresque représentant des convives canins endimanchés sirotant des cocktails, banquettes capitonnées... C'était à l'origine une banque (le building est remarquable), et l'on y tourna une scène de *Sixième Sens,* avec Bruce Willis. Aujourd'hui, on s'y régale de bons sandwichs et de plats du jour le midi, de viandes fondantes le soir. Vu les prix et le standing, c'est le genre d'adresse que l'on se réserve pour une occasion exceptionnelle.

Dans Parkway Museums District

Spécial petit déjeuner

☕ Ⅰ●Ⅰ ***Corner Bakery*** *(plan d'ensemble, B2,* ***48****) : 1701 JFK Blvd (angle 17th St). ☎ 215-569-2533. Lun-ven 6h30-18h, sam 8h-16h, dim 8h-14h. Env 10 $.* Une petite chaîne à mi-chemin entre la boulangerie et la cafét, bien connue des habitants de la côte est à l'heure du breakfast et du lunch. Petit déj à l'américaine ou plus light (goûter le *chilled swiss oatmeal,* un régal), salades bien fraîches, soupes, sandwichs copieusement garnis et avec du pain délicieux. Le tout servi en terrasse ou dans une agréable salle lumineuse. Un bon rapport qualité-prix.

À Northern Liberties

Ⅰ●Ⅰ 🍸 ***Silk City*** *(plan d'ensemble, D1,* ***71****) : angle de 5th et Spring Garden St. ☎ 215-592-8838.* Une adresse à ne pas louper ! Voir le commentaire dans « Où boire un verre... ? » plus bas.

*Standard Tap (plan d'ensemble, D1, **53**) : 901 N 2nd St (angle Poplar St).* ☎ *215-238-0630. Tlj 16h-2h (la cuisine ferme à 1h). Brunch sam-dim 11h-15h. Plats 14-30 $.* Dans une vieille maison reconvertie en taverne. Sur 2 niveaux, beaucoup d'atmosphère et de chaleur (de bruit aussi) : parquet qui craque, cheminées, tableaux... Mais la cerise sur le gâteau, c'est le *rooftop* pour dîner au calme ou boire un verre en plein air. Le week-end, c'est la folie, difficile de s'entendre à l'intérieur, surtout avec le juke-box à fond la caisse ! Dans l'assiette, une cuisine de pub améliorée, avec une orientation *seafood* : moules, huîtres, crevettes, *steamed clams...* Burger et *chicken pie* pour les carnivores. Bonne sélection de bières locales, pas très chères.

Vers Drexel University

***White Dog Café** (hors plan d'ensemble par A2, **46**) : 3420 Sansom St.* ☎ *215-386-9224. Tlj 11h30 (10h le w-e)-14h30, 17h-21h30 (22h ven-sam et 21h dim). Plats env 12-23 $ le midi, jusqu'à 36 $ le soir.* Un des premiers restos bio de Philly, dans une charmante maisonnette, elle-même dans une petite rue mignonne tout plein, avec 4-5 établissements du même genre à côté. Plusieurs pièces différentes, chaleureuses, dans un esprit salle à manger à l'ancienne, avec tableaux, gravures, bois verni, petits rideaux à carreaux, ainsi qu'un bar et une terrasse aux beaux jours. La clientèle est largement puisée dans l'université toute proche. Intime et bruyant à la fois. Excellente cuisine créative, élaborée à partir de produits locaux, souvent *organic,* avec beaucoup de légumes, des associations originales mais aussi des burgers plébiscités par les locaux.

Où déguster un vrai café, une bonne glace ou une sucrerie ?

***La Colombe Café** (plan d'ensemble, B2, **69**) : 130 S 19th St (et Sansom).* ☎ *215-563-0860. Tlj 7h (8h le w-e)-19h.* Avec ses banquettes en bois, ses jolies tables rondes et ses arômes inimitables de café fraîchement torréfié, c'est le meilleur spot du coin pour une pause caféinée. On le déguste sous toutes ses formes, avec un muffin à l'heure du petit creux... avant d'en acheter un paquet moulu en cas d'addiction !

***Capogiro** (plan d'ensemble, C2, **66**) : 119 S 13th St (et Sansom).* ☎ *215-351-0900. Lun-ven 7h30-23h30 (1h ven), sam 9h-1h, dim 10h-23h30. Succursale au 117 S 20th St, près de Rittenhouse Sq (plan d'ensemble B2, **66**).* ☎ *215-636-9250. Compter 6-8 $.* Dans un décor tout bleu, 27 sortes de glaces qui changent tous les jours. Les ingrédients sont locaux (en provenance de fermes amish et mennonites par exemple), parfois même bio. Quelques originalités comme celle au sel de mer ! On peut goûter avant de faire son choix.

***The Franklin Fountain** (zoom Old City, D2, **67**) : 116 Market St.* ☎ *215-627-1899. Tlj 11h-minuit. Cash slt.* Le glacier à l'ancienne de Philly. Cadre délicieusement rétro et recettes traditionnelles. Attention, la taille *small* pour les *ice creams* est déjà copieuse ! Également des milk-shakes, *floats* et autres *specials* comme le banana split. Comptoir à l'intérieur et quelques tables en terrasse donnant sur (la bruyante) Market Street.

***Shane Confectionery** (zoom Old City, D2, **67**) : 110 Market St.* ☎ *215-922-1048. Tlj 11h-22h (23h ven-dim).* Juste à côté du glacier (c'est la même maison), un confiseur-chocolatier datant du XIXe s. Charmant décor de bonbonnière avec son comptoir à l'ancienne et ses rayonnages en bois bleu ciel et blanc, remplis de sucreries : chocolats, caramels, *fudge, bubble-gums...* La caisse enregistreuse, une antiquité, fonctionne toujours. Si vous demandez gentiment, on vous fera volontiers goûter.

Où boire un verre ? Où sortir ? Où écouter de la musique ?

Le quartier des universités mis à part (relativement pauvre en endroits pour couche-tard), l'essentiel de la vie nocturne se passe à l'est dans Old City. South Street s'octroie la faveur des yuppies et des plus jeunes mais ne présente pas beaucoup d'intérêt d'un point de vue musical. *Northern Liberties,* en revanche, ravira les vrais oiseaux de nuit.

En ce qui concerne les différentes programmations, se procurer les 2 grands hebdos gratuits de la ville : le *City Paper* et le *Philadelphia Weekly.* Bourrés d'infos sur la vie culturelle et nocturne, les concerts, etc. Disponibles dans quasiment tous les bars et certains restos, parfois dans la rue et quelques lieux publics. Chercher également sur les sites internet des différents établissements.

Dans Old City et à Penn's Landing (zoom Old City)

🍸 ♪ ***Spruce Street Harbor Park*** *(zoom Old City, D2,* ***87****)* ***:*** *301 S Columbus Blvd.* • *delawareriverwaterfront.com* • *Tlj le soir en été.* Plus excentrique tu meurs ! En saison, les quais sont investis par des *food trucks* top (du genre *Federal Donuts* ou *Franklin Fountain*), des terrasses et des espaces d'exposition et de concerts. Mais le must, c'est *Oasis.* Amarrées au quai, des passerelles flottantes encadrent un bassin zen (avec arbres et fleurs !)... prolongé par une miniplage artificielle et des hamacs suspendus au-dessus de la Delaware ! Affalé dans un transat, le cocktail à la main, la soirée festive est garantie.

🍸 ♪ ***National Mechanic's*** *(zoom Old City, D2,* ***86****)* ***:*** *22 S 3rd St.* ☎ *215-701-4883.* • *nationalmechanics.com* • *Tlj 11h-2h. Brunch sam-dim 11h-15h30.* Impossible de manquer les colonnes grecques de cette ancienne banque du début du XIXe s (la *National Mechanic's Bank*). Intérieur brique nue et bois verni. Quelques appliques en forme de lévriers veillent sur les consommateurs rivés au bar (moins de 30 ans). Dans la salle, on peut aussi manger : assiette sans prétention mais bien servie. Musique rock, parfois groove-funky. DJ tous les soirs à partir de 22h.

🍸 ***Independence Beer Garden*** *(zoom Old City, D2,* ***72****)* ***:*** *100 S Independence Mall W (sur la 6th St).* ☎ *215-922-7100. Tlj l'été 11h-minuit (1h mer-jeu et 2h ven-sam).* Du gravier, des poutrelles métalliques prises d'assaut par des plantes grimpantes, des tables communes en bois : difficile de reconnaître l'austère parvis de l'immeuble moderne sous cette déco exubérante ! Parfait pour siroter un verre en terrasse en surplomb du Mall.

🍸 |●| ***Moshulu*** *(zoom Old City, D3,* ***79****)* ***:*** *401 S Columbus Blvd.* ☎ *215-923-2500. Tlj 15h (10/11h le w-e)-23h (21h dim). Brunch dim 39 $.* Magnifique et titanesque quatre-mâts blanc et noir de 1904, qui a bourlingué sur toutes les mers du monde avant d'échouer sur la Delaware River ! Pour se payer le plaisir d'un cocktail sur le pont ou dans l'atmosphère feutrée du luxueux bar *Bongo,* dans une ambiance des mers du Sud. Au passage, jeter un œil au sous-marin *Becuna* et au navire *Olympia,* amarrés à quai juste devant.

À South Street (plan d'ensemble, C-D3)

Ici, les adresses bon marché pour boire un verre ou casser une petite graine sont au coude à coude : on y trouve pizzas, *falafels, Philly sandwiches* ou hot dogs. South Street, c'est l'animation version 18-25, voire carrément *teen.* Ça chauffe aussi, parfois, comme en témoigne le nombre de véhicules de police prêts à intervenir (contrairement à Old City). En fin de semaine, la rue ne désemplit pas.

♪ ***Theater of Living Arts (TLA ;*** *plan d'ensemble, D3,* ***82****)* ***:*** *334 S St.* ☎ *215-922-1011.* • *venue.tlaphilly.com* • *Programmation sur leur site internet ou en se rendant sur place.* Un des endroits les plus réputés pour son atmosphère électrique.

Dans Midtown Village, Chinatown et Washington Square District
(plan d'ensemble, B-C2-3)

🍸 🍽 ***McGillin's Olde Ale House*** *(plan d'ensemble, C2,* ***73****)* **:** *1310 Drury St. ☎ 215-735-5562. Tlj 11h-2h (minuit dim). Plats 7-12 $.* Située dans une ruelle parallèle à Chestnut, cette maison pittoresque en brique abrite l'un des plus vieux pubs de la ville, ouvert en 1860. Style rustique typique, décoré de caricatures, photos. Au-dessus du bar, les vieilles licences obtenues année après année. Animé, très bruyant (hein, *kestudi* ?), surtout les jours de retransmission de matchs. Clientèle festive, genre étudiants ou jeunes cadres.

🍸 ♩ ***Fergie's Pub*** *(plan d'ensemble, C2,* ***81****)* **:** *1214 Sansom St (entre 12th et 13th St, fresque sur le pignon). ☎ 215-928-8118. • fergies.com • Tlj 11h30-2h. Plats env 6-15 $.* Pub irlandais traditionnel. Vaut surtout pour la qualité de sa programmation : folk, rock, blues et *jam sessions* certains soirs. C'est là que les golden boys viennent s'en jeter un derrière la cravate après le boulot. Ambiance chaleureuse, avec possibilité de petite restauration sans prétention : *fish and chips,* sandwichs, burgers, salades, etc. Une partie du décor, très beau dans le style sombre et patiné, est issue du précédent resto allemand, et l'inscription : « Si tu bois, tu meurs, si tu ne bois pas, tu meurs quand même, alors bois ! » demeure au-dessus du comptoir en sage gardienne du savoir-vivre.

🍸 ♩ ***Trocadero Theatre*** *(plan d'ensemble, C2,* ***76****)* **:** *1003 Arch St (angle avec 10th St, en bordure de Chinatown, repérer l'arche monumentale). ☎ 215-922-6888. • thetroc.com •* Escalier bien décrépit pour y arriver. Public plutôt rock, cuir et tatoué. Derrière s'ouvre un ancien théâtre. Atmosphère *rough* garantie pour de super concerts purs et durs.

♩ 🍽 ***Chris'Jazz Café*** *(plan d'ensemble, B2,* ***80****)* **:** *1421 Sansom St. ☎ 215-568-3131. • chrisjazzcafe.com • Tlj sf dim 11h (18h sam)-2h. Résa conseillée pour dîner.* Cover charge *10-20 $ selon programme.* Dinner *env 20-25 $.* Ouvert depuis 20 ans, cet établissement sans prétention reçoit plus de 450 groupes de jazz par an ! Le live débute vers 20h-21h. Pat Martino, Jimmy Bruno, Bootsie Barnes, Hoppin John Orchestra et The Lars Halle Jazz Orchestra s'y produisent régulièrement. Ici, on ne joue pas le tape-à-l'œil. Priorité à la musique ! Quant à la cuisine, elle est sans complication, aux accents du Sud. Un classique de Philly.

Vers Rittenhouse Square
(plan d'ensemble, A-B2-3-D1)

🍸 🍽 ***R2L*** *(plan d'ensemble, B2,* ***77****)* **:** *au 37e étage du* Two Liberty Place, *50 S 16th St. ☎ 215-564-5337. Bar ouv tlj 16h-1h (2h ven-sam, 23h dim).* Un bar-resto-*lounge* panoramique, perché au 37e étage du gratte-ciel *Liberty Place.* Mobilier design et vue spectaculaire, surtout le soir, quand les lumières de la ville s'allument. La bière n'est pas si chère que ça et les chips sont maison.

🍸 ***The Ranstead Room*** *(plan d'ensemble, B2,* ***49****)* **:** *2013 Ranstead St, presque à l'angle de 20th St (pas de numéro sur la porte, repérer la maisonnette en briquette avec balcon au 1er étage et sur la porte, le logo « RR »). ☎ 215-563-3330. Tlj dès 18h30 jusqu'à 1-2h.* Dans une ruelle un peu paumée (parallèle à Chestnut St), une adresse qui se mérite. Ce bar sans enseigne est un *speakeasy,* dans l'esprit de ceux de la prohibition. Un concept à la mode qui part d'un postulat valorisant à l'égard de la personne. Vous y êtes, c'est donc que vous l'avez trouvé, et si vous l'avez trouvé, c'est que vous êtes dans le coup ! Celui-ci est ultra-sombre, à mi-chemin entre tripot et lupanar. Les cocktails, classiques ou originaux, sont bien réalisés. On peut aussi y accéder depuis le resto *El Rey* (voir « Où manger ? Dans Rittenhouse District »).

À Northern Liberties
(plan d'ensemble, C-D1)

LE quartier des musicos. Jazz, blues, rock, punk, cajun, soul, groove, rap, bref, de quoi satisfaire toutes les envies ! S'y rendre en remontant 2nd Street. Pas de problème jusqu'à

Ortlieb. Plus au nord, ou vers l'ouest (sur Poplar Street), mieux vaut prendre un taxi. Pas mal d'adresses sont autant de lieux où prendre un verre et écouter de la musique que d'endroits où casser la graine.

Silk City *(plan d'ensemble, D1,* ***71****) : angle de 5th et Spring Garden St. ☎ 215-592-8838. • silkcityphilly.com • Tlj 17h-1h ; brunch sam-dim 10h-14h. Plats 10-20 $.* Ce *diner* est un must. Un mélange éclectique et festif des 50's (salle façon wagon avec chrome, Formica, néons, l'Amérique quoi !), de Gaudí (étonnant portail tout en volutes) et de *cantina* avec la vaste terrasse aux airs de place de village, abritée de parasols colorés, éclairée de guirlandes et envahie par les plantes vertes. Un petit côté *Arizona Dream.* Atmosphère joyeuse et décontractée sans être pour autant assourdissante. On s'y bouscule aux *happy hours* (17h-19h) mais on peut aussi y manger un morceau (cuisine américaine classique, bien copieuse et à prix raisonnables) et même danser ! Un super endroit pour commencer sa nuit.

North Third Restaurant (N3Rd ; *plan d'ensemble, D1,* ***84****) : 801 N 3rd & Brown St. ☎ 215-413-3666. Lun-sam 16h-2h cuisine jusqu'à minuit, 1h jeu-sam) ; brunch sam-dim 10h-15h30. Carte 10-20 $.* Ambiance *red light,* dragons et farfadets. Un aigle royal plonge au-dessus du bar. Musique groove, projection de vidéos et de courts-métrages indépendants. Ambiance jeune et décontractée, tendance *hippie-arty.* Bondé pendant les *happy hours.* Bonne cuisine moyen-orientale avec quelques touches mexicaines ou chinoises, voire italiennes. Quelques tables dehors aux beaux jours. Bref, inclassable.

Ortlieb's Lounge *(plan d'ensemble, D1,* ***83****) : 847 N 3rd St. ☎ 215-922-1035. • ortliebslounge.ticketfly.com • Tlj sf lun 17h-1h (2h le w-e).* Cover charge *pour les concerts env 10 $.* Une petite boîte qui, presque tous les soirs, résonne de notes de jazz, funk, soul et rock. C'est probablement l'environnement qui donne une telle énergie à la musique. Passé la porte, salle tout en longueur, décor de bois sombre, belle tête de buffle naturalisée, atmosphère tamisée et éclairage rouge, long bar. Remarquable programmation et public d'aficionados fidèles. Sets à partir de 20h (au plus tôt).

Johnny Brenda's Tavern *(hors plan d'ensemble par D1,* ***85****) : 1201 N Frankford Ave (très au nord). ☎ 215-739-9684. • johnnybrendas.com • Taxi obligatoire. Tlj 11h-1h (voire plus si affinités). Entrée env 12-20 $ selon programmation.* Ouvert en 1967 par John Imbrenda, un caïd du ring natif de Philly, ce temple du rock, lové dans un bâtiment du XIXe s, a été entièrement réaménagé. Il ravira tous les amateurs du genre (4 300 watts de sono, ça ne vous dit rien ?). Des groupes comme The Walkmen, Clinic, Vetiver, Mazarin ou Dr Dog ont fait leurs classes ici. Autant dire que ça déménage ! On peut aussi y manger de 11h à 23h et y faire une partie de billard.

Achats

Il n'y a ***pas de taxes en Pennsylvanie pour les vêtements et les chaussures.*** Profitez-en ! Pour le shopping tendance chic, c'est autour de Rittenhouse Square, le long de Walnut Street (entre 15th et 20th Street grosso modo) que ça se passe. Pour tout ce qui est fripes et babioles bon marché (voire un peu bas de gamme), cap sur South Street. Si vous êtes vraiment accro, les *malls* mastodontes, genre *King of Prussia* (le plus grand centre commercial de la côte est) sont carrément des villes entières.

Vêtements, accessoires

Anthropologie *(plan d'ensemble, B2,* ***100****) : 1801 Walnut St (en bordure de Rittenhouse Square). ☎ 215-568-2114.* Le *flagship* de la marque de vêtements pour femmes et objets de déco née à Philadelphie. Outre le style, original et raffiné, tendance vintage, rétro ou hippie chic, le lieu en lui-même vaut le détour. Un building historique avec cheminée sculptée, plafond stuqué, coupole en vitrail et partout des clins d'œil *arty* propres à Philly.

Urban Outfitters *(plan d'ensemble, B2,* ***101****) : 1627 Walnut St.* C'est la déclinaison *streetwear* d'*Anthropologie.* Style jeune urbain tendance *hipster,* tirant parfois sur le grunge, voire destroy. Pour filles et garçons, mais aussi des gadgets, bouquins, disques... Un *concept store,* quoi.

Greene Street *(plan d'ensemble, C3,* ***102****) : 700 South St. ☎ 215-733-9261.* Super boutique de vêtements, chaussures et accessoires vintage à prix raisonnables. Pour femmes surtout, même s'il y a aussi un petit rayon hommes. Grandes marques américaines, créateurs américains et européens. Bien classé et de vraies affaires à faire.

Franklin Mills : *à 35 mn au nord-est de Philadelphie (sortie 35 sur l'Interstate 95). Du centre, des navettes sont assurées par la* Philadelphia Trolley Works. Au total, 200 boutiques proposant des rabais de 20 à 70 % : *Ralph Lauren, Levi's, Kenneth Cole, DKNY...* Sur place, *food court,* restos et bowling.

Livres, disques

Fat Jack's *(plan d'ensemble, A-B2,* ***103****) : 2006 Sansom St. ☎ 215-963-0788.* Une boutique qui ravira les fans de *comics.* Tous âges, tous styles, y compris manga, et quelques rares B.D. européennes. Revues neuves, produits dérivés et collectors.

Marchés

Eh oui, Philadelphie compte 2 grands marchés, hauts en couleur. Ne manquez ni l'un ni l'autre.

Reading Terminal Market *(plan d'ensemble, C2) : à l'angle d'Arch et 12th St. ☎ 215-922-2317. • readingterminalmarket.org • Tlj 8h-18h (9h-17h dim), mais préférable d'y aller mer-sam, car les amish y tiennent leurs stands.* Sous un énorme marché couvert établi ici depuis 1893, les amish (voir plus loin, dans « Pennsylvania Dutch Country », le commentaire les concernant) viennent ici proposer leurs bons produits fermiers dans leurs échoppes. Parmi leurs spécialités, délicieux ***pretzels,*** préparés sous vos yeux et servis tout chauds, ***custard pudding*** et ***pies*** aux fruits de saison, ***pickles*** et ***confitures.*** Le marché abrite aussi des stands de ***food court*** comme on en voit partout ainsi que des étals de fruits et légumes, viandes, poissons, fromages et même un peu d'artisanat, pas toujours de bon goût. On conseille d'aller au marché le matin et d'en profiter pour y déjeuner (voir plus haut « Où manger ?... Vers Reading Terminal Market... »).

Italian Market *(plan d'ensemble, C3) : sur 9th St (entre Wharton et Christian St). • phillyitalianmarket.com • Mar-sam 9h-17h, dim 9h-14h.* Pas vraiment un marché couvert, mais une rue avec les étals sur les trottoirs. Ça fait vraiment chaud au cœur de voir en Amérique des cageots de légumes, de la viande sanguinolente, du pain tout chaud, et de sentir des odeurs de fromage ou d'huile d'olive. D'ailleurs, pour un casse-croûte, aller au nº 930, *The House of Cheese Di Bruno's Bros* (400 sortes de fromages). On retrouve là les accents de toutes les minorités italienne et asiatique. À l'angle de 9th et Washington Street, on pourrait tourner un film style années 1930-1940 chez *Giordano,* le marchand de légumes, sans modifier quoi que ce soit. Quelques scènes du film *Rocky* se passent dans les entrepôts des boucheries du quartier. Y aller le matin, de préférence le samedi.

À voir

La ville propose des *passes* de visite (les ***Philadelphia Pass***) qui offrent, en plus de toutes sortes d'avantages, l'entrée gratuite à la plupart des sites et musées (les principaux sont tous concernés), ainsi que l'accès aux bus de la compagnie *Bis Bus* (qui pratique le système du *hop on, hop off* : on monte et on descend autant de fois que l'on veut aux arrêts, situés dans tous les sites touristiques majeurs). Chers, mais, compte tenu des prix de certains musées, vite rentabilisés pour celui qui envisage d'en voir beaucoup. *Compter pour 1, 2 ou 3 j. 59, 89 ou 109 $; réduc. Infos sur • philadelphiapass.com •*

Le Mural Arts Program (MAP)

★★★ ***Philly est la capitale mondiale des* murals.** Eh oui, ici on a pris l'habitude de ne plus contingenter l'art entre les seuls murs des musées. Les artistes ont pris possession de l'espace public et embellissent les rues (surtout dans les quartiers populaires) tout en contribuant à fédérer les habitants autour de ces projets communs. Les *murals* sont désormais la marque de fabrique de la ville et une attraction touristique de premier plan. Le programme a pris une telle ampleur, que certains projets, comme celui d'*Open Source,* incluent des sculptures et des installations, pérennes ou éphémères. Quelle énergie !

Une expérience artistique et humaine...

Initié par la ville de Philadelphie, ce programme a débuté en 1984 sous la forme d'une lutte antigraffitis, en proposant des projets plus constructifs à de jeunes tagueurs au talent certain mais un peu nuisible. L'idée a grandi jusqu'à devenir un projet artistique dont l'envergure dépasse à présent de loin les projets municipaux habituels. Pour lancer et suivre ce programme, la ville a fait appel à ***Jane Golden,*** une artiste muraliste qui a réussi à convaincre les grapheurs d'utiliser leur énergie pour créer de véritables fresques. Selon elle, « *Art saves life* » (l'art sauve la vie). En luttant contre l'exclusion sociale de jeunes marginaux et des anciens prisonniers, l'expérience a aussi aidé ceux-ci à développer leur talent artistique, tout en leur permettant d'embellir leurs quartiers et de prendre part à la vie de la communauté. En 1996, la ville a officiellement reconnu le programme ***MAP,*** qui s'est constitué en association à but non-lucratif (financée à hauteur de 40 % par la ville). Sa mission consiste à développer des actions éducatives pour les jeunes et à redynamiser les quartiers au travers de l'art.

Le programme a rencontré un tel succès que plus de 3 800 *murals* ont déjà été peints sur les murs de la ville. Chaque année voit la réalisation d'une centaine de nouveaux *murals.* Il faut dire que tous les ans certains disparaissent aussi à cause de la construction de nouveaux bâtiments. Le projet se déroule en plusieurs étapes : il faut d'abord repérer le mur à peindre, la surface à couvrir, réfléchir à une thématique. Un travail d'équipe, toujours. Un *mural* de taille classique prend environ 2-3 mois et la peinture utilisée est une formule unique mise au point après des années de recherche, la seule qui résiste dans le temps.

QUAND L'ART FAIT LE MUR

L'originalité des murals *de Philadelphie vient de ce qu'ils sont réalisés par les habitants eux-mêmes. Le thème, le design, les couleurs de chaque fresque sont décidés lors de réunions de quartier. Ensuite, l'artiste commandité crée le dessin sur des panneaux de toile de parachute qui sont numérotés. Et les habitants les assemblent avant de les peindre ensemble, lors des* Community Paint Days. *Tout le monde participe, même les enfants.*

Dans chaque quartier, vous pourrez admirer les façades des immeubles, les murs de parkings ou de terrains vagues transformés, illustrés de héros populaires, de figures locales (le groupe de hip-hop *The Roots* a la sienne par exemple), de paysages fantastiques ou de scènes d'espoir. Certains peuvent être commissionnés, par exemple par un hôpital sur le thème de la santé ou du handicap. Ces *murals* ont fini par devenir un élément apprécié et protégé du paysage urbain. Le programme MAP travaille avec une centaine de communautés pour réaliser des *murals* qui reflètent la culture et l'état d'esprit des quartiers de Philadelphie. C'est une grande source de fierté et de motivation pour les habitants, qui les font découvrir aux visiteurs chaque année. Employant plus de 300 artistes chaque année, le MAP est l'un des plus gros employeurs du secteur artistique. Il est aussi chargé de la restauration des *murals,* comme ce fut le cas pour la fresque collaborative de Keith Haring (natif de l'État de Pennsylvanie), la seule *et* unique créée par l'artiste à Philadelphie en 1987, à l'angle de 22nd et Ellsworth Street (à une vingtaine de blocs au sud de Rittenhouse Square).

Les visites

Ces visites dévoilent l'envers du décor de la réalisation d'un *mural.* Riches en anecdotes, elles permettent de comprendre la complexité de la performance artistique et d'apprécier Philadelphie comme une galerie d'art en plein air. Nombreuses options : à pied, à vélo, en trolley (permet d'aller en dehors de la ville), en métro ou avec sa propre voiture. Également des ***visites thématiques*** plus spécifiques, des tours combinés (*murals* et architecture par exemple) et même la possibilité de participer aux *Paint Days.*

ℹ ***Visitor Center*** *(plan d'ensemble, B2,* ***4****)* **:** *rens et résa des tours (recommandée) par tél (☎ 215-925-3633), en ligne (● muralarts.org/tour ●) ou au 128 N Broad St* (dans le ***Samuel M.V. Hamilton Building*** qui abrite les expos d'art contemporain du ***Pennsylvania Academy of the Fine Arts*** : l'entrée se fait en revanche par la petite rue sur le côté, face à l'avion crashé). Visitor Center *ouv lun-ven 9h-17h.* Les visites guidées partent pour la plupart de là. Voici les principales options proposées, mais le mieux est de ***consulter leur site car les infos changent régulièrement.***

– ***Visites guidées à pied :*** *de mi-avr à fin nov, sam-dim à 11h (plus mer à 11h juin-août). Env 20 $ pour une balade de 2h (compte tenu de la densité de fresques, il existe désormais 2 circuits, nord et sud).*

– ***Visites guidées en trolley :*** *de mi-avr à fin nov, sam à 10h, et le 2e dim du mois à 11h (plus ven à 10h de juin à mi-août). Env 30 $; réduc.*

– ***Visites guidées en métro et train de banlieue :*** *tte l'année, (sf juil-août) sam à 10h30 et dim à 13h. Env 20 $ (titre de transport inclus) ; réduc.* Un parcours très original qui permet d'admirer une série de 50 peintures sur le thème des lettres d'amour, réalisées sur des *rooftops.*

– ***En segway :*** c'est rigolo mais chérot *(env 85 $!).*

Dans Old City / Independence National Historical Park *(zoom Old City, D2)*

Toutes les racines de la ville et une partie de l'histoire des États-Unis sont là, rassemblées sur 17 ha. La visite de ce quartier historique, composé d'édifices en brique du XVIIIe s superbement restaurés, se fait à pied, le nez en l'air. C'est là que l'on retrouve tous les grands noms de la jeune nation, au gré des commentaires des guides-*rangers.*

– ***La plupart des monuments du parc sont ouverts de 9h à 17h,*** et la ***visite est généralement gratuite*** (sauf mention contraire). ● *nps.gov/inde* ●

– Le périmètre d'*Independence Square,* « le mile carré le plus historique des States ! », est très surveillé par les *rangers* (c'est un parc national) en raison de la valeur symbolique de ces sites pour les Américains. Il réunit les Old City Hall, Independence Hall, Congress Hall et Museum of the Philosophical

DEATH ON A 4th JULY

Simple coïncidence ou date fatidique ? Trois des cinq premiers présidents des États-Unis sont morts un 4 juillet, jour de la fête nationale : James Monroe en 1831, et les deux autres, Thomas Jefferson et John Adams, le même jour de la même année (1826)... pile-poil pour le 50e anniversaire de la Déclaration d'indépendance.

PHILADELPHIE ET SES ENVIRONS

Society. Compter parfois 45 mn de queue l'été, quand l'Amérique débarque en famille pour venir se ressourcer auprès des vieilles pierres.

Independence Visitor Center *(zoom Old City, D2,* ***1****)* **:** *599 Market St (angle 6th St), tt près de la Liberty Bell.* ☎ *1-800-537-7676.* • *phlvisitorcenter.com* • *Tlj 8h30-18h (19h juin-août et déc).* Pour toutes infos, plans, brochures, achat du *CityPass* ou du *PhiladelphiaPass,* etc. C'est là que l'on prend les billets de mars à décembre (avec heure prédéterminée) pour l'*Independence Hall.*

Independence Hall *(zoom Old City, D2)* **:** *visite guidée gratuite tte l'année ttes les 15 mn, mais, mars-déc, nécessité de retirer un billet au Visitor Center (coordonnées plus haut) de 8h30 à 10h30 de préférence (après cette heure, en pleine saison, ts les tickets peuvent avoir été distribués). En fin de sem et pdt les vac, prévoir une attente de 15 à 45 mn. Possibilité aussi de réserver son billet sur* • *recreation.gov* • *(moyennant 1,50 $ de frais de résa).* Construite entre 1732 et 1756, la State House of Pennsylvania, rebaptisée Independence Hall, est le lieu (dans l'Assembly Room) où furent adoptées la Déclaration d'indépendance en 1776 et, 11 ans plus tard, la Constitution américaine. La visite vaut le coup compte tenu de l'importance historique du site, mais mieux vaut comprendre l'anglais, les guides faisant un show façon animateur TV avec sollicitation du public. Sinon, ce sont 35 à 40 mn un peu longuettes. Une petite anecdote : la chaise présidentielle, utilisée par Washington, fit l'objet d'un mot d'humour et d'espoir de sa part. Sur le dossier du siège, un bas-relief représentant le soleil en forme de visage est ciselé dans le bois. Le président s'était toujours demandé s'il s'agissait d'un soleil levant ou couchant. À l'issue des travaux de la Convention et de la signature de la nouvelle Constitution, il déclara sans équivoque que ce soleil se levait. La chaise prit donc le nom de *Rising Sun Chair.*

Old City Hall *(zoom Old City, D2)* **:** visite guidée rapide de l'édifice qui abrita la mairie de 1791 à 1800. Reconstitution de la salle où siégea la Cour suprême à cette époque.

Congress Hall *(zoom Old City, D2)* **:** la visite de 20 mn, guidée par un *ranger* (ttes les 20 mn, à faire en sortant *d'Independance Hall*), permet de découvrir le bâtiment où se réunit le Congrès des États-Unis de 1790 à 1800, alors que Philadelphie était la capitale. On y établit le *Bill of Rights.* À l'époque, le pays comptait seulement 13 États. À l'étage, plusieurs bureaux meublés, et tout au fond, la belle salle du Sénat. Dans les deux pièces attenantes, deux grandes toiles de Louis XVI et de Marie-Antoinette, données par Valéry Giscard d'Estaing en 1976 pour le bicentenaire de la Déclaration d'indépendance. Au XVIIIe s, des portraits des souverains français trônaient déjà dans cette pièce. Pendant la Révolution française, un drap noir fut placé sur les toiles après leur exécution, en signe de deuil. Cette solidarité envers le roi s'explique par le traité d'amitié qu'avaient signé les deux pays en 1778.

Liberty Bell Center *(zoom Old City, D2)* **:** *dans un grand pavillon vitré en face de l'Independence Hall, au sommet duquel elle a jadis sonné l'indépendance des colonies du Nouveau Monde.* Préparez-vous à faire la queue. Après avoir parcouru une petite exposition historique en introduction, la foule se presse pour découvrir enfin cette grosse cloche de 940 kg, symbole de la liberté et gardée en permanence par un *ranger.* Destinée à la toute nouvelle *State House of*

RING THE BELLS

En 1950, le gouvernement américain décida de faire fondre en Savoie, par la fonderie Paccard, 54 répliques à taille réelle de cette fameuse cloche pour en placer une devant le capitole de chacun des États, plus une pour Washington, ainsi que d'autres pour des personnalités, et une pour Annecy, siège de la fonderie. Depuis cette date, si un Américain veut entendre le son de sa Liberty Bell, *il lui suffit de se rendre dans la capitale de son État.*

PHILADELPHIE ET SES ENVIRONS

Pennsylvania, la plus célèbre cloche des États-Unis, forgée à Londres, fut expédiée à Philly en 1752. Mais avant sa mise en place, une fêlure fut décelée, et elle dut être refondue avant d'être installée. Elle sonna la première fois à l'occasion de la Déclaration d'indépendance le 8 juillet 1776, puis fut utilisée par la suite pour rameuter les citoyens à l'occasion d'événements majeurs. Malheureusement, elle se fissura de nouveau en 1835, lors des funérailles de John Marshall, l'un des signataires de la Déclaration d'indépendance. Historiquement, elle n'a pas une grande importance, mais pour les Américains, elle a acquis une valeur symbolique considérable.

🎥 ***President's House*** *(zoom Old City, D2) : dans le prolongement du Liberty Bell Center, en accès libre.* Des fouilles archéologiques ont mis au jour les fondations de la maison des deux premiers présidents des États-Unis, George Washington (1790-1797) et John Adams (1797-1800). Pas grand-chose à voir en fait : à peine quelques vestiges protégés par une structure de verre. C'est plus un lieu de réflexion sur les contradictions d'une jeune nation vis-à-vis de l'esclavage. Il se trouve que contrairement à John Adams, George et Martha Washington avaient en leur foyer une dizaine d'esclaves...

🎥🎥 ***Second Bank of the United States*** *(zoom Old City, D2) : Chestnut St. En principe, ouv mer-dim 11h-17h.* Exemple typique du style *Greek Revival* qui primait au début du XIXe s. À l'intérieur, galerie de 185 portraits des pères de la nation et de leurs successeurs au XIXe s. Une sorte de *Who's Who* sur toiles. On y voit Thomas Jefferson, George Washington, John Dickinson, Benjamin Franklin, John Adams et tous leurs acolytes. À côté de chaque portrait, un bref historique. Remarquer l'unique représentation de Jefferson où il apparaît tel qu'il était : roux. Les toiles sont de bonne qualité et des guides sont à disposition pour répondre aux questions. Une grande partie de ces portraits sont dus aux pinceaux de Charles Wilson Peale, de son frère et de leurs fils, une vraie dynastie de portraitistes. Également quelques représentations de Français célèbres : La Fayette (vieux), de retour en Amérique, et Volney. Et d'autres moins connus, comme le chevalier de La Luzerne, Conrad Alexandre Gérard (premier ambassadeur de France en Amérique) et Ternant. Ce dernier fut président d'une société charitable destinée à aider financièrement les Français indigents de Philadelphie (des réfugiés, en fait). Dans la *Military Gallery,* superbes portraits de La Fayette (jeune, cette fois-ci) et de Rochambeau.

🎥🎥 ***National Liberty Museum*** *(zoom Old City, D2) : 321 Chestnut St. ☎ 215-925-2800. • libertymuseum.org • Tlj 10h-17h (18h juin-août). Hors saison, sem 11h-16h, sam 10h-17h, dim 12h-17h. Entrée : 7 $; réduc. Ticket familial (2 adultes + enfants « illimités ») : 15 $.*

Contrairement à ce à quoi on pourrait s'attendre avec un nom pareil, ce musée n'est pas une pierre de plus apportée au monument du patriotisme national. Bien au contraire : l'idée est plutôt de célébrer la diversité et l'ouverture d'esprit. Le combat pour la liberté ne s'est pas arrêté un certain 4 juillet 1776 ; il se déroule tous les jours et passe par la tolérance, le respect de l'autre et le refus de la violence. Quant aux thèmes, ils sont essentiellement illustrés à l'aide d'œuvres réalisées en verre ; le choix de ce matériau délicat reflète à la fois la pureté et la fragilité de la liberté.

Dès l'entrée, une vidéo célébrant l'écoute et le partage donne le ton. Puis, avant de monter l'escalier, une autre vidéo muette passe en boucle les images du *Nine-Eleven.* Le symbole est violent. D'autant qu'elle est cernée par la liste interminable des victimes. Mais la visite commence vraiment au dernier étage, avec une galerie prônant le respect des libertés fondamentales (évocation de l'esclavage, du droit de vote...), dont la liberté de culte. Évidemment, on insiste plutôt sur les religions du Livre, illustrées par des tableaux de Chagall, l'exposition esquissant à peine celles des peuples natifs. Toutefois, un jeu d'échecs représentant juifs et catholiques en situation de dialogue plutôt que de conflit, affirme le choix idéologique

de l'endroit. En face, le *Liberty Hall* honore les présidents américains. Un tableau les réunit tous, Obama compris.
À l'étage inférieur, une large section regroupe les portraits d'hommes et de femmes célébrés pour leurs actes de bravoure. Certains sont des personnalités (Mandela, Mère Teresa, Anne Frank), d'autres sont des gens ordinaires qui se sont révélés être de véritables héros, le plus souvent en luttant contre la tyrannie. Enfin, une dernière galerie tente de démontrer comment chacun d'entre nous peut améliorer les choses à son échelle. Bref, un temple du politiquement et religieusement correct, prônant une certaine idée de la vie et de la liberté. Intéressant pour comprendre les États-Unis actuels.

👁👁 ***National Constitution Center*** *(zoom Old City, D2)* **:** *525 Arch St (sur la portion nord de l'Independence Mall).* ☎ *215-409-6700 ou 6600.* • *constitutioncenter.org* • *Lun-sam 9h30-17h, dim 12h-17h. Entrée : 14,50 $; réduc ; gratuit moins de 5 ans.* Le grand hall d'accueil est tapissé des drapeaux des 50 États histoire d'annoncer la couleur. Car l'objectif de ce centre ultramoderne est de favoriser la compréhension de la fameuse Constitution américaine et de montrer sa pertinence dans la vie quotidienne des citoyens. Pari gagné grâce à l'exposition permanente vedette *We the People,* en référence aux trois premiers mots de la Constitution américaine qui, même si elle ne fait que quatre pages, pèse incontestablement sur l'histoire du monde contemporain. L'expo, très ludique et parfaitement documentée, retrace l'évolution de la Constitution depuis sa signature à Philadelphie en 1787. Le parcours chronologique aborde chaque amendement en détaillant le contexte (certains sont poignants, comme le 13ᵉ qui abolit l'esclavage, le 15ᵉ qui donne le droit de vote à tous les hommes sans distinctions raciales, ou encore le 19ᵉ en 1920 qui inclut les femmes dans le corps électoral), le tout illustré par des reconstitutions, des documents ou des espaces interactifs. Vraiment efficace... à condition de bien comprendre l'anglais. À côté, la galerie des célébrités *(Signers' Hall)* ne désemplit pas. On y trouve tout le gratin des politiques en bronze et sur pied. Mais c'est la salle attenante qui vaut le coup, avec une copie originale du *Bill of Right* (il y en eut 14 en 1789 : un pour le gouvernement fédéral, et un par État) ! Puis, retour au rez-de-chaussée pour découvrir une section consacrée à un autre combat, celui de la communauté homosexuelle. Enfin, le temple de la liberté version américaine s'est offert un méga-show *(Freedom Rising)* donné en gros toutes les heures. Au centre d'un amphithéâtre plongé dans l'obscurité, on vous explique à qui et à quoi les citoyens américains doivent leur liberté. Une sorte d'éducation civique multimédia théâtralisée.

Musées à proximité de l'Independence National Historical Park *(plan d'ensemble, C2)*

👁 **Philadelphia History Museum** *(ex-**Atwater Kent Museum** ; plan d'ensemble, C2)* **:** *15 S 7th St.* ☎ *215-685-4830.* • *philadelphiahistory.org* • *Tlj sf dim-lun 10h30-16h30. Entrée : 10 $; réduc ; gratuit moins de 12 ans.* Atwater Kent fonda, au début du XXᵉ s, à Philadelphie, une fabrique de postes de radio qui devint en 1922 la plus importante au monde. En 1927, plus d'un million de foyers américains en possédaient au moins un. L'élégant édifice abritant aujourd'hui le musée, œuvre du célèbre architecte John Havilland (en 1826), fut pourtant menacé de destruction (Henry Ford se proposait de racheter la façade). Notre homme de radio le racheta alors sous trois conditions : qu'il soit transformé en musée d'Histoire de la Ville, qu'il porte son nom et qu'il soit gratuit (c'est donc raté !). Le musée abrite de petites collections d'objets régulièrement sélectionnés parmi les vastes réserves qui en contiennent près de 100 000. Ils se rapportent tous à Philadelphie, et en fonction de l'exposition du moment vous pourrez voir des plans de William Penn, du mobilier (comme le bureau de Washington), des souvenirs sportifs (les gants de Joe Frazier)... Sympa, mais pas indispensable.

🔭 ***African American Museum*** *(plan d'ensemble, C2) : à l'angle de 7th et Arch St.* ☎ *215-574-0380.* • *aampmuseum.org* • *Tlj sf lun 10h (12h dim)-17h. Entrée : 14 $; réduc ; gratuit moins de 4 ans.* Est-ce une manière de se donner bonne conscience ou une réelle volonté de réhabilitation de la communauté noire ? Nous, nous optons pour la première hypothèse, compte tenu de la pauvreté de ce « musée » qui se résume à une frise historique et quelques vidéos. Il y a mieux à faire à Philly !

Les autres lieux historiques dans Old City

🔭 ***Old Post Office*** *(zoom Old City, D2) : 316 Market St.* C'est la seule poste « coloniale » des États-Unis et la seule où ne flotte pas le drapeau américain (*because* il n'existait pas encore à l'époque !). Cadre comme autrefois. On peut envoyer des courriers cachetés à la signature de Franklin. Vous noterez d'ailleurs le mot *Free* qui se glisse entre le prénom Benjamin et son nom, rappelant la lutte qu'il mena pour l'indépendance et aussi contre l'esclavage.

🔭🔭 ***Franklin Court*** *(zoom Old City, D2) : Market St (et 3rd St).* Grande et belle demeure toute de brique vêtue. Cet ensemble faisait autrefois partie de la demeure de Benjamin Franklin. La maison elle-même fut détruite (on peut voir son plan au sol) et l'on bâtit la vieille poste. À côté, possibilité de jeter un coup d'œil à la reconstitution d'une petite imprimerie *(tlj 10h-17h),* où l'on découvre une autre facette de Franklin, qui fut imprimeur et journaliste. Autodidacte, il fut assurément un des esprits les plus fins de son époque. Écrivain, philosophe, inventeur, diplomate, il fut aussi bien en avance sur son temps et fonda le premier hôpital public du pays et la première compagnie de pompiers. Au fond de la cour, en sous-sol, un musée modeste avec des reproductions d'objets que Franklin l'inventeur mit au point, dont son *harmonica (tlj 9h-17h ; 5 $).* Projection d'un intéressant film de 20 mn (sous-titré en anglais) retraçant sa vie peu ordinaire. Petit musée de l'Imprimerie. Encore quelques anecdotes concernant ce diable d'homme : il a écrit un essai sur les flatulences, intitulé « Lettre à l'Académie royale » mais plus connu sous le titre : *Fart Proudly (Péter avec fierté).* Il aurait préféré que le symbole des États-Unis ne soit pas l'aigle mais la dinde qui, pour lui, est un oiseau avec un caractère « plus moral ».

LE DINDON DE LA FARCE

Symbole de l'abondance, du partage, de la famille, la dinde tient une place de choix aux États-Unis. Tous les ans, pour Thanksgiving, le Président en gracie une qui ne finit pas dans les assiettes ! Benjamin Franklin aurait bien aimé faire d'elle l'emblème national, mais le volatile ne fut pas considéré comme assez noble. On lui préféra l'aigle impérial, le fameux bald eagle.

🔭 ***Free Quaker Meeting House*** *(zoom Old City, D2) : à l'angle d'Arch St et de 5th St. Sam-dim 11h-16h.* Cette secte religieuse puritaine, qui prônait l'égalité pour tous et rejetait tout dogme et toute liturgie établie, a suivi William Penn vers la *Terre promise,* où ils espéraient pouvoir vivre de l'amour fraternel. Si, au départ, ils se qualifiaient eux-mêmes de *Société des Amis,* la traduction de quakers est « trembleurs ». De fait, pacifistes et tolérants, ils ne tremblaient que devant Dieu. Le terrain de cette demeure historique, construite en 1804, où les quakers se réunissaient, fut concédé par William Penn lui-même (bel exemple de continuité). Ces quakers-là, contrairement à d'autres, prirent fait et cause pour la révolution. Pas de décor, cadre et atmosphère très austères, comme il se doit. Rien de bien spécial, donc, à part ce surprenant tête-à-tête avec un quaker plus vrai que nature, en costume d'époque, qui se fera un plaisir de renseigner son monde ou de se laisser prendre en photo. Rencontre assez surréaliste, surtout si on tombe nez à nez avec lui.

– Un bloc plus loin, la ***Friends Meeting House*** *(zoom Old City, D2) : à l'angle d'Arch St et de 4th St. Tlj sf dim 10h-16h.* Lieu de culte de la communauté quaker qui accueille régulièrement d'intéressantes expositions. Des personnes très accueillantes pourront également vous renseigner sur l'histoire des quakers et de la Pennsylvanie.

DE LA GRAINE DE PHILANTHROPE

Peu de monde sait que Richard Nixon était issu d'une famille quaker et que les quakers sont à la base d'organisations comme Amnesty International et Greenpeace. *Chacun a vu un jour une tête de bon quaker sur les paquets de céréales de la marque* Quaker Oats. *Elle se veut l'héritière des valeurs d'intégrité et d'honnêteté des fermiers de Pennsylvanie. Nixon a dû sécher le catéchisme.*

★ ***Christ Church*** *(zoom Old City, D2) :* *2nd St (près de Market St). • christchurchphila.org • Lun-sam 9h-17h, dim 13h-17h ; fermé lun et mar janv-fév. Entrée libre mais donation suggérée : 5 $.* La plus ancienne église de Philadelphie, datant de 1727. Architecture coloniale georgienne. De nombreux révolutionnaires y prièrent. William Penn y a été baptisé. Le banc n° 58 est celui où ont prié Washington et John Adams, et le n° 70 celui de la famille Franklin. Non loin, à l'intersection de 5th et Arch Street, le *cimetière* de Christ Church abrite la tombe de Benjamin Franklin (entrée : 2 $).

★★ ***National Museum of American Jewish History*** *(zoom Old City, D2) : 101 S Independence Mall East (angle 5th et Market St). ☎ 215-923-3811. • nmajh.org • Tlj sf lun 10h-17h (17h30 sam-dim). De fin mai à début sept, ouv mer jusqu'à 20h (entrée par donation à partir de 17h). Entrée : 12 $; réduc ; gratuit moins de 12 ans.* C'est le seul musée sur l'histoire des juifs d'Amérique. Autant dire que le propriétaire, la prestigieuse institution Smithsonian, a mis le paquet ! Le building, high-tech, est formé de deux vastes volumes qui s'emboîtent, l'un fermé en terre cuite rouge (servant d'écrin aux collections) et l'autre transparent et ouvert. Les architectes ont voulu représenter le dialogue du Talmud qui anime le discours hébraïque. Superbe muséographie moderne et très visuelle sur quatre niveaux (commencer par le haut). Le dernier étage est dédié aux expositions temporaires, tandis que les trois autres empruntent un parcours chronologique classique, depuis l'arrivée des premiers colons juifs en 1654. Au gré de la visite, le visiteur découvre le développement de la communauté (la 1re synagogue du pays fut construite à New York en 1730), son implication dans l'histoire du pays (il y eut des juifs dans chaque camp pendant la guerre d'indépendance), le tout illustré par des objets d'époque, des témoignages et des focus sur différentes personnalités (comme l'épopée de Levi Strauss débarqué en 1847). Plus loin, de larges sections décrivent les difficultés rencontrées par les migrants, surtout à partir du 1er quart du XXe s lorsque furent appliquées les restrictions imposées par le gouvernement pour juguler l'afflux de populations étrangères (par crainte du bolchevisme notamment). Puis vient l'épisode tragique de la Seconde Guerre mondiale, qui conduira à la création d'Israël et à la guerre des 6-Jours. Autant d'événements marquants, difficiles, vécus à leur manière par les communautés juives américaines. Car celles-ci ont bien prospéré depuis 1654, et les amusantes sections dédiées au quotidien des familles démontrent un certain assouplissement des règles (jusqu'à l'ouverture des écoles rabbiniques aux homosexuels en 2007 !). Pour terminer, *hall of fame* pour honorer quelques stars et admirer, par exemple, les lunettes de Leonard Bernstein, ou une ampoule du vaccin contre la polio inventé par le Dr Jonas Salk ! Une visite très riche.
Très belle ***boutique.***

★ Si vous aimez les histoires au coin du feu, ne manquez pas de vous asseoir à l'un des bancs portant le libellé ***Once upon a Nation.*** Des bénévoles y racontent gratuitement (en anglais), certains jours de juin à septembre *(tlj sf dim-lun de juin à mi-août),* la petite et la grande histoire de Philadelphie. Plans et renseignements à l'*Independence Visitor Center* ou sur ● *historicphiladelphia.org* ●

Elfreth's Alley *(zoom Old City, D2) : juste à l'est de 2nd St (entre Arch et Race St).* La rue résidentielle la plus ancienne des États-Unis, étroite et très pittoresque avec ses pavés disjoints et sa trentaine de maisons en brique encore habitées, construites entre 1728 et 1836. Remarquer l'usure des emmarchements en granit sur les perrons. Poussez dans la petite impasse de Bladen's Court pour voir la pompe à eau d'origine. Ce quartier était à l'époque le centre commercial de la ville. Artisans et riches marchands y demeuraient, comme le forgeron Jeremiah Elfreth...

Betsy Ross House *(zoom Old City, D2) : 3rd et Arch St. ☎ 215-629-4026. Tlj 10h-17h (fermé lun déc-fév). Entrée : 5 $; avec audioguide 7 $; réduc.* La maison de Betsy Ross est un pèlerinage obligatoire pour une grande majorité d'Américains. Il faut dire qu'elle est une icône de l'histoire américaine : c'est elle qui cousit en secret, dans sa chambre, la toute première bannière étoilée, en 1777. Il ne fallait surtout pas que les Anglais la voient... Le secret fut gardé pendant près d'un siècle, seule sa famille était au courant. Betsy Ross incarne un autre symbole fort, celui de la femme moderne et active. À la mort de son mari, elle reprit seule les rênes de l'entreprise familiale de tapisserie. À cette époque, rares étaient les femmes qui faisaient bouillir la marmite, comme on dit.

À Penn's Landing (zoom Old City, D2)

À l'extrémité est de Chestnut Street, du nom du lieu où William Penn débarqua en 1682. Traversé par la voie express de l'Interstate 95, ce n'est pas vraiment un quartier, puisque son seul intérêt réside dans la présence du Musée maritime et ses bateaux amarrés le long du quai de la Delaware River. De fin mai à début juin, ne manquez pas ***The Roots Picnic,*** incontournable festival de musique en plein air orchestré depuis plusieurs années maintenant par le groupe mythique de hip-hop originaire de Philly. La scène est dressée au Festival Pier de Penn's Landing. Ambiance cool et bon enfant. *Pass* journée environ 50 $.

Independence Seaport Museum *(zoom Old City, D2) : 211 S Columbus Blvd par Walnut St. ☎ 215-413-8655. ● phillyseaport.org ● Tlj 10h-17h. Entrée : 16 $; enfants 12 $; gratuit moins de 2 ans.*
Musée interactif bien fait, qui couvre tous les domaines de la marine et rappelle sa contribution au développement de Philadelphie : commerce outre-mer (en particulier avec la Chine), immigration (en provenance essentiellement de Brême et Hambourg), traite négrière, construction navale... La collection comprend quelques embarcations, des instruments de navigation, des maquettes et toutes sortes de machines (pour les férus de moteurs), mais le plus inattendu, c'est la découverte de l'atelier où des bénévoles construisent ou restaurent des voiliers ! Cela dit, c'est surtout la visite du *Becuna* et de l'*Olympia* amarrés à proximité qui justifient le tarif. Le premier est un sous-marin lancé pendant la Seconde Guerre mondiale et en service jusqu'à la guerre froide (gare à la tête dans les coursives !), le second est un immense croiseur actif aux Philippines pendant la guerre hispano-américaine. Armée en 1895, cette forteresse illustre bien la transition entre deux conceptions de la marine de guerre, l'ancienne et la moderne (voir les quartiers très chic des officiers, aux antipodes des cuirassés actuels !).
– Pour ceux que l'histoire navale intéresse, le croiseur de bataille que l'on aperçoit sur l'autre rive de la rivière Delaware dans le port de Camden est le ***USS New Jersey,*** qui a combattu dans la guerre du Pacifique et a servi pendant les guerres de Corée, du Vietnam et même du Liban. ● *battleshipnewjersey.org* ●

À South Street (plan d'ensemble, C3)

Philadelphia's Magic Gardens (plan d'ensemble, C3) **:** *1020 South St. ☎ 215-733-0390. • phillymagicgardens.org • Tlj sf mar 11h-18h (20h ven-sam avr-oct). Entrée : 10 $; 6-12 ans 5 $; gratuit moins de 5 ans.* Un lieu insolite et original à coup sûr, dû au délire fantasque d'un mosaïste un peu allumé, Isaiah Zagar, mélange de Gaudí, de Kurt Schwitters et du Facteur Cheval, qui a organisé depuis 1994 quasiment tout un pâté de maisons en un labyrinthe incroyable, tapissé de matériaux de récupération (bouts de porcelaine, vaisselle, tessons de bouteilles, éclats de verre, roues de vélos...) et rempli d'objets hétéroclites. C'est déroutant, coloré à souhait et festif. L'espace sert à présent à la tenue d'événements musicaux publics ou de fêtes privées (c'est donc parfois fermé au public). Isaiah Zagar a aussi considérablement contribué à la réalisation de fresques dans le quartier.

Autour de City Hall (plan d'ensemble, B-C2-3)

City Hall (plan d'ensemble, B2) **:** *visite de la tour, départ ttes les 15 mn par groupe de 4, lun-ven 9h-16h30. Env 6 $; réduc ; gratuit moins de 3 ans. Nécessité de réserver d'abord le jour même un créneau horaire au City Hall Visitor Center* (entrée sous le porche), *le plus tôt possible (principe du 1er arrivé, 1er servi, et les places sont comptées). Prendre ensuite l'ascenseur côté nord-est jusqu'au niveau 7, après c'est fléché. Pour une visite guidée de l'intérieur (Conservation Hall, Caucus Room...), incluant la tour à la fin : lun-ven à 12h30. Rdv devant le City Hall Visitor Center. Env 12 $; réduc ; gratuit moins de 3 ans.*

Construction tout en brique de style Second Empire, datant de la fin du XIXe s (largement inspirée du Louvre mais en version *wedding cake*), la plus grande mairie du pays et longtemps l'édifice le plus haut de la ville... Jusqu'en 1987, une règle tacite voulait qu'aucun bâtiment ne dépasse la statue de William Penn (la construction du *One Liberty Place* y mit fin, suivie par celle du *Comcast Center*). La statue de 11 m et de 27 t représentant William Penn est l'œuvre d'Alexander Milne Calder, le grand-père du Calder qu'on connaît mieux (Alexander aussi de son petit nom), celui des mobiles. C'est la plus grande sculpture du monde au sommet d'un édifice. L'artiste a poussé la perfection jusqu'à faire figurer un texte sur la charte qu'il tient à la main (à vos jumelles !). Vous remarquerez que William Penn regarde vers le nord-est, direction vers laquelle il pensait que la ville allait se développer ; manque de pot, elle s'étendit à l'opposé !

Les cadrans de l'horloge mesurent 8 m de diamètre, l'aiguille des minutes 4,50 m, et celle des heures 3,80 m. Avec ces dimensions, elle dépasse la très célèbre *Big Ben* du Parlement anglais. Baptisée « Big George » en l'honneur de qui on sait, l'horloge fut mise en service le jour du Nouvel an 1899. Elle était éclairée à l'origine par 552 ampoules à incandescence, et s'éteignait tous les soirs à 20h57 pour se rallumer à 21h précises, si bien que pendant des années, les Philadelphiens n'eurent aucune excuse pour ne pas mettre leur montre à l'heure. Il leur suffisait de guetter le rallumage du cadran.

Du haut de la tour, magnifique vue sur la Franklin Parkway et le musée des Beaux-Arts, le *Masonic Temple,* la Delaware et le *Benjamin Franklin Bridge,* le building de l'hôtel *Loews,* Broad Street où l'on voit en quelques blocs les buildings disparaître pour faire place aux quartiers résidentiels. La visite des espaces intérieurs permet d'avoir un aperçu sur le fonctionnement des trois instances qui s'y réunissent (exécutif, judiciaire et législatif).

En face du City Hall, à l'angle de Market et 15th Street (à la sortie du métro), Claes Oldenburg, le sculpteur d'origine suédoise, a planté en 1976 une surprenante ***pince à linge*** de 15 m de haut (couleur marron rouillé). On se perd encore en conjectures sur les raisons de ce choix, et la discussion reste ouverte. La présence d'œuvres d'art dans de nombreux endroits publics à Philly provient d'une loi locale qui impose de consacrer 1 % du coût de toute nouvelle construction à l'art.

Masonic Temple *(temple maçonnique ; plan d'ensemble, B2) : 1 N Broad St (juste en face du City Hall). ☎ 215-988-1917. • pagrandlodge.org • Visites guidées slt (env 45 mn) : mar-ven à 10h, 11h, 13h, 14h et 15h ; sam à 10h, 11h et 12h. Entrée : 13 $; réduc. Traductions des explications du guide disponibles en français.* Le monument le plus surprenant de Philadelphie. Par sa taille, c'est le plus grand temple maçonnique du monde. Inauguré en 1873, il ressemble à une imposante cathédrale, à mi-chemin entre l'architecture stalinienne et le gothique flamboyant (mais version béton). Aucune élégance, donc. À l'intérieur, tout est grande pompe et au final assez glaçant, d'un kitsch même pas rigolo (ou alors, vraiment au second degré), avec une profusion de colonnes corinthiennes en faux marbre et de galeries de portraits tous plus laids les uns que les autres. Une petite musique cucul-la-praline accompagne les commentaires du guide, pas toujours passionnants en outre. Intéressant malgré tout de savoir que contrairement à leurs homologues français qui peuvent être athées, les francs-maçons américains sont obligatoirement croyants. C'est tout le pouvoir de la religion aux États-Unis. Et aucune femme dans leurs rangs... Le temple est composé de sept loges, le clou du spectacle étant quand même quand même l'égyptienne : Hollywood à la sauce maçonnique ! La corinthienne n'est pas mal non plus, avec ses fausses mosaïques et ses proportions impressionnantes. On se croirait dans un péplum version Disney. La visite se termine dans la bibliothèque-musée où l'on peut voir, entre autres, le tablier maçonnique de George Washington et un morceau de son cercueil, ainsi qu'une maquette du temple du roi Salomon, source d'inspiration pour le Masonic Temple (rien que ça). On vous laisse méditer sur leur devise : « La raison guidée par la conscience. »

Pennsylvania Academy of the Fine Arts *(**PAFA** ; plan d'ensemble, B2) : 118 N Broad St (et Cherry St). ☎ 215-972-7600. • pafa.org • Tlj sf lun 10h (11h le w-e)-17h (21h mer). Entrée : 15 $; réduc ; gratuit moins de 12 ans. Tours guidés en anglais à 13h et 14h (durée 45 mn).*
Un vaste musée méconnu mais passionnant, entièrement consacré à l'art américain, de la période coloniale à nos jours. Fondée en 1805 sous le mandat du président Jefferson, ce fut la première académie d'art du pays. Elle en est maintenant à son troisième emplacement. De nombreux artistes exposés ici y ont été élèves et/ou professeurs.
Le ***Landmark Historic Building*** vaut déjà le coup d'œil pour le bâtiment en lui-même, construit en 1876 pour le centenaire de la Révolution. Un vrai bijou architectural de style *High Victorian gothic* (mélange d'influences gothiques, arabisantes...). La façade est particulièrement ornementée. À l'intérieur, décor éclectique peuplé de grandes colonnes vaguement mauresques. Vous noterez la modernité des poutrelles métalliques que l'architecte, un dénommé Furness, fut le premier à laisser apparentes, une vraie révolution pour l'époque.
Le bâtiment historique du *PAFA* rassemble donc une riche collection de peintures et sculptures américaines des XVIIIe et XIXe s. Le musée est très aéré, et les toiles sont fort bien mises en valeur dans ce décor étonnant. Beaucoup de peintures académiques bien sûr. Imposantes huiles sur toile de plus de 30 m² de Benjamin West (1738-1820). Plus loin, noter un marbre de facture orientaliste intitulé *Le Fils prodige* de Joseph Mozier (1812-1870), puis *Le Paradis perdu* de Joseph Alexis Bailly. Quelques chefs-d'œuvre de l'école des paysagistes de l'Hudson River : Thomas Cole s'est lui-même représenté en train de peindre les sommets du mont Holyoke. Un buste, *Front of Male Torso,* de 1880, et un portrait du poète Walt Whitman que tous les collégiens américains connaissent par cœur. Très beau portrait de femme au châle blanc signé William Merritt Chase *(Lady with a white Shawl)* et *Fox Hunt,* considéré comme une des plus belles toiles de Winslow Homer. Sans oublier Mary Cassatt, une ancienne élève de l'académie : *Young Thomas and his Mother* atteste de son talent de coloriste. Une salle est consacrée à la famille Peale ; ils furent huit à vivre de leurs pinceaux ! Ne pas rater également *Apartment Houses,* d'Edward Hopper, ainsi que *Mr and Mrs John White Field,* de John Singer Sargent.

Mais la pièce maîtresse du musée, c'est la fameuse *Gross Clinic* de Thomas Eakins représentant une opération publique de la hanche en 1875. Une scène très réaliste et osée pour l'époque, qui choquait tout le monde au départ. L'artiste s'est représenté en haut à gauche, avec un crayon à la main, et sa signature est posée sur la table d'opération.
Dans une architecture plus moderne qui s'y prête mieux, les œuvres contemporaines sont exposées au gré d'expositions temporaires au ***Samuel M.V. Hamilton Building,*** à côté du premier, même rue, même trottoir.
Enfin, entre les deux bâtiments, arrêt obligatoire pour découvrir le grand ***pinceau*** de ***Claes Oldenburg*** (petit frère de la pince à linge en face du City Hall), avec sa goutte de gouache orange dégoulinant sur le sol. Son extrémité est éclairée la nuit, d'où son nom, *Paint Torch.* Juste derrière, la vision surréaliste d'un avion crashé entre les deux buildings du *PAFA,* œuvre de l'artiste Jordan Griska intitulée *Grumman Greenhouse.*

Comcast Center *(plan d'ensemble, B2)* **:** *1701 J. F. Kennedy Blvd.* Le plus haut bâtiment de Philadelphie, qui a un peu l'allure d'une clé USB, a été inauguré en 2008 et culmine à 297 m de haut. Il a détrôné le *One Liberty Place* et ses deux tours qui se sont nettement inspirées du *Chrysler Building* de New York (cela dit, l'*observation deck* du One Liberty vaut le détour, avec une vue panoramique géniale depuis le 57e étage ; compter quand même environ 20 $). Le *Comcast* appartient à une compagnie de télécommunications qui en a fait la vitrine de son activité en aménageant une étonnante surface de près de 200 m² à l'intérieur de l'atrium, composée de panneaux LED déclinant 10 millions de pixels *(Comcast Experience).* L'écran géant est devenu une véritable attraction touristique. L'installation diffuse de 8h à 21h des milliers d'heures de programmes, tous plus esthétiquement fabuleux les uns que les autres : couchers de lune, balades en hélico pendant l'été indien, match de basket où un joueur passe d'un panneau à l'autre, c'est indescriptible et fascinant... Ne manquez pas cette innovation technologique du futur. Levez aussi la tête pour ne pas manquer l'autre installation artistique du building, composée d'une dizaine de personnages à taille humaine en équilibre sur des poutrelles, à différents niveaux de l'atrium. Au sous-sol, un *food court* avec des stands plutôt haut de gamme, envahi par les cols bleus le midi *(tlj sf dim 8h-19h ; 17h sam).*

Love Plaza *(ex-JFK Plaza ; plan d'ensemble, B2)* **:** au milieu de la place, l'emblème de la ville, le ***LOVE*** en lettres rouge, bleu et vert de ***Robert Indiana,*** installé là pour le bicentenaire de la Déclaration d'indépendance, en 1976. Noter le O légèrement décalé pour former un carré parfait. Puisque vous êtes là, jetez aussi un coup d'œil sur la façade Art déco en marbre noir et rose de l'entrée du *Suburban Pennsylvania Railroad.*

Reading Terminal Market *(plan d'ensemble, C2)* **:** *à l'angle d'Arch et 12th St.* Voir plus haut « Où manger ? » et plus loin « Les marchés ».

Dans Parkway Museums District *(plan d'ensemble, A-B1-2)*

L'artère principale est la ***Benjamin Franklin Parkway,*** construite dans les années 1900 par l'architecte français Jacques Gréber, instigateur du mouvement City Beautiful imprégné du style des beaux-arts, que l'on retrouve essentiellement à Chicago et Detroit. Gréber a pris pour référence les Champs-Élysées, et la ville a pour ambition de faire de Benjamin Franklin Parkway un axe culturel majeur : depuis l'ouverture de la nouvelle et mythique Fondation Barnes en 2012 (à côté du musée Rodin et non loin du Philadelphia Museum of Art), il a amplement gagné son surnom de « Parkway Cultural Corridor » (« l'allée des musées »).

★★★ ***The Barnes Foundation*** *(plan d'ensemble, B1)* **:** *2025 Benjamin Franklin Pwy (et 20th St). ☎ 215-278-7200. • barnesfoundation.org • Tlj sf mar 10h-17h (plus 18h-21h pour les soirées musicales du 1er ven du mois, ainsi que certains ven). Entrée : 22 $ (25 $ le w-e) ; réduc (10 $ 6-18 ans). Audioguide inclus.* ***Résa vivement conseillée, en ligne ou par tél*** *(tlj 10h-16h). Entrée gratuite le 1er dim du mois (tickets disponibles dès 9h sur la base du 1er arrivé, 1er servi ; venir donc très, très tôt...).*

Après des années d'âpres négociations, la célèbre Fondation Barnes a quitté la banlieue résidentielle de Merion pour s'installer en 2012 en plein cœur de Philadelphie, sur Benjamin Franklin Parkway. Le bâtiment, au design totalement épuré, a été dessiné par le cabinet d'architectes new-yorkais Tod Williams Billie Tsien, et l'aménagement intérieur calqué au centimètre près sur les galeries d'origine, conformément au testament d'Albert Barnes (voir plus loin). La Fondation Barnes est fière de son concept *green* : toiture photovoltaïque, toit végétalisé récupérant l'eau de pluie pour les besoins d'irrigation du site et, surtout, lumière naturelle reflétée pour éclairer les galeries, ce qui faisait cruellement défaut dans le lieu d'origine. L'idée était de conserver la disposition si caractéristique des tableaux tout en améliorant leur visibilité. Comme à Merion, la verdure est omniprésente, mais ici, les jardins entrent même dans les espaces d'exposition, apportant des petites touches zen au milieu de cette concentration d'œuvres frisant parfois l'overdose artistique.

MERCI POUR L'ERREUR !

En 1930, le milliardaire Barnes fit venir Matisse à Philadelphie pour lui demander de réaliser sur place un monumental panneau décoratif (13 m x 3 m), La Danse. *Matisse fit une première mouture qu'il abandonna et recommenca.* Cette Danse 1 *fut oubliée 60 ans dans le grenier des héritiers... La deuxième version ne fut guère plus concluante, à cause d'une erreur de mesure... et se retrouva par chance exposée au musée d'Art moderne de la ville de Paris. La troisième tentative fut la bonne.*

Barnes, une personnalité hors du commun

Qui était donc cet Albert Barnes ? Un jeune homme brillant qui se dirigea, après ses études de médecine, vers la recherche pharmaceutique. Il fit fortune en mettant au point, en 1902, l'*Argyrol,* un antiseptique soignant la blennorragie (un mal dévastateur à l'époque), aussi utilisé en traitement préventif de la cécité chez les nouveaux-nés de mères infectées. Devenu riche, Barnes prit le temps de vivre. Il s'intéressa à la peinture, surtout au postimpressionnisme. Il avait de l'argent donc, mais surtout un goût très sûr, puisqu'il investit seulement 13 millions de dollars, ce qui n'est pas si considérable par rapport à la valeur de sa collection, estimée aujourd'hui à... 25 milliards de dollars ! Au total, tenez-vous bien : 181 Renoir, 69 Cézanne (presque tous des chefs-d'œuvre, dont une version des *Joueurs de cartes* et *Les Baigneurs au repos*), 59 Matisse (dont *Luxe, calme et volupté*), 46 Picasso (dont *Acrobate* et *Jeune Harlequin*), et puis, en veux-tu, en voilà, des Modigliani, Soutine, Monet, Manet, le Douanier Rousseau, Degas, Corot, Courbet, et pas moins de 7 Van Gogh. Sans compter les Greco, Titien et l'art africain !

En 1929, juste avant le krach boursier et au moment de la découverte de la pénicilline qui allait détrôner son médicament miracle, il vendit sa société une petite fortune pour se consacrer à sa fondation qu'il installa à une quinzaine de kilomètres de Philadelphie, à Merion. Rejeté par l'*establishment,* le bon docteur Barnes (qui avait un foutu caractère !) n'en autorisa l'accès qu'aux ouvriers, aux pauvres en général et aux Noirs, et envoya paître la bourgeoisie locale et les critiques d'art de l'époque. Étant lui-même issu d'un milieu modeste (fils de boucher), il avait une véritable compassion pour la classe ouvrière, et animait des groupes d'éducation artistique avec son personnel. D'une grande générosité, il offrit des centaines d'œuvres à des amis ou à des employés, ce qui explique pourquoi on ne les voit pas toutes aujourd'hui.

Seul Barnes décidait de l'accrochage des toiles. Il ne tenait compte d'aucune chronologie ou école et pourtant, rien n'était fait au hasard. Il n'hésitait pas à entremêler du mobilier, des objets antiques, des statuettes, et même des pièces de ferronnerie qu'il collectionnait aussi : clés, serrures, fermoirs, gonds, charnières, crapaudines... Comme si Barnes avait eu le désir ou la malice de faire exploser toutes les caisses qui emprisonnaient les peintures. Ce type de muséographie était totalement révolutionnaire à l'époque. D'ailleurs, sa conception de l'art était très controversée. La première fois qu'il présenta ses œuvres à la Pennsylvania Academy of Fine Arts, il fut hué. Le docteur Barnes refusait tout académisme : il s'amusait !

Un transfert houleux

Avant d'être salué unanimement par la critique après l'inauguration, le transfert de la Fondation Barnes a fait couler beaucoup d'encre dans le monde artistique. Il faut dire que le testament d'Albert Barnes (mort en 1951 d'un accident de voiture, après avoir grillé un stop) est à l'image du personnage : complètement fou. Aucune modification ne devrait bouleverser son accrochage sacro-saint, l'agencement des galeries devant strictement rester le même que lors de son vivant. Barnes avait tout « blindé » et confié le contrôle de sa collection à la Lincoln University, une université noire de la région, car il considérait sa fondation comme une institution éducative et non comme un musée. Après bien des crises et des rebondissements, en 1990, le président de la fondation proposa de vendre 15 tableaux – en violation complète avec le testament d'Albert Barnes – pour compenser les énormes problèmes financiers notamment dus aux restrictions des visites imposées par les riverains de Merion (qui trouvaient le va-et-vient des visiteurs nuisible à leur tranquillité et en avaient donc limité le nombre à 400 par jour !). L'institution, qui ne survivait que grâce à trois fondations philanthropiques (dont la fondation Getty) ayant injecté des millions de dollars, était donc au bord de la faillite. Contre vents et marées, le déménagement fut finalement décidé en 2007. Grâce au seul petit détail que Barnes avait omis de spécifier dans son fameux testament : l'emplacement de sa collection... Lui qui, de son vivant, décidait qui pouvait visiter son « sanctuaire » doit s'en mordre les doigts. Ses chères œuvres se retrouvent non loin du musée des Beaux-Arts qu'il haïssait tant...
Cela dit, ce transfert en plein centre de Philadelphie, à proximité directe des grands musées d'art de la ville, devrait permettre à la fondation d'assurer ainsi sa rentabilité.

KER-FEAL, CHIEN FIDÈLE

Albert Barnes avait baptisé sa maison de campagne Ker-Feal, ce qui signifie en breton (eh oui !) « la maison de Fidèle », du nom de son chien, Fidèle, né dans notre belle Bretagne. En 1951, le docteur Barnes grilla un stop en voiture, percuta un camion et mourut sur le coup. Impossible d'approcher le corps à cause de la férocité du chien, qu'il fallut abattre. La propriété appartient aujourd'hui à la Fondation Barnes.

La visite

L'intérieur du building s'articule autour de *l'Annenberg Court,* une immense galerie centrale aux murs couverts de panneaux acoustiques réalisés par une artiste hollandaise. C'est dans ce sas que l'on prend une grande respiration avant d'entrer dans le « sanctuaire ». Car visiter la collection Barnes est une expérience unique, un choc artistique. Les privilégiés qui ont connu l'ancienne seront troublés par la ressemblance frappante entre les deux lieux. Mais le vrai plus par rapport à « avant », c'est cette extraordinaire lumière naturelle qui offre au visiteur un confort visuel incomparable. Ceux qui la découvrent pour la première fois seront frappés par la densité de tableaux accrochés aux murs, les uns au-dessus des autres, et les dégradés symétriques dans la disposition. Surprenantes aussi, les ferronneries disposées un peu partout, qui créent des sortes de ponctuations entre les œuvres. Un accrochage si particulier force à regarder les œuvres d'un œil différent. On se

met à chercher une cohérence à l'installation, une logique à la mise en scène. Et on trouve effectivement des échos dans ces « ensembles », entre un paysage, une forme, une couleur, une attitude, la grâce et la jeunesse d'un visage opposée à la laideur et la vieillesse d'un autre. On pourrait passer des heures à décrypter toutes ces correspondances que Barnes a voulu installer et qui s'avèrent pour certaines assez évidentes dès lors que l'on observe un peu. On adore cette vision de l'art, chaleureuse, accessible, ludique, en même temps ambitieuse et originale mais jamais hermétique ni élitiste.
La première galerie est un concentré de chefs-d'œuvre : *Les Joueurs de cartes* de Cézanne, *Les Grandes Baigneuses* de Renoir... En levant la tête, on aperçoit aussi *La Danse* de Matisse, que l'on peut désormais voir de deux niveaux différents. L'émotion artistique continue au long des différentes salles que l'on vous laisse découvrir à votre rythme. Seule entorse au testament du vieux Barnes, *Le Bonheur de vivre* (toujours de Matisse) a quitté son escalier pour se retrouver au cœur d'une alcôve spéciale à l'étage. Remarquez, au centre de la toile, la petite scène de danse qui a inspiré le tableau du même nom.
Dans toutes les salles, penser à consulter les petits guides à disposition car contrairement à la plupart des musées « classiques », il n'y a aucune signalétique en vis-à-vis des tableaux. Décidément, Barnes ne faisait rien comme tout le monde.

I●I ***Resto*** design *(Garden Restaurant)*, avec vue sur le jardin comme son nom l'indique. *Tlj sf mar 10h30-15h (20h le 1er ven du mois). Plats env 15 $.* Aussi un *espace café. Tlj sf mar 10h-17h.*

Rodin Museum *(plan d'ensemble, A1)* **:** *2151 Benjamin Franklin Pwy (près de 22nd St). ☎ 215-763-8100. ● rodinmuseum.org ● Tlj sf mar 10h-17h. Entrée : 10 $ pour le musée (entrée libre dans les jardins) ; réduc ; gratuit moins de 12 ans.* ***Important : le billet du Philadelphia Museum of Art (20 $), valable 2 j., comprend aussi la visite du musée Rodin*** *(préférable donc de commencer par le PMA). Le w-e, navette gratuite entre les 2 musées (ttes les heures).*

BALZAC EN ROBE DE CHAMBRE

Commandée en 1891 par la Société des gens de lettres sous l'impulsion de Zola, alors président, la statue de Balzac, qui pourtant compte parmi les œuvres les plus appréciées de Rodin, donna lieu à une vive polémique. D'abord refusée par ses commanditaires qui s'empressèrent de solliciter un autre sculpteur afin qu'il en réalise une autre de son côté, la statue (en robe de chambre, ça ne se faisait pas à l'époque) ne fut exposée que bien longtemps après sa première présentation. Et encore, Rodin l'avait d'abord sculpté nu !

Avec ses 128 œuvres, c'est la plus grande collection de l'artiste réunie dans un musée hors de France. On y trouve aussi bien *Saint Jean-Baptiste prêchant,* un bel *Adam,* un plâtre du *Nu de Balzac,* une réplique en marbre du *Baiser,* la *Porte de l'Enfer* que les célèbres *Bourgeois de Calais.* Une collection exceptionnelle donc, présentée dans un cadre charmant qui n'est sans rappeler celui du musée Rodin de Paris : un bâtiment élégant au cœur d'un beau jardin paysager, avec bassin, massifs et petits recoins pour les œuvres. Ce dernier a d'ailleurs été dessiné par le même architecte-paysagiste que la Benjamin Franklin Parkway, Jacques Gréber.
Dès l'entrée, figé sous un platane face à la circulation, c'est le célèbre *Penseur* qui accueille les visiteurs (61 bronzes furent coulés à partir du moule original). Rodin disait de lui : « Mon *Penseur* ne pense pas uniquement avec son cerveau, il pense aussi avec tous les muscles de ses bras, de son dos, de ses jambes, avec son poing serré et ses doigts crochus. » On admire ensuite la façade néoclassique et les beaux jardins à la française, qui accueillent *Adam, Les Ombres* et, dans la partie est, les

fameux *Bourgeois de Calais ;* placés dans les niches de la façade, *Ève* et *L'Âge de Bronze.* À l'entrée du musée a été logiquement placée la *Porte de l'Enfer,* une œuvre magistrale que Rodin n'aura jamais la chance de voir en bronze de son vivant. Il entama son exécution, meurtri par l'idée qu'on ait pu le suspecter de moulage sur modèle vivant pour *L'Âge de Bronze.* La *Porte de l'Enfer* va être son exutoire, il tentera de démontrer qu'il est capable de reproduire ses œuvres en miniature tout en respectant la finesse des détails. Elle est vraisemblablement inachevée.
Le musée en lui-même n'est pas très grand. Il s'articule autour d'une grande salle où l'éclairage zénithal met admirablement bien les œuvres en valeur. Pas d'éclairage parasite, les bronzes restituent toute leur puissance. Une énergie incroyable s'en dégage, car il s'agit le plus souvent de modèles sur pied. L'artiste réalisa plus d'une centaine de croquis de tête, de bras, de main, avant de trouver la combinaison qui lui paraissait la plus parfaite pour les *Bourgeois de Calais.* D'ailleurs, il n'hésita pas à se servir de cette étude pour d'autres œuvres. Amusez-vous à trouver des points communs entre elles !
Dans la galerie de droite, face à la fenêtre donnant sur les *Bourgeois,* le *Martyr,* une femme, pouce dans son poing serré. Juste en face, dans la petite salle d'angle, la tête de *Victor Hugo,* qui refusa de poser et que Rodin dut se contenter d'observer au cours de déjeuners et de dîners. La petite salle du fond renferme une rareté, une œuvre de l'élève et amante de Rodin, Camille Claudel (une qu'elle n'a pas cassée). Quant à la salle d'angle à gauche, elle est principalement dédiée à *Balzac,* avec sa fascinante statue en mouvement, un pas en avant. Admirez l'arrogance qui se dégage du personnage, et la manière dont l'artiste a su relater la fierté de l'homme, son déterminisme, sa fécondité. « C'était la création elle-même qui se servait de la forme de Balzac pour apparaître », affirmait Rainer Maria Rilke en parlant de cette statue. Quelques œuvres magistrales également, comme le masque de *L'Homme au nez cassé,* refusé lors de sa présentation au Salon en 1864. Jugée trop réaliste, la tête de Bibi ne sera acceptée que 11 ans plus tard. À voir aussi, *La Cathédrale,* les bustes de Clemenceau, George Bernard Shaw et Gustav Mahler, et une foultitude d'œuvres qui témoignent du génie de l'artiste et de sa maîtrise de la matière.

*** ***Philadelphia Museum of Art*** *(plan d'ensemble, A1) :* *26th St (et Benjamin Franklin Pwy). ☎ 215-763-8100. • philamuseum.org • Tlj sf lun 10h-17h (20h45 mer et ven mais certaines galeries sont fermées pdt la nocturne du ven). Entrée : 20 $ (25 $ avec les expos temporaires) ; réduc ; gratuit moins de 13 ans ; donation libre le 1er dim du mois et tous les mer après 17h.* ***Le billet est valable 2 jours, et comprend aussi la visite du musée Rodin*** *(ainsi que 2 maisons du XVIIIe s à Fairmount Park). Audioguide en français ou commentaires à podcaster sur le site. Avec des enfants, prendre les* family guides *à l'entrée.*
Le Louvre de Philadelphie. Musée incontournable pour la qualité des œuvres exposées, à ne pas manquer donc. Un résumé de l'histoire artistique d'une grande partie du monde avec ses collections européenne, asiatique et américaine. Le choix des pièces – peinture, sculpture, arts décoratifs ou religieux – est exceptionnel. En plus de ça, la plupart des toiles et sculptures exposées sont associées à des objets ou meubles de leur époque. Ce qui donne encore plus de puissance aux œuvres. Voici quelques points de repère, histoire de vous mettre l'eau à la bouche (sous réserve, évidemment, que les œuvres en question n'aient pas quitté le bercail, comme souvent dans ce genre d'institution).

Rez-de-chaussée (ground floor)
Zone plus facilement accessible par l'entrée ouest (côté parc) : cafét, resto et boutique du musée. Salles destinées aux expos d'estampes, gravures et photos.

1er niveau
On y trouve les collections américaines, européennes (de 1850 à 1900), ainsi que l'art moderne et l'art contemporain.

– ***Art américain :*** à gauche de l'East Entrance. Superbe mobilier et Arts décoratifs (notamment verre et argenterie). Lampe Tiffany, monumentale cheminée Art déco, réalisée par un artiste de Philadelphie, très influencé par le cubisme. Une salle est consacrée à Thomas Eakins, portraitiste américain dont les visages expriment une douce mélancolie. On retrouve encore John Singer Sargent, Winslow Homer, les paysages fantasmés de Albert Bierstadt et de Frederic Edwin Church, et puis Mary Cassatt, la seule artiste américaine affiliée au mouvement impressionniste. Aussi des œuvres de John Sloane, Robert Henri et William Glackens, les fondateurs du groupe des *Huit.* Ce mouvement, formé à la Pennsylvania Academy of Fine Arts (lire plus haut) visait à dépeindre la réalité de la vie urbaine avec humour et pathos. Il fut à l'origine d'une grande vitalité dans l'art américain.

– ***Art européen :*** superbe collection de toiles impressionnistes. Certaines comptent parmi les plus célèbres du monde. Une version des *Tournesols* de Van Gogh, par exemple, exposée dans la rotonde au bout de la galerie (salle 161)... Suivez le guide.

Corot d'abord, dont la *Chevrière de Terni* à la lumière très italienne ; Whistler, Millet, Boudin. Belle marine de Courbet et le fameux *Combat du Kearsarge et de l'Alabama* au large de Cherbourg, que Manet peignit en direct. Après, festival Degas, Gauguin, Cézanne et ses célèbres *Baigneuses,* Pissarro, Sisley, Renoir... Pas moins de 13 Monet, dont un des *Pont d'Argenteuil* et le *Sentier de l'abri* à la luminosité intense.

Chevaux à l'abreuvoir, un Delacroix plein de vigueur et aux couleurs somptueuses (salle 151), l'*Île Lacroix,* un étonnant Pissarro (qu'il encadra lui-même), puis un beau Toulouse-Lautrec, *La Danse au Moulin Rouge* (salle 164) et le *Portrait de madame Augustine Roulin* de Van Gogh. Sur le plan technique, saluons l'atmosphère bien rendue et la diffusion de la lumière du *London Wharf with Carriage at Night* de J. A. Grimshaw. Fourmillantes *Source de vie* et *Quatre Saisons* du peintre belge naturaliste Léon Frédéric. Dans la rotonde, *Deux jeunes filles* de Renoir et le *Pont japonais à Giverny* de Monet. Petite pièce discrète cachant presque d'intéressants Vuillard et Bonnard, ainsi qu'un portrait de Picasso (salle 163). Splendide *Pont-Neuf* de Pissarro et deux lumineux Douanier Rousseau. Bref, on ne peut pas les citer tous (Klimt, Egon Schiele,Berthe Morisot...), mais on ne manquera pas de s'attarder salle 155, pour admirer *Prométhée* de Rubens, l'une des grandes pièces du musée.

– ***Art moderne et contemporain :*** on y trouve Pollock, Braque, Picasso (dont certaines œuvres de 1906 encore figuratives et aussi l'*Autoportrait ;* salle 166), le *Man in a Café* de Juan Gris, à la remarquable déconstruction, puis Modigliani, Chagall, Matisse, Léger... Magnifique *Horse, Pipe and Red Flower* de Miró. Puis Magritte, Dalí et Tanguy, un surréaliste breton qui termina son existence aux États-Unis. Et encore Max Beckmann, Kandinsky, Klee, Willem De Kooning, Mark Rothko, Roy Lichtenstein, Kline, Motherwell, la *Chaise électrique* d'Andy Warhol, Franck Stella, Rauschenberg, *Painting with 2 Balls* de Jasper Johns, puis Orozco et une « provoc » de Jeff Wall... Ne pas manquer la salle dédiée à Cy Twombly, vif et lumineux, dans le style de Basquiat. Autre salle où l'on a ingénieusement associé Mondrian et Brancusi.

Mais le Philadelphia Museum of Art peut surtout se vanter de posséder la plus grande collection au monde d'œuvres de ***Marcel Duchamp.*** Peintre et sculpteur français naturalisé américain, il est le fer de lance du mouvement *« ready-made »,* qui consiste à faire une œuvre d'art d'un objet ordinaire de la vie quotidienne, comme cet urinoir sur lequel il

LE TABLEAU SECRET

Marcel Duchamp passa sa vie à provoquer. Et pourtant, il n'osa jamais exposer son tableau Étant donnés *(salle 183). À travers un orifice, on aperçoit une femme nue, sans tête, jambes écartées. On découvrit cette œuvre élaborée en secret, après sa mort.*

appose sa signature. Duchamp a réalisé un grand classique, exposé ici, et nommé *La Mariée mise à nu par ses célibataires, même* (salle 182), œuvre connue de tous les élèves en histoire de l'art. Cette pièce singulière, comportant une large partie vitrée, fut brisée lors du transport ; on appela Duchamp pour l'en informer. Il fit le déplacement et trouva la fêlure du verre remarquable, faisant admirablement partie de l'œuvre. Ah, sacré Marcel ! De lui encore, ses boîtes et le portrait du *Docteur Dumouchel.* Quelques collègues : Jacques Villon (son frère), Kupka...

2e niveau
L'un des grands attraits de ce musée est sa scénographie, qui procure une visite immersive : la plupart des toiles du 2e niveau sont exposées dans des *period rooms,* c'est-à-dire des salles consacrées au pays d'origine des peintres : salons anglais, français, Renaissance, etc. Ces intérieurs authentiques ont tous été acquis en Europe, démontés, puis remontés à Philadelphie. Une galerie extérieure permet un éclairage indirect, complété par un jeu de lumière très harmonieux.
Délirante collection d'armures de tous les genres et de toutes les formes. Remarquez les petites armures pour enfants, très rares. Puis, dans une aile, on découvre une incroyable section d'art médiéval et de la toute première Renaissance. Voir le très beau portail roman de l'abbaye de Saint-Laurent (près de Cosne-sur-Loire) et la reconstitution intégrale du cloître de Saint-Michel-de-Cuxa (Pyrénées-Orientales). Parmi les maîtres exposés, on découvre avec émotion les travaux de Fra Angelico, Masaccio, Botticelli, Ghirlandaio, ou dans un autre registre, Jérôme Bosch. D'autres reconstitutions (genre très apprécié en Amérique) dans la partie asiatique : le palais d'un mandarin chinois, un temple hindou et une maison de thé japonaise (il s'agit en réalité d'un véritable complexe avec différents bâtiments dans un jardin : superbe !).
– ***Art européen du XIIe au XVIIIe s :*** immenses tapisseries sur des cartons de Rubens, Crucifixion grandiloquente de Van der Weyden (noter le mouvement du Christ mourant qui s'élève vers le ciel tandis que le drapé de la robe de Marie s'effondre vers le sol, symbolisant son chagrin), portrait de *saint François d'Assise* par Van Eyck (tout petit tableau, mais d'une incroyable minutie), *Cupidon* de Cranach, etc. À voir aussi : le cloître roman reconstitué à partir d'éléments de l'abbaye de Saint-Genis-des-Fontaines dans les Pyrénées-Orientales (1270-1280). Côté mobilier et Arts décoratifs, superbe meuble à deux corps, chef-d'œuvre de la sculpture bourguignonne (1570), beau plat en majolique de Nicolà de Urbino, représentant un combat à cheval aux couleurs époustouflantes (1523). Fascinantes œuvres de Limoges et autres objets d'art, admirable retable de 1535 avec scènes de la Passion, etc. École hollandaise : les deux Bruegel (le Jeune et l'Ancien) ; Rubens ; paysages de Ruisdael. École française du XVIIe s : Poussin, Simon Vouet. Salles consacrées à Gainsborough (surtout la salle 277), une autre à Romney. Écoles française et italienne du XVIIIe s : Canaletto, Tiepolo, Coypel, Natoire, Hubert Robert et ses éternelles ruines...
On sort de là gonflé à bloc. On en oublierait presque qu'ici, le visiteur n'a qu'une chose en tête en sortant : aller se faire prendre en photo à côté du bronze à l'effigie de Stallone, ou près de ses empreintes de pieds (des *Converse !)* immortalisées dans une plaque métallique, en haut de l'escalier.
|●| ***Cafétéria :*** self-service à prix raisonnables *(plats env 10 $), salad bar,* sandwichs et pâtisseries, dans un cadre lumineux et fonctionnel. Pratique pour recharger les batteries entre deux sections.
– ***Sculpture Garden :*** tout autour du musée s'étend un jardin de sculptures réalisées par Sol LeWitt, Isamu Noguchi, Elsworth Kelly, Claes Oldenburg (prise électrique géante)...
– Tout près du *Philadelphia Museum of Art,* à l'angle de Pennsylvania et Fairmount, une extension s'est ouverte dans le superbe ***Perelman Building*** *(plan d'ensemble A1 ; mêmes horaires mais pas de nocturne mer et ven soir ; même billet d'entrée),* Art déco pur jus, avec une entrée monumentale surmontée de pélicans dorés, destinée à recevoir d'intéressantes expos temporaires. De plus,

l'endroit se veut un véritable lieu de vie, mettant à la disposition du public une bibliothèque et une librairie spécialisées dans le domaine des arts, un café contemporain avec une terrasse agréable, ainsi que des espaces dédiés aux arts visuels.

ROCKY N'A PAS SA PLACE AU MUSÉE

Au pied de l'escalier devant le musée se trouve une statue en bronze représentant Sylvester Stallone, les bras levés dans une posture victorieuse empruntée à son rôle dans le film Rocky. *Offerte par l'acteur lui-même (originaire d'ici), la statue a fait un long séjour dans les réserves avant d'être placée, en 2006, au bas de l'escalier, sous la pression du conseil municipal de la ville, et malgré l'opposition des conservateurs du musée. Dans* Rocky 3, *Stallone gravit les marches du musée en courant, pour s'entraîner.*

Eastern State Penitentiary *(plan d'ensemble, A1)* **:** *2027 Fairmount Ave.* ☎ *215-236-3300.* ● *easternstate.org* ● *Pour s'y rendre : le* Phlash *ou les bus* Septa *n°s 48, 43, 33, 32 et 7. Tlj 10h-17h (dernière entrée à 16h). Entrée, avec audioguide : 14 $; réduc. Non recommandé pour enfants de moins de 7 ans.*

Cette prison construite en 1820 revêt un intérêt archéologico-social évident. Ce fut à l'époque le bâtiment public le plus cher des jeunes États-Unis et, longtemps, la prison la plus célèbre du pays. La décision de construire un établissement pénitentiaire modèle vient du lobbying d'une association quaker, la *Société philadelphienne pour le soulagement de la misère dans les prisons publiques,* pour qui tout prisonnier était amendable s'il se trouvait placé dans l'isolement le plus total. Car la solitude constituait assurément le meilleur moment pour se tourner vers Dieu... Elle servit aussi de modèle à près de 300 autres pénitenciers dans le monde, comme celui de Fresnes en France. Alexis de Tocqueville et le marquis de La Fayette vinrent la visiter.

À l'extérieur, les hauts murs de pierre percés de créneaux et de meurtrières impressionnent. À l'intérieur, l'immense bâtiment en forme de roue contient une tour centrale et sept ailes disposées de manière circulaire. Le gardien de faction au milieu pouvait donc, d'un seul regard circulaire, surveiller les couloirs sur lesquels donnaient les cellules des prisonniers. Chaque cellule était équipée de toilettes avec chasse d'eau, alors que la Maison-Blanche n'en possédait pas encore. Mais la condition carcérale n'en était pas pour autant idyllique : de nombreuses tentatives d'évasion s'y déroulèrent.

Désaffectée depuis 1971 et dans un état d'abandon avancé qui n'est pas sans charme, elle attire en tout cas les amateurs d'insolite. Certains ont cru voir passer les ombres de fameux locataires, comme Al Capone, dont l'intérieur de la cellule a été reconstitué, ou Willie Sutton qui se déguisait en convoyeur de fonds pour braquer les banques. Le soir d'Halloween, le bâtiment fait le plein ! Les visites guidées nocturnes (sur le thème prison hantée) ont aussi beaucoup de succès ; renseignements sur leur site internet.

Cathedral of St Peter and St Paul *(plan d'ensemble, B2)* **:** *à l'angle de 18th St et Benjamin Franklin Pwy, face à Logan Sq.* Grande église avec colonnes carrées, plafonds à caissons dorés et coupole, ce monument rose de style classique un peu lourd vaut surtout le coup d'œil pour les œuvres d'art qu'il recèle. À gauche de l'entrée, statue commémorative de Katharine Drexel, qui œuvra pour les enfants noirs et les Indiens. Beaux vitraux jouant sur les nuances en bleu et vert : baptême du Christ (en entrant à droite) ; dans le chœur, vie de saint Pierre (crucifixion la tête en bas, remise des clés du paradis, la pêche miraculeuse) et de saint Paul (chemin de Damas, prédication et martyre), encadrant la Cène et la multiplication des pains. Au-dessus de l'entrée, Crucifixion, avec Marie et saint Jean. À droite dans la nef, remarquable Cène en haut relief de bronze. Bref, rien que du beau monde.

The Franklin Institute *(plan d'ensemble, A-B2) : 222 N 21st St, à côté de Logan Sq.* ☎ *215-448-1200.* • *fi.edu* • *Tlj 9h30-17h. Séances* IMAX *à horaires variables selon le mois. Entrée : 20 $ (6 $ de plus pour l'*IMAX, *9 $ pour le film 3D, certaines attractions en supplément aussi) ; 3-11 ans 16 $.* Derrière ses imposantes colonnades grecques, un « palais de la Découverte » ultramoderne sur trois niveaux. Énorme statue de Franklin dans l'atrium. Présentation vivante et interactive de tous les domaines scientifiques et technologiques (optique, mécanique, espace, électricité), aussi bien que des domaines naturels et biologiques (le corps humain, la terre, l'énergie, les maladies...). Plein d'expériences à réaliser pour les enfants, sans oublier le planétarium (spectacle laser) et un cinéma IMAX. Le musée accueille aussi les grandes expos qui parcourent le monde. Voir la programmation sur Internet. On peut également manger sur place.
Le musée se trouve sur *Memorial Hall,* à Fairmount Park.

The Academy of Natural Sciences *(plan d'ensemble B2) : au sud de Logan Sq, près de 19th St.* ☎ *215-299-1000.* • *ansp.org* • *Tlj 10h-16h30 (17h w-e et j. fériés). Entrée : 18 $; 3-12 ans 14 $.* Un des plus vieux musées du genre au monde, puisqu'il fut inauguré en 1812. Hall des dinosaures avec un T. rex complet, serre aux papillons dans un environnement de forêt tropicale, dioramas de la vie sauvage, minéraux et fossiles. Un département permet de voir des animaux vivants : oiseaux et petits mammifères. Tout cela se veut bien didactique. Devant le musée, la sculpture représentant deux dinosaures en équilibre sur une sorte de griffe, aurait inspiré Michael Crichton pour son roman *Jurassic Park.*

Dans Rittenhouse Square District *(plan d'ensemble, B2-3)*

Mütter Museum *(plan d'ensemble A2) : 19 S 22nd St (entre Chestnut et Market).* ☎ *215-563-3737.* • *muttermuseum.org* • *Tlj 10h-17h. Entrée : 16 $; réduc. Billet combiné avec le* Penn Museum *(voir plus bas) : 26 $; réduc.* À réserver aux amateurs de gore ou aux étudiants en médecine. Car le *Mütter Museum,* c'est un condensé de la médecine du passé, façon cabinet de curiosités. Un inventaire précis d'horreurs médicales, de maladies de peau insoutenables, de tumeurs ignobles, d'erreurs de la nature, autant de cas effrayants qui ne laissent pas indifférent. Les familles feront l'impasse.

Dans University District *(hors plan d'ensemble par A2)*

Penn Museum (University of Pennsylvania Museum of Archaeology and Anthropology) : *3260 South St.* ☎ *215-898-4000.* • *penn.museum* • *En voiture, se garer sur le parking de l'hôpital. Par le train, descendre à University City Station ; c'est à deux pas. Tlj 10h-16h30 (17h le w-e) (20h le 1er mer du mois). Entrée : 18 $; réduc ; gratuit moins de 3 ans.*
Construit sur les bases d'une ancienne banque (la *Schuylkill West Bank*), bâtie alors que Philly commençait à se développer vers l'ouest à la fin du XIXe s, ce musée, classé Monument historique, abrite d'étonnantes et très rares collections d'objets du monde. Dans un style *Victorian Revival,* enrichi d'ornements, statuaires et autres objets provenant du musée lui-même, il se développe sur trois niveaux avec, pour clé de voûte du système, une nef romane dans laquelle sont exposés les objets en provenance de Chine. Il est quelquefois difficile de s'orienter. Ne pas oublier son plan.

1er niveau (1st floor)
Cheminement assez confus (tout dépend par où l'on entre) pour accéder à la salle consacrée à la Basse-Égypte, dans laquelle un sphinx en granit rose de la XIXe dynastie (Ramsès II) occupe le devant de la scène (environ 12 t). Superbe

PHILADELPHIE ET SES ENVIRONS

tête de Thouthmôsis III. L'ensemble est bien mis en valeur par les éclairages. On regrette la faible place accordée à l'islam. Belles mosaïques persanes, toutefois.

2e niveau (2nd floor)
On commence par l'Afrique. Nombreux objets de la vie quotidienne, le plus souvent d'une rare élégance : vannerie, instruments de musique. Fétiches, masques, objets cultuels. Étonnants cimiers nsikpe (région limitrophe Nigeria-Cameroun). La Polynésie est également très bien représentée, avec de nombreux objets en bois sculptés comme des proues d'embarcations, et des portraits de Maoris tatoués de pied en cap. Intéressants sceptres gravés (Toki tikiti) des *Cook Islands*.
Dans la salle consacrée aux « natifs » de la Méso-Amérique, en plus des stèles mayas, des masques de jade de Tehotihuacán, on regardera l'animation vidéo mettant en scène le parcours du Soleil pour comprendre l'importance de celui-ci dans la vie des Indiens. On poursuit vers une très belle exposition consacrée aux Inuits et aux habitants de l'Alaska, dans laquelle on apprend tout sur leur mode de vie dans un climat rigoureux. Toujours avec une foultitude d'objets, notamment ceux servant à la chasse, les techniques du kayaking et des chapeaux en forme de tête de corbeau.

3e niveau (3rd floor)
Il est en grande partie dédié à l'Asie. Très belle collection de bouddhas et autres divinités de l'Inde et du Siam. Dans la nef romane, les collections chinoises sont admirablement mises en situation. L'éclairage zénithal joue beaucoup. Au centre, une boule de cristal de la dynastie Qing (1644-1912). Dans la toute petite pièce attenante à l'expo sur la Haute-Égypte, une copie de la célébrissime *pierre de Rosette* qui se trouve au British Museum. Plus loin, un jeu vidéo permet d'explorer la tombe de Toutankhamon. Fascinante collection de momies. Dans la section gréco-romaine : tombes étrusques, superbes cratères, cuirasses et casques d'hoplites en bronze. Une visite à ne pas manquer pour tous les amateurs d'art et de belles choses.

DANS LES PROCHES ENVIRONS DE PHILADELPHIE

👁👁 ***Le comté de Chester :*** *à env 1h à l'ouest de Philly. Prendre la direction de King of Prussia (HY 76) ; sortie 328 A, puis 30 W vers Coatesville, sortie vers la 82 ; à Coatesville, prendre la 82 S en direction de Kennett Sq, puis se perdre sur les petites routes en direction du Sud. Pour rentrer, rattraper la HY 476 ou la HY 95.* Le Chester County est très agréable à parcourir en voiture. Il est quadrillé de petites routes toutes plus charmantes les unes que les autres. C'est l'Amérique des campagnes : petites maisons en bois de couleur vive, boîtes aux lettres tunnel, rocking-chair sous l'auvent, pelouse rasée comme la tête d'un *GI,* drapeau américain et pick-up devant la porte du garage. Bref, l'Amérique aisée. Ici, les *gentlewomen farmers* chevauchent des tondeuses à gazon larges comme des autobus. Derrière les haies de petites barrières blanches, des *trucks* finissent de rouiller sous les appentis. Un peu partout, des églises transpercent la campagne, et les liserons géants, jetés sur la frondaison des arbres, confèrent à la région un charme sans pareil. Une balade qui ravira tous les amoureux de paysage.

PENNSYLVANIA DUTCH COUNTRY

Pour comprendre l'histoire des minorités de cette région, il faut remonter au début du XVIe s en Europe, parmi les nouveaux courants religieux chrétiens opprimés par les catholiques ou les protestants, et qui trouvèrent leur salut en quittant le vieux continent.

Quand William Penn reçut plein pouvoir sur ce nouveau territoire, qui s'appellera la Pennsylvanie, des mains du roi Charles II d'Angleterre, il souhaita que ces colonies soient le refuge des persécutés, ainsi que le berceau de la tolérance religieuse. Les premiers réfugiés mennonites débarquèrent rapidement en 1683, 2 ans seulement après William Penn, et s'établirent d'abord à Germantown, aujourd'hui faubourg de Philadelphie. Mennonites, frères moraves et amish s'installèrent peu à peu dans la région. Ces derniers arrivèrent au début du XVIIIe s, provenant de Suisse, d'Alsace et du Palatinat.

Tous ces immigrants sont connus sous le nom de *Pennsylvania Dutch* (*Dutch,* ici, est une déformation du mot *Deutsch,* qui signifie « Allemand »), mais ils regroupent un nombre incroyable de sous-minorités religieuses, qui ont toutes en commun l'application stricte de la Bible, une grande simplicité dans le mode de vie, le refus plus ou moins strict de certains aspects de la modernité, ainsi que l'usage du dialecte germanique (que les Alsaciens parlent encore). Leurs trois priorités sont Dieu, la famille et la ferme.

Aujourd'hui, les anabaptistes se divisent en trois familles : les *brethren,* les *mennonites* et les *amish.* La majorité des brethren et des mennonites sont habillés comme les Américains classiques et ont des rapports normaux avec leurs voisins, contrairement aux amish.

LES AMISH

Mennonites purs et durs, les amish comptent ***environ 30 000 âmes dans le comté de Lancaster,*** surtout à l'est. Ils ont été popularisés par le film de Peter Weir, *Witness,* en 1985.

Quand on traverse cette région en voiture, on croise souvent ces ***petites carrioles noires,*** des *buggies* conduits par de drôles de personnages : l'homme, souvent coiffé au bol, est barbu mais se rase la moustache (car celle-ci évoque la triste image des soldats moustachus qui les persécutaient naguère dans la vieille Europe), il porte un chapeau noir ou en paille et une chemise simple. La femme est vêtue d'une robe également très sobre, qui peut être de couleur (en général terne) mais toujours unie (tissus imprimés et bijoux interdits). Le tablier blanc est porté uniquement par les jeunes femmes non mariées. Elles le quittent le jour de leur mariage pour le revêtir une dernière fois lors de leur enterrement. Leurs cheveux, jamais lâchés ni coupés, sont maintenus en chignon dans un bonnet en organdi, plus ou moins enveloppant en fonction de l'âge. Certains sous-groupes refusent également les boutons, parce qu'ils évoquent les capotes militaires et sont symbole d'orgueil. Quant aux enfants (huit en moyenne par foyer), on les croirait tout droit sortis d'un tableau de Bruegel. L'été, la plupart vivent pieds nus.

Non, ce ne sont pas des comédiens, mais des personnes vivant selon leur conscience, des non-conformistes, séparés du monde (mais – ô combien ! – entourés par la culture américaine...), dont la différence spirituelle avec le protestantisme officiel doit être visible au travers du costume ancien, de l'apparence physique, du ***mode de vie le plus simple possible.*** Avec les communautés amish que l'on trouve également dans une trentaine d'États américains (principalement l'Ohio,

L'ORIGINE DES AMISH

Après la Réforme de Luther en 1517, de nombreux courants sectaires apparurent au sein de la nouvelle religion dissidente, le protestantisme. Les anabaptistes ne baptisaient que les adultes et menaient une vie très simple, comme les premiers chrétiens. Menno Simons (1496-1561), ancien prêtre catholique hollandais, fut leur leader. Un fermier alsacien (de Sainte-Marie-aux-Mines, dans le Haut-Rhin), Jacob Amman, créa une nouvelle branche, appliquant encore plus strictement les préceptes de la Bible. La scission avec les mennonites intervint à la fin du XVIIe s : les disciples de cette nouvelle doctrine furent appelés « amish ».

l'Indiana et en Ontario au Canada), mais aussi avec certains groupes mennonites au Belize, ils sont donc parmi les derniers dans le monde à montrer ainsi leur différence par rapport au monde des « Anglais ». Car ***tout ce qui est étranger à leur communauté est English*** (et non *American*).
Les amish ont refusé tout changement depuis leur arrivée, et suivent ***pas à pas les préceptes de la Bible.*** Tout est dédié à la communauté, et chaque règle de vie est inscrite dans l'***Ordnung, une sorte de code de bonne conduite amish.*** L'un des principes pour accepter ou non une innovation est que celle-ci ne doit pas « faciliter la vie », rendre les travaux moins pénibles. Si c'est son unique but, ce n'est pas un progrès acceptable. L'évolution est donc lente, et la tradition bien ancrée. Ainsi, ***la possession de voitures est interdite,*** bien qu'il soit accepté qu'un amish monte à bord d'un véhicule appartenant à un « étranger ». La patinette (on dit *scooter*) est autorisée, mais pas le vélo (à cause des pédales). Il y a toutefois quelques arrangements avec le dogme ! ***L'électricité est en principe proscrite,*** mais la plupart des buggies sont équipés de clignotants, sécurité oblige. Quant aux tracteurs, ils sont également interdits... sauf pour les travaux très lourds ! Mais dans ce cas, il n'y a pas de pneus en caoutchouc (mais en métal), car c'est un élément de confort et un symbole de vitesse et de progrès. L'énergie produite sur place par un ***générateur au propane*** est acceptée, notamment pour réfrigérer le lait, la production laitière étant leur principale source de revenus. ***Télé, radio, téléphone et bien sûr Internet sont bannis.*** Une seule concession : un téléphone extérieur dans une cabine en bois (commun à plusieurs fermes) pour les urgences, mais pas de conversations privées, jugées superficielles. Chez les amish, le silence est d'or.
Des nuances importantes existent donc dans le mode de vie amish. Certaines familles, tout en arborant le costume traditionnel et une façon de vivre simple, voire austère, possèdent quand même l'électricité, une voiture, un certain confort avec machines et outils modernes, et même un téléphone portable. Elles appartiennent souvent au groupe des ***Beachy amish*** ou ***amish-mennonites.*** Ceux-ci ont des missions dans 60 pays et font du prosélytisme, alors que les amish n'en font pas. Il y a quelques cas de personnes devenant amish, mais c'est long et rare ! Il faut apprendre le métier d'agriculteur, entre autres...
La plus fermée des communautés américaines parle en famille un ***« dialecte allemand »*** (que l'on parlait dans la région du Palatinat au XVIIe s), mais beaucoup de parents souhaitent que leurs enfants apprennent l'anglais, puisque la survie des amish dépend malgré tout du rapport commercial qu'ils ont avec les non-amish. Dans les écoles amish, l'anglais est donc utilisé prioritairement ; mais dans les offices religieux, c'est le « haut allemand » *(hochdeutsch)* qui domine : les amish purs et durs sont donc trilingues.
La Cour suprême des États-Unis les a exemptés de ***l'école*** obligatoire au-delà de 14 ans. Avant cet âge, la classe unique est la règle, conduite par une maîtresse souvent à peine plus âgée qu'eux, élue par les parents. Ils apprennent l'essentiel, c'est-à-dire lire (utile pour lire les Saintes Écritures), écrire et compter, ainsi que quelques notions d'histoire, de géographie et de santé. Mais en revanche, rien sur les sciences, susceptibles de contredire le dogme ! La ***lecture*** compte beaucoup pour eux, mais les sujets sont toujours les mêmes : la religion, le travail de la terre et les chevaux, le tout mêlé de romance à l'eau de rose. Le système éducatif repose sur l'apprentissage de la vie en communauté et rejette la compétition. Les surdoués sont traités comme des enfants normaux, et à l'inverse, les moins doués sont très entourés. Concernant les enfants handicapés, c'est un signe de bénédiction pour un foyer, qui a ainsi été choisi par Dieu pour assumer la lourde tâche de les élever.
Très pieux, les amish se réunissent chaque dimanche pour l'office (et ne travaillent pas ce jour-là). Les ***services religieux*** n'ont pas lieu dans les églises (vous n'en verrez pas) mais dans les fermes de leurs membres, à tour de rôle. ***Les enfants sont baptisés tard, entre 16 et 20 ans,*** car avant l'âge adulte, le baptême n'a aucun sens pour eux.

Les ***mariages*** ont toujours lieu en novembre, après la récolte. Plus de 350 personnes sont invitées à la cérémonie, très solennelle.
Les méthodes de travail ***(artisanat, agriculture)*** sont les mêmes qu'au XVIIIe s, ce qui leur donne une réputation de grande expérience. La région de Lancaster arrive, grâce aux amish, au tout premier rang de l'État de Pennsylvanie (et au septième rang américain) pour leur spécialité, la ***production de lait,*** mais aussi pour les veaux, les porcs ou encore les volailles et œufs (sixième rang national).

SHOULD I STAY OR SHOULD I GO...?

Vers l'âge de 16 ans, les jeunes amish ont la possibilité de faire l'expérience du monde moderne, avant de choisir ou non le mode de vie de leur communauté en se faisant baptiser vers 20 ans. Ce rite de passage s'appelle le Rumspringa *(« batifoler » en dialecte allemand de Pennsylvanie). Les jeunes ont alors le droit de s'habiller « moderne », de se parfumer, de boire, fumer, flirter et d'utiliser voiture et portable. Mais seuls 2 % d'entre eux quitteraient finalement la communauté.*

Généralement, ***les amish paient des impôts*** mais refusent de profiter de la Sécurité sociale et des services publics mis à leur disposition comme dans le reste du pays. Cela a mené la Cour suprême à les exempter de cotisations sociales, dans les années 1980. Dans la mesure du possible, ils se soignent seuls, avec des plantes et des remèdes « de grand-mère », mais ils peuvent être amenés à consulter un médecin en cas de maladie grave. Dans ce cas, c'est la communauté qui se cotisera pour payer les soins. ***L'entraide*** toujours.
Autres règles de vie essentielles : le ***pacifisme*** et la ***non-violence.*** Les amish, là encore, appliquent à la lettre deux préceptes bibliques connus : « Tu ne tueras point » et « Si ton ennemi te frappe sur la joue gauche, tends-lui ta joue droite ! ». Objecteurs de conscience, ils ne peuvent servir dans ***l'armée,*** refusent de prêter serment et ne se défendent pas en cas d'attaque. Mais si un routard se fait agresser par des malfrats, ils voleront à son secours.
Toute rose, la vie des amish ? Pas forcément. Des scissions continuent à naître dans les différents groupes, dues à l'interprétation toujours délicate des textes concernant l'intégration de la modernité au mode de vie. Les jeunes gens, confrontés malgré tout à la vie extérieure, ont parfois bien du mal à suivre les préceptes ***interdisant les rapports sexuels avant le mariage,*** et des défections sont à noter parmi eux.

LA CUISINE AMISH

La cuisine du pays des amish mêle les influences de la Suisse germanique, de la vallée du Rhin, de l'Alsace. Elle est simple (à l'image du reste), pas vraiment fine mais très copieuse. Attention, la plupart des restos dans les villages ne servent plus après 20h. Voici quelques spécialités servies dans les restaurants, invariablement accompagnées d'***iced tea*** (thé glacé) ou de ***root beer*** (rien à voir avec de la bière vous vous en doutez, à goûter une fois dans sa vie) :
– ***Pickles :*** légumes vinaigrés et épicés, mis en conserves, puis servis en entrée ou en accompagnement. Le mélange le plus fréquent est le *chow-chow.*
– ***Apple sauce :*** compote de pommes aux épices, servie avec à peu près tous les plats (sucrés et salés). On en trouve partout, conditionné en pot comme la confiture.
– ***Chicken corn soup :*** soupe au poulet et au maïs, très populaire.
– ***Pretzels :*** on en trouve partout. Servis tout chauds, c'est un délice.
– ***Fleisch und Käs :*** pâté à la viande.
– ***Buddboi :*** ragoût de pâtes, poulet, oignon, céleri.

– ***Schnitz und Knepp :*** boulettes avec pommes séchées et jambon.
– ***Shoofly pie :*** le dessert le plus connu, tourte à la mélasse, gingembre, muscade.
– ***Schnitz pie :*** dans le même genre avec des fruits secs.
– ***Whoopie pie :*** pâtisserie en forme de soucoupe, formée de 2 macarons au chocolat fourrés de crème.
Enfin, sachez que *Lebanon* est la capitale de la charcuterie (avec sa célèbre saucisse *Bologna*) et que le chocolat *Hershey,* distribué dans tous les États-Unis (pas terrible, il faut bien le dire) est produit dans la petite ville de Hershey.

LES AMISH SUR LE FIL DU RASOIR

En 2011, le FBI a fait irruption chez des amish de l'Ohio pour démêler une sombre histoire de barbes et de cheveux coupés de force. Ces raids capillaires étaient menés par un évêque intégriste et tyrannique pour punir les « dépravés » qui s'écartaient du droit chemin. Chez les amish, la barbe est la clé de l'identité masculine et la longue chevelure des femmes est l'œuvre d'une vie. Imaginez la mutilation que représentent ces actes sans précédent dans l'histoire de cette communauté pacifique. Condamné à 15 ans de prison, le gourou Samuel Mullet est devenu millionnaire : ses terres sont en fait gorgées de gaz de schiste ! Bonté divine.

Arriver – Quitter

En train

Lancaster est la gare la plus proche (compter une bonne heure de trajet de/vers Philadelphie). Voir aussi plus loin la rubrique « Adresses utiles » de Lancaster.

En voiture

➢ ***De Philadelphie :*** 2 routes possibles.
– La route *historique* qu'empruntèrent naguère les communautés amish pour se rendre dans le comté de Lancaster, mais nous ne la conseillons pas. Elle part de Market Street, traverse la rivière Schuylkill, le quartier universitaire, puis des quartiers pauvres (totalement déglingués, véritable ghetto noir). Elle se prolonge par la Hwy 30 et c'est théoriquement tout droit. Mais on perd rapidement ses repères et, à un moment donné, on se perd tout court. En outre, du point de vue du paysage, intérêt très limité ! Bref, préférer les conseils qui suivent.
– L'autre route consiste à sortir de Philadelphie par la *Schuylkill Expressway* n° 76, puis la Hwy 202 qui rejoint la route 30 en direction de Lancaster. De là, la 30 commence vraiment à être matérialisée. Approche autoroutière peu poétique certes, mais sûre et rationnelle. En revanche, si l'on va à Lancaster directement, il vaut mieux suivre la 76 jusqu'à la 222 S. Sur la carte, ça paraît plus long, mais c'est nettement plus court en temps !
Entre Philadelphie et Lancaster, il y a env 120 km, soit env 1h30 de route. On peut faire l'aller-retour dans la journée, mais c'est quand même un peu juste...
➢ ***De Washington et Baltimore :*** prendre l'I 95 N, puis l'I 83 N pour la 30 E qui mène à Lancaster. Env 2h30 de Washington (près de 200 km) et 1h30 de Baltimore (env 130 km).

Conseils fondamentaux

– ***Savoir-vivre :*** austères mais courtois, les amish ne s'offusquent pas trop des regards. En revanche, ***ils n'apprécient pas qu'on les photographie de face,*** car ils considèrent que toute photo dans laquelle ils peuvent se reconnaître viole le précepte de la Bible : « *Thou shalt not make unto thyself a graven* *image.* » Même si vous leur demandez la permission, ils refuseront poliment. La règle est moins stricte vis-à-vis des enfants car ils n'ont pas encore été baptisés. Essayez de les comprendre et de respecter leurs valeurs. Il faut dire que depuis le film *Witness,* ils en voient débarquer du monde ! Et pas forcément la crème : il y a eu, paraît-il, des incidents avec des Américains qui frappaient des amish pour vérifier s'ils étaient réellement non-violents ! Alors, soyez intelligent, rangez votre appareil photo ou votre caméra, et contentez-vous de regarder.

– ***Circulation :*** laisser systématiquement ***la priorité aux buggies*** (carrioles), on ne sait pas sur quelle distance un cheval peut bien freiner, surtout quand il est au trot. Et puis, pour ne pas effrayer les équidés, évitez de klaxonner et doublez-les avec une distance plus large qu'à l'accoutumée... Queues de poisson proscrites !

La visite

– N'imaginez surtout pas pénétrer dans une « réserve » amish ! En réalité, et c'est heureux, les familles vivent au coude à coude avec les autres Américains. Les fermes étant dispersées dans la campagne (très peu d'amish à Lancaster, par exemple, sauf au marché), il faut impérativement quitter les agglomérations et partir le nez au vent dans les petites routes de l'arrière-pays. Tout d'abord, ***passer au*** **Lancaster County Visitors** ***ou au*** **Mennonite Information Center** pour se procurer la brochure du Lancaster County ***Getaway Guide*** qui contient un ***plan de la région très bien fait et complet*** (avec, notamment, les ponts couverts que l'on peut traverser) et prendre la documentation sur les différentes activités. Vous pouvez alors partir à la découverte du pays amish en suivant les tout petits chemins selon votre fantaisie. Laissez-vous prendre par le charme de ces paysages champêtres balisés par de hauts silos, roulez lentement, personne ne vous klaxonnera derrière (surtout pas les *buggies*), et... observez bien.

Vous pouvez aussi acheter au *Lancaster County Visitors* un CD qui vous conduira lentement dans la campagne, en 2h environ, avec beaucoup d'explications (en anglais uniquement).

– Mais la meilleure façon d'aborder la question amish « de l'intérieur », c'est de ***louer les services d'un guide mennonite*** au *Mennonite Information Center* (voir plus loin), qui vous accompagnera dans votre propre voiture. Vous aurez une vision authentique des choses, la possibilité de poser toutes les questions que vous voulez et pourrez même orienter la visite selon vos envies précises. Si vous le demandez, les guides vous montreront par exemple les petits commerces fréquentés par les amish, totalement hors des sentiers battus et très difficiles d'approche lorsqu'on n'est pas introduit par un ou une mennonite. Vous apprendrez à reconnaître une maison amish (stores vert foncé aux fenêtres), vous verrez leurs écoles, mais tout ça avec beaucoup de discrétion, sans jamais faire intrusion.

– ***Avertissement :*** depuis bientôt une trentaine d'années, le comté de Lancaster connaît un développement touristique et commercial sans pareil (important effet du film *Witness* !). Si on se contente de se balader sur la 30, la 340 et les routes qui leur sont perpendiculaires, on ne rencontrera que d'énormes centres commerciaux avec magasins d'usine *(factory outlets),* à peu près toutes les chaînes de fast-foods, des fermes touristiques, des parcs d'attractions kitsch, des salles de spectacles géantes, des cohortes de bus : déception assurée car le coin s'est transformé en « Amishland » ! Situé à peu de distance de Philadelphie, il est devenu l'une des excursions les plus populaires des groupes et des agences. Force est de constater qu'il a perdu de ce fait beaucoup de son naturel. Quel choc, quel contraste avec le mode de vie des amish ! Impossible d'imaginer que la communauté ne soit pas touchée par ce phénomène commercial et que cela n'affecte pas son mode de vie. Des familles avisées ont d'ailleurs ouvert leur propre business pour profiter de la manne, contribuant à la dégradation de leur culture et de son environnement. Il faut donc quitter les sentiers battus pour retrouver plus de vérité et de naturel. En particulier, intéressantes routes pour se balader à vélo (carte disponible au *Lancaster County Visitors*) au nord de *Bird-in-Hand,* ou bien dans le secteur de *Lititz, Ephrata* et *Brownstown.* Routes secondaires tranquilles, ponts couverts, jolis reliefs, villages à peu près intacts.

– ***Souvenirs, artisanat :*** évitez les *gift shops* ultra-touristiques, ce n'est pas là que vous trouverez de jolies choses. Demandez plutôt à un guide mennonite de vous indiquer les vraies petites échoppes amish. Cela dit, les tissus des ***quilts*** (dessus-de-lit en patchwork cousus par les femmes) confectionnés de nos jours sont tous en synthétique... Si le savoir-faire est toujours le même, la qualité des étoffes n'a rien à voir avec celle des quilts anciens. Et il faut quand même compter 800 à 1 000 $ pour un lit 2 places... Si vous avez la chance d'entrer dans une librairie amish, vous trouverez plein de petits souvenirs originaux (et décalés) à rapporter : le code de la route des *buggies* (si, si, ça existe), des jeux de société autour de la religion, etc.

– Et puis si vous êtes là au bon moment, ne manquez pas les *mud sales,* des ***ventes aux enchères*** qui se tiennent au printemps, en extérieur, dans des champs pleins de boue... d'où le nom ! Une douzaine d'*auctions* sont organisées chaque année, en particulier à Gordonville. Elles sont très populaires chez les amish, qui viennent en nombre pour vendre et acheter *buggies,* quilts, bétail, meubles et toutes sortes d'objets. Il y a embouteillage de carrioles, et il ne faut pas oublier ses bottes !

Adresses utiles

🛈 ***Lancaster County Visitors Center*** *(plan comté de Lancaster, A1,* ***1****) : 501 Greenfield Rd, à* ***Lancaster.*** *☎ 717-299-8901 ou 1-800-723-8824.* *• discoverlancaster.com • À l'est de Lancaster, au bord de la Hwy 30. En venant de Philadelphie via Paradise, prendre la 1re sortie sur la droite après l'intersection de la route 30 et de la route 340. Venant de l'ouest, sur la 30, sortie Greenfield, puis à droite prendre le pont et vous y êtes. Lun-sam 9h-17h (10h-16h nov-mai), dim 10h-16h.* Efficace et compétent. Abondante documentation sur les hôtels, les motels, les *B & B* et les activités culturelles. Demander la carte de la région (bien faite) et les différentes brochures utiles. Présentation d'un diaporama d'environ 10 mn, en anglais.

🛈 ***Mennonite Information Center*** *(plan comté de Lancaster, B2,* ***2****) : 2209 Millstream Rd, à* ***Lancaster.*** *☎ 717-299-0954 ou 1-800-858-8320. • mennoniteinfoctr.com • Sur la gauche de la route 30 quand on vient de Philadelphie, juste à côté du Tanger Factory Outlet. Lun-sam 8h-17h (8h30-16h30 en hiver). Fermé 1er janv, pour Thanksgiving et 25 déc.* Présentation d'un film de 15 mn en anglais sur les différences entre mennonites et amish, gratuit (un autre, *Who are the Amish ?* d'une demi-heure, est payant, 6 $). Propose des *step-on guides* que l'on recommande vivement : un guide amish ou mennonite monte dans votre voiture et vous donne des explications pendant la balade, qui dure au moins 2h *(tte l'année, tlj sf dim ; compter env 55 $ les 2h pour une voiture de 1 à 7 pers ; possibilité de demander des heures en plus, moyennant supplément de 17 $/h).* Sur place également, infos sur l'hébergement dans la région (notamment les *B & B* tenus par des amish ou des mennonites). Par ailleurs, une pièce expose une reproduction de l'arche d'alliance d'Israël *(Biblical Tabernacle)* : visite guidée (récit historique biblique) et payante (8,50 $; réduc).

LANCASTER

59 000 hab. (510 000 hab. pour tout le comté)

• Plan *p. 367* • Plan comté de Lancaster *p. 372-373*

Fondée au début du XVIIIe s, la capitale du Lancaster Country est la ville intérieure américaine la plus ancienne. Son Central Market (1730) est d'ailleurs le plus vieux encore en activité aujourd'hui. La ville fut même capitale du pays l'espace d'une journée, lorsque, en 1777, le Congrès, fuyant l'occupation de Philadelphie par les troupes anglaises, s'y réfugia et y tint réunion ; le lendemain, il partit à York. Lancaster fut aussi capitale de l'État de Pennsylvanie, en 1777-1778 et de 1799 à 1812. Compter quelques heures de visite.

Adresses utiles

Downtown Lancaster Visitor Center *(plan A3)* **:** *Penn Sq, S West King St. ☎ 717-517-5718. • visitlancastercity.com • Lun-sam 9h-16h, dim 11h-15h (restreint hors saison).* Accueil chaleureux et professionnel. Excellente documentation. Balades guidées à pied, d'environ 1h30 (7 $), pour découvrir l'histoire de la ville : *avr-oct, tlj à 13h (plus mar, ven et sam à 10h) ; rens au ☎ 717-392-1776.*

✉ **Poste** *(plan A2)* **:** *sur Chestnut St. Lun-ven 7h30-16h30, sam 9h-12h.*

Gare Amtrak *(hors plan par A1)* **:** *53 McGovern Ave. ☎ 1-800-USA-RAIL. • amtrak.com •* Liaisons pour Philadelphie, New York et Chicago.

Où dormir à Lancaster et dans les environs ?

Tous les motels sont rassemblés quelques kilomètres avant l'entrée de la ville, en venant de l'est, sur la 30 (ou route 462, surnommée à juste titre la *Motel Road*). La plupart sont toutefois aussi chers que d'autres adresses plus charmantes dans le comté de Lancaster (voir ce chapitre plus loin). En basse et moyenne saisons, pas de problème pour dénicher une chambre. En revanche, de juin à mi-septembre, les prix montent et il n'est pas évident de trouver de la place, à Lancaster comme dans le comté... Mieux vaut réserver !

Lancaster Arts Hotel *(hors plan par A1,* ***11****)* **:** *300 Harrisburg Ave. ☎ 717-299-3000 ou 1-866-720-2787. • lancasterartshotel.com • À env 1,5 km du centre. Suivre Queen St vers le nord, puis tourner à gauche sur James St et ensuite à droite sur Harrisburg Ave. Selon standing, doubles 170-210 $ et suites 240-360 $ avec petit déj. Au resto (slt le soir), plats 20-30 $. Parking gratuit.* Cet ancien entrepôt de tabac a été reconverti en un boutique-hôtel (non-fumeurs !!!) chic et confortable, au style post-industriel très réussi. Murs en brique, portes et ascenseur en acier brut, œuvres contemporaines (l'hôtel en compte près de 300 !), mobilier design... Une atmosphère *arty* et *trendy* que l'on retrouve aussi dans les chambres, où le carnet de croquis est à la disposition des *guests.* Les plus inspirés verront leurs dessins exposés dans l'hôtel ! *Fitness center,* galerie d'art moderne et bon resto chicos sur place.

Cork Factory Hotel *(hors plan par B1,* ***9****)* **:** *480 New Holland Ave. ☎ 717-735-2075. • corkfactoryhotel.com • Doubles standard env 150-250 $, avec petit déj. Parking.* L'hôtel est repérable à son immense cheminée qui s'élève dans le ciel. Même passé industriel qu'au *Lancaster Arts Hotel* (ici, on est dans une ancienne fabrique de bouchons de liège datant du XIXe s), dans un style nettement moins *arty* mais toujours chic et charme. Dans les chambres, très cosy, plafond de planches brutes, canalisations en fonte noire, murs en brique et couleurs sourdes : gris, chocolat. Disséminée un peu partout, la collection d'*antiques* des proprios.

Lancaster B & B *(hors plan par B3,* ***10****) : 1105 E King St. ☎ 717-293-1723. • thelancasterbnb.com • Au bord de la route 462. Doubles 130-165 $, avec petit déj.* *B & B* familial dans une pimpante demeure de 1912 avec terrasse et jardin. On a beaucoup apprécié l'accueil chaleureux de Keith et de Brad (qui a de la famille en Bretagne et parle un bon français) et les nombreuses petites attentions : café, thé et sodas à volonté, cookies, petit verre de porto après dîner, servi au coin de la cheminée... Quant aux chambres, elles sont classiques, cosy et nickel. Un très bon rapport qualité-convivialité-prix.

Pheasant Run Farm *(hors plan comté de Lancaster par A3,* ***17****) : 200 Marticville Rd. ☎ 717-872-0991. • pheasantrunfarmbb.com • À env 15 mn au sud de Lancaster par la 272, puis à droite la Penn Grant Rd, qui coupe plus loin Marticville Rd. Doubles 139-189 $ avec petit déj.* Une vraie belle adresse : l'environnement est charmant (de la forêt, des collines et la rivière qui glougloute en bas du parc), la maison a du cachet (une grange restaurée du XIXe s), les chambres sont romantiques (douillettes, avec leurs meubles anciens et parfois des cheminées), et l'accueil est aux petits soins. On est tellement bien dans le vaste salon commun ou sur la galerie surplombant la campagne qu'on en oublierait d'aller se balader !

Où manger ? Où boire un verre ?

Spécial petit déjeuner

On Orange *(plan A2,* ***17****) : 108 W Orange St. ☎ 717-299-5157. Ven-lun 7h-13h. Env 6-10 $.* On a un peu l'impression d'être à la maison. L'accueil charmant met tout le monde à l'aise, le cadre est simple et mignon, et la cuisine est familiale et sans complication. Omelettes, sandwichs, *granola,* tout est copieux, élaboré avec de bons ingrédients et vraiment savoureux. Tout le monde adore (il y a souvent foule, mais ça tourne vite !).

De bon marché à prix moyens

Café One Eight *(plan A2,* ***15****) : 18 W Orange St. ☎ 717-509-4500. Lun-sam 7h-21h. Env 8-9 $.* Café moderne et pimpant, avec sa petite salle chaleureuse tout en parquet, briques et baies vitrées, impeccable pour une pause rapide autour d'une salade, d'un *wrap* ou d'un sandwich, tous préparés à la commande. Simple, frais et bon (et assez originaux pour certains). Quant au petit déj, il est servi toute la journée ! Sympa.

The Lancaster Dispensing Company *(plan A2,* ***12****) : 33-35 N Market St. ☎ 717-299-4602. Lun-sam 11h-minuit, dim midi-22h ; resto tlj 11h30-minuit (21h le dim). Plats 10-16 $; salade, sandwich ou tacos env 6-10 $.* C'est un genre de vieux rade de quartier, au cadre authentiquement rétro et chaleureux de pub victorien bien patiné : boiseries noires un peu écaillées, vieux parquet, long comptoir et *tin ceiling.* Le rendez-vous des locaux, à deux pas du plus vieux marché des États-Unis. Ambiance sympa et décontractée, surtout les soirs de concerts (le w-e). En revanche, côté cuisine, on fait dans le basique, mais c'est pas cher et ça dépanne (carte éclectique et longue comme le bras).

– ***Pour un bon pique-nique,*** direction le Central Market *(plan A2-3),* le plus vieux marché des États-Unis. Plusieurs stands proposent des plats à emporter ou des sandwichs préparés à la commande. Ceux de ***S. Clyde Weaver*** sont réputés pour la *smoked meat* juteuse et parfumée. Génial, mais gare aux calories ! Lire plus loin la rubrique « À voir ».

The Pressroom *(plan A3,* ***16****) : 26-28 W King St. ☎ 717-399-5400. Tlj sf lun 11h30 (10h30 dim)-14h, 17h-21h30 (22h30 ven-sam et 20h dim).*

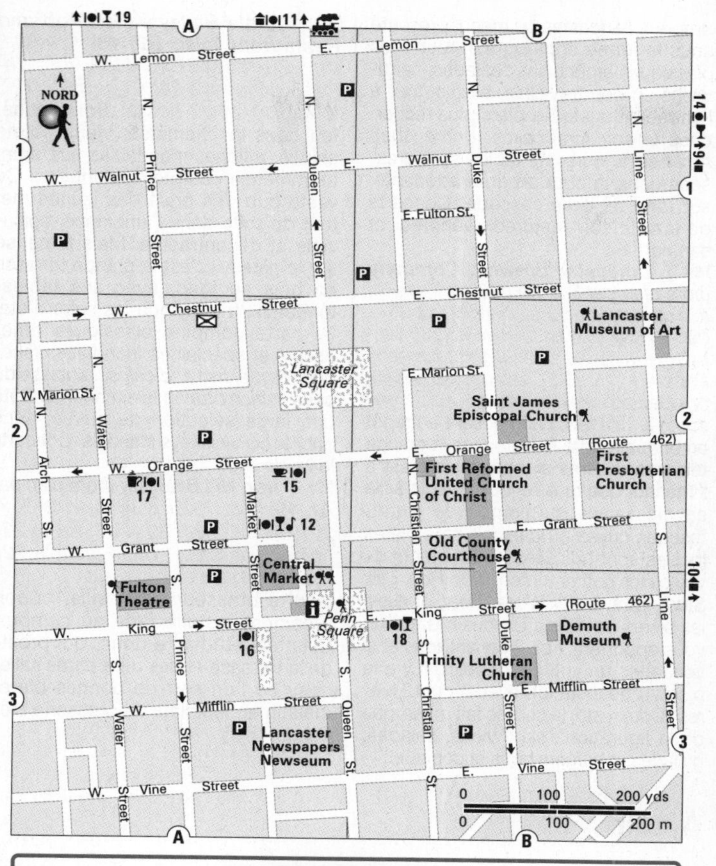

LANCASTER

- **Adresse utile**
  - Downtown Lancaster Visitor Center
- **Où dormir ?**
  - **9** Cork Factory Hotel
  - **10** Lancaster B & B
  - **11** Lancaster Arts Hotel
- **Où manger ? Où boire un verre ?**
  - **12** The Lancaster Dispensing Company
  - **14** Lancaster Brewing Company
  - **15** Café One Eight
  - **16** The Pressroom
  - **17** On Orange
  - **18** Annie Bailey's Irish Pub and Restaurant
  - **19** Iron Hill Brewery

Résa conseillée le w-e. Le midi, plats env 10-17 $; le soir 10-35 $. Dans un remarquable building qui abrita la plus vieille quincaillerie des États-Unis, une adresse pleine de caractère, un mix de pub très *British* et de style industriel propre à Lancaster. Le menu, présenté sous la forme d'un journal, réunit les classiques américains : salades, sandwichs un peu travaillés, pizzas (four à l'entrée) et quelques plats plus recherchés le soir *(crabcakes, prime ribs).* Aux beaux jours, les tables sont dressées dans la cour arborée attenante, sur fond de belle cascade. Concerts de jazz le soir mercredi, vendredi et samedi.

|●| 🍸 ***Lancaster Brewing Company*** *(hors plan par B1,* ***14****)* **:** *302 N Plum St, à l'intersection avec Walnut. ☎ 717-391-6258. Tlj 11h30-minuit (23h lun-jeu) ; resto jusqu'à 22h (21h30 dim-jeu). Plats env 15-25 $; salade, sandwich, spécialités mexicaines et pizza env 10-15 $.* Dans un imposant entrepôt en brique rouge. À l'extérieur, la grande terrasse est très sympa, mais c'est à l'intérieur que tout se joue ! Car la salle en mezzanine surplombe de gigantesques cuves où d'excellentes bières locales sont brassées. On est tenté de vouloir les goûter toutes : *Hop Hog, Milk Stout, Strawberry Wheat Beer,* et aussi les bières du mois... Si vous hésitez, on vous apportera 1 ou 2 échantillons et si vous êtes un vrai *beer addict,* il y a le plateau dégustation avec 6 ou 12 bières ! Côté resto, la cuisine fait mieux que de la figuration : sandwichs, salades, grillades et burgers bons et copieux.

|●| 🍸 ***Annie Bailey's Irish Pub and Restaurant*** *(plan B3,* ***18****)* **:** *28-30 E King St. ☎ 717-393-4000. Tlj 11h-2h ; resto jusqu'à 22h. Plats env 8-12 $ le midi, 10-18 $ le soir.* Bois patiné, feu dans la cheminée, vieux objets chinés, affiches irlandaises aux murs et immense comptoir à l'entrée... Ce vaste pub très prisé des jeunes met tout de suite dans l'ambiance, conviviale et décontractée. Mais la cerise sur le gâteau, c'est la grande terrasse en bois au fond, avec ses tables-tonneaux, très sympa les soirs d'été. La carte combine classiques américains et spécialités irlandaises (*shepherd's pie, fish and chips,* saucisse du pays et *Irish brunch* le dimanche). Côté bar, large sélection de bières, sans oublier les whiskeys irlandais. Concerts le week-end.

|●| 🍸 ***Iron Hill Brewery*** *(hors plan par A1,* ***19****)* **:** *781 Harrisburg Pike. ☎ 717-291-9800. Tlj 11h30 (11h le w-e)-23h (minuit ven-sam) ; resto jusqu'à 22h (23h ven-sam). Plats env 10-30 $.* L'autre brasseur de la ville, opportunément installé face au campus. Clientèle étudiante donc, qui profite de la terrasse et des différentes salles cosy où l'on sert de bonnes bières maison et des plats de brasserie bien fichus.

À voir

👁👁 ***Central Market*** *(plan A2-3)* **:** *mar et ven 6h-16h, sam 6h-14h.* La structure actuelle, de style *Romanesque Revival,* date de 1889, mais le marché, qui existe depuis 1730, a toujours fonctionné au même endroit, ce qui en fait le plus ancien des États-Unis. On disait à l'époque qu'il n'y avait pas un légume frais produit dans l'État qui ne passait par le marché de Lancaster. Les choses n'ont guère changé au niveau du comté ! Beaucoup plus authentique que le Reading Terminal Market à Philadelphie. Quelques stands sont tenus par des amish qui vendent leur production de fruits et légumes frais (superbes) mais aussi leurs conserves, *chutneys, pickles,* confitures et autres *pies.*

👁 Sur ***Penn Square*** *(plan A-B3),* voir la colonne en l'honneur des défenseurs de l'Union pendant la guerre civile (1874), et les plaques rappelant le nombre de morts des différentes guerres, notamment celle du Vietnam (plus de 211 000 victimes) ou la Première Guerre mondiale (plus de 320 000 morts).

👁 ***Fulton Theatre*** *(plan A3)* **:** *12 N Prince St.* Construit en 1852, un des plus anciens théâtres du pays, de style victorien. Mark Twain y tint des conférences en 1872. L'année suivante, Buffalo Bill et son compère Wild Bill Hickok y produisirent leur show, *Scouts des Grandes Plaines,* et en 1907, le fameux W. C. Fields y fit ses débuts.

Old County Courthouse *(plan B2-3) : N Duke St (entre King et E Grant St).* Tout à fait dans la tradition architecturale imposante de la justice, avec sa façade monumentale à colonnes, de style néoclassique. L'intérieur ne se visite pas, car le bâtiment abrite toujours bureaux administratifs et salles d'audience.

The Demuth Museum *(plan B3) : 120 E King St. ☎ 717-299-9940. ● demuth.org ● Tlj sf lun 10h (13h dim)-16h. GRATUIT.* Visite rapide de la maison du XVIIIe s et de l'atelier de l'un des plus fameux aquarellistes du pays, Charles Demuth, né en 1883 et mort du diabète en 1935. Il peignit d'abord des fleurs, inspiré par le très beau jardin de sa mère, fut un pionnier du *precisionism,* un style géométrico-réaliste, et puisa son inspiration dans le monde industriel. C'est l'un des premiers artistes américains modernes, donc. Un coup d'œil suffit (1 ou 2 courtes expos temporaires et l'atelier à l'étage).

Lancaster Museum of Art *(plan B2) : 135 N Lime St. ☎ 717-394-3497. ● lmapa.org ● Tlj sf lun 10h (12h dim)-16h. GRATUIT.* Installé dans une élégante demeure de la fin du XIXe s, au milieu d'un petit parc. Petites expos temporaires d'artistes contemporains, régionaux notamment, qui peuvent être très intéressantes : peintures, photos, sculptures, etc.

Parmi les églises de la ville, la **Saint James Episcopal Church** *(plan B2 ; 119 N Duke St),* tout en brique, érigée en 1744 par des immigrés anglais, puis reconstruite en 1820, mérite une halte. Dans son cimetière reposent le général Edward Hand, qui fut aide de camp de Washington pendant la révolution, et George Ross, l'un des signataires de la Déclaration d'indépendance.

DANS LES ENVIRONS DE LANCASTER

James Buchanan Wheatland *(hors plan par A2) : 230 N President Ave. ☎ 717-392-4633. ● lancasterhistory.org ● Vers l'ouest par Grant St. Avr-oct, tlj sf dim 9h30-17h (ouv à certaines dates hors saison : se rens). Visite guidée en costume ttes les heures. Entrée : 12 $; réduc ; gratuit moins de 11 ans.* Demeure de James Buchanan, 15e président des États-Unis (1857-1861). Il y mourut en 1868. C'est une élégante maison de style *Federal* (1828), dont les différentes pièces (salon, chambres, salle de bains, cuisine) présentent encore une partie de l'ameublement original. Comme le bureau qui fut utilisé à la Maison-Blanche, ou une bouteille de vin cachetée provenant de la cave du président ! C'est ici que Buchanan se reposait des contrariétés et vicissitudes de sa fonction. Il dut en avoir pas mal car on était, à l'époque, à la veille de la guerre de Sécession et en plein débat national sur le problème de l'esclavage (où, dit-on, il ne se mouilla pas trop, car il avait lui-même des esclaves, et son vice-président était du Sud). D'ailleurs, il n'arriva pas à maintenir l'union de son parti, les démocrates, qui firent sécession avant l'heure, ce qui permit l'élection d'Abraham Lincoln...

MAUVAISE PIOCHE !

Buchanan fut fiancé à Anne Coleman, la fille d'un riche maître de forge du comté de Lancaster, dont il était l'avocat. Mais le père de la jeune femme refusa le mariage, car un juriste ne pouvait pas gagner suffisamment bien sa vie. Anne en mourut de chagrin. James Buchanan ne s'en remit pas non plus et devint ainsi le seul célibataire élu président des États-Unis... Ce fut donc la nièce de Buchanan qui endossa le rôle de First Lady *puisqu'on ne pouvait pas dire épouse. La première à être surnommée ainsi.*

Hans Herr House *(plan comté de Lancaster, A3) : 1849 Hans Herr Dr, Willow St, à env 10 km au sud de Lancaster. ☎ 717-464-4438. ● hansherr.org ●*

Avr-nov, tlj sf dim 9h-16h. Dernière visite guidée à 15h. Entrée : 8 $; réduc ; gratuit moins de 6 ans. Billet combiné avec la Lancaster Long House : 15 $ (ou 8 $ si visitée seule). Brochure en français. Ah, la jolie maison que voilà ! On ne se croirait pas du tout aux États-Unis : de gros murs épais en pierre, de petites fenêtres comme dans les chaumières alsaciennes, une très jolie campagne aux alentours. Il s'agit là de la plus ancienne maison mennonite en Amérique et du plus vieux bâtiment du comté de Lancaster. Construite en 1719 par un réfugié mennonite allemand, elle témoigne de l'architecture coloniale germanique en Pennsylvanie au XVIIIe s. À l'intérieur, austère, chaulé et aménagé de mobilier ancien, explications sur le quotidien de l'époque, l'histoire des mennonites, etc. Tout autour, le four à pain, la forge et une immense grange où sont alignées de fascinantes machines agricoles hors d'âge complètent cette belle visite. Et pour ceux qui seraient intéressés par l'histoire des tribus locales, la visite guidée d'une maison longue reconstituée permet d'évoquer leur vie avant, pendant et après l'arrivée des colons. Très intéressant, mais le supplément est un peu cher.

Historic Rock Ford Plantation *(hors plan par B3) :* *881 Rockford Rd, Lancaster County Central Park, au sud-est de la ville. ☎ 717-392-7223. • rockfordplantation.org • Suivre Prince St vers le sud, puis Strawberry St et continuer tt droit sur Rockford Rd. Avr-oct, mer-dim 11h-15h (dernier départ). Entrée : 8 $; réduc ; gratuit moins de 6 ans.* Isolée au cœur d'un vaste parc romantique, cette petite et élégante demeure géorgienne (1794) est considérée comme l'une des plus caractéristiques de Pennsylvanie, et fut la propriété du général Edward Hand, aide de camp de Washington pendant la guerre d'Indépendance. C'est d'ailleurs là qu'il mourut en 1802. La visite guidée, en costume, permet de découvrir les différentes pièces meublées, des chambres aux cuisines, en passant par les différents salons. Intéressant.

Landis Valley Museum *(hors plan comté de Lancaster par A1) :* *2451 Kissel Hill Rd. ☎ 717-569-0401. • landisvalleymuseum.org • À env 6 km de Lancaster. Tlj 9h (12h dim)-17h. Fermé 1er janv, Thanksgiving et 25 déc. Entrée : 12 $; réduc ; gratuit moins de 3 ans.* Dans un cadre bucolique, une quinzaine de bâtiments (principalement du XIXe s) ont été remontés ici et offrent une bonne idée de ce que furent à l'époque la vie rurale et les activités des Pennsylvanian Dutch. Fermes avec les animaux, maisons d'habitation entièrement meublées, épicerie aux rayonnages bien garnis, hôtel, taverne... De quoi constituer un vrai village, animé par des figurants en costume et des artisans qui font la démonstration du savoir-faire des anciens. Une agréable et ludique balade dans le temps.

LE COMTÉ DE LANCASTER

• Plan *p. 372-373*

C'est surtout la campagne qui vaut le coup, très pittoresque dès que l'on s'aventure sur les petites routes. Alternance de champs de maïs et de fermes dominées par les hauts silos à grain. Vous noterez que le séchage du linge est tout un art : classé par taille, par couleur, un bonheur pour les photographes. Le dimanche, jour du Seigneur, on ne travaille pas, bien sûr, mais c'est le jour de sortie ! Circulation intense (si l'on peut dire...) de *buggies* sur les routes, surtout dans l'est, entre la 30 et la 340.
Bon à savoir : les prix des hébergements chutent littéralement en hiver (qui est enneigé et parfois « gadouilleux », d'où une baisse de fréquentation

des touristes), en dehors de certaines vacances scolaires américaines. À l'inverse, ils sont les plus élevés de juillet à octobre. Entre les deux, ça va presque du simple au double dans certains cas !
– Pas mal de *B & B* (voir au *Lancaster County Visitors Center* pour les adresses). Toutes les associations de *B & B* que nous indiquons pour Philadelphie ont des hébergements dans le Lancaster County. S'y reporter.

STRASBURG ET SES ENVIRONS *(plan C3)*

Charmant village à l'homogénéité architecturale intéressante. Demeures anciennes en bois ou en brique, avec véranda, tout au long de Main Street. À côté de l'église luthérienne *Saint Michael* (40 Main Street), vieux cimetière aux vénérables tombes sculptées (dont celles de patriotes de la révolution).

Où manger ?

Katie's Kitchen *(plan B3,* ***28****) :* *200 Hartman Bridge Rd, sur la route 896 en direction de Strasburg. ☎ 717-687-5333. Tlj sf dim et lun 7h30-19h30 (19h le sam). Petit déj 5-7 $, plats 7-12 $.* Un genre de *diner* amish, sans esbroufe. Cadre simple, cuisine classique (burgers, plats du jour, viandes en sauce...), copieuse, convenable et pas chère. Une bonne petite adresse.

Isaac's *(plan C3,* ***29****) :* *226 Gap Rd, Strasburg. ☎ 717-687-7699. Tlj 10h-21h (20h le dim). Plats 8-12 $.* Une petite chaîne régionale, plébiscitée depuis une trentaine d'années pour ses *grilled sandwiches* déclinés de multiples façons. Aussi des soupes et autres salades. Le tout se déguste sur des banquettes disposées dans des box. Bref, pas mal pour un lunch rapide.

À voir

Railroad Museum of Pennsylvania *(plan C3) :* *300 Gap Rd, à l'est de Strasburg, sur la 741. ☎ 717-687-8628. • rrmuseumpa.org • Tlj 9h (12h dim)-17h ; fermé lun nov-mars ; dernière entrée 30 mn avt. Fermé 1er janv, lun de Pâques, Thanksgiving et 25 déc. Entrée : 10 $; réduc.* Un des plus formidables musées du Chemin de fer qu'on connaisse. Il retrace une grande partie de l'histoire des trains de l'État de Pennsylvanie de 1825 à nos jours et, surtout, présente en intérieur et en extérieur plus de 100 locomotives et wagons, pour la plupart superbement restaurés. Certains postes de pilotage sont accessibles, présentés par des guides en costume. On admire sans retenue les machines plus impressionnantes, de véritables monstres, comme la Lima (de 1915) ou la 7002 qui battit le record mondial de vitesse en 1905 (127 miles/h, soit un peu plus de 200 km/h). Mais notre coup de cœur, c'est la fascinante 4935 électrique (GG1) datant de 1943. Retirée de la circulation en 1983 seulement, pionnière du design industriel : sa superbe forme aérodynamique fut créée par le grand Raymond Loewy *himself* ! Sinon, c'est un enchantement de se balader dans les reconstitutions soignées d'une vieille gare et des locaux de la Western Union et du télégraphe. À cela s'ajoutent un audiovisuel, une expo d'objets et matériels ferroviaires divers, et bien sûr une large section consacrée aux maquettes, plébiscitée par les petits... et surtout les grands ! Intéressante boutique. En face, une gare avec des trains anciens qui circulent pour une balade dans la campagne, environ 15-20 $ en fonction du wagon choisi ! Infos sur *• strasburgrailroad.com •*

The Amish Village *(plan C2) :* *route 896, à 1,5 km env de la route 30, en direction de Strasburg (3 bons km au nord de cette ville). ☎ 717-687-8511. • theamishvillage.com • Tlj 10h-17h (16h hors saison) ; janv-fév, le w-e slt. Entrée : env*

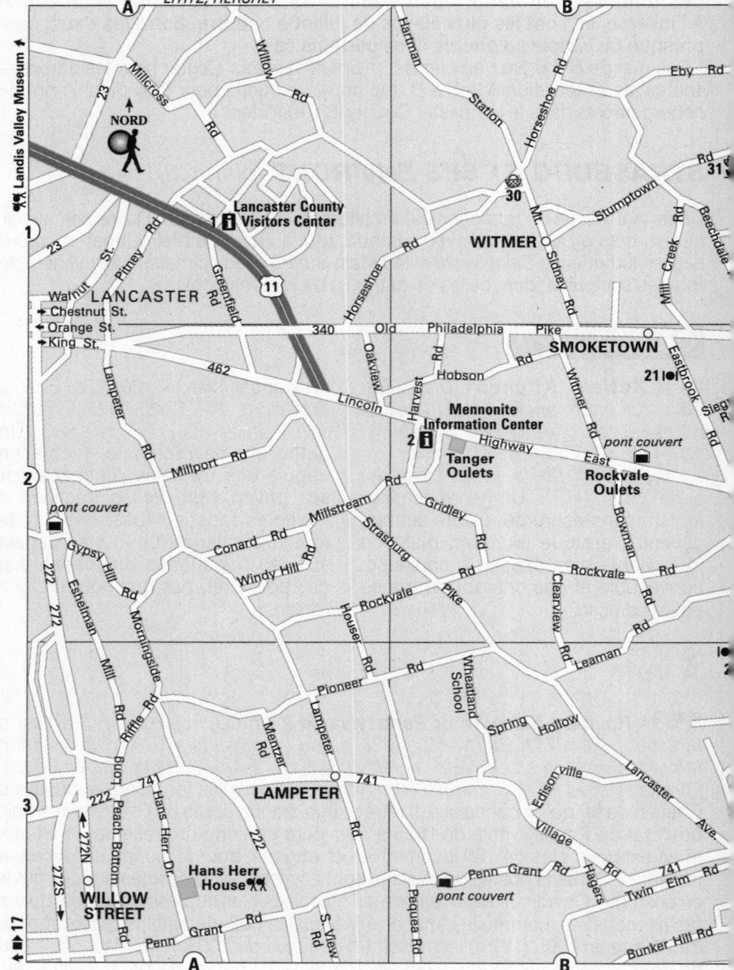

■ **Adresses utiles**

- 1 Lancaster County Visitors Center
- 2 Mennonite Information Center

Où dormir ?

- 9 The Red Caboose Motel & Restaurant
- 11 Harvest Drive Family Inn
- 12 Best Western Plus Intercourse Village Inn

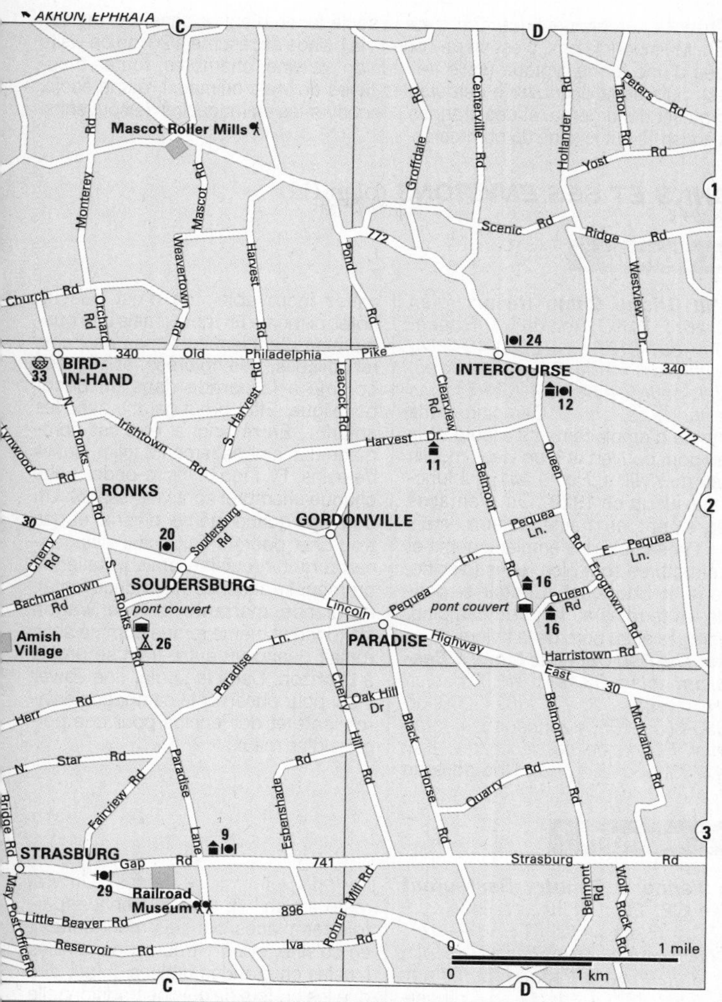

LE COMTÉ DE LANCASTER

16 Eby's Pequea Farm
17 Pheasant Run Farm
26 Mill Bridge Camp Resort

Où manger ?

20 Dienner's Country Restaurant
21 Good 'N Plenty
24 The Kling House
28 Katie's Kitchen
29 Isaac's

Achats

30 Lapp's Toys & Furniture
31 Bird-in-Hand Bake Shop
33 Bird-in-Hand Farmer's Market

10 $; réduc. Architouristique. Car c'est la seule façon d'entrer dans une maison amish. Mais pour le prix, c'est un peu court : la balade se résume à 20 mn de visite guidée d'une ferme typique (salle de réunion, cuisine, chambres, toutes meublées), puis de la découverte des étables (avec de vrais animaux), d'une école, d'un atelier de forgeron, et des granges... reconverties en magasins de souvenirs. Ces amish-là ont le sens du commerce !

RONKS ET SES ENVIRONS *(plan C2)*

Où dormir ?

⛺ ***Mill Bridge Camp Resort*** *(plan C2, **26**) : 101 S Ronks Rd, **Ronks.** ☎ 717-687-8181 ou 1-800-645-2744. • millbridge.com • Résa conseillée. Forfait pour 2-4 pers 44-60 $ (3 nuits min en hte saison).* Camping d'une centaine d'emplacements à côté d'un beau pont couvert et d'un vieux moulin à eau du XVIIIe s, *Herr's Mill,* qui fonctionna jusqu'en 1929. On s'entasse allègrement en haute saison, mais dans l'ensemble, les emplacements et les structures sont bien tenus (piscine, laverie et boutique). Choisir si possible les terrains au fond du camping, ombragés et au bord de la rivière.

🏠 |●| ***The Red Caboose Motel & Restaurant*** *(plan C3, **9**) : 312 Paradise Lane, **Ronks.** ☎ 717-687-5000 ou 1-888-687-5005. • redcaboosemotel.com • Fermé de mi-déc à fév. Env 90-170 $ pour 2-4 pers.* Une adresse assez incroyable : ce n'est pas un hôtel, ni même un motel, mais une quarantaine d'anciennes rames de trains réhabilitées, très colorées, et alignées comme à la parade dans un décor bucolique. Effet bœuf garanti avec les enfants ! En revanche, et c'est dommage, les aménagements (clim, salles de bains, TV, frigo et micro-ondes dans chaque chambre) sont vieillissants. Un bon plan quand même, original et pas trop cher pour 4 ! Fait aussi « wagon-restaurant » (cuisine amish, italienne ou méditerranéenne mais décevante). Ambiance marrante car ce wagon klaxonne et même remue comme si on roulait quand un autre train se profile à l'horizon. Dans le jardin, une *Tower View* pour observer la campagne environnante et des enclos pour une poignée d'animaux.

Où manger ?

|●| ***Dienner's Country Restaurant*** *(plan C2, **20**) : 2855 Lincoln Hwy E (la 30), **Ronks.** ☎ 717-687-9571. À côté d'un moulin très flashy. Tlj sf dim 7h-18h (20h ven). Petit déj-buffet env 7 $, lunch-buffet env 11 $ et dinner-buffet env 12 $ (13 $ ven-sam soir). Gratuit moins de 3 ans ; après, curieux mode de calcul (mais assez juste) : c'est 55 cts pour le petit déj ou 93 cts pour le déj et 93 cts à 1 $ pour le* dîner *par année moins de 12 ans !* Un vrai resto amish ! Ils sont au service (parfois remplacés par des mennonites), en cuisine, et on y trouve des familles locales en grandes tablées. Il faut dire que les buffets de cuisine traditionnelle sont épatants : copieux, frais et bons ! Notez qu'on y mange de bonne heure et qu'il y a du monde (mais on n'attend jamais longtemps).

Achats

🧺 ***Les factory outlets :*** curieux de constater que le pays amish, symbole de simplicité (voire de rusticité), emblématique aussi du détachement vis-à-vis des choses matérielles, voit se développer ces immenses centres commerciaux proposant des marchandises de grandes marques *(Nike, Levi's, Ralph Lauren, Banana Republic...)* à prix défiant toute concurrence. Ainsi, ***Rockvale Outlets*** et ***Tanger Outlet*** *(plan B2)*, vers l'intersection de la 30 et de la 896, abritent plus d'une centaine de magasins et d'immenses parkings.

Lapp's Toys & Furniture *(plan B1,* ***30****)* **:** *2220 Horseshoe Rd, à* ***Ronks*** *(mais sur la commune de Lancaster).* *☎ 717-945-5366.* *• lappstoyandfurniture.com • Lun-ven 7h-17h, sam 8h-16h.* Jouets en bois (carrioles, chevaux, fermes, petits trains...) et mobilier de poupée, réalisés dans les règles de l'art par un artisan menuisier. Du beau travail à des prix pas exagérés pour la qualité et les finitions.

INTERCOURSE ET SES ENVIRONS (plan D1-2)

À une quinzaine de kilomètres à l'est de Lancaster, ce village fondé en 1754 n'est pas étranger à la grande popularité de la région. Car c'est ici qu'une grande partie du film *Witness* de Peter Weir a été tournée en 1985 ! Un dépliant touristique, que vous trouverez sur place, donne d'ailleurs quelques indications à ce sujet, notamment l'emplacement de la plus célèbre épicerie du comté, *W.L. Zimmerman & Son Grocery,* où le beau Harrison Ford fait ses courses. Revers de la médaille : les innombrables touristes et les boutiques criardes gâchent la sérénité des quelques jolies rues... du moins en haute saison.

LES AMOUREUX DES PONTS COUVERTS

Il existe une trentaine de ponts couverts carrossables dans la campagne autour de Lancaster. La plupart ont été construits au milieu du XIXᵉ s et la toiture permet de protéger des intempéries le tablier en bois. Ils sont poétiquement nommés les kissing bridges. *Il y en a un, par exemple, entre Intercourse (qui signifie « coït ») et Paradise, sur Belmont Road. La route continue vers Fertility !*

Où dormir ?

MOTELS

Harvest Drive Family Inn *(plan D2,* ***11****)* **:** *3370 Harvest Dr,* ***Intercourse*** *(Gordonville). ☎ 717-768-7186. • hotellancasterpa.com • Fléché depuis les routes 340 et 30. Chambres 2-6 pers env 70-150 $.* Un motel familial atypique, isolé sur une petite route à l'écart des axes principaux. Une cinquantaine de chambres classiques, simples (mais avec micro-ondes, frigo et TV) et bien tenues, donnant sur les fermes et la campagne environnante, labourée encore par les chevaux de trait des amish. Une terrasse en bois en surplomb, avec chaises longues, permet d'admirer leur labeur ! Jeux pour enfants à l'extérieur. Assez touristique cela dit, les cars de groupes s'y arrêtent parfois.

Best Western Plus Intercourse Village Inn *(plan D2,* ***12****)* **:** *3610 E Newport Rd,* ***Intercourse.*** *☎ 717-768-3636 ou 1-800-717-6202. • intercoursevillageinn.com • Dans le centre du village, à l'intersection des routes 340 et 772. Doubles 120-200 $ avec petit déj. Gratuit moins de 18 ans.* Genre de motel chic à un étage, dont l'architecture évoque un peu le style rural local. Une petite centaine de chambres confortables (TV câblée, etc.), à la déco moderne et cosy, plus quelques suites familiales (avec kitchenette). Bon resto *Olde Mill* (après 20h, on ne sert plus, et c'est fermé le dimanche). Piscine couverte chauffée et spa.

Eby's Pequea Farm *(plan D2,* ***16****)* **:** *345 Belmont Rd (parents), ou Queens Rd (la ferme),* ***Gordonville.***

☎ 717-768-3615. • ebyfarm.com • À un peu moins de 2 km de la 30 (donc pas de bruit de circulation). Double avec sdb privée env 100 $ avec petit déj ; appart familial pour 4 pers, avec kitchenette, 140 $. Bienvenue dans la chaleureuse famille Eby ! En fonction des envies ou des besoins, on loge dans la maison des parents (jolie bâtisse entourée d'un jardin fleuri, qui rassemble 4 chambres), ou dans la ferme, à deux pas. Cette dernière est tenue par la fille, et s'adresse plutôt aux familles, car elle comprend, en plus de 2 chambres classiques, 3 appartements avec cuisines équipées. Dans tous les cas, c'est simple, champêtre et propre. Une super adresse de l'arrière-pays, en pleine campagne, à côté d'un adorable pont couvert.

Où manger ?

|●| ***The Kling House*** *(plan D1,* ***24****) : 3575 W Newport Rd, à* ***Intercourse.*** *☎ 717-768-2746. Tlj sf dim ; petit déj 8h-10h45, déj 11h-15h (16h ven-sam). Petit déj env 10 $; salades, soupes, quiches ou sandwichs env 10 $ et plats principaux 12-15 $.* Un joli petit resto avec une terrasse fleurie, une véranda et un intérieur plein de charme : étagères remplies de livres, horloge et tableaux. Même si le village a un vrai côté parc d'attractions et que le resto n'est pas le plus authentique de la région, il n'est pas désagréable de s'attabler ici devant des plats traditionnels (bonne *chicken corn soup, Reuben, crabcake,* etc.) ou quelques spécialités amish.

À voir

Mascot Roller Mills and the Ressler Family Home *(plan C1)* ***:*** *443 W Newport Rd ; au lieu dit Mascot, à 3 km au sud de Leola au coin de la route 772 et de Stumptown Rd. ☎ 717-656-7616. • resslermill.com • En principe, ouv de mai à mi-oct, tlj sf dim 10h-16h (dernière visite à 15h30). GRATUIT.* Un vieux moulin à eau du XVIIIe s, réhabilité par la famille *Ressler,* pour préserver un témoin de l'histoire de la minoterie américaine. De beaux objets traditionnels, une machinerie prête à redémarrer. En introduction, un petit film de 4 mn, pour expliquer la vie d'un meunier par un ancien de la famille. À toutes vos questions, des réponses seront largement données par le maître des lieux.

BIRD-IN-HAND *(plan C1-2)*

Ce petit village d'à peine 300 âmes, fondé en 1734, reçoit chaque jour plus de touristes qu'il ne compte d'habitants ! Son nom très imagé a pour origine l'expression anglaise *« a bird in the hand is worth two in the bush »* que l'on peut traduire par « un tiens vaut mieux que deux tu l'auras » ! En effet, la légende raconte que deux gardiens de la route principale qui traverse le hameau hésitaient à rentrer à Lancaster pour la nuit. L'un d'eux conseilla de rester sur place, rappelant le dicton « a bird in the hand... » Ils dormirent donc à l'auberge du village, qui fut baptisée *Bird-in-Hand Inn,* d'où le nom de la localité.

Où manger ?

|●| ***Good 'N Plenty*** *(plan B2,* ***21****) : 150 Eastbrook Rd (route 896), à* ***Smoketown*** *(près de Bird-In-Hand). ☎ 717-394-7111. Lun-sam 11h30-20h, dim (slt l'été) 11h30-17h. Menu à volonté, boissons comprises (on paie son « ticket-resto » avt de s'attabler) env 23 $; réduc enfants. Sinon, plats à la carte env 8-12 $.* Comme son nom l'indique, ici on en a pour son argent et en plus c'est bon ! Certes, le concept de tablées communes à la

mode amish est revu à la sauce touristique et l'énorme salle à manger souvent envahie par les groupes, mais la cuisine est bien typique, elle, et le menu à volonté d'un excellent rapport qualité-prix. Allez-y mollo sur les petites entrées car ensuite viennent les plats (plusieurs viandes dont le *fried chicken,* sans compter les légumes et accompagnements variés) et enfin les 5 desserts, maison eux aussi car ils ont une pâtisserie au sous-sol.

Achats

Bird-in-Hand Bake Shop *(plan B1,* ***31****)* **:** *542 Gibbons Rd, un peu en retrait de la 340. ☎ 717-656-7947. Tlj sf dim 8h-17h.* Cette boulangerie-pâtisserie, très touristique forcément, passe pour être la meilleure de tout le comté, notamment pour sa *shoofly pie.* Les *whoopie pies* ont bonne presse aussi, comme le *cheddar cheese bread.* Et si vous ne savez pas quoi acheter, il y a toujours la boutique de souvenirs...

Bird-in-Hand Farmer's Market *(plan C2,* ***33****)* **:** *2710 Old Philadelphia Pike (route 340). Marché tte l'année ven-sam 8h30-17h30 ; avr-nov, également mer, plus jeu juil-oct. Boutiques d'artisanat autour, en général ouv tlj sf dim.*

EPHRATA (hors plan par C1)

À une vingtaine de kilomètres au nord-est de Lancaster, ce village tranquille attire les amateurs d'histoire, car il abrita l'une des plus anciennes communautés religieuses du pays. On peut s'y rendre directement par la voie rapide 222 (sortie Ephrata, puis route 322) ou bien passer par Lititz (voir plus loin), puis suivre E Main Street jusqu'à Rothville, où s'embranche Rothville Road pour Ephrata.

À voir

Ephrata Cloister **:** *632 W Main St (route 322, juste après l'intersection avec la 272). ☎ 717-733-6600. • ephratacloister.org • Ouv 9h (12h dim)-17h. Fermé lun-mar janv-fév, ouv tlj de mars à déc. 1re visite guidée 1h après l'ouverture, dernière à 15h30 ; durée 1h, dont 15 mn avec une intéressante vidéo. Tarif (avec ou sans visite) : 10 $; réduc. Prendre le plan explicatif pour se repérer, une partie de la visite est libre. Textes en français disponibles.*

Fondée en 1732 par Conrad Beissel, un prédicateur allemand, la communauté religieuse d'Ephrata connut son apogée dans la seconde moitié du XVIIIe s : un peu plus de 100 frères et sœurs et environ 200 membres consacraient alors leur vie à la préparation de leur ascension au paradis. Outre l'agriculture, la communauté avait une importante activité d'imprimerie. Elle édita, en 1748, pour les mennonites, *Martyrs Mirror,* le plus gros livre jamais publié pendant la période coloniale (1 200 pages). Après la mort de son leader charismatique, en 1768, la communauté périclita rapidement. Vers 1814, ses derniers membres rejoignirent l'Église baptiste du Septième Jour, qui administra l'ensemble jusqu'en 1934, avant que les autorités de l'État ne le transforment en musée.

On peut visiter aujourd'hui une dizaine de bâtiments de style campagnard germanique du XVIIIe s, presque tous d'origine et dispersés dans un beau jardin qui dégringole vers une rivière. La maison du fondateur et celle des sœurs, attenante à la *meeting house* (la chapelle), ne sont visibles qu'en suivant la visite guidée. L'intérieur, austère, est doté de portes basses... pour faire baisser la tête des membres de la communauté en signe d'humilité ! Se visitent librement : le cimetière, « l'amphithéâtre », la boulangerie, l'atelier d'imprimerie, la menuiserie, la petite cuisine et son intéressant matériel pour fabriquer des chandelles, et la maison du médecin. À l'entrée du site, l'école (fermée en 1926 mais qui se visite aussi) et la boutique de souvenirs sont d'époque.

LITITZ *(hors plan par A1)*

Pour ceux qui veulent passer un peu plus de temps dans le coin, plusieurs lieux intéressants aussi à Lititz, une petite bourgade charmante à moins de 13 km au nord de Lancaster. Ne pas manquer de se procurer le plan-promenade décrivant une quinzaine de sites et intéressantes demeures à découvrir dans le centre-ville, dont celle du fameux général John Sutter (au 19 E Main Street), qui finit sa vie à Lititz et fut enterré en 1880 au *Moravian Cemetery*.

Où dormir ? Où manger ?

General Sutter Inn *(hors plan par A1) : 14 E Main St (intersection de la 501 et de la 772, au centre de Lititz). ☎ 717-626-2115. • atthesutter.com • Doubles 75-155 $, suites pour 4-6 pers 185-235 $, petit déj inclus. Resto tlj sf lun soir. Plats env 10-25 $.* Existe depuis 1764 ! Ce petit hôtel de style anglais a su garder en se modernisant son délicieux charme vieille école. Notre coup de cœur en lisière du pays amish ! Les chambres sont très confortables, coquettes et spacieuses. Et pour manger, on a le choix entre le resto classique (mais avec terrasse), ou le pub pittoresque. Dans tous les cas, soupes, salades, burgers et plats traditionnels sont de bonne facture.

The Alden House B & B *(hors plan par A1) : 62 E Main St. ☎ 717-627-3363 ou 1-800-584-0753. • aldenhouse.com • Doubles env 120-170 $. Enfants acceptés à partir de 10 ans.* Maison en brique construite vers 1850, avec petite véranda sur la rue principale du bourg. Adresse pleine de charme à l'intérieur classique et confortable : fauteuils ou canapés dans les chambres lumineuses et colorées, mobilier de style (vous aurez peut-être le lit à baldaquin garni de dentelle), salle à manger en harmonie où l'on, sert de petit déj. Quant à l'accueil, il est tout sourire et disponible.

À voir

Lititz Museum : *137 et 145 E Main St. ☎ 717-627-4636. • lititzhistoricalfoundation.com • De nov au sam avt Noël, ven-sam 10h-16h ; juin-oct, tlj sf dim 10h-16h (dernière visite à 15h pour la Mueller House). Entrée : par donation pour le musée, 5 $ pour la Mueller House ; réduc ; gratuit moins de 10 ans.* Petit musée présentant l'histoire de la ville, de l'implantation indienne à son développement au XIXᵉ s. Visite guidée également de la *Mueller House* de 1792 (maison longue de plain-pied avec façade de pierre), avec son ameublement d'origine.

LA MALÉDICTION DE L'OR

Né en 1803 en Allemagne, le général Sutter s'exila en Amérique pour faire fortune. Pionnier de la ruée vers l'Ouest, il y fonda un empire agricole qui s'effondra avec la découverte de pépites d'or : les chercheurs d'or affluèrent et s'approprièrent ses terres. Il s'installa alors à Lititz, ville proche de Washington où il se rendit souvent pour obtenir du Congrès une compensation à la perte de ses propriétés... en vain.

Lititz Moravian Church : *8 Church Sq. Presque en face du Lititz Museum.* Église construite par des immigrants de Moravie (région à l'est de Prague) en 1787. Communauté qui colonisa la région et fonda Lititz à partir de 1756. Pendant un siècle, dans le village, ne vécurent que des Moraviens et leurs descendants. Les premiers non-Moraviens ne furent admis qu'à partir de 1856.

Enfin, pour les plus gourmands, visite au ***musée Wilbur*** : *45 N Broad St. ☎ 1-888-294-5287. • wilburbuds.com • Lun-sam 10h-17h. GRATUIT.* Succursale (ouverte dans les années 1930) de la fameuse fabrique de bonbons et chocolat, dont la maison mère fut fondée à Philadelphie en 1884. Environ 120 000 t de friandises sont produites ici. Derrière la boutique, deux petites salles proposent des explications sur le processus de fabrication des *candies* et des chocolats et rassemblent des collections de vieilles pubs, emballages rétro, pots à chocolat, machines anciennes, etc.

Dans le même genre, pour ceux achevant un mémoire sur les traditions culinaires de la Pennsylvanie, possibilité de visiter la ***Julius Sturgis Pretzel House*** : *219 E Main St. ☎ 717-626-4354. • juliussturgis.com • Tour guidé ttes les 30 mn, lun-sam 9h30-16h30 (de mi-janv à mi-mars, 10h30-15h30). Fermé 2 sem début janv. Entrée : 3 $; enfants 2 $; gratuit moins de 3 ans.* Première fabrique de *pretzels* créée dans le pays par un certain Julius Sturgis en 1861. On raconte qu'il avait un jour donné à manger à un vagabond et que celui-ci, pour le remercier, lui aurait révélé la vraie recette du *pretzel.* Vous verrez les vieux fours en brique et vous aurez même l'occasion, pendant la visite, de fabriquer vos propres *pretzels* !

Enfin, Lititz, sur Main Street East, recèle de belles façades, dont celle en bois du n° 166. Également sur cette rue, vers *Sturgis Pretzel House,* le *Linden Hall,* la plus ancienne école de filles des États-Unis (1746), toujours en activité et toujours réservée aux demoiselles.

HERSHEY *(hors plan par A1)*

À environ 40 km au nord-ouest de Lancaster se trouve la ville *made in chocolate* d'Hershey. *• hersheypa.com •* Depuis Lancaster, prendre la route 283 W, puis la 743 N. C'est ici que Milton S. Hershey ouvrit en 1905 la première fabrique de chocolat moderne. Ses ambitions allaient bien au-delà de délecter les petits gourmands : il rêvait de créer une ville modèle pour garantir le bonheur de ses employés. Ainsi, en plus de confortables habitats, apparurent école, parcs, stade, église... Aujourd'hui, une partie des idéaux utopistes d'Hershey est toujours au goût du jour : ainsi, l'école qu'il fonda accueille des orphelins et des enfants en difficulté. Le reste du rêve est devenu plus mercantile : un parc d'attractions *Hershey (Hersheypark)* régale les amateurs de sensations fortes. Dommage qu'on n'y vogue pas sur des rivières en chocolat, comme dans *Charlie et la chocolaterie* !

PLUS LOIN À L'OUEST

Harley-Davidson Final Assembly Plant : *1425 Eden Rd, à* **York.** *☎ 1-877-883-1450. • harley-davidson.com • York se situe entre Gettysburg et Lancaster, à 40 km de cette dernière, par la 30 (sortie Arsenal Rd). Fermé le w-e et à certaines périodes, tél avt d'y aller (parfois ouv sam). Deux visites possibles (en anglais slt). Soit un tour guidé classique et succinct de 1h, en principe à intervalles réguliers, lun-ven 9h-14h : GRATUIT (mais basé sur le principe du 1er arrivé, 1er servi). Enfants acceptés à partir de 12 ans. Soit un tour à l'intérieur même de l'usine, à 9h30 et à 12h lun-jeu : env 35 $ quand même, et la résa en ligne ou par tél est très conseillée.* Implantée ici depuis 1973, c'est l'usine d'assemblage des fameuses motos, la plus grande du groupe. « *Old Harleys never die, they go to museums.* » En fonction du tour choisi, on visite donc d'abord le musée, puis l'usine à proprement parler. Mais c'est seulement le tour payant qui permet d'approcher les ateliers. Muni de lunettes de protection et d'une radio portable (pour entendre le guide malgré le bruit des machines), on assiste aux différentes étapes de la carrosserie et à l'assemblage final des motos. Enfin, on peut voir les aires de test où des petits veinards sont payés pour rouler en Harley toute la journée !

Plus à l'ouest encore, à environ 85 km de Lancaster et à environ 200 km de Philadelphie, le champ de bataille historique de ***Gettysburg*** : ☎ *717-334-1124.* • *nps.gov/gett* • *Avr-oct, tlj 6h-22h ; sinon, 9h-17h. GRATUIT pour le site (musée env 9 $).* Bataille décisive où, le 3 juillet 1863, les confédérés du général Lee furent battus par les troupes de l'Union du général Meade. L'un des sites de la guerre de Sécession les plus visités... et aussi la bataille la plus meurtrière avec 51 000 victimes. *Visitor Center* et musée *(tlj 8h-17h, 18h avr-oct ; fermés 1er janv, Thanksgiving et 25 déc ; env 15 $, réduc)*, *National Military Park* de 65 km², cimetière des héros *(tlj de l'aube au coucher du soleil)*, etc.

WASHINGTON D.C. ET SES ENVIRONS

WASHINGTON D.C.

660 000 hab. (6 millions avec les banlieues)

• Plan d'ensemble *p. 384-385* • Adams Morgan, U Street et Logan Circle, Shaw et Dupont Circle (plan I) *p. 386-387* • Downtown (plan II) *p. 388-389* • Georgetown (plan III) *p. 391* • Le métro *p. 395*

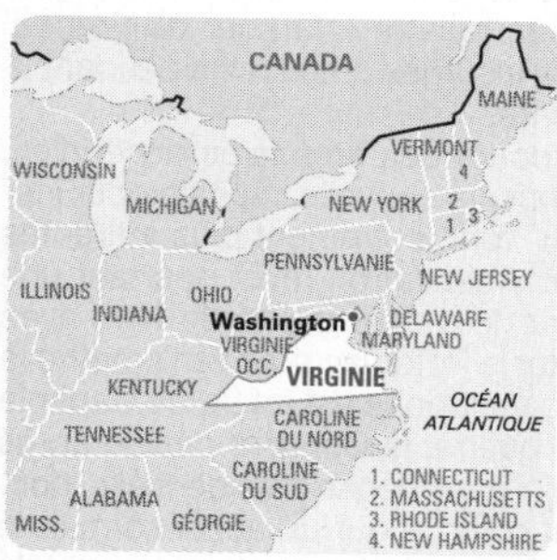

Ici les avenues sont larges et les bâtiments officiels en style fédéral ; vous ne verrez aucun gratte-ciel, les immeubles d'habitation dépassant rarement les 8 étages. Washington est une ville propre sur elle, lisse serait-on même tenté de dire. L'administration et la politique y forment l'industrie principale. Elle abrite quelque 300 000 employés fédéraux, 80 000 lobbyistes et 40 000 avocats ! Et la plus forte concentration de journalistes et d'espions au monde ! La sphère politique y tient une telle place que l'élection d'un nouveau président déteint sur l'atmosphère de la ville.

L'été y est très chaud (moyenne de 32 °C en juillet !) et humide : c'est quasiment l'Amazonie urbaine. Heureusement les musées sont climatisés... mais les nombreux monuments extérieurs ne le sont pas. L'automne a la fraîcheur du printemps, sans ses vagues de petits touristes écoliers. L'idéal est d'y séjourner une petite semaine pour profiter de ses nombreux musées gratuits, pour se retrouver dans un décor à la fois imposant, presque martial, mais familier pour les cinéphiles, et enfin pour approcher à presque les toucher du doigt les lieux fascinants du pouvoir impérial qui a pour ambition d'imposer au monde sa conception de la démocratie et de la liberté.

Les Américains ne s'y trompent pas, des écoliers aux retraités, tous viennent nombreux en pèlerinage patriotique dans leur capitale pour parcourir les *Memorials* et se recueillir devant les stèles qui rappellent le prix que payèrent des générations de citoyens pour apporter la *Pax Americana* aux quatre coins du monde. Quelque opinion qu'on ait du fameux *American dream,* on ne peut s'empêcher d'admirer cette foi inébranlable qui, des pères de la nation aux conquérants de la Lune en passant par les pionniers

et les émigrés du monde entier, poussa des millions de gens vers de nouveaux territoires à conquérir et de nouveaux défis technologiques à relever...
Pour éviter toute confusion, précisez bien *Washington D.C. (District of Columbia)* quand vous parlez de cette ville, car Washington est aussi un État. Or celui-ci se trouve sur la côte pacifique !

WASHINGTON ? UN DESSIN D'ENFANT...

C'est l'architecte parisien Pierre-Charles L'Enfant qui conçut, au XVIIIe s, le plan d'urbanisme de Washington. Il vit très grand pour l'époque, car il affirmait que le projet devait être assez ambitieux pour anticiper sur la croissance attendue de l'Amérique. La guerre anglo-américaine de 1812 enterra ce projet. L'Enfant mourut dans le dénuement et fut inhumé au cimetière des pauvres. La guerre de Sécession et la révolution industrielle ayant dopé la croissance de la ville, on exhuma le plan de L'Enfant. Du coup, les restes de l'architecte furent transportés avec les honneurs au cimetière national d'Arlington.

UN PEU D'HISTOIRE

Conçue par les « pères fondateurs », en particulier George Washington et Thomas Jefferson, comme la capitale idéale d'une jeune république qui se voulait parfaite, à l'image de sa toute nouvelle Constitution (1787), la capitale fédérale américaine se crée ex nihilo au tout début du XIXe s. Pierre-Charles L'Enfant, un ingénieur militaire, fils d'un peintre à la cour de France, engagé en 1777 à l'âge de 23 ans aux côtés des insurgés américains pendant la guerre d'Indépendance, en est l'urbaniste émérite.
La croissance de la ville est très modeste au cours des premières décennies. Jusqu'en 1810, il est même question d'abandonner la nouvelle capitale pour installer le gouvernement à Philadelphie ou à New York, autrement plus attirantes pour les *congressmen* qui doivent y séjourner. Washington revêt pourtant une valeur politique, surtout aux yeux des Anglais qui, lors de la guerre de 1814 avec les Américains, ordonnent à leur flotte de remonter le Potomac pour venir mettre le feu aux bâtiments officiels à peine achevés. La catastrophe est totale : le Capitole est quasiment réduit en cendres. Suite à cette guerre, le Congrès décide après hésitation d'en financer la reconstruction. Quant à la résidence présidentielle, noircie par les flammes, elle doit subir un ravalement complet qui lui vaut désormais le nom de « Maison-Blanche ». Washington restera, envers et contre tout, la capitale des États-Unis.
C'est la guerre de Sécession (1861-1865) qui lui confère enfin sa légitimité. À la fin du conflit fratricide, Washington a gagné des habitants, mais aussi une place à part dans le cœur des Américains. Elle est le symbole de l'unité retrouvée.
La croissance de la ville se poursuit alors, aidée par les deux conflits mondiaux qui renforcent sa puissance nationale et internationale, et lui apportent une population qui atteint un sommet historique (près de 900 000 habitants) pendant la Seconde Guerre mondiale. Elle en perd ensuite avec une population blanche, plus aisée, qui la quitte au profit de la banlieue, située dans les États voisins. Résultat : de la fin des années 1950 jusqu'à 2011, les Afro-Américains représentent plus de 50 % de sa population (contre 47 % actuellement), d'où son surnom de *Chocolate City*. On assiste aujourd'hui au phénomène inverse : Washington DC connaît un véritable phénomène de gentrification : les populations à fort pouvoir d'achat ont réinvesti les quartiers autrefois défavorisés (et réputés pour leur insécurité), au détriment des populations les plus pauvres qui, faute de moyens, se trouvent repoussées hors de la ville. Ce n'est cependant pas parce qu'on ne voit plus la pauvreté qu'elle a disparu. Washington DC reste aujourd'hui une cité partagée entre son rôle prestigieux de capitale

du pays le plus puissant du monde, son indéniable attrait touristique et ses problèmes de misère sociale, de racisme et de corruption.

UNE VILLE SANS ÉTAT

Jusqu'en 1967, Washington D.C. était administrée par un conseil de 3 commissaires nommés par le président. En 1974, après des années de lutte, elle réussit enfin à avoir un maire élu au suffrage universel.
Mais Washington D.C. ne fait partie d'aucun des États fédérés américains. Et, cas unique pour une capitale moderne, ses habitants n'ont pas de représentation dotée de droit de vote auprès du pouvoir législatif national (le Congrès) : ils élisent un représentant n'ayant qu'un rôle d'observateur et n'élisent personne au Sénat.
Depuis 1961, ils ont cependant le droit de vote aux élections présidentielles : grâce au 23e amendement, le district dispose de trois Grands Électeurs. Certains envisagent même le remplacement de Washington D.C. par un État à part entière, le 51e des États-Unis, qu'on appellerait New Columbia. Bien qu'il ne soit pas représenté au vote du budget fédéral, le district paie les impôts fédéraux, une situation figurée avec humour par la formule *Taxation without representation* que l'on peut lire sur les plaques d'immatriculation des voitures.
Longtemps dépendante des activités gouvernementales pour son économie, Washington D.C. est aussi désormais une ville dynamique dans le secteur de l'armement et de l'informatique.
Sur le plan politique, il est important de souligner que le district est un bastion du Parti démocrate, puisque ce parti y rafle généralement 80 % des suffrages.
Aujourd'hui, une partie de l'agglomération est située dans le Maryland (ville de Bethesda). Du coup, la taxe sur les repas et boissons est de 10 % dans le D.C. et de 6,5 % seulement à Bethesda !
Depuis le 11 septembre 2001, Washington donne l'impression d'être en état de siège permanent. Dans les musées ainsi que dans tous les bâtiments publics, les autorités imposent des contrôles dignes d'un aéroport : portiques de détection, rayons X, fouilles des sacs... Si vous allez au Capitole et dans d'autres endroits dits « sensibles », soyez prêt à dégainer votre passeport.

Arriver – Quitter

En avion

✈ ***Ronald Reagan National Airport*** *(Washington DCA ; plan d'ensemble, B4)* **:** ☎ *703-417-8000.* • *mwaa.com* • Cet aéroport est réservé à la plupart des vols intérieurs. Il se trouve à quelques kilomètres de la Maison-Blanche et du Capitole, juste de l'autre côté du Potomac. Vous imaginez les mesures de sécurité...
➢ ***Pour aller dans le centre :*** le ***métro*** (ligne bleue ou jaune) met 15-20 mn pour atteindre le centre-ville. C'est la formule la plus simple et la plus économique si vous n'êtes pas trop chargé (lire plus loin la rubrique « Transports » pour plus de détails). Dans le cas contraire, des ***navettes*** *(shuttles)*, une flotte de taxis en commun fonctionnant 24h/24, vous déposent où vous voulez en ville pour env 16 $ (puis 10 $/pers supplémentaire). S'adresser à *Super Shuttle (☎ 1-800-BLUE-VAN ;* • *supershuttle.com* •*)* ou à *Supreme Shuttle (☎ 1-800-590-0000 ;* • *supremeairportshuttle.com* •*).* Un ***taxi*** vers le centre coûte env 25 $.

✈ ***Washington Dulles International Airport*** *(Washington IAD ; hors plan d'ensemble par A2)* **:** ☎ *703-572-2700.* • *mwaa.com* • *À 40 km à l'ouest de Washington D.C. par l'autoroute.* L'aéroport Dulles (prononcer dâ-losse) est le plus fréquenté de la région. La plupart des vols en provenance d'Europe atterrissent ici. Tous

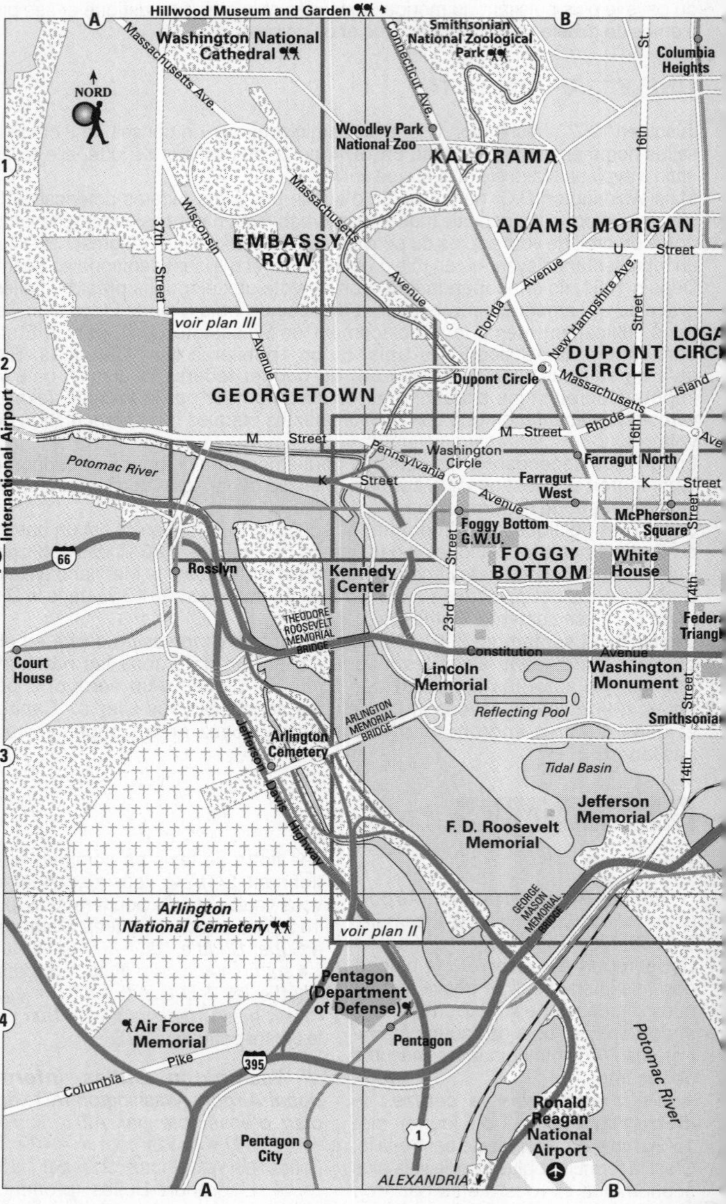

Hillwood Museum and Garden
Washington National Cathedral
Smithsonian National Zoological Park
Columbia Heights
NORD
Massachusetts Ave.
Connecticut Ave.
Woodley Park National Zoo
KALORAMA
16th St.
Massachusetts Avenue
Wisconsin Avenue
37th Street
EMBASSY ROW
ADAMS MORGAN
U Street
Florida Avenue
New Hampshire Ave.
16th Street
voir plan III
DUPONT CIRCLE
LOGAN CIRCLE
Dupont Circle
Massachusetts
Rhode Island Ave
GEORGETOWN
Washington Dulles International Airport
M Street
Washington Circle
Farragut North
Potomac River
Pennsylvania Avenue
K Street
Farragut West
McPherson Square
14th Street
Foggy Bottom G.W.U.
23rd Street
FOGGY BOTTOM
White House
66
Rosslyn
Kennedy Center
THEODORE ROOSEVELT MEMORIAL BRIDGE
Federal Triangle
Constitution Avenue
Court House
Lincoln Memorial
Washington Monument
Reflecting Pool
ARLINGTON MEMORIAL BRIDGE
Smithsonian
Arlington Cemetery
Jefferson Davis Highway
Tidal Basin
Jefferson Memorial
F. D. Roosevelt Memorial
GEORGE MASON MEMORIAL BRIDGE
Arlington National Cemetery
voir plan II
Pentagon (Department of Defense)
Air Force Memorial
Pentagon
Potomac River
395
Columbia Pike
1
Ronald Reagan National Airport
Pentagon City
ALEXANDRIA

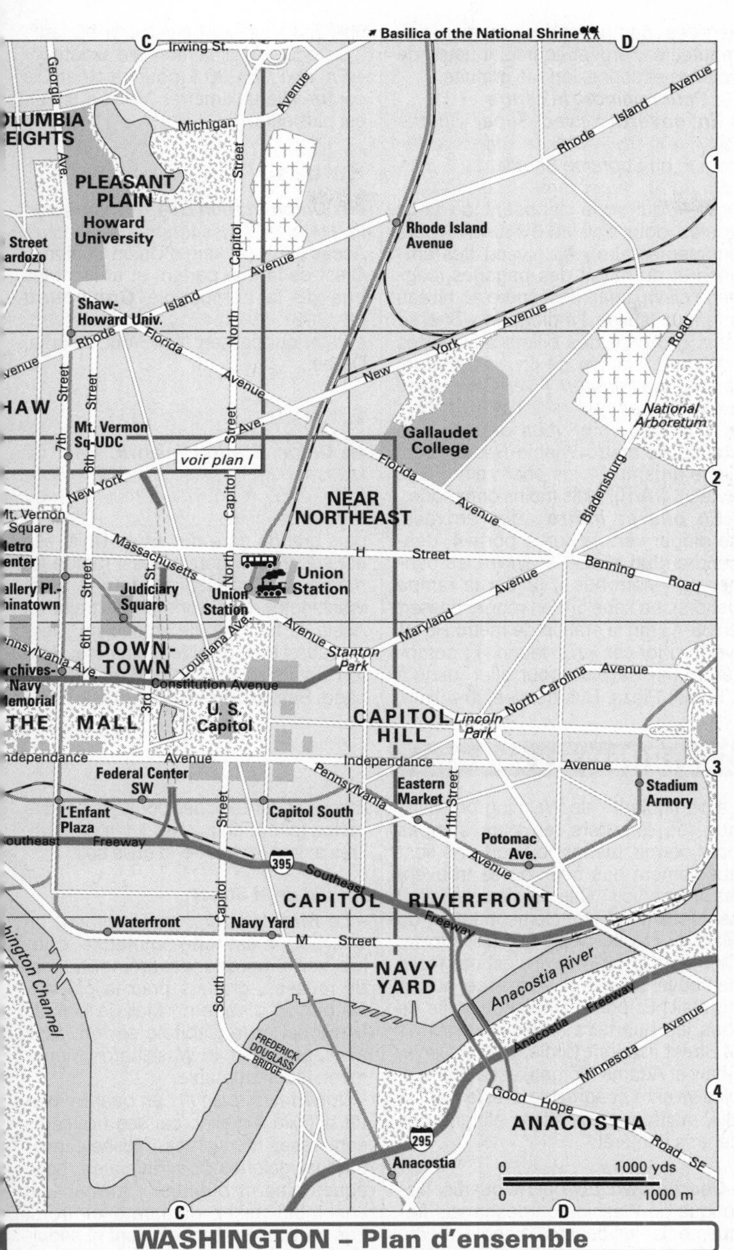

WASHINGTON – Plan d'ensemble

services : comptoirs d'information, distributeurs d'argent liquide, loueurs de voitures et connexion wifi gratuite.

➢ ***Pour rejoindre le centre***

– ***En navette :*** avec *Super Shuttle* (☎ *1-800-258-3826.* ● *supershuttle.com* ●) ou *Supreme Shuttle* (☎ *1-800-590-0000.* ● *supremeairportshuttle.com* ●) qui vous déposent où vous voulez pour env 30 $ (10-12 $/pers supplémentaire). Au niveau des arrivées et du retrait des bagages *(baggage claim area),* descendre au niveau inférieur (suivre l'indication « *Shared vans* »). Achat des billets aux portes n°s 2 et 6. Liaison de 6h à 2h. Sinon, le bus *Washington Flyer Silver Line Express Bus* (☎ *1-888-WASHFLY ;* ● *flydulles.com* ●) vous dépose à la station de métro Wiehle-Reston East (ligne argent). Moins cher : env 5 $ le trajet (8 $ A/R), mais moins commode.

– ***En bus et métro :*** des arrivées, se diriger vers la sortie porte 4, descendre d'un niveau et suivre les panneaux « Metrobus », (2e sur la rampe dehors). La ligne 5A (en rouge) dessert en 35-45 mn la station de métro Rosslyn (prononcer « râz-leunn ») ; compter 15 mn de plus pour aller jusqu'à L'Enfant Plaza. Bus ttes les 20-40 mn, 6h-23h30 (ttes les heures le w-e). Tarif : 7 $; réduc. Avoir la monnaie exacte !

– ***En taxi :*** 85-90 $ pour rejoindre le centre-ville (taximètre). Valable si l'on est plusieurs.

En bus

🚌 ***Union Station Bus Terminal*** *(plan II, H4) :* *50 Massachusetts Ave NE.* Accès par le parking d'Union Station. C'est de là que partent et arrivent les bus de la compagnie ***Greyhound*** (☎ *202-289-5141 ;* ● *greyhound.com* ●) qui dessert New York, Atlanta, Dallas...

En train

🚂 ***Union Station*** *(plan II, H4) :* *50 Massachusetts Ave NE.* ☎ *1-800-872-7245.* ● *amtrak.com* ● *Bureau d'infos au niveau des quais.* C'est la plus grande gare des États-Unis, elle est superbe. Presque aussi rapide (et même prix) que l'avion pour le trajet Washington-New York (3h de trajet en *Acela,* le train rapide américain). Dessert aussi Philadelphie, Baltimore, Boston. Trains de nuit pour Miami et Chicago. Beaucoup plus cher que le bus.

Les différents quartiers

La particularité de Washington, c'est que les quartiers les plus sympas pour dormir, manger ou sortir ne sont absolument pas ceux où se trouvent les sites à voir ! Ces derniers, en effet, se concentrent globalement autour du Mall, du Capitol et de Old Downtown. Or, même en journée, il n'est pas facile de trouver un endroit où manger autour du Mall ! Et pour l'ambiance, celle de tous les quartiers situés au nord de M Street (Dupont Circle, Logan Circle, Shaw et Adams Morgan) est autrement plus vivante et agréable. Reste Capitol Hill, mais lui aussi assez éloigné des centres d'intérêt.

– ***Georgetown*** *(plan III) :* le quartier historique de Washington désormais fréquenté par les *beautiful people.* À côté des maisons d'habitation anciennes, restaurées à grands frais, on trouve des magasins de luxe, des boutiques et des restos (plutôt chic, mais il y a de tout). Très animé le week-end ou le soir.

Au sud de M Street

– ***Le Mall*** *(plan II) :* pas vraiment un quartier, c'est une immense coulée verte bordée de mémoriaux et de musées, gratuits pour la plupart. De part et d'autre du Mall, le Lincoln Memorial et le Capitole se font face avec, au milieu, le Washington Monument. Incontournable.

– ***Downtown*** *(plan II) :* un quartier plutôt difficile à définir, car ses frontières sont assez mouvantes. Musées, institutions, galeries commerciales, boutiques chic et bureaux y forment un ensemble assez disparate et froid. Pas particulièrement excitant ni séduisant, il connaît, à l'heure actuelle, une seconde jeunesse autour du Metro

Center et du Convention Center. En pleine restructuration, les buildings y poussent comme des champignons. On trouve, enclavé dans ce *Old Downtown,* le ***Chinatown,*** qui est loin de posséder le charme et l'homogénéité d'autres Chinatowns américains. Celui-ci s'ouvre, au carrefour de H Street et 8th Street (Ⓜ Gallery Place), par la classique *porte de Chinatown* triomphale, en forme de pagode. Autres « sous-quartiers » inclus dans ce Downtown : ***Penn Quarter, Federal Triangle, Mount Vernon Square,*** etc.

– ***Foggy Bottom*** *(plan II)* : c'est le quartier de la Washington University.

– ***H Street NE*** *(plan II)* **:** fait en réalité partie du ***Near Northeast.*** Situé au nord-est de Union Station, la ***H Street NE*** est la colonne vertébrale de ce quartier ethnique en pleine gentrification, qui blanchit à vue d'œil... Bars et restos branchés pour *hipsters* investissent peu à peu les lieux. Pour y accéder à pied, en venant de l'ouest, il est beaucoup plus sympa de passer par la place devant Union Station (celle bordée par la Massachusets Avenue) et de traverser d'agréables quartiers résidentiels que d'emprunter la H Street elle-même. Cela dit, c'est de ce côté (sur H Street, à la sortie de Union Station) que passe le *dcstreet,* soit le petit tramway remontant toute la rue entre Union Station à l'ouest et Oklahoma/ Benning Rd à l'est.

– ***Capitol Hill*** *(plan II)* **:** vaste quartier résidentiel s'étendant à l'est du Capitole. Jolies maisons, rues bordées d'arbres. L'animation se concentre sur ***Barracks Row*** (8th Street) qui aligne restos, bistrots et boutiques.

– ***Capitol Riverfront***, ***Navy Yard*** *(plan II et plan d'ensemble)* **:** ce sont les quartiers au sud-est de Capitol Hill. La frontière est nette, « grâce » à l'Interstate 395 qui coupe les quartiers chic et leurs coquettes rues résidentielles de ces quartiers beaucoup moins séduisants qui bordent l'Anascostia River. À noter cependant que les choses bougent dans ce qui était autrefois les quartiers industriels de la capitale, avec notamment les anciens chantiers navals et l'arsenal. Ceux-ci sont peu à peu transformés en un quartier d'affaires et résidentiel. Mise à part la réhabilitation des anciens bâtiments industriels, l'architecture des nouvelles constructions reste cependant à l'image de celle du reste de la ville : sans grande imagination et lisse, même si les bâtisses prennent de la hauteur. La promenade au bord de la rivière n'en est pas moins très joliment aménagée et agréable. Quant à l'ambiance, les lieux manquent encore d'âme, avec toujours les mêmes chaînes de restos ou de boutiques.

– ***Anacostia*** *(plan d'ensemble)* **:** de l'autre côté de la rivière, appartient encore à un autre monde, peu reluisant, même si là aussi, il semblerait que peu à peu les choses soient appelées à bouger (lire « À voir »).

Au nord de M Street

– ***Dupont Circle*** *(plan I)* **:** quartier central et très animé, avec beaucoup de restos, bistrots et terrasses en été, autour de Dupont Circle et sur Connecticut Avenue. Au nord-ouest de Dupont Circle, entre Massachusetts et Connecticut Avenue s'étend le quartier de ***Kalorama.*** Beaucoup plus résidentiel, il est connu pour ses très belles demeures. Massachusetts Avenue, surnommée ici ***Embassy Row,*** aligne plus d'une centaine d'ambassades.

– ***Logan Circle*** *(plan I)* **:** son axe central n'est pas tant le Logan Circle lui-même que 14th Street, le long de laquelle s'égrènent de nombreux restos et endroits où sortir.

– ***Shaw*** *(plan I)* **:** quartier noir par excellence dès sa création au XIXe s, il fait partie de toutes ces zones abandonnées aux classes les plus défavorisées dans les années 1970. Le ***U Street Corridor*** – une rue sans charme, mais où s'alignent restos, clubs, bars et boîtes branchées – a commencé à revivre avec l'arrivée du métro dans les années 1990. Et la gentrification est maintenant bien avancée dans tout le quartier, même si l'on sent que les rues les plus à l'est sont encore dans une phase de transition. Shaw fait partie des quartiers les plus à la mode : nombre de beaux restos, cafés et autres petites boutiques indépendantes y fleurissent. Mais c'est aussi là que l'on croise encore des populations vivant en marge de la société.

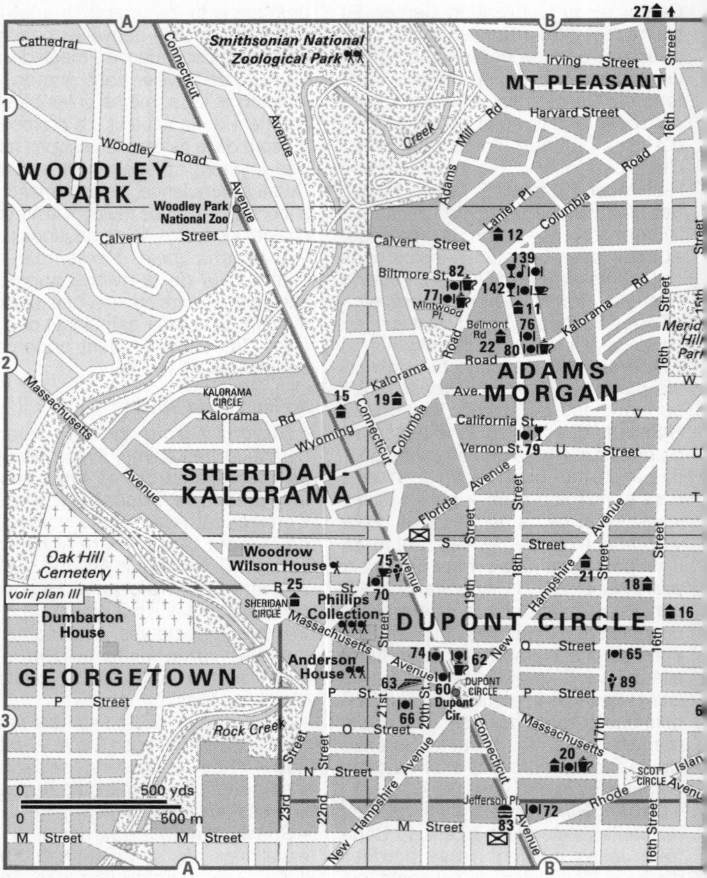

Cathedral
Smithsonian National Zoological Park
Irving Street
MT PLEASANT
Harvard Street
Connecticut Avenue
Adams Mill Rd
Creek
Woodley Road
WOODLEY PARK
Woodley Park National Zoo
Lanier Pl.
Columbia Road
Calvert Street
Biltmore St.
Mintwood Pl.
Belmont Rd
Kalorama Rd
ADAMS MORGAN
KALORAMA CIRCLE
Kalorama Rd
Wyoming
California St.
Vernon St.
U Street
Massachusetts Avenue
SHERIDAN-KALORAMA
Florida Avenue
S Street
New Hampshire Avenue
Oak Hill Cemetery
Woodrow Wilson House
SHERIDAN CIRCLE
Phillips Collection
DUPONT CIRCLE
voir plan III
Dumbarton House
Anderson House
Q Street
P Street
GEORGETOWN
P Street
DUPONT CIRCLE
Dupont Cir.
Rock Creek
O Street
N Street
Massachusetts
SCOTT CIRCLE
Rhode Island Avenue
Jefferson Pl.
0 500 yds
0 500 m
M Street
M Street
M Street

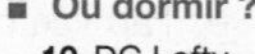

Où dormir ?

10 DC Lofty
11 Washington International Student Center
12 Adam's Inn
13 B & B William Lewis House
15 Windsor Park Hotel
16 Embassy Inn
18 Akwaaba
19 Taft Bridge Inn
20 Tabard Inn
21 Kimpton Carlyle
22 High Road Hostel DC
23 Kimpton Mason & Rook Hotel
25 Embassy Circle Guesthouse
27 International Guest House

Où manger ?

20 Tabard Inn Restaurant
60 Sweetgreen
61 Whole Foods Market
62 Kramerbooks & Afterwords Café & Grill
63 Pizzeria Paradiso
65 Hank's Oyster Bar
66 Pesce
68 Ben's Chili Bowl
69 Busboys and Poets et Marvin

WASHINGTON – Adams Morgan, Logan Circle, Shaw et Dupont Circle (plan I)

70 Teaism
72 Buredo
73 Birch & Barley – Churchkey
74 Beefsteak
76 Amsterdam Falafel Shop
77 Mintwood Place
78 Baan Thai
79 Jack Rose Dining Saloon
80 Las Canteras
82 Perry's
83 Shake Shack
84 El Sol Restaurant & Tequileria
85 The Dabney

Où déguster une glace ? Où boire un bon café ?

69 Busboys and Poets
75 Dolcezza
89 Mr Yogato
123 Compass Coffee
142 Tryst

Où boire un verre ? Où sortir ? Où écouter de la musique ?

69 Busboys and Poets
73 Churchkey
79 Jack Rose Dining Saloon
130 Archipelago
134 Policy
135 9 : 30
136 Black Cat
139 Madam's Organ
142 Tryst

– ***Adams Morgan*** *(plan I)* **:** pendant longtemps, ce fut le quartier latino, mais aujourd'hui il est avant tout multiethnique et multiculturel. Investi par les artistes, intellos et marginaux de tout poil, il est aussi très apprécié des étudiants. Pléthore de restos exotiques, bars, librairies et boutiques. Belle ambiance et grosse animation nocturne, surtout sur 18th Street, son axe central.

– ***Columbia Heights*** *(plan I)* **:** banlieue chic du XIXe s jusque dans la première moitié du XXe s, ce quartier a connu la même dégringolade que Shaw ou Logan Circle dans les années 1970. Et il a, lui aussi, commencé à revivre avec l'arrivée du métro, en 1999. En revanche, même s'il est aussi touché par la gentrification, sa population reste encore aujourd'hui assez mélangée et la promenade y est agréable.

Orientation

Du Capitole partent ***quatre axes*** : North Capitol, South Capitol, East Capitol et le Mall. Ils divisent la ville en ***quadrants*** : NW (North West), NE (North East), SW (South West) et SE (South East). Les grandes rues nord-sud sont numérotées. Les grandes rues est-ouest sont désignées par une lettre de l'alphabet. Attention, il n'y a ***pas de rues A ni B***. A Street correspond, en fait, au Mall et à East Capitol Street, tandis que B Street a été renommée Constitution Avenue au nord du Mall et Independence Avenue au sud. Dans les rues est-ouest, les numéros d'immeubles correspondent normalement aux numéros des rues nord-sud (par exemple, l'adresse « 1209 M St NW » sera située sur la rue M entre 12th et 13th Street au nord du Mall et à l'ouest du Capitole). Facile, non ? Attention toutefois. À proximité immédiate du Capitole, ça se complique un peu. Bien s'assurer du quadrant dans lequel l'adresse se trouve. C'est un peu comme si vous cherchiez le nord avec une boussole alors que vous êtes déjà au pôle Nord !

Transports

Évitez de rouler en ville : parkings chers et souvent éloignés des centres touristiques, ***circulation*** démente aux heures de pointe et qui change de sens au fil de la journée dans certaines rues. Vous maudirez parfois l'urbaniste français Pierre-Charles L'Enfant pour ses rues qui ne débouchent sur rien, la géométrie d'avenues jolie mais farfelue... Évidemment, les parkings des hôtels sont onéreux. Au cas où, sachez que la compagnie *Colonial Parking,* que l'on retrouve un peu partout en ville, propose généralement un tarif de nuit à environ 25 $. Pour plus d'infos sur le stationnement : • *godcgo.com* • Ou pour connaître les parkings les moins chers : • *washingtondc.bestparking.com* •

En revanche, quand le Congrès n'est pas actif, ***en juillet-août*** et durant certaines périodes, le trafic et les difficultés de parking sont nettement réduits, on peut même se garer gratuitement le long du Mall. Mais, comme dans toute bonne grande ville américaine qui se respecte, faites très attention aux panneaux et à toutes les restrictions signalées. Il existe aussi des parkings dans la plupart des stations de métro en périphérie de Washington ; pratique et peu cher *(tarifs variables, mais compter env 5 $/j., payable avec la carte de métro et bus* SmarTrip ; • *wmata.com/rail/parking* •*).*

Le métro

– ***Renseignements :*** *Metrorail (le métro) et Metrobus (les bus),* ☎ *202-637-7000.* • *wmata.com* • En circulation de 5h (7h le week-end) à minuit (3h vendredi-samedi).

Les ***tickets*** se présentent sous forme de carte magnétique nommée *FareCard.* Pour circuler en métro, vous n'avez pas le choix, vous devez acquérir une ***carte magnétique rechargeable SmarTrip.*** Celle-ci est aussi valable dans les bus,

mais à priori pas dans le *dcstreet*, le tramway sur H Street NE. La carte elle-même coûte 2 $. Elle s'achète soit en ligne, soit dans les stations de métro. Elle se recharge ensuite à volonté, sur les machines marquées *Passes/FareCards.* Au distributeur, choisir « *Purchase Single Card* », puis « *Purchase Value* ». Taper ensuite sur + ou – selon la valeur désirée. Il existe un tarif réduit pour les *seniors* ou les personnes à mobilité réduite.
– ***Tarifs :*** 1,75-4 $, variable selon le mode de transport (métro ou bus), les trajets et les heures (trajet moyen 2,50 $). Les *peak fares,* les plus chers, sont appliqués aux heures de pointe : en semaine 5h-9h30 et 15h-19h, ainsi que le vendredi et samedi, de minuit jusqu'au dernier bus ou métro. Gardez précieusement votre carte à portée de main, vous en aurez besoin à la sortie, car c'est là que le prix du trajet est débité.
Également un ***système de pass illimité à la journée*** : *One Day Pass* à env 14,50 $ mais valable seulement dans le Metrorail. Toujours pour le Metrorail, **pass *hebdomadaire*** *(7-Day Short Trip)* à 36 $ (ou *7-Day Fast* à 60 $, couvrant une aire maximale, mais le 1er devrait suffire). Toutefois, sachant qu'on marche beaucoup à Washington, que les stations de métro sont éloignées les unes des autres et qu'il est parfois plus pratique de prendre un bus, on vous recommanderait plutôt d'opter pour la *SmarTrip Card.*
La taille, la nudité et l'uniformité des stations du *Metrorail* étonnent. On dirait des abris antiatomiques : vastes voûtes qui abritent les stations, formant une sorte de plafond à caissons brut de décoffrage, murs gris, stations toutes identiques, pas ou peu de publicité. Le faible éclairage ne facilite pas la lecture des noms des stations, il faut bien guetter ! Garder en tête qu'il est strictement défendu de boire ou manger dans le métro (pour conserver la propreté notoire du lieu). Amendes encore plus salées qu'un paquet de chips jeté par terre. Si ce métro a suscité l'admiration lors de son inauguration dans les années 1970, aujourd'hui ce serait plutôt l'énervement : faute d'entretien, celui-ci est devenu obsolète et il n'est pas rare que les rames s'arrêtent plus ou moins longtemps en pleine voie. Depuis 2016, tout le réseau est ***en cours de réhabilitation.*** Les travaux se font par tranches et, à chaque fois, seules quelques stations sont fermées.

Le bus

Regular fare dans les ***Metrobus*** à 1,75 $ (prévoir l'appoint, les chauffeurs ne rendent pas la monnaie) ou avec une *SmarTrip Card* (lire plus haut) ; réduction pour les *seniors* et les personnes à mobilité réduite. Pour un *express bus,* compter 4 $. Il existe aussi un ***7-Day Regional Bus Pass*** à 17,50 $ se chargeant sur une *SmarTrip,* mais valable uniquement dans le bus. Pour se rendre sans marcher dans les quartiers un peu éloignés du métro (Georgetown, Adams Morgan...), se procurer, dans une station de métro, un plan complet des lignes de bus.
Parmi les bus, il existe aussi le ***DC Circulator.*** Il s'agit d'un autre réseau, mais celui-ci complète bien les Metrobus et ses lignes s'avèrent pratiques quand on visite la ville. Billet à 1 $ (réductions), *SmarTrip Card* acceptée. Leurs arrêts sont signalés par le logo du Circulator. Les 6 lignes desservent les quartiers les plus touristiques et les principaux centres d'intérêt. • *dccirculator.com* •

Le tramway

À l'heure actuelle, il n'existe encore qu'une seule ligne, la ***dcstreet,*** et elle ne court que sur quelques kilomètres, sur H Street NE, entre Union Station et Oklahoma/Benning Rd. *Tram ttes les 10-15 mn, lun-ven 6h-minuit (2h ven), le w-e 8h-22h. SmarTrip Card pas valable à bord.*

Le vélo

■ Washington a son système de vélos partagés, le ***Capital Bikeshare.*** ☎ *1-877-430-2453.* • *capitalbikeshare.com* • À disposition, plus 3 500 vélos de couleur rouge répartis dans 400 stations disséminées en ville. Il faut dire que la capitale fédérale se prête plutôt bien aux balades à vélo, si l'on évite les jours de pluie et les embouteillages. Pour les touristes de passage, aller directement dans une station avec sa carte de paiement.

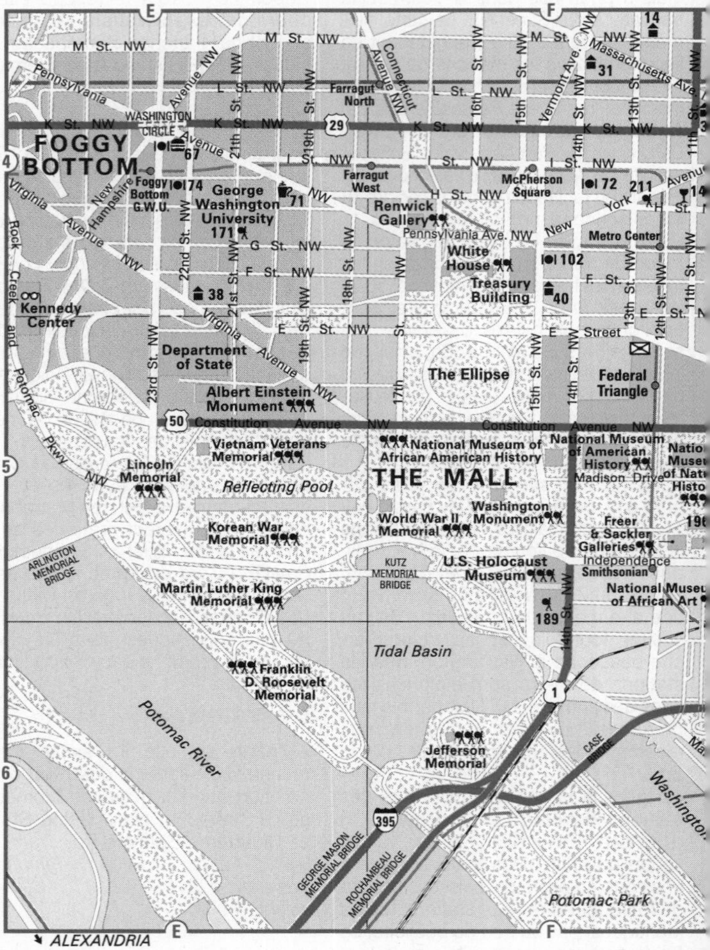

FOGGY BOTTOM
George Washington University
Kennedy Center
Department of State
Albert Einstein Monument
Vietnam Veterans Memorial
Lincoln Memorial
Reflecting Pool
Korean War Memorial
Martin Luther King Memorial
Franklin D. Roosevelt Memorial
Potomac River
Tidal Basin
Jefferson Memorial
Potomac Park
Renwick Gallery
White House
Treasury Building
The Ellipse
Federal Triangle
National Museum of African American History
THE MALL
National Museum of American History
Washington Monument
World War II Memorial
U.S. Holocaust Museum
Freer & Sackler Galleries
National Museum of African Art
Arlington Memorial Bridge
Kutz Memorial Bridge
George Mason Memorial Bridge
Rochambeau Memorial Bridge
Case Bridge

↘ ALEXANDRIA

■ **Adresses utiles**

ℹ D.C. Chamber of Commerce Visitor Information Center
@ 217 Martin Luther King Library

Où dormir ?

14 Comfort Inn Downtown
17 Downtown Washington Hostel
30 Hostelling International Washington D.C.
31 The Kimpton Donovan
32 William Penn House
33 Morrison Clark
35 Capitol Hill Hotel
38 State Plaza Hotel
39 Kimpton The George
40 W

Où manger ?

60 Sweetgreen
67 Burger, Tap & Shake et Devon & Blakely
70 Teaism
71 Founding Farmers
72 Burredo
74 Beefsteak
81 Maketto et Toki Underground
86 Sidamo Coffee & Tea et Ethiopic Restaurant
87 Protein Bar
88 Boundary Road
90 Jimmy T's Place
93 Seventh Hill Pizza et Montmartre
94 Belga Café

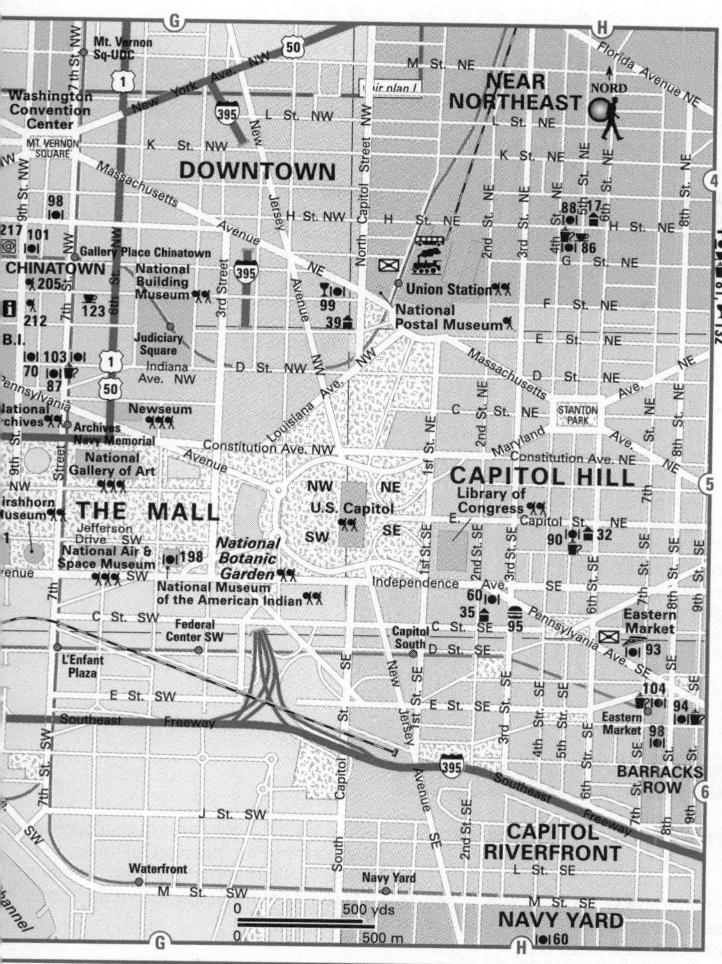

WASHINGTON – Downtown (plan II)

95 Good Stuff Eatery
98 Matchbox et Cava Grill
101 Zaytinya
102 Old Ebbitt Grill
103 Oyamel
104 Ted's Bulletin
198 Mitsitam Café

Où boire un bon café ?

81 Maketto
86 Sidamo Coffee & Tea
123 Compass Coffee

Où boire un verre ? Où sortir ? Où écouter de la musique ?

99 The Dubliner
132 H Street Country Club et Biergarten Haus
143 Capitol City Brewing Company

À voir

171 Textile Museum
189 Bureau of Engraving and Printing
196 Smithsonian Institution Building
201 Arts and Industries Building
205 National Portrait Gallery et Smithsonian American Art Museum
211 National Museum of Women in the Arts
212 International Spy Museum

Là, régler le tarif d'adhésion de 8 $ pour 24h ou 17 $ pour 3 j. Les 30 premières minutes sont gratuites puis ça coûte 2 $ pour 1h ou 6 $ pour 1h30. Au-delà, c'est cher : compter 8 $ les 30 mn supplémentaires ! Le mieux est de s'en servir pour aller d'un point à un autre, de rendre le vélo et d'en reprendre un plus tard pour changer de quartier.

■ ***Bike & Roll :*** *2 adresses, 50 Massachussetts Ave NE (Union Station), la seule agence ouv tte l'année ; 955 L'Enfant Plaza SW, North Building, Suite 905 (National Mall). ☎ 202-842-2453. • bikeandrolldc.com • Résa sur place, par tél ou Internet. À partir de 16 $ pour 2h et 40 $/j. Également des tandems, des vélos pour enfants et de petites remorques pour les transporter.* Propose aussi des circuits guidés pour découvrir Washington et ses alentours. Possibilité d'emprunter la très belle piste cyclable qui longe le Potomac entre D.C. et Mount Vernon (ils ont également une agence à Alexandria).

■ ***Big Wheel Bikes :*** *1034 33rd St NW, Georgetown. ☎ 202-337-0254. • bigwheelbikes.com • Résa sur place, par tél ou Internet. Forfait 7 $/h ou 35 $/j. pour un VTT. Tandem 50 $. Forfait à la sem.*

Le taxi

Très pratique, on en trouve facilement un peu partout, sauf dans les petites rues des quartiers résidentiels. Ils sont tous équipés de taximètres (sinon, ce sont des voitures privées ou des services de limousines).

🚗 ***Yellow Cab :*** *☎ 202-544-1212. • dcyellowcab.com •* Il existe d'autres compagnies, mais c'est la plus importante.

En cas de problème, demandez un reçu et notez le nom et le numéro de licence du taxi, puis adressez-vous à la ***DC Taxicab Commission*** *(2235 Shannon Place SE. ☎ 202-645-6018).*

Location de voitures

Tous les loueurs de voitures sont représentés à Union Station. C'est ici (ou dans les aéroports) que l'on prend possession des véhicules de location.

– ***Pour restituer un véhicule de location :*** *prendre North Capitol St en direction du Capitole, puis tournez à gauche dans H St (ça monte) ; en haut de la rampe, tt de suite à droite : « Rent-a-car return ».*

Adresses et infos utiles

Informations touristiques et culturelles

– Pour préparer votre voyage, le site de ***Destination DC*** est bien fait, mais ils n'ont pas de bureau ouvert au public : *• washington.org •*

🛈 ***D.C. Chamber of Commerce Visitor Information Center*** *(plan II, F4) : 506 9th St NW. ☎ 202-347-7201. • dcchamber.org • Ⓜ Gallery Pl Chinatown. Lun-ven 9h-17h.* L'office de tourisme de la ville avec seulement quelques brochures à glaner, notamment le *Visitor Guide* publié par Destination DC.

■ ***Alliance française :*** *2142 Wyoming Ave NW (Dupont Circle). ☎ 202-234-7911. • francedc.org • Lun-ven 9h-20h30 (18h ven), sam 8h30-17h ; horaires réduits en juil-août.* 📶 Pour ceux qui séjournent longtemps sur place. Quelques services à la disposition des Français résidents : médiathèque, animations culturelles, etc.

Ambassades et consulats

■ ***France :*** *4101 Reservoir Rd NW (en face de Georgetown University Hospital). ☎ 202-944-6000. • ambafrance-us.org • Lun-ven 8h45-12h15, plus mer 14h30-16h. En cas d'urgence : ☎ 202-944-6195.*

■ ***Belgique :*** *3330 Garfield St NW. ☎ 202-333-6900. • unitedstates.diplomatie.belgium.be • Ⓜ Woodley Park Zoo, puis 15 mn à pied. Lun-ven 9h-12h30, 13h30-16h.*

■ ***Suisse :*** *2900 Cathedral Ave NW.*

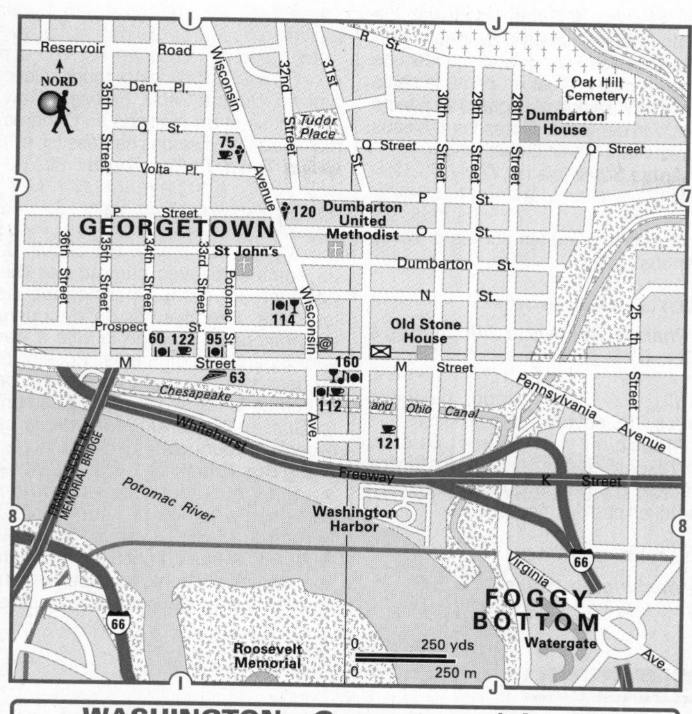

WASHINGTON – Georgetown (plan III)

Où manger ?

- **60** Sweetgreen
- **63** Pizzeria Paradiso
- **95** Good Stuff Eatery
- **112** Ching Ching Cha House of Tea
- **114** Martin's Tavern

Où déguster une glace ou une pâtisserie ?

- **75** Dolcezza
- **120** Thomas Sweet
- **121** Baked & Wired
- **122** Georgetown Cupcake

Où boire un verre ? Où sortir ?

- **160** Blues Alley

☎ 202-745-7900. • eda.admin.ch/washington • Ⓜ Woodley Park Zoo, puis 10 mn à pied. Lun-ven 9h-12h.

■ ***Canada :*** *501 Pennsylvania Ave NW (au nord du Mall, près du Capitole). ☎ 202-682-1740. • can-am.gc.ca/washington • Lun-ven 9h-15h.*

Poste et Internet

✉ ***Postes :*** *à côté de* ***Union Station*** *(plan II, H4), N Capitol St ; sem 9h-19h, le w-e 9h-19h.* ***Dupont Circle*** *(plan I ; B2-3)* ***:*** *1921 Florida Ave (à côté du Hilton) ; lun-ven 9h-17h.* ***Old Dowtown*** *(plan II, F5)* ***:*** *Pennsylvania Ave NW, entre 12th et 14th St ; tlj sf dim 9h-17h.* ***Georgetown*** *(plan III, J7-8)* ***:*** *1215 31st St ; lun-ven 9h-17h, sam 9h-14h.*

@ ***Martin Luther King Library*** *(plan II, G4,* ***217****)* ***:*** *901 G St NW. ☎ 202-727-0321. • dclibrary.org/mlk • Ⓜ Metro Center ou Gallery Pl. Tlj (horaires sur le* *site internet).* Sinon connexion de 15 mn gratuite sur les ordinateurs indiqués « *express* » (au-delà, demander une carte au *desk*). C'est en prime la seule œuvre à Washington du grand architecte Mies Van der Rohe. Notez les tableaux représentant Martin Luther King.

@ ***Apple Store*** *(plan III, I7) : 1229 Wisconsin Ave (Georgetown). ☎ 202-572-1460. Lun-sam 9h-21h, dim 10h-19h.* Connexions gratuites sur les ordis de démonstration.

Santé, urgences

■ ***Pharmacie ouverte 24h/24*** *(plan I, B3) :* ***CVS Pharmacy,*** *6-7 Dupont Circle NW (et P St). ☎ 202-785-1466.* Ⓜ *Dupont Circle.* Sinon, plusieurs autres *CVS* ouvertes tard le soir.

■ ***Médecin : Inn-House Doctor,*** *☎ 202-216-9100 (24h/24).* Un service médical d'urgence qui se déplace à l'hôtel en cas de nécessité.

Visites guidées

■ ***Washington Walks :*** *819 G St SW. ☎ 202-484-1565. • washingtonwalks.com • Tarif : 20 $/pers pour 2h de tour à pied ; réduc. Propose des visites guidées, à pied ou en bus, avr-oct, ven-dim généralement.* Principaux tours : Georgetown, Dupont Circle, Embassy Row, le Capitole et les maisons du Congrès, mais aussi les maisons hantées (si, si !).

■ ***Old Town Trolley Tours :*** *☎ 202-729-8075. • trolleytours.com • Tlj 9h-17h, ttes les 30 mn. Tarifs : 39-54 $ pour 1 journée, selon parcours ; réduc (en ligne notamment).* Un circuit de 2h commenté avec humour par des conducteurs-guides passionnés de leur ville vous permet de découvrir les principaux sites de la ville à travers 3 parcours différents. Possibilité de descendre en cours de route et de reprendre le trolley suivant. Également un *Sunset Tour* et un *Monuments by Moonlight Tour* de mi-mars à octobre.

■ ***Big Bus Tours :*** *☎ 1-887-332-8689. • eng.bigbustours.com/washington/home.html • Env 44-54 $ pour 24-48h ; 5-15 ans 26-36 $; réduc en ligne.* À bord d'un bus à impériale, 4 circuits commentés différents vous permettant de vous arrêter sur une dizaine de sites.

Où dormir ?

Comme souvent aux États-Unis, ***le prix des chambres varie au jour le jour.*** Selon la période et le taux d'occupation (le fameux *yield management*), il peut passer du simple au triple dans certains établissements. Les mois de décembre à février et juillet-août sont les moins chers tandis que le printemps (mars-mai) et septembre-octobre correspondent à la haute saison. De façon générale, le week-end les tarifs sont moins élevés qu'en semaine. Ne pas oublier d'ajouter au prix annoncé 14,5 % de ***taxes***, plus 1,50 $ par personne.

Pour les amateurs de ***B & B,*** le site *• bedandbreakfastdc.com •* propose de belles adresses. Bien fait, les *B & B* y sont classés par quartiers, avec une description complète de chacun d'entre eux, leurs prix et leurs disponibilités.

Camping

⛺ ***Greenbelt Park Campground :*** *6565 Greenbelt Rd, Greenbelt. ☎ 301-344-3948. Résas : ☎ 1-877-444-6777 ou sur • nps.gov/gree • Dans le Maryland, à env 20 km au nord-est du centre de Washington. Accès par la Baltimore-Washington Parkway (indiqué « Balt-Wash Pkway »), puis la 193 ; de là, suivre le fléchage pour le Greenbelt Park. Tte l'année. Bureau des rangers ouv tlj 8h-15h45. Emplacement env 16 $. CB refusées.* On plante sa tente en pleine forêt, sur un grand emplacement équipé de sa table de camping. Sanitaires rudimentaires mais propres. Pour jouir du calme, évitez de vous mettre à côté des scouts (sauf si vous êtes en panne de bière). Pas de boutique.

Une autre solution peut consister à dormir à Alexandria (voir plus loin le chapitre consacré à cette ville), qui ne se trouve qu'à une grosse poignée de stations de métro du Mall.

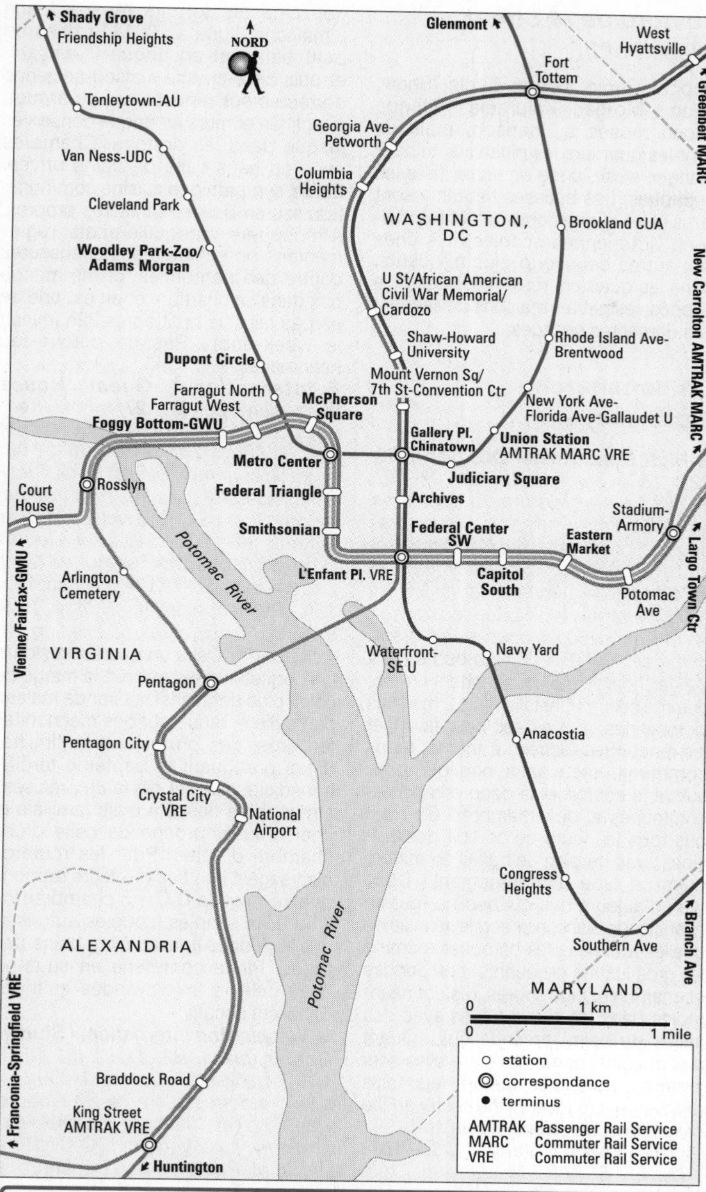

LE MÉTRO DE WASHINGTON

Au nord de M Street

(plans I et II)

Dupont Circle, Logan Circle, Shaw, Adams Morgan, Kalorama. Presque aucun musée à l'horizon, mais ce sont les quartiers les plus vivants pour manger, sortir, boire un verre, faire les boutiques. Les bâtisses hautes y sont rares et les alignements de petites maisons victoriennes accolées les unes aux autres beaucoup plus fréquents. Dans les quartiers résidentiels les plus huppés, les petites maisons deviennent des demeures cossues.

De bon marché à prix moyens

■ ***High Road Hostel DC*** *(plan I, B2,* ***22****) : 1804 Belmont Rd.* ☎ *202-735-3622.* ● *highroadhosteldc.com* ● *M. : Woodley Park-Zoo. Plus pratique : ligne verte du* DC Circulator *entre McPherson Square Metro et Woodley Park ; arrêt Adams Mill Rd NW/Columbia Rd. Nuitée en dortoir (4-14 lits) 30-50 $; doubles avec sdb partagée 90-170 $.* Ouh ouh ouh ! Il y a des *hostels* qui nous mettent en joie, comme celui-ci : installé dans 2 maisons victoriennes, tout est fait pour favoriser les rencontres (soirées à thème, repas communs, etc.) sans négliger pour autant le confort et la déco des parties communes et des chambres. Ce n'est pas tous les jours qu'on voit des cuisines avec un plan de travail en marbre dans ce type d'hébergement ! Déco bien d'aujourd'hui, qui décline tout un nuancier de blanc, noir et gris, relevée de quelles touches plus baroques, comme les gros lustres clinquants. Les dortoirs et chambres, plus sobres, restent néanmoins dans les mêmes tons avec des salles de bains presque chic. Quant aux doubles, nombre d'entre elles sont vraiment agréables malgré leur taille relativement réduite. Et *the cherry on the cake* : l'accueil, soigné et souriant.

■ ***DC Lofty*** *(plan I, C3,* ***10****) : 1335 11th St NW.* ☎ *202-506-7106.* ● *dclofty.com* ● Ⓜ *Mount Vernon Sq-UDC (et 10 mn de marche). Nuitée 27-45 $ en dortoirs 4-8 lits ; également des chambres privées.* Une douzaine de dortoirs répartis dans 2 maisons, l'une au 301 I St dans un petit bâtiment en brique (l'annexe), et puis celle-ci, une maison ancienne correctement rénovée avec parquet, cheminée et murs en brique conservés jusque dans les dortoirs. Chambres avec ou sans salle de bains privée. Salon, sympathique cuisine commune, terrasse en bois et sanitaires propres. Atmosphère tranquille mais réglementée : on échange ses chaussures contre des pantoufles, on ne mange pas dans sa chambre et on est prié de ne pas faire de bruit après 22h (minuit le week-end) ! Pas de couvre-feu néanmoins.

■ ***International Guest House*** *(hors plan I par B1,* ***27****) : 1441 Kennedy St NW (entre 16th St NW et 14th St NW).* ☎ *202-726-5808.* ● *igh-dc.com* ● *À côté du Rock Creek Park. Excentré, mais très bien relié par les bus S2 ou S4 (To Silver Spring) qui remonte tte la 16th St ; arrêt Morrow Drive (30 mn de trajet si tout va bien). Couvre-feu 23h-7h ; fermé dim 10h-15h. Résa conseillée. Nuitée 45 $/pers, petit déj, taxes et evening tea inclus.* Dans un quartier résidentiel coquet très excentré, à la marge de coins plus défavorisés. Grande maison particulière, tenue par des mennonites (en gros, des protestants antimilitaristes pratiquant le baptême tardif) : bénédicité au petit déj (à 8h précises), atmosphère désuète mais familiale et chaleureuse, proche de celle d'une chambre d'hôtes. Pour les routards bien sages, l'un des meilleurs rapports qualité-prix de D.C. ! 5 chambres de 2 ou 3 lits simples (couples autorisés, quelle audace !), avec clim, bains partagés. Pièce commune en sous-sol avec cuisine (micro-ondes et frigo). Excellent accueil.

■ ***Washington International Student Center*** *(plan I, B2,* ***11****) : 2451 18th St NW.* ☎ *202-667-7681 ou 1-800-567-4150.* ● *dchostel.com* ● Ⓜ *Woodley Park-Zoo (et 15 mn de marche). Plus pratique : ligne verte du* DC Circulator *entre McPherson Square Metro et Woodley Park ; arrêt Adams Mill Rd NW/Columbia Rd. Au 1er étage, entrée à peine visible à droite de* The Diner. Check-in *8h-23h. Pas de couvre-feu.*

En dortoir, 25-30 $/pers. Double env 70 $, avec sdb partagée, petit déj (léger) compris. Petite AJ privée au cœur d'Adams Morgan. Dortoirs archibasiques et quelques chambres privées. Cuisine et pièce commune. Le tout avec de vieilles moquettes et hyper bordélique, mais propre. À réserver aux vrais routards qui préfèrent mettre leurs économies dans la mousse des nombreux bars de 18th Street plutôt que dans celle d'un bon matelas.

De prix moyens à chic

Adam's Inn *(plan I, B2,* **12***) : 1746 Lanier Pl NW. ☎ 202-745-3600 ou 1-800-578-6807. • adamsinn.com • Ⓜ Woodley Park-Zoo (puis env 10 mn à pied). Plus pratique : ligne verte du* DC Circulator *entre McPherson Square Metro et Woodley Park ; arrêt Adams Mill Rd NW/Columbia Rd. Réception 8h-21h. Doubles 100-140 $ avec sdb partagée, 140-160 $ avec sdb privée, petit déj-buffet continental compris ; également un vaste appart en sous-sol, sombre mais pas trop cher. Parking 30 $ (limité donc à préciser à la résa).* Dans une rue résidentielle à deux pas du quartier animé d'Adams Morgan, une adresse pleine de charme à mi-chemin entre l'AJ de luxe et le *B & B,* où l'on se sent immédiatement chez soi. La vingtaine de chambres, champêtres et mignonnes comme tout, est répartie dans 3 *townhouses* victoriennes. Pas de TV dans les chambres, mais plusieurs salons cosy avec canapés moelleux, cheminée (pour la déco), thé et café à volonté, pour favoriser les échanges entre hôtes. Salle à manger, cuisine à disposition, et *lovely* jardinet pour prendre son *breakfast* en été, voire piqueniquer. Possibilité de laver, sécher et repasser son linge. Accueil aux petits oignons et encore un bon point : les enfants de tous âges sont acceptés ! Une bien belle adresse, en somme.

B & B William Lewis House *(plan I, C3,* **13***) : 1309 R St NW. ☎ 800 (ou 202)-465-7574. • williamlewishouse.com • Ⓜ U Street. Doubles 110-225 $, petit déj inclus.* Coup de cœur pour ce magnifique *B & B* logé dans 2 maisons mitoyennes plus que centenaires, reliées par un adorable jardin circulaire où poussent pommes, poires, prunes, abricots... Une dizaine de chambres avec salles de bains communes (baignoires sur pattes), toutes décorées dans un style edwardien réjouissant, plus 2 appartements avec salle de bains privée. Superbes salon et salle du petit déj, ce dernier étant frais et fort copieux. Adresse *gay-friendly,* mais tout le monde est accepté, d'ailleurs la devise maison est *« straight friendly ».*

Taft Bridge Inn *(plan I, B2,* **19***) : 2007 Wyoming Ave NW. ☎ 202-387-2007. • taftbridgeinn.com • Ⓜ Dupont Circle. Doubles 140-205 $ avec sdb privée ou non, petit déj inclus. Parking 19 $.* Dans le quartier résidentiel de Kalorama, une élégante demeure de style georgien de la fin du XIXe s, comportant une douzaine de chambres. Dès l'entrée, le salon donne le ton : parquet qui craque, murs rouge brique contrastant avec le noir des boiseries, monumentale cheminée, lustre en cristal et piano, mobilier un rien rococo. L'atmosphère victorienne est mâtinée de petites touches asiatiques (la proprio, collectionneuse d'art, est japonaise), que l'on retrouve dans les chambres. Murs aux couleurs profondes, lits à colonnes, salles de bains rétro. Celles sans bains sont plus petites et plus simples.

Windsor Park Hotel *(plan I, A2,* **15***) : 2116 Kalorama Rd NW. ☎ 202-483-7700. Résas : ☎ 1-800-247-3064. • windsorparkhotel.com • Ⓜ Woodley Park-Zoo. Doubles 100-200 $, petit déj inclus. Parking gratuit dans la rue mais gare aux panneaux de restriction !* Dans une petite rue calme, un immeuble en brique de style victorien au sein d'un quartier tranquille, verdoyant et résidentiel. Les chambres, une quarantaine, se révèlent conventionnelles et un brin désuètes, mais relativement confortables.

Embassy Inn *(plan I, B3,* **16***) : 1627 16th St NW. ☎ 202-234-7800 ou 1-800-423-9111. • embassy-inn-hotel-dc.com • Ⓜ Dupont Circle. Doubles 140-170 $.* Dans un quartier tranquille, un petit hôtel sans charme mais correct. Réparties sur 5 niveaux, les chambres, confortables mais pas bien grandes, ont pour certaines vue sur les maisons du quartier. Literie correcte, ça sent le propre... Accueil fort routinier, en revanche.

De chic à très chic

🏠 ***Kimpton Mason & Rook Hotel*** *(plan I, C3,* ***23****) : 1430 Rhode Island Ave NW. ☎ 202-742-3100 ou 1-800-706-1202. • masonandrookhotel.com • M. : McPherson Square. En bus Circulator : ligne McPherson Square-Woodley Park, arrêt 14th St NW/P St. Doubles 130-400 US$.* Le grand immeuble de brique gris anthracite abrite près de 180 chambres et pourtant, dès la réception, la déco procure une délicieuse impression d'intimité, d'atmosphère feutrée, avec la bibliothèque d'une part et le petit salon de l'autre. Rien de clinquant ici, mais le sentiment d'être à la maison. Une maison élégante et cosy, au mobilier choisi et d'un extrême confort, bien sûr. Et le top du top : la terrasse sur le toit et sa piscine.

🏠 ***Tabard Inn*** *(plan I, B3,* ***20****) : 1739 N St NW. ☎ 202-785-1277. • tabardinn.com • Ⓜ Dupont Circle. Doubles 150-175 $ avec sdb partagée, 195-285 $ avec sdb privée.* Formé par 3 *townhouses,* cet hôtel (le plus vieux de Washington D.C.) ressemble plutôt à une grande pension de famille. Atmosphère chaleureuse. Salon très club anglais, avec profonds fauteuils, beaux meubles anciens et feu dans la cheminée en hiver. 40 chambres pleines d'âme, même les salles de bains sont exquises (à défaut d'être toujours très pratiques) avec leurs baignoires et lavabos anciens. Le resto est aussi une bonne table (voir « Où manger ? Très chic »).

🏠 ***Akwaaba*** *(plan I, B3,* ***18****) : 1708 16th St NW. ☎ 1-877-893-3233 ou 202-328-3510. • dcakwaaba.com • bedandbreakfastdc.com • Ⓜ Dupont Circle. Doubles 150-285 $, petit déj copieux inclus. Parking (limité) 20 $.* Un *B & B* de très belle facture aménagé dans une vieille maison de style victorien (1890). Parquet patiné, magnifiques cheminées avec céramique, boiseries, vitraux. Ambiance *Autant en emporte le vent* dans les parties communes. Quant aux 8 chambres, également meublées d'ancien, elles sont toutes personnalisées d'après un auteur afro-américain ou un thème de la littérature, avec les bouquins assortis, bien sûr. Une atmosphère propice au cocooning.

🏠 ***Kimpton Carlyle*** *(plan I, B3,* ***21****) : 1731 New Hampshire Ave NW. ☎ 202-234-3200 ou 1-877-301-0019. • carlylehoteldc.com • Ⓜ Dupont Circle. Doubles 100-300 $.* Quelque 200 chambres à la déco relativement neutre et standard mais élégante et, surtout, offrant un très bon confort. De celles situées à l'arrière, vue sur le Washington Monument. Thé et café à dispo le matin et tous les soirs, verre de vin offert.

🏠 ***Embassy Circle Guesthouse*** *(plan I, A3,* ***25****) : 2224 R St NW. ☎ 202-232-7744 ou 1-877-232-7744. • dcinns.com • Ⓜ Dupont Circle. Doubles 180-340 $, excellent petit déj inclus.* Au cœur du quartier des ambassades, grande et belle demeure plus que centenaire, d'une dizaine de chambres. Parquet, beaux tapis, mobilier victorien, peintures contemporaines aux murs et des chambres vastes, élégantes et lumineuses. Atmosphère classieuse mais chaleureuse. Preuve en est, ce verre de vin offert le soir ou ces *mezze* « impromptus », où chacun participe à la préparation du repas ou apporte une boisson à faire découvrir aux autres *guests.* Raymond, d'origine libanaise, vous accueille en français.

🏠 ***Comfort Inn Downtown*** *(plan II, F4,* ***14****) : 1201 13th St NW. ☎ 202-682-5300. • choicehotels.com • Ⓜ Mount Vernon ou McPherson. Doubles 120-300 $, petit déj-buffet inclus.* À cheval entre deux ambiances : on quitte les quartiers où s'alignent les petites maisons victoriennes accolées les unes aux autres, pour une partie de la ville plus *business* et anonyme. Dans une rue assez calme, un bâtiment en brique à l'ancienne. Chambres quant à elles simples, avenantes, confortables et propres, avec une déco au goût du jour. Évitez tout de même celles qui sont aveugles. Service de laverie.

Au sud de M Street (plan II)

Foggy Bottom, Downtown, le Mall, Capitol Hill, Near Northeast. Vous serez plus près des musées, mais l'environnement est moins coquet, plus froid. À l'exception toutefois de Capitol Hill qui a l'avantage d'être à la fois un quartier résidentiel où l'on peut manger et sortir, tout en n'étant pas trop loin des musées (en tout cas une partie). Le Near Northeast (H Street NE) est, lui, un peu loin de tout, mais vivant, surtout le soir.

Bon marché

Hostelling International Washington D.C. *(plan II, F4,* **30***) : 1009 11th St NW. ☎ 202-737-2333. • hiwashingtondc.org • Ⓜ Metro Center. Ouv 24h/24. Résa conseillée. Nuitée 30-50 $ (+ 3 $ pour les non-membres HI), petit déj, draps et serviette inclus.* Un grand édifice très central. Chambres doubles vieillottes, sans charme, mais propres et correctes, ou dortoirs très clean de 4 à 10 lits avec casiers. Parties communes quant à elles spacieuses et plutôt accueillantes, avec une cuisine très bien équipée et sa grande salle à manger attenante. Spacieuse salle de TV, salon avec billard, arrière-cour. Nombreuses animations proposées (soirées pâtes, pizzas...). Machines à laver et sèche-linge à disposition. Bon accueil.

William Penn House *(plan II, H5,* **32***) : 515 E Capitol St SE. ☎ 202-543-5560. • williampennhouse.org • Ⓜ Eastern Market. Nuitée 45-55 $ en dortoir, petit déj inclus. Check-in avt 21h.* Fondé en 1966 dans le courant idéologique des quakers, ce centre d'accueil, géré dans un but non lucratif, propose une trentaine de lits. Répartis sur différents niveaux, la plupart des dortoirs (4-10 personnes) partagent les salles de bains. Gars et filles séparés, bien sûr ! Très propre et bien tenu. Beau living-room, bibliothèque (si vous ne connaissez rien aux quakers, vous avez là de quoi vous documenter !), grande table pour taper le carton le soir ou casser la croûte (micro-ondes, grille-pain et frigo). Petit patio à l'arrière. Un bon plan pour ceux qui privilégient les musées aux sorties nocturnes.

Downtown Washington Hostel *(plan II, H4,* **17***) : 506 H St NE. ☎ 202-370-6390. • downtownwashingtonhostel.com • Ⓜ Union Station. Ou avec le tram dcstreet depuis Union Station. Nuitée en dortoir 23-50 $.* Dans le quartier animé de H Street, cet *hostel* propose une trentaine de lits répartis en une dizaine de chambres, mixtes ou séparés, de la simple au dortoir de 12 lits. Les chambres sont petites mais colorées, avec salles de bains communes. Salon TV avec cuisine équipée. Ensemble réduit au simple minimum, mais bien situé pour les noctambules.

De prix moyens à très chic

State Plaza Hotel *(plan II, E4,* **38***) : 2117 E St NW (repérer le départ de 21st St sur Virginia St). ☎ 202-861-8200. • stateplaza.com • Ⓜ Foggy Bottom. Doubles 100-330 $.* Très bien situé, entre la Maison-Blanche et Georgetown. Avant d'abriter un hôtel, ce grand immeuble discret abritait des appartements, d'où la configuration un peu inhabituelle des chambres et la présence dans la plupart d'entre elles d'une vraie cuisine indépendante. La déco des chambres au rez-de-chaussée est un peu plus passé que celle dans les étages, mais l'ensemble se révèle agréable et offre un réel confort, à défaut d'avoir un vrai charme. Accueil pro et agréable.

Morrison Clark *(plan II, F4,* **33***) : 1011 L St NW. ☎ 202-898-1200 ou 1-800-332-7898. • morrisonclark.com • Ⓜ Convention Center. Doubles 140-350 $.* Ces demeures historiques en brique et leur belle véranda détonnent dans cet environnement de constructions modernes et anonymes. L'hôtel est constitué de 3 bâtisses différentes : deux d'entre elles, quasi jumelles, datent de 1864 et appartinrent l'une à un Mr Morrison, l'autre à un Mr Clark. La troisième, à la façade beaucoup plus sobre, date de 1901. Avant de devenir un hôtel, elle abritait l'église de la communauté chinoise, d'où la déco sous influence asiatique de la très belle réception et les petites touches présentes dans les chambres, avec les armoires, les lits. Élégance, confort, cocooning sont au rendez-vous, avec différents petits salons et une délicieuse cour intérieure où il fait bon se poser. Les quelques éléments d'origine préservés (des cheminées, certains escaliers, des lampes) apportent aussi aux lieux un certain cachet. Bref, un hôtel tout sauf anonyme, d'autant que l'accueil est lui aussi soigné.

The Kimpton Donovan *(plan II, F4,* ***31****) : 1155 14th St NW. ☎ 202-737-1200. • donovanhousehotel.com • Ⓜ McPherson Sq. Doubles 100-400 $.* Autant la réception est sombre, autant les chambres se révèlent lumineuses. Avec des lits entièrement gainés de cuir, des douches incurvées, ce sont de véritables cocons aux lignes épurées, où les teintes prune, chocolat et anthracite, relevées de quelques touches de blanc, forment une belle harmonie. Avouons un faible pour les « City View King » et leur superbe vue sur le rond-point et la ville (et comme l'insonorisation est top, pas de soucis de bruit). Et pour prendre de la hauteur, *rooftop deck* avec son bar d'un côté (ouvert même aux non-résidents) et sa piscine de l'autre (réservée aux résidents). Accueil pro mais décontracté.

Kimpton The George *(plan II, G-H4-5,* ***39****) : 15 E St NW (entre New Jersey Ave et N Capitol St). ☎ 202-347-4200 ou 800-546-7866. • hotelgeorge.com • Ⓜ Union Station. Doubles 180-450 $.* Tout près du Capitole, un des premiers hôtels design de Washington, décoré sur le thème de George Washington (toujours lui !). Déco à la fois contemporaine et un brin décalée. Chambres au diapason, avec canapé coloré, peignoir peau de bête, etc. Tout cela reste néanmoins très sage (on est à Washington quand même !). Service cool et accueillant. Le resto, *Bistro Bis,* est le repaire du Tout-Capitol Hill après les longues journées de travail.

Capitol Hill Hotel *(plan II, H5,* ***35****) : 200 C St SE. ☎ 202-543-6000. • capitolhillsuites.com • Ⓜ Capitol South. Doubles 200-360 $, petit déj inclus.* Juste derrière la *Library of Congress,* bien situé à 10 mn à pied des principaux musées. À la réception, le beau tableau représentant la *Civil War* de manière stylisée donne une idée de la clientèle, à la fois chic et politique. Environ 150 chambres de différentes tailles et configurations. La déco n'y est pas des plus *fun,* ni des plus fantaisiste, mais elle est indéniablement classe et le confort grand. Accueil pro et souriant.

Coup de folie

W *(plan II, F4,* ***40****) : 515 15th St NW. ☎ 202-661-2400. • wwashingtondc.com • Ⓜ McPherson Square. Doubles à partir de 250 $, jusqu'à...* Cet hôtel à la remarquable façade de style Renaissance italienne est un *historic landmark,* comme on dit ici. Sa situation, en face de la Maison-Blanche, est unique. Construit en 1917, le *Washington Hotel* fut pendant 90 ans le QG de toutes les célébrités, des politiciens aux stars du cinéma. Aujourd'hui entièrement relooké design, le *W* est le summum du luxe glamour à D.C. Majestueux lobby avec ses colonnes corinthiennes et ses lustres en cristal d'époque qui se colorent le soir venu. Dominante de noir et blanc, mâtinée de petites touches rouges. Mobilier alambiqué très *Alice au pays des merveilles,* suspension de fleurs dorées au plafond. Dans les chambres, tête de lit éclairée en rose, literie ultra-moelleuse et douche à l'italienne en verre dépoli (bonjour l'intimité !). Mais le must, c'est le *rooftop bar (POV)* aménagé sur le toit du building, où des scènes du *Parrain II* furent d'ailleurs tournées. La vue sur les grands monuments de Washington y est évidemment exceptionnelle, pensez-y pour un cocktail.

Où manger ?

À l'instar de Philadelphie, Washington s'honore du titre de ***capitale gastronomique.*** C'est vrai que toutes les ***cuisines du monde*** y sont représentées, l'éthiopienne en vedette, et que les bonnes tables sont légion... mais le plus souvent, aussi, très chères. Bonne nouvelle cependant : Washington compte plusieurs petites chaînes de fast-food nouvelle génération proposant une cuisine saine, variée, volontiers végétarienne, parfois même inventive, et à prix très raisonnables (comme ***Sweetgreen, Buredo, Beefsteak*** et ***Cava Grill***). L'autre option, fort tentante dans cette ville culturelle, ce sont les ***cafétérias des grands musées.*** Comme vous allez y passer un sacré bout de temps, il peut être judicieux de déjeuner sur place, d'autant qu'il n'y a pratiquement aucun autre endroit pour manger autour des musées du Mall. La qualité, cependant, n'est pas toujours au rendez-vous. L'autre solution, c'est d'emporter un en-cas.

Pour les petits budgets, vous retrouverez un peu partout les chaînes de fast-food ***Five Guys*** (bons gros burgers), ***Corner Bakery*** (petit déj et lunch bien sains), ***Potbelly Sandwich Works*** (sandwichs bien garnis et préparés à la demande) ou encore ***Chipotle*** pour ceux qui aiment le mexicain.

Autour de Dupont Circle et Foggy Bottom

Spécial petit déjeuner et brunch

☕ ***Founding Farmers*** *(plan II, E4,* ***71****)* **:** *1924 Pennsylvania Ave NW. ☎ 202-822-8783. Ⓜ Farragut West ou Foggy Bottom. Lun-ven 7h-23h (minuit ven), sam-dim 9h-minuit (22h dim). Plats 6-14 $.* Apporter les produits directement de la ferme au consommateur, c'est la mission de ce restaurant qui travaille pour un réseau de plus de 40 000 agriculteurs. Il y a évidemment les omelettes, œufs pochés ou brouillés accompagnés de saucisses, légumes, etc. Mais ici, ce sont les propositions sucrées qui sortent le plus de l'ordinaire et les *French Toast* méritent vraiment le détour si vous êtes un bec sucré. Par ailleurs, ne vous étonnez pas que le quartier soit aussi bien gardé : vous êtes juste à côté de la Banque mondiale et du FMI !

☕ Lire plus loin : ***Kramerbooks & Afterwords Café & Grill*** *(plan I, B3,* ***62****),* ***Whole Foods Market*** *(plan I, B3,* ***61****)* et ***Tabard Inn Restaurant*** *(plan I, B3,* ***20****).*

Bon marché

🍽 ***Buredo*** *(plan I, B3,* ***72****)* **:** *1213 Connecticut Ave NW. ☎ 202-838-6602. Ⓜ Farragut North ou Dupont Circle. Tlj 11-21h (23h jeu-sam). « Burrito » 9-12 $.* En voilà une formule originale pour un repas rapide frais, équilibré et plein de saveurs : des sortes de sushis de la taille d'un burrito ! On fait la queue (qui peut être longue, mais ça dépote au comptoir !) et, en attendant, on choisit parmi la dizaine de propositions. La base est celle du sushi, mais agrémentée de légumes frais, poisson cru ou frit (ou même de viande) et relevée avec des sauces goûteuses. Trois minutes après la commande, la bête est emballée, payée et prête à consommer. Soit à la longue table commune au centre de la pièce ou au minicomptoir face à la rue, soit à emporter. *Autre adresse au 825 14th Ave NW (plan II, F4,* ***72****), tlj sf dim 11h-21h.*

🍽 ***Beefsteak*** *(plan II, E4,* ***74****)* **:** *800 22nd St NW. ☎ 202-296-1421. Ⓜ Foggy Bottom. Tlj 10h30-22h. Env 9 $ le plat.* Encore un de ces fast-foods du manger sain et frais dont cette ville a le secret ! Et son créateur ne manque pas d'humour puisque son *Beefsteak* est dédié presque exclusivement aux légumes et aux céréales. Même le burger est à la tomate ! Là encore, on choisit son « *veggie bowl* » en faisant la queue et après, zou ! Les légumes ont droit à leur cuisson express et le bol passe de main en main jusqu'à la caisse. Si les papilles ne frétillent pas plus que ça à la vue des différentes propositions, elles soupirent de contentement en découvrant toutes les saveurs contenues dans ces fameux *bowls !* Cadre frais et ludique où les légumes s'en paient une tranche sur les panneaux en bois. Autre adresse au 1528 Connecticut Ave NW *(plan I, B3,* ***74****)* : *tlj 10h30-22h.*

🍽 ***Sweetgreen*** *(plan I, B3,* ***60****)* **:** *1512 Connecticut Ave. ☎ 202-387-9338. Ⓜ Dupont Circle. Tlj 10h30-22h. Salades 9-13 $.* Pour ceux qui rêvent d'une petite pause fraîcheur, loin des burgers.

Petite chaîne de salades bio et écolo où votre mélange est composé sous vos yeux dans un saladier en métal, à base de romaine, de roquette ou encore de kale (chou frisé). Une petite dizaine de salades au choix, variant au gré des saisons. Toute cette verdure est à arroser d'une limonade maison, aux différents parfums. Décor de petite cantine plutôt propre sur elle, mais sonore. On trouve des succursales un peu partout en ville, notamment, à ***Georgetown*** *(plan III, I7-8,* ***60****; au 3333 M St NW)*; à **Capitol Hill** *(plan II, H5,* ***60****), au 221 Pennsylvania Ave SE ;* et à **Navy Yard** *(plan II, H6,* ***60****; au 1212 4th St SE ; ferme à 21h le w-e).*

Burger, Tap & Shake *(BTS ; plan II, E4,* ***67****)* **:** *2200 Pennsylvania Ave NW. ☎ 202-587-6258. Ⓜ Foggy Bottom. Lun-ven 10h-23h (1h ven), sam 11h-1h, dim 11h-22h. Burger env 8 $.* Voici une super adresse de burgers dans une salle contemporaine avec de grandes baies vitrées donnant sur Washington Circle. Bar, box et tables autour de la cuisine ouverte, sous le regard « warholisé » d'un célèbre président des États-Unis. Excellents burgers *homemade,* parmi lesquels le *southern comfort* ou encore le *big daddy* sont les plus relevés. Bonnes frites classiques ou de patate douce, plus des *onion rings.* Comme son nom l'indique, bon choix de bières à la pression et de *shakes* délicieux pour le dessert.

Devon & Blakely *(plan II, E4,* ***67****)* **:** *2200 Pennsylvania Ave NW. ☎ 202-659-9070. Ⓜ Foggy Bottom. Lun-ven 6h30-20h, sam 8h15-17h30. Env 10 $.* Juste à côté de *BTS,* une sorte de traiteur proposant pléthore de sandwichs, *wraps,* salades, chili et une vingtaine de soupes différentes chaque jour ! On s'y presse le midi, tant le comptoir est appétissant... Tout est frais et préparé sous vos yeux. Une formule idéale pour le midi ou pour un petit creux dans l'après-midi (mais pas pour un café, vu qu'il n'y a pas de machine). Également des gâteaux pour le dessert. Quelques tables pour ceux qui veulent faire une pause dans la salle toute vitrée et bruyante mais avenante.

Teaism *(plan I, B3,* ***70****)* **:** *2009 R St NW. ☎ 202-667-3827. Lun-ven 8h-22h, sam 9h-22h, dim 9h-14h30. Plats 12-14 $.* Petite chaîne inspirée des maisons de thé asiatiques où l'on vous sert du thé, certes, mais aussi des Bento à la japonaise (une boîte « repas » contenant un assortiment de protéines, légumes frais, riz, etc.), des curry thaïs ou indiens, des nouilles coréennes ou même un bon taco ! On commande au comptoir avant de s'attabler et d'apprécier l'ambiance hors du temps. *Autre adresse dans* ***Penn Quarter*** *(plan II, G5,* ***70****) au 400 8th St NW ; plus spacieux, mais ambiance un peu moins hors du temps.*

Shake Shack *(plan I, B3,* ***83****)* **:** *1216 18th St NW (et Connecticut Ave). ☎ 202-683-9922. Ⓜ Dupont Circle ou Farragut North. Tlj 11h-23h (minuit ven-sam). Env 8-10 $.* La chaîne de *burgers* préférée des New-Yorkais poursuit sa fulgurante expansion. Il faut dire que la recette est bonne et les prix doux ! Au menu, burgers, hot dogs et *frozen custard* (crèmes glacées hyper riches dont les parfums changent tous les jours). Seules les frites torsadées manquent de naturel. On commande au comptoir et on attend d'être bipé avant de s'attabler à l'arrière dans une salle moderne avec mezzanine.

Prix moyens

Kramerbooks & Afterwords Café & Grill *(plan I, B3,* ***62****)* **:** *1517-21 Connecticut Ave NW (à l'angle de Q St). ☎ 202-387-3825. Ⓜ Dupont Circle. Tlj 7h30-1h (3h ven-sam). Plats 15-23 $.* Avant tout, c'est une grande librairie indépendante particulièrement bien fournie, même s'il vous faudra perfectionner votre anglais (très peu de livres en français et plutôt chers). Fait aussi bar (pour grignoter *nachitos* et salades) et enfin resto où l'on peut commander très tard le week-end. Cuisine variée, légère et joliment présentée. Bonne sélection de bières pression et excellent cappuccino. Beaucoup de monde le dimanche matin pour le brunch et terrasse à l'arrière recherchée aux beaux jours. Rencontres régulières avec des écrivains. Une très chouette adresse.

Pizzeria Paradiso *(plan I, B3,* ***63****) :* *2003 P St (et 20th St).* ☎ *202-223-1245.* Ⓜ *Dupont Circle. Lun-sam 11h30-23h (minuit ven-sam), dim 12h-22h. Pizzas 12-21 $.* Cette pizzeria toujours bondée et bourdonnante propose des *pizze* servies en 2 tailles (la petite convient pour une personne). Croustillantes à souhait, elles sont ni trop fines ni trop épaisses. Quant à la garniture, on mise sur la qualité des ingrédients plutôt que sur la quantité. Salades bien fraîches, panini et *antipasti* également à la carte. Les amateurs de bière, eux, apprécieront la belle sélection de pressions. Petite terrasse sur le côté, à l'écart des voitures.

De prix moyens à chic

|●| ***Hank's Oyster Bar*** *(plan I, B3,* ***65****) :* *1624 Q St.* ☎ *202-462-4265.* Ⓜ *Dupont Circle. Lun-ven 11h30-22h (23h ven), le w-e 11h-2h (1h dim). Plats 12-25 $ le midi, 15-30 $ le soir.* Dans un petit coin *gay-friendly* de D.C., ce bar à huîtres et *seafood* est une vraie perle. Gage de fraîcheur, la carte change quotidiennement selon les arrivages, et navigue entre les huîtres (souvent locales et livrées tous les matins), le poisson du jour, les *small* et les *large plates.* Pas de desserts, hormis le carré de chocolat apporté avec l'addition. Ambiance très Nouvelle-Angleterre, avec quelques touches « coquillages et crustacés » dans la déco, sobre et soignée. Clientèle plutôt yuppie, mais pas guindée, service *casual* comme on dit ici. Petite terrasse.

|●| ***Pesce*** *(plan I, B3,* ***66****) :* *2002 P St.* ☎ *202-466-3474.* Ⓜ *Dupont Circle. Tlj (sf le w-e à midi) 11h30-14h30, 17h30-22h (22h30 ven-sam, 21h30 dim). Plats 16-30 $ le midi, 22-35 $ le soir.* Ici aussi, le poisson est à l'honneur (un seul plat de viande !), et ça fait une grosse quinzaine d'années que cela dure. Cuisiné simplement (entier, grillé, rôti), mais c'est ainsi qu'on l'apprécie le mieux. Les cuissons sont maîtrisées, les accompagnements savoureux, et même la présentation de l'assiette est soignée. Une vraie table de chef, sans le côté chichiteux qui va parfois avec.

|●| ***Tabard Inn Restaurant*** *(plan I, B3,* ***20****) :* *1739 N St NW.* ☎ *202-331-8528.* Ⓜ *Dupont Circle. Tlj mat, midi et soir. Plats 15-28 $.* C'est le resto de l'un de nos hôtels de charme préférés et une bonne table. Cadre délicieusement suranné. Carte pas très longue mais élaborée chaque jour et bons petits plats de saison bien travaillés. Les légumes, bio et locaux, proviennent en partie de la ferme acquise par l'hôtel. Quant au poisson, il est livré tous les matins. Enfin, le brunch du week-end est l'un des plus courus de la ville (résa indispensable !). Feu dans la cheminée en hiver et adorable patio tout fleuri en été.

Dans Shaw et autour de Logan Circle

Spécial petit déjeuner et brunch

Busboys and Poets *(plan I, C2,* ***69****),* ***Marvin*** *(plan I, C2,* ***69****)* et ***El Sol Restaurant & Tequileria*** *(plan I, C3,* ***84****) :* lire plus loin.

Bon marché

|●| ***Baan Thai*** *(plan I, C3,* ***78****) :* *1326 14th St NW.* ☎ *202-588-5889.* Ⓜ *Dupont Circle ou U Street. Au 1er étage. Tlj 11h30-22h (23h ven-sam). Plats 8-15 $.* Décor très sobre et relativement hétérogène. Genre cantine améliorée (y'a même la télé) où la touche design des luminaires côtoie quelques éléments plus traditionnels. Vous l'aurez compris, on ne vient pas ici pour le cadre (qui n'a cependant rien de désagréable), mais pour les saveurs parfumées et volontiers épicées de cette cuisine thaïe proposée ici à prix doux et servie avec le sourire.

|●| ***Ben's Chili Bowl*** *(plan I, C2,* ***68****) :* *1213 U St.* ☎ *202-667-0909.* Ⓜ *U Street. Lun-jeu 6h-2h, ven 6h-4h, sam 7h-4h, dim 11h-minuit. La panse remplie pour moins de 10 $.* Une institution très populaire dans le quartier. Ouverte depuis 1958, elle n'a jamais fermé, même après les émeutes de 1968 alors que toutes les autres adresses du quartier fermaient boutique. L'ensemble est resté dans son jus : box gris, plantes vertes, néon

et grand comptoir formica à moitié déglingué, *tin ceiling* et vieux ventilo. Aux murs, les photos de clients célèbres : Dizzy Gillespie, Billie Holiday, Bill Cosby... Spécialités de *chili half-smoke, chili dogs* et *chili burgers.* Petite salle plus tranquille à l'arrière. Attendez-vous à faire la queue aux heures de pointe...

Whole Foods Market *(plan I, B3,* ***61****) : 1440 P St (et 15th St). ☎ 202-332-4300. Dupont Circle. Tlj 7h-22h30. Prix au poids : env 9 $ la livre.* Cette chaîne de supermarchés bobo-bio, qui fait un carton aux États-Unis, propose un rayon traiteur des plus alléchant. *Salad bar* et bar à soupes, plats chauds sains et originaux (végétariens, latinos, asiatiques, indiens...), pâtisseries et salades de fruits. Une poignée de tables en devanture et en terrasse pour consommer son frichti.

Prix moyens

El Sol Restaurant & Tequileria *(plan I, C3,* ***84****) : 1227 11th St NW. ☎ 202-815-4789. Mount Vernon/Convention Center. Tlj 10-1h (2h ven-sam). Plats 11-16 $.* On repère cette discrète petite adresse légèrement en contrebas de la rue à sa guirlande lumineuse. Au menu, de la cuisine mexicaine, mais simple, fraîche, goûteuse et non des plats gras, préparés à la chaîne où le piment masque tout autre goût. Agréable ambiance de resto de quartier dans la salle basse de plafond aux murs tout jaune. Les carnivores à gros appétit apprécieront la copieuse *Fajita el Sol* réunissant poulet, bœuf, porc et crevettes dans la même assiette ! Pas mal aussi comme petite adresse pour un brunch le week-end. La maison mère se trouve dans le sympathique quartier de **Columbia Heights,** *au 3911 14th St NW (avec Randolph St NW ; hors plan I par C1) ; dim-jeu 15h-22h, ven-sam 10h-23h.*

Busboys and Poets *(plan I, C2,* ***69****) : 2021 14th St NW. ☎ 202-387-7638. • busboysandpoets.com • U Street. Tlj 9h-minuit (1h ven-sam). Brunch sam-dim. Plats 12-21 $.* On aime beaucoup l'ambiance de cet endroit atypique, à la fois café, resto, librairie engagée, cinéma et salle de concert, créé par un intello irakien (Andy Shallal) implanté depuis longtemps à Washington. Le nom du resto vient du poète afro-américain Langston Hughes qui y fut serveur. Vaste espace multiculturel où l'on vient prendre son petit déj pour consulter ses e-mails, bouquiner tranquillou dans un canapé moelleux ou refaire le monde avec ses potes. Aussi agréable pour y boire un verre ou un café que pour y manger. Carte très éclectique, à tous les prix : du panini aux *crabcakes* du Maryland (exquis) en passant par les pizzas, croustillantes comme il faut.

Marvin *(plan I, C2,* ***69****) : 2007 14th St NW. ☎ 202-797-7171. U Street. Ouv 17h-22h (23h ven-sam, 2h dim). Brunch dim 10h30-15h30. Bar-*lounge *17h-2h (3h ven-sam, dim 13h-2h). Moules-frites 17-20 $, plats 16-27 $.* Un resto belge inspiré de Marvin Gaye, non, ce n'est pas une blague du plat pays ! Après avoir vécu du côté de U Street, le chanteur de soul a bien émigré en Belgique au début des années 1980, où il écrivit d'ailleurs son dernier tube, *Sexual Healing.* Très beau cadre : parquet, boiseries noires, tables de bistrot, éclairages tamisés. Et cuisine américano-belge donc, fort bien tournée, avec notamment des moules accommodées de plusieurs façons. Clientèle branchée, mais service décontracté qui ne se la joue pas. Très sympa aussi pour boire un verre dans l'atmosphère bourdonnante du bar sur le toit-terrasse.

Birch & Barley – Churchkey *(plan I, C3,* ***73****) : 1337 14th St NW (et Rhode Island Ave). ☎ 202-567-2576. Dupont Circle ou U Street (et 10 mn de marche).* Birch & Barley, *mar-sam 17h30-22h (23h ven-sam), dim 11h-15h, 17h-20h. Plats 16-28 $.* Churchkey, *lun-ven à partir de 16h, 12h sam et 11h30 dim ; snacks et assiettes 10-18 $.* Et deux restos en un ! À l'étage, le *Churchkey,* un grand *sports bar,* super sombre mais chic et pas trop cher, où il faut souvent faire la queue pour grignoter un morceau. Il faut dire que l'endroit est réputé pour son choix et la qualité des bières qu'il propose. Les gourmets, quant à eux, réserveront une table au rez-de-chaussée, soit en terrasse (certes, on est au carrefour !), soit dans la salle élégante, toute de bois et de métal vêtue. À la carte, une cuisine ni donnée ni très copieuse mais assez créative, pour ne pas dire néobistrot. Le tout à accompagner de l'une des nombreuses bières à la pression.

Très chic

I●I ***The Dabney*** *(plan I, C3,* ***85****) : 122, Blagden Alley. ☎ 202-450-1015. Ⓜ Mount Vernon Square. Dans une petite allée entre les 10th et 9th St ; repérable aux guirlandes de lumière de son patio. Tlj sf lun 17h30-22h (23h ven-sam, 21h30 dim). Petits plats 13-16 $; compter au moins 3 petits plats/pers. Repas 50-60 $/pers.* Et une adresse de plus à céder à la tentation des petits plats à partager ! Mais qui ne cède pas à la facilité : produits et plantes travaillés ici viennent tous de la région et sont cuits au feu de bois. Et le chef a suffisamment d'idées pour les accommoder de façon à vous surprendre joliment. C'est inventif, plein d'arôme, de piquant sagement dosé. Bref, réjouissant. Et si l'adresse joue dans la catégorie « Chic » au niveau des prix, l'ambiance elle ne l'est pas : la déco de la belle grande salle procure un véritable sentiment de « maison » et de convivialité. La brigade s'active au bout de la salle, sous vos yeux, dans la cuisine « à l'américaine ». Jolie petite terrasse au calme.

À Adams Morgan

Spécial petit déjeuner et brunch

☕ ***Las Canteras*** *(plan I, B2,* ***80****),* ***Mintwood Place*** *(plan I, B2,* ***77****)* et ***Perry's*** *(plan I, B2,* ***82****) :* pour leur brunch du week-end. Lire plus loin.

Bon marché

I●I ***Amsterdam Falafel Shop*** *(plan I, B2,* ***76****) : 2425 18th St NW. ☎ 202-234-1969. Ⓜ Woodley Park-Zoo. Tlj 11h-minuit (2h30 mar-mer, 3h jeu et 4h ven-sam). Env 6-11 $.* Petit boui-boui en étage, connu pour ses *falafels* de compétition, servis avec ou sans frites. On choisit d'abord sa taille (*small* ou *regular*), puis ses *toppings* que l'on empile soi-même tant bien que mal. Un tuyau, la version *regular* permet d'en mettre plus ! Le plus dur sera d'engloutir tout ça proprement sans fourchette. C'est simple mais bon, roboratif et peu onéreux. Miniterrasse aux beaux jours.

De prix moyens à chic

I●I ***Las Canteras*** *(plan I, B2,* ***80****) : 2307 18th St NW. ☎ 202-265-1780. Ⓜ Woodley Park Zoo. Tlj sf lun 12h-15h, 17h-22h (23h ven-sam) ; brunch sam-dim 12h-17h. Résa conseillée. Plats 15-25 $.* Tons rouges, parquet acajou, quelques toiles aux murs et une très belle tapisserie au fond. Une bonne escale pour découvrir la cuisine péruvienne, traditionnelle et modernisée mais pas trop américanisée : *ceviche* (poisson mariné), *camarones* sauce coriandre, *lomo saltado* (filet de bœuf cuisiné au vin rouge avec tomates et sauce soja)... Le tout accompagné d'un délicieux petit pain de maïs, utile pour apaiser l'attaque des piments. Bons desserts aussi, notamment la mousse de *lucuma* (petit fruit crémeux). À l'étage inférieur, bar latino. L'occasion de goûter à la bière locale, la *Cusqueña,* légère, ou à la *Cristal,* un peu plus corsée, à moins d'opter pour un *pisco sour.* Un bon rapport qualité-prix.

I●I ***Mintwood Place*** *(plan I, B2,* ***77****) : 1813 Columbia Rd NW. ☎ 202-234-6732. Mar-dim 17h30-22h (22h30 ven-sam, 21h dim). Brunch sam-dim 10h30-14h30. Plats 19-32 $.* Il aurait pu se nommer *Mintwood Palace* tant il s'illumine le soir comme une vitrine de grand magasin parisien à Noël. À l'intérieur, décor façon vieux chalet de luxe, avec bar, cuisine ouverte et quelques vieilleries pour faire authentique. Une adresse tendance, très joyeuse et donc... très bruyante ! Clientèle sur son trente et un, sans problème de fin de mois... On y retrouve la recette des néo-bistrots à la mode américaine avec une cuisine dans le vent, fort agréable mais un tantinet onéreuse. Bonne carte de bières (mention spéciale à l'IPA).

Perry's *(plan I, B2, **82**) : 1811 Columbia Rd NW. ☎ 202-234-6218. Ⓜ Woodley Park Zoo. Au 1er étage. Tlj 17h30-22h (23h ven-sam). Brunch dim 10h-15h. Plats 16-35 €.* Grande salle à la déco chaleureuse pour ce resto japonais fréquenté par une clientèle jeune, artiste, un peu frimeuse. Vaste choix d'excellents sushis et très bons plats à consommer à une table ou au bar. L'été, très agréable terrasse sur le toit (avec bar). Pour le brunch du dimanche, se pointer avant l'ouverture (10h30) pour être sûr d'avoir une place, car le buffet varié et bien cuisiné (avec sushis) et le show de *drag queens* attirent les foules. Et quelle ambiance !

Jack Rose Dining Saloon *(plan I, B2, **79**) : 2007 18th St NW. ☎ 202-588-7388. Tlj 17h-2h (3h ven-sam). Plats 16-34 $; petites faims 8-20 $.* Immense bar-resto au décor inspiré des bibliothèques à l'ancienne. Une échelle sur rails court devant les rayonnages croulant sous les Islay, Speyside et autres spiritueux. Les amateurs de whisky seront comblés, mais attention, le linéaire de bouteilles d'alcool est à la hauteur du volume de décibels ambiant ! À l'étage, un *rooftop* et une partie resto où l'on sert BBQ et bons plats de viande. Bon, on y vient surtout pour l'atmosphère et le décor. Également des *small plates* pour accompagner la large sélection de vins, bières pression et cocktails. Une adresse chic et *trendy.*

À Georgetown

De bon marché à prix moyens

Sweetgreen (plan III, I7-8, **60**) *: 3333 M St NW. Tlj 10h30-22h.* Lire « Où manger ? Autour de Dupont Circle et Foggy Bottom ».

Good Stuff Eatery *(plan III, I7-8, **95**) : 3291 M St NW. Tlj 11h30-22h (21h dim).* Lire « Où manger ? À Capitol Hill ».

Ching Ching Cha House of Tea *(plan III, I8, **112**) : 1063 Wisconsin Ave NW. ☎ 202-333-8288. Tlj sf lun 11h-21h. Formule env 14 $ (hors thé), thés env 7-18 $, dumplings 5-8 $.* Cette authentique maison de thé est une oasis de zénitude au cœur de Georgetown. Beaux volumes et verrières y diffusent une douce lumière. Les amateurs de thé y trouveront forcément leur bonheur parmi les quelque 70 variétés proposées à la vente et à la dégustation (Chine, Taiwan et Japon). Pas donné, mais on peut ajouter de l'eau chaude dans la théière en terre cuite. On y sert aussi une cuisine toute simple et légère, sans excès de sauce, mais qui pourra sembler fade à certains. Le poulet au curry accompagné de légumes vapeur originaux devrait contenter tout le monde. Accueil tout en délicatesse.

Pizzeria Paradiso *(plan III, I8, **63**) : 3282 M St NW. ☎ 202-337-1245. Lun-sam 11h30-22h (23h ven-sam), dim 12h-22h.* Lire « Où manger ? Autour de Dupont Circle et Foggy Bottom ».

De prix moyens à chic

Martin's Tavern *(plan III, I7, **114**) : 1264 Wisconsin Ave NW. ☎ 202-333-7370. Tlj 11h-2h (3h ven-sam ; sam dès 9h, dim 8h). Plats 16-36 $, mais burgers à partir de 13 $. Plats brunch (servi tlj jusqu'à 16h) 10-15 $.* Un lieu historique, qui ouvrit ses portes le lendemain du jour où la prohibition fut abolie. Depuis 1933, plusieurs présidents fréquentèrent cet incontournable resto de Georgetown. Leurs plats préférés sont d'ailleurs indiqués à l'entrée. Et c'est ici que John Kennedy demanda à Jackie sa main (dans le *booth 3,* si vous voulez rejouer la scène !). Pub chic à l'intérieur élégant avec boiseries patinées, scènes de chasse, bar en acajou et lampes Tiffany. Cuisine éclectique (pâtes, burgers, *seafood, crabcakes*) mais sans génie. Grand choix de *malted whiskeys,* comme il se doit. Petite terrasse.

À Capitol Hill

Spécial petit déjeuner

Jimmy T's Place *(plan II, H5, **90**) : 501 E Capitol St. ☎ 202-546-3646. Ⓜ Capitol South.*

Mar-ven 6h30-15h, sam-dim 8h-15h. Breakfast servi all day *! Env 5-10 $. CB refusées.* Dans l'ancienne pharmacie du quartier, datant de la fin du XIXe s, voici l'adresse familiale par excellence, qui fonctionne de père en fille depuis plus de 30 ans ! Clientèle de fidèles et décor dans son jus, figé pour l'éternité : mobilier en formica, parquet usé par les pas, patiné par les graisses. Cynde pilote ses fourneaux sous l'œil de John, le roi du corned-beef ! Ça fleure bon l'omelette, le bacon frit, le beignet bien grassouillet et la musique bluegrass. Un pur parfum d'Amérique au petit déj. On adore !

Et aussi ***Ted's Bulletin*** *(plan II, H6,* ***104****),* pour ses petits déj servis toute la journée, et le ***Belga Café*** *(plan II, H6,* ***94****).* Lire plus loin.

Bon marché

Good Stuff Eatery *(plan II, H5,* ***95****) :* *303 Pennsylvania Ave SE. ☎ 202-543-8222. Ⓜ Capitol South. Tlj sf dim 11h-22h. Burger-frites env 12 $, salade 8 $.* Le *burger joint* préféré des habitants de Washington. La commande se fait au comptoir avant de s'attabler en haut ou d'emporter son frichti. Pas du luxe le distributeur de serviettes en papier sur les tables, car ici les burgers, revisités au goût d'aujourd'hui, sont vraiment ultra-*juicy !* Quant aux frites, elles sont déclinées de plusieurs façons et servies très généreusement (une portion suffit pour 2). Celles au romarin et au sel de mer sont extra, à tremper dans de petites mayos épicées. *Succursale à* ***Georgetown*** *(plan III, I7-8,* ***95****) au 3291 M St NW. Tlj 11h30-22h (21h dim).*

Seventh Hill Pizza *(plan II, H6,* ***93****) : 327 7th St SE. ☎ 202-544-1911. Ⓜ Eastern Market. Mar-sam 11h30-14h30, 17h-22h ; dim 12h-21h. Pizzas 10-16 $ selon taille.* Dans un coin bobo et animé, à deux pas de l'Eastern Market, voici une très bonne petite pizzeria nouvelle tendance. Les pizzas y sont servies sans chichis, comme on les aime : avec une pâte fine et croustillante et de bons produits dessus. À savourer sur place, dans un cadre agréable, simple et convivial, ou bien à emporter. Si la France vous manque, le resto *Montmartre* (juste à côté) appartient aux mêmes proprios (voir plus loin).

Sweetgreen *(plan II, H5,* ***60****) : 221 Pennsylvania Ave SE. Ⓜ Capitol South. Tlj 10h30-22h.* Lire « Où manger ? Autour de Dupont Circle et Foggy Bottom ».

Prix moyens

Ted's Bulletin *(plan II, H6,* ***104****) : 505 8th St SE. ☎ 202-544-8337. Ⓜ Eastern Market. Tlj 7h-22h30 (23h30 ven-sam). Plats 10-15 $ au petit déj et à midi, 16-25 $ le soir.* Sur 8th Street, rue animée de Barrack's Row, le resto familial américain par excellence, revu et corrigé dans un esprit branché. Superbe décor Art déco avec des éléments d'époque récupérés d'un immeuble de Philadelphie. Au menu, présenté sous la forme d'un journal *(Ted's Bulletin),* de la *comfy food* bien servie : burgers originaux, salades, plats traditionnels genre *meatloaf* ou *ribs.* Côté desserts, milk-shakes à tous les parfums (même pour adultes) et des *pop-tarts,* biscuits traditionnels en pâte sablée fourrée de confiture. Bonne nouvelle : tous les plats de la carte peuvent être servis à n'importe quelle heure, y compris les pâtisseries pour un goûter impromptu.

De prix moyens à chic

Montmartre *(plan II, H6,* ***93****) : 327 7th St SE. ☎ 202-544-1244. Ⓜ Eastern Market. Tlj sf lun 11h30-14h30, 17h30-22h (22h30 ven-sam, 21h dim). Brunch sam-dim 10h30-15h. Plats env 25-28 $ (quelques options moins chères le midi).* Voici l'un des meilleurs restos français de D.C., en tout cas le plus proche de ce qu'on peut trouver en France. Vraie cuisine de chef, savoureuse et totalement maîtrisée, des plats « bistrotiers » mijotés, du poisson en passant par les desserts. Portions généreuses et prix raisonnables pour la qualité. Bonne ambiance, pas guindée pour deux sous. Grosse affluence le dimanche, jour de marché, pour le brunch.

I●I ***Belga Café*** *(plan II, H6, **94**) : 514 8th St SE. ☎ 202-544-0100. Ⓜ Eastern Market. Tlj 11h-22h (23h ven-sam, 21h30 dim). Brunch sam-dim 9h-16h. Plats 13-17 $ le midi, 20-32 $ le soir.* Grande salle tout en longueur, brique nue, jolie déco tendance design, et petite terrasse. Bonne nouvelle, les Américains ont découvert la vraie frite : pas la *French frie* mais l'authentique *Belgian frie,* cuite en deux temps ! En vrac, les classiques du pays du Manneken-Pis : croquettes de crevettes, moules-casserole, waterzooï, les inévitables frites servies dans un joli cornet chromé à spirale et les gaufres. Le chef, qui a fait ses classes dans un étoilé du plat pays, se permet quelques innovations gastronomiques. Excellentes bières d'importation, comme il se doit. Brunch réputé le dimanche autour du thème de la gaufre, des moules et... des œufs (on est quand même en Amérique !).

Sur le Mall et dans Downtown

Spécial petit déjeuner

☕ ***Protein Bar*** *(plan II, G5, **87**)* pour ses petits déj *healthy*. Lire ci-dessous.

Bon marché

I●I ***Buredo*** *(plan II, F4, **72**) : 825 14th Ave NW. Tlj sf dim 11h-21h.* Voir « Où manger ? Autour de Dupont Circle et Foggy Bottom ».

I●I ***Cava Grill*** *(plan II, G4, **98**) : 707 H St NW. ☎ 202-719-0111. Ⓜ Gallery Place Chinatown. Tlj 11h-22h. Plats env 9 $.* Dans la série des fast-foods sains, aux petits plats pleins de saveurs préparés à la chaîne, celui-ci joue dans la catégorie « cuisine méditerranéenne ». Pita, ou salade de riz ou de lentilles, auxquelles on ajoute 3 types de *dip* (houmous, caviar d'aubergine, etc.), une protéine (boulettes de viande, falafel, poulet) et le nombre de *toppings* de son choix (concombre, menthe, feta, olive, etc.). Et là-dessus, l'assaisonnement voulu. Les produits de base sont bons et l'ensemble se révèle goûteux et plein de fraîcheur. Le tout à emporter ou à déguster dans la salle lumineuse à l'étage.

I●I ***Mitsitam Café*** *(plan II, G5, **198**) : dans le National Museum of the American Indian, 4th St et Independence Ave. ☎ 202-633-1000. Ⓜ L'Enfant Plaza. Tlj 11h-17h. Plats 9-14 $.* C'est la cafétéria du Musée national dédié aux Amérindiens. Un très bon (et rare) point de chute pour déjeuner à proximité du Mall, même sans visiter le musée ce jour-là. Le menu, qui change à chaque saison, propose une sélection de plats inspirés de recettes traditionnelles des plus grandes régions natives. Cela va du *tamal* au *taco* en passant par le *ceviche,* entre autres... Pour un self, la qualité est au rendez-vous, même si ce n'est pas donné. D'ailleurs, c'est souvent plein à craquer le midi. Si vous le pouvez, essayez de trouver une place le long des grandes baies vitrées.

I●I ***Protein Bar*** *(plan II, G5, **87**) : 398 7th St NW. ☎ 202-621-9574. Lun-ven 7h-20h, sam 10h-16h. Plats 8-12 $.* Pour ceux qui aiment les nouvelles expériences, une chaîne de fast-foods *healthy,* c'est-à-dire censés être bons pour votre petite santé. Décor et état d'esprit quelque peu futuristes, donc amusants. Petits déj, *bar-ritos* (sortes de *burritos, of course*), salades et *bowls* sont à base de soja, de quinoa ou de tofu et censés vous apporter votre lot de protéines journalier. Le concept peut faire peur, mais les petits plats se révèlent frais, goûteux et plutôt généreux.

De prix moyens à chic

I●I ***Matchbox*** *(plan II, G4, **98**) : 713 H St NW. ☎ 202-289-4441. Ⓜ Gallery Place Chinatown. Tlj 11h (10h le w-e)-22h30 (23h30 ven-sam). Brunch le w-e 10h-15h. Plats 10-26 $.* Aux portes de Chinatown, dans une petite maison en brique, une ancienne épicerie chinoise reconvertie en resto façon loft sur 3 niveaux, avec une petite terrasse en hauteur. Les vedettes de la maison sont les pizzas au feu de bois et les miniburgers accompagnés d'*onion rings* (du tonnerre !). On y trouve aussi des plats plus sophistiqués (mais plus chers !). Tout est bon, original et joliment présenté. En dessert, ne manquez pas les petits beignets tout chauds au café et à la cannelle. Service un peu aléatoire, en revanche. *Succursale à **Capitol Hill** (plan II, H6, **98**) au 521 8th St SE.*

Oyamel *(plan II, G5, **103**) : 401 7th St NW. ☎ 202-628-1005. Ⓜ Archives Navy Memorial ou Gallery Place Chinatown. Tlj 11h30-minuit (2h jeu-sam). Repas 25-30 $.* Resto de nouvelle cuisine mexicaine orchestré par un chef à succès, dans un décor coloré et festif, lui aussi « néo » : colonnes sculptées, amusant plafond en fausses fleurs orange, suspension de papillons en vol et autres statuettes naïves. Les plats sont servis au format tapas pour pouvoir en picorer plusieurs et les partager (compter 3 pièces par personne pour être rassasié). *Frijoles, chayotes* ou encore *chapulines* (des tacos aux sauterelles grillées et épicées, avis aux amateurs !), *ceviche,* salades (de cactus) et autres plats traditionnels revisités. Le *guacamole* est préparé sous vos yeux. Bons desserts pour finir.

De chic à très chic

Zaytinya *(plan II, G4, **101**) : 701 9th St NW. ☎ 202-638-0800. Ⓜ Gallery Place Chinatown. Tlj 11h30-23h (minuit ven-sam, 22h dim-lun) ; brunch sam-dim. Résa conseillée. Repas 25-30 $ le midi et 45-50 $ le soir.* Le concepteur des lieux s'est aperçu que Grecs, Turcs et Levantins avaient en commun le goût pour les mêmes ingrédients culinaires. Il a donc élaboré, sur le principe des *mezze,* une carte plutôt longue qui mixe et revisite allègrement *falafel,* taboulé, *tzatziki,* houmous, kebabs, etc. Le tout servi en petites portions (compter 3 ou 4 *small plates* par personne pour un repas complet). Excellents desserts aussi. Repas à déguster dans un cadre très design, avec de grands espaces au niveau sonore assez élevé, ou sur la terrasse donnant sur une sculpture contemporaine.

Old Ebbitt Grill *(plan II, F4, **102**) : 675 15th St NW. ☎ 202-347-4800. Ⓜ McPherson Square. Lun-ven 7h30-1h, sam-dim 8h30-1h ; le bar reste ouv jusqu'à 2h dim-jeu et 3h ven-sam. Plats 13-30 $; 15 $ pour un hamburger ou un sandwich chaud.* Happy hours *(moitié prix !) à l'*Oyster Bar *lun-jeu 15h-18h et 23h-1h (2h ven-sam).* Cet immense restaurant, qui fait aussi bar, est un des plus anciens de la ville (1856), mais il changea plusieurs fois de lieu. Depuis 1983, il est installé dans un ancien théâtre à la belle façade Beaux-Arts, tout près de la Maison-Blanche. Cadre des plus élégant : orgie d'acajou, glaces et miroirs gravés, anciennes lampes à gaz, superbes fresques aux murs. Différentes ambiances selon les salles. Au-dessus du bar, des trophées d'animaux qui auraient été tués par Teddy Roosevelt. Malheureusement, la cuisine et le service ne se révèlent pas vraiment à la hauteur du décor. On se contentera donc du classique burger ou du simple *fish and chips* à prix raisonnable pour profiter du cadre sans se ruiner.

Sur H Street NE

Spécial petit déjeuner

Sidamo Coffee & Tea *(plan II, H4, **86**) : 417 H St NE. ☎ 202-548-0081. Ⓜ Union Station. Lun-ven 7h-19h, sam 8h-18h, dim 8h-17h. Moins de 10 $. CB refusées.* Ce petit café éthiopien se repère à sa grosse cafetière en façade. Décor tout simple mais chaleureux, avec une vitrine de bric et de broc. Bien sûr, le (bon) café tout comme le patron sont de là-bas... Mais les en-cas proposés, non. C'est simple (bagels ou croissants fourrés au petit déj, des salades pour grignoter le midi), mais la tranquille ambiance de quartier est vraiment très agréable.

Le café du ***Maketto*** *(hors plan II par H4, **81**),* avec ses bons cafés, thés et viennoiseries, peut être une alternative pour un petit déj léger.

De bon marché à prix moyens

Ethiopic Restaurant *(plan II, H4, **86**) : 401 H St NE. ☎ 202-675-2066. Ⓜ Union Station. Mar-jeu 17h-22h, ven-dim 12h-22h. Plats 9-17 $.* Un joli intérieur contemporain, avec murs de brique rouge ornés d'œuvres d'artistes éthiopiens (tout comme la musique qui, une fois n'est pas coutume, est diffusée à un niveau sonore « *ears friendly* » !). Les plats sont aussi réjouissants que le cadre. Mais même si le palais peut s'enflammer sous l'effet des épices, celles-ci ne masquent pas les saveurs subtiles et inhabituelles quand on ne connaît pas ce type de cuisine. Pour une découverte, le plateau de 7 petits plats végétariens à partager à 2 est une belle introduction. Pour info, c'est à Washington D.C. que l'on trouve la plus grande communauté éthiopienne en dehors de l'Afrique.

Maketto *(hors plan II par H4,* ***81****) :* *1351 H St NE (entre 13th et 14th St NE).* ☎ *202-838-9972.* Ⓜ *Union Station. Tlj 7h-22h (23h jeu, minuit ven-sam, 17h dim). Plats 6-12 $ le midi, 13-26 $ le soir.* On croit entrer dans un magasin de fringues trendy, mais ça fait aussi café à l'étage et resto au rez-de-chaussée (derrière la boutique), avec patio au fond. Le tout très branché, mais les prix ne s'emballent pas trop. Dans la grande salle blanc et noir aux grandes fenêtres à l'étage, les cafés et thés servis sont vraiment de qualité (et pas très chers). En revanche, pâtisseries et viennoiseries (sucrées ou salées) ne sont pas données. Au rez-de-chaussée, cuisine d'influence taïwanaise et cambodgienne, volontiers très épicée. Dans l'esprit, ici, on partage volontiers les plats entre convives (les plus chers sont d'ailleurs pour 2). Mention spéciale pour les *noodles,* la spécialité du chef Erik Bruner-Yang qui possède aussi, à un bloc de là, le ***Toki Underground*** *(hors plan II par H4,* ***81****) : 1234 H St NE (au-dessus du Pug).* ☎ *202-388-3086. Tlj sf dim 11h30-14h30, 17h-22h. Plats 12-15 $.* Cuisine moins « conceptuelle » qu'au *Maketto,* ce qui n'est pas pour nous déplaire, d'autant que les *ramen* et les *noodles* y sont délicieux !

De prix moyens à chic

Boundary Road *(plan II, H4,* ***88****) : 414 H St NE.* ☎ *202-450-3265.* Ⓜ *Union Station. Tlj sf lun midi 11h30-14h30, 17h30-22h.* Happy hours *en sem 15h-19h. Plats 15-30 $.* Un élégant décor de néobistrot US où règne une belle ambiance, avec des murs en brique, un joli bar et une cuisine ouverte. Le menu, qui change régulièrement, offre des plats de leur temps bien tournés. Bonne carte de bières pression (on vous conseille la *3 stars citra & lemon peel* en saison) et de vins, dont pas mal de *frenchies.* L'endroit est également apprécié pour ses cocktails.

Où déguster une glace ou une pâtisserie ? Où boire un bon café ?

L'été, les Washingtoniens font des orgies de glaces... et on les comprend, avec cette chaleur !

Autour de Dupont Circle et dans Adams Morgan

Mr Yogato *(plan I, B3,* ***89****) : 1515 17th St NW.* ☎ *202-629-3531.* Ⓜ *Dupont Circle. Tlj 12h-23h (1h ven-sam).* Un tout petit glacier *family friendly* et plein d'humour spécialisé dans un *frozen yogurt* généreusement servi. Si vous aimez le goût du yaourt nature, optez pour l'*original.* Sinon, plein de *toppings.* On peut même avoir une réduc sur présentation de *performances* : danser le *moonwalk,* chanter tel ou tel tube (voir la liste affichée à l'entrée !)... Jeux de société et consoles à disposition, mais peu de places assises en revanche.

Dolcezza *(plan I, B3,* ***75****) : 1704 Connecticut Ave NW.* ☎ *202-299-9116.* Ⓜ *Dupont Circle. Tlj 7h (8h le w-e)-23h (minuit ven-sam).* Une douceur à l'italienne... Le secret de fabrication de ce glacier : uniquement des fruits frais de saison pour les sorbets, du bon lait entier et des œufs de la ferme pour les *gelati.* Pas donné, mais les saveurs sont souvent originales, toujours exquises et le cadre très chaleureux : table commune en gros bois où les clients « wifisent » à donf, petits carreaux rétro au sol, comptoir ancien. Mention spéciale aussi pour la bonne sélection de cafés italiens.

Tryst *(plan I, B2,* ***142****)* **:** une belle adresse « à tout faire », y compris boire un café accompagné de gourmandises en journée. Lire plus bas « Où boire un verre ? Où sortir ? Où écouter de la musique ? Dans Adams Morgan ».

Dans Shaw et Downtown

Compass Coffee *(plan I, C3,* ***123****)***:** *1535 7th St NW.* Ⓜ *Shaw-Howard University. Tlj 7h-20h.* Enseigne de Washington créée par 2 anciens *marines* qui ont développé leur goût commun pour le noir breuvage alors qu'ils servaient tous les deux en Afghanistan. On aime l'esprit de la maison : proposer des cafés de grande qualité, mais sans devenir chichiteux ni tomber dans les travers de ce type d'adresses. La carte se limite aux traditionnels *americano, espresso,* capuccino et consorts. Mais bien servis et avec le sourire ! Dans un cadre lumineux semi-industriel, avec en bruit de fond le café en train d'être torréfié. Un lieu où l'on s'attarde volontiers. D'ailleurs, au royaume de la Pomme lumineuse, attention aux nombreux cordons d'alimentation qui serpentent sur le sol ! Autre adresse dans **Downtown** *(plan II, G4,* ***123****)* au 650 F St NW. Pratique pour s'octroyer une petite pause entre 2 musées.

Busboys and Poets *(plan I, C2,* ***69****)* est aussi un bel endroit pour faire une pause gourmande caféinée.

À Georgetown

Thomas Sweet *(plan III, I7,* ***120****)* **:** *3214 P St NW. ☎ 202-337-0616. Tlj 10h-22h30 (minuit ven-sam) ; ferme à minuit tlj en été (1h ven-sam).* Depuis 1979, l'un des glaciers favoris des familles. Grandes tablées pour déguster glaces crémeuses bien ricaines, couvertes de *toppings* colorés, *frozen yogurt* et *shakes.* Les parfums sont écrits à la craie sur un tableau, comme à l'école. Également une petite chocolaterie spécialisée dans les *fudges.*

Baked & Wired *(plan III, J8,* ***121****)* **:** *1052 Thomas Jefferson St NW. ☎ 202-333-2500. Tlj 7h (8h sam, 9h dim)-20h (21h ven-sam).* Un petit café-pâtisserie à l'esprit bobo-*arty* situé juste à côté d'un adorable petit pont enjambant le C & O Canal. D'un côté, le comptoir des très bons cafés, de l'autre celui des pâtisseries (intéressant comme concept, mais pas très pratique quand on veut les deux et que les files d'attente sont très longues, notamment le week-end). Les *pies* aux fruits sont mémorables, les *cupcakes* (artistiquement présentés) aussi. Pour déguster ces petites douceurs, plein de coins et recoins et des fauteuils dépareillés où s'enfoncer.

Georgetown Cupcake *(plan III, I7-8,* ***122****)* **:** *3301 M St. ☎ 202-333-8448. Tlj 10h-21h (20h dim).* Cette petite échoppe d'un blanc immaculé ne désemplit pas. On y sert les *cupcakes* les plus courus de D.C. La préparation se fait en direct et vu le débit, le moelleux est garanti ! Une dizaine de parfums fixes et des *specials* tous les jours.

Et aussi la maison mère de **Dolcezza** *(plan III, I7,* ***75****)* : *1560 Wisconsin Ave.* Lire plus haut.

Sur H Street NE

Chacun dans un genre assez différent, **Maketto** *(hors plan II par H4,* ***81****)* et **Sidamo Coffeee & Tea** *(plan II, H4,* ***86****)* sont des endroits agréables pour s'offrir un bon café ou thé.

Où boire un verre ? Où sortir ? Où écouter de la musique ?

Pour les salles de concert, on vous conseille de bien vous renseigner sur la programmation (sites internet, bouche à oreille), voire de tendre l'oreille à l'extérieur (parfois on peut rentrer dans le bar sans payer l'entrée).

Dans Adams Morgan

18th Street regorge de cafés-bars, à fréquenter plutôt en semaine pour les apprécier. Le week-end, ils sont envahis par les étudiants éméchés... Toutes les adresses plus bas se situent dans un rayon de 300 m autour d'une véritable institution : *Madam's Organ*.

Madam's Organ *(plan I, B2, **139**) : 2461 18th St NW. ☎ 202-667-5370. • madamsorgan.com • Tlj 17h-2h (3h ven-sam). Entrée gratuite avt 20h, puis env 5-10 $ après. Plats 8-15 $.* Le décor est digne d'un inventaire à la Prévert : animaux empaillés, lampes étranges, bondieuseries, vélos et instruments de musique, portraits d'Indiens, guirlandes de loupiotes rouges. C'est *THE* temple du blues, bluegrass, R'n'B, latino et reggae. La meilleure place est au vieux comptoir de bois. On aime bien leur humour et leur slogan : *« Where the beautiful people go to get ugly. »* Concerts tous les soirs. Belle programmation de blues, et le taux de décibels explose près du *stage*. Au-dessus, des billards, un *hideaway deck* où l'on peut manger de la cuisine du Sud *(soul food)*, et régulièrement soirée « Open Mic » ou karaoké. Une de nos adresses préférées.

Tryst *(plan I, B2, **142**) : 2459 18th St NW. ☎ 202-232-5500. Tlj 6h30 (7h dim)-minuit (2h ven-sam). Plats 7-15 $.* Le Q.G. des jeunes qui viennent tous ici avec leur ordinateur portable pour potasser leurs cours, bouquiner ou se détendre. Immense salle tamisée, ouverte en saison directement sur la rue. Long comptoir et *tin ceiling*. Atmosphère bourdonnante, mais confort cosy qui incite à s'incruster un bon moment : banquettes et profonds fauteuils dépareillés, cheminée et petite bibliothèque. Pour les amateurs de café, 10 variétés différentes. De quoi assouvir les fringales, avec de bons gros gâteaux, des gaufres, mais aussi du salé (bons sandwichs, soupes maison, salades).

Et aussi : ***Jack Rose Dining Saloon*** *(plan I, B2, **79**) :* voir « Où manger ? » plus haut.

Dans Shaw et autour de Logan Circle

Le U Street Corridor et 14th Street sont indéniablement des quartiers de DC qui bougent, avec leurs bars et restos branchés en tout genre.

9 : 30 *(plan I, C2, **135**) : 815 V St NW. ☎ 202-265-0930. • 930.com • Ⓜ U Street-Cardozo. Concerts : 20-35 $ en moyenne, 45-55 $ pour les pointures.* Dans un environnement d'entrepôts, le fameux club *Nine Thirty* dégage toujours autant d'énergie. Salle haute de plafond et *sound* remarquable, public jeune toujours très rock, un poil marginal, un zeste destroy, et presque blanc en totalité... Superbe programmation. Plusieurs bars du sous-sol au balcon. Concerts quasiment tous les soirs.

Black Cat *(plan I, C2-3, **136**) : 1811 14th St NW. ☎ 202-667-4490. • blackcatdc.com • Ⓜ U Street-Cardozo. Dim-jeu 20h-2h, ven-sam 19h-3h. Résa conseillée pour les grosses pointures. Pour les plus petits concerts, achat sur place le soir même. Entrée : de gratuite à 15 $ en moyenne. CB refusées.* Une boîte créée en 1993 alors que U Street connaissait un regain d'activité. Véritable temple de la musique alternative underground nationale et internationale. Des artistes comme Arcade Fire, Jeff Buckley ou Jamiroquai s'y sont produits. 2 salles : le *mainstage*, grand espace au damier noir et blanc d'une surface de 7 000 m^2, où se produisent les têtes d'affiche. Et le *backstage*, pour 200 personnes seulement, idéal pour une session solo, indie, punk ou encore une soirée DJ. Ambiance électrique. Bar avec billard, tout rouge, style garage. Pour les petits creux, une pièce turquoise avec juke-box, où l'on propose une excellente carte végétarienne (ou non) à prix doux.

Archipelago *(plan I, C2, **130**) : 1201 U St NW. ☎ 202-627-0794. Ⓜ U Street. Tlj sf lun 17h-2h (3h). Cocktails 11-15 $.* Direction Hawaï et ses palmiers dans ce bar en mezzanine. Déco un brin kitsch et *cheap* avec fresque murale et des poissons au plafond en guise de luminaires. Mais quand c'est assumé et que les cocktails sont bons, on ne prête plus vraiment attention au kitsch (surtout après plusieurs verres !). Enfin un endroit qui reste avant tout un bar, même s'il est possible de commander quelques snacks pour absorber le rhum. Ambiance décontractée et bon enfant, avec des noms de cocktails qui intriguent (*« If the Phone don't ring, it's me »*) et d'autres beaucoup plus explicites (*« Going Down With the Ship » !*).

🍸 ♩ |●| **Policy** *(plan I, C2,* ***134*****) :** *1904 14th St NW.* ☎ *202-387-7654.* Ⓜ *U Street. Tlj 17h-23h (minuit jeu, 3h ven-sam).* Happy hours *17h-20h (19h ven-sam). DJ jeu-sam à partir de 22h-22h30 (pas de cover).* Ce *lounge* design est un des spots hype du U Street Corridor. La déco, très étudiée et tape-à-l'œil, est un mélange de styles qui fait son petit effet : industriel tendance grunge, baroque et pop. Partout, des éclairages particulièrement originaux. Au rez-de-chaussée, c'est la partie resto chic. Le bar-*lounge* est à l'étage, prolongé par une terrasse en hauteur qui ferme malheureusement ses portes lorsque le DJ entre en scène. Pas la peine d'arriver tôt...

🍸 ♩ Et aussi : ***Busboys and Poets*** *(plan I, C2,* ***69****)* et le bar **Churchkey** au-dessus du resto ***Birch & Barley*** *(plan I, C3,* ***73****).* Voir « Où manger ? ».

Sur H Street NE et autour

🍸 ***H Street Country Club*** *(hors plan II par H4,* ***132*****) :** *1335 H St NE.* ☎ *202-399-4722. Tlj 17h-1h30 (2h ven-sam). Minigolf 7 $/pers (gratuit si l'on dîne sur place lun-mar).* Un bar axé sur les jeux pour adultes (en tout bien tout honneur !). Au rez-de-chaussée, l'ambiance reste tranquille avec des tables de palet et autres jeux de café. Mais au fil des heures et plus on avance dans la semaine, plus ça se déchaîne. Et c'est au 1er qu'il faut monter car la surprise est de taille : un parcours de minigolf paysager, sur le thème de Washington D.C., plein d'humour et de fantaisie, entre le macabre et le grotesque. Et pour se remettre de ses émotions, la terrasse sur le toit et son bar.

🍸 ***Biergarten Haus*** *(hors plan II par H4,* ***132*****) :** *1355 H St NE.* ☎ *202-388-4053. Tlj 16h (11h le w-e)-23h (minuit jeu et dim, 2h ven-sam).* Une authentique taverne bavaroise en plein D.C. ! Le must, c'est le *Biergarten* à l'arrière et la terrasse sur le toit. Les amateurs de bière seront servis, ici c'est *Oktoberfest* toute l'année ! Pas moins d'une douzaine de pressions et une carte de plats germaniques pour éponger tout ça.

🍸 |●| ***The Dubliner*** *(plan II, G4,* ***99*****) :** *520 N Capitol St NW.* ☎ *202-737-3773.* Ⓜ *Union Station. Tlj 11h-2h (3h ven-sam).* Irish country brunch *sam-dim 11h-15h. Tlj à 21h (19h30 dim), musique celtique. Plats 10-16 $.* Pub irlandais assez chic. Élégante décoration intérieure en bois sombre sculpté, avec gravures anciennes et belles estampes historiques (sur Robert Emmet et les Irish Volunteers de 1799). Pas mal de charme. En fin d'après-midi et le soir, sur la petite terrasse, l'un des rendez-vous des yuppies, mais pas seulement. *Irish stew, beef O'Flaherty* et le *Guinness-burger,* la spécialité de la maison !

Downtown

🍸 ***Capitol City Brewing Company*** *(plan II, F4,* ***143*****) :** *1100 New York Ave NW.* ☎ *202-628-2222.* Ⓜ *Metro Center. Tlj 11h-minuit (1h ven-sam, 22h dim).* Dans une belle brasserie volumineuse, avec 7 m de hauteur sous plafond ! Excellentes bières, à prix raisonnables. Essayer la *Capitol Kolsh,* style allemande, dorée et très rafraîchissante, ou la *Pale Rider,* légèrement ambrée et fruitée. On peut aussi y manger une cuisine américaine simple mais honnête et à prix relativement doux. Ambiance chaleureuse, bon enfant mais... bruyante, comme bien souvent !

Dans Georgetown

🍸 ♩ |●| ***Blues Alley*** *(plan III, I-J8,* ***160*****) :** *1073 Wisconsin Ave NW (entre M St et Blues Alley, une ruelle perpendiculaire à Wisconsin).* ☎ *202-337-4141. • bluesalley.com • Jazz sessions à 20h et 22h (dîner dès 18h). Résa fortement conseillée. Entrée : à partir de 15 $ et jusqu'à 35 $ pour les pointures. Plats 20-25 $.* C'est LE club de jazz chic de D.C. On peut y dîner (spécialités de La Nouvelle-Orléans portant des grands noms du jazz) ou bien seulement y boire un verre. Cela dit, atmosphère quelque peu formelle, voire conformiste. Pas mal de *jazzwomen* s'y produisent.

Achats

Les boutiques des grands musées : dans cette ville culturelle par excellence, le plus sympa est de rapporter un petit souvenir des musées qu'on a aimés. À part les incontournables *mugs* et tee-shirts, on trouvera souvent des objets et gadgets originaux. Un catalogue ou un ouvrage d'art pour les amoureux de la peinture, un vêtement coloré à l'*American Indian,* un avion télécommandé au *National Air and Space Museum,* un objet design au *Hirshhorn,* les célèbres lunettes noires de Jackie Kennedy ou bien un de ses colliers, un fac-similé de la Déclaration d'indépendance des États-Unis... bref, vous aurez l'embarras du choix !

Tysons Corner Center : *1961 Chain Bridge Rd,* ***Tysons*** *(Virginie).* ☎ *703-893-9400. À env 11 km à l'ouest de Washington, en direction de l'aéroport de Dulles, par la I 495 (sortie 47 B). Lun-sam 10h-21h30, dim 11h-19h.* Un énorme Mall comme les Américains adorent, bien pratique pour se caler une petite séance shopping avant de reprendre l'avion. Nombreuses enseignes chères aux Français : *Abercrombie, Crate & Barrel, Hollister, LL Bean, Lucky Brand...*

À voir

– ***Les musées de la Smithsonian Institution :*** *à quelques exceptions près, ces musées sont situés sur le Mall.* ***Ils sont GRATUITS et ouverts tlj*** *(sf Noël). Rens :* ☎ *202-633-1000.* • *si.edu* • Pour commencer, procurez-vous la brochure de la *Smithsonian Institution* où figurent toutes les informations pratiques. Vous la trouverez notamment au ***Smithsonian Institution Building (The Castle ;*** *plan II, F5,* ***196***) qui sert de *visitor center* à l'ensemble *(tlj 8h30-17h30).* La plupart de ces musées sont vraiment grands et donnent l'impression de toujours être dans un processus de ***rénovation.*** Il n'est donc pas rare qu'une aile ou une autre soit fermée pour cause de travaux. Ces travaux sont parfois pour une durée indéterminée ou plus longs que prévus, par conséquent avant de parcourir quelques kilomètres à pied, le mieux est de vérifier ce qu'il en est réellement. La plupart de ces musées sont aussi très denses et plus « bavards » que vraiment interactifs. Par conséquent, en visiter deux dans la même journée est déjà beaucoup. Leur ***gratuité*** permet cependant ***d'étaler leur visite sur plusieurs jours,*** ce qui peut être intéressant avec des enfants. Par ailleurs, les pièces exposées ont tendance à tourner, y compris dans les collections permanentes, d'où notre choix dans certains musées de ne pas citer des œuvres que vous risquez de ne pas voir. Enfin, les Américains sont friands de musées sur l'Espace, les sciences naturelles, l'histoire américaine, etc., mais ils délaissent les musées d'art. Si la foule vous pèse, réfugiez-vous dans le grand Art, vous serez peinard...

– Nous avons choisi de présenter chaque musée ***dans l'ordre où vous les croiserez en parcourant le Mall.*** Notez que tous les musées gratuits ne dépendent pas nécessairement de la Smithsonian Institution. Ce n'est pas le cas, par exemple, de l'Holocaust Museum ou de la National Gallery of Art.

LA GRANDE RICHESSE DES MUSÉES DE LA SMITHSONIAN INSTITUTION

Elle constitue l'attrait touristique principal de Washington. On les doit au scientifique anglais James Smithson, qui, en 1829, légua aux États-Unis sa collection de pierres et de livres, ainsi que l'équivalent d'un demi-million de dollars en or, afin de financer une institution destinée à favoriser le savoir.

– En plein été, alors qu'il fait une chaleur caniculaire à l'extérieur, la ***clim*** est toujours poussée à fond. Toujours emporter une bonne petite laine si vous voulez profiter de la visite.
– La plupart des musées sont impeccablement équipés pour les ***personnes handicapées.***

Sur le Mall (plan II)

ЖЖЖ ***Le Mall*** est le nom donné aux 3,5 km de verdure et de monuments qui séparent le Capitole du fleuve Potomac. On y trouve surtout la Maison-Blanche, le Lincoln Memorial (et autres mémoriaux), le Capitole et la Smithsonian Institution, ensemble de grands musées gratuits, à la gloire de l'Amérique et du gouvernement fédéral.

ЖЖ ***La Maison-Blanche (White House ;*** *plan II, F4)* ***:*** *1600 Pennsylvania Ave NW. ☎ 202-456-1111. • whitehouse.gov • Ⓜ McPherson Square, Federal Triangle ou Metro Center.* ***Ne se visite plus,*** *mais site internet exceptionnel : on fait une visite en profondeur de la Maison-Blanche à travers textes, photos, dessins et vidéos.*
L'architecte (irlandais) qui l'a construite s'est directement inspiré du château de Rastignac, dans le Périgord. Résidence présidentielle depuis 1800, incendiée en 1814 lors de la guerre contre l'Angleterre, la Maison-Blanche doit son surnom au badigeon que l'on passa alors sur ses murs calcinés.

L'INDICE PIZZA

Les journalistes accrédités à la Maison-Blanche ont l'habitude de surveiller de près les commandes de pizzas effectuées pour les conseillers du Président. Plus le nombre de pizzas est important, plus la crise est sérieuse. Dans ces moments-là, pas question de sortir pour aller au restaurant. Tous restent consignés, parfois des nuits entières, dans leur bureau ou en réunions interminables.

– Au nord de la Maison-Blanche s'étend le ***La Fayette Square,*** baptisé ainsi après le retour triomphal du marquis en 1824. Au milieu, Andrew Jackson (la première statue équestre réalisée en Amérique). Les étrangers, héros de la révolution américaine, lui tiennent compagnie : La Fayette, bien sûr, Rochambeau, F. W. von Steuben (qui entraîna militairement une partie de l'armée)... Sur cette partie de Penn Avenue, réservée aux piétons et très surveillée par les services de sécurité, quelques remarquables maisons de notables.

ЖЖ ***Washington Monument*** *(plan II, F5)* ***:*** *2 15th St NW. ☎ 202-426-6841. • nps.gov/wamo • Ⓜ Federal Triangle ou Smithsonian. Tlj 9h-17h (22h fin mai-début sept). Les tickets gratuits s'obtiennent directement sur place au kiosque (15th St et Jefferson Dr), mais arriver en fin de matinée max, sinon c'est cuit (le guichet ouvre à 8h30). On peut aussi réserver (frais de résa 1,50 $) par tél au ☎ 1-877-444-6777 ou sur le site • recreation.gov •* Impossible de louper la plus haute structure de maçonnerie pure du monde (près de 170 m de haut), en forme d'obélisque, élevée aux alentours de 1885 en l'honneur du premier président des États-Unis. Son achèvement dura en fait plus de 30 ans, ce qui explique les différences de tons de marbre sur la façade. Du sommet, bien sûr, superbe vue (même si elle est un peu obstruée par le nombre de visiteurs).

ЖЖЖ Depuis le Washington Monument part un véritable ***circuit des mémoriaux*** *(GRATUIT).* On vous conseille vraiment de tous les parcourir, à pied (soit une très agréable promenade d'une demi-journée) pour avoir une vue d'ensemble, car à travers tous les événements ou personnages clés évoqués, c'est l'histoire du pays que l'on touche. Ces mémoriaux sont en effet un parfait reflet des enjeux politiques, esthétiques et sociaux des États-Unis au fil du temps. En revanche, conseil d'ami : en été, commencer la visite tôt le matin ou en fin d'après-midi ou début de soirée, quand la chaleur relâche son étau. Des brochures explicatives sur la plupart des monuments sont à la disposition des touristes dans les *Visitor Centers* disséminés un peu partout sur le Mall. Notez aussi que des *rangers* donnent gratuitement des explications à certaines heures.

– ***World War II Memorial*** *(plan II, F5)* **:** *sur 17th Ave, entre Constitution et Independence Ave.* Le mémorial de la Seconde Guerre mondiale fut inauguré par G. W. Bush en 2004. Autour d'un plan d'eau ovale doté de jets d'eau rafraîchissants, deux ensembles semi-circulaires en granit figurent les théâtres d'opérations, Atlantique et Pacifique, où les Américains ont combattu et où 400 000 d'entre eux sont tombés (un carnage seulement égalé par la guerre de Sécession). Chaque bataille est gravée dans la pierre, citations célèbres à l'appui. Chaque stèle garnie de bronze représente un des 50 États de l'Union (bizarrement, les Philippines en font partie). Ici et là, quelques photos de disparus collées ou posées avec une fleur donnent un peu d'humanité à cet ensemble monumental froid, sévère et terriblement classique, voire démodé. Citations gravées de Roosevelt (sur le rôle des femmes pendant la guerre), de McArthur et de Nimitz à la bataille de Midway. Des bas-reliefs relatent les grands épisodes du conflit, mais curieusement, les bombes d'Hiroshima et Nagasaki sont escamotées...

CRI DU GUERRE

Lors du débarquement en Normandie, les parachutistes américains prirent l'habitude de crier « Geronimo » pour conjurer la peur. Un choix surprenant quand on sait la véhémence et le courage de ce chef indien dans la lutte contre les troupes américaines. Curieusement, l'opération commando des Navy Seals au nom de code « Trident de Neptune » pour éliminer Ben Laden en 2011 utilisa Geronimo pour en désigner la cible, ce qui provoqua la colère des communautés indiennes.

– ***Albert Einstein Monument*** *(plan II, E5)* **:** *Constitution Ave, devant le building de la National Academy of Sciences.* Un peu à l'écart du Mall, ce petit monument touchant, signé Robert Berks, ne fait pas vraiment partie du circuit classique des mémoriaux. Le grand homme est assis, vieux, profondément humain et sympathique. Il tient un livre sur lequel sont inscrites les formules de ses grandes découvertes. Et pour une fois, il ne tire pas la langue !

– ***Vietnam Veterans Memorial*** *(plan II, E5)* **:** *Constitution Ave (entre Henry Bacon Dr et 21st St).* Inauguré en 1982, ce monument a la forme d'un immense V de granit noir, enfoncé tel un coin dans la terre (symbolisant également une cicatrice) et sur lequel sont gravés, par ordre chronologique de 1959 à 1975 et de part et d'autre en commençant par le centre, les noms des 58 022 victimes américaines de la guerre du Vietnam (morts, prisonniers de guerre ou disparus). La simplicité, le dépouillement architectural total du monument produisent une émotion profonde, comme si l'on entrait peu à peu à l'intérieur d'une gigantesque tombe de plus en plus haute... On ne voit plus que la masse de noms, impressionnante. Il n'est pas rare que certains visiteurs déposent des fleurs, des dessins d'enfants ou immortalisent un membre de leur famille en passant un crayon de graphite sur un papier.

Les vétérans souhaitaient un monument qui rende hommage

UNE GUERRE TERRIBLE

58 022 soldats américains moururent au Vietnam (moyenne d'âge : 23 ans). On sait moins que pratiquement le double se suicida après leur retour au pays. Dans les années 1980, environ 25 % des SDF étaient des vétérans. Il fallut attendre 1982 pour que soit érigé à Washington un monument aux morts du Vietnam.

à chacune des victimes de cette guerre, et c'est une architecte de 21 ans, Maya Lin, qui remporta le concours devant plus de 1 400 concurrents. Bien sûr, cette architecture insolite, vraiment peu conventionnelle pour un monument aux morts, suscita l'hostilité des conservateurs de tout poil. D'ailleurs, aucun argent fédéral ne fut affecté à sa construction, ce sont les dons aux associations de vétérans qui servirent de financement. Aussi, pour apaiser les mécontents, un autre sculpteur réalisa-t-il une seconde œuvre, totalement réaliste pour le coup. Ces trois soldats de bronze, par leur conformisme d'exécution (muscles saillants, air déterminé), ne font que révéler encore plus la tragique et émouvante pudeur de l'autre monument vers lequel leurs regards sont d'ailleurs tournés, comme s'ils s'interrogeaient...
Juste à côté, les sculptures de bronze du ***Vietnam Women's Memorial*** furent inaugurées 11 ans après, suite au lobbying d'une ancienne infirmière de guerre. Rappelons quand même que 11 000 Américaines ont servi au Vietnam, la plupart en tant qu'infirmières (seules huit d'entre elles périrent), sauvant 98 % des blessés acheminés vers les hôpitaux. Ces trois femmes sculptées dans le bronze, dont une Afro-Américaine, font écho aux trois guerriers. Si les budgets sont trouvés, un *Vietnam Veterans Memorial Center* devrait encore compléter cet ensemble.

– ***Lincoln Memorial*** *(plan II, E5)* **:** *à l'extrémité ouest du National Mall.* Basé sur le modèle grec du temple de Zeus à Olympie, ce monument tout de blanc vêtu est particulièrement imposant la nuit (et éblouissant de jour par grand soleil !). Une fois ses larges colonnes doriques franchies, on se trouve nez à nez avec la fameuse statue de marbre du 16e président des États-Unis (6 m de haut) assis comme sur un trône, sculptée par un certain French (!). Au-dessus des 36 majestueuses colonnes, le nom des 36 États qui composaient l'Union en 1865. Ce monument, un des symboles de Washington, a toujours été lié aux droits civiques. C'est souvent d'ici que partent les manifestations, les mouvements polémiques. Le discours mythique de Martin Luther King, « I have a dream », fut prononcé ici, le 28 août 1963, devant 200 000 personnes (plaque gravée à mi-escalier). Depuis le sommet des marches, très belle perspective sur la *Reflecting Pool* (inspirée du Taj Mahal et des bassins de Versailles), le Washington Monument et le Capitole.

– ***Korean War Veterans Memorial*** *(plan II, E5)* **:** *Independence Ave.* Ces soldats argentés progressant sous la pluie en terrain ennemi peuvent sembler totalement quelconques... Placez-vous côté est (face aux soldats) et regardez le mur de basalte sur lequel sont gravées les photos de ceux qui pensent à eux. Les statues se reflètent sur le mur dans une tonalité proche du blanc des gravures (c'est pour cela qu'elles sont de couleur argent), et l'ensemble évoque alors bien l'immatérialité du souvenir et de la pensée.

– ***Martin Luther King Memorial*** *(plan II, E5)* **:** *1964 Independence Ave.* Inauguré par Barack Obama en 2011 après plus de 20 ans d'attente et de négociations. Ce mémorial, réalisé par le sculpteur chinois Lei Yixin, revêt d'autant plus d'importance que c'est la première fois qu'un monument aussi imposant du Mall est dédié à une personnalité qui ne fut pas président des États-Unis, de surcroît à un Afro-Américain. Dans un bel espace ouvert de 1,5 ha, en bordure du Potomac. On vous conseille de découvrir le monument par l'arrière, en pénétrant entre les deux blocs de granit qui forment la montagne du Désespoir *(Mountain of Despair).* L'étroitesse du passage laissé au visiteur symbolise la lutte que Martin Luther King dut mener tout au long de sa vie. De cette montagne semble littéralement surgir la pierre de l'Espoir *(Stone of Hope)* et, au dos de cette pierre haute de 9 m, face au *Tidal Basin,* l'imposante statue du grand défenseur des droits civiques, bras croisés et l'air déterminé, face au Jefferson Memorial, de l'autre côté du Potomac. Sur un versant de la statue, une citation : *« Out of the Mountain of Despair a Stone of Hope »,* formule extraite du célèbre *« I have a dream ».* Une seconde inscription, paraphrasée d'un discours prononcé par King peu de temps avant son assassinat (*« I was a drum major for justice, peace and righteousness »,* soit « J'étais le tambour-major de la justice, de la paix et de la vertu »), fut jugée un temps trop arrogante mais a finalement été conservée. Autour de ces blocs monolithiques blancs, le mur des Inscriptions *(Inscription Wall),* sur lequel sont gravées

14 citations de M. L. King véhiculant ses messages intemporels de démocratie, justice, espoir et amour. L'une des plus belles peut-être : *« Darkness cannot drive out darkness, only light can do that. Hate cannot drive out hate, only love can do that. »*

– ***Franklin Delano Roosevelt Memorial*** *(plan II, E6)* **:** *W Basin Dr et Ohio Dr.* Ce mémorial est dédié à celui qui, exceptionnellement, pour cause de Seconde Guerre mondiale, fut élu quatre fois président des États-Unis. Bien que malade dès les années 1920 (de ce que l'on a longtemps cru être la polio mais qui pourrait s'avérer être le syndrome de Guillain-Barré), le père du New Deal s'employa à cacher son handicap au peuple américain (notamment en apparaissant presque toujours debout en public alors qu'en privé, il se déplaçait en fauteuil roulant). Malgré l'allure hiératique des sculptures, dans les poses, honneur et droiture sont de mise... même pour son fidèle Scottie ! Un lieu qui inspire calme, sérénité et respect, où l'on chemine entre des murs de granit rose, des parterres fleuris et des cascades, en lisant des citations de ce président courageux, humble et bien-aimé.

– ***Jefferson Memorial*** *(plan II, F6)* **:** *tlj 9h-23h.* Encadrée de cerisiers, cette rotonde de style palladien ouverte aux quatre vents et abritant une imposante statue de Jefferson, est l'un des monuments les plus identifiables de la capitale. Aux murs sont gravées certaines de ses déclarations, à méditer et à mettre en regard des actions américaines depuis sa présidence... Au rez-de-chaussée (entrée sur le côté), expo intéressante sur l'homme éclairé qu'était Jefferson et sa vision politique pour l'Amérique.

UN BILLET PLUS VERT QUE VERT

Nul besoin de décimer des forêts pour fabriquer les dollars. Contrairement aux apparences, le célèbre billet vert n'est pas fabriqué à base de papier mais de tissu ! Eh oui, il est composé de 75 % de coton et de 25 % de lin. Avant la Première Guerre mondiale, des fibres de soie entraient même dans sa composition. Dur d'être faussaire !

★ ***Bureau of Engraving and Printing*** *(plan II, F5-6,* ***189****)* **:** *à l'angle de 14th et C St. ☎ 202-874-2330. • moneyfactory.gov • Ⓜ Smithsonian. Visite en sem slt : ttes les 15 mn, 9h-10h45, 12h30-14h ; plus 14h15-15h45 et 17h-18h avr-août. GRATUIT, mais mars-août nécessité de retirer un billet avec un créneau horaire au kiosque sur Raoul Wallenberg Pl (celui-ci ouvre à 8h, mais la queue se forme dès 6h30 !).* Créées en 1862, les presses débitent 7 000 planches par heure, soit 125 millions de dollars par jour ! Ici, on apprend tout sur le billet vert. Trois étapes importantes ont marqué son histoire : 1792, le dollar est créé sous forme de pièce ; en 1861, le papier-monnaie apparaît en pleine guerre civile ; enfin, en 1929, le dollar prend sa forme, sa couleur et son odeur définitives. Rien ne distingue les billets de 1, 5, 10, 20, 50 ou 100 $, sauf le portrait qui y figure en médaillon. Des coupures allant jusqu'à 10 000 $ ont été émises. C'est en 1957 qu'apparut la mention obligatoire *In God we trust* (*Others pay cash,* ironisent certains commerçants). On montre comment repérer une contrefaçon, que faire si l'on a un faux billet entre les mains, quel genre de talent il faut pour l'imprimer.

★★★ 👪 ***U.S. Holocaust Memorial Museum*** *(plan II, F5)* **:** *100 Raoul Wallenberg Pl, à l'angle d'Independence Ave et de 14th St SW. ☎ 202-488-0400. • ushmm.org • Ⓜ Smithsonian. Tlj sf Yom Kippour et Noël 10h-17h30. GRATUIT, mais* ***le nombre de billets d'entrée est limité de mars à août inclus.*** *On peut alors réserver son billet soit sur le site internet du musée le jour même (à partir de 6h), soit le retirer au guichet du côté de 14th St à partir de 9h45 (venir le plus tôt possible, et en tout cas pas l'après-midi). Compter min 3h de visite. Celle-ci peut se faire avec des enfants dès 10-12 ans (une partie leur est même spécifiquement destinée) à condition, évidemment, qu'ils soient bien accompagnés.*

Ce musée retrace le génocide juif, les actes d'héroïsme et l'histoire des survivants de la Seconde Guerre mondiale. Sans doute le mieux conçu au monde sur le sujet, même s'il se peut qu'un Européen connaissant un minimum la question n'apprenne pas grand-chose de nouveau. Par ailleurs, le sujet est traité à travers un regard assez américain. Soulignons cependant le remarquable travail fait en la matière : la façon dont les États-Unis ont traité la question juive est ici abordée sans se voiler la face.

D'abord, parlons de ***l'architecture du lieu.*** L'architecte, James Ingo Freed, visita au préalable nombre d'anciens ghettos et camps de concentration. Pour lui, il s'agissait de réintroduire dans son projet, de façon métaphorique, subtilement (à la limite du subliminal), ses observations physiques et toutes ses émotions. Le résultat est extraordinaire. Les allusions à l'Holocauste ne sont jamais évidentes ou ouvertement suggérées. D'ailleurs, chaque visiteur peut interpréter à sa façon ces signes. Mais c'est peut-être leur accumulation qui est destinée à le troubler, voire à le perturber. Déroulement chronologique de la visite :

4th floor *(dernier étage)*

Des origines de l'antisémitisme, l'affaire Dreyfus, les pogroms russes, l'émergence des théories raciales en biologie... tout ce qui explique sans l'excuser ***les fondements de l'Holocauste.*** La ***période 1933-1939*** (la prise de pouvoir des nazis). Documents inédits, discours, films, toute la mise en place du système nazi dans son implacable et inexorable logique. Les persécutions de la communauté juive, les livres brûlés, centres culturels dévastés, synagogues incendiées... Mais aussi ***les autres communautés pourchassées*** : tsiganes, homosexuels, francs-maçons, etc. Très intéressante section (« *American responses* ») sur la manière dont les Américains ont réagi face à la question juive. Autre avantage : c'est l'un des rares endroits où l'on s'asseoit pour regarder les différents petit films !

3rd floor *(2e étage)*

1940-1945 (la Solution finale). Mise en place des instruments de la destruction du peuple juif. Les ***ghettos*** et les ***camps de transit*** en France, comme Pithiviers, Drancy, Gurs, Beaune-la-Rolande... Témoignages sur les ghettos de Terezin, Lódz, Kovno... Vestiges du ***mur de Varsovie.*** Massacres par les *mobile killing squads.* Photos émouvantes des dirigeants de l'insurrection du ghetto de Varsovie. Subtilement, à l'image de l'ensemble du musée, on vous fait passer dans un wagon de la déportation. Témoignages sur la sélection à l'entrée des camps, la vie à l'intérieur, le travail comme esclaves. Les ***chambres à gaz*** sont évoquées par une maquette en trois parties d'un blanc immaculé. L'horreur absolue ! Terrifiantes vidéos relatant les « expériences médicales » pratiquées sur les juifs, et témoignages sonores de survivants sur la vie dans les camps.

2nd floor *(1er étage)*

The Last Chapter. La ***résistance des partisans juifs,*** les actes de courage et de solidarité dans les pays occupés, les ***révoltes des ghettos et des camps,*** terribles vidéos de leur libération (notamment Bergen-Belsen). L'héroïsme sans tapage des Français : hommage appuyé ici aux habitants du Chambon-sur-Lignon (Haute-Loire), qui sauvèrent des milliers de juifs pendant la Seconde Guerre mondiale. Le Danemark, quant à lui, est le seul pays occupé à avoir refusé de se plier aux exigences de l'occupant. Estimant que la communauté juive faisait partie intégrante de sa population, il s'est bien gardé de l'ostraciser et de la persécuter, et plutôt que de la déporter, son gouvernement a tout fait pour l'aider à fuir vers la Suède voisine, alors neutre. Le roi du Danemark (avec celui du Maroc) a volontairement porté l'étoile juive !

Puis la ***libération des camps*** et le retour au pays, mais quel pays ? Et pour retourner vers quoi ? Vers qui ? Sachant qu'après-guerre, malgré ce qu'ils avaient enduré, les Juifs étaient loin d'être accueillis à bras ouverts un peu partout dans le monde. On comprend aussi pourquoi Israël fut fondé : un refuge.

1st floor *(rez-de-chaussée)*
– **Remember The Children, Daniel's Story :** accessible à partir de 8 ans environ, cette remarquable section spéciale enfants a été supervisée dans le moindre détail par trois pontes de la pédopsychiatrie. Dans des décors plus vrais que nature (comme les Américains savent si bien en faire), et avec des mots simples mais poignants, on suit l'histoire vraie de Daniel, un petit garçon juif qui a survécu à l'Holocauste. On entre d'abord dans sa maison, on visite sa chambre, on regarde ses jouets et on l'écoute raconter sa vie d'enfant. Libre d'abord, puis persécuté. On assiste au départ de la famille dans le ghetto de Lodz, avant la déportation à Auschwitz, d'où sa mère et sa sœur Érika ne reviendront pas. Extrêmement bien fait.
– Au sous-sol, expositions temporaires ainsi que le ***Mur du Souvenir*** *(Children's Tile Wall)* érigé à la mémoire du 1,5 million d'enfants victimes de la barbarie nazie. Ce sont des enfants américains qui ont peint les 3 000 carreaux le composant.

***Smithsonian Institution Building** (**The Castle** ; plan II, F5, **196**) : 1000 Jefferson Dr SW. • si.edu/Museums/smithsonian-institution-building • Ⓜ Smithsonian (sortie Mall). Tlj 8h30-17h30.* Appelé familièrement *The Castle,* il fut le premier bâtiment de la Smithsonian Institution à être construit. Achevé en 1855, il abrita les premières collections et sert aujourd'hui de *visitor center* au complexe de musées le plus important au monde. Ses jardins exquis sont une véritable oasis de fraîcheur en été. Outre la documentation propre au *Visitor Center,* ce « château » néogothique en brique rouge rassemble quelques belles pièces représentatives de ce que vous pourrez voir dans les autres musées.

Freer Gallery of Arts** (plan II, F5) : Jefferson Dr (angle 12th St). • asia.si.edu • Ⓜ Smithsonian. **Fermé pour travaux jusqu'à l'automne 2017. C'est l'un des deux musées de la Smithsonian consacré aux ***arts orientaux*** (le second étant la *Sackler Gallery* voisine) : peintures chinoises, sculptures indiennes, céramiques coréennes, laques japonais, objets et peintures du monde musulman (Égypte, Perse, Irak, Syrie). Surtout, ne pas manquer la *Whistler's Peacock Room* (la salle du Paon), œuvre de Whistler de style anglo-japonais, tout en nuances bleu et or.

***Sackler Gallery** (plan II, F5) : 1050 Independence Ave SW. • asia.si.edu • Ⓜ Smithsonian. Tlj 10h-17h30. GRATUIT.* Reliée par un passage souterrain à la *Freer Gallery* et au *National Museum of African Art,* elle possède une très belle collection de sculptures d'Asie du Sud, de jades et bronzes chinois et de céramiques japonaises contemporaines. Celle-ci est présenté à travers des expositions temporaires en relation avec les deux musées voisins. Elle vous fait passer, pourrait-on dire, de l'Asie à l'Afrique. Les œuvres y sont en général parfaitement mises en valeur grâce à des scénographies de qualité, un vrai travail pédagogique ainsi que la volonté de faire dialoguer passé et présent.

***National Museum of African Art** (plan II, F5) : 950 Independence Ave SW. • africa.si.edu • Ⓜ Smithsonian. Tlj 10h-17h30. GRATUIT.* De taille humaine, ce beau musée consacré à l'art africain regorgent de chefs-d'œuvre présentés à travers des expositions temporaires, remarquable pour la qualité de leur muséographie et la volonté manifeste de ne pas rester figé dans le passé, en établissant, là encore, un véritable dialogue entre œuvres d'hier et d'aujourd'hui. Peut-être le musée à faire dès votre arrivée, avant d'aller voir Giacometti, Modigliani, Picasso et tous les grands maîtres qui trouvèrent une partie de leur inspiration dans cette forme d'art.

Arts and Industries Building** (plan II, G5, **201**) : 900 Jefferson Dr SW, à droite de la Smithsonian (et à côté du précédent). • si.edu/museums • Ⓜ Smithsonian. **Fermé pour travaux. Si *The Castle* abrita les premières collections de la Smithsonian, c'est ici que fut ouvert le premier véritable musée national. Réalisé entre 1879 et 1881, ce bâtiment de style historiciste tout en longueur est situé dans un cadre de verdure agréable. L'extérieur, savant mélange de brique et de verre, vaut le coup d'œil.

Hirshhorn Smithsonian Museum and Sculpture Garden (*plan II, G5*) **:** *7th St (et Independence Ave).* ● *hirshhorn.si.edu* ● Ⓜ *L'Enfant Plaza. Tlj 10h-17h30 ; jardins ouv de 7h30 à la tombée de la nuit. GRATUIT.*
Ce surprenant bâtiment, rond et massif (les Américains l'appellent le *doughnut*), vraiment original, fait partie des musées de la Smithsonian à taille très humaine. Il a ouvert ses portes en 1974, et c'est pratiquement une sculpture à lui seul. Cette galerie circulaire donnant sur un jet d'eau abrite une remarquable collection d'œuvres des XXe et XXIe s. Non seulement on y trouve la fine fleur de l'art moderne et contemporain, mais les œuvres présentées sont elles aussi majeures.
– ***Le sous-sol (1st floor) et le 1er étage (2nd Floor) :*** accueillent des expos temporaires constituées à partir de la collection du musée, mais aussi d'apports extérieurs.
– ***Le 2e étage (3rd floor) :*** est consacré à la collection permanente, mais celle-ci est elle aussi présentée par roulement, avec des expos qui changent deux fois par an. À souligner : une qualité d'accrochage remarquable.
– Ce qui ne bouge pas, en revanche, c'est le ***jardin de sculptures,*** disséminées un peu partout autour du bâtiment et de l'autre côté de la petite rue, à l'arrière. Citons l'incontournable Rodin *(Balzac, Les Bourgeois de Calais),* Juan Munoz (*Last Conversation,* hommes-sacs en bronze attirés par une messe basse), Tony Cragg (*Subcommittee,* un porte-tampons géant), Roy Lichtenstein *(Brushstroke),* Claes Oldenburg *(Geometric Mouse),* Calder *(Two Discs),* Flanagan *(The Drummer),* Giacometti *(Monumental Head),* Maillol *(Nymph),* Henry Moore *(King and Queen),* Miró *(Lunar Bird)* et puis encore De Kooning, Jeff Koons...

National Air and Space Museum (*plan II, G5*) **:** *Independence Ave (et 6th St).* ● *nasm.si.edu* ● Ⓜ *L'Enfant Plaza. Tlj 10h-17h30. GRATUIT. Visites guidées gratuites tlj à 10h30 et 13h.*
Avec quelque 6 millions de visiteurs par an, c'est la destination préférée des familles qui visitent Washington, et tout simplement l'un des musées les plus visités au monde ! Créé en 1976 pour le bicentenaire de l'Union, c'est un musée FA-BU-LEUX ! On peut y passer la journée. Sur deux niveaux, 23 sections illustrent le développement de l'aviation et de la conquête spatiale, à travers ses progrès décisifs. Malheureusement, l'agencement n'est pas chronologique : à moins de passer d'un étage ou d'une aile à l'autre pour coller à l'histoire de l'aviation, on est bien obligé d'emprunter un itinéraire un peu chaotique. Tous les avions sont authentiques mais certains modules spatiaux sont des répliques (par exemple, le *Spoutnik* ou le *Lunar Lander*).
On entre immédiatement dans le vif du sujet avec, au-dessus de l'accueil principal (côté Independence Avenue), l'immense *Voyager Aircraft* qui fit le premier tour du monde non-stop et sans ravitaillement en 1986.
Ne manquez surtout pas le légendaire *Spirit of Saint Louis* avec lequel Lindbergh traversa l'Atlantique en 1927 (drôlement courageux : 33h30 sans dormir, avec un seul moteur et sans visibilité frontale, un réservoir masquant le pare-brise), ni la *capsule Apollo 11* de Neil Armstrong et Buzz Aldrin qui alunit le 20 juillet 1969. Symbole des temps modernes, on peut aussi toucher la *pierre lunaire* qu'*Apollo 17* rapporta sur terre en 1972. Et surtout des ***vaisseaux spatiaux*** : une réplique du *Spoutnik,* le premier satellite artificiel lancé par les Russes en 1957 ; *Gemini 4,* première sortie dans l'Espace ; la minuscule capsule *Mercury Friendship 7* (première orbite réalisée par John Glenn Jr) ; la sonde spatiale *Explorer.* Les avions-fusées : le *Bell X-1* (rouge-orange, premier mur du son en 1947), l'avion-fusée *X-15* (plus de Mach 6 !), impressionnant avec son fuselage tout noir, et, salle 114, les modules *Apollo* et *Soyouz* arrimés, qui voisinent avec une réplique du télescope *Hubble.*
Côté ***fusées,*** on commence avec celles de Goddard, le père de ce domaine, puis (salle 114) un *V2* à carreaux noirs et blancs, pour aller jusqu'aux *Atlas* (satellites), les missiles balistiques de la guerre froide *Pershing* et le missile de croisière « intelligent » *Tomahawk* qu'on a vu dans le ciel de Bagdad ; il y a même un *SS 20* russe à multiples têtes nucléaires. Icône de l'aviation, le *Douglas DC3* dans le hall 102

(America by Air) avec les autres avions de transport (13 000 exemplaires, le seul à ne pas avoir eu besoin de subventions) et les avions postaux. On peut parcourir la cabine et le cockpit d'un *Douglas DC7 Vermont.*

Salle 105 *(Golden Age of Flight),* quelques avions qui ont marqué leur époque dans les années 1930, fécondes en explorations de toutes sortes : le *Hughes H-1,* l'avion le plus rapide du monde en 1935, du milliardaire Howard Hugues ; le Northrop *Polar Star,* équipé de skis pour atterrir sur la banquise.

Dans la section des ***avions militaires*** *Jet Aviation* (salle 106), le *Messerschmitt 262,* premier avion à réaction, allemand, conçu en 1944 pour intercepter les bombardiers alliés, et le *Mc Donnell Phantom* en service pendant la guerre du Vietnam.

Salle 107 *(Early Flight)* : le premier avion à moteur qui ait fait plus que les sauts de puces de l'*Éole* d'Ader, le *Military Flyer* des frères Wright de 1903 (il tint en l'air 59 secondes) et section francophone avec le *Blériot XI,* un des premiers monoplans.

On peut ensuite passer ***à l'étage*** pour découvrir d'un peu plus près les avions accrochés dans le hall principal. À l'arrière, le *Lockheed Vega* tout rouge d'Amelia Earhart (la première femme à réaliser la traversée de l'Atlantique en 1932 et disparue dans le Pacifique en 1937, lors d'une tentative pour boucler un tour du monde). Après la salle 207, consacrée à l'exploration des planètes, salle 206, les coucous de 1914-1918 avec l'inévitable *Albatros* du Baron rouge, puis, salle 205, les avions légendaires de la Seconde Guerre mondiale, le *Spitfire* anglais et son adversaire allemand le *Messerschmitt 109,* le *Mitsubishi Zero,* tout en bois, face au racé *P51 Mustang,* et le moins connu *Macchi 202* de l'armée de l'air italienne. Bien plus récents (années 1995-2000), les *Boeing Phantom X-45,* le *Predator,* le *Darkstar* et les avions espions indétectables.

De l'autre côté, salle 203, on pénètre dans l'univers de l'aviation embarquée avec l'intérieur d'un porte-avions et les engins de la Navy, depuis le biplan *Boeing F4B* des années 1930 jusqu'au *Douglas Skyhawk.*

Dans l'aile ouest, devant l'***Einstein Planetarium,*** un exemplaire du *Lockheed F 104 Starfighter,* qualifié de « cercueil volant » par ceux qui le pilotaient. La salle 209, très bien fichue, est dédiée aux travaux des frères Wright ; on y comprend bien comment ces pionniers sont passés de la fabrication de vélos à celle du premier avion à avoir volé.

La salle 210 *(Apollo to the Moon)* est consacrée à la conquête de l'espace depuis le début du programme *Mercury* jusqu'à l'achèvement du programme *Apollo.* Un écran passe en boucle l'historique alunissage avec images noir et blanc et commentaires radio du « direct ». Au passage, on a l'occasion de visiter le *Skylab* et admirer d'en haut, salle 112, le *Lunar Module* d'*Apollo 13* qui posa les deux premiers hommes sur la Lune en 1969 et fut le premier véhicule lunaire (étonnant comme il a l'air bricolé ; remarquer ses roues à lames qui assurent le tout-terrain en zone caillouteuse).

En revanche, la salle 113 *(Moving Beyond Earth)* projette l'impressionnant décollage de la navette *Discovery* en 2011, avec une vitesse de pointe à 3 000 miles de l'heure et séparation de la navette et de la fusée. Voir aussi la salle 110 *(Looking at Earth)* et les engins d'observation de notre bonne vieille Terre avec le fameux avion-espion *U2*, abattu par les Soviétiques, et la salle 111 *(Explore the Universe)* qui ouvre des perspectives vertigineuses sur l'exploration de notre système solaire et puis au-delà... Et dire que tout cela a commencé il y a à peine plus d'un siècle, une paille dans l'histoire de l'humanité !

Les films projetés à l'***Imax Theater*** valent en général le coup d'œil, mais ces derniers changent régulièrement et ils sont payants *(9 $).* Pour éviter les files d'attente de parfois plus d'une heure, le mieux est d'***acheter sa place sur Internet*** ou de s'y précipiter dès l'ouverture du musée, de réserver les séances et de visiter entre deux... Et pour éviter migraines et torticolis, s'installer aux derniers rangs ! Projection aussi de films (payants) à l'*Albert Einstein Planetarium,* mais là, il est nécessaire de bien comprendre l'anglais ou de s'y

connaître en astronomie. Également des ***simulateurs de vol*** *(8 $ les 3 mn)*, où vous en aurez pour votre argent côté sensations.
Et puis encore, différentes expos. Au total, on s'étonnera peut-être de ne pouvoir admirer que quelques appareils étrangers ! N'en déduisez pas pour autant que les États-Unis ont tout inventé dans le domaine... Leur leadership technique n'a débuté qu'après 1945 (mais le statoréacteur fut français, et les commandes de vol électriques, c'est *Airbus*...).
– Et si vous en redemandez encore, sachez que le *Air and Space Museum* a une ***annexe,*** encore plus grande, dans un gigantesque hall aux environs de Dulles Airport, le ***Steven F. Udvar-Hazy Center*** (lire « Dans les environs de Washington »).
|●| ***Food court*** sur place, mais nourriture plus que médiocre et bruit infernal. Préférez les ***food trucks*** généralement stationnés entre le musée et le Hirshorn Museum.

POURQUOI LE SCALP ?

Les Indiens croyaient dur comme fer que l'âme des personnes se trouvait au sommet de leur crâne, puisque les cheveux continuaient de pousser après la mort. Selon eux, les Esprits prenaient le corps par la chevelure pour les tirer au ciel. Quand on scalpait un ennemi, on s'appropriait sa force et on l'empêchait de goûter au repos éternel. Pas étonnant qu'aujourd'hui encore les Indiens portent les cheveux longs.

🎯🎯 ***National Museum of the American Indian*** *(plan II, G5)* **:** *4th St et Independence Ave.* ● *americanindian.si.edu* ● Ⓜ *L'Enfant Plaza. Tlj 10h-17h30. GRATUIT.* Il aura fallu attendre 2004 pour que les États-Unis dédient un musée aux premiers occupants du territoire dans la capitale. Le bâtiment, planté dans un cadre de verdure, est un curieux édifice signé Douglas Cardinal, un architecte indien blackfoot d'Ottawa, épaulé dans son œuvre côté muséographie par deux autres grosses pointures, le cabinet *GBQC* de Philly et Johnpaul Jones, un duo cherokee et chocktaw. Tout a été étudié pour donner à cet imposant édifice curviligne de cinq étages des caractéristiques amérindiennes, en respectant la cosmogonie indienne. Les lignes, douces et épurées, tendent vers la parfaite symbiose entre tradition et modernité. En revanche, si le musée est imposant de l'extérieur, à l'intérieur, seuls 20 % de sa surface sont consacrés aux expos elles-mêmes. Des expos qui se renouvellent plus ou moins souvent selon les étages.
La visite commence au niveau 4, avec l'expo ***« Our Universes »,*** qui évoque les connaissances traditionnelles des Amérindiens, et pas seulement ceux d'Amérique du Nord, mais ceux du continent américain dans son ensemble. On y découvre à la fois leurs univers culturels et leur conception de l'Univers, d'où cette voûte étoilée. Beaucoup de vêtements traditionnels, de poupées et d'objets usuels. Ne pas manquer les vidéos du *Denver March Pow-wow* et du *Day of the Dead* (sans oublier les crânes peints), très instructives.
Huit tribus différentes ont été choisies pour témoigner de leur conception de l'existence. Celles des Pueblos (Nouveau-Mexique), des Anishinaabes du Manitoba (Canada), des Lakotas (Sud-Dakota), des Quechuas (Pérou), des Hupas (Californie), des Mayas (Guatemala), des Mapuches (Chili) et des Yupiks (Alaska). Avant tout, admirez le graphisme et la couleur qui se dégagent des objets de la vie quotidienne. Au fil de la visite, on découvre l'univers propre à chaque tribu, notamment les relations entretenues avec la terre, non comme support de la propriété – la notion de territoire ou même de terroir n'ayant aucun sens pour les Indiens –, mais plutôt en tant que support de la vie. Notez la mise en évidence de la dualité homme-femme chez les Quechuas. Beaux ensembles de bijoux, sautoirs, broches et ras-de-cou chez les Mapuches. Intéressante encore, leur conception du monde : un rapport aux points cardinaux qui rappelle la perception qu'avaient les Grecs anciens de notre planète. À l'ouest, rien de bien nouveau, donc.

Dans la salle voisine, l'expo « ***Nation to Nation : Treaties Between the United States and American Indian Nations*** » passe en revue tous les traités signés entre les tribus indiennes et les Américains. Pour chacun d'entre eux, le point de vue amérindien et américain est exposé, ce qui ne fait que souligner des mentalités, des intérêts et des besoins diamétralement imposés. Autant dire que les Américains n'en sortent pas grandis.

DÉFENSE DE PARLER INDIEN

Les écoles américaines ont longtemps fait la guerre aux petits Indiens parlant leur langue maternelle. S'ils étaient pris en défaut, on les obligeait à avaler du savon ! Le but consistait à humilier la culture de leurs parents, en l'associant à la saleté.

Le niveau 3 accueille « ***The Great Inka Road : Engineering an Empire*** », une expo dédiée à l'incroyable construction de cette grande route de plus 32 000 km qui reliait Cusco (au Pérou), la capitale, au reste de l'empire Inca. On trouve aussi à cet étage et au niveau inférieur des expos temporaires.

À noter que ce musée a une ***boutique*** particulièrement belle, avec un superbe choix d'objets.

Mitsitam Café : voir « Où manger ? Sur le Mall et dans Downtown ».

National Botanic Garden *(plan II, G5) : 100 Maryland Ave. ☎ 202-225-8333. • usbg.gov • Ⓜ Federal Center SW. Tlj 10h-17h. GRATUIT.*

Tout à côté du Capitole, il se compose de deux parties attenantes : le Bartholdi Park et la grande serre et ses jardins. Le parc fut créé en 1932 en hommage au sculpteur Bartholdi (ça vous dit quelque chose ? La grande dame le bras en l'air à New York...), lequel réalisa la fontaine, aujourd'hui occupée par une barque-feu-d'artifice-de-fleurs-en-verre, œuvre de Dale Chihuly. À ne pas manquer pour les amateurs de belles plantes.

Mais le principal se trouve dans la grande serre. Admirable expo présentant l'immense variété de formes, de couleurs et d'odeurs du règne végétal. Le tout étroitement associé au macrocosme de l'univers. Dans le jardin des senteurs, des plantes géantes libèrent leurs fragrances sous votre nez. Découvrez l'histoire des plantes médicinales, des essences, des mousses et des pétales qui donneront leur caractère aux parfums. Aiguisez vos muqueuses au jardin des orchidées, accompagné par un léger fond sonore de chants d'oiseaux. Une balade apaisante et fraîche sous les brumisateurs de la grande serre, où l'on vous invite, en empruntant une passerelle à plus de 8 m de haut, à tutoyer le domaine étrange de la canopée. Plantes des sylves ou des déserts, des landes ou des rocailles, essences des prairies et des collines que jadis dévalaient des milliers de bisons, elles sont toutes là. Ce parcours est un excellent complément de visite au musée des Amérindiens tout proche.

U.S. Capitol *(plan II, G-H5) : ☎ 202-226-8000. • visitthecapitol.gov • Ⓜ Capitol South ou Union Station. Visite guidée ttes les 15-30 mn 8h50-15h20. GRATUIT, mais nécessité de retirer un billet d'entrée (1 seul/pers) au Visitor Center situé sous le Capitole (escalier sur 1st St SE ; ouv 8h30-16h30) ; visites guidées tlj sf dim 8h50-15h20. Passeport exigé. Étant donné le nombre limité de billets disponibles pour la journée, mieux vaut réserver à l'avance son créneau horaire sur Internet ou arriver dès l'ouverture. Contrôle de sécurité drastique : gros sac à dos, couteau, objets pointus, liquides et nourriture interdits.*

SANS ADRESSE

Le Capitole est le seul bâtiment de Washington D.C. qui n'a pas d'adresse puisque sa rotonde est le point 0 de la ville. C'est de là que partent les quatre grands axes qui la divisent en quadrants : NW, NE, SW et SE.

C'est le siège du ***Congrès*** (c'est-à-dire du ***Sénat*** et de la ***Chambre des représentants***). Incendié par les Anglais lors de la guerre de 1812-1814 (qui se vengeaient de l'incendie de York, Toronto, par les Américains), le premier Capitole fut sauvé de la destruction par un violent orage. Chose amusante, la façade principale est tournée vers l'est parce que l'on supposait que la ville allait se développer dans cette direction. Aujourd'hui, le Capitole tourne donc le dos aux beaux quartiers.
On conseille de commencer la visite par l'exposition permanente du *Visitor Center* situé en sous-sol. Si vous n'avez pas pu obtenir de billets, ce bon petit musée vous donnera un aperçu des lieux et un historique du Congrès. D'ailleurs, vous vous en doutez, on ne peut pas tout voir à l'intérieur. Si c'est possible, essayez d'assister à une délibération du Congrès. Attention aux vacances en août ! Rabattez-vous alors sur les nombreux concerts donnés sur la pelouse, face au Mall, le dimanche matin. Ambiance décontractée de touristes en goguette vautrés sur les pelouses et de locaux surpris en plein jogging par un solo de clarinette ou un crescendo de cuivre.
La visite guidée permet d'admirer notamment la rotonde (basée sur le modèle du panthéon romain) et ses fresques (abordant les thèmes de la liberté et de la victoire, œuvre d'un peintre italien du XIXe s), le hall des Statues (deux pour chaque État, obligé d'honorer ses deux citoyens les plus célèbres), le vieux Sénat rénové et la crypte (ancienne chambre de la Cour suprême). Ne pas rater les photos des sénateurs en réunion restreinte ou officielle, jouant au football américain sur la pelouse du Capitole ou se tenant sur les marches de l'escalier principal, avec leur grenouille favorite tenue en laisse ! Ne pas louper non plus les fresques des plafonds des couloirs illustrant les grands événements de l'histoire américaine (*Boston Tea Party,* doctrine de Monroe, *Women's Suffrage Parade* en 1917, pose de la première pierre du Capitole, etc.), ni les statues des trois sénateurs « en costume de travail » : un prêtre hawaiien (Father Damien, un religieux belge qui soigna les lépreux), un grand chef indien (Chief Hushahue) et un astronaute (Swiget, *Apollo 13*), ce qui, d'ailleurs, symbolise bien les États-Unis !

K STREET

À proximité du Capitole, cette rue est célèbre pour abriter les puissants lobbyistes qui cherchent à influencer les politiciens au profit de leurs clients. Au total, 11 900 personnes s'affichent au grand jour. Voilà la face sombre de la démocratie américaine. Parfois à la limite de la légalité, certains sont passés par la case prison.

I●I ***Cafétéria self-service*** dans le *Visitor Center*. Spécialités américaines très variées, servies du petit déj au goûter, à prix honnêtes. *Tlj sf dim 8h30-16h.*

★★ ***Library of Congress*** *(bibliothèque du Congrès ; plan II, H5)* **:** *10 1st St SE. ☎ 202-707-8000. ● loc.gov ● Ⓜ Capitol South. L'entrée et le* Visitor Center *(intéressant film de 12 mn) sont dans le Jefferson Building. Un tunnel relie également le Capitole et la bibliothèque. Visite libre (avec livret en français) tlj sf dim 8h30-16h30. Visite guidée (depuis le Great Hall) tlj sf dim, ttes les heures, 10h30-15h30 (14h30 sam). GRATUIT.* La plus grande bibliothèque des États-Unis, créée en 1800, est située juste à l'est du Capitole. Décoration intérieure somptueuse, réalisée par près de 50 artistes. À voir surtout, une bible de Gutenberg de 1455 et le brouillon de la Déclaration d'indépendance écrit par Thomas Jefferson, avec les corrections de Benjamin Franklin. Plus, si vous avez le temps, 80 millions d'autres ouvrages en plus de 450 langues.

★★ ***Union Station*** *(plan II, H4)* **:** *50, Massachusetts Ave, au nord du Capitole. Ⓜ Union Station.* Un chef-d'œuvre du XIXe s. Un peu plus de 2 millions de mètres cubes de remblais ont été nécessaires pour combler le marais situé jadis à l'emplacement de la gare. Occupé pendant de nombreuses années par un ghetto irlandais attenant à une ancienne usine de textile, le terrain accueillit la construction de l'édifice en 1907. Conçue par Burnham, le célèbre architecte de Chicago, la gare fit l'objet, dans les années 1980, d'une restauration qui coûta près de 160 millions de dollars. On peut admirer l'immense hall en marbre d'Italie (plus de 25 m de hauteur sous plafond) et sa voûte à caissons dorée. Tout autour, nombreuses boutiques plus ou moins de luxe. Ne manquez pas la monumentale salle des billets avec sa volée d'escaliers.

National Postal Museum *(plan II, H4)* **:** *Massachusetts Ave et N Capitol St.* • *postalmuseum.si.edu* • Ⓜ *Union Station. Dans le magnifique bâtiment de la poste, à côté de Union Station. Tlj 10h-17h30. GRATUIT.*
Création commune de la Smithsonian Institution et des services postaux américains, ce musée retrace l'histoire de la poste aux États-Unis, de l'époque coloniale à nos jours, en passant par le *Pony Express.* On y découvre quelques souvenirs plus ou moins inattendus, dont un fragment d'un colis provenant de l'avion qui s'est crashé sur le Pentagone le 11 septembre 2001, ou la clé de la boîte aux lettres du *Titanic* (il paraît que les employés se sont battus jusqu'au bout pour sauver le courrier, alors que le bateau coulait). Ici, c'est le royaume de l'interactivité (maîtrise de la langue anglaise fortement recommandée). Mais c'est aussi l'occasion de voyager à travers tout le pays. Superbe *Ford A* de l'US Mail, rare *dogsled* de 1922 qui servait à distribuer le courrier en Alaska. Une animation explique comment le courrier est acheminé.
Dans la partie philatélie, les amateurs apprécieront les épures originales des timbres : Carl Herman, Howard Paine, Phil Jordan, Bradbury Thompson en étaient les principaux artistes. Ne pas manquer le très beau portrait de Judy Garland par Ethel Kessler, ainsi que la collection de timbres rares de Benjamin K. Miller. Les enfants adoreront *Owney,* le chien-facteur (on connaissait le Facteur Cheval). Abandonné par son premier maître, un postier d'Albany, il fut rapidement adopté par les employés du train postal. De là commence son destin de chien-voyageur, New York en 1888 avant le tour du pays en 1895, puis cap vers l'Asie avec la malle des postes.

National Gallery of Art *(plan II, G5)* **:** *Constitution Ave (et 6th St).* ☎ *202-737-4215.* • *nga.gov* • Ⓜ *Archives Memorial. Lun-sam 10h-17h, dim 11h-18h. Fermé 25 déc-1er janv. GRATUIT. Audioguide gratuit (2nd* level *; en échange d'une carte magnétique d'hôtel). Un circuit des œuvres principales (en 50 mn) est proposé à l'entrée.* ***Notez que le musée semble en perpétuelle rénovation, certaines parties peuvent donc être fermées et les œuvres déplacées.***
Dans un immense bâtiment avec une rotonde centrale monumentale et des patios latéraux aux fontaines fleuries, des dizaines de milliers d'œuvres. De la peinture, bien entendu, mais aussi de la sculpture, de la photo, des galeries d'Art décoratif et d'ameublement. Parmi les très nombreuses salles, quelques pistes pour explorer cette collection, ou plutôt ces collections, car la National Gallery of Art est constituée, comme très souvent aux États-Unis, de plusieurs collections privées, parfois prestigieuses (comme celle de Paul Mellon), parfois moins marquantes, d'où aussi le manque de continuité que l'on peut ressentir dans ce lieu.

West Building : 1er étage, aile ouest
– ***Du XIIIe au XVIe s en Italie :*** salles 1 à 13. Nos coups de cœur : une *Vierge à l'Enfant* (avec un Jésus rêveur) de Filippo Lippi et une autre en marbre de l'atelier d'Agostino di Duccio (Vierge particulièrement gracieuse et beau mouvement des vêtements). *L'Adoration des Mages* de Fra Angelico et Fra Filippo Lippi, et sa belle composition circulaire. Mais la rareté de cette section s'appelle *Ginevra de' Benci,* seule œuvre de Léonard de Vinci en Amérique (tableau recto verso), tableau de jeunesse à caractère psychologique (peut-être le premier portrait du genre dans l'histoire de la peinture) ; notez le fabuleux travail sur la peau de porcelaine et l'arbre à l'arrière, un genévrier qui évoque le nom de la jeune femme et du tableau. De Botticelli, des portraits et une remarquable *Adoration des Mages* dont on observe le bel équilibre des personnages dans la composition. Salle Verrocchio : *Vierge à l'Enfant avec saint Jean* et un *Médicis* en terre cuite.

WASHINGTON D.C. ET SES ENVIRONS

– ***Le XVIe s en Italie, en France et en Espagne :*** salles 17 à 28. Peinture vénitienne : *Le Festin des dieux,* peint en association par Bellini et Titien, magnifique *Adoration des bergers* de Giorgione, *Fuite en Égypte* de Carpaccio, *Portrait d'un humaniste* et *Cardinal Bandinello Sauli* de Sebastiano del Piombo, plus un festival de portraits de Giovanni Bellini. Peinture florentine : *Crucifixion* du Pérugin (paysages en fond exquis) ; de Raphaël, *La Madonna d'Alba,* un des plus beaux tableaux de la Renaissance, mais surtout *Bindo Altoviti* (raffinement du visage et de la chevelure). Nombreux Titien (troublante *Vénus au miroir*), Tintoret *(Le Doge Alvise Mocenigo et sa famille).* Peinture lombarde : fresque de *Procris et Caphalus* et belle *Vénus* de Bernardino Luini, élève de Léonard de Vinci. Et puis quatre saisons représentées dans une seule tête, c'est bien sûr l'œuvre d'Arcimboldo.

Enfin, la salle 28 consacrée au Greco. Le *Laocoon,* seul sujet mythologique de son œuvre, avec un cheval qui pénètre dans une ville qui n'est pas Troie, mais bien Tolède.

UN ARTISTE BIEN ORGANISÉ

Le Greco fut l'un des premiers à utiliser son talent telle une PME prospère. Ses élèves préparaient les œuvres bien à l'avance. Certaines étaient pratiquement similaires (plein de saint François très à la mode). Il avait inventé l'art à la chaîne.

– ***Peinture des XVIIe-XVIIIe s en Italie, Espagne et France :*** salles 29 à 34 et 36-37. Adorable Dosso Dossi, *Circé et des amants,* tous transformés en animaux ; Guercino, *Amnon et Tamar,* très charnels. Salle 34, un beau Murillo (*Deux femmes à la fenêtre,* douces et mutines). Et, pour les Français, Lorrain, Le Nain, Bourdon, Poussin, Simon Vouet et la sublime *Madeleine repentante* de Georges de La Tour, en pleine rêverie métaphysique : on reste pantois devant cette admirable distribution de la lumière, le crâne et la bougie se cachant mutuellement.

– ***Peintures allemande et hollandaise des XVe-XVIe s :*** salles 35-35A et 38 à 41A. Salle Dürer, *Vierge à l'Enfant, Portrait d'un clerc, Loth et ses filles.* Cranach : *Prince et princesse de Saxe, Crucifixion, Nymphe du printemps,* avec un travail sur les voiles, le drapé et les buissons, les oppositions de couleurs. *Portrait d'homme* d'Hans Schäuffelein, *Portrait de Diego de Guevara* de Michael Sittow. Également Holbein le Jeune et Grünewald.

– ***Les chefs-d'œuvre hollandais et flamands du XVIIe s :*** salles 42 à 51. D'abord, voir les superbes salles boisées, réservées à Van Dyck (c'est que la *Marchesa Balbi,* toute de brocart noir et or, nous ferait balbutier d'admiration !). Symbolisme de *Mort et Avarice* de Jérôme Bosch. *Portrait de dame* de Rogier Van der Weyden (1460), à la représentation psychologique très affirmée : concentration du modèle sur des pensées intérieures. Amusantes scénettes signées Van Ostade *(Isack, Adriaen),* presque des bandes dessinées. Mines goguenardes du *Dancing Couple* de Jan Steen et original portrait de profil de Jan de Bray, représentant ses parents. Quasi surréaliste *Calice au serpent* de Memling. *L'Annonciation* de Jan Van Eyck (1434), un des chefs-d'œuvre du musée, peint avec un sens hallucinant du détail. Observez le dégradé de couleurs de l'aile droite de l'ange Gabriel, et la finesse des rayons des lumières éclairant la Vierge. Splendides lions du *Daniel aux lions* de Rubens ; Roelandt Savery l'aurait aidé pour peindre les fauves. Plusieurs portraits de Frans Hals, bien sûr, et nombreux Rembrandt : *Le Philosophe, Autoportrait* (de 1659), où l'artiste est moins complaisant que son atelier *(Portrait de Rembrandt) !* Impressionnant *Bateaux en détresse sur les récifs* de Ludolf Backhuysen. Salle des petits formats, avec des portraits de femmes signés Vermeer d'une grande délicatesse. Un des chefs-d'œuvre du musée : *La Fille au chapeau rouge* de Vermeer, ainsi que *Une femme écrivant* et *La Peseuse de perles* (dite *Femme à la balance)...* tout en équilibre, précision, jeu d'ombre et de lumière. Également de magnifiques natures mortes. Ne manquez pas non plus d'assister au *Concert* (1623) de Gerrit van Honthorst.

West Building : 1er étage, autre aile

La disposition de cette aile ne permet pas de la visiter naturellement dans le sens chronologique. Si vous souhaitez le faire, commencez par le XVIIIe s français (salles 53 à 56), continuez par la peinture anglaise jusqu'à la fin du XIXe s (salles 57 à 59 et 61), puis retournez au centre du musée pour voir le XIXe s français (parcours parallèle au précédent, salles 80 à 93), et enchaînez sur les XIXe-XXe s américains (salles 60, 60B, et 62 à 71).

– ***XVIIIe s et début du XXe s français :*** salles 53 à 56. Portrait de *Napoléon dans son cabinet de travail* par David, Oudry, très aristocratique dans sa manière de peindre, Ingres *(Madame Moitessier)*, bel ensemble Van Loo (*Camera oscura*, en 1764 déjà, expressions des *Bulles de savon*), Nattier, Chardin, Fragonard, Boucher... *Comédiens italiens* de Watteau, avec un superbe Pierrot. Salle Fragonard avec, notamment, *La Liseuse*, qui, en 1770, annonce l'impressionnisme, *La Balançoire, Le Jeu de colin-maillard...* Bustes de Voltaire par Houdon (avec et sans perruque !), toujours aussi goguenard...

– ***Goya et l'école espagnole des XVIIIe-XIXe s :*** célèbre *Marquise de Pontejos* (salle 52). Plusieurs portraits de Francisco de Goya.

– ***Peinture anglaise :*** salles 57 à 59 et 61. Charme de salles réparties entre romantisme et impressionnisme. Constable *(Salisbury Cathedral, The White Horse)*, Raeburn : jeu de couleurs brun-rouge des *Jumeaux*, fraîcheur de *Miss Eleanor Urquhart*. Turner : lumineux *Marinier ajoutant du charbon à la lueur de la Lune, Mortlake Terrace* et *Rotterdam Ferry Boat*, magiques *Dogana* et *San Giorgio Maggiore*. On y sent déjà l'évolution du style vers une épuration totale des lignes, une dilution des contours tendant lentement vers l'abstraction. Gainsborough : *Master John Heathcote* et surtout *Portrait de Mrs Sheridan*, rendant le mouvement du vent, inscrit dans une ellipse excentrée, dans les arbres et les vêtements. Inhabituel paysage de montagne du même Gainsborough, et encore Reynolds, Romney. En allant vers la section américaine, quelques portraits d'Indiens signés George Catlin...

– ***XIXe s français :*** salles 80 à 93. Que des chefs-d'œuvre impressionnistes, figuratifs ou romantiques ! Au fil des salles, Vuillard, Berthe Morisot, Seurat, Puvis de Chavanne, Redon et peinture française de la première moitié du XIXe s (Géricault, Delacroix, L. L. Boilly et Corot avec la *Fille italienne* et *L'Atelier de l'artiste*). Bonjour les Degas avec l'impressionnant *Quatre danseuses*, ainsi que des portraits de styles très divers (dont *Madame René de Gas !)*. Puis Pissarro, *Hampton Court Green* et Seurat (superbe et lumineux *Phare à Honfleur*), émouvantes *Danseuses* de Renoir, intrigante *Voie ferrée* de Manet et *La Prune*, jolie frimousse de grisette. Ensuite, salle Monet avec la stupéfiante *Femme au parasol*, dans une contre-plongée saisissante ! Salle Van Gogh avec un prodigieux *Autoportrait* peint lors de son séjour à l'asile de Saint-Rémy, *La Mousmé, L'Oliveraie, Femme en blanc* et *Roses*, un fabuleux travail de déclinaison de... verts, que l'on retrouve dans son *Champ de blé vert*. Pour les autres teintes, il y a la *Nature morte avec oranges, citrons et gants bleus*. Bretonnes et Tahitiennes, même combat, chez Gauguin (*Paroles du diable*, rougeoyant *Te Pape Nave Nave*). Salle un peu hétéroclite autour de Mary Cassatt et de Renoir, sur le sujet « filles et femmes ». Lumineuse salle Cézanne, dont *Le Garçon au gilet rouge* qui semble introduire, en 1890, Picasso et le cubisme. La transition est faite avec le XXe s. Et justement, voici *Deux jeunes* puis *Famille de saltimbanques* et *Le Gourmet* de Picasso, histoire de réaliser que le grand maître espagnol eut sa période classique avant de passer au cubisme. Inimitables portraits signés Modigliani, dont un de Soutine, justement exposé à côté, sans oublier le superbe *Nu sur coussin bleu*.

– ***Peinture américaine :*** salles 60, 60B et 62-71. Ne pas rater les fantasmes mystiques et flamboyants de Thomas Cole, malheureusement exposés par roulement. Quelques natures mortes de Peto, in peto... *Watson and the Shark*, un fait-divers tragique commandé 30 ans plus tard par la victime elle-même, qui avait perdu une jambe dans l'aventure, et un curieux *Eleazer Tyng* (tête disproportionnée) de John Singleton Copley. Puis C. W. Peale, Benjamin West (magnifique *Colonel Guy Johnson et Karonghyontye*, avec un bel Indien comme un double du Blanc). De Gilbert Stuart, l'inévitable George Washington mais aussi des portraits de Jefferson, Adams, William Grant *(The Skater)*, Sir Reynolds. Un de nos préférés, *Le Vieux Violon* de W. M. Harnett, dont on admirera la technique picturale (noter le réalisme de la partition, qui semble se détacher). D'autres paysages fantastiques avec F. E. Church *(The River of Light)*. Puis J. S. Sargent (*Le Repos*, dont la richesse du drapé souligne la simplicité et l'abandon du visage) et James McNeil Whistler avec le fameux *Wapping on Thames* et *The White Girl*, dont le lys virginal domine une peau d'ours légèrement sanguinolente... il y a du symbole là-dessous ! Impressionnisme américain avec Whistler, Childe Hassam (*Allies Day*, dans laquelle les drapeaux semblent transpercer la verticalité des immeubles et la foule esquissée par petites touches), Mary Cassatt *(Portrait d'une vieille dame)*. Début XXe s, la modernité surgit chez Bellows (superbe *Blue Morning*), John Sloan *(The City from Greenwich Village)*, Robert Henri *(Snow in New York)*, Stuart Davis *(Multiple Views)*. Pour les fans, ne pas louper *Cape Cod Evening*, de Hopper, où la solitude reste décidément son thème principal.

West Building, rez-de-chaussée

– Les ***Sculpture Galleries*** comprennent 10 zones distinctes : fin XIXe s, Auguste Rodin, Degas et les peintres sculpteurs contemporains, début de la forme moderne, XVIIIe et XIXe s, sculpture et ameublement du XIXe s, porcelaines chinoises, fin de la Renaissance et baroque, Renaissance, Renaissance et Moyen Âge. Au passage, les petits députés en bronze de Daumier, la célèbre *Danseuse* de Degas, à peine âgée de 14 ans, les sculptures de Rodin, des Maillol, Houdon et tant d'œuvres encore...

East Building

Édifié par Pei, le nouveau bâtiment très sobre de la National Gallery est en soi une œuvre d'art. Superbe lumière, volumes fascinants offrant une multitude de visions changeant au fil de la visite. Belle vue depuis la mezzanine sur le bâtiment ouest et les pyramides obliques. C'est ici que sont exposées les œuvres d'art moderne et d'art contemporain : peintures, photographies, collages, vidéo, installations. Cela va des peintures de Mark Rothko et des œuvres d'Alexander Calder (et pas seulement ses célèbres mobiles) à des travaux d'artistes beaucoup plus contemporains. La terrasse sur le toit, quant à elle, accueille des sculptures.
En complément, n'oubliez pas d'aller faire un tour dans le ***Sculpture Garden***, contigu à l'aile ouest, sur 7th Street. Œuvres de Louise Bourgeois, Miró, Roy Liechtenstein ou Isamo Noguchi, suffisamment espacées pour ne pas se télescoper. Un bien agréable endroit, transformé l'hiver en patinoire.

I●I Dans le musée, plusieurs ***cafétérias*** proposent des repas, mais c'est assez cher.

National Archives (plan II, G5) **:** *Constitution Ave NW (entre 7th et 9th St NW). ☎ 1-866-272-6272. • archives.gov • Ⓜ Archives. Tlj 10h-17h30. En été, arriver tôt ; souvent 30-45 mn d'attente au guichet. GRATUIT.* L'édifice abrite les originaux des principaux documents historiques américains : Déclaration d'indépendance, Constitution, *Bill of Rights*, etc. De plus, d'autres documents intéressants, comme ceux des antifédéralistes qui craignaient un pouvoir central trop fort (déclarations, journaux, etc.). Pétitions contre le *Sedition Act* qui fut supprimé en 1800 (ah, toujours la tentation autoritaire !). Charte des libertés anglaises de 1297. Plus divers témoignages montrant la progression des idées d'indépendance. En 1792, déjà, une pétition contre l'esclavage. Les documents paraissent en vert en raison des propriétés du verre laminé utilisé et des filtres spéciaux qui les protègent des rayons lumineux.

National Museum of Natural History (plan II, F-G5) **:** *10th St (et Constitution Ave NW). • mnh.si.edu • Ⓜ Archives Navy Memorial. Tlj 10h-17h30. GRATUIT.*

Dès l'entrée, l'éléphant donne une idée de ce qui attend le visiteur : ici, tout est gigantesque. Aussi populaire que le *Air and Space Museum,* ce passionnant musée possède plus de 60 millions de pièces. Mais rassurez-vous, toutes ne sont pas exposées ! Trois sections particulièrement marquantes, bien que toutes très différentes. Elles ont cependant en commun la clarté et la pertinence des explications. Le formidable *Mammals Hall* (« grande salle des mammifères ») qui réjouira petits et grands, la section *Gems & Minerals* (« pierres précieuses et minéraux ») ou comment donner un formidable cours de géologie à travers une fabuleuse collection de pierres précieuses et minéraux. Et enfin, l'étonnante section *Bones* (squelettes).
Durant les travaux de rénovation de *The National Fossil Hall* (réouverture prévue en 2019), le *1st floor* abrite deux principaux espaces : le *Ocean Hall* et le *Mammals Hall*. Le premier, dédié aux océans, est intéressant, mais moins construit que les trois autres sections citées ci-dessus, probablement parce que les expositions présentées y changent régulièrement. Dans la ***grande salle des mammifères,*** les taxidermistes ont rivalisé d'audace pour restituer l'attitude que les animaux devaient avoir de leur vivant. Remarquable mise en scène, où le maki côtoie le morse, le gorille le lièvre du Cap. Ne négligez pas le film sur écran géant, à l'extrémité de la salle : il ravit les enfants et se révèle très instructif pour les parents qui, eux, comprennent ce qui est dit ! De chaque côté de l'allée centrale, des espaces réservés aux animaux des différentes régions du monde : l'Amérique du Nord, l'Australie, etc. Concis, amusant, pédagogique et, vraiment, les animaux sont magnifiques.
Au *2nd floor*, on ne peut pas vraiment dire que la muséographie de l'***expo sur la minéralogie*** (Gems & Minerals) soit dernier cri, ce qui ne l'empêche pas d'être remarquablement construite d'un point de vue pédagogique (sans parler de la beauté de la collection). On commence avec l'exploration du système solaire. Remarquer les fragments de la météorite Allende, tombée au Mexique en 1969, et qui révolutionna la conception qu'avaient les scientifiques de l'Univers. Celle-ci introduit tout un espace consacré aux météorites, avec un nombre important de spécimens. Une vidéo vous y initie à la formation des galaxies. Des jeux interactifs proposent de simuler soi-même son propre impact d'astéroïde, de provoquer un tremblement de terre. On apprend tout sur la tectonique des plaques. Logiquement, on tombe sur les volcans, l'exploitation des mines, puis les minéraux et, enfin, les pierres précieuses. On vous épargne la description de toutes les gemmes, de tous les cristaux, de toutes les fantaisies de la nature. C'est splendide ! Au rayon des pierres précieuses, difficile de rater une des pépites du musée : le fameux diamant *Hope* (voir encadré).

DIAMANT MAUDIT

La vedette du musée, le diamant Hope, est un joyau bleu de plus de 45 carats ! C'est un Français qui l'avait rapporté d'Inde et vendu à Louis XIV. La pierre aurait été volée sur une divinité hindoue. Telle une malédiction, les propriétaires du bijou ont connu des sorts tragiques. Les Bourbon en hériteront jusqu'au fameux vol pendant la Révolution française. En 1958, le joaillier Harry Winston, qui en était alors propriétaire, en fit don à la Smithsonian. Pour plus de discrétion, il l'expédia par la poste, dans une enveloppe kraft !

Au même étage, la ***section des squelettes,*** beaucoup moins dense, se révèle cependant tout aussi fascinante dans son genre. On y constate, en effet, qu'il est bien difficile de distinguer l'homme du singe à partir d'un seul squelette. Et les chauve-souris *(bates),* ne sont-elles pas magnifiques ainsi dépouillées ? Quant aux serpents, ils paraissent beaucoup moins impressionnants tout à coup ! Bref, vous l'aurez compris, voici encore un musée où l'on peut facilement passer la journée.

National Museum of American History *(plan II, F5)* **:** *14th St et Constitution Ave. • americanhistory.si.edu • Ⓜ Smithsonian ou Federal Triangle. Tlj 10h-17h30. GRATUIT.*

Encore un musée gigantesque, mais amputé au moins jusque courant 2017 d'une grosse partie de ses expositions, si bien que son principal intérêt à ce jour se limite à son *1st Floor* (auquel on accède directement depuis l'entrée sur Constitution Avenue) et à une petite partie de son *2nd floor* (accès direct depuis l'entrée sur le Mall).

Idéalement, d'ailleurs, la visite commence dans l'atrium de ce *2nd floor* avec la vedette du musée, la fameuse ***Star Spangled Banner*** pour laquelle les Américains viennent comme en pèlerinage. Cette bannière étoilée, devenue un vrai symbole des États-Unis, flottait sur le fort Mc Henry à Baltimore en 1814 lors du bombardement des forces navales anglaises. Demeurée intacte sous le feu des canons, elle inspira à Francis Scott Key les paroles d'un poème qui devinrent celles de l'hymne américain, et fait l'objet d'un véritable culte pour les Américains. Restaurée minutieusement maille à maille, elle est aujourd'hui exposée derrière une grande baie vitrée, comme une relique, sous le regard d'un public recueilli. L'entrée de ce « sanctuaire » est marquée par une version moderne du drapeau, réalisée par le célèbre cabinet d'architecture *Skidmore, Owings and Merrill.* Les 15 rangées de panneaux de polycarbonate réfléchissant la lumière représentent les 15 bandes rouges et blanches et les 15 étoiles du modèle original.

First floor East

Notre section préférée, consacrée aux ***transports et à la technologie.*** Présentation à la fois ludique et interactive, un vrai plaisir pour toute la famille. Des décors aux bruitages réalistes, tout est fait pour rendre la visite attrayante. Il y a même des panneaux interactifs disponibles en version française. On commence donc par l'histoire des transports *(America on the Move),* ô combien essentielle pour comprendre la civilisation américaine, avec une locomotive à vapeur John Bull, rare survivante des débuts du chemin de fer (1831). Pour la petite histoire, elle était encore en état de fonctionnement en 1981, à plus de 150 ans d'âge ! S'ensuit une splendide série de véhicules de toutes sortes et de toutes époques, de la diligence de 1848 à la première voiture qui traversa les États-Unis d'est en ouest en 1903, en passant par la Ford T, bien sûr, et la rutilante locomotive à vapeur *Jupiter* de la *Santa Cruz Railroad* (1876). Reconstitution d'un quai du *El,* le mythique métro aérien de Chicago (on peut même entrer dans une rame). L'apparition des transports en commun entraîna le développement des banlieues, puis l'avènement progressif de la voiture toute puissante signa plus ou moins l'arrêt de mort de ces mêmes transports en commun.

Attenante, la partie *On the Water* traite des transports maritimes, du commerce des esclaves jusqu'aux croisières de luxe. Maquettes de *Liberty Ships* et des légendaires *steamboats* du Mississippi, pirates, naufrages, pêche, etc.

À ce niveau également, les salles consacrées à ***l'éclairage*** *(Lighting a Revolution),* les inventions de Thomas Edison (sa première ampoule électrique avec un filament en fibre de coton carbonisé, en 1879), et puis toute la machinerie pour faire fonctionner cette composante essentielle de la civilisation moderne : la fée électricité.

Changement de registre avec l'intéressante expo « ***Food (Transforming the American Table 1950-2000)*** », qui retrace l'évolution de la nourriture et des habitudes alimentaires, et donc aussi celle de la production agricole,

À POÊLE L'AMÉRIQUE !

Tout le monde connaît la poêle Tefal, inventée en 1954 par un ingénieur français. Cet objet culte de nos cuisines a pourtant connu des débuts difficiles. Il fallut le coup de pouce médiatique de Jackie Kennedy pour déclencher le buzz. Photographiée en 1961 à la sortie d'un grand magasin avec la fameuse poêle antiadhésive à la main, la plus Frenchie des Américaines lança la mode. Un million de poêles furent vendues cette année-là, une vraie consécration pour la petite entreprise française.

avec l'avènement de l'industrie agro-alimentaire, puis des supermarchés et des hypermarchés avant que ne s'amorce un nouveau changement : même si les *farmers markets* restent encore assez limités aux États-Unis aujourd'hui, ils y ont quand même le vent en poupe. On peut aussi constater que dans le domaine de l'électroménager, les États-Unis ont toujours quelques décennies d'avance sur nous.
Reconstitution également de la ***cuisine*** personnelle de Julia Child, figure américaine de la gastronomie française, auteure de livres de recettes et présentatrice d'émissions culinaires à succès, décédée en 2004. Ce véritable phénomène (presque une caricature) s'était découvert une passion pour la cuisine lors d'un voyage en France en 1946. Après avoir œuvré pour l'agence américaine de renseignements O.S.S. *(Office of Strategic Services)* en tant qu'assistante du général Donovan ! L'US Navy l'avait auparavant réformée à cause de sa trop grande taille (1,88 m)... Meryl Streep a incarné à l'écran cette pro du bœuf bourguignon dans *Julie & Julia,* sorti en 2009. Ne pas rater les extraits de son show télévisé en noir et blanc, où elle détaille sa recette du « bœuf bourguignonne »...

Third floor

La section ***The Price of Freedom : Americans at War*** retrace les conflits où les États-Unis furent impliqués depuis la guerre d'indépendance jusqu'à la guerre en Irak. Sans doute une des sections les moins convaincantes, à cause probablement de l'absence totale de recul et de remise en cause (la guerre en Irak est à peine abordée et ses conséquences pas du tout), comme si tous les textes avaient dû être relus et corrigés par chaque membre du Congrès avant d'être imprimés.
Et puis une section consacrée aux ***présidents des USA*** : leurs fonctions, les limites de leur pouvoir, les différents assassinats et funérailles, le pupitre portatif de George Washington (dessiné par lui et sur lequel il rédigea la Constitution américaine) ainsi que la chemise « floridienne » de Harry Truman, non loin du saxo de Clinton ! On remarquera à propos de ce dernier qu'il est le seul à ne pas avoir d'états de service à l'armée... et pour cause, il ne fut jamais soldat. Abraham Lincoln, le chouchou des Américains, bénéficie d'une section à lui tout seul.
Quant à la section ***The First Ladies*** et les robes portées par ces dames du XIXe s à nos jours, elle en attire du monde...

🚶🚶🚶 ***National Museum of African American History and Culture*** *(NMAAHC ; plan II, F5)* **:** *1400 Constitution Ave.* ☎ *1-844-750-3012.* • *nmaahc.si.edu* • Ⓜ *Smithsonian ou Federal Triangle. Tlj 10h-17h30. GRATUIT, mais* ***plus prudent de réserver très à l'avance sur le site dédié*** *un* Timed Pass *(billet avec créneau horaire). Sinon, on peut se présenter sur place, le jour même, à partir de 9h15 : billets attribués sur la base du 1er arrivé, 1er servi.* Le dernier-né des musées nationaux américains, consacré à l'histoire des Afro-Américains, fut longuement attendu (les premiers projets remontent à 1915 !) et maintes fois interrompu. Mais, symboliquement, il se devait d'être inauguré par le premier président noir des États-Unis, Barack Obama. Et il l'a été, fin 2016, donc de justesse ! L'emplacement de ce musée ne pouvait qu'être stratégique lui aussi, au cœur du Mall, entouré de ses condisciples de la Smithsonian. L'architecture même de l'élégant building de six étages (conçue par David Adjaye), qui représente la couronne d'une sculpture yoruba antique tout en plaques de fer forgé, est un hommage au labeur des esclaves aux XVIIIe et XIXe s. Le musée est axé autour de trois thèmes majeurs : ***l'esclavage, la ségrégation*** et ***la vie culturelle*** (musique, arts visuels, sport...). Tous les sujets sont abordés du point de vue de l'impact qu'ils ont eu sur la société américaine dans son ensemble, et non pas seulement de la communauté afro-américaine. Parmi les quelque 30 000 objets collectés, on trouve la robe que Rosa Parks était en train de coudre lorsqu'elle fut arrêtée pour avoir refusé de céder sa place à un passager blanc dans un bus de Montgomery (Alabama).
Mais ce musée n'est pas uniquement tourné vers l'histoire et le passé, il aborde aussi des sujets d'une actualité brûlante, comme le mouvement de protestation de la communauté noire contre les violences de la police à leur encontre (« *Black Lives Matter* »).

Dans Downtown et Foggy Bottom

Newseum (plan II, G5) : *555 Pennsylvania Ave (et 6th St). ☎ 1-888-639-7386. • newseum.org • Ⓜ Archives. Tlj 9h-17h. Fermé 1er janv, à Thanksgiving et Noël. Entrée : env 25 $; réduc.*
Créé par le fondateur du quotidien *USA Today,* ce musée privé, inauguré en 2008, est dédié à la presse et au journalisme. Instructif, passionnant, d'une richesse inouïe, il retrace de façon très vivante ***l'histoire des médias,*** depuis l'invention de l'imprimerie jusqu'à l'âge du numérique, et montre l'importance capitale du quatrième pouvoir dans la société américaine. Une véritable plongée dans l'Histoire à travers les témoignages de journalistes inconnus ou primés, morts dans l'exercice de leur fonction ou toujours en activité. La muséographie est remarquable, la présentation aérée, magnifiée par un building high-tech tout en verre et métal. Sur la façade sont gravés les 45 mots du premier amendement. L'objectif du Newseum est en effet de défendre la liberté de la presse (déjà malmenée du temps de la guerre d'indépendance !), et celle du citoyen : liberté de pensée, liberté d'expression, liberté de religion. Mais il sait aussi porter un regard parfois critique sur le rôle du journaliste.
Bref, un musée de tout premier ordre à Washington, qui n'a rien à envier à ses « grands frères » de la prestigieuse Smithsonian (si ce n'est leur gratuité !), et auquel il faut bien consacrer une demi-journée pour tout voir. Si, par malchance, vous n'avez que 2h devant vous, demander le *2-hour highlights tour* à l'accueil (gratuit) mais vous risquez fort de rester sur votre faim !
La visite commence avec ***les unes du jour,*** exposées tous les matins à l'aube dans des vitrines extérieures, devant l'entrée du musée (pour ceux qui les auraient loupées, on les retrouve aussi à l'intérieur). Le Newseum en reçoit quotidiennement près d'un millier. On conseille de filer tout de suite au sous-sol (niveau *Concourse*), puis de monter directement au *level 6* (belle terrasse sur Pennsylvania Avenue et le Mall, avec le Capitole en ligne de mire) pour redescendre ensuite tranquillement vers le bas. Notre description ne rend évidemment pas compte des expositions temporaires de haute volée.
Au niveau *Concourse,* ne manquez pas ***les huit pans du mur de Berlin*** ainsi qu'une des 300 tours de contrôle qui le jalonnaient. Celle-ci se tenait à moins d'un mile du checkpoint Charlie, le fameux point de passage entre l'Est et l'Ouest durant la guerre froide. Mais c'est au *level 5* que se trouve le clou du musée : ***une incroyable frise chronologique de l'information depuis 1455 à nos jours,*** avec ***les unes originales*** de tous les grands événements, superbement mises en valeur. On passerait volontiers des heures à relire tous ces gros titres qui ont marqué l'histoire. Au *level 4,* la galerie consacrée au ***11 Septembre*** reconstitue minutieusement le film de cette journée d'horreur. Vues, revues et archi-revues, ces images terrifiantes auront probablement toujours le même impact sur nous. Parmi les vestiges exposés, l'antenne satellite qui se trouvait au sommet de la tour nord. Au *level 2,* les enfants et ados pourront se glisser dans la peau d'un journaliste-présentateur en enregistrant leur propre interview (et même l'acheter pour quelques dollars !). Enfin, au *level 1,* extraordinaire collection de ***photos couronnées par le prix Pulitzer.***

National Building Museum (Pension Building ; plan II, G4) : *401 F St NW. ☎ 202-272-2448. • nbm.org • Ⓜ Judiciary Square. Tlj 10h (11h dim et j. fériés)-17h. Fermé 1er janv, à Thanksgiving et Noël. Entrée gratuite dans le hall ; expos : 10 $; réduc. Plusieurs tours guidés gratuits.* Voici une visite intéressante pour les amoureux d'architecture du XIXe s, qui seront comblés ! Ce *Pension Building,* à la façade néoclassique en brique rouge, se révèle un édifice assez exceptionnel. Construit entre 1882 et 1887, il nécessita près de 16 millions de briques et le minimum de bois, pour éviter les incendies. L'une de ses originalités réside dans la frise de terre cuite de 366 m de long qui court tout autour du bâtiment et reproduit pas moins de six régiments de la guerre civile. Il abrita d'ailleurs le service des pensions de l'armée jusqu'en 1926. À l'intérieur, impressionnant hall

principal rythmé par de longues galeries à arcades et huit immenses colonnes corinthiennes de 25 m de haut (chacune nécessita 70 000 briques), peintes en faux marbre. Effet de perspective saisissant. Le *National Building Museum* abrite d'intéressantes expos temporaires sur l'architecture, l'urbanisme et les techniques de construction.
Intéressant *museum shop.*

National Portrait Gallery *(plan II, G4,* ***205****)* ***:*** *8th et F St NW. ● npg.si.edu ● Ⓜ Gallery Place. Tlj 11h30-19h. GRATUIT.*
Installé dans l'*Old Patent Office Building,* l'un des plus anciens bâtiments publics de Washington, édifié suivant les plans de L'Enfant et construit en 1836 en style *Greek Revival.* L'Enfant y voyait déjà une sorte de panthéon des personnages illustres. Pendant la guerre civile, il fut transformé en hôpital. Imaginé dès la moitié du XIXe s, ce musée des portraits ne fut pourtant créé qu'en 1968. Il partage le loyer avec le Smithsonian American Art Museum dont les collections s'imbriquent avec celles de la Portrait Gallery, au hasard des escaliers et des couloirs. Le *Courtyard,* immense cour intérieure paysagée couverte d'une originale verrière ondulante signée par le cabinet d'architectes Foster & Partners, sert de liaison entre les deux musées. Un havre de quiétude et de fraîcheur dans la chaleur de l'été, d'autant qu'un dispositif acoustique très pointu étouffe tous les bruits. Vous y trouverez tables, chaises et bancs de marbre pour se détendre ainsi que des bassins à fleur de sol pour se rafraîchir ou marcher sur l'eau tel Moïse (les enfants adorent). Un musée (ou plutôt deux musées en un) à faire plutôt l'après-midi, après l'un de ceux qui ferment à 17h30. Mais bien compter 2-3h de visite au minimum. C'est un peu dense, mais on vous recommande chaudement de lire les textes qui accompagnent chaque tableau, car ces portraits sont en réalité une autre façon de nous raconter l'histoire des États-Unis.

Rez-de-chaussée (1st floor)
On commence par la galerie ***American Origins,*** c'est-à-dire celle des personnages ayant vécu de 1600 à 1900 (normal, avant, il n'y avait pas d'Américains, à part les Indiens). Parmi les *highlights* : une huile sur bois d'Élisabeth Ire exécutée peu après son accession au trône. La souveraine avait pleinement conscience du rôle du portrait comme vecteur de son autorité de jeune reine. C'est elle-même qui avait donné ses indications à l'artiste. Noter ses nom et titre en grosses lettres (Elisabete Regina) de part et d'autre de sa tête et les attributs royaux, en particulier la pierre taillée en carré offerte par son père Henry VIII, attestant de sa légitimité en tant que souveraine. Un peu plus loin, un portrait de Pocahontas, réalisé en Angleterre une fois la jeune femme convertie au catholicisme. Petite collection d'ambrotypes (concurrents des daguerréotypes), dont certains de Lincoln. Dans la famille des artistes : Mary Cassatt peinte par Degas ; très beau portrait d'Ira Aldrige, un des plus grands acteurs shakespeariens de son époque (début du XIXe s) qui dut s'exiler en Angleterre parce qu'il était noir, destin qui préfigure malheureusement celui d'autres artistes afro-américains comme Joséphine Baker. Dans le domaine littéraire, Harriet Beecher Stowe (*La Case de l'oncle Tom,* le livre le plus vendu du XIXe s après la Bible !), aux yeux rougeoyants, Nathaniel Hawthorne, Edgar Allan Poe et Walt Whitman qui libéra la poésie de ses diktats de versification. Non loin de son ami Henry James, représenté de profil pour cacher tant bien que mal sa bedaine, un portrait d'Edith Wharton en fraîche petite fille modèle ; ses écrits ultérieurs révéleront que son enfance avait au contraire été source de frustrations et de tristesse. Et puis, les tout-puissants : Rockefeller, Carnegie, le bien nommé Frick (de la fameuse collection éponyme à New York) côtoyant Buffallo Bill et Sitting Bull, tandis qu'un peu plus loin Davy Crockett est dépeint sans son emblématique couvre-chef à queue de raton laveur mais exhibant une raie... tracée au cordeau ! Les inventeurs, avec Alexander Graham Bell (téléphone), Isaac Singer (fondateur des célèbres machines à coudre), et Thomas Edison avec son phonographe. En bref, quel tableau !

Cette section s'achève sur plusieurs salles consacrées aux ***héros de la guerre de Sécession,*** dont le général Grant, grand alcoolique et grand consommateur de cigares, promu par Lincoln et qui deviendra le 18e président des États-Unis.

1er étage (2nd floor)

Principalement investi par des expos temporaires, toujours remarquables. Une seule section permanente, consacrée aux ***présidents américains.*** Intéressant de voir l'évolution de ces portraits officiels au fil du temps et l'image qu'ils cherchent à renvoyer (celle du « grand homme » glisse peu à peu vers celle du président moins guindé, plus cool – et par conséquent, sûrement plus proche du peuple !). Ou encore le *Kennedy* d'Elaine De Kooning (l'épouse de Willem), à la manière des expressionnistes abstraits des années 1950, à grands coups de pinceau pour illustrer le côté insaisissable de JFK. Un écran télé retransmet des discours célèbres de tous les anciens présidents.

2e étage (3rd floor et mezzanine)

La qualité des pièces exposées ne cède en rien à celle du bâtiment proprement dit : mosaïques géométriques au sol, colonnades, coursives éclairées par une verrière, dôme central procurant une lumière zénithale colorée, vitraux, bas-reliefs... Le grand hall fut entièrement reconstruit consécutivement à l'incendie de 1877. Cet espace s'articule autour des ***personnalités de l'Amérique contemporaine*** : hommes politiques, artistes, scientifiques, vedettes de cinéma, sportifs... Portrait de militaires (MacArthur, Patton) ; Winston Churchill juste après Yalta (Franklin Roosevelt aurait souhaité réunir sur ce tableau les trois protagonistes du traité mais Staline refusa de s'y associer) ; portraits de Scott Fitzgerald, Gershwin, le grand Dashiell Hammet à côté d'un Einstein au regard perdu ; gracieux et lumineux portrait de Katharine Hepburn devant ses quatre oscars, par Everett Raymond Kinstler, à la manière de Norman Rockwell ; Elizabeth Taylor offerte à la caresse du soleil dans une sensuelle photo en noir et blanc. Michael Jackson au sommet de sa gloire, « icônisé » par Andy Warhol. Ne pas oublier de monter dans les coursives du dernier niveau pour voir l'expo « ***Bravo !*** » (sur le show-biz). Parmi nos préférés : un buste en marbre rose très épuré de Ginger Rogers par Isamu Noguchi, une très touchante Maria Callas en rouge et le buste de Chuck Jones, moins connu que les nombreuses créatures qu'il a contribué à créer au sein de la Warner Bros. et qui ici s'accrochent à lui (Bugs Bunny, Daffy Duck, Bip Bip et Coyote, etc.). L'expo « ***Champions*** » (les stars du sport), en vis-à-vis, recèle plutôt des croûtes, faut être honnêtes... Sauvons tout de même l'imposant *Dempsey-Willard Fight* et un très beau Mohammed Ali à l'entraînement.

Smithsonian American Art Museum *(plan II, G4,* ***205****)* **:** *8th et G St.* • *americanart.si.edu* • Ⓜ *Gallery Place. Mêmes entrées que le précédent. Tlj 11h30-19h. GRATUIT.*

Remarquables collections de peinture, la quintessence de l'art américain dans ce domaine. Rappelons que cette visite et celle de la National Portrait Gallery se font presque automatiquement ensemble, puisque les deux musées sont imbriqués l'un dans l'autre.

Il peut être bien de commencer au ***3rd floor*** avec l'expo permanente d'***art contemporain.*** Ça décoiffe, avec notamment *Electronic Superhighway,* une fascinante installation du Coréen Nam June Paik : juxtaposition d'écrans vidéo (49 canaux en simultanés) formant une carte géante des États-Unis, la terre d'adoption de l'artiste. Chaque État, y compris l'Alaska et Hawaï, est représenté par un programme différent (cherchez Washington D.C., vous aurez une minuscule surprise...). Signalons que N.J.P. bénéficie d'un traitement de choix puisque le musée lui consacre un espace entier baptisé *Global Visionary.* Voir *Megatron,* soit 215 écrans télé passant par tous les drapeaux et couleurs de tous les pays (un seul écran diffuse un film érotique, on n'a pas de mal à le trouver !). Dans la section ***The Postwar Years,*** un grand *mural* d'Alfred Jensen en l'honneur de Pythagore, célébrant ainsi l'unité des Sciences et des Arts, et une sculpture en résine ultra-réaliste de Duane Hanson représentant une ménagère attablée devant une *ice-cream* dans une cafét' populaire (noter les détails de la peau). Et puis un *Nénuphar* de Calder, un emballage de Christo datant de 1961, Willem De Kooning *(The Wave)*, Robert Rauschenberg (*Reservoir,* 1961), Ellsworth Kelly *(Blue on White)* ou Wayne Thiebaud *(Jackpot Machine)*. De David Hockney, voir *Savings And Loan Building,* titre ô combien ironique, avant d'entrer dans son installation *Snails Space With Vari-lites,* tout en couleurs chatoyantes et tamisées. Au *3rd floor*, encore, dans une très jolie petite salle avec des galeries sur 3 niveaux, le *Luce Foundation Center* donne accès à une partie des réserves du musées. Tandis que l'on peut admirer le travail de conservation réalisé dans le *Lunder Conservation Center,* dans les galeries du *3rd floor.*

Au 2nd floor, les célèbres ***portraits d'Indiens réalisés par George Catlin.*** En cinq voyages, entrepris entre 1830 et 1836, convaincu que l'expansion des Blancs vers l'ouest allait causer des changements irrémédiables, Catlin entreprit de capter sur la toile la vie quotidienne des tribus. Il en résulte une œuvre comportant plus de 500 tableaux, exposés ici par roulements. Les amateurs de nus, quant à eux, ne manqueront pas l'alcôve grenat, vouée aux plus belles œuvres du genre sur marbre, dont la *Tentation d'Ève* d'Hiram Powers. Paysages grandioses et fantasmés d'Albert Bierstadt, presque du cinémascope avant l'heure, avec sa nature idéalisée à l'extrême ou l'exaltation de son état originel poussé au maximum.

Les ***impressionnistes*** ne sont pas en reste avec Mary Cassatt *(The Caress)* et Childe Hassam *(The South Ledges, Improvisation, Tanagra)*. Très belle salle entièrement dédiée à l'œuvre de Thomas Wilmer Dewing, dont la philosophie était de faire de chaque moment de la vie quelque chose d'esthétique et d'harmonieux. Parmi ses toiles représentant des femmes vaporeuses dans des éclairages poudrés, un Steinway entièrement peint par l'artiste à la demande de T. Roosevelt, et qui se trouvait jadis à la Maison-Blanche. De Tiffany, pas de vitraux mais quelques vases et, plus inattendu, une huile représentant un *Marché à Tanger,* car le maître verrier était aussi peintre à ses heures. Deux très beaux vitraux de John LaFarge et une magnifique section consacrée aux ***artistes préraphaélites,*** notamment Abbott Handerson Thayer (*Virgin Enthroned* et *Stevenson Memorial,* comme deux anges qui se répondent...). Période de réflexion, d'introspection et d'indécision des artistes, loin des certitudes du christianisme. Anges, personnes asexuées... Voir aussi l'étonnante *Adoration de Jeanne d'Arc,* vaste triptyque en bois de Fosdick où figure en français : « Mes derniers vœux ma dernière pensée sont pour mon dieu ma patrie et mon roi. » Une poignée de portraits hiératiques (notamment *Elizabeth Winthrop Chanler*), signés John Singer Sargent. Également un *Bronco Buster* de Remington (qui a aussi commis un tableau blafard, *Fired On*). S'ensuit une section indienne avec Chamberlain *(Corn Dance),* Blumenschein *(The Gift)*. Plus récente et plus drôle, une section consacrée aux ***Noirs américains,*** avec William H. Johnson *(Man in a vest, Café, Breakdown with flat tire)*.

Au 1st floor, place aux ***contemporains*** dans la partie ***American Experience*** avec *Cape Cod Morning* et *Ryder's House* d'Edward Hopper, le *Manhattan* de Georgia O'Keefe, et une importante section consacrée au ***folk art.*** À retenir, parmi les jouets, statuettes et autres objets d'inspiration populaire : *Bottlecap Giraffe* (anonyme), *Maria* (statue en zinc), *The Throne of the 3rd Heaven,* et surtout un hideux mais hallucinant trône en papier alu froissé sensé accueillir le Christ à son retour sur Terre ! Une œuvre qui occupa son concepteur (le Facteur Cheval de Washington D.C.) pendant 15 ans et qu'il n'eut même pas le temps de terminer... Seule une petite partie de l'œuvre est présentée ici. On peut dire que l'artiste avait vu les choses en grand ! Et pour compléter le tout, des expos temporaires.

🚶🚶 🚸 ***International Spy Museum*** *(plan II, G4,* ***212****)* ***:*** *800 F St NW. ☎ 202-393-7798. • spymuseum.org • (très beau site). Ⓜ Gallery Place Chinatown. Tlj 10h-18h (ferme en généralement plus tard en juil-août). Fermé à Thanksgiving et Noël. Entrée : env 24 $; réduc. Visite recommandée en milieu de sem après 14h, quand le musée est plus tranquille ; sinon, l'afflux de visiteurs gâche le plaisir.*

Ouvert depuis 2002 et situé dans de beaux bâtiments restaurés de la fin du XIXe s, c'est le premier musée sur l'espionnage au monde. Son objectif est de faire découvrir au grand public, de manière pédagogique, ludique et interactive, l'espionnage depuis les temps bibliques jusqu'à nos jours, ainsi que le rôle et l'impact des espions dans l'histoire. Beaucoup d'enfants, d'ados et de groupes scolaires, évidemment. Dès l'entrée, le ton est donné : l'espion, c'est vous. Choisissez votre nouvelle identité, et c'est parti !
Exposition de quelque 600 gadgets parmi lesquels la machine allemande *Enigma* pour brouiller les messages, les faux *Sterling Pounds* gravés par des juifs détenus en camp de concentration et destinés à déstabiliser l'économie anglaise, le mini-pistolet dissimulé dans un bâton de rouge à lèvres ou dans un porte-clés utilisé par la police secrète de Staline dans les années 1960, la chaussure émetteur-radio, une réplique de l'*Aston Martin* de James Bond 007, un parapluie bulgare avec ses flèches empoisonnées, des boutons de manteau dissimulant une caméra...
Il vous faudra aussi apprendre à repérer les dangers, identifier vos ennemis, savoir lire une carte satellite, et même ramper dans un conduit d'aération pour espionner une conversation secrète dans le bureau de Fidel Castro. Dans cette partie du musée, les fans des séries *Homeland* et *The Americans* auront une bonne longueur d'avance ! Comptez au moins 2h de visite, beaucoup plus si le sujet vous passionne ou vous amuse. Boutique spécialisée, *of course !*

National Museum of Women in the Arts *(plan II, F4,* ***211****) : 1250 New York Ave NW. ☎ 202-783-5000 ou 1-800-222-7270. • nmwa.org • Ⓜ Metro Center. Tlj 10h (12h dim)-17h. Fermé 1er janv, à Thanksgiving et Noël. Entrée : 10 $; réduc ; gratuit moins de 18 ans.*
Un petit musée très sympa au cœur de la ville, installé dans une élégante construction de 1907 de style *Renaissance Revival.* Ancien siège de la Grande Loge franc-maçonne de Washington, il fut rénové et transformé en musée d'art en 1987. Cadre remarquable, avec un hall principal tout en marbre ou presque (oubliez le placage rose sur les escaliers !) et sa double volée de marches à balustres. Chaque marche porte une plaque indiquant le nom d'une femme des familles donatrices.
Essentiellement des œuvres de femmes artistes, d'hier et d'aujourd'hui, originaires d'une trentaine de pays. Il semblerait en effet que le milieu des arts aux États-Unis reste misogyne et que la gent féminine soit très peu représentée dans les grandes institutions (alors que plus de 50 % des artistes en arts visuels sont aujourd'hui des femmes). De fait, on ne trouve quasiment jamais d'œuvres de Lilla Cabot Perry (une impressionniste, grande amie de Monet et auteur du remarquable portrait *Femme au bol de violettes,* exposé ici) dans les musées importants. Idem pour Helen Mary Hale (*June,* portrait insistant sur la netteté de l'action en cours alors que le reste est, volontairement, légèrement flou). On commence la visite avec quelques Italiennes de la Renaissance, dont Lavinia Fontana *(Portrait d'une femme noble),* une artiste florentine du XVIe s considérée comme la première femme peintre de l'histoire de l'art. Sur la mezzanine, pas mal de *Frenchies* des XVIIIe-XIXe s, dont Vigée-Lebrun *(Portrait d'Anne-Catherine Augier Vestris).* Le 2nd *floor* est généralement réservé aux expos temporaires et le 3rd *floor* à la collection permanente, mais celle-ci aussi est présentée par roulement !

PRESSE À SCANDALE

Le Washington Post, *créé en 1877 (à l'époque, il faisait 4 pages), est le journal le plus célèbre du monde depuis l'affaire du Watergate qui entraîna la chute de Nixon. La révélation de ce scandale d'écoutes clandestines par deux journalistes, Carl Bernstein et Bob Woodward, valut l'attribution du prix Pulitzer au journal. C'est le symbole du journalisme d'investigation et de l'indépendance par rapport à tous les pouvoirs. Les bureaux du* Washington Post *(au 1150 15th Street NW) sont fermés au public. En revanche, on peut sur demande visiter les deux imprimeries, à l'extérieur de la ville.*

Renwick Gallery (plan II, F4) **:** *Pennsylvania Ave (et 17th St). • renwick.americanart.si.edu • Ⓜ Farragut West. Tlj 10h-17h30. GRATUIT. Dépend du Smithsonian American Art Museum.* Construit pendant la guerre civile, ce fut le premier musée d'art de la ville. C'est une belle construction de style Second Empire, qui abrita, de 1874 à 1897, les collections de la Corcoran Gallery, puis, jusqu'en 1964, l'*US Court of Claim.* Ses expositions, uniquement temporaires, présentent des œuvres de grande facture à la croisée de l'artisanat, du design et de l'art contemporain. Ces expos sont créées à partir des collections de la Smithsonian, ainsi que de commandes passées auprès d'artistes pour des œuvres in situ.

Textile Museum (plan II, E4, **171**) **:** *George Washington University Museum, 701 21th St NW. ☎ 202-994-7394. • museum.gwu.edu • Ⓜ Foggy Bottom. Tlj sf mar et j. fériés 11h30 (10h sam, 13h dim)-18h30 (17h le w-e). Donation suggérée : 8 $.* En réalité, cet espace accueille deux musées en un : le George Washington University Museum et le Textile Museum, dans une partie contemporaine adossée et reliée à la *Woodhull House,* une maison du XIXe s qui hébergea jusqu'en 2012 le siège de l'administration de la George Washington University. Ensemble, ils proposent d'intéressantes expos temporaires créées à partir de la magnifique collection du Textile Museum (soit plus de 20 000 pieces de textiles, tapis et costumes du monde entier remontant, pour les anciens jusqu'à 3000 ans av. J.-C.).

Autour de Dupont Circle, Kalorama et Woodley Park

Phillips Collection (plan I, A-B3) **:** *1600 21st St (et Q St). ☎ 202-387-2151. • phillipscollection.org • Ⓜ Dupont Circle. Mar-sam 10h-17h (20h30 jeu), dim 12h-19h. Donation libre en sem pour la collection permanente, sinon 12 $ le w-e et en cas d'expo temporaire ; réduc. Visites guidées à 12h mar-sam, 13h dim. Audioguide téléchargeable sur un smartphone.*

Cette collection privée est exceptionnelle par la qualité de ses œuvres, son cadre et sa muséographie. Elle comblera notamment les amoureux des ***maîtres français des XIXe et XXe s,*** en particulier pour la période 1860-1960. C'est aussi le plus ancien musée d'Amérique pour l'***art moderne,*** ouvert sept années avant le MoMA de New York. À l'origine, Duncan Phillips, un riche héritier fou d'art et de peinture, amoureux de la couleur, commença à acquérir de nombreuses toiles, d'abord d'impressionnistes, puis de peintres de son temps. En 1921, il ouvrit au public quelques pièces de sa propre maison, une belle demeure victorienne de 1897. Dans cette première présentation, Duncan Phillips ne proposait rien moins que des Chardin, Monet, Sisley, mais aussi des Américains de son époque : Twachtman, Whistler, Ryder... démontrant là un flair étonnant. Aujourd'hui, la collection compte près de 3 000 tableaux.

Plan du musée un peu alambiqué, avec des demi-niveaux qui compliquent encore les choses, mais qui font aussi le charme de la visite. Ne cherchez surtout pas à vous repérer à tout prix pour respecter un ordre précis de visite. Toutes les salles peuvent se voir dans n'importe quel sens puisqu'il n'y a pas de chronologie particulière, les œuvres se ressemblant ou s'opposant, cette présentation correspondant à la volonté de Phillips. En plus, il y a régulièrement des changements dans l'accrochage et certains tableaux cités ne sont pas toujours visibles...

Les plus grands peintres européens sont réunis : Renoir (avec le chef-d'œuvre du musée, *Le Déjeuner des canotiers*), Ingres et sa *Petite Baigneuse, Les Cantonniers* de Van Gogh, Delacroix, Braque, Matisse *(Studio quai Saint-Michel),* Bonnard *(La Fenêtre ouverte),* Monet, Degas *(Danseuses à la barre),* Gauguin, le Douanier Rousseau, Cézanne *(Femme en bleu assise, Autoportrait),* Modigliani, Picasso (remarquable *Chambre bleue*), Dufy, Klee, Miró, Mondrian, Chagall *(Le Rêve),* Kandinsky, Gris, Soutine *(Femme de profil),* Giorgione, mais aussi Le Greco et Goya... Également de nombreux Kokoschka *(Vues de Lyon, Courmayeur, Annecy, Prague).*

Et beaucoup d'**artistes américains** : à commencer par Mark Rothko, avec une petite salle aux airs de chapelle qui lui est dédiée. Pour mieux faire comprendre l'art de son maître, la *Rothko Room* privilégie l'intimité et la proximité avec ses visiteurs, qui pourront être au maximum huit à l'intérieur. Et on continue avec de grands noms de la peinture américaine... Frank Stella, John Sloan, Thomas Eakins, William Merritt Chase (*Hide and Seek,* étonnante composition représentant une partie de cache-cache entre deux fillettes), le célèbre Edward Hopper (dont le troublant *Sunday* où les tons vert-bleu font écho à la mélancolie du personnage), qui semble avoir le pouvoir d'arrêter le temps sur la toile, Georgia O'Keefe...
Mais l'étonnement reste à venir, avec le salon de musique et ses annexes, où l'exposition de tableaux se poursuit, dans une salle avec plafond à caissons, boiseries et colonnes sculptées et cheminée en pierre. Les **concerts** sont des moments exceptionnels *(dim à 16h oct-mai ; 40 $/pers, mais tickets souvent vendus 3 mois avt !).*

Vradenburg Café (Tryst) : Agréable café à la déco très Mondrian, comme un reflet du tableau qui fait face à la porte d'entrée. Beau patio.

Anderson House *(plan I, A3) : 2118 Massachusetts Ave NW. ☎ 202-785-2040. • societyofthecincinnati.org • Ⓜ Dupont Circle. Tlj sf lun et j. fériés 10h (12h dim)-16h. Visites guidées gratuites (durée : 1h) ttes les heures 10h15-15h15.*
C'est LE siège de la *Society of the Cincinnati,* créée en 1783 par les officiers de l'armée américaine pour préserver les acquis et libertés de la révolution et maintenir la solidarité entre frères d'armes (Cincinnatus, sénateur romain, sauva deux fois Rome dans l'Antiquité). Washington en fut le président jusqu'à sa mort, et L'Enfant, La Fayette, Rochambeau, De Grasse... en firent partie aussi. Seuls leurs descendants et ceux de leurs alliés français, à raison d'un membre par famille, peuvent prétendre à un tel statut (aujourd'hui, environ 200 Français, descendants des officiers de La Fayette et De Grasse, sont membres). Quand l'Ohio fut créé, son gouverneur, membre de la société, donna le nom de Cincinnati à la nouvelle capitale de l'État.
Pour les amoureux de prestigieuses demeures du XVIIIe s, *Anderson House* vaut le déplacement. Elle fut léguée à la société en 1938 par l'épouse de Larz Anderson, ancien ambassadeur des États-Unis au Japon, à la mort de celui-ci. À l'intérieur, décor rocaille époustouflant : immenses salles, cheminées monumentales, plafonds à caissons, lambris, loggia sur colonnes torsadées, galerie sur jardin. Incroyable *Cadies Room* et riche ameublement colonial. Belles collections d'objets d'art présentées à travers de petites expos temporaires (gratuites) : miniatures, soldats, reconstitution de batailles célèbres et nombreux souvenirs de la révolution américaine, lettres anciennes, armes d'époque, etc. Notez, dans la première pièce, la croix de guerre française peinte au plafond. Plus loin, une fresque scellant l'amitié entre Washington et La Fayette face à une autre dépeignant la guerre civile avec un ange libérant un esclave...
Au 1er étage, lourde décoration de marbres noirs et bois sombres, meubles asiatiques. Le magnifique *French Salon,* d'un luxe quasi versaillais, expose des tapisseries composées de soie à 80 %, des japonaiseries, des dorures... Très rare fourreau de sabre géant de samouraï en ivoire sculpté. Art japonais : coffrets et boîtes laquées en or, écritoires, icônes, couronne bouddhique népalaise. Style plutôt français, paradoxalement, pour l'*English Living Room.* Grande salle aux tapisseries flamandes du XVIIe s, avec une porte secrète pour rejoindre la chambre d'Anderson... Salle de bal où est venu Caruso en 1919, avec plafond à caissons et de magnifiques panneaux japonais du XVIIIe s. Luxueuse salle à manger avec plafond stuqué, sol en marbre, de nouveau de magnifiques tapisseries, paravent japonais en bois sculpté et remarquables émaux, porcelaine de Chine et maints objets d'art, dont le favori de Mrs Anderson, une fascinante boule de cristal soutenue par un dragon chinois en ivoire. Jetez un coup d'œil aux aiguières de part et d'autre de la porte de la cuisine.

Woodrow Wilson House *(plan I, A3)* **:** *2340 S St NW. ☎ 202-387-4062. • woodrowwilsonhouse.org • Ⓜ Dupont Circle. Mer-dim et j. fériés 10h-16h. Entrée : 10 $; réduc. Visite guidée obligatoire (ttes les heures) ; durée : 1h, incluant un film de 16 mn sur l'ancien président.*

La seule demeure privée de président que l'on puisse visiter à Washington (en fait, on peut aussi visiter le *Lincoln Cottage,* au nord du centre, mais c'était sa résidence d'été et la visite ne présente aucun intérêt : maison vide et affreusement rénovée !). Woodrow Wilson gouverna le pays de 1913 à 1921. L'intérêt principal est que cette charmante maison de 1915, de style *Georgian Revival,* est demeurée pratiquement inchangée depuis cette époque. Tout commence par la bibliothèque, juste à côté de la charmante petite rotonde dominant le jardin. Dans la salle de musique, belle mosaïque représentant saint Pierre priant. La messe est dite. Portrait de madame Wilson dans la salle à manger. La dernière grande réception ayant eu lieu dans cette pièce fut lorsque la maîtresse de maison invita Jackie Kennedy à l'occasion de son arrivée en tant que First Lady à la Maison-Blanche. Rien n'a bougé depuis. Les objets d'art et de la vie quotidienne sont restitués à l'identique. À l'étage, on a le droit de voir la chambre du président, ornée de l'aigle et du drapeau de la nation. Wilson, malade, passait la moitié de sa vie au lit. Un peu plus loin, celle de madame, pleine de japonaiseries (elle éprouvait une réelle passion pour l'empire du Soleil-Levant) et, entre les deux, celle de l'infirmière. La cuisine des années 1940 a gardé sa vieille cuisinière en fonte. Bref, une visite très calme, mais néanmoins intéressante pour appréhender ce que pouvait être la vie privée d'un grand homme. N'hésitez pas à vous dégourdir les jambes dans le jardin, qui ne manque pas de charme, à l'image de sa demeure.

Smithsonian National Zoological Park *(plan I, A1)* **:** *3001 Connecticut Ave. ☎ 202-633-4888. • nationalzoo.si.edu • Ⓜ Woodley Park Zoo (puis remonter Connecticut sur 400 m env). Tlj 9h-18h (16h oct-avr). GRATUIT. Plan et guide du zoo : 5 $. Loc de poussettes 9 $ (12 $ pour une double). Pour voir des animaux,* ***mieux vaut venir vers 11h,*** *quand ils sont le plus actifs. Sinon, vous risquez de contempler beaucoup d'enclos vides (notamment en été, quand ils se réfugient à l'abri de la chaleur).*

L'endroit est autant un labo de recherche et de conservation d'espèces animales protégées qu'un zoo proprement dit. On y sensibilise le public sur la nécessité de protéger la nature, notamment en lui faisant prendre conscience de la difficulté qu'ont les espèces à se reproduire en captivité. La mise en situation des animaux est réussie et le cadre, très boisé, vraiment agréable, y compris pour les animaux (un peu moins dans les espaces intérieurs, où ils sont beaucoup plus à l'étroit ; tout est fait cependant pour qu'ils puissent passer plusieurs heures par jour à l'abri des regards, même pendant les horaires d'ouverture). Il y a des temps forts à heures régulières (indiqués à l'entrée), mais les vedettes du zoo sont sans conteste Tian Tian, Mei Xiang, Bei Bei et Bao Bao, les quatre ***pandas*** ! Le zoo a déjà réussi, grâce à l'insémination artificielle, à donner naissance à trois petits (dont Bao Bao – Trésor en chinois –, née en 2013, et Bei Bei en 2015). Dans la maison des oiseaux, les principaux volatiles en voie de disparition exhibent leur plumage multicolore, dont le toucan et l'oiseau de paradis. Vous entrez carrément dans la volière, et ça vole

LE PANDA EST UN COSSARD

Il appartient à la famille des ours et était donc autrefois carnivore. À la période glaciaire, nombre d'animaux disparaissant, il dut se mettre à grignoter du bambou, très peu énergétique. Depuis, il passe un temps fou à se nourrir. Quand il rentre à la maison, le soir, il est crevé et n'a que trop rarement le courage d'honorer sa compagne. Pour ne rien améliorer, la femelle panda n'est fertile qu'un ou deux jours par an. Un zoo chinois semble avoir trouvé la solution : le panda mâle a droit à 15 mn de film érotique pour pandas chaque jour.

autour de vous. La maison des reptiles se révèle elle aussi captivante. Ici, c'est le ***dragon de Komodo*** qui règne en maître. Chez les invertébrés, c'est la pieuvre géante. Ne pas rater le pollinarium et la ruche vitrée où l'on voit le miel être fabriqué. Le bâtiment intitulé *Think Tank* est consacré aux expériences montrant le processus d'évolution de l'intelligence (notamment à travers le langage). Les scientifiques démontrent aujourd'hui que les animaux savent se servir d'outils, alors qu'il y a à peine 30 ans on pensait encore le contraire (les créationnistes n'ont qu'à bien se tenir !). Une belle excursion sur les traces de Darwin.

Balades dans les quartiers

Une bonne quinzaine de quartiers ont leur *Heritage Trail,* soit un circuit ponctué de panneaux vous racontant l'histoire ou les faits marquants de chaque *neighborhood.* Voilà une belle occasion de découvrir Washington sous un autre angle que celui de ses seuls musées. On vous encourage vivement à télécharger les cartes et les livrets en amont sur : • *culturaltourismdc.org* •

Georgetown *(plan III)*

Accès : en métro, env 15 mn de marche depuis la station Foggy Bottom. Beaucoup plus pratique et moins cher en bus, avec le Circulator (lignes Union Station-Georgetown et Dupont-Circle-Georgetown-Rosslyn).

Fondée en 1751, au bord du Potomac, cette ville baptisée Georgetown en l'honneur du roi George II d'Angleterre est antérieure à Washington D.C. (qui ne date que de 1791). Cité prospère, grâce au commerce du tabac, à son port et ses moulins, de nombreux esclaves enfin devenus libres viennent s'y installer à la fin de la guerre de Sécession. Quand elle est officiellement intégrée à Washington D.C. en 1871, elle est encore un quartier à la mode qui attire nombre de personnalités. Mais dans les années 1890, le Potomac sort de son lit et endommage fortement le C & O Canal (un drôle de nom qui n'est en réalité que l'abréviation de Chesapeake and Ohia Canal). Puis la Canal Company fait faillite et l'activité du port périclite. Georgetown entre alors dans une longue phase de déclin et, dans les années 1920 ce quartier noir est l'un des plus pauvres et plus insalubres de la capitale. La tendance s'inverse dans les années 1930, et le quartier historique de Georgetown retrouve peu à peu sa superbe, attirant gens de pouvoir et familles aisées. C'est d'ailleurs là que, dans les années 1950, s'installe le jeune sénateur John F. Kennedy.

Georgetown reste aujourd'hui un quartier chic et blanc, avec ses maisons d'habitation anciennes superbement restaurées, ses jolies boutiques et ses restos qui font le plein de *yuppies.* Très animé aussi le soir, surtout le week-end.

Son centre se trouve à l'intersection de Wisconsin Avenue et M Street. Si vous abordez Georgetown par le sud, au niveau de 30th Street, jetez un œil sur le ***Washington Harbor*** *(plan III, I-J8),* un imposant complexe édifié le long du Potomac, à l'architecture que l'on serait tenté de qualifier de mussolinienne, mais revue et corrigée à la sauce de Las Vegas ! La marina, avec ses *cabin-cruisers* au bord à bord, draine énormément de monde lors des soirées de la belle saison et de nombreux bars servent de point de concentration à ces hordes de noctambules.

LES MARCHES DE L'EXORCISTE

Ce film culte d'angoisse psychologique fut tourné en 1972-1973 à Georgetown. Les cinéphiles pourront y voir le fameux escalier (75 marches entre Prospect et M Street, au niveau de 36th Street), mortellement dévalé par le père Karras, possédé à son tour par le démon qui défigurait la fillette enfin exorcisée. Watch your steps !

En remontant 30th Street, vous croiserez le charmant ***C & O Canal*** avec voies piétonnes sur berge et quelques écluses historiques. Au 3051 M Street, possibilité de visiter la petite ***Old Stone House*** *(mer-dim 11h-18h ; GRATUIT),* la plus ancienne maison de Washington (1766) aux gros moellons apparents. Pittoresque à souhait ! En remontant vers R Street, vous flânerez dans la partie la plus résidentielle de Georgetown et croiserez le ***Oak Hill Cemetery*** *(entrée au bout de 30th St ; tlj sf sam et j. fériés 9h-16h30, dim 13h-16h).* Délicieusement vallonné vers Rock Creek, l'un des plus vieux cimetières de D.C. (1844). Nombreux mausolées et tombes anciennes dans un environnement bucolique.
À côté s'étendent les ***Dumbarton Oaks Gardens*** : *1703 32nd St NW. ☎ 202-339-6400. • doaks.org • Musée fermé jusque fin 2016. Jardins : tlj sf lun et j. fériés 14h-18h (17h de nov à mi-mars). Entrée : 10 $; gratuit de nov à mi-mars.* Superbes jardins en terrasses, tout en élégance et symétrie. Maison construite en 1801 et qui abrite une petite collection d'art byzantin et précolombien.

Le U Street Corridor et Columbia Heights *(plan I)*

Ⓜ *U Street ou Cardozo et Columbia Heights.* Dans le nord du quartier de Shaw, s'étend le U Street Corridor (entre 13th et 16th Street). Celui-ci doit en partie sa renommée au plus grand compositeur de jazz d'Amérique, Duke Ellington, qui y passa son enfance (au 1212 T Street, entre autres). Des années 1920 aux années 1960, le U Street Corridor fut le centre culturel, intellectuel et commercial de la communauté afro-américaine de Washington. On y trouvait des boîtes de jazz où se produisaient les plus grands (Billie Holiday, Fats Waller, le Duke...). U Street avait gagné le surnom de Black Broadway. Des écrivains noirs de renom y habitèrent, comme Angeline Grimke, Zora Neale Hurston, Langston Hughes, Alain Locke... Dans les années suivant la fin de la ségrégation et les violentes émeutes déclenchées en 1968 par l'assassinat de Martin Luther King, le quartier s'appauvrit et se dégrada.
Délaissé par les classes moyennes ou bourgeoises, abandonné aux populations les plus pauvres, il fallut attendre les années 1990 et l'arrivée du métro pour qu'il commence à renaître, avec l'éclosion de restos et cafés branchés. Aujourd'hui, les quartiers résidentiels qui le bordent ont en grande partie retrouvé leur attrait. Les coquettes maisonnettes de brique colorée y côtoient des constructions récentes abritant le plus souvent des lofts.
Au 1215 U Street NW, jeter un œil au ***Lincoln Theater,*** bâti en 1921, fermé en 1968 suite aux émeutes raciales, rouvert et restauré en 1994. Haut lieu de la vie nocturne dans les années 1920-1940 : Cab Calloway, Ella Fitzgerald, Count Basie, Jerry Roll Morton et tant d'autres s'y produisirent. À trois blocs, au 1925 Vermont Ave NW *(plan I, C2)*, l'***African-American Civil War Memorial & Museum*** *(☎ 202-667-2667. • afroamcivilwar.org • Lun-ven 10h-18h30, sam 10h-16h, dim 12h-16h)* honore les 180 000 Noirs américains qui combattirent dans l'armée de l'Union pendant la guerre de Sécession. À deux blocs de là, dans le quartier de Pleasant Plains, la ***Howard University*** *(Georgia Ave NW ; Ⓜ Shaw-Howard University)* est un établissement fondé en 1867 par Oliver Otis Howard, général dans les troupes de l'Union, champion des droits des Noirs et partisan acharné de leur émancipation. De nombreux leaders noirs, hommes politiques, industriels, intellectuels, etc., en sont issus.
En remontant la Florida Avenue, on entre ensuite dans le quartier de ***Columbia Heights,*** qui a lui aussi connu plusieurs vies et abrité différents types de populations. Au XIXe s et au XXe s, c'était la banlieue chic de Washington D.C., celle où vivaient les classes supérieures travaillant pour le gouvernement fédéral, les juges de la Cour suprême ou les militaires de haut rang, d'où les belles demeures que l'on découvre au fil des rues. Dans les années 1940-1950, alors que les classes supérieures blanches quittaient Columbia Heights pour de nouvelles banlieues encore plus huppées, les habitants de Shaw ont commencé peu à peu à s'installer

là, faisant de Columbia Heights un des quartiers de la classe moyenne noire. L'assassinat de Martin Luther King en 1968 et les émeutes qui s'ensuivirent ont marqué la même cassure pour ce quartier que pour Shaw ou le Logan Circle. Avec la fermeture des magasins, des restaurants et le départ des populations les plus aisées, le quartier a périclité pour peu à peu renaître à la fin des années 1990, avec l'arrivée du métro. Même s'il connaît lui aussi une certaine gentrification, sa population reste encore assez mélangée. Une belle façon d'aborder Columbia Heights est de se promener dans son ***Meridian Hill Park*** *(plan I, B2)* qui fut le siège de grands rassemblements pendant la lutte pour les droits civiques. Son entretien laisse quelque peu à désirer, mais avec son jardin à la française et un autre à l'italienne, sur deux niveaux et plusieurs cascades en terrasses, il fait bon s'y poser. Allez-y le dimanche, avec les familles, et ne manquez pas les statues de Jeanne d'Arc et de Marie-Antoinette.

Capitol Hill *(plan II)*

Quartier s'étendant du Capitole au Lincoln Park, à l'est. Pour les promeneurs impénitents disposant d'un peu de temps, balade agréable. Ça ressemble beaucoup à ce que put être Georgetown il y a 30 ou 40 ans (en moins léché qu'aujourd'hui). D'ailleurs, c'est aussi un ancien quartier noir repris par les Blancs. Superbes maisons, hôtels particuliers avec de beaux jardins sauvages. Capitol Hill, c'est la ville réconciliée avec la campagne. Les rues bordées d'arbres, les trottoirs phagocytés par la mauvaise herbe, les jardins encore plus sauvages confèrent au quartier un réel charme.

Anacostia *(plan d'ensemble, C-D4)*

Ⓜ *Anacostia (ligne verte). Accessible aussi à pied depuis le* waterfront *de Navy Yard en empruntant* l'Anacostia Riverwalk Trail *et le pont qui enjambe l'Anacostia River. Une fois celui-ci passé, quitter l'Anacostia Riverwalk Trail (qui longe le fleuve) pour rejoindre la* Good Hope Road.

Se promener dans Anacostia, c'est entrer dans un autre monde, celui des grands quartiers noirs où règne une extrême précarité (avec toute la série de problèmes qui va avec). Et pourtant, nous vous encourageons vivement à passer le fleuve et à découvrir (en journée) l'*Anacostia Historic District* et son histoire à travers le parcours de l'*Anacostia Heritage Trail*.

Anacostia a vécu le processus inverse de Georgetown. Intégrée à Washington en 1854 sous le nom de Uniontown, elle fut l'une des premières banlieues ouvrières de D.C. Sa population, majoritairement blanche jusqu'à la fin des années 1950, travaillait principalement à l'arsenal et dans les chantiers navals de l'autre côté du fleuve. Celle-ci quitta peu à peu Anacostia pour les nouvelles banlieues créées après guerre, tandis que de nombreux logements sociaux étaient construits dans le quartier qui connut alors un afflux de familles noires. Aujourd'hui, Anacostia est à 96 % *African-American.* Au début du XXIe s, les restaurants ou cafés se comptaient encore sur les doigts d'une seule main, les services en tout genre brillant eux aussi par leur absence. Mais aujourd'hui, l'inimaginable semble peu à peu se produire. Avec des prix de l'immobilier devenus prohibitifs sur l'autre rive de l'Anacostia River, une nouvelle population commence effectivement à apparaître. Et vous ne tarderez pas à comprendre pourquoi en vous promenant dans l'Anacostia Historic Distric. Un esprit français en entendant les mots « banlieues défavorisées » tend en effet à imaginer des quartiers de hautes tours dans un environnement bétonné. Or Anacostia donne presque l'impression d'être à la campagne : les rues sont bordées de maisons, souvent jolies mais en piteux état (ou à l'abandon), entourées de jardins un peu fous, faute d'entretien. Pour vous dire qu'Anacostia attire de nouvelles populations : le ***Busboys and Poets*** (voir

« Où manger ? Dans Shaw et autour de Logan Circle ») devrait ouvrir sous peu une antenne dans ce quartier ! Par ailleurs, un projet d'envergure et novateur vise à la réhabilitation totale du 11th Street Bridge Park, ce qui pour le coup, changerait totalement l'arrivée à Anacostia *(plus d'infos sur : • bridgepark.org •).*

Où manger ? Où boire un café ?

Art-Drenaline 365 Café : *1231 Good Hope Rd SE (entre Martin Luther King Jr Ave et 13th St SE). ☎ 202-678-5000. Dans l'Anacostia Art Center. Mar-jeu 8h-16h, ven-sam 10h30 (8h30 ven) jusqu'au dernier client, dim 10h30-15h. Plats 4-12 $, brunch dim 22 $ (buffet à volonté).* Ce petit centre d'art et son joli café sont bien la preuve de la volonté des habitants d'Anacostia de changer la donne. Dans un quartier où la malbouffe règne en maître, on vous y propose des petits plats simples mais sains et concoctés à base de produits frais et le plus possible locaux.

À voir

Outre la promenade dans l'Anacostia Historic Distric, deux sites méritent la visite.

Frederick Douglass National Historic Site : *1411 W St SE. ☎ 202-426-5961. • nps.gov/frdo • Ⓜ Anacostia (ligne verte). Visitor Center : tlj 9h-16h (17h avr-oct). Tour guidé de la maison gratuit mais résa (1,50 $) obligatoire.* Mais qui est donc ce Frederick Douglass ? Un homme au parcours extraordinaire ! Né esclave en 1817 ou 1818 (lui-même n'a jamais connu l'année exacte de sa naissance), cet autodidacte assoiffé de savoir réussit à s'enfuir de chez son dernier maître. Ce grand abolitionniste deviendra alors patron de presse, président de banque, ambassadeur, un extraordinaire orateur et l'heureux propriétaire de cette belle demeure victorienne où il mourut en 1895. À défaut de visiter la maison, on vous conseille vivement de passer un petit moment dans le *Visitor Center* et de découvrir la vie et l'œuvre de cet homme, à travers notamment un intéressant film de 20 mn. Les lieux sont vieillots à souhait, mais le propos lui est intéressant !

Anacostia Community Museum : *1901 Fort Pl SE. ☎ 202-633-4820. • anacostia.si.edu • Pour s'y rendre : métro jusqu'à Anacostia, puis metrobus W1 ou W2. Tlj 10h-17h. GRATUIT.* Musée dépendant de la Smithsonian, dont les expos temporaires sont dédiées à la culture noire américaine sous tous ses aspects : ethnographique, artistique, sociologique.

À voir, ailleurs en ville

Arlington National Cemetery *(plan d'ensemble, A3-4)* **:** *Arlington (Virginie). ☎ 877-907-8585. • arlingtoncemetery.mil • De l'autre côté du Potomac. Ⓜ Arlington Cemetery ; accès par le Arlington Memorial Bridge. Tlj 8h-19h avr-sept (17h sinon). Prendre le plan à l'entrée. Possibilité de visite en bus (12 $).*

Dans le bâtiment d'accueil du plus célèbre cimetière des États-Unis, émouvantes photos des funérailles de JFK. De Gaulle se tient à droite. Maquette du cortège funéraire ; le cercueil est posé sur un affût de canon, et le cheval de JFK suit, avec les bottes posées à l'envers dans les étriers.

Sur plus de 240 ha reposent 175 000 soldats américains. À l'est de la maison Curtis-Lee, une flamme perpétuelle brûle sur ***la tombe de John Fitzgerald Kennedy,*** assassiné en 1963, et de sa femme Jackie, morte en 1994. En contrebas, sur la gauche, la simple croix et la petite stèle qui marquent la sépulture de Robert

Francis, alias Bobby, le jeune frère du président, assassiné à son tour en 1968. À voir aussi, la relève de la garde (toutes les 30 mn) devant la tombe du Soldat inconnu, une cérémonie qui témoigne par son cérémonial du patriotisme fervent des Américains.
Un peu avant le cimetière, sur la route 50, s'élève l'une des plus grandes statues en bronze jamais coulées, le *Marine Corps Memorial.* Elle rend hommage à tous les marines morts au combat depuis 1775 et représente, d'après l'une des plus célèbres photographies du monde, les soldats plantant le drapeau américain à Iwo Jiwa en 1945.

Le Pentagone *(The Pentagon ; plan d'ensemble, A-B4) :* Ⓜ *Pentagon. Possibilité de visites guidées en anglais slt, en réservant longtemps à l'avance (au moins 14 j. et jusqu'à 3 mois), sur • pentagontours.osd.mil • Tours lun-ven 9h-15h ; durée : 1h. GRATUIT.*
Abritant le quartier général du département de la Défense, c'est le (second) plus grand bâtiment du monde (après un centre commercial en Chine !). Son nom vient de la forme de son plan. Quant à sa surface habitable, elle est trois fois supérieure à celle de l'Empire State Building de New York : 7 748 fenêtres ! C'est une ville dans la ville, avec 28 km de couloirs et 26 000 employés, dont les quatre cinquièmes sont en uniforme. Des chiffres réconfortants pour l'Américain moyen, qui se sent sacrément bien défendu.
Mais le matin du ***11 septembre 2001,*** une poignée de terroristes mit le feu à ce symbole de la puissance militaire américaine. Et l'invulnérabilité de l'Amérique en a pris un sacré coup ! Armés de simples cutters, ces kamikazes ont réussi à détourner un avion d'*American Airlines* et à le précipiter sur le Pentagone, moins de 1h après les deux premiers crashs sur le World Trade Center de New York. Le bâtiment, conçu en 1942 (en 16 petits mois !) pour résister à toutes les attaques, n'a pas résisté à celle-ci : le choc de l'explosion a provoqué un cratère dans l'aile ouest, entraînant la mort de 184 personnes. Devant la façade ouest du Pentagone, 184 bancs d'acier illuminés, entourés d'érables du Japon, rendent hommage aux 184 victimes, âgées de 3 à 71 ans. Ceux qui sont orientés vers le Pentagone symbolisent les passagers du vol *American Airlines,* ceux dirigés dans l'autre sens représentant les employés civils et militaires qui ont péri suite à l'impact de l'avion. Ce mémorial fut inauguré 7 ans jour pour jour après les attentats.

Air Force Memorial *(plan d'ensemble, A4) :* ce sont les trois immenses flèches d'acier qui s'élèvent dans le ciel de Washington, visibles d'un peu partout. Surplombant le Pentagone et le cimetière d'Arlington, donc en dehors du circuit classique des mémoriaux du Mall, elles rendent hommage depuis 2006 aux hommes et femmes de l'US Air Force. Le design du monument évoque l'envol et l'esprit des équipes de l'aviation et le chiffre trois symbolise les trois valeurs fondamentales de l'US Air Force : intégrité, service à autrui et excellence.

Hillwood Museum & Garden *(hors plan d'ensemble par B1) : 4155 Linnean Ave (pointe sud de Rock Creek Park). ☎ 202-686-8500. • hillwoodmuseum.org •* Ⓜ *Van Ness/UDC (puis descendre Connecticut env 15 mn). Mar-sam 10h-17h. Entrée : 18 $ (15 $ en sem pour les billets achetés sur Internet) ; réduc.*
Remarquable propriété achetée en 1955 par Marjorie Merriweather, une jeune businesswoman qui fit fortune dans les céréales au début du siècle dernier. Héritière d'une riche famille, Marjorie, qui épuisa trois maris durant son règne sur les marchés financiers, avait un œil et un goût hors du commun. Au fil de ses pérégrinations, qui la conduisirent de l'Europe à la Russie, elle fit l'acquisition d'un nombre impressionnant d'objets d'art. Aujourd'hui, outre les magnifiques jardins (japonais, français, anglais) qui cernent la demeure, de très belles collections sont à découvrir. Vaisselle (remarquable porcelaine de Sèvres, mais aussi des œufs de Fabergé), meubles, icônes, textiles, très belle collection de cristal de

Baccarat, ivoires (dont un buste de Maria Fedorova, sculpté par Seriakov à la fin du XIXe s), estampes orientales, mais aussi peinture française, dont la surprenante *Nuit* de William Bouguereau, allégorie féminine voluptueuse en légère lévitation au-dessus du sol (imiterait-elle ses voisines les chouettes ?), semblant épouser un ciel étrange, aussi nuageux qu'étoilé... En somme, un agréable moment à passer, délicat et raffiné.

Washington National Cathedral *(plan d'ensemble, A1) : 3101 Wisconsin Ave NW (angle Massachusetts Ave NW). ☎ 202-537-6200. • cathedral.org • Ⓜ Tenleytown (et 15 mn de marche) ; bus nos 30N, 30S ou 33 (Friendship Heights). Lun-sam 10h-17h30 (16h sam), dim 8h-17h (horaires prolongés en été). Messe dominicale à 11h, en sem à 12h. Vêpres avec chœurs dim-mer à 16h. Orgue mer à 12h30 et dim après les vêpres de 16h. Quelques visites guidées tlj, celle des gargouilles est moins fréquente. Entrée lun-sam : 12 $; réduc. Certaines visites guidées sont incluses dans le billet d'entrée, d'autres payantes (le* « Gargoyle Tour » *coûte 22 $ et ce n'est pas le plus cher !). Demander le plan-guide, très bien fait.* Commencée en 1907, consacrée en... 1976 et achevée enfin en 1990, cette cathédrale néogothique a bien l'apparence de celles du Moyen Âge. Elle a d'ailleurs été construite selon les techniques d'époque. Malmenée par le tremblement de terre de 2011 (une partie est encore en travaux à la suite de celui-ci), cela ne l'empêche pas avec ses 158 m de long, ses 32 m de haut, ses 7 712 m² et sa flèche culminant à 206 m (au-dessus du niveau de la mer) de revendiquer d'être à la fois au sixième rang mondial des cathédrales et le point culminant de Washington. Remarquable façade criblée de gargouilles et, à l'intérieur, belles rosaces et vitraux, dont l'un, sur le thème des astres, a même un morceau de pierre de lune enchâssé, datant de la mission *Apollo 11* (couleurs magnifiques). Voir aussi le cloître et les bâtiments des écoles tout autour. Agréable quartier verdoyant et résidentiel, près des ambassades.

UNE GARGOUILLE *STAR WARS*

La cathédrale de Washington est célèbre pour sa centaine de gargouilles. Parmi les plus insolites : un hippie à cheveux longs, un yuppie cravaté, un politicien... Mais la palme de l'originalité revient à celle de Dark Vador, réalisée dans les années 1980 après un concours pour enfants à qui on demandait de donner leur représentation du Mal. Elle est minuscule, il faut donc un plan et surtout de bonnes jumelles pour l'apercevoir en haut de la tour clocher côté nord-ouest...

Basilica of the National Shrine of the Immaculate Conception *(basilique du sanctuaire national de l'Immaculée Conception ; hors plan d'ensemble par D1) : 400 Michigan Ave NE (angle 4th St). ☎ 202-526-8300. • nationalshrine.com • Ⓜ Brookland/Catholic University. Tlj 7h-19h (18h nov-mars).*

Cette basilique dédiée à la Vierge Marie peut s'enorgueillir du titre de ***plus grande église romaine catholique d'Amérique du Nord*** (et d'être une des dix plus grandes églises au monde). Ses mensurations : 140 m de long sur 74 m de large (transepts inclus) et 100 m de haut. Elle s'étend sur 12 000 m² et son dôme mesure pas moins de 33 m de diamètre (pour vous donner un ordre de grandeur, il est au moins deux fois plus grand que le dôme le plus important de la basilique Saint-Marc à Venise). Autant vous dire qu'on la repère de loin ! Elle peut accueillir jusqu'à 6 000 fidèles debout et 3 500 assis, et compte plus de 70 chapelles et sanctuaires. Autant vous dire, aussi, que sa construction ne s'est pas faite en un jour ! Tout commence en 1847, lorsque le pape Pie IX déclare l'Immaculée Conception (la Vierge Marie, donc) patronne des États-Unis d'Amérique. En 1913, c'est le pape Pie X qui donne son accord (et une contribution personnelle) pour la construction d'un sanctuaire national dédiée à l'Immaculée Conception. En 1920, la première pierre est posée, mais il faudra attendre 1959 pour que l'église soit consacrée (la

Grande Dépression et la Seconde Guerre mondiale sont passées par là, retardant quelque peu l'avancement des travaux). En 1999, le pape Jean-Paul II (qui honora par trois fois les lieux de sa visite) l'éleva au rang de basilique. Précisons que cette église n'a pas de paroisse, mais elle est rattachée à l'université catholique qui a donné le terrain pour sa construction.
Aujourd'hui c'est un lieu de pèlerinage, un mémorial avec ses chapelles dédiées à des Vierges des différents pays (on y voit notamment une vierge noire, *Mary Our Mother of Africa,* dans la crypte) ayant apporté leur pierre à l'immigration américaine. Son style oscille entre le roman et le byzantin (notamment avec toutes ses mosaïques). Son intérieur est impressionnant mais pas démesuré : profusion de marbre beige aux murs, malachite au sol, grandes mosaïques sur fond doré et beaux vitraux, chœur grandiose et chapelles richement décorées. Au plafond du transept droit, Ève, plus américaine que sémite, a les cheveux longs et blonds, et la Création vaut aussi pour les dinosaures (des stégosaures et des iguanodons) ! Remarquez le serpent qui guette déjà (au centre droit, à côté de la girafe). L'amplitude du chœur est exceptionnelle. Il abrite deux autels. Au fond du chœur, surprenant christ drapé de rouge, deux bras levés et assis en tailleur comme le Bouddha, avec les flammes de l'esprit autour de la tête, comme les divinités d'Asie du Sud-Est ou l'Inde ; quel syncrétisme religieux !
Une visite intéressante pour comprendre le catholicisme américain. Par ailleurs, éclairage nocturne très réussi. En sous-sol, la belle crypte (géante pour ce genre d'endroit), l'inévitable boutique de souvenirs ainsi qu'une cafétéria self-service à des prix très catholiques.

Spectacles

– Pour des informations sur les concerts, les expos, les spectacles, les programmes et les horaires des cinémas, se procurer le *City Paper,* hebdo gratuit largement diffusé dans les commerces. Version en ligne : • *washingtoncitypaper.com* •

Aux beaux jours, dans plusieurs quartiers de la ville, des ***films en plein air*** sont projetés sur grand écran à la tombée de la nuit, et notamment devant le *National Mall.* Ambiance très sympa. *Programmation : • dcoutdoorfilms.com •*
John F. Kennedy Center for the Performing Arts *(plan II, E4-5) : 2700 F St NW. ☎ 202-467-4600 ou 1-800-444-1324. • kennedy-center.org • Ⓜ Foggy Bottom.* Immense complexe théâtral, comparable au *Lincoln Center* de New York. On y trouve l'*American National Theater,* le *Washington Opera* et trois autres théâtres. Siège également du *National Symphony Orchestra* et du *National Ballet.*

Marché

– ***Eastern Market*** *(plan II, H5) : entre Pennsylvania St et Independence St. ☎ 703-534-7612. • easternmarket.net • Ⓜ Eastern Market. Ts les dim 10h-17h.* Il fut un temps où Washington abrita plusieurs marchés couverts (à Georgetown, le plus ancien, le Northern Market connu aussi sous le nom de O Street Market dans le quartier de Shaw, Union Market entre New York Avenue et Florida Avenue). Il est le seul à être resté plus ou moins dans son jus : celui de Georgetown n'existe plus et les deux autres ont subi de profondes transformations et ne ressemblent plus vraiment à des marchés à proprement parler. Ne pas manquer ce déballage dominical où, en dehors des cagettes de légumes et autres produits de bouche (sous la halle), vous trouverez aussi un marché aux puces *(à l'angle de 7th St et C St).* On erre, on fouine, on se perd dans le dédale des étalages.
– On trouve une dizaine de ***Farmers' Markets*** assez importants à travers la ville, dont un particulièrement sympa le dimanche matin, toute l'année, à la sortie nord

du métro Dupont Circle. Pour plus d'infos sur les marchés fermiers : ● *washington.org/visit-dc/washington-dc-farmers-markets* ●

DANS LES ENVIRONS DE WASHINGTON D.C.

🎖🎖🎖 ***Steven F. Udvar-Hazy Center :*** *14390 Air & Space Museum Parkway, à* ***Chantilly,*** *à 5 km de l'aéroport international Dulles, à l'intersection des routes 28 et 50. Infos : ☎ 703-572-4118 ou 5285.* ● *airandspace.si.edu/udvar-hazy-center* ● Ⓜ *Wiehle-Reston East (ligne argent), puis bus 983 ; bus également de/vers l'aéroport de Dulles. En voiture, de Washington, prendre l'I 66 jusqu'à la sortie 53, puis la 28 Nord. Parking : 15 $; gratuit après 16h. Tlj sf Noël 10h-17h30. GRATUIT. Visite guidée gratuite à 10h30 et 13h.* Cette ***annexe du National Air & Space Museum*** fut inaugurée en 2003 grâce à la donation de 65 millions de dollars d'un financier fan d'aviation et lui-même pilote, qui émigra de Hongrie à l'âge de 12 ans (d'où le nom alambiqué du musée). Deux hangars se partagent près de 300 avions et engins spatiaux. Parmi eux, un certain nombre ont écrit les plus belles pages de l'histoire de l'aviation.

Dans la section *L'aviation avant 1920*, le *Nieuport 28 C1* de 1917, un avion rejeté par l'armée de l'air française mais adopté par les Ricains. Dans la section *aviation commerciale,* le *Junkers J52* de 1932, appelé « tante Ju », la bonne à tout faire de la Luftwaffe ; le *Boeing 707,* le jet commercial le plus populaire des années 1960-1970 ; et puis, cocorico, le dernier *Concorde* dans sa belle livrée *Air France* avec son impressionnante voilure delta. L'Atlantique en 4h, c'était quand même un beau rêve ! Sous son aile, le *Gruman G21 « Goose »,* l'hydravion d'Amelia Earhart, a l'air d'un oisillon jaune.

Les héros de 1940-1945 : le bombardier *B-29 Superfortress Enola Gay* qui lâcha la première bombe atomique sur Hiroshima, le *Grumman F6 Hellcat* embarqué à bord des porte-avions du Pacifique. Des curiosités comme le *Kugisho MXY7 Okha,* avion-fusée japonais lâché d'un bombardier, et l'étonnante aile volante jaune *Northop N-1M* dont la forme a inspiré le *B2* furtif.

Les avions de la guerre froide : face à face, les adversaires de la guerre de Corée, le *F86 Sabre* et le *Mig 15.* Une vedette du musée : l'imposant avion-espion *Lockheed SR 71 Blackbird,* capable de voler en toute impunité à 20 000 m d'altitude et à 3 600 km/h, bardé de caméras. L'hélico *Bell UH-1H Iroquois,* présent dans toutes les images du Vietnam, ainsi que le *Phantom IV* embarqué sur porte-avions.

Dans le *hangar Mac Donnell* consacré à la conquête de l'espace, le clou de la visite : le *Space Shuttle Enterprise.* Bon Dieu que c'est grand ! On détaille, sous les ailes, le bouclier thermique en tuiles de céramique qui lui permet d'entrer dans l'atmosphère sans trop de dégâts (enfin, pas toujours). La capsule *Gemini VII* de Bormann et Lovell, une vraie boîte de conserve ! Tout autour, quelques spécimens de missiles beaucoup moins sympathiques et pas du tout pacifiques : le *Poseidon,* tiré à partir d'un sous-marin avec 14 charges nucléaires pouvant atteindre chacune un objectif différent. Brrr... on en frissonne rétrospectivement, mais il paraît que cela servait à dissuader l'adversaire soviétique. Et pour finir sur une note moins sinistre, une maquette de l'engin spatial des gentils *aliens,* tiré du film *Rencontres du 3ᵉ type* de Steven Spielberg. Un bien beau musée, encore une fois.

ALEXANDRIA

139 000 hab.

Avant que Washington (la ville) existe, Washington (l'homme) avait un pied-à-terre à Alexandria. C'est ici que le grand George allait quand il sortait de *Mount Vernon,* sa propriété. En 1750, Alexandria était un port important. Les

navires y faisaient escale avant d'entreprendre la traversée vers l'Angleterre. C'est donc le secteur bâti le plus vieux de la région de Washington, et la ville a un air gentiment campagnard. On y découvre dans son *Old Town* plusieurs maisons en brique rouge bien préservées et de petits musées logés dans des habitations du XVIIIe s, ainsi qu'un *waterfront* plutôt agréable, en tout cas sans autoroute juste à côté. Le tableau est malheureusement quelque peu terni par les nombreux avions de l'aéroport tout proche qui passent sans arrêt dans le ciel.

Avis aux utilisateurs de GPS : Alexandria est située en Virginie !

LE RÂTELIER DE GEORGE WASHINGTON

George Washington a perdu sa première dent à 22 ans et n'en avait plus qu'une seule quand il est devenu président. Ses caries étaient probablement dues à une surconsommation de sucre de canne, comme beaucoup d'aristos de l'époque. Toujours est-il qu'il avait plusieurs dentiers, dont un qui aurait été constitué d'un montage de dents humaines et de dents en ivoire d'hippopotame (sic) ! Voilà pourquoi il apparaît toujours mâchoires fermées, voire crispées, sur ses portraits !

UN PEU D'HISTOIRE

Les « natifs » furent les premiers à élire domicile sur ces terres particulièrement giboyeuses en bordure du Potomac. En 1669, John Alexander, un commerçant écossais, acheta le terrain sur lequel est située l'actuelle ville d'Alexandria à un capitaine de vaisseau anglais. La Virginie s'affirmait en tant que région productrice de tabac, et il fallait trouver un moyen d'expédier la production par la mer.

Quelques années plus tard, en 1748, deux négociants écossais, les sieurs William Ramsay et John Carlyle, obtinrent de l'Assemblée de Virginie le droit d'établir un port sur le terrain d'Alexander. Alexandria vit le jour. Idéalement placée sur les rives du Potomac, elle ne tarda pas à attirer ouvriers et manœuvres fraîchement débarqués de l'Ancien Monde. Grâce à son port, elle accueillait les bateaux en provenance des Caraïbes et expédiait vers l'Angleterre une grande partie de la production de tabac virginien. La petite ville prit de l'importance au fur et à mesure que les maisons en brique voyaient le jour. Partout on entendait des coups de marteau, on construisait le jour, et les pubs battaient leur plein jusque fort tard dans la nuit. La ville, devenue l'un des ports les plus prisés, prospéra pendant tout le XVIIIe s.

Au XIXe s, elle fut un point névralgique de la traite des Noirs, des milliers d'esclaves en partaient pour les plantations de coton du Sud. Quand la Virginie fit sécession de l'Union en 1861, les troupes fédérales occupèrent la ville, qui devint l'arrière-garde de la capitale. Il fallut attendre près de 20 ans pour qu'Alexandria connaisse un second souffle avec l'arrivée de grosses entreprises : verreries, brasseries, sociétés de cabotage et de chemins de fer, ainsi qu'une usine d'armement *(Torpedo Factory)*.

Au début du XXe s, Alexandria devint une destination touristique à la mode. Au lendemain de la Seconde Guerre mondiale, la ville était devenue l'endroit où il faisait bon se montrer (une sorte de Croisette américaine, en quelque sorte). Aujourd'hui, Alexandria garde un charme certain. Comme nombre de ses rivales de Virginie et du Maryland, la proximité de la capitale fédérale influença fortement son destin. Cité-dortoir de D.C., bien qu'on y trouve tout de même un nombre conséquent d'entreprises et d'administrations, elle est aujourd'hui majoritairement peuplée de fonctionnaires d'État. Le Pentagone se trouve juste à côté ! Le département de la Défense est le premier employeur de la ville.

Une ville étroitement liée à l'histoire du pays

Dans les années qui précédèrent la guerre civile, Alexandria était devenue l'un des principaux centres pour les coloniaux qui produisaient du tabac. Tout allait pour le mieux dans le meilleur des mondes, et la ville s'enrichissait sous l'impulsion de nouveaux immigrants. Mais au matin du 14 avril 1755, un événement marqua le début d'une période de troubles qui allait durer 20 ans et se terminer par la guerre. Ce jour-là, cinq des gouverneurs royaux des colonies rencontrèrent le général britannique Edward Braddock en son quartier général (la Carlyle House) dans le but de discuter de la manière dont la couronne britannique envisageait la guerre contre les Français et les Indiens. Un impôt vit le jour, dont le but était d'affirmer « la suprématie de Sa Majesté sur son empire d'Amérique ». Cette décision ne fit pas l'unanimité, notamment chez les gros propriétaires qui se retrouvèrent surtaxés. Par la suite, la multiplication d'impôts de ce type enflamma le ressentiment des coloniaux à l'égard du pouvoir central.
Se sentant trahis par leurs dirigeants restés sur la vieille terre d'Angleterre, les esprits ne tardèrent pas à s'échauffer pour finalement se liguer et tenter de s'émanciper. Devant l'ampleur du mouvement, des leaders locaux, en l'occurrence George Washington et George Manson, se réunirent le 18 juillet 1774 afin d'adopter une résolution définissant la conduite à tenir avec l'Angleterre. La tension monta gentiment jusqu'en 1775, où elle atteignit son paroxysme, mettant le pays à feu et à sang pour six années. On connaît la suite.

Arriver – Quitter

En métro

Alexandria est desservie par les lignes bleue (Metro Center) et jaune (L'Enfant Plaza).

À vélo

Une piste cyclable relie le centre-ville de Washington et Alexandria en moins d'une demi-heure. Cette piste permet aussi de rejoindre Mount Vernon. À certaines heures et sur certains tronçons du réseau de transports en commun, il est possible de voyager avec sa bicyclette : • *wmata.com* • Une fois sur place, on trouve le même système de vélos partagés, ***Capital Bikeshare,*** que dans la capitale fédérale (voir « Transports » à Washington D.C.), ainsi que les deux mêmes sociétés de location de deux-roues.

■ ***Bike & Roll :*** *One Wales Alley, Old Town (en bordure du Potomac).* ☎ *202-842-2453.* • *bikethesites.com* •

■ ***Big Wheel Bikes :*** *2 Prince St, Old Town (en bordure du Potomac).* ☎ *703-739-2300.* • *bigwheelbikes.com* •

En bateau

■ ***Potomac Riverboat Company :*** *embarcadère à l'extrémité de 31st St, dans le quartier de Georgetown.* ☎ *1-877-511-2628.* • *potomacriverboatco.com* • *Tarifs variables selon le type de croisières.* Washington Monument Cruise *depuis D.C. 15 $ (30 $ A/R),* Mount Vernont Cruise *31 $ (42 $ A/R).* Certainement la manière la plus agréable de découvrir Washington et ses environs. La petite marina d'Alexandria est plutôt jolie, et descendre le Potomac jusqu'à Mount Vernon permet de passer un bon moment. Pas de risque de mal de mer, en plus...

Adresse et info utiles

ℹ ***Alexandria Visitor Center :*** *221 King St.* ☎ *703-746-3301.* • *visitalexandriava.com* • *Tlj sf j. fériés 10h-18h (20h jeu-sam).* 💻 Dans la jolie Ramsay House, un office de tourisme bien fourni et efficace.

WASHINGTON D.C. ET SES ENVIRONS

– L'épine dorsale d'Alexandria est ***King Street*** qui relie le nouveau centre au Potomac. Le *Free King Street Trolley* relie, lui, gratuitement Union Street (soit le *waterfront*) et la station de métro King Street-Old Town *(ttes les 10mn ; tlj 10h-22h15-minuit jeu-sam).*

Où dormir ?

Towne Motel : *808 N Washington St. ☎ 703-548-3500. • townemotel.net • À l'entrée d'Alexandria, en face de la station* Shell. *Ⓜ Braddock Rd, puis 10 mn de marche sur Madison en direction du Potomac. Doubles 80-100 $.* Une trentaine de chambres dans cette jolie petite bâtisse de brique à balcons blancs. Si la déco des chambres reste typique d'un motel, celles-ci se révèlent néanmoins bien tenues et plutôt agréables. Avantage non négligeable quand on a une voiture : on ne paie pas le parking ! Clim, micro-ondes, café et frigo dans chaque chambre.

La ville compte une dizaine de ***Bed & Breakfast,*** mais ils ne sont pas donnés dans l'ensemble. *Rens et résas : • aabbn.com •*

Où manger ?

Alexandria est une ville très touristique. Toutes nos adresses se trouvent dans *Old Town,* le centre historique.

De bon marché à prix moyens

BGR (The Burger Joint) : *106 N Washington St (et King St). ☎ 703-299-9791. Tlj 11h-22h (21h dim). Burgers 10-15 $.* Les amateurs de burgers qui en ont assez des fast-foods et autres « 5 doigts de la main » qui tiennent le marché viendront ici... Petite salle conviviale où l'on fait la queue pour commander de vrais burgers dignes de ce nom, certes un peu chers, mais la viande, comme le *bun,* sont vraiment frais et délicieux.

Pizza Redrocks Pizza : *904 King St (et Alfred St). ☎ 703-717-9873. Tlj 11h-23h (minuit ven-sam). Pizza 14-16 $.* Des pizzas cuites au feu de bois, avec une pâte au cœur tendre et croustillante sur les bords, et une garniture simple, mais bonne. Évidemment, elles comptent nombre d'adeptes et les lieux, malgré la longue salle au rez-de-chaussée et celle à l'étage, se remplissent vite. Il faut dire que le cadre lui-même est plaisant, avec le grand bar et les box qui lui font face et les murs de brique rouge.

Five Guys Burgers & Fries : *107 N Fayette St (angle King St). ☎ 703-549-7991. Tlj 11h-22h. Hamburgers 5-10 $.* Pour les fauchés. Certainement pas le resto le plus raffiné, mais pour les prix et les portions, ces 5 gars-là sont imbattables !

De prix moyens à très chic

Geranio : *722 King St (et Colombus St). ☎ 703-548-0088. Lun-ven 11h30-14h30, 18h-22h30 ; sam 18h-22h30, dim 17h30-21h30. Plats 15-25 $.* Adorable resto italien aménagé dans un style *Old Virginian.* Quelques miroirs trompent leur monde : ici, c'est petit, même s'il y a 2 salles. Déco épurée, c'est dans l'assiette que ça se passe. Spécialités de pâtes, *calzone* et autres mets dont le chef a le secret. Les portions sont copieuses.

The Wharf : *119 King St (et Lee St). ☎ 703-836-2836. Tlj, 11h-22h30 (23h ven-sam, 22h dim). Plats 27-37 $.* Une page de l'histoire des États-Unis fut écrite ici même. Les poutres affichent encore les stigmates de la guerre civile. Vieux, le bâtiment ? Certes, oui : 1790 ! Intérieur bois verni et moleskine rouge qui rappellent l'intérieur d'un bateau. Bar en bois vitrifié qui a dû voir plus d'un abordage, et quelques chavirages... Ici, on déguste des fruits de mer depuis des lustres. La carte est chère, mais l'amateur de *seafood* sera comblé. Soupe de poisson ou de crabe, gratin de langoustines, huîtres frites, langouste cuite à la vapeur ou farcie, *clams,* calamars à toutes les sauces. Vous l'aurez compris, une adresse pour routards avec compte bancaire à marée haute.

Où manger un *cupcake* ?

☕ ***Lavender Moon :*** *116 S Royal St (entre King et Prince St).* ☎ *703-683-0588. Tlj sf lun hors saison, 11h-20h (21h ven-sam).* Dans une charmante bonbonnière toute simple, de délicieux *cupcakes* plutôt originaux : au citron, meringués, ou parfois même au champagne.

Où boire un verre ? Où écouter de la musique ?

🍷 ♩ ***Murphy's :*** *713 King St (et Washington St).* ☎ *703-548-1717. Tlj 11h-2h. Musique live à 20h30 en sem et 21h le w-e. Brunch dim 10h-15h, à partir de 10 $.* Un pub irlandais qui n'a rien à envier à ceux des docks de Dublin. Bar interminable, auquel viennent se souder (et se dessouder) tous les nostalgiques du trèfle, têtes perdues dans la collection de macarons de police qui tapisse le plafond. Une quinzaine de bières irlandaises à la pression. Quelques tables quand même, où l'on sert de conséquentes portions de poissons ou fruits de mer frits et autres plats pour rugbymen affamés. *Irish entertainment* quasi chaque soir. Pour les fidèles de saint Patrick.

À voir

– Vous trouverez dans l'*Official Visitors Guide* une ***promenade*** d'une petite heure qui donne un aperçu des différents sites historiques de la ville. L'office de tourisme propose aussi plusieurs types de visites guidées, mais payantes celles-ci.
Ici, tout ou presque tourne autour de vieilles demeures : qui abrita un politique de renom, qui servit de refuge à un patriote en exil, qui fut la pharmacie préférée du grand George... Tout est prétexte à une date, à commémorer un événement, à célébrer quelque anicroche, à imprimer dans les mémoires l'émancipation du pays vis-à-vis de la couronne d'Angleterre.

The Torpedo Factory : *105 N Union St (entre Cameron St et Fayette Alley).* ☎ *703-838-4565. • torpedofactory.org • Tlj 10h-18h (21h jeu). GRATUIT.* Construite en 1918 sur les rives du Potomac afin de pouvoir y mettre au point les torpilles de l'US Navy, cette usine d'armement fut rachetée aux forces armées par la ville d'Alexandria en 1969 et réaménagé en 1974 par The Art League. Le site (pas particulièrement beau) accueille aujourd'hui *The Target Gallery,* un petit centre d'art proposant des expositions temporaires, ainsi que de nombreux ateliers d'artistes, chacun couplé à une petite galerie où l'on peut admirer (et acheter) les œuvres. Le centre propose aussi des stages en rapport avec les disciplines pratiquées dans le centre : peinture, sculpture, céramique, émaux, joaillerie.

Carlyle House : *121 N Fairfax St (et Cameron St).* ☎ *703-549-2997. • novaparks.com/parks/carlyle-house-historic-park • Tlj sf lun 10h (12h dim)-16h. Entrée : 5 $; réduc.* Ancienne maison de marchand de style *Georgian Palladian,* datant de 1753. Reconstitution gentillette de scènes de la vie quotidienne. L'agréable petit jardin, quant à lui, est libre d'accès.

Lee Fendall House : *614 Oronoco St (et Washington St).* ☎ *703-548-1789. • leefendallhouse.org • Mer-sam 10h-16h, dim 13h-16h. Visite guidée (obligatoire)* *ttes les heures jusqu'à 15h. Entrée : 5 $; réduc.* Élégante demeure blanche construite en 1795 par Philip Fendall sur un terrain acheté au général Lee (célèbre pour ses descentes), dont la famille vécut ici jusqu'en 1903. Bel ensemble de style victorien comportant de jolis meubles (parmi lesquels le lit de Lee) dont la grande majorité provient des ébénistes de la ville.

Stabler-Leadbeater Apothecary Museum : *105-107 S Fairfax St (et King St). ☎ 703-746-3852. • alexandriava.gov/Apothecary • Avr-oct, mar-sam 10h-17h, dim-lun 13h-17h ; nov-mars, mer-sam 11h-16h, dim 13h-16h. Visite guidée slt (env 30 mn) ; départ à 15 et 45 de chaque heure. Entrée : 5 $; réduc.* Fondée en 1792, c'était la pharmacie attitrée des époux Washington. Martha venait y acheter de la concrète de rose pour son visage et Jojo un peu d'essence de lavande pour ses maux de tête. Vieille pharmacie en bois sombre, bien dans la tradition de l'époque. Remarquez le *ten cuts,* curieux rasoir à 10 lames (merci, monsieur Wilkinson) que le pharmacien utilisait pour effectuer une saignée là où ça faisait mal. Aussi une belle collection de ventouses. La pharmacie fit faillite en 1933 (ce n'est pas de nos jours que ça arriverait, tiens !) et fut transformée en musée dès 1939.

Alexandria Black History Museum : *902 Wythe St (et Alfred St). ☎ 703-746-4356. • alexandriava.gov/BlackHistory • Tlj sf dim-lun 10h-16h. Entrée : 2 $.* Installé dans l'ancienne bibliothèque de la communauté noire de la ville, créée en 1939 consécutivement à un sitting des Noirs qui réclamaient leur carte de biblio aux Blancs. Minuscule musée retraçant l'histoire de l'esclavage depuis les terres d'Afrique jusqu'aux plantations de tabac de Virginie. Une sorte de mea-culpa dont les Américains ont le secret, à mi-chemin entre le grand pardon et l'info pour maternelle-sup'. La biblio accueille aussi quelques expos temporaires.

DANS LES ENVIRONS D'ALEXANDRIA

Mount Vernon : *3200 Mount Vernon Memorial Highway, à Mount Vernon. ☎ 703-780-2000. • mountvernon.org • À env 15 km au sud d'Alexandria ; accès par George Washington Pwy. Avr-oct 9h-17h ; nov-mars 9h-16h. Entrée : 20 $; réduc. Prévoir 3h de visite min.*

➢ Possibilité d'y aller ***en bateau*** avec la *Potomac Riverboat Company* (voir « Arriver – Quitter » à Alexandria) ou avec le très racé *Spirit of Washington (☎ 1-866-302-2469. • spiritcruises.com/washington-dc/cruises/mount-vernon •). Tlj sf lun d'avr à mi-août (et le w-e slt en mars et sept-oct) ; départ du Pier 4 (6th et Water St) à Washington à 8h30 et retour dans la capitale à 15h. À partir de 47 $ (options plus chères avec* lunch, dinner *ou* gospel brunch*) ; trajet en bateau 1h30 chacun et temps passé sur place 3h.*

➢ ***En transports en commun :*** en métro jusqu'à Huntington station (Yellow Line), puis le Fairfax Connector Bus n° 101 (départ juste à la sortie de la station de métro).

➢ En été, le plus sympa est de s'y rendre ***à vélo*** en empruntant la jolie piste cyclable qui longe le Potomac. Les plus fainéants rentreront en bateau. On peut aussi faire l'inverse, ou mettre son vélo dans le bus, le train ou le métro. Voir les conditions dans la rubrique « Arriver – Quitter ».

La ***mansion de George Washington*** est une belle demeure de style géorgien, imitée au moins 10 000 fois tout au long des États-Unis (on trouve aussi sa réplique, construite pour l'Exposition coloniale de 1931, à Vaucresson, dans les Hauts-de-Seine !). Bâtie par le papa et l'oncle de Washington, elle fut largement agrandie par le fils prodigue. Ce dernier se définissait avec fierté comme un « fermier », sachant qu'à l'époque, une ferme devait être autosuffisante et constituait donc à la fois une petite entreprise et un village. Il fut aussi le premier bouilleur de cru officiel. On vous prévient : Mount Vernon est un haut lieu de pèlerinage patriotique, et George Washington n'occupe pas la même place dans nos cœurs que dans celui des Américains. Par conséquent, ce qui est émouvant, extraordinaire pour eux, ne le sera peut-être pas pour vous. Par ailleurs, la visite de la demeure met en évidence, de façon plutôt amusante, le fossé qui existe entre l'Ancien Monde et le Nouveau Monde : si les Américains s'extasient devant la splendeur de cette vieille et belle demeure, le cachet de celle-ci vous marquera probablement moins. Ces remarques mises à part, la visite se révèle intéressante pour son aspect historique et aussi pour le domaine lui-même, qui domine très joliment les rives du Potomac.

LA CLÉ DE L'AMITIÉ FRANCO-AMÉRICAINE

Quelque temps après la Révolution française, l'Auvergnat Gilbert du Motier, alias le célébrissime marquis de La Fayette, envoya symboliquement l'une des clés de la Bastille à son « père spirituel », George Washington, premier président des États-Unis. Elle est aujourd'hui exposée au rez-de-chaussée de la résidence de Mount Vernon. En 1795, il y envoya aussi son fils, qu'il a d'ailleurs baptisé... George-Washington !

Sur le ticket qui vous est remis à l'entrée figure l'heure de votre visite guidée de la *mansion.* Celle-ci est calculée de façon à vous laisser le temps de voir le film (25 mn) qui présente Mount Vernon, la visite elle-même et, avec *« We fought to be free »*, les événements clés de la vie de George Washington, ces derniers étant racontés selon le principe de la reconstitution historique. Contrairement aux musées de la Smithsonian Institution, où tous les documents vidéo sont sous-titrés en anglais, ce n'est pas le cas ici, et la compréhension ne se révèle pas toujours aisée (et la qualité du film pas mémorable). Après, on monte vers la *mansion.* Là, on fait la queue jusqu'à ce que le guide emmène le groupe d'une vingtaine de personnes (en saison, les visites se succèdent à la chaîne). À l'intérieur de la maison, il est possible de demander la traduction française en version papier de la visite. Le plus étonnant dans cette demeure cossue, en tout cas au rez-de-chaussée, ce sont les couleurs (d'origine) des pièces. Les pigments étant très cher à l'époque, une pièce peinte était une façon de montrer sa richesse... mais pas nécessairement son bon goût : le vert très vert de la petite salle à manger ferait presque mal aux yeux ! À l'étage, les chambres : celles réservées aux invités et celle de George Washington et son épouse Martha. C'est dans ce lit que George Washington mourut le 14 décembre 1799. Il était de coutume à l'époque qu'à la mort de son époux, une veuve quitte la chambre conjugale pendant 6 mois, en signe de respect. Martha, elle, n'y est jamais retournée. Dans le bureau au rez-de-chaussée, originale presse à lettres avant leur archivage, et surtout un curieux fauteuil à roulettes avec un éventail actionnable au pied !

À l'extérieur, pavillon pour la cuisine (isolée pour limiter les risques de propagation en cas d'incendie). Même le cellier a été reconstitué, avec son gibier pendu. Passage par les *slave quarters* (hommes et femmes séparés), car n'oublions pas que G.W. employait des esclaves sur sa plantation. Atelier du maréchal-ferrant *(blacksmith shop)* avec un gros soufflet, maison du régisseur *(overseer's quarters),* fumoir *(smokehouse)* pour les viandes et les poissons, enfin *wash house* et *coach house.*

Ici commence un autre type de visite. Celle du ***domaine*** proprement dit, où il est très agréable de se promener librement. Dirigez-vous d'abord vers les ***tombes de George Washington et de son épouse,*** logées dans un caveau et entourées de deux obélisques. Foule et recueillement. Puis descendre vers le ***Slave Memorial,*** le mémorial des esclaves donc, qui se trouve à l'endroit de l'ancien cimetière des esclaves. Il faut se souvenir que cette région était à la limite du Nord, à la frontière lors de la guerre de Sécession, et que les mentalités étaient partagées, ou moins évoluées que dans le Nord industriel.

Poussez ensuite jusqu'à l'embarcadère et vers un vaste champ permettant de comprendre le type de cultures pratiquées, et ***« l'écosystème » colonial.*** En défrichant la forêt (immense, on était vraiment seul, d'où le besoin d'autosuffisance), on avait le bois pour construire granges et maisons, et on créait des champs. La grange du fond *(barn)* permet de voir l'ingénieux système conçu par Washington pour séparer la paille et le blé sur deux niveaux lors du foulage des chevaux ; une trouvaille pour l'époque ! Toute l'Amérique est là, dans le désir de devenir un jour le grenier du monde. *« I hope someday or another, we shall become a store house and granary for the world »,* déclarait en 1788 Washington au marquis de La Fayette, pour épater la galerie. Il est vrai que quand on a du blé, on peut faire la morale. À propos, juste en face de la grange, une *slave cabin,* car ce bon George finit par affranchir ses esclaves sur son lit de mort.

Remontez ensuite à travers le petit bois jusqu'à rejoindre le ***musée,*** particulièrement intéressant car il reprend et approfondit tout ce que vous avez pu entendre ou découvrir pendant la visite. Des portraits, des reconstitutions (vidéo ou dioramas) et des objets ayant appartenu à George Washington retracent son parcours : celui d'un jeune homme ambitieux d'origine relativement modeste et sans grande éducation qui entra dans l'armée pour se hisser socialement. Armée où il se distingua jusqu'à ce qu'il entre en politique et devienne le premier président des États-Unis. Enfin, on peut clore sa visite par une ***dégustation de whisky*** (payante) à la ***distillerie de George Washington,*** bâtisse pittoresque plantée dans un joli coin de verdure, où passe un petit cours d'eau. *À env 5 km par la route 235 ; avr-oct, 10h-17h.*

HOMMES, CULTURE, ENVIRONNEMENT

BOISSONS

Les boissons non alcoolisées

– ***L'eau glacée :*** dans les restos, la coutume est de servir d'emblée un verre d'eau glacée à tout consommateur. Quand on dit glacée, ce n'est pas un euphémisme, donc n'hésitez pas à demander sans glaçon *(no ice, please)* ou avec peu de glace *(with little ice).* Les Américains sont des adeptes de l'eau du robinet *(tap water)* et consomment très peu d'eau minérale au restaurant. D'ailleurs, une fois vide, votre verre sera immédiatement rempli (et avec le sourire !).

– ***Café :*** finie l'époque du jus de chaussette. Prendre son café est devenu un vrai rituel, presque un art de vivre chez les *hipsters* (les bobos branchés version américaine). Si les Américains ont découvert assez récemment le goût du bon café, ils vivent désormais l'expérience à fond. Les nombreux *coffee roasters* artisanaux, qui ouvrent un peu partout, proposent des sélections de grains des quatre coins du monde et préparent l'***espresso*** dans les règles de l'art, ce qui explique les prix : environ 3-4 $ le petit noir. Mais la grande mode, c'est le ***cappucino,*** le ***caffe latte*** (double *espresso* avec lait chaud), le ***macchiato*** (un *espresso* avec juste une mousse de lait saupoudrée de cacao) et le ***frappucino*** glacé l'été. Cela dit, dans certains lieux plus populaires comme les *diners,* on sert toujours le ***café américain*** de base (*regular* ou *American coffee*), très allongé (pour rester poli) et proposé à volonté *(free refill),* en particulier au petit déj. Les Américains en sirotent à longueur de journée, y compris dans les transports ou dans la rue, grâce à ces mugs thermos que vous verrez partout.

L'INVENTION DU CAFÉ SOLUBLE

C'est à un inventeur chimiste anglo-belge émigré aux États-Unis, un certain George Washington (eh oui !), que l'on doit le premier procédé industriel de café soluble. Il fit fortune grâce aux commandes de l'armée américaine pendant la Première Guerre mondiale mais, lors du conflit suivant, les militaires préférèrent... Nescafé.

– ***Thé :*** les amateurs ne seront pas toujours à la fête. Dans les *diners* et autres cafét populaires, c'est encore (trop) souvent le sachet de *Lipton Yellow* ***(black tea)*** qui règne en maître... Avec parfois l'option thé vert ***(green tea)*** ou ***herbal tea*** (attention, c'est une tisane), mais pas toujours. Comme pour le café, les thés de qualité sont de plus en plus en vogue dans les *Coffee Houses.*

– ***L'iced tea :*** le faux ami par excellence ! Loin des thés glacés aromatisés et sucrés vendus en France, l'*iced tea* est simplement du thé normal mais glacé et pas sucré la plupart du temps *(unsweetened).* Pas étonnant alors de voir les Américains ajouter trois sachets de sucre pour adoucir un peu la chose.

– ***Cocas et sodas :*** on le sait, les Américains ont inventé le *Coca-Cola* (*Coke,* comme on dit là-bas), ce n'est pas pour rien. Ils consomment des sodas *(soft drinks)* à longueur de journée. D'ailleurs, dans certains restaurants de chaîne, fast-foods, *coffee shops* et autres petits restos, ceux-ci sont souvent à volonté. On se sert soi-même « à la pompe » *(soda fountain),* ou on demande un *free refill.*

– ***Smoothies :*** ce sont des cocktails de fruits et/ou légumes mixés et mélangés à du yaourt, du lait, du lait de soja et/ou de la glace, voire des céréales. On y ajoute parfois des compléments énergétiques. Frais et sain. Les ***bars à jus*** fraîchement pressés ont aussi le vent en poupe, surfant sur la déferlante bio.
– ***Milk shakes :*** boissons frappées à base de lait mixé avec de grandes louchées de glaces à la vanille, à la banane, à la fraise...
– ***Floats ou ice cream sodas :*** encore une expérience culturelle à ne pas manquer ! Il s'agit d'un verre de soda (en général du *Coca-Cola* ou de la *root beer,* ce breuvage insolite au goût de médicament qui n'a rien à voir avec de la bière) dans lequel on dépose une boule de glace à la vanille.

COCARICO !

C'est un Corse, Angelo Mariani, qui est un peu, dit-on, à l'origine du Coca-Cola. Commercialisé dès 1863, son vin à base de feuilles de coca connut un succès phénoménal jusqu'à son interdiction en 1910. Il faut dire que, même s'il fut adoubé par le pape Léon XIII, le Red Bull de l'époque contenait tout de même 6 mg de cocaïne... Futé, un pharmacien américain, Pemberton, a dû s'inspirer de la recette en y ajoutant de la noix de kola du Ghana, puis en y supprimant l'alcool, pour cause de Prohibition. Ainsi naquit dès 1885 le Coca-Cola, qui ne contient, à notre connaissance, plus de cocaïne.

Les alcools

Le rapport des Américains à l'alcool n'est pas aussi simple que chez nous. La société, conservatrice et puritaine, autorise la vente des armes à feu mais réglemente de manière stricte tout ce qui touche aux plaisirs « tabous » (sexe et alcool). L'héritage de la prohibition et, bien sûr, les lobbies religieux n'y sont pas pour rien. ***N'oubliez pas vos papiers (ID, prononcer « aïdii »), car de nombreux bistrots, bars et boîtes de nuit les exigent à l'entrée***.
– ***Âge minimum :*** on ne vous servira pas d'alcool si vous n'avez pas ***21 ans*** ou si vous ne pouvez pas prouver que vous les avez. Même accompagné de ses parents, un jeune de 20 ans devra se contenter d'un Coca. Ne soyez pas étonné qu'on vous demande vos papiers, à plus de 35 ans, c'est fréquent.
– ***Vente et consommation surveillées :*** dans la plupart des États, il est strictement interdit de boire de l'alcool dans la rue. Alors on boit sa canette de bière dans un sachet en papier, ni vu ni connu. Les bières s'achètent dans les supermarchés et épiceries, mais les autres boissons alcoolisées ne se trouvent que dans les *liquor stores,* aux horaires réglementés. Là encore, vos papiers seront exigés à la caisse. Les horaires de fermeture des boîtes sont aussi fixés par l'État (à 2h, tout le monde remballe), avec possibilité d'amendement local.
– ***Les bières :*** tout le monde connaît la *Bud,* mais on ne saurait trop vous recommander de privilégier les ***microbrasseries (microbreweries)*** qui ont fleuri partout ces 15 dernières années. On y brasse de bonnes petites bières locales, introuvables ailleurs. On parle alors de *craft beer.* D'ailleurs un peu de vocabulaire s'impose. Une bière pression se dit *draft beer.* Les *ale* sont des bières de haute fermentation, à plus haute teneur en alcool : de la moins maltée à la plus maltée, vous trouverez la *pale ale* dont l'*I.P.A.* d'origine anglaise *(Indian Pale Ale),* amère et très

LA REINE DES BIÈRES

La bière Utopia, produite en édition limitée par la brasserie bostonienne Samuel Adams, est la plus chère du monde : environ 200 $ la bouteille ! Élaborée avec des levures réservées au champagne, elle est ensuite vieillie en fût de bourbon, de scotch et de porto. Son degré d'alcool est lui aussi exceptionnel pour de la bière : 29° !

houblonnée, l'*amber ale* ou encore la *brown ale.* Les *lagers,* blondes ou ambrées, sont des bières de fermentation basse, les moins alcoolisées et les plus courantes. Les *wheat* sont des bières légères et troubles (l'équivalent des blanches), composées en grande partie de malt de blé. On trouve plus rarement des *stouts,* filtrées ou pas, et portant des noms parfois rigolos ou même historiques. Bref, c'est l'occasion de goûter de nouvelles saveurs.

– ***Les vins :*** les ***vins californiens*** enchanteront les amateurs. Les progrès des vignerons sont considérables depuis quelques années (ils sont nombreux à avoir appris le métier en Europe, en France notamment, et pendant plusieurs vendanges), et certains crus locaux tiennent désormais la dragée haute aux vins hexagonaux. On pense notamment aux vins d'exception de grands domaines comme *Beringer* ou *Mondavi.* Bien que souvent charmeurs et faciles à apprécier, les vins californiens sont généralement sans grande complexité. Seule véritable ombre au tableau, les crus, même les moins élaborés, sont proposés à des prix toujours très élevés ! Une banale bouteille de chardonnay se paie 20 ou 30 $ (au resto, c'est facilement le double).

Si vous en avez l'occasion, goûtez aux intéressants ***vins de Virginie.*** On regrette qu'ils soient malheureusement si peu représentés dans les bars et les restos. La tradition vinicole dans cet État n'est d'ailleurs pas récente puisque George Washington et Thomas Jefferson cultivaient déjà la vigne dans leurs plantations.

Quant aux vins français ou italiens, bien représentés sur les cartes des bons restaurants dans les grandes villes, ils sont encore plus chers que les crus californiens. Reste l'option du ***vin au verre***, mais compter facilement 8-10 $, voire 12-15 $ dans les endroits les plus chic.

Attention, certains restos, particulièrement à ***Philadelphie,*** n'ont pas la licence d'alcool, et appliquent le principe du ***Bring Your Own Bottle (BYOB).*** Ce qui signifie que vous avez le droit d'apporter votre propre bouteille de vin ou de bière, par exemple. Une pratique qui a le mérite d'alléger considérablement l'addition, même si un petit droit de bouchon est exigé *(corking fee).*

– ***Les cocktails :*** depuis quelques années, c'est la mode nostalgique du ***speakeasy,*** ces bouges de l'époque de la prohibition où l'on devait « parler doucement » *(shhh... speak easy !)* pour siroter son whisky frelaté sans risquer d'attirer l'oreille de la maréchaussée... Nombre de bars très tendance des grandes villes puisent leur déco dans cette époque, entre brique, lumières tamisées et recoins sombres. La carte des cocktails suit la même tendance, avec une prépondérance pour les ultra-classiques Martini, Manhattan et autre Cosmopolitan, préparés dans les règles de l'art. Ils voisinent avec des cocktails historiques remis au goût du jour, comme le Sazerac, et les *craft cocktails,* créations des meilleurs ***mixologistes*** qui puisent leur inspiration débridée dans les alcools maison et les herbes médicinales les plus inattendues. Les cocktails latinos, très rhum, restent de toutes les soirées festives (encore plus depuis l'ouverture cubaine !) : margarita, mojito, daiquiri, Cuba libre, etc. Enfin, il y a ceux réservés à l'heure du brunch ou aux *get-togethers* entre filles, comme le Bloody Mary et, surtout, le Mimosa (sans œuf, mais avec champagne et jus d'orange).

– ***Le bourbon*** (prononcer « beur'beun ») ***:*** impossible de passer sous silence ce whisky américain *(whiskey)* dont la production est fournie pour une bonne moitié par le Kentucky (et le reste par le Tennessee). Cette région s'appelait autrefois le *Bourbon County,* histoire de remercier Louis XVI et la Maison de Bourbon pour leur soutien pendant la guerre d'Indépendance... C'est donc depuis 1790

LE BOURBON EST-IL UN WHISKY ?

Oui, bien qu'on utilise un mélange de céréales (et pas seulement de l'orge), dont au moins 51 % de maïs (faut bien écouler l'énorme production américaine). De plus, à la différence des Écossais ou des Irlandais, les Américains le font vieillir dans des fûts de chêne neufs noircis à la fumée. Le goût du bois est donc plus prononcé que dans le whisky, avec une note de caramel.

(en pleine Révolution française !), que le célèbre whisky américain porte le nom de bourbon. Pour info, le *rye* est composé de 51 % de seigle.
– ***Happy hours :*** beaucoup de bars attirent les foules après le travail, en semaine, généralement entre 16h et 19h, en leur proposant moitié prix sur certains alcools, notamment les bières. La réduction s'applique parfois aussi aux grignotages.

CUISINE

La cuisine américaine a longtemps été avant tout destinée à se nourrir... Mais dire que les Américains mangent mal et trop est un peu simpliste. C'est encore malheureusement une réalité pour une partie de la population ou dans certains coins des États-Unis, mais pas dans toute la zone couverte par ce guide, où vous ferez de vraies découvertes culinaires. À condition d'aller dans les bons endroits, bien sûr et d'y mettre un certain prix aussi ! La plupart des ***cuisines du monde*** y sont représentées. Mais surtout, les grandes villes comme Philadelphie, Washington D.C. et Boston regorgent de bonnes tables où officient des ***chefs créatifs et inspirés,*** travaillant des produits de saison et locaux, souvent ***bio*** ou en provenance de fermes des alentours (le concept ***farm to table***), dans la mouvance de l'esprit ***locavore,*** quand ils ne cultivent pas eux-mêmes leurs légumes dans leur propre potager ! Bref, le produit, au sens noble et artisanal du terme, a le vent en poupe, d'où le succès des ***marchés fermiers*** *(Farmers' Markets)* qui fleurissent dans les grandes villes. Quant à la ***street food*** (cuisine de rue), elle n'a aujourd'hui plus rien de « junk », c'est désormais un véritable art de vivre.

À TOUTES LES SAUCES

Le fameux ketchup n'aurait pas été inventé aux États-Unis mais... en Asie ! Il s'agirait à l'origine d'une sauce de saumure de poisson, appelée ké-tsiap. Au XVIIe s ou XVIIIe s, les Anglais en rapportèrent en Europe où sa composition fut adoucie de champignons, puis de tomates, et son nom occidentalisé en ketchup.

Attention au service (gratuity) : il faut ajouter au moins 15 % (les Américains donnent facilement 20 %), sauf si exceptionnellement le service est déjà compté, car les serveurs ne sont rétribués qu'au pourboire.

Les plats sont généralement bien plus copieux que chez nous, sauf dans les restos chic ou branchés où les portions ont tendance à diminuer. Aucun problème pour commander une entrée ou parfois un plat à deux, à partager *(to share).* Idem pour le *breakfast.* ***La plupart des restos sont ouverts midi et soir,*** parfois même sans interruption entre les deux services. Certains servent le brunch le week-end et parfois aussi le petit déjeuner en semaine. Les prix sont presque toujours plus élevés le soir.

Certains restaurants n'ont pas la licence d'alcool, notamment à Philadelphie (*BYOB* ; voir plus haut « Boissons »). N'oubliez donc pas d'apporter éventuellement votre « boutanche »!

Le *breakfast*

Ce n'est pas *Supertramp* qui nous contredira : le *breakfast in America* est l'un des plus copieux qu'on connaisse. Pour les Américains, c'est un vrai repas, particulièrement le week-end (on parle alors de brunch). Abondant et varié, plus salé que sucré, le petit déj se prend souvent au resto. Certains établissements ne font d'ailleurs que ça ! Et puis il y a les cafétérias, les *coffee shops* et les *diners* (prononcer « daill'neur »), ces restos populaires un peu rétro avec leurs tables en Formica calées dans des box...

La carte, souvent longue comme le bras, fait une place de choix aux œufs ***(eggs),*** sous toutes leurs formes : brouillés *(scrambled),* en omelette *(omelette),* en *frittata* (omelette épaisse façon tortilla espagnole) ou frits *(fried).* Sur le plat, ils peuvent être ordinaires *(sunny side up)* ou retournés et cuits des deux côtés comme une crêpe *(over easy),* c'est-à-dire pas trop cuits. Ils peuvent également être pochés *(poached)* sur demande. Les œufs sont généralement proposés avec du bacon ou des saucisses, parfois du jambon grillé *(ham),* des pommes de terre sautées avec des oignons ou des *hasbrowns* (galettes façon roestis suisses). En prime, vous aurez droit à des ***toasts*** beurrés ; on vous demandera probablement si vous préférez du pain de mie blanc *(white),* complet *(brown)* ou entre les deux *(wheat).* Mais le fin du fin, ce sont les ***eggs Benedict*** : pochés, posés sur un petit pain rond toasté *(English muffin)* et nappés de sauce hollandaise, avec le plus souvent du jambon grillé, ou du bacon.

BÉNI SOIT BENEDICT

La légende raconte que c'est un client de l'hôtel Waldorf Astoria qui inventa la recette des eggs Benedict. Un matin de 1894, le financier Lemuel Benedict commanda de quoi soigner selon lui sa gueule de bois : des toasts, des œufs pochés, du bacon grillé et de la sauce hollandaise. L'association plut au maître d'hôtel qui l'ajouta au menu après quelques ajustements. C'est aujourd'hui un grand classique du breakfast américain.

On trouve presque toujours aussi des ***pancakes,*** ces crêpes épaisses et moelleuses arrosées de sirop d'érable – ou de sirop tout court (plus économique), accompagnées au choix de fruits frais, de bacon grillé, etc. Le pain perdu, appelé ici ***French toast,*** est aussi populaire.

Dans un registre plus « continental », il faut absolument goûter aux ***bagels.*** Inventés en Pologne au XVIIe s, ces petits pains en forme d'anneau, à la mie compacte, ont suivi les émigrés juifs jusqu'à New York pour devenir un *breakfast food* incontournable. Servis traditionnellement grillés *(toasted)* puis tartinés de *cream cheese* (souvent du *Philadelphia*) ou de beurre et confiture, ils existent en différentes versions : nature *(plain),* avec des raisins secs et de la cannelle *(cinnamon-raisin),* des graines de sésame ou de pavot, de l'oignon, multigrains, etc. Les *everything,* comme leur nom l'indique, ont un peu de tout dedans !

LE *PHILADELPHIA* EST-IL DE PHILADELPHIE ?

Non, le célèbre fromage frais (cream cheese comme on dit aux États-Unis) est new-yorkais mais il prit dès 1880 le nom de Philadelphia car la ville était déjà réputée pour sa gastronomie.

Il ne faut pas confondre les bagels avec les ***donuts,*** des beignets ronds (troués aussi au milieu) dont les Américains raffolent, il n'y a qu'à voir le nombre de succursales le la chaîne *Dunkin Donuts* un peu partout !

N'oublions pas les ***muffins,*** aux myrtilles, à la framboise, à la

LA PETITE HISTOIRE DES *KELLOGG'S CORN FLAKES*

John H. Kellogg était directeur d'un sanatorium dans le Michigan. Très religieux, il prônait une alimentation végétarienne soi-disant efficace contre... les pulsions sexuelles ! Sa découverte eut lieu par hasard, en 1894, alors qu'il faisait griller des flocons de maïs trop bouillis.

banane, etc., moelleux et délicieux, qu'on trouve surtout dans les *coffee shops* et les pâtisseries. Et le ***granola,*** mélange de céréales croustillantes genre muesli, est servi avec du yaourt, des fruits, etc.

Dernière chose, dans les formules petits déj ou bien les brunchs, ***la boisson chaude et le jus de fruits sont rarement inclus.*** Mais si vous demandez un café *regular,* il sera en principe servi à volonté.

Le brunch

Une tradition du week-end incontournable chez les Américains. Le dimanche, et parfois aussi le samedi, de 10-11h à 15-16h en général, de nombreux restos et même des bars servent le brunch, c'est-à-dire des plats à mi-chemin entre le *breakfast* et le *lunch,* à accompagner d'une boisson chaude, parfois d'une ***coupe de champagne*** (du mousseux assez souvent) ou d'un ***cocktail*** genre *bloody mary* ou *mimosa.* Depuis quelques années, les gastro-brunchs ont le vent en poupe : produits de qualité et recettes élaborées, souvent inspirées des classiques américains mais revisitées avec légèreté et créativité.

Le lunch et le *dinner*

– ***Horaires :*** dans la plupart des restos (on ne parle pas ici de fast-foods), le déjeuner est généralement servi de 11h à 14h ou 14h30. Puis les portes se ferment pour rouvrir à partir de 17h. En dehors des grandes villes, on dîne tôt ; rien de plus normal que de se rendre au resto à partir de 17h30-18h. D'ailleurs, passé 21h ou 21h30 en semaine, les restos ne servent plus. Les restos de chaînes font bien sûr exception.

– ***La carte n'est généralement pas la même à midi et le soir.*** Au déjeuner, elle est souvent plus réduite et moins chère, avec des salades, sandwichs, soupes et autres hamburgers. Le soir, les plats sont plus élaborés et les prix plus élevés – souvent du simple au double, voire plus. Il arrive parfois que le même plat coûte quelques dollars de plus le soir que le midi. Certains restos proposent cela dit des tarifs ***early bird*** (spécial couche-tôt), c'est-à-dire des plats à prix réduits ou un menu avantageux au début de leur service du soir, en général vers 17h ou 17h30 et ce pendant 1h environ.

– ***Les today's specials*** (ou ***specials,*** ou encore ***specials of the day***), désignent les incontournables suggestions du jour, servies en fait plutôt le soir, que les serveurs vous encouragent à choisir. Attention, contrairement à nos « plats du jour », les *specials* sont souvent plus chers que le reste de la carte et le prix n'est pas toujours clairement indiqué.

Lexique américain spécial resto

For here or to go? : sur place ou à emporter ?

Appetizers : entrées.

Entrees (à prononcer presque à la française) *:* plats de résistance.

Are you done? : vous avez terminé ?

No, I'm still working on it : non, je n'ai pas fini (de manger).

The check, please (et non pas *the bill*) *:* l'addition, s'il vous plaît.

– ***Les salad bars :*** dans la plupart des ***supermarchés,*** il y a souvent une section avec tout un choix de crudités, de salades composées, plats cuisinés de toutes sortes, y compris asiatiques ou mexicains, parfois des sushis, et puis des desserts, des fruits frais, etc., à consommer sur place ou à emporter. Idéal pour les végétariens. Il suffit de remplir une barquette et de passer à la caisse : vous payez au poids (environ 8-10 $ par *pound,* soit 454 g) et vous assaisonnez à votre façon.

La chaîne de supermarchés bio *Whole Foods Market* propose à notre avis les meilleurs *salad bars.*
– ***Les food courts et food halls :*** très populaires aux États-Unis, particulièrement dans les centres commerciaux, les *food courts* sont des espaces type cafétéria regroupant des stands de cuisines différentes : asiatique, mexicaine, italienne, mais aussi BBQ, bars à jus de fruits et smoothies, etc. Pratique, rapide, souvent économique mais pas toujours très fin, sauf dans la version *food halls* (beaucoup plus branchée) qui renouvelle le concept avec une sélection d'enseignes gourmet...
– La plupart des bars proposent des ***happy hours*** (généralement de 16h à 18-19h en semaine). Si on a généralement droit à deux consommations pour le prix d'une, quelques en-cas sont parfois aussi proposés à tarifs réduits. L'idée des *happy hours,* c'est donc de boire et de grignoter *avant* le dîner, ce qui explique que, souvent, un restaurant soit adjacent au bar.
– Lire aussi la rubrique « ***Curieux, non ?*** » plus loin.

La cuisine américaine en général

– ***Le hamburger (ou burger) :*** une institution aux États-Unis, et pour cause, c'est le plat national ! Évidemment, tout dépend de la qualité du *patty* (steak haché) et des ingrédients qu'on met autour. Évitez les chaînes de fast-foods les plus populaires (*McDo* et consorts) qui utilisent des viandes vraiment très bas de gamme. Allez plutôt dans les nouvelles enseignes comme ***Shake Shack, Five Guys, Uburger*** (on les cite dans les villes concernées) et mieux encore, dans les vrais restos, spécialisés ou non, qui servent d'excellentes viandes bien fraîches, *juicy,* tendres et moelleuses (bio parfois), prises entre deux tranches de bon pain *(bun)* et accompagnées d'une kyrielle d'ingrédients et de sauces qui font toute la différence. Si on vous demande la cuisson désirée, il y a des chances que l'adresse soit de qualité ! Les ***frites (French fries)*** et le ***coleslaw*** (salade de chou cru dans une sauce sucrée, mélangée ou non avec des carottes râpées) se commandent parfois à part.

LE HAMBURGER N'EST PAS AMÉRICAIN !

Fin d'un mythe, le hamburger est né en Allemagne, à Hambourg, comme son nom l'indique. À la fin du XIXe s, de nombreux immigrés immigrés allemands originaires de la région de Hambourg affluèrent en masse au pays de l'oncle Sam. Le hamburger désignait alors le bifteck haché qu'on leur servait à bord des transatlantiques. C'est donc grâce aux immigrants que le hamburger a fait son apparition au Nouveau Monde, avant d'être récupéré par les frères McDonald qui le placèrent alors entre deux tranches de pain et le proposèrent en self-service !

– ***La viande de bœuf :*** de tout premier ordre mais chère. La tendreté de la viande américaine provient aussi de sa découpe (perpendiculaire aux fibres du muscle), différente de celle des bouchers français. D'où la difficulté de traduire les noms des différents morceaux que l'on retrouve sur les cartes des restos américains : le ***filet mignon*** (rien à voir avec un filet mignon de porc, c'est un pavé dans le filet), le ***sirloin*** (faux-filet), le ***ribeye*** (entrecôte), le ***New York Strip*** (partie haute du rumsteak) et le célèbre ***T-bone,*** c'est-à-dire la double entrecôte avec l'os en T. Le très tendre ***prime rib*** (côte de bœuf) a aussi ses adeptes ; ne le confondez pas avec les très populaires *spare ribs* qui désignent du travers de porc (sauce barbecue). Si vous aimez votre steak « à point », comme en France, demandez-le *medium,* saignant se disant *rare* (et non *bloody...*) et bien cuit, *well done.* L'Ouest des cowboys et des *cattlemen* a aussi donné à l'Amérique le célèbre barbecue, accompagné de son cortège de sauces en flacons. Le plus réputé est grillé sur du bois de *mesquite,* au fumet particulier. Le ***poulet frit*** du Kentucky (ou d'ailleurs) est également l'une des bases du menu américain (mais rien à voir avec la chaîne du même nom).

– ***Les salades :*** les Américains sont les champions des salades composées, fraîches, appétissantes et copieuses. Aux côtés des classiques ***Caesar salad*** (romaine, parmesan râpé et croûtons, accompagnée, en version deluxe, de poulet ou de grosses crevettes) et ***Cobb salad*** (salade verte, tomate, bacon grillé, poulet, avocat, œuf dur et roquefort), servies avec tout un cortège de sauces (*dressings*). On trouve des déclinaisons variées (parfois sucrées-salées), notamment la ***kale salad*** (au chou frisé), plat emblématique de la cuisine bobo-bio.

– ***Les sandwichs :*** celui que nous connaissons en Europe s'appelle aux États-Unis *cold sandwich.* À ne pas confondre avec les *hot sandwiches* américains, de véritables repas servis avec frites (ou chips ou *potato salad*) dans les restaurants, donc plus chers. On trouve aussi de plus en plus de ***wraps,*** des sandwichs roulés dans une tortilla.

SANDWICH ET SANS REPROCHES

Le « sandwich » tire son nom du Britannique John Montagu, 4e comte de Sandwich. On ne sait si son cuisinier lui inventa ce nouveau type de repas parce que ce joueur invétéré ne voulait pas quitter la table de jeu, ni tacher les cartes de gras. En tout cas, les Américains lui doivent beaucoup : il fut jugé responsable de la défaite anglaise pendant la guerre d'Indépendance et son invention est désormais servie dans tous les restos du pays.

– ***Hot dog et consorts :*** son nom étrange (« chien chaud ») proviendrait de la ressemblance entre la *Frankfurter* (saucisse de Francfort) et une autre importation des immigrants allemands arrivés à la fin du XIXe s aux États-Unis : le chien teckel ou basset, dont le corps allongé évoque une saucisse... À noter que le célèbre **hot dog de Chicago** est servi avec de la moutarde, de la sauce *relish* toute verte, des oignons blancs hachés mais surtout pas de ketchup, ce serait une hérésie ! À Philadelphie, l'incontournable spécialité, c'est le ***Philly cheesesteak,*** un gros sandwich bien roboratif fourré de lamelles de bœuf, d'oignons grillés et de fromage fondu type *provolone.* Le ***hoagie,*** également originaire de Philadelphie, désigne un sandwich géant de forme allongée et traditionnellement garni de charcuterie et fromage italien, et assaisonné d'huile d'olive et d'origan. Il en existe moult déclinaisons. Dans toute la Nouvelle-Angleterre, la Rolls du sandwich est incontestablement le ***lobster roll*** (oui, oui, au homard).

– ***Les glaces (et dérivés) :*** les Américains ont l'habitude de les agrémenter de toutes sortes de garnitures *(toppings)* : éclats de *M&M's,* noix, céréales, cacahuètes, caramel, *hot fudge* (chocolat chaud)... Outre la glace classique, il existe aussi le ***frozen yogurt*** (yaourt glacé), un peu plus léger en matières grasses mais à la texture onctueuse.

– ***Les pâtisseries :*** certains les trouvent alléchantes, d'autres écœurantes rien qu'à regarder... Parmi les desserts traditionnels figurent le ***cheesecake*** (gâteau au fromage blanc parfois agrémenté de fruits, de chocolat, etc.), le ***carrot cake*** (gâteau aux carottes et aux noix, sucré et épicé, nappé d'un glaçage blanc crémeux ; un délice), le ***chocolate*** ou ***fudge cake*** et la ***pumpkin pie*** (célèbre tarte au potiron, typique de la période d'Halloween), mais n'oublions pas les excellentes tartes aux fruits de saison, à la mode de grand-mère... Miam ! Restent encore les incontournables ***cupcakes*** (petits gâteaux ronds genre génoise, nappés d'un glaçage au beurre sucré et parfois coloré) et les ***whoopie pies*** (sortes de mini-sandwich de gâteau en forme de soucoupe volante, avec une garniture crémeuse au milieu).

Les spécialités des États-Unis du Nord-Est

Le long de la côte, et particulièrement en Nouvelle-Angleterre, la *seafood* est reine, notamment les palourdes *(clams)* qui entrent dans la composition de trois plats incontournables : la ***clam chowder,*** soupe épaisse et veloutée à base de *clams,* pommes de terre et crème fraîche, les ***fried clams*** (dont la petite ville d'Ipswich revendique la recette originale) et les ***steamers,*** palourdes cuites au court-bouillon et arrosées de beurre fondu. Le ***homard du Maine*** *(lobster)* est bien sûr la vedette locale. S'il reste cher dans les restos chic (le prix est au poids quand il est servi entier), il est beaucoup plus accessible dans les *seafood shacks* (baraques à fruits de mer), surtout dans sa version sandwich, le ***lobster roll,*** un petit pain long garni de sa chair succulente et accompagné de mayo s'il est servi froid ou de beurre fondu dans sa version chaude. Autre spécialité (héritée des Indiens), le ***New England Clambake,*** traditionnellement préparé et dégusté sur les plages, est un genre de barbecue de fruits de mer : plat complet de moules, palourdes et homard, accompagné de pommes de terre, oignons, saucisses et épis de maïs, le tout cuit plusieurs heures en papillotes d'algues posées sur des pierres brûlantes dans le sable. Toujours dans le Massachusetts, les ***Boston baked beans*** (haricots blancs longuement mijotés dans une sauce brunâtre au goût de mélasse) ont leurs amateurs. Avouons-le, on préfère le homard... Ou les ***crabcakes*** du Maryland, savoureux quand ils sont bien travaillés. Dans le comté de Lancaster, ce sont les traditions culinaires germaniques qui ont inspiré des plats simples et roboratifs (voir la rubrique sur la cuisine amish au début du chapitre « Pennsylvania Dutch Country »).

Enfin, au rayon des douceurs sucrées, on retrouve le ***sirop d'érable*** *(maple syrup),* produit essentiellement dans le Vermont, les airelles ou canneberges ***(cranberries)*** dont on fait des tartes, des pancakes et autres muffins mais aussi du jus ou des sauces pour accompagner viandes et volailles, et l'***Indian Pudding,*** flan servi chaud, à base de farine de maïs, mélasse et parfumé à la cannelle et à la muscade.

Les restaurants et fast-foods de chaînes

Côté fast-foods locaux, on vous recommande les burgers de ***Five Guys,*** une chaîne originaire de Washington D.C. dont Barack Obama est un inconditionnel et qui a fait des petits sur la côte est. Gros avantage, ils sont souvent implantés en centre-ville. À Sinon, on aime aussi beaucoup ***Corner Bakery*** pour ses petits déj et lunch *healthy* (sains) : bons pains, porridge aux fruits (le *chilled Swiss oatmeal* est extra), œufs... Dans un registre tex-mex, difficile d'échapper à ***Chipotle !*** Ses tacos et burritos sont élaborés avec de bons produits (« *Food with integrity* » comme ils disent) pour des prix très accessibles, d'où le succès auprès des étudiants et des jeunes en général. Et enfin ***Potbelly Sandwich Works*** pour des sandwichs frais et généreusement garnis.

CURIEUX, NON ?

– ***How are you today ?*** C'est la question qui vous accueille partout dans ce pays, dans les restos comme dans les boutiques et autres. Même dans les grandes villes, ***on se dit facilement bonjour*** dans la rue, même si on ne se connaît pas, et on engage couramment la conversation avec des inconnus, au resto avec les voisins de table et dans les ascenseurs aussi !
– Les ***files d'attente*** sont un vrai principe voire un indice de branchitude. Si on n'attend pas 1h ou plus pour décrocher une place dans un resto ou un *rooftop* à la mode, c'en est presque suspect ! Évidemment, c'est l'occasion de vous faire patienter « tranquillement » au bar pour consommer quelques drinks (payants)...
– Toujours étonnant de voir du monde ***manger à toute heure*** dans les restos. Difficile parfois de deviner si les gens en sont encore au déjeuner ou déjà au dîner...

D'ailleurs, les restos commencent à proposer la carte du soir vers 17h et dans certains endroits, le petit déj est servi toute la journée !
– ***Au resto :*** le ***bruit*** ambiant, entre les gens qui parlent fort (même si c'est vide !) et le fond musical toujours présent, les ***serveurs*** qui vous apportent l'addition avant que vous ayez commandé un café ou un dessert, le ***pourboire (tip)*** qui n'est pas compris (comme les taxes) mais obligatoire ! Même dans les adresses un peu populaires (type *diners*), on ne s'assied pas à n'importe quelle table, sauf si l'écriteau « Please seat yourself » vous invite à le faire. Sinon on attend ***d'être placé.*** Ne vous attendez pas à un ***service à l'européenne,*** du genre nappe, serviette, petite cuillère pour le café, etc. Ici, c'est efficacité et rendement. Enfin, la coutume des ***additions séparées*** n'existe pas, on se débrouille avec une note unique même quand on veut partager.
– Au petit déj, les ***omelettes sont souvent à trois œufs.*** Les cardiologues sont ravis.
– Dans les ***bars et les boîtes,*** les ***papiers d'identité (ID)*** sont demandés à l'entrée, même si vous avez 40 ans !
– De plus en plus, ***iPads et smartphones remplacent les terminaux de paiement*** dans les boutiques et restos. Du coup, pas toujours de reçu imprimé, mais on peut vous l'envoyer par e-mail sur demande.
– La ***clim*** est toujours poussée à fond la caisse dans tous les lieux publics (transports compris) et dans les chambres d'hôtel, même quand il n'y a personne dedans...
– ***Le courant électrique est en 110,*** étonnant au pays de l'hyper technologie.
– ***Embrasser*** fougueusement son amoureux ou son amoureuse dans la rue ne se fait pas. Le *PDA (Public Display of Affection)* est même très mal vu ! Dans le même ordre d'idées, les Américains se font ***rarement la bise.*** Quand on se connaît peu, on se dit juste « *Hi !* » (prononcer « Haïe ») qui veut dire « Salut, bonjour ! » avec la variante *Hi, guys,* même si vous avez 80 ans !

> **LA MAIN SUR LE CŒUR**
>
> *Naguère, les Américains avaient coutume de saluer leur drapeau en tendant le bras droit, en souvenir des légions romaines. Malheureusement, ce geste ressemblait trop au salut nazi. En 1942, le président Roosevelt décida de le remplacer par la main sur le cœur.*

Et quand on est plus proche, c'est le « ***hug*** » (l'accolade) qui prévaut. Il s'agit de s'enlacer en se tapant dans le dos, délicatement avec les femmes, avec de grandes bourrades pour les hommes.
– De nombreux ***médicaments*** sur ordonnance chez nous, sont ***en vente libre*** aux États-Unis.
– Les ***journaux*** sont ***en libre-service dans les rues.*** Vous prenez un exemplaire et vous insérez vos pièces dans une urne. Personne ne fraude.
– Dans les ***Visitor Centers,*** ce sont souvent des ***retraités*** qui renseignent les touristes. Aux États-Unis, les personnes âgées font des petits boulots pour améliorer leur retraite.
– Les ***motards*** portent rarement un ***casque.*** Mais le code de la route est respecté et rares sont les ***automobilistes*** qui font les fous au volant. Les ***piétons*** font aussi très attention à traverser au bon moment. Prenez-en de la graine !

DROITS DE L'HOMME

Ironie de l'histoire, le second mandat de Barack Obama, premier président afro-américain, s'est achevé alors que le pays connaît une ***profonde crise raciale***. Les innombrables « ***bavures*** » commises par les forces de l'ordre, à l'origine de la mort de nombre d'Afro-Américains, et restées le plus souvent impunies, ont fait renaître de fortes tensions au sein de la société américaine. Un mouvement citoyen ***#BlackLivesMatter*** (« Les vies des noirs comptent ») est né pour faire entendre ces préoccupations. Mais dans un pays comme les États-Unis, beaucoup ne trouvent comme autre solution que de répondre par la loi du Talion. Plusieurs policiers ont ainsi été pris à leur tour pour cible et tués par des tireurs isolés, finalement abattus eux aussi. Et la future administration aura fort à faire pour inverser la tendance, de nombreux rapports soulignent en effet les nombreuses discriminations qui existent encore, notamment au niveau de la justice. Au-delà de la question raciale, ces événements ont également mis en avant la violence de ces policiers, qui auraient tué par balles au moins 500 personnes, rien que pour le premier semestre de 2016. Bien sûr, elles n'étaient pas toutes innocentes, mais à peine plus de la moitié d'entre elles possédaient une arme à feu. On se demande pourquoi, d'ailleurs, est-il tellement si simple d'en trouver aux États-Unis. Malgré l'insistance de Barack Obama, le Congrès, sous influence directe du lobby de la *National Riffle Association* (*NRA*), ne s'est jamais résolu à remettre en cause le 2e amendement de la Constitution. Tout au plus, après ***l'attaque de la boîte gay d'Orlando*** en juin 2016, revendiqué par l'État islamique, les parlementaires se sont-ils résolus à interdire la vente d'armes aux personnes suspectées de terrorisme. On n'est jamais trop prudent...

LES TROIS COUPS : LA LOI À ABATTRE

Le Three Strikes Law *édicte que toute personne condamnée deux fois, même pour des délits mineurs, risque 25 ans d'emprisonnement au « troisième coup ». Cette loi, promulguée par plusieurs États (entre autres le Massachusetts, le Maryland, la Virginie et la Pennsylvanie), remplit les prisons avec des petits chapardeurs. Une loi similaire (la relégation) existait en France jusqu'en 1970.*

Tout n'est cependant pas à jeter dans le bilan d'Obama. L'***Obamacare*** a permis à 17 millions d'Américains pauvres de pouvoir bénéficier d'une sécurité sociale. Le mariage pour les homosexuels, sur lequel le président s'est beaucoup investi, est une autre de ses réussites, la Cour suprême ayant étendu sa légalité à l'ensemble du pays. Toujours bloquée par les Républicains, la réforme sur l'immigration, qui devrait permettre la régularisation de plus de 5 millions de clandestins, est cependant toujours à l'étude.

Autre semi-échec de l'administration Obama : la fin des pratiques de l'ère Bush en matière de ***lutte antiterroriste.*** L'ex-président Obama a officiellement fait interdire la torture, mais il a toujours échoué à faire fermer le camp de ***Guantanamo.*** De nombreux élus de tous bords se refusant à autoriser le transfert des détenus vers le sol américain, même si la plupart ont été déclarés innocents.

En outre, soulignent les ONG, Obama a largement développé une autre forme de guerre, à distance. Or, si les assassinats ciblés par des drones, au Yémen ou au Pakistan, ont permis l'élimination de nombreuses figures du djihadisme sans mettre en danger le moindre soldat américain, ils ont également provoqué la mort de centaines de victimes civiles.

Les pratiques d'écoute de ***l'agence américaine de renseignements, la NSA,*** mises au jour grâce à Edward Snowden, aujourd'hui toujours réfugié en Russie, ont par ailleurs été théoriquement restreintes, mais elles resteront comme une tache indélébile dans ce bilan Obama.

CRISE DE L'ARME

Selon la journaliste Corine Lesnes du Monde, *les civils détiennent des armes depuis la guerre de Sécession. Quand la paix revint, les gouvernements des États ne récupérèrent pas les fusils comme en France en 1944. Ce furent les Indiens qui en firent les frais. La culture des armes est très forte dans les zones de pauvreté où la sécurité est précaire.*

Enfin, Amnesty International rappelle que 3 000 personnes sont encore dans le couloir de la mort, même si, avec 27 mises à mort dans 6 États en 2015, le pays a enregistré son plus faible nombre d'exécutions depuis 1991. Pas forcément pour une raison idéologique, d'ailleurs. En raison d'un embargo décidé par l'Union européenne, certains États ont du mal à trouver les substances légales pour les injections létales, ce qui donne des armes aux juristes pour reporter les décisions d'exécution.
Pour en savoir plus, n'hésitez pas à contacter :

■ **Fédération internationale des Droits de l'homme (FIDH) :** *17, passage de la Main-d'Or, 75011 Paris. ☎ 01-43-55-25-18. • fidh.org • Ⓜ Ledru-Rollin.*

■ **Amnesty International** *(section française)* **:** *76, bd de la Villette, 75940 Paris Cedex 19. ☎ 01-53-38-65-65. • amnesty.fr • Ⓜ Belleville ou Colonel-Fabien.*

N'oublions pas qu'en France aussi, les organisations de défense des Droits de l'homme continuent de se battre contre les discriminations, le racisme et en faveur de l'intégration des plus démunis.

ÉCONOMIE

« Je crois que nos importations viennent de plus en plus de l'étranger. »

George W. Bush

L'économie américaine s'appuie sur la dalle de granit du ***libéralisme absolu,*** un credo qui tient en quelques principes simples : voir les choses en grand, laisser faire les « lois » du marché (plutôt l'absence de lois...), ne jamais contrarier la liberté des financiers, travailler sans relâche (la répugnance au travail est un signe de disgrâce divine, selon l'éthique protestante puritaine), être à la pointe de l'innovation technologique, payer le moins possible d'impôts (les particuliers comme les entreprises semblent s'accorder sur ce point !)... Un minimum d'intervention, tel est le credo du chantre du libéralisme. Sauf quand ça va mal, bien entendu, comme ce fut le cas pendant les années qui ont suivi la crise de 2008, la pire connue par les États-Unis depuis celle de 1929. Après les faillites de Lehman Brothers et de la WaMu (Washington Mutual), véritables institutions du système financier américain, ***la crise des*** **subprimes,** ***survenue en 2007,*** s'est rapidement muée en crise financière mondiale, provoquant des dizaines de milliers d'expropriations de propriétaires endettés, des licenciements par wagons entiers et la prolifération de publicités incitant les Américains à acheter de l'or, pour mettre leurs avoirs à l'abri. Contraint et forcé, le Congrès adopte à la rentrée 2008 le drastique ***plan Paulson*** : 700 milliards de dollars destinés, entre autres, à racheter les *junk bonds* (obligations pourries) des institutions de crédit en perdition.
Certes, l'économie repart, mais la planche à billets tourne à plein régime et, sur les billets verts, George Washington fait « crise mine », à mesure que le pays absorbe ***les coûts faramineux de ses campagnes en Irak et en Afghanistan*** et des quelques catastrophes dont mère Nature l'accable. À partir de 2013 cependant, l'économie américaine finit par reprendre des couleurs : entre 2008 et 2015, le PIB des États-Unis s'accroît de 13 % (contre un peu moins de 3 % dans la zone euro) et le chômage à 10 % en 2008 passe en dessous de la barre des 5 % en 2016. Mais la situation reste fragile et explosive : la dette publique, déjà colossale, continue à grossir de plus en plus vite et atteint les 20 000 milliards en 2016 (contre 10 000 milliards en 2010), les investissements des entreprises restent en deçà des attentes, la classe moyenne connaît un véritable déclassement et de nombreux travailleurs découragés ont en réalité quitté le marché du travail, tandis que d'autres ont été contraints d'accepter des emplois à temps partiel (si l'on tient compte de ces paramètres, le taux de chômage réel pourrait s'élever à 10 %). Par ailleurs, si le taux de pauvreté a baissé en 2014 et 2015, il s'élève tout de même

à 13,5 %. Plus grave encore : les inégalités persistent et n'ont cessé de se creuser durant les deux mandats de Barack Obama, la croissance ne profitant qu'à une minorité (il faut dire qu'entre 2008 et 2016, le Congrès, à majorité républicaine, se sera opposé quasi systématiquement aux plans gouvernementaux pour tenter de relancer l'économie, en dénonçant leur coût pour le budget fédéral). Ainsi, entre 2009 et 2015, le revenu moyen des 20 % les plus pauvres a-t-il baissé de quelque 8 %, tandis que celui des 10 % les plus riches augmentait de 10 %. Une pauvreté qui, par ailleurs, frappe particulièrement la communauté noire, où le taux de pauvreté atteint les 24 %.

ENVIRONNEMENT

Il est difficile de parler environnement aux États-Unis sans parler économie (et lobbys !), l'écologie y étant souvent considérée comme la grande rivale du capitalisme. Ainsi en 2001, le président Bush rejetait le protocole de Kyoto sur le réchauffement climatique, estimant qu'il risquait de porter atteinte à l'économie américaine. Son successeur Barack Obama, en revanche, fut certainement le premier président américain réellement concerné par l'écologie, même s'il a beaucoup soufflé le chaud et le froid en la matière. Toutefois, les rapports désastreux sur l'évaluation climatique nationale qui lui furent remis en 2014, pointant du doigt les risques accrus de sécheresse, d'inondation, d'érosion du littoral, ou encore d'ouragans en fonction des États, l'ont conduit à faire de la lutte contre le réchauffement climatique l'un des grands défis de son 2e mandat. En 2015, avant même de signer l'accord de Paris lors de la COP21, le président du 2e plus grand pays émetteur de gaz à effet de serre annonçait un ambitieux *Clean Power Plant* visant à la réduction drastique de l'utilisation du charbon d'ici à 2030, notamment pour l'exploitation des centrales électriques (qui sont la principale source de pollution par le carbone nocif aux États-Unis) et à l'augmentation de la part des énergies renouvelables. Évidemment, la réaction du lobby du charbon fut immédiate, accusant Obama de provoquer à court terme une augmentation du coût de l'électricité qui pèserait lourdement sur le budget des Américains. En février 2016, la Cour suprême suspendait le Clean Power Plant et il est plus qu'improbable que Donald Trump, climatosceptique revendiqué, se batte pour l'imposer.

LA NOUVELLE RUÉE VERS L'OR

L'exploitation du gaz de schiste rappelle des temps, pas si anciens, où des cow-boys devenaient millionnaires en quelques jours grâce au pétrole. C'est ce qui se passe aujourd'hui pour des amish qui se retrouvent propriétaires de sous-sols contenant ces ressources naturelles. Mais cette industrie, qui fait baisser la facture de l'énergie, a un revers : des explosions, au sens propre, qui obligent, comme en Pennsylvanie, à en stopper l'exploitation. Et surtout des conséquences sur l'environnement et la santé qui semblent encore mal mesurées...

Face aux catastrophes naturelles que le pays subit régulièrement, comme la ***sécheresse historique*** qui sévit dans la quasi-totalité des États-Unis (et à l'origine notamment des incendies désastreux des étés 2015 et 2016 en Californie), aux scandales sanitaires (l'eau contaminée au plomb dans l'ancienne ville industrielle de Flint, dans le Michigan), ***les États-Unis prennent cependant peu à peu conscience des enjeux environnementaux actuels.*** Et s'il est difficile d'agir au niveau fédéral, des initiatives sont prises au niveau local. L'exemple de la ville de Detroit est peut-être le plus marquant dans le sens où cette ville, symbole même du capitalisme et de la grande industrie au XXe s semble peu à peu devenir un précurseur de cité postindustrielle. Laminée par la crise de l'industrie automobile, la population de Detroit est passée de 1,8 million en 1950 à 700 000 aujourd'hui. Les maisons ou immeubles abandonnés sont tombés en ruine, laissant progressivement place dans de nombreux quartiers à d'immenses terrains vagues ; dans les années 2010, un tiers de la ville se trouve ainsi en friches. Comme souvent aux États-Unis, face à l'absence de réaction du pouvoir, ce sont les citoyens qui ont fini par reprendre leur destin en main en développant l'agriculture urbaine, afin d'essayer d'assurer l'approvisionnement de la ville en produits frais, alors qu'aujourd'hui, Detroit est souvent qualifié de « désert alimentaire ». On y dénombrait ainsi, en 2016, quelque 1 600 jardins communautaires ou fermes urbaines.

FÊTES ET JOURS FÉRIÉS

Les jours fériés officiels

Les jours fériés suivants s'appliquent sur l'ensemble du territoire. Presque toutes les boutiques sont fermées ces jours-là.

– ***New Year's Day :*** le 1er janvier.
– ***Martin Luther King Jr's Birthday :*** le lundi le plus proche du 15 janvier, date de son anniversaire. Un jour très important pour la communauté noire américaine.
– ***President's Day :*** le 3e lundi de février, pour honorer la naissance du président Washington, le 22 février 1732.
– ***Easter*** *(Pâques)* **:** ce n'est pas une fête officielle, mais les boutiques sont souvent fermées le dimanche, et certaines aussi le lundi.
– ***Memorial Day :*** le dernier lundi de mai. En souvenir de tous les morts au combat. Correspond au début de la saison touristique.
– ***Independence Day :*** le 4 juillet. Fête nationale qui commémore l'adoption de la Déclaration d'indépendance en 1776. Des barbecues à foison et des millions de drapeaux plantés devant les maisons.
– ***Labor Day :*** le 1er lundi de septembre, la fête du Travail. Marque la fin de la saison touristique.
– ***Columbus Day :*** le 2e lundi d'octobre, en souvenir de la « découverte » de l'Amérique par Christophe Colomb.
– Difficile, dans une rubrique sur les fêtes, de ne pas évoquer celle d'***Halloween,*** la nuit du 31 octobre au 1er novembre. Cette tradition celte, importée par les Écossais et les Irlandais, est aujourd'hui célébrée avec une grande ferveur aux États-Unis. Sorcières ébouriffantes, fantômes et morts vivants envahissent les rues, tandis que les enfants, déguisés, font du porte-à-porte chez les voisins en demandant « *Trick or treat?* » (« Une farce ou un bonbon ? »), et repartent les poches pleines de bonbecs.
– ***Veterans Day :*** le 11 novembre.
– ***Thanksgiving Day :*** le 4e jeudi de novembre. Fête typiquement américaine, commémorant le repas donné par les premiers immigrants (les pères pèlerins) en remerciement à Dieu – et accessoirement aux Indiens – de leur avoir permis de survivre à leur premier hiver dans le Nouveau Monde. Fête familiale, chômée par à peu près tout le monde. L'occasion de dévorer une dinde rôtie gigantesque avec sa sauce aux canneberges et une tarte au potiron *(pumpkin pie)* en dessert !
– ***Christmas Day (Noël) :*** le 25 décembre.

TRAVAILLEURS DE TOUS LES PAYS...

Dans le monde entier, la fête internationale des Travailleurs tombe le 1er mai, commémorant une grève massive des ouvriers américains, débutée le 1er mai 1886 et réprimée dans le sang à Chicago. Dans le monde entier, sauf... aux États-Unis (et au Canada), qui la célèbrent bizarrement le 1er lundi de septembre !

GÉOGRAPHIE

On parle souvent de l'immensité du territoire américain, et pour cause : 9,4 millions de km², 5 500 km d'est en ouest et 3 000 km du nord au sud. En ce qui concerne ce guide, 750 km séparent Washington de Boston, sur la côte est. On doit parcourir plus de 1 100 km pour atteindre Chicago depuis Washington (et plus de 1 600 km de Boston à Chicago, en passant par les chutes du Niagara). Cette zone, petite à l'échelle des États-Unis, vous permettra néanmoins de traverser des paysages très contrastés, et de découvrir des villes américaines ayant chacune leurs spécificités et leur propre histoire.

De la côte atlantique au Mississippi (en direction de Chicago), et du Canada à la Virginie (au sud de Washington), on découvre une demi-douzaine de grands territoires.

La ***Nouvelle-Angleterre*** porte bien son nom : nombreuses bourgades et urbanisme plutôt européen à Boston, paysages côtiers verdoyants avec haies et rideaux d'arbres, marinas entre Boston et New York. En revanche, le nord de la chaîne des Appalaches, culminant à 1 917 m exactement (mont Washington), évoque plutôt le Massif central...

Les ***Grands Lacs*** forment la frontière avec le Canada : lacs Supérieur, Huron, Michigan, Érié, Ontario, par ordre de taille décroissant, avec les chutes du Niagara entre les deux derniers. C'est une zone industrielle : à Detroit siègent les trois plus grands groupes automobiles mondiaux.

Les ***vallées du Connecticut (le fleuve), de l'Hudson et du Delaware*** (le fleuve, encore) coupent perpendiculairement la chaîne des ***Appalaches.*** Ces vallées ont constitué des sites accueillants, au XVIIᵉ s, pour les premiers colons venus d'Angleterre. Ces dernières relient la zone des Grands Lacs à l'Atlantique (rappelons au passage que le premier port du monde, New York, a prospéré à l'embouchure de l'Hudson). En remontant le Delaware (depuis Philadelphie), on se dirige vers les ***chutes du Niagara.***

Les Appalaches centrales forment un paysage très verdoyant, avec des lignes de crêtes aux hauteurs homogènes, qui font un effet de ligne bleue des Vosges (Blue Ridge Mountains). Leur face ouest recèle d'importantes mines de charbon, en Pennsylvanie notamment. Vous les franchirez par le nord si vous souhaitez rejoindre Chicago au plus vite depuis la côte est.

Les Appalaches du Sud, elles, sont également nommées « piémont ». Ce sont de hautes « collines » recouvertes d'argile rouge où l'on cultiva le coton, avant d'y développer une forte activité industrielle.

Entre les Appalaches et l'Atlantique, au sud de ***Washington,*** s'étend une grande plaine monotone au climat très homogène. Le climat est subtropical humide, et les côtes y sont plates et marécageuses.

Bien entendu, si vous décidez de rallier Washington depuis ***Philadelphie,*** en passant par ***Lancaster*** par exemple, nul besoin de franchir des cols ! Vous évoluerez au sein de la fameuse mégalopole du nord-est des États-Unis *(BosWash)* de près de 50 millions d'habitants.

HISTOIRE

« Kennedy n'a pas eu le temps de montrer ce qu'il ne fut pas. »

Laurent Lemire (Livres Hebdo).

Quelques dates

– ***35000 à 10000 av. J.-C. :*** premières migrations de populations d'origine asiatique à travers le détroit de Béring.

– ***2640 av. J.-C. :*** les astronomes chinois Hsi et Ho auraient descendu la côte américaine par le détroit de Béring.

– ***1000-1002 apr. J.-C. :*** Leif Erikson, fils du Viking Erik le Rouge, explore les côtes de Terre-Neuve et du Labrador, et atteint peut-être ce qui est aujourd'hui le nord-est des États-Unis.
– ***1492 :*** « découverte » de l'Amérique par Christophe Colomb.
– ***1620 :*** le *Mayflower* débarque à Cape Cod avec 100 pèlerins *(pilgrims)* qui fondent Plymouth (les pères pèlerins).
– ***1647 :*** Peter Stuyvesant est le premier gouverneur de New Amsterdam, rebaptisée ensuite New York par les Anglais.
– ***1650 :*** légalisation de l'esclavage.
– ***1776 :*** adoption de la Déclaration d'indépendance le 4 juillet.
– ***1784 :*** New York est élue provisoirement capitale des États-Unis.
– ***1789 :*** George Washington est désigné premier président des États-Unis.
– ***1790 :*** Philadelphie devient provisoirement capitale des États-Unis.
– ***1800 :*** Washington devient capitale des États-Unis à la place de Philadelphie.
– ***1831 :*** 2 millions d'esclaves aux États-Unis.
– ***1847 :*** invention du jean par Oscar Levi Strauss.
– ***1849 :*** ruée vers l'or en Californie.
– ***1861-1865 :*** guerre de Sécession.
– ***1865 :*** Abraham Lincoln proclame l'abolition de l'esclavage.
– ***1867 :*** les États-Unis achètent l'Alaska à la Russie.
– ***1886 :*** invention du *Coca-Cola* par J. Pemberton. La *statue de la Liberté,* d'Auguste Bartholdi, est offerte aux États-Unis pour symboliser l'amitié franco-américaine à New York (une copie est érigée pont de Grenelle à Paris).
– ***1898 :*** guerre hispano-américaine.
– ***1906 :*** grand séisme de San Francisco.
– ***1911 :*** premier studio de cinéma à Hollywood.
– ***1924 :*** l'*Indian Citizenship Act* octroie la citoyenneté américaine aux Indiens.
– ***1932 :*** New Deal instauré par Franklin Roosevelt pour remettre sur pied l'économie américaine.
– ***1936 :*** l'athlète noir américain Jesse Owens remporte 4 médailles d'or aux J.O. de Berlin. Hitler fait la gueule.
– ***1941 :*** attaque japonaise à Pearl Harbor (Hawaii) le 7 décembre. Déclaration de guerre des États-Unis au Japon le lendemain. Déclaration de guerre de l'Allemagne et de l'Italie aux États-Unis le 11 décembre.
– ***1944 :*** débarquement allié en Normandie le 6 juin.
– ***1945 :*** bombes atomiques sur Hiroshima et Nagasaki les 6 et 9 août.
– ***1946 :*** début de la guerre froide. Winston Churchill parle du « rideau de fer ».
– ***1948 :*** premier fast-food, créé par deux frères, Maurice et Richard McDonald.
– ***1950 :*** début du maccarthysme, croisade anticommuniste menée par le sénateur McCarthy.
– ***1962 :*** décès de Marilyn Monroe le 5 août.
– ***1963 :*** assassinat de John F. Kennedy à Dallas le 22 novembre.
– ***1964 :*** début de la guerre du Vietnam.
– ***1966 :*** fondation des Black Panthers à Oakland par des amis de Malcom X. *Black Power,* expression lancée par Stockeley Carmichael, prônant le retour des Noirs en Afrique.
– ***1968 :*** assassinat de Martin Luther King le 4 avril. Le 5 juin, Bob Kennedy, frère de John, meurt lui aussi assassiné.
– ***1969 :*** premiers pas de Neil Armstrong sur la Lune.
– ***1973 :*** élections des premiers maires noirs à Los Angeles, Atlanta et Detroit. Cessez-le-feu au Vietnam.
– ***1974 :*** la crise du Watergate entraîne la démission de Richard Nixon.
– ***1975 :*** légalisation partielle de l'avortement.
– ***1976 :*** rétablissement de la peine de mort (après sa suspension en 1972).
– ***1981 :*** attentat contre Ronald Reagan.
– ***1984 :*** les J.O. de Los Angeles sont boycottés par les pays de l'Est.

– ***1991 :*** 17 janvier-27 février, guerre du Golfe.
– ***1994 :*** signature de l'ALENA, accord de libre-échange avec le Mexique et le Canada.
– ***1995 :*** le sénat du Mississippi ratifie enfin le 13e amendement de la Constitution des États-Unis, mettant un terme à l'esclavage. Pas trop tôt !
– ***2000 :*** en décembre, George W. Bush devient le 43e président des États-Unis.
– ***2001 :*** le 11 septembre, les États-Unis sont victimes de la plus grave attaque terroriste de l'histoire mondiale (3 000 morts).
– ***2003 :*** en mars-avril, guerre en Irak. Occupation militaire de l'Irak par la coalition formée par les États-Unis. Le 7 octobre, Arnold Schwarzenegger est élu gouverneur de la Californie.
– ***2004 :*** en novembre, George W. Bush est réélu président des États-Unis face à John Kerry.
– ***2007 :*** en octobre, le prix Nobel de la paix est décerné à Al Gore et au groupe d'experts intergouvernemental sur l'évolution du climat (GIEC), pour leur rôle dans la lutte contre les changements climatiques. De très violents incendies ravagent le sud de la Californie, où l'état d'urgence est déclaré.
– ***2008 :*** une crise économique et financière sans précédent frappe les États-Unis. Le démocrate Barack Obama succède à George W. Bush et devient le premier président noir à entrer à la Maison-Blanche.
– ***2009 :*** à peine élu et un peu surpris lui-même, Barack Obama reçoit le prix Nobel de la paix « pour ses efforts extraordinaires en faveur du renforcement de la diplomatie et de la coopération internationales entre les peuples ».
– ***2010 :*** Barack Obama réussit à faire passer sa réforme du système de santé. En avril, une plate-forme pétrolière de la *British Petroleum (BP)* sombre au large de la Louisiane et provoque l'une des plus grandes marées noires que les États-Unis aient jamais connues.
– ***2011 :*** le 1er mai, Barack Obama annonce officiellement la mort du chef d'Al-Qaida, Oussama ben Laden.
– ***2012 :*** fin octobre, l'ouragan Sandy frappe violemment la côte est, quelques jours avant la victoire d'Obama à l'issue de la campagne présidentielle la plus coûteuse de l'histoire.
– ***2013 :*** le 15 avril, attentat du marathon de Boston (3 personnes tuées et 264 blessées).
– ***2014 :*** victoire des républicains au Sénat et à la Chambre des représentants, aux élections de mi-mandat.
– ***2015 :*** au printemps, annonce du rétablissement des relations diplomatiques entre les États-Unis et Cuba après un demi-siècle d'embargo. En juin, la Cour Suprême autorise le mariage homosexuel sur tout le territoire américain. Grande victoire pour l'égalité pour tous. Le 17 juin, tuerie de Charleston, en Caroline du Sud ; 9 personnes afro-américaines abattues dans une église par un suprémaciste blanc. En novembre, Philadelphie est la première ville des États-Unis à s'inscrire sur la liste du Patrimoine mondial de l'Unesco.
– ***2016 :*** le 12 juin, tuerie revendiquée par Daech dans une boîte gay d'Orlando (49 morts). Le 8 novembre, le magnat de l'immobilier Donald Trump remporte l'élection présidentielle face à la démocrate Hillary Clinton, pourtant favorite des sondages.

Le détroit de Béring

Certains spécialistes placent les premières migrations en provenance d'Asie dès ***50000 av. J.-C. ;*** d'autres, plus nombreux, avancent les dates de 40 000, 30 000, 22 000 av. J.-C. Cette toute première vague d'immigration dure jusqu'au XIe ou Xe millénaire av. J.-C. Ces « pionniers » américains franchissent le détroit de Béring à une époque où les températures, plus froides, font émerger un ***pont naturel entre Asie et Amérique.*** Suivant la côte ouest, le long des Rocheuses, ces petites troupes éparpillées pénètrent peu à peu le nord et le sud du continent américain. La migration dure au moins 25 000 ans. La superficie de ce continent et les vastes étendues d'eau qui le séparent du reste du monde font que les Indiens, tant dans le Nord que dans le Sud, imaginèrent longtemps être seuls au monde.

COUP DE SOLEIL

Non seulement, ils ne vivent pas en Inde, mais en plus ils n'ont pas la peau rouge ! « Indien » vient de l'erreur de géographie de Christophe Colomb qui croyait découvrir les Indes. Si les colons les nommèrent « Peaux-Rouges », ce n'est pas en raison de la carnation de leur peau, mais à cause du vermillon dont s'enduisaient les guerriers des plaines. D'ailleurs, ce sont plutôt les colons européens à la peau claire qui rougissaient, à cause du soleil...

Contrairement à une certaine imagerie populaire, il n'y a jamais eu de « nation indienne », mais une multitude de tribus réparties sur l'ensemble du territoire nord-américain. Les estimations, très variables, font état de ***1 (peu probable) à 2 millions d'habitants avant la conquête occidentale.*** Le continent est alors si vaste qu'on estime qu'il existait plus de 1 000 langues indiennes, réparties en plusieurs grands groupes linguistiques, pour l'essentiel inintelligibles les unes aux autres. Isolés, les Amérindiens ne mesurent pas l'étendue de leur diversité, mais commercent cependant activement entre eux et jusqu'avec le Mexique voisin.

Les modes de vie varient très largement selon les milieux et les tribus. Certaines sont sédentaires comme les Pueblos (baptisés ainsi par les Espagnols parce qu'ils habitent dans des villages), d'autres semi-nomades, mais la plupart vivent de chasse, de pêche et de cueillette, se déplaçant au gré du gibier et des saisons.

La découverte

En ***1003, Leif Erikson*** (le fils d'Erik le Rouge), accompagné d'un équipage de 35 hommes, part du sud du Groenland, récemment colonisé, pour explorer toute la côte de l'actuel Canada. D'autres expéditions suivent, précédant des ***tentatives de colonisation à Terre-Neuve.*** Puis les Vikings rentrent chez eux, victimes, semble-t-il, des attaques indiennes. Cela se passe presque 500 ans avant que ***Christophe Colomb*** ne « découvre » l'Amérique... ! À notre avis, son attaché de presse était plus efficace que celui des Vikings !

LA ROUTE DES DINDES

N'étant pas très fort en géographie, Christophe Colomb était persuadé d'avoir découvert les Indes quand il débarqua en Amérique. D'où le nom « poules d'Inde » donné aux volatiles qu'il rapporta. Les Anglais, qui ne font jamais comme les autres, les appellent turkey *(poules de Turquie), les confondant avec les pintades, découvertes à la même époque en Anatolie.*

Colomb, lui, cherche un raccourci pour les Indes. La plupart des hommes cultivés de son époque étant arrivés à la conclusion que la Terre est ronde, il y a donc forcément une autre route vers les trésors de l'Orient que celle de Vasco de Gama, même si, paradoxalement, elle se trouve à l'ouest. D'origine génoise, Colomb vit au Portugal, et c'est donc vers le roi Jean II du Portugal qu'il se tourne pour financer son expédition. Le roi Jean n'est pas intéressé, et finalement, c'est grâce à la reine Isabelle de Castille, que Colomb peut monter son expédition. Son bateau, la *Santa María,* ainsi que deux autres petites caravelles, la *Niña* et la *Pinta,* partent le 3 août 1492 et 2 mois plus tard, ***le 12 octobre 1492, Colomb débarque, aux Bahamas*** sans doute, muni d'une lettre d'introduction... pour le grand khan de Chine ! Le roi François Ier envoie à son tour

Jacques Cartier, qui, lui, fait trois voyages entre 1534 et 1541. Cartier remonte le Saint-Laurent jusqu'au Mont-Royal, où des rapides arrêtent son entreprise ! Puis, en 1520, ***Ferdinand de Magellan*** découvre le fameux détroit qui mène à l'océan Pacifique, à quelques encablures au nord du cap Horn. Ainsi, le malheur des Indiens et la colonisation de l'Amérique n'ont pour origine que la volonté de trouver un accès alternatif vers l'Asie !

Les premières tentatives de colonisation

En 1513, Juan Ponce de León part à la recherche de la fontaine de Jouvence, atteint la Floride, qu'il croit être une île ; le 7 mars 1524, le Florentin Giovanni Da Verrazano, premier envoyé de François Ier, débarque au Nouveau Monde – depuis peu baptisé *Amérique* en l'honneur de l'explorateur et géographe ***Amerigo Vespucci*** – et promptement le rebaptise *Francesca* pour honorer sa patrie d'adoption et son maître. La Nouvelle-France (futur Canada) est née. De 1539 à 1543, Hernando de Soto découvre et explore des cours d'eau comme la Savannah, l'Alabama et le majestueux Mississippi, mais il est finalement vaincu par la jungle ; au même moment, Francisco Vasquez de Coronado part du Mexique, franchit le río Grande et parcourt l'Arizona. La première tentative de christianisation par les moines de Santa Fe reçoit parallèlement le salaire du martyre chez les Indiens pueblos. Petit à petit, le cœur n'y est plus. L'or, les richesses attendues qui pourraient dissiper les hésitations ne sont pas découverts, et les milliers de volontaires nécessaires à une véritable colonisation ne se manifestent pas. Et puis, finalement, pourquoi étendre encore un empire déjà si vaste, se dit la couronne espagnole, bien installée aux Antilles, au Mexique et en Amérique centrale ?

L'arrivée des Anglais

Trois quarts de siècle passent. L'Angleterre devient plus prospère, les querelles religieuses s'apaisent, Elizabeth Ire règne depuis 1558. ***L'heure américaine a sonné.*** Sir Humphrey Gilbert propose d'installer une colonie en Amérique qui fournirait, au moment venu, les vivres aux marins en route pour la Chine. Elizabeth lui accorde une charte, mais la colonie ne se matérialise pas.

Une nouvelle charte est accordée, cette fois à son demi-frère Sir Walter Raleigh. Il jette l'ancre près de l'île Roanoke et baptise la terre Virginia (Virginie) – du surnom de la reine Elizabeth. Mais après le premier hiver, les colons préfèrent rentrer en Angleterre. La seconde tentative a lieu un an plus tard : le 8 mai 1587, 120 colons débarquent. Un événement marque cette seconde tentative : la naissance sur le sol du Nouveau Monde de la première « Américaine », une petite fille nommée Virginia Dare (nom lourd de sous-entendus, *to dare* signifiant en anglais « oser » !). Mais c'est encore un échec, tragique cette fois-ci, car quand le bateau revient en 1590, les colons ont disparu sans laisser de traces.

Malgré ces échecs successifs, le virus du Nouveau Monde s'empare de l'Angleterre. ***La colonisation débute véritablement avec le successeur d'Elizabeth, Jacques Ier.***

Le 26 avril 1607, après 4 mois de traversée, 144 hommes et femmes remontent la rivière James dans trois navires et choisissent un lieu de mouillage, qu'ils baptisent Jamestown. C'est un aventurier-marchand

CABOTIN

John Cabot, premier Anglais à explorer le Nouveau Monde dès 1497, n'était pas un Anglais d'origine mais un Génois habitant la ville de Bristol. Lui aussi recherchait un passage vers l'Orient, et longeait dans ce but la côte américaine. Faute de trouver ce fameux passage, il laissa son nom à la postérité, avec la pratique du... cabotage !

de 27 ans, le capitaine ***John Smith,*** qui dirige les colons. Il s'enfonce dans le pays, fait des relevés topographiques... John Smith est capturé par les Indiens et il aura la vie sauve grâce à la fille du roi Powhatan, nommée ***Pocahontas.*** Il comprend, ayant vécu avec cette tribu, que les colons ne survivront que par la culture du « blé indien » : le maïs. À son retour parmi les siens et sur son ordre, les colons (très réticents, car ils voulaient bien chasser, chercher de l'or ou faire du troc avec les indigènes, mais pas se transformer en agriculteurs) cultivent le maïs à partir de grains offerts par les Indiens.

La Nouvelle-Angleterre

En ***1620,*** une nouvelle colonie est fondée par les pèlerins – *Pilgrim Fathers* – arrivés sur le ***Mayflower.*** Ces immigrants protestants transitent par la Hollande, fuyant les persécutions religieuses en Angleterre. Ils aspirent à un christianisme plus pur, sans les concessions dues selon eux aux séquelles du papisme que l'Église anglicane charrie dans son organisation et ses rites. Ce sont au total 100 hommes et femmes avec 31 enfants qui arrivent au cap Cod (cap de la Morue). Rien n'a préparé ces hommes et femmes à l'aventure américaine. Il faudrait pêcher, mais ils ne sont pas pêcheurs ; de plus, ce sont de piètres chasseurs et ils se défendent difficilement contre les Indiens, qu'ils jugent sauvages et dangereux. Plus grave encore, voulant atteindre la Virginie et sa douceur, les voilà en Nouvelle-Angleterre, une région éloignée, avec un climat rude et une terre ingrate. La moitié d'entre eux meurent le premier hiver. L'année suivante, ***les survivants célèbrent le tout premier Thanksgiving*** – une journée d'action de grâces et de remerciements – symbolisé par la dégustation d'une dinde sauvage. Ces immigrants ***austères et puritains*** incarnent encore dans l'Amérique d'aujourd'hui une certaine aristocratie, et nombreux sont ceux qui se réclament – ou voudraient bien se réclamer ! – d'un aïeul venu sur le *Mayflower !* La ténacité, la volonté farouche et une implication religieuse proche de l'hystérie vont garantir le succès de cette nouvelle colonie qui compte déjà 20 000 âmes en 1660 ! Peu importe les excès des débuts, comme l'épisode de la chasse aux sorcières à Salem (1689-1692), durant laquelle 150 personnes sont emprisonnées et une vingtaine pendues.

Les Français et le Nouveau Monde

C'est grâce à ***René-Robert Cavelier de La Salle,*** un explorateur français né à Rouen en 1643, que la France a, elle aussi, pendant une période un peu plus longue que la précédente, une part du « gâteau » nord-américain. Après avoir obtenu une concession en amont de Montréal au Canada et appris plusieurs langues indiennes, il partit explorer les Grands Lacs, puis il descendit le Mississippi jusqu'au golfe du Mexique. Il prend possession de ces nouvelles contrées pour la France et tente d'y implanter une colonie en 1684. En l'honneur du roi Louis XIV, cette terre prend le nom de ***Louisiane.***

Cette nouvelle colonie s'avère être une catastrophe financière, sous un climat très malsain. La couronne française cède la concession à ***Antoine Crozat,*** qui ne la trouve pas plus rentable et qui, à son tour, vend ses parts à un Écossais, John Law, contrôleur général des Finances en France sous Louis XV, inventeur probable du crédit, du papier-monnaie... et de la banqueroute !

Grâce à l'aide de la *Banque générale* en France, il fonde en août 1717 la ***Compagnie de la Louisiane.*** Le succès est fulgurant mais de courte durée. Devant la montée spectaculaire des actions, beaucoup prennent peur et l'inévitable krach s'ensuit, probablement le premier de l'histoire de la finance. La ville de La Nouvelle-Orléans est fondée en 1718 par Jean-Baptiste Le Moyne de Bienville. Un premier lot de 500 esclaves noirs sont déportés ici en 1718, et la ***culture du coton*** commence en 1740. Puis, par un traité secret, une partie de la Louisiane est cédée aux Espagnols en 1762, et l'autre aux Britanniques ! Les 5 552 colons français de la

Louisiane de l'époque ne goûtent guère ce tour de passe-passe, mais dans l'ensemble, le règne dit « espagnol » est calme et prospère. C'est d'ailleurs à cette période que les exilés d'Acadie, persécutés par les Anglais, deviennent maîtres de leur territoire et émigrent en Louisiane (lors d'un épisode appelé le « Grand Dérangement »). Après une nouvelle distribution des cartes politiques, la Louisiane espagnole redevient française en 1800. À peine le temps de dire ouf, et Napoléon – à court d'argent pour combattre l'ennemi héréditaire – revend la colonie aux États-Unis le 30 avril 1803.

HERMIONE, LA FRÉGATE DE LA LIBERTÉ

*C'est dans l'ancien arsenal maritime de Rochefort (Charente-Maritime) qu'a commencé, en 1997, le projet un peu fou de reconstruire à l'identique la frégate de La Fayette, celle qu'il avait conduite en 1780 pour venir en aide aux Américains luttant pour leur indépendance. Un véritable défi technique et un beau symbole de l'amitié franco-américaine. En 2015, l'*Hermione *a traversé de nouveau l'Atlantique pour les 200 ans de la fin de la guerre d'Indépendance. L'accueil aux États-Unis fut triomphal !*

À William Penn et les quakers

La plus sympathique implantation de l'homme blanc en Amérique est sans conteste celle des ***quakers.*** Avec son ***principe de non-violence,*** son refus du pouvoir des Églises quel qu'il soit, et son doute quant à la nécessité des prêtres en tant qu'intermédiaires entre l'homme et Dieu, le quaker est appelé à une liberté radicale, irrépressible puisqu'elle se fonde sur Dieu lui-même. *Quakers* signifie « trembleurs » (devant Dieu), et ce surnom leur est donné par moquerie, leur véritable appellation étant *Society of Friends* (« Société des Amis »).

Hormis le célèbre paquet de céréales, c'est surtout le nom de ***William Penn*** qui vient immédiatement à l'esprit dès qu'on prononce le mot « quaker ». Il déclare ***son refus de la violence et son vœu d'égalité entre les hommes.*** À partir de 1668, ses vrais ennuis commencent ; il a alors 24 ans. De prisons en persécutions, Penn publie rien moins que 140 livres et brochures, et plus de 2 000 lettres et documents. *Sans croix, point de couronne,* publié en 1669, est un classique de la littérature anglaise. À la mort de son père, Penn devient Lord Shanagarry et se retrouve à la tête d'une fortune considérable. Il met aussitôt sa richesse au service de ses frères. Les quakers ont alors déjà tourné leur regard vers le Nouveau Monde afin de fuir la persécution, mais les puritains de la Nouvelle-Angleterre ressentent la présence des quakers sur leur territoire comme une invasion intolérable. Des lois antiquakers sont votées. En 1680, après avoir visité le Nouveau Monde, William Penn obtient du roi Charles II (en remboursement des sommes considérables que l'État devait à son père) ***le droit de fonder une nouvelle colonie sur un vaste territoire qui va devenir la Pennsylvanie*** (« forêt de Penn », une terre presque aussi grande que l'Angleterre).

Les Indiens qui occupent cette nouvelle colonie se nomment Lenni Lenape (ou Delaware), parlent l'algonquin et sont des semi-nomades. Penn et les quakers établissent avec eux des relations d'amour fraternel, et le nom de ***leur capitale, Philadelphie,*** est choisi pour ce qu'il signifie en grec (« ville de la Fraternité »). Penn apprend leur langue, ainsi que d'autres dialectes indiens. La non-violence étant l'une des pierres d'angle des principes quakers, les Indiens auraient pu massacrer toute la colonie en un clin d'œil. Mais tant que les principes quakers dominèrent, les deux communautés vécurent en parfaite harmonie.

La *Boston Tea Party* et l'indépendance

Dès 1763, une crise se dessine entre l'Angleterre et les nouvelles colonies, qui sont de plus en plus prospères. Le 16 décembre 1773, sur fond de montée nationaliste, l'adoption d'une série très impopulaire de taxes et de mesures par la Couronne déclenche la ***Boston Tea Party.*** Des colons, déguisés en Indiens, montent sur trois navires anglais amarrés dans le port de Boston, et jettent par-dessus bord leur cargaison de thé.

Au-delà de la péripétie, l'événement fait date. Les armes font leur entrée en scène en 1775 et, ***le 4 juillet 1776, la Déclaration d'indépendance, rédigée par Thomas Jefferson, est votée par les 13 colonies.*** Le fondement de la Déclaration est la philosophie des droits naturels qui explique que Dieu a créé un ordre, dit « naturel », et que, grâce à la raison dont il est doué, tout homme peut en découvrir les principes. De plus, tous les hommes sont libres et égaux devant ces lois. En 1778, les Français signent deux traités d'alliance avec les « rebelles » ; en 1779, l'Espagne entre en guerre contre l'Angleterre. Mais il faut attendre le 3 septembre 1783 pour la signature d'un traité de paix entre l'Angleterre et les États-Unis, conclu à Paris. Les États-Unis, par la suite, s'étendent et les Indiens sont rejetés de plus en plus vers les terres désertiques de l'Ouest, tandis que la France vend la Louisiane et qu'un nouveau conflit se dessine : la guerre civile.

LE CRIME DU PREMIER PRÉSIDENT AMÉRICAIN

En 1754, George Washington, alors officier dans l'armée britannique, dut affronter une troupe française. L'officier en face, le seigneur de Jumonville, voulut parlementer et s'approcha des troupes anglaises avec le drapeau blanc. Sans respecter les usages, George Washington fit ouvrir le feu, tuant l'officier français et neuf de ses soldats. Le premier président des États-Unis traîna ce crime toute sa vie.

L'esclavagisme et la guerre de Sécession

La notion d'esclavagisme remonte à la nuit des temps, et l'aspect immoral de la vente d'un homme n'est pas la vraie raison de la guerre de Sécession, contrairement à une certaine imagerie populaire. ***Abraham Lincoln n'a que peu de sympathie pour la « cause noire »,*** la libération des esclaves ne s'inscrivant alors que dans le cadre du combat contre le Sud. Il déclara à ce sujet : « Mon objectif essentiel dans ce conflit est de sauver l'Union... Si je pouvais sauver l'Union sans libérer aucun esclave, je le ferais... ». L'histoire a, évidemment, oublié cette phrase. D'ailleurs, il n'est pas si difficile pour les nordistes de se déclarer contre l'esclavage (ils ne recensent que 18 esclaves contre 4 millions au Sud !).

Les sudistes portent l'uniforme gris tandis que celui des nordistes est bleu. Bien qu'ils soutiennent les Noirs, les nordistes n'hésitent pas à massacrer les Indiens. Tout ça pour dire que les Bleus ne sont pas si blancs et les Gris pas vraiment noirs...

Pour être juste, ***cette guerre civile doit être présentée comme une guerre culturelle,*** un affrontement entre deux types de société. L'une – celle du Sud –, aristocratique, fondée sur l'argent « facile », très latine dans ses racines françaises et espagnoles, était une société à l'identité forte, très attachée à sa terre. L'autre – celle du Nord –, laborieuse, austère, puritaine, extrêmement mobile, se déplace au gré des possibilités d'emploi, avec des

NAPOLÉON III ET LA GUERRE DE SÉCESSION

La France des Droits de l'homme fut nettement en faveur des États du Sud... esclavagistes. En effet, de nombreux Français vivaient encore en Louisiane. De plus, tout le coton importé en France venait du Sud américain. On faillit même envoyer des soldats français batailler contre les États abolitionnistes du Nord.

rêves de grandeur nationale, mais dépourvue de ce sentiment d'appartenir profondément à « sa » terre.

Les origines de ce grave conflit peuvent s'analyser rationnellement, mais son déclenchement relève de l'irrationnel.

Le détonateur est l'élection de Lincoln. ***Le conflit dura de 1861 à 1865, faisant en tout 630 000 morts et 400 000 blessés.*** C'est aussi la première guerre « moderne » – mettant aux prises des navires cuirassés, des fusils à répétition, des mitrailleuses et des ébauches de sous-marins. Mais plus que tout, cette lutte fratricide fut le théâtre de scènes d'une rare violence. Deux profonds changements dans la société américaine sont issus de cette guerre civile : le premier est ***l'abolition de l'esclavage le 18 décembre 1865,*** et le second sera la volonté de l'Union de représenter et de garantir désormais une forme de démocratie. Lincoln en sort grandi et devient un héros national. Son assassinat, le 14 avril 1865, par ***John Wilkes Booth*** – un acteur qui veut par son geste venger le Sud – le « canonise » dans son rôle de « père de la nation américaine ».

Il reste que presque 150 ans plus tard, les Noirs américains et les *natives,* c'est-à-dire les Indiens, sont toujours partiellement en marge du « grand rêve américain ». La drogue, les ghettos, le manque d'éducation, la misère sont encore en partie leur lot, ce qui hante et culpabilise maintenant l'« autre Amérique ».

L'immigration massive

À travers tout le XIXe s et le début du XXe s, le Nouveau Monde attire des immigrants en provenance du monde entier, mais principalement d'Europe. En 1790, on compte 4 millions d'habitants ; en 1860, ils sont 31 millions. Entre 1865 et 1914, la population triple encore pour atteindre 95 millions. Il y a autant de raisons historiques pour cette vaste immigration que de peuples et de pays concernés. Mais c'est toujours la persécution – religieuse ou politique – et la misère qui sont les facteurs principaux de cette immigration, qu'elle soit juive, russe, d'Europe centrale ou du Nord, italienne ou allemande.

L'arrivée dans le club des Grands

Au lendemain de la guerre de 1914-1918, la suprématie de la Grande-Bretagne est en déclin, et les États-Unis comptent désormais sur l'échiquier mondial. ***En 1919, l'alcool est prohibé*** par le 18e amendement à la Constitution. La fabrication, la vente et le transport des boissons alcoolisées sont interdits. La corruption est inévitable : règlements de comptes, trafics d'alcool, insécurité, prostitution. La prohibition fait mal au puritanisme américain. Roosevelt, dès son élection en 1933, fait abolir l'amendement, soucieux de donner un nouvel élan au pays.

> **ET IL Y EUT UN HIC**
>
> *Sous la pression des pasteurs et des ligues antialcooliques, la prohibition fut instaurée en 1919. Elle dura 13 ans, le temps de faire la fortune de la mafia. Elle assura aussi la prospérité des médecins : en 1920, 45 000 docteurs prescrivirent des millions de litres de whisky sur ordonnance... pour raison médicale.*

Les années 1920 sont celles des Années folles. Pendant que les intellectuels américains se produisent dans les bars et les salons parisiens, la spéculation boursière s'envole et l'Amérique danse sur la nouvelle musique qui va ouvrir la voie à d'autres musiques populaires : ***le jazz.***

Les femmes, grâce aux efforts des suffragettes, obtiennent le droit de vote. Mais cette grande euphorie se termine tragiquement ***en octobre 1929, avec le krach de Wall Street.***

Cette époque est aussi très noire pour les petits exploitants agricoles, touchés par les tempêtes de poussière récurrentes du ***Dust Bowl,*** la première catastrophe écologique du siècle, provoquée par un excès de labours. Beaucoup doivent quitter leurs terres, émigrant vers l'eldorado californien. Steinbeck a laissé un témoignage poignant de leur réalité dans *Les Raisins de la colère.* L'auteur-compositeur-interprète Woody Guthrie aussi. Le père de la *folk song,* devenu clochard *(hobo)* par la force des circonstances, passe la ***Grande Dépression*** à voyager clandestinement sur les longs et lents trains sillonnant les États-Unis, en compagnie de sa guitare, narrant le quotidien des gens à cette période.

McCarthy et les listes noires

Sur fond de Seconde Guerre mondiale, ***le New Deal de Franklin D. Roosevelt*** et la nouvelle donne mondiale – l'Europe s'est auto-anéantie – guérissent peu à peu l'économie des États-Unis, ouvrant une nouvelle ère de prospérité. Cependant, les années 1950 sont aussi celles de Joseph McCarthy et de ses listes noires. Le communisme honni, antithèse de l'esprit de libre entreprise et des valeurs fondamentales américaines, est pourchassé à tout crin. Au-delà d'idéologie, il est surtout question d'influence, l'URSS disputant aux États-Unis la domination mondiale. L'Amérique craint d'autant plus le communisme que les intellectuels de l'époque sont fascinés par cette doctrine d'approche humaniste et généreuse. ***Les listes noires frappent essentiellement le milieu du cinéma*** et instaurent un climat de peur et de malveillance. Le grand Cecil B. De Mille, entre autres, se révèle être un grand délateur, ainsi qu'Elia Kazan, l'auteur de *Sur les quais* et *Viva Zapata.* Des réalisateurs comme Jules Dassin, Joseph Losey ou John Berry décident d'émigrer en Europe. Symbole de cette période hystérique aux relents d'Inquisition, ***l'exécution en 1953 du couple Rosenberg,*** accusés d'avoir transmis des éléments du programme atomique américain à l'URSS.

La ségrégation

Les barrières de la ségrégation commencent officiellement à s'estomper dès 1953, date à laquelle ***la Cour Suprême décide de mettre fin à la ségrégation au sein du système scolaire.*** Ce premier chamboulement n'empêche pas de nombreuses autres mesures discriminatoires de s'appliquer encore, notamment dans les États du Sud. ***Martin Luther King,*** pasteur à Montgomery (Alabama), lance en 1955 le boycottage des autobus de cette ville sudiste, à la suite de l'arrestation d'une femme noire, ***Rosa Parks,*** qui a refusé de céder sa place dans le bus à un passager blanc. L'écho des protestations gagne un retentissement international. ***Fin 1958, une nouvelle décision de la Cour Suprême donne raison au mouvement antiségrégationniste,*** interdisant toute discrimination dans les transports publics. Le mouvement des Droits civiques, organisé autour de Martin Luther King, donne raison à la non-violence, malgré la concurrence de groupes plus radicaux (comme les ***Black Panthers***). Un an après la marche historique sur Washington, le 28 août 1963, le prix Nobel de la paix décerné à Martin Luther King récompense, à travers lui, la cause de l'égalité des hommes. Une prise de conscience nationale prend forme. L'assassinat de Martin Luther King, le 4 avril 1968 à Memphis, n'arrête pas le mouvement.

Le mal de vivre

La *beat generation* apparaît autour de 1960. À sa tête, des écrivains tels que Jack Kerouac et des poètes comme Allen Ginsberg. Insurgée, éprise de liberté, détachée des biens matériels, la ***beat generation*** prend la route à la recherche d'un mode de vie alternatif. L'opulence de la société liée à un cortège d'injustices a créé un refus, chez les jeunes, du monde dit « adulte ». Pendant que les premiers beatniks rêvent de refaire un monde plus juste en écoutant les héritiers de Woody Guthrie (Joan Baez et Bob Dylan), le ***rock'n roll*** a déjà pris ses marques. Il a fait irruption dès 1956 dans la musique populaire avec ***Elvis Presley.***

Symbole d'une autre révolte, très différente de celle des beatniks, le rock'n roll exprime certes un refus des valeurs institutionnelles mais sans offrir de solutions, se contentant de condamner le monde adulte.
C'est ***James Dean,*** dans *Rebel Without a Cause* (chez nous *La Fureur de vivre,* un beau contresens), qui exprime peut-être le mieux le malaise de l'ensemble de la jeunesse. Jimmy Dean devient, après sa mort violente et prématurée, l'incarnation même du fantasme adolescent de « faire un beau cadavre » plutôt que de mal vieillir, c'est-à-dire le refus des compromis immoraux de la société.
Les années 1960 marquent aussi l'apparition de la ***musique noire,*** enfin chantée par des Noirs, dans ce qu'on peut appeler le « Top blanc ». Auparavant, il y avait des radios « noires » et des radios « blanches », et les succès « noirs » ne traversaient la frontière culturelle que quand des chanteurs blancs reprenaient à leur compte ces chansons. Presley doit aussi une partie de son succès au fait qu'il est un Blanc chantant avec une voix « noire ».

Contestation et renouveau

Les années 1960 sont presque partout dans le monde des années de contestation. Ce sont aussi des années pas très clean : affaire de la ***baie des Cochons à Cuba,*** début de la ***guerre du Vietnam*** sous John Kennedy, dont le mythe se révèle aujourd'hui fort ébréché (liens avec la mafia, solutions envisagées au problème « Fidel Castro », mort suspecte de Marilyn Monroe). ***L'assassinat du président John F. Kennedy à Dallas, en 1963,*** marque vraiment la fin d'une vision saine de la politique pour un aperçu bien plus machiavélique du pouvoir.

MANQUE DE VISION POLITIQUE ?

Plusieurs fois, Kennedy affirma que ce serait une erreur d'arrêter l'engagement américain auprès du gouvernement du Sud-Vietnam pour éviter, selon la « théorie des dominos », la chute en cascade des régimes pro-occidentaux en Asie. D'ailleurs, des 1 200 GI's qui encadraient l'armée du Sud, il en augmenta le nombre à 15 400 en 1963, à la date de sa mort ! C'est son successeur Lyndon Johnson qui porta l'effectif américain jusqu'à plus de 500 000 hommes en 1968.

Les beatniks laissent la place aux ***hippies,*** et le refus du monde politique est concrétisé par le grand retour à la campagne afin de s'extraire d'une société dont les principes sont devenus trop contestables. Tout le monde rêve d'aller à San Francisco avec des fleurs plein les cheveux, et en attendant, les appelés brûlent leur convocation militaire pour le Vietnam.
L'échec américain dans la guerre du Vietnam est aussi l'un des corollaires de cette prise de conscience politique de la jeunesse. La soif de « pureté » et de grands sentiments a sa part dans la chute de Richard Nixon, suite à l'affaire du ***Watergate.*** Nixon n'a, en somme, que tenté de couvrir ses subordonnés dans une affaire de tables d'écoute – la plupart des hommes politiques français ont agi de même sans jamais avoir été inquiétés. Quelques années plus tard, retour des démocrates avec le président ***Jimmy Carter.*** D'abord « faiseur de paix » (signature des accords de Camp David entre l'Égypte et Israël), ce dernier s'embourbe en fin de mandat dans l'affaire des otages de l'ambassade américaine de Téhéran. L'Amérique montre alors au monde le visage d'une nation victime de ses contradictions, affaiblie par sa propre opinion publique et en pleine récession économique.
Les années 1980 marquent un profond renouveau dans l'esprit américain. L'élection de l'acteur ***(Ronald Reagan)*** à la place du « clown » (Carter), comme le prônent les slogans, redonne au pays l'image du profil « cow-boy ». La récession se résorbe et l'industrie est relancée. Mais de nouvelles lois fiscales élargissent le fossé entre les pauvres et les riches, c'est l'avènement de ***l'ultralibéralisme.***

Plus présente que jamais, l'Amérique des perdants se décline en un nombre scandaleux de *homeless* (sans domicile fixe), abandonnés à eux-mêmes. L'« autre Amérique », en harmonie avec Reagan, se passionne pour l'aérobic et la santé. L'apparition du sida marque la fin des années de liberté sexuelle.

Ordre mondial et désordre national

La chute du mur de Berlin et l'effondrement de l'URSS consacrent les États-Unis unique superpuissance. Bush père put ainsi entraîner une vaste coalition dans la ***première guerre du Golfe*** en 1991. Mais pendant que les soldats américains libèrent le Koweït, les conditions de vie aux États-Unis continuent à se détériorer : chômage galopant, aides sociales supprimées, violence accrue, propagation des drogues dures et du sida, etc. Les ***émeutes de Los Angeles*** (et d'ailleurs) révèlent aux Américains le fiasco total des républicains. Aux présidentielles de novembre 1992, le peuple américain, déçu, sanctionne Bush, l'un des rares à ne faire qu'un mandat.
Le nouveau président, le démocrate ***Bill Clinton,*** est à l'opposé de ses prédécesseurs : jeune, proche des petites gens, il incarne cette génération du Vietnam pacifiste, davantage soucieuse d'écologie et qui tend à donner plus de responsabilités aux femmes et aux représentants des minorités ethniques ; en un mot, il incarne une nouvelle manière de diriger.
Le bilan de 8 années de présidence se révèle toutefois contrasté : une croissance fantastique, une annihilation du déficit public, des créations d'emploi, mais aussi un échec de la politique de protection sociale. À l'extérieur, ce sont des interventions tous azimuts, en Bosnie, en Israël, en Irak, en Afrique... Clinton est réélu en novembre 1996, en ne faisant qu'une bouchée de son rival, Bob Dole. Clinton défenseur du monde, voilà l'image que l'opinion publique américaine aura retenue de ses deux mandats, en partie assombris par le Monicagate.

Mardi 11 septembre 2001 : l'acte de guerre

Le 11 septembre 2001 a marqué d'une pierre noire l'entrée dans le XXIe s. Ce matin-là, quatre avions détournés par des terroristes kamikazes sont transformés en bombes volantes. Deux avions s'écrasent sur les Twin Towers de New York, le troisième sur le Pentagone à Washington. Le dernier appareil, quant à lui, se crashe en Pennsylvanie, mais sa cible était peut-être la Maison-Blanche ou le Capitole. C'est la plus grosse attaque terroriste jamais commise contre un État : près de 3 000 morts et autant de blessés.
Pour la première fois depuis près de deux siècles (Pearl Harbor mis à part), ***les États-Unis sont victimes d'un acte de guerre sur leur propre sol.*** Acte hautement symbolique ; l'agresseur n'est pas un État, mais une nébuleuse de fanatiques invisibles, en guerre au nom des valeurs les plus archaïques de l'islam. L'ennemi public numéro 1 des États-Unis, ***Oussama ben Laden,*** milliardaire intégriste musulman d'origine saoudienne et réfugié en Afghanistan sous la protection des talibans, est immédiatement désigné comme le principal suspect.
L'entourage ultraconservateur de George W. Bush en conçoit une nouvelle doctrine de politique étrangère américaine basée sur l'existence d'un ***« axe du Mal ».*** C'est le signal d'un revirement de la politique étrangère : désormais, les « États voyous » (Corée du Nord, Iran, Irak) se retrouvent dans le collimateur des faucons de Washington. Première cible : ***l'Afghanistan,*** avec l'objectif de traquer sans relâche les réseaux de Ben Laden et d'éliminer le régime des talibans qui lui ont donné refuge... Médiocre résultat.
Dans la foulée de la logique de lutte contre le terrorisme, Bush demande au FBI et à la CIA de lui fournir des arguments pour s'attaquer à sa deuxième cible : l'Irak de Saddam Hussein, que la guerre de son papa, en 1991, n'a pas réussi à destituer.

Mais où sont donc passées les armes de destruction massive ?

Dès 2002, l'Amérique de Bush compte se débarrasser du tyran Saddam Hussein. Mais pour faire la guerre et recevoir l'aval du Congrès et des alliés des États-Unis, il faut des motifs probants. On s'emploie donc à démontrer que Saddam Hussein mitonne dans son arrière-cuisine quelques programmes de développement d'armes de destruction massive et qu'à coup sûr, il doit être de mèche avec Ben Laden. À l'exception du Premier ministre britannique ***Tony Blair,*** favorable à l'intervention militaire, les autres membres permanents du Conseil de sécurité renâclent à partir en croisade. ***Bush and Co décident alors de se passer de la légitimité internationale pour s'engager dans le conflit.*** En 19 jours, le régime de Saddam s'effondre. La « pacification » du pays démarre. Mais les occupants ont du mal à se concilier la coopération des anciens cadres du régime, tandis qu'une résistance organisée commence à se manifester. Avec l'accumulation des GI's qui tombent sous les embuscades, les attentats-suicides et le coût pharaonique de la guerre, l'opinion ! commence à se poser des questions. Petit à petit se profile sournoisement le spectre de l'enlisement de l'armée (comme au Vietnam).
En décembre 2003, Saddam est finalement capturé. Trois ans plus tard, il est condamné à mort.

G. W. Bush II : *bis repetita...*

La campagne présidentielle de 2004 oppose G. W. Bush et ***John Kerry,*** sénateur démocrate catholique du Massachusetts, brillant étudiant à Yale et ex-héros du Vietnam.
Les républicains s'appuient sur un électorat très à droite, dont les patriotes traumatisés par le *Nine-Eleven,* convaincus que la « guerre contre le terrorisme » prime sur tout le reste. Le 2 novembre, Bush remporte l'élection, avec au total plus de 3,5 millions de voix d'avance. Presque un plébiscite comparé à 2000...
L'Amérique est coupée en deux. Côté pouvoir, le système des valeurs met la barre à droite toute ! À l'unilatéralisme sans états d'âme à l'extérieur vient s'ajouter la prééminence des critères moraux et religieux sur l'emploi ou l'économie. On fait des coupes sombres dans les budgets fédéraux. ***La référence à Dieu émaille tous les discours,*** la Bible fait jeu égal avec les théories de l'évolution dans les programmes scolaires, des États remettent en cause le droit à l'avortement, les gays et les lesbiennes sont priés d'aller s'unir ailleurs, et les retraités sont entraînés à placer leurs économies sur les actions des entreprises liées à la sécurité pour espérer survivre dignement. Sans parler de la couverture santé, dont 40 millions d'Américains doivent se passer.
Et la « Liberté » poursuit sa marche écrasante en Irak... Avec l'exacerbation des clivages religieux (chiites et sunnites), le pays reste plongé dans le chaos malgré l'organisation d'élections libres. L'opération *Iraqi Freedom* aura au final causé des dizaines de milliers de morts, d'abord et surtout chez les Irakiens.

Yes we can !

Le deuxième mandat de George W. Bush s'achève dans un marasme sans précédent dans l'histoire américaine. ***L'enlisement en Irak et en Afghanistan est total, et dès 2007 éclate la crise des subprimes,*** qui entraîne l'économie mondiale vers une récession de longue durée et jette nombre d'Américains à la rue. La campagne électorale démarre tôt : chez les républicains, John McCain, 72 ans, héros de la guerre du Vietnam, s'impose rapidement. Côté démocrate, une primaire interminable oppose ***Hillary Clinton,*** l'ex-First Lady, sénatrice de l'État de New York à un quasi-inconnu du grand public, ***Barack Obama,*** sénateur de l'Illinois, diplômé de Harvard tout de même, et qui a la particularité d'être un métis né à Hawaii d'un père kenyan et d'une mère américaine, originaire du Kansas. Un choix inédit dans la politique américaine, entre une femme briguant l'investiture suprême et un homme assimilé aux minorités afro-américaines. Tout un symbole... Après une âpre lutte, c'est Obama qui l'emporte, surfant sur une vague populaire qui rassemble autant les minorités ethniques que la classe moyenne blanche. Les Américains veulent croire en un espoir de redressement, et Barack Obama, avec son charisme et sa jeunesse, incarne clairement cette aspiration au renouveau et c'est lui qui... ***l'emporte le 4 novembre 2008.*** Jamais une élection présidentielle n'a suscité une telle mobilisation aux États-Unis : deux Américains sur trois ont voté. Et jamais une victoire électorale n'a autant passionné le monde entier.

De la mauvaise passe au rebond ?

Dès les premiers jours de son investiture (janvier 2009), le 44e président des États-Unis est mis au pied du mur. ***L'héritage de la période Bush est lourd à gérer.*** Barack Obama décide de retirer les troupes américaines d'Irak pour consacrer l'effort de guerre sur l'Afghanistan. Les résultats sont médiocres et, face à l'enlisement et à la défection de nombreux pays alliés, le président est contraint d'organiser ici aussi le retrait des troupes. Et pour ce faire, de négocier avec les talibans... Même échec sur la question symbolique de la ***fermeture de la prison Guantanamo,*** l'un des plus grands scandales pour une démocratie digne de ce nom. Malgré la signature d'un décret ordonnant sa fermeture en début de mandat, la prison n'a toujours pas fermé ses portes ! Et même si nombre de prisonniers ont été libérés, ils n'ont jamais eu droit de connaître leur chef d'accusation, à avoir un avocat, à passer en jugement...

À défaut de solder l'héritage de son prédécesseur, Barack Obama ***réoriente la politique internationale des États-Unis vers l'Asie,*** selon la stratégie dite du « pivot ». Le nouvel « adversaire » est la Chine, devenue deuxième puissance mondiale. Quant aux chefs djihadistes, ils sont désormais ***assassinés par drones,*** et tant pis si leurs missiles ratent parfois leur cible, tuant au passage de nombreux civils.

Mais c'est surtout au problème de la ***réforme du système de santé*** américain, un de ses principaux thèmes de campagne, que le 44e président des États-Unis est confronté. En 2010, puis devant la Cour suprême en 2012, Obama se livre à une véritable guérilla pour faire adopter son plan visant à fournir une couverture médicale aux 46 millions d'Américains qui en sont dépourvus. Une victoire historique, même si cette réforme a été en partie édulcorée afin de faciliter son passage, quasiment au forceps !

En novembre 2010, ***les élections de mi-mandat sont une gifle pour Barack Obama :*** les démocrates conservent la majorité au Sénat mais perdent la Chambre des représentants. Côté républicain, un nouveau mouvement, les ***Tea Parties,*** né en réaction à l'élection de Barack Obama, impose ses thèmes. Volontiers réactionnaires, ultraconservateurs, les *Tea Parties* se posent surtout comme des adversaires acharnés de l'État fédéral et de ses impôts.

Le 1er mai 2011, coup de théâtre ! Barack Obama annonce qu'***Oussama ben Laden, le cerveau présumé des attentats du 11 septembre 2001, a été abattu*** au Pakistan, par un commando des forces américaines. Pour nombre d'Américains, la page traumatisante du 11 Septembre peut enfin se tourner.

Obama bis

Pour les élections à la présidence de 2012, les Républicains, poussés vers leur droite par les Tea Parties, optent pour ***Mitt Romney,*** businessman mormon multimillionnaire et ex-gouverneur du Massachusetts. Une fois de plus, l'Amérique est coupée en deux. Le rêve et l'espoir soulevés en 2008 par Obama se sont évanouis. Attendu comme le messie, il a déçu. Pourtant, au bout de la campagne la plus onéreuse de l'histoire, ***Barack Obama finit tout de même par l'emporter.***

Relancer une croissance mollassonne, réduire le déficit budgétaire et le chômage, sécuriser les classes moyennes, renforcer la réforme de la santé et l'éducation publique, soutenir les énergies propres, réformer la politique d'immigration, voilà l'ambitieuse feuille de route de ce deuxième et dernier mandat. Le plus dur pour Obama, c'est ***le bras de fer avec les républicains*** qui gardent la majorité à la Chambre des représentants et font barrage à sa politique depuis son accession au pouvoir.

Accords et désaccords

Alors que la fin de son second mandat approche, ***l'opposition systématique des élus républicains*** bloque toute action de Barack Obama sur le plan intérieur. Ainsi, après un bras de fer de 6 mois, l'incapacité des démocrates et des républicains à s'entendre sur le vote du budget pour l'exercice 2014 provoque en octobre un ***shutdown*** de 16 jours, c'est-à-dire une fermeture partielle de l'État fédéral. Une paralysie historique (la première depuis 1996) qui aurait coûté près de 20 milliards de dollars à l'économie américaine. Et les revers se succèdent : échec du contrôle des armes à feu (après une nouvelle tuerie dans une église de Caroline du Sud) et de la régularisation de 5 millions de personnes sans-papiers... Chaque initiative du président est étouffée dans l'œuf par l'opposition. Sauf sur le plan international, où Barack Obama opère deux virages majeurs. Le 14 juillet 2015, un accord sur le nucléaire est signé avec ***l'Iran,*** mettant fin à 12 ans de négociations et entraînant la levée des sanctions économiques frappant la république islamique. De quoi réintégrer l'Iran dans le jeu du Moyen-Orient, alors que les États-Unis peinent à influer sur la guerre civile qui déchire la région. Dans le même temps sont rétablies les relations diplomatiques avec ***Cuba,*** après 55 ans d'embargo. Visite historique s'il en est, Barack Obama se rend sur l'île en mars 2016. Et serre la pogne à Raul, mais pas celle de Fidel. Mais déjà l'Amérique s'apprête à tourner la page de son premier président noir.

Stupeur et tremblements

8 novembre 2016 : on attendait pour la première fois une femme, c'est un milliardaire qui a bâti une fortune dans l'immobilier et qui n'a jamais exercé de mandat politique qui endosse le costume de 45e président des États-Unis. À la grande surprise des médias et des sondeurs, ***Donald Trump*** a largement battu ***Hillary Clinton*** en ravissant aux démocrates les principaux *swing states* qui déterminent la victoire ou la défaite lors des élections.

Passer sans transition d'Obama à Trump, la rupture est historique. Comment en est-on arrivé là ? Hillary Clinton, déjà écartée des primaires de 2008 par l'émergence de Barack Obama, avait profité de l'intervalle de ses deux mandats pour affûter sa candidature pour 2016 en exerçant les fonctions de secrétaire d'État (ministre des Affaires Etrangères). Son élection aux primaires démocrates face au candidat « de gauche » ***Bernie Sanders*** ne fut qu'une formalité.

Forte de ses nombreux appuis et de son expérience, ses partisans la voyaient déjà aisément « crever le plafond de verre » qui désigne l'ultime obstacle à franchir pour une femme à exercer les fonctions suprêmes. Dans le camp républicain, au début de la campagne, aucun candidat issu des instances du « Grand Old Party » ne parvenait à s'imposer, lorsqu'en marge, se présenta une figure inattendue : celle de ***Donald Trump, magnat de l'immobilier et star de la téléréalité,*** rapidement placé par les médias dans la catégorie « showman », celle des personnages « folkloriques », familiers des débuts de campagne. Or, contre toute attente, crédité au départ de 4 % des intentions de vote, Donald Trump a vu sa cote grimper dans les sondages, lentement mais sûrement, écrasant au passage ses nombreux concurrents au point d'être même désavoué dans son propre camp au fil de ses déclarations outrancières. Prenant à partie les musulmans, les Mexicains, les Juifs, les journalistes, les homosexuels, les vétérans et faisant preuve d'un machisme insultant vis-à-vis des femmes, son audience s'est accrue et ce, malgré ses écarts de langage et son attitude matamoresque lors des débats avec sa concurrente. Son slogan martelé **« *Make America Great Again* »** au cours de meetings hyper médiatisés sonne juste aux oreilles d'une partie de la classe moyenne. Trump surfe sur un courant où l'Amérique souffre d'un mal-être plus profond qu'on ne le pense. Malgré une croissance correcte et un chômage faible, les changements culturels de ces dernières années ont développé un sentiment de perte de repères au sein de l'Amérique âgée, conservatrice, chrétienne et majoritairement blanche. Pour eux, tout change trop vite au profit des jeunes urbains, des élites cosmopolites, des minorités et des immigrés. Un vrai malaise économique perdure, lié au faible taux d'emploi dans l'industrie et au creusement des inégalités, attribué à une classe politique et médiatique coupée des réalités.

Le paradoxe, c'est qu'au final, en dépit de tous les pronostics et d'une ***campagne électorale qualifiée de « la plus écœurante de l'histoire politique américaine »,*** c'est cette Amérique des petites gens, des laissés-pour-compte des zones rurales, des moins éduqués et même une partie des minorités latinos qui auront porté à la magistrature suprême un milliardaire vulgaire, raciste, misogyne et imprévisible et ce, en rejetant massivement une Hillary Clinton plus impopulaire qu'on ne le croyait, jugée par eux comme trop liée aux lobbys de Wall Street, malhonnête et peu fiable.

Le programme de sa nouvelle présidence fait froid dans le dos : expulsion des émigrés illégaux et érection d'un mur entre les États-Unis et le Mexique, dénonciation des accords commerciaux avec ce dernier et le Canada, pénalisation de l'avortement, démantèlement de l'*Obamacare,* renforcement des moyens militaires et révision des alliances, dénonciation de l'accord sur le nucléaire iranien, de la Cop 21, retour de l'exploitation des énergies fossiles, garantie de maintenir le 2e amendement sur le port d'armes, etc.

Les quatre années à venir risquent d'être compliquées...

MÉDIAS

Votre TV en français : TV5MONDE, la première chaîne culturelle francophone mondiale

Avec ses 11 chaînes et ses 14 langues de sous-titrage, TV5MONDE est distribuée dans plus de 190 pays par câble, satellite et sur IPTV. Vous y retrouverez de l'information, du cinéma, du divertissement, du sport, du documentaire...

Grace aux services pratiques de son site voyage (● *voyage.tv5monde.com* ●), vous pouvez préparer votre séjour et une fois sur place rester connecté, avec les applications et le site ● *tv5monde.com* ● Demandez à votre hôtel le canal de diffusion de TV5MONDE et contactez ● *tv5monde.com/contact* ● pour toute remarque.

Télévision

La TV est présente dans 99 % des foyers américains. C'est LE moyen d'information principal de la population, notamment la moins éduquée (c'est bien simple, elle est souvent allumée en permanence). La plupart des chaînes traitent le sensationnel avant (part d'audience oblige), rarement la géopolitique. Il existe cinq réseaux nationaux : *ABC, CBS, NBC, FOX* et *PBS* (chaîne publique financée par l'État et les particuliers, sans pub, proposant les meilleures émissions mais pas pour autant les plus regardées). Chaque État possède pléthore de chaînes locales ou régionales. À ces réseaux hertziens vient s'ajouter le câble. Citons les chaînes d'informations en continu comme *CNN* (plutôt démocrate), et *FOX* (clairement républicaine, axée sur les *trash news* – scandales), sans compter les thématiques :

pour les enfants, la météo, les films historiques, le sport, la musique, le téléachat, sans oublier les programmes religieux qu'il faut avoir vu au moins une fois ! Terminons par *HBO*, qui diffuse films et séries (l'équivalent de Canal +). Le plus insupportable étant l'omniprésence de la pub : 18 minutes 30 secondes, en moyenne, par heure de diffusion !

Presse écrite

À l'échelle nationale, les quotidiens les plus importants sont : le *New York Times* (journal progressiste et de qualité, plus d'un million d'exemplaires vendus chaque jour, près d'un million et demi le dimanche), le *Washington Post* et le *Los Angeles Times* (inspiration politique plutôt libérale). Également le *Wall Street Journal* (sérieux et conservateur) et *USA Today* (très grand public et de qualité médiocre). Et encore plein de journaux locaux concentrés sur les faits divers et les manifestations culturelles. Il y a aussi les tabloïds (appelés ainsi à cause de leur format), *Daily News* et compagnie, souvent gratuits, et sans contenu de fond. On se contente des nouvelles locales, et le reste de l'actualité n'étant traité que sous forme de dépêches. Côté hebdos, citons *Time* (plutôt libéral). Pas de kiosques, les journaux s'achètent dans des distributeurs automatiques dans la rue.

Pour la presse écrite, l'avenir n'est pas rose : quotidiens et magazines subissent de plein fouet l'explosion numérique. Le lectorat jeune de la presse papier est en chute libre, sans pour autant récupérer celui-ci par abonnement sur le Net. Une filière en pleine crise.

Radio

Il y en a pléthore, toutes différentes. Principalement locales et essentiellement musicales. En écoutant la radio, on retrouve la « couleur » de l'État dans lequel on est. Beaucoup de *country* dans le Sud, *easy listening music* sur la côte ouest, etc. Les stations portent des noms en quatre lettres, commençant soit par W (à l'est du Mississippi), soit par K (à l'ouest). Le réseau public américain, le *NPR (National Public Radio),* propose des programmes d'une qualité supérieure.

Liberté de la presse

Après 8 années sous George W. Bush, caractérisées par une grave régression des libertés publiques au nom de la sécurité nationale, ***l'arrivée au pouvoir de Barack Obama*** avait suscité beaucoup d'optimisme. Ces espoirs ont rapidement été déçus concernant la liberté de l'information, régulièrement mise à mal en dépit des principes du Premier amendement de la Constitution.

Les procédures engagées par le gouvernement à l'encontre de « lanceurs d'alerte » *(whistleblowers)* dans des affaires très de fuites d'informations se sont multipliées à un rythme sans précédent depuis l'arrivée du président Obama à la Maison-Blanche, au titre de la loi sur l'espionnage du 15 juin 1917 *(Espionage Act).* Bradley Manning, jeune analyste de l'armée américaine, a ainsi été condamné à 35 ans de prison pour avoir transmis à ***WikiLeaks*** des documents militaires secrets relatifs aux guerres en Afghanistan et en Irak. D'autres affaires sont emblématiques de ce qui s'apparente à une véritable ***chasse aux sources,*** comme la saisie des relevés téléphoniques d'*Associated Press* par le Département fédéral de la justice, révélée en mai 2013, afin d'identifier les informateurs de l'agence. Ou encore la décision de justice ordonnant à James Risen, reporter du *New York Times,* de témoigner dans le cadre d'un procès à l'encontre d'un ancien agent de la CIA, accusé de lui avoir transmis des informations classifiées. James Risen risquait une peine de prison puisqu'il refusait d'identifier sa source. Après une longue bataille juridique et une importante campagne de mobilisation de l'opinion publique, le Département de la justice a finalement renoncé à ses poursuites envers le journaliste du *New York Times* début 2015. En revanche, l'ancien analyste de la CIA Jeffrey Sterling, accusé d'être la source de James Risen, a été condamné en janvier 2015 à 3 ans et demi de prison, sur la seule base de métadonnées faisant preuve des e-mails et conversations téléphoniques entre les deux hommes, sans aucune preuve de leur contenu. Jeffrey Sterling est aujourd'hui en prison. Analyste informatique et lanceur d'alerte, ***Edward Snowden,*** qui a révélé en 2013 des programmes de surveillance généralisée de la ***National Security Agency (NSA),*** est actuellement poursuivi pour avoir violé l'Espionage Act et reste bloqué en Russie où il est exilé.

Il n'existe toujours aucune loi bouclier *(shield law)* garantissant la ***protection des sources des journalistes*** au niveau fédéral, en dépit de l'existence d'une telle législation dans une trentaine d'États fédérés. L'absence de cette garantie – en raison de craintes relatives à la sécurité nationale – pèse directement sur l'activité des journalistes. De fait, la confidentialité des échanges entre ces derniers et leurs sources est une condition essentielle à l'exercice de la liberté de l'information, notamment quand des données sensibles sont en jeu.

Par ailleurs, les difficultés d'accès à l'information publique restent fréquentes, toujours au nom de la sécurité nationale, comme en attestent les modalités d'application du *Freedom of Information Act.* Cette loi autorise la rétention d'informations par les administrations, alors que celle-ci devait rester exceptionnelle.

L'existence de ***programmes de surveillance généralisée,*** mis en place par les autorités, constitue une autre source de préoccupation. Selon des révélations faites en juin 2013, neuf géants de l'Internet US auraient facilité l'accès des services de renseignements américains aux données de leurs utilisateurs, dans le cadre du ***programme Prism,*** mis en place dès 2007 avec l'approbation du Congrès. De même, la société de télécommunications *Verizon* livrerait chaque jour les détails des appels téléphoniques de millions de citoyens américains et étrangers à la National Security Agency (NSA). De tels programmes, attentatoires à la vie privée, mettent à mal la liberté d'expression et d'information.

Enfin, de ***nombreuses entraves à la liberté d'information*** ont été répertoriées lors des manifestations d'Occupy Wall Street, fin 2011, mais encore en 2014 lors des manifestations à Ferguson, dans le Missouri, ou en 2015 à Baltimore. Des dizaines de journalistes ont alors été brièvement arrêtés par la police ou attaqués par les manifestants.

L'attitude de Donald Trump lors de sa campagne présidentielle a soulevé de graves inquiétudes, puisqu'il n'a pas hésité à retirer les accréditations presse aux journalistes du *Washington Post* et à menacer de poursuivre en justice les médias en réformant les lois sur la diffamation.

Ce texte a été réalisé en collaboration avec ***Reporters sans Frontières.*** Pour plus d'informations sur les atteintes aux libertés de la presse, n'hésitez pas à les contacter :

■ ***Reporters sans frontières :*** *CS 90247 75083, Paris Cedex 02. ☎ 01-44-83-84-84. ● rsf.org ●*

PERSONNAGES

Histoire, politique, société

– ***John Adams*** *(1735-1826)* **:** premier vice-président aux côtés de George Washington (1789-1797), puis deuxième président des États-Unis (1797-1801), John Adams est aussi connu pour être le premier président à résider à la Maison-Blanche, dont la construction s'est achevée en 1800. Il participa à la rédaction de la Constitution.

– ***Al Capone*** *(Alphonse Gabriel Capone ; 1899-1947)* **:** surnommé *Scarface* (« le Balafré »), ce fils d'immigrés italiens né à Brooklyn est le gangster le plus célèbre de l'Amérique des années 1920-1930. Après avoir fait ses armes dans la pègre new-yorkaise, Capone bâtit en pleine prohibition un véritable empire à Chicago, contrôlant jusqu'à 300 bars clandestins et tripots, et une vingtaine de bordels. Sa condamnation à 11 ans de prison (pour fraude fiscale et non pour ses crimes notoires !) sonne le glas de sa toute-puissance. L'ennemi public numéro 1 est alors placé en cellule d'isolement à Alcatraz et termine sa vie rongé par la syphilis, à 48 ans.

– ***Bill** (née en 1946)* ***et Hillary Clinton*** *(née en 1947)* **:** depuis leur rencontre sur les bancs de l'université de Yale en 1970, les Clinton ont uni leurs ambitions au nom d'une aspiration commune : le pouvoir. Leur mariage en 1975 consacre la naissance du puissant binôme, bien déterminé à s'imposer sur la scène politique du pays. L'élection de Bill en 1992 est alors une double victoire, celle du nouveau président des États-Unis et celle de l'inébranlable *First Lady* qui défie tous les scandales avec une inflexible ténacité. Après 8 ans à la Maison Blanche entachés par la célèbre affaire Monica Lewinsky, Bill passe le flambeau à sa femme qui se présente aux présidentielles en 2008 puis en 2016 où elle échoue successivement contre Barack Obama et Donald Trump. On peine cependant à croire que cette défaite parviendra à ébranler la volonté de fer de Hillary.

– ***Frederick Douglass*** *(1818-1895)* **:** né esclave dans le Maryland, Frederick Douglass parvient vers l'âge de 12 ans à échapper à la surveillance de ses maîtres pour apprendre à lire auprès des enfants blancs du voisinage. Il donne ensuite lui-même des cours de lecture aux esclaves de la plantation. Après plusieurs tentatives d'émancipation, il acquiert enfin la liberté et publie le récit de sa vie d'esclave avant de devenir un des plus célèbres abolitionnistes américains.

– ***Benjamin Franklin*** *(1706-1790)* **:** imprimeur (à Philadelphie), cartographe, scientifique, inventeur, philosophe et diplomate, bref un homme complet. C'est lui qui proposa l'union des colonies en 1754, scella une alliance avec la France (1778) et négocia les traités mettant fin à la révolution. Il aida à la rédaction de la Déclaration d'indépendance. Par ailleurs, il est l'inventeur des lunettes à double foyer et du paratonnerre, ce qui lui allait comme un gant, vu qu'il n'a cessé de négocier toute sa vie pour canaliser les orages diplomatiques. Pour la petite histoire, il en installa même un (de paratonnerre) sur l'église d'Arpajon (oui, dans l'Essonne). Il reste l'un des personnages les plus aimés du peuple américain.

– ***Thomas Jefferson*** *(1743-1826)* **:** auteur de la Déclaration d'indépendance (1776), il fut vice-président de John Adams de 1797 à 1801, puis président de 1801 à 1809. Il développa l'idée du bipartisme politique de la nouvelle nation, et prôna une politique de décentralisation. Napoléon lui vendit la Louisiane, en 1803. Cet achat doubla quasiment la surface des États-Unis (ce qu'on appelait la Louisiane à l'époque représente en fait 13 États actuellement au centre du pays). Grand amateur de vins, Jefferson avait une passion pour les bordeaux (le Château d'Yquem, entre autres) et il alla même jusqu'à planter des vignes importées de France dans sa propriété de Monticello, en Virginie. Sa cave était l'une des plus prestigieuses des États-Unis.

– ***John Fitzgerald Kennedy*** *(1917-1963)* **:** sa présence à la Maison-Blanche (1961-1963) fut aussi courte que remarquée. Dès 1961, le plus jeune président élu s'embourbe lamentablement dans l'affaire de la baie des Cochons (invasion ratée de Cuba visant à renverser le régime de Fidel Castro). Homme de projet (il lance le programme pour la conquête de la Lune) et homme à femmes, son assassinat, dans de troubles circonstances, le 22 novembre 1963 à Dallas, laisse l'Amérique sous le choc. Son meilleur atout : son charme charismatique.

– ***Martin Luther King*** *(1929-1968)* **:** celui qui, un jour, fit un rêve, incarne la lutte pacifiste pour la reconnaissance et l'intégration du peuple noir (voir la rubrique « Histoire » plus haut). En 1963, dans le cadre de la marche pour les emplois et la liberté, il prononce son célèbre discours *(I have a dream...)* devant le Lincoln Memorial, à Washington. Depuis 1986, le lundi le plus proche du 15 janvier commémore la naissance de M. L. King.

– ***Abraham Lincoln*** *(1809-1865)* **:** homme du Nord, membre du parti républicain, Lincoln est antiesclavagiste. Son élection à la présidence des États-Unis, en 1860, est perçue comme une provocation par les États du Sud ; la Caroline du Sud fait sécession. Un mois après, 10 autres États emboîtent le pas. C'est la guerre. En 1862, il émancipe les esclaves. Réélu en 1864, il est assassiné par un esclavagiste pur et dur dans un théâtre de Washington. Abraham Lincoln reste un des présidents les plus admirés de l'histoire américaine.

– ***Eliott Ness** (1903-1957)* **:** né à Chicago, il y étudie la criminologie avant d'entrer au département du Trésor, où il travaille avec le bureau de la prohibition pour tenter de faire tomber Al Capone. Chargé de démanteler les distilleries clandestines et les réseaux d'approvisionnement du fameux gangster, il réussit avec ses hommes de confiance à détruire pour un million de produits illégaux. Si, grâce aux efforts menés par cette bande d'incorruptibles, les affaires de Capone commencent à péricliter, ce sont, en fait, ses fraudes fiscales qui le trahissent. Trois ans après la condamnation d'Al Capone, en 1934, Eliott Ness est promu chef du bureau de la prohibition de l'Ohio. En 1957, peu de temps avant sa mort, sort son livre *The Intouchables,* adapté depuis au cinéma par Brian De Palma.

ELIOTT NESS, CE MÉCONNU

Quand, en 1931, le policier incorruptible Eliott Ness fit condamner Al Capone, le roi de la pègre lui dit : « Sans moi, tu n'es plus rien. » C'était vrai puisque l'incorruptible se retrouva au chômage dès 1935, à la fin de la prohibition. Il ne réussit jamais à intégrer le FBI et échoua aux élections de la mairie de Cleveland. Alcoolique, il divorça deux fois et mourut à 54 ans. Heureusement, le célèbre feuilleton enjoliva sa biographie.

– ***Barack Obama** (né en 1961)* **:** le 44e président des États-Unis, élu le 4 novembre 2008, entrera dans les manuels d'histoire comme le premier président « africain-américain » de ce pays. Par ses origines, un père étudiant kenyan, une mère du Kansas, une jeunesse en Indonésie et à Hawaii, il est plutôt le symbole de cette nouvelle Amérique de la mixité et du brassage des cultures. Jeune diplômé de l'université de Columbia, travailleur social à Chicago, à nouveau diplômé de la prestigieuse université de Harvard, sénateur de l'Illinois en 2004, marié à une brillante juriste et père de deux filles, il est devenu à 47 ans l'un des plus jeunes présidents élus. De son double mandat, on retiendra surtout l'*Obamacare,* sa fameuse réforme de l'assurance santé, un acquis historique mais difficile à faire passer, l'élimination de Ben Laden, le rétablissement des relations avec Cuba, ainsi que la fermeté dont il a fait preuve face à la Russie.

– ***John Davison Rockefeller** (1839-1937)* **:** l'industriel Rockefeller fonde en 1870 la *Standard Oil Company,* à l'époque où l'on vient de découvrir les extraordinaires propriétés de l'or noir. En deux temps, trois mouvements, et sans états d'âme, la société élimine la concurrence pour se retrouver en situation de quasi-monopole aux États-Unis. Après le pétrole, Rockefeller se lance avec succès dans l'automobile, puis dans l'aviation. Ses généreux dons permettent, entre autres, de fonder l'université de Chicago, l'institut Rockefeller pour la recherche médicale et l'université Rockefeller qui assure la promotion du progrès scientifique dans le monde. Il est considéré comme l'homme le plus riche des temps modernes.

– ***Donald Trump** (1946)* **:** magnat de l'immobilier, requin de la finance, créateur de mode ou encore star de la télé-réalité, Donald Trump affiche une personnalité aussi débordante que ses comptes en banque. De l'esclandre provoqué au sujet de l'acte de naissance d'Obama à la tentative de reconversion dans le BTP pour construire un mur entre les USA et le Mexique, le candidat à l'élection présidentielle a su rallier à sa cause tous les groupuscules de l'ultra-droite, du Ku Klux Klan aux organisations néonazies, tout en plaidant invariablement non coupable en matière de racisme et de misogynie. Roi du bling-bling, mais pas seulement : Trump possède un sens des affaires hors du commun et pèserait environ 3 milliards de dollars, selon Forbes. Mais ce qui compte, selon lui, c'est d'employer son intelligence à bon escient, afin de « *Make America Great Again !* », ce dont on peut légitimement douter. L'inénarrable Trump, personnage haut en couleurs (claires), a néanmoins réussi à séduire une majorité d'Américains qui l'ont consacré 45e Président des États-Unis en novembre 2016.

– ***George Washington*** *(1732-1799)* **:** riche propriétaire et représentant de la Virginie au Congrès, il prit position très rapidement en faveur de l'indépendance. Il est nommé commandant en chef des armées pendant la révolution et bat les Anglais, aidé par la France. Héros de la victoire, il est élu premier président des États-Unis, puis réélu après un premier mandat. La grande œuvre de sa vie fut de parvenir à conserver et affermir l'unité de la nouvelle nation contre les intérêts de chaque État.

– ***Mark Zuckerberg*** *(né en 1984)* **:** cet étudiant de Harvard est le créateur de Facebook, qui rassemble actuellement plus de 600 millions d'utilisateurs à travers le monde. Selon un classement réalisé par le magazine *Forbes,* ce petit génie de l'informatique (qui a quitté Harvard sans diplôme) est le plus jeune milliardaire sans héritage au monde, avec une fortune estimée à une grosse quarantaine de milliards de dollars. Une fortune qu'il a décidé de partager puisqu'il s'est engagé en 2015 à léguer 99 % de ses actions Facebook à la fondation créée à la naissance de son premier enfant.

Musique

– ***Aerosmith*** **:** groupe de hard rock mâtiné d'accents blues, créé à Boston à la fin des *sixties.* L'énorme succès de *Toys in the Attic,* en 1975, considéré comme un de leurs meilleurs titres, les propulse sur le devant de la scène. Leurs albums se vendent par millions, et les disques d'or s'enchaînent. Aujourd'hui encore, leur musique sert même de moteur à une décoiffante attraction des parcs Disney.

– ***Leonard Bernstein*** *(1918-1990)* **:** chef d'orchestre, pianiste et compositeur, né à Lawrence (Massachusetts). Le nom de Leonard Bernstein est indissociable de *West Side Story,* dont il écrivit la musique en 1957. Jouée d'abord à Broadway, la comédie musicale qui transpose l'histoire de Roméo et Juliette dans le New York des années 1950 est ensuite adaptée au cinéma, avec Natalie Wood dans le rôle de Maria.

– ***John Coltrane*** *(1926-1967)* **:** né en Caroline du Nord, ce génie du saxophone est découvert à Philadelphie. Après des débuts dans l'ensemble de la Marine, clarinette à la main, il joue au sein de différents ensembles à Philly, puis à New York. Il côtoie les plus grands, de Charlie Parker à Miles Davis, en passant par Sonny Rollins et Duke Ellington, mais aussi l'héroïne et l'alcool. Tout au long de sa carrière, il a créé un style unique, avant-gardiste, voire révolutionnaire, et multiplié les chefs-d'œuvre : *Soultrane* (1958), *My Favorite Things*, *Lush Life* (1961)...

– ***Duke Ellington*** *(1899-1974)* **:** un nom mythique du jazz, né à Washington. Pianiste et compositeur dès l'âge de 16 ans, il enflamme le célèbre *Cotton Club* de New York à la fin des années 1920. En Europe, puis dans le monde entier, ses tournées sont triomphales. Inspiré à ses débuts par l'ambiance Nouvelle-Orléans, il invente une musique totalement moderne en intégrant subtilement les traditions les plus diverses. À Washington, ne pas manquer le quartier de U Street où il vécut.

– ***Ella Fitzgerald*** *(1917-1996)* **:** née en Virginie, elle commence à chanter à 16 ans à l'*Apollo Theater* de Harlem. Son sens de l'improvisation et sa facilité à voguer sur les octaves impressionnent les plus grands. Avec « ce tout petit supplément d'âme, cet indéfinissable charme », Ella reste la « First Lady » du jazz, la reine du swing et du scat. Dans les années 1950 et 1960, elle rayonne et chante aux côtés de Duke Ellington, Count Basie, Dizzie Gillespie, Nat King Cole... Pas moins de 250 disques à son actif !

– ***Marvin Gaye*** *(1939-1984)* **:** né à Washington D.C., sa carrière débute avec le label Motown. Dès la sortie de son premier album, *The Soulful Moods of Marvin*

Gaye, il ajoute un « e » final à son patronyme, pour éviter toute allusion d'homosexualité. Marvin Gaye acquiert rapidement un statut de sex-symbol auprès du grand public. Pourtant, dépressif et accro à la cocaïne, il choisit de ne plus se produire sur scène. En 1971, son album *What's Going On* fait l'effet d'une révolution, tant dans ses thèmes (comme la guerre du Vietnam) que dans ses lignes vocales. Ruiné et paranoïaque, il est abattu par son père dans la demeure familiale de Los Angeles. Ses chansons étaient « dépravées » !
– ***The Roots :*** groupe mythique de la scène hip-hop américaine, issu de Philadelphie et fondé en 1987. The Roots se démarque par la présence d'instrumentistes sur scène (batterie, clavier), une image sobre, antibling-bling (beaucoup de photos en noir et blanc), et un discours social mêlant la poésie urbaine et des propos revendicateurs. Leur album *Things Fall Apart* (1999) reste une référence dans le rap américain. Ils ont depuis multiplié les collaborations, notamment avec Erikah Badu, Mos Def, Eminem, D'Angelo ou le chanteur de soul Al Green.

Cinéma, télévision

– ***Ben Affleck*** *(né en 1972)* **:** l'acteur-réalisateur-scénariste-producteur et démocrate engagé a grandi à Cambridge, où il vit toujours. Le scénario de *Will Hunting,* coécrit avec Matt Damon, lui offre un oscar et lui ouvre les portes d'Hollywood. En homme complet, il est aussi réalisateur : *Gone Baby Gone* (2007) et *Live by Night* (2016), adaptés des romans de Dennis Lehane et tournés dans les quartiers populaires de Boston. En 2012, *Argo,* inspiré de la prise d'otages des Américains à Téhéran en 1979 le couronne de l'oscar du meilleur film. Son dernier projet en date : la mise en scène d'un nouveau *Batman.*
– ***Matt Damon*** *(né en 1972, à Cambridge)* **:** comment parler de Ben sans parler de Matt ? Amis depuis l'enfance, ils écrivent, jouent et produisent ensemble ! Après des études à Harvard, l'acteur balaie les sols du MIT dans *Will Hunting* (1997, Gus Van Sant). Sa carrière est définitivement lancée : *Ocean's 11,* la saga des *Jason Bourne, Gerry* (dans lequel il retrouve Gus Van Sant et le frère de Ben, Casey Affleck), *Les Infiltrés* (tourné à Boston par Scorsese), *Green Zone, Ma vie avec Liberace,* où il joue l'amant du pianiste interprété par Michael Douglas, *Monuments Men, The Great Wall...* Militant humanitaire, il a fondé *H2O Africa Foundation* (devenue *Water.org*), une association chargée de faciliter l'accès à l'eau potable en Afrique.
– ***Terrence Malick*** *(né en 1943)* **:** brillant étudiant à Harvard, Terrence Malick débute dans le journalisme (pour le *New Yorker,* entre autres) avant de se lancer dans le cinéma. Réalisateur rare et secret (peu nombreux sont les chanceux à l'avoir vu !), mystique diront certains, il tourne peu, 10 films en une quarantaine d'années, parmi lesquels *Les Moissons du ciel* (1979), qui le fit découvrir, *La Ligne rouge* (1998) ou *Le Nouveau Monde* (2005), tourné en Virginie, où fut établie la première colonie américaine, Jamestown, et qui retrace la rencontre de Pocahontas avec John Smith. Ces dernières années, sa production s'est accélérée : *The Tree of Life* (palme d'or à Cannes en 2011), *À la merveille* (2013), *Knight of Cups* (2014) et *Weightless* (2016) avec un vrai casting hollywoodien.
– ***Will Smith*** *(né en 1968, à Philadelphie)* **:** c'est grâce au rap que le Prince de Bel-Air – *The Fresh Prince* en v.o. – se fait d'abord connaître, aux côtés de DJ Jazzy Jeff. Plutôt comique, le style du groupe dénote du rap habituel, plus violent et vulgaire. Mais Will Smith a plus d'une corde à son arc : il est aussi acteur (la série *Le Prince de Bel-Air, Men in Black, Wild Wild West, Je suis une légende...*), producteur et, accessoirement, très bon danseur ! Derrière l'homme décontracté et accessible, se cache un véritable roi du show-biz et l'un des acteurs les mieux payés d'Hollywood.
– ***Oprah Winfrey*** *(née en 1954)* **:** issue d'un milieu social pauvre et violent, « Oprah » est devenue la personnalité afro-américaine la plus riche du XXe s et la femme célèbre la plus riche de 2011 ! Animatrice et productrice à Chicago, son

talk show *The Oprah Winfrey Show,* où elle donnait la parole à tous, y compris aux minorités, a révolutionné le genre. Sa dernière émission, le 25 mai 2011, a pulvérisé les records d'audience des 17 ans d'antenne. Souvent qualifiée de femme la plus influente des États-Unis, l'impératrice noire a soutenu Barack Obama dès la première heure.

Littérature

– ***Dashiel Hammett*** *(1894-1961)* **:** né à Baltimore, il travaille quelques années comme détective privé dans la célèbre agence *Pinkerton* de Philadelphie, où il puise son inspiration pour le polar. Considéré comme le fondateur du roman noir, il dépeint avec justesse le milieu du gangstérisme de la première moitié du XXe s et sa violence. Son ouvrage *Le Faucon maltais* (1930) a été porté à l'écran par John Huston en 1941, avec Humphrey Bogart dans le rôle principal. Sympathisant communiste, il est harcelé pendant la chasse aux sorcières maccarthyste et jeté en prison. Alcoolique, il meurt de la tuberculose à New York.

– ***Nathaniel Hawthorne*** *(1804-1864)* **:** né dans le Massachusetts et mort dans le New Hampshire, l'écrivain passe pratiquement toute sa vie en Nouvelle-Angleterre, en dehors d'un séjour de quelques années en Angleterre, à Liverpool. Son père avait été assesseur au procès des sorcières de Salem et lui-même travaille un certain temps comme employé du bureau des douanes de Salem, avant de connaître le succès littéraire, en 1850, avec *La Lettre écarlate (The Scarlet Letter),* pamphlet acerbe contre la société puritaine de la côte est, puis avec *La Maison aux sept pignons (The House of the Seven Gables).* Tous les écrits de Nathaniel Hawthorne sont marqués par son éducation puritaine, avec pour toile de fond la Nouvelle-Angleterre coloniale.

– ***Saul Bellow*** *(1915-2005)* **:** né dans un quartier pauvre de Montréal, ce juif d'origine russe fut contraint d'émigrer à Chicago en 1924 après la mort de son *bootlegger* de père. À son grand désespoir, sa mère décéda quelques années plus tard. Est-ce pour cette raison qu'il sera marié cinq fois et cinq fois divorcé ? En tout cas, l'universitaire devint l'écrivain emblématique de Chicago, même s'il eut parfois des mots durs pour ses concitoyens. (« Les Chicagoans sont très fiers de leur méchanceté. ») Couvert d'honneurs, il reçut trois fois le National Book Award, puis le Pulitzer et même le Nobel de littérature en 1976. D'après un critique, « ses personnages sont incapables d'atteindre la moindre finalité parce qu'ils aiment leur propre souffrance, qu'ils perçoivent comme le dernier avant-poste de l'héroïsme dans le monde actuel ».

– ***Bob Dylan*** *(né Robert Allen Zimmerman, en 1941 à Duluth, Minnesota)* **:** bizarre de retrouver son nom dans cette rubrique, nous direz-vous ? Et bien, il y trouve tout naturellement place depuis l'attribution du prix Nobel de littérature en octobre 2016 pour « incarner à lui seul, par son œuvre, la poésie surréaliste de la *beat generation,* l'austérité militante du *folk,* la complainte du *blues,* l'énergie révoltée du *rock* et la chronique de la vie quotidienne, propre à la *country* » *(Le Monde).*

– ***John Irving*** *(né en 1942)* **:** originaire d'Exeter, dans le New Hampshire, l'auteur du livre culte *Le Monde selon Garp* (1978) a renouvelé le genre du roman en proposant des œuvres personnelles, décalées, où l'ironie, la provocation et l'humour souvent teinté de burlesque lui permettent d'aborder des sujets aussi sensibles que l'avortement ou les névroses sexuelles. Souvent acclamé par la critique, adulé par ses fans, il a vu bon nombre de ses récits portés à l'écran (*Garp* bien sûr, mais aussi *L'Hôtel New Hampshire, L'œuvre de Dieu, la part du Diable, Une prière pour Owen* et *Une veuve de papier*). Belle réussite pour celui qui prétend que « nos désirs nous façonnent ».

– ***Jack Kerouac*** *(Jean-Louis de Kerouac ; 1922-1969)* **:** né à Lowell, dans le Massachusetts, de parents franco-canadiens (ses ancêtres bretons portaient le nom de Lebris de Kerouac), il a été surnommé « le pape des beatniks ». À la recherche d'un renouveau spirituel libéré de toutes conventions sociales et des affres du matérialisme, Kerouac va explorer les chemins de l'errance et de l'instabilité en traversant les États-Unis. En 1957, il écrit en 3 semaines *Sur la route,* qui deviendra un ouvrage-culte pour la *beat generation.*

– ***Stephen King** (né en 1947) :* natif de Portland (Maine), c'est l'un des maîtres de la littérature fantastique contemporaine. Des univers terrifiants... des livres qui se dévorent blotti sous la couette... pour d'interminables nuits blanches. *Carrie* (1974) a lancé sa carrière, et ses livres sont une mine d'or pour le cinéma : *Christine, Dead Zone, Misery, The Shining...*

ON THE ROAD

Le célébrissime roman de Jack Kerouac mit 7 ans pour trouver un éditeur. Il faut dire qu'il n'était pas facile à lire. Le roman était tapé sur un rouleau de 36,50 m de long et sans paragraphes... Ce tapuscrit a été toutefois vendu 2,2 millions de dollars en 2001. Ne jetez pas vos vieux papiers !

– ***Dennis Lehane** (né en 1965) :* originaire de Dorchester, dans le Massachusetts. Presque tous les romans noirs de cet auteur se passent à Boston (où il vit), et la plupart ont pour sujet l'enfance maltraitée. Une inspiration qui lui vient sans doute de son ancien métier d'éducateur auprès d'enfants en difficulté. Quatre de ses romans ont été adaptés au cinéma : *Mystic River,* admirablement porté à l'écran par Clint Eastwood, *Gone Baby Gone* puis *Live by Night,* par Ben Affleck, et *Shutter Island,* réalisé par Martin Scorsese. Dennis Lehane est aussi un des auteurs de *The Wire (Sur écoute),* considérée comme la meilleure série TV de tous les temps.

Architecture, peinture

– ***Mary Cassatt** (Mary Stevenson Cassatt ; 1844-1926) :* née en Pennsylvanie, Mary Cassatt étudie les beaux-arts à la célèbre Pennsylvania Academy of the Fine Arts de Philadelphie, mais, lassée de l'académisme ambiant, elle ne tarde pas à venir en Europe avec sa famille. Elle s'installe en France, où elle fait la connaissance de Degas, qui l'initie au mouvement impressionniste. Dès lors, elle expose à Paris et aussi aux États-Unis, et devient une des rares femmes célibataires de l'époque à vivre de son art. La plupart de ses tableaux nous plongent dans l'intimité de la relation mère-enfant. Mary Cassatt finit ses jours dans son château du Mesnil-Théribus, dans l'Oise, où elle est enterrée.

– ***Pierre-Charles L'Enfant** (1754-1825) :* cet ingénieur et urbaniste, né à Paris (en France), est choisi par George Washington et Thomas Jefferson pour concevoir les plans de la capitale des États-Unis, Washington D.C. L'Enfant opte pour un plan orthogonal qui se démarque du tracé des autres villes américaines. Mais le projet, trop coûteux, doit être remis en question. L'Enfant, intraitable, refuse tout compromis. Renvoyé, il meurt dans la misère. Ce n'est qu'au début du XXᵉ s que le projet resurgit des cartons et est finalement achevé selon les plans originaux.

– ***Edward Hopper** (1882-1967) :* peintre de l'entre-deux-guerres qui s'inscrit dans le réalisme américain. Edward Hopper dépeint l'univers d'une Amérique nouvelle, celle des lieux urbains dans lesquels errent des individus solitaires, regardant souvent vers l'ailleurs. La lumière est la clé de voûte de ses œuvres, qui évoquent étrangement des images de cinéma. Les paysages de Cape Cod, où il possédait une maison de vacances avec sa femme Jo (son unique modèle féminin), lui ont inspiré de nombreux tableaux, notamment la série de phares typiques de Nouvelle-Angleterre.

– ***Louis Henry Sullivan** (1856-1924) :* le fondateur de l'école de Chicago est aussi le père des tout premiers gratte-ciel à armature d'acier, dans les années 1890. Son principe *Form follows function* (« la forme suit la fonction ») fut repris par bon nombre de ses confrères architectes.

– ***Andy Warhol** (1928-1997) :* né à Pittsburgh en Pennsylvanie, artiste touche-à-tout, provocateur à l'ego surdimensionné, Andy Warhol est « le pape du pop » et un des artistes les plus influents du XXe s. Illustrateur publicitaire à ses débuts, il devient peintre dans les années 1960 et innove avec des techniques comme la photographie sérigraphiée sur toile. Célèbre pour avoir rendu ses lettres de noblesse à la soupe de tomate en conserve *Campbell's,* il se consacre également au cinéma et produit dans son usine désaffectée le célèbre groupe de rock *The Velvet Underground.* Il réalise pas moins de 200 films, du court au très long métrage (25h !). *Sleep,* où il filme pendant 5h un homme (son amant de l'époque) en train de dormir, restera dans les annales.

MANGE TA SOUPE, EH ANDY !

Les psys sont unanimes, tout ce qui se passe pendant l'enfance a une influence sur le restant de la vie. Par exemple, les fameuses boîtes de soupe rouge et blanc, sérigraphiées par Andy Warhol à partir de 1962 et emblématiques de son œuvre, sont une réminiscence de ses jeunes années. Enfant chétif, souvent malade, il eut droit tous les jours, pendant 20 ans, à son bol de soupe Campbell's au dîner, ce qui lui a plutôt réussi.

– ***James Abott McNeill Whistler** (1834-1903) :* né à Lowell (Massachusetts), Whistler étudie d'abord les beaux-arts à Paris, où il se lie avec Fantin-Latour, puis s'établit à Londres, où sa peinture reçoit un accueil favorable, tout en continuant de faire des séjours réguliers en France. En 1863, son tableau *La Jeune Fille en blanc* (exposé aujourd'hui à la *National Gallery of Art* de Washington) fait sensation au Salon des refusés, en même temps que le fameux *Déjeuner sur l'herbe* de Manet, et lui apporte la célébrité. Associée au mouvement impressionniste et symboliste, sa peinture est aussi influencée par l'art japonais.

– ***Frank Lloyd Wright** (1867-1959) :* un des plus grands architectes américains. Formé par Louis Sullivan, Wright vole très vite de ses propres ailes en s'installant à Oak Park, banlieue résidentielle de Chicago, où il crée pour des particuliers ses premières *Prairie Houses* : des maisons basses aux lignes horizontales, totalement ouvertes sur l'extérieur et en harmonie avec leur environnement. Anticonformiste, il détestait autant les gratte-ciel que le style « néo quelque chose » des maisons américaines du XIXe s. Sa plus grande réalisation est incontestablement le musée Guggenheim de New York, en forme de grande hélice blanche.

POPULATION

Les États-Unis comptent environ ***321 millions d'habitants.*** En deux siècles, la population a été multipliée par 64 (soit 20 fois plus qu'en France !). Toutefois, les statistiques montrent que dans les décennies à venir, l'accroissement démographique devrait ralentir, à cause d'un taux de fécondité (1,9 enfant par femme en 2014) qui ne cesse de baisser et une immigration moindre, même si, jusqu'à présent, c'est elle qui est à l'origine de l'ampleur de l'accroissement démographique américain. Résultat : la population vieillit (d'ici 2030, un Américain sur 5 devrait être âgé de plus de 65 ans), et d'ici 2044, plus de la moitié des Américains devrait appartenir à une minorité autre que la population dite « blanche et non hispanique ». En 2015, la population américaine était constituée de 77,1 % de Blancs non hispaniques, 17,6 % d'Hispaniques, 13,3 % de Noirs, 5,6 % d'Asiatiques et 1,2 % d'Indiens.

Le Nord-Est, berceau historique des États-Unis, fortement industrialisé sur la côte atlantique, est ***la zone la plus densément peuplée du pays.*** La BosWash ou la Mégalopolis, soit la conurbation de Boston-New York-Philadelphie-Baltimore-Washington, rassemble près de 52 millions d'habitants, soit 17 % de la population totale du pays.

De loin la première terre d'accueil du monde, les États-Unis ont vu arriver entre 1815 et 1990 plus de 55 millions d'immigrants légaux. Au cours de la période 1815-1880, les 10 premiers millions d'immigrés débarquant à ***Ellis Island*** (véritable salle d'attente pour les candidats à la citoyenneté américaine) sont presque exclusivement originaires de l'Europe du Nord-Ouest (îles Britanniques, Pays-Bas, Allemagne, Scandinavie). Ils s'assimilent rapidement au modèle *WASP (White Anglo-Saxon Protestant)* créé par les Anglais. Ils seront majoritaires jusqu'au milieu du XIXe s et appartiennent pour la plupart à l'aristocratie américaine, surtout dans le Nord-Est.

Les Noirs, victimes du commerce triangulaire, sont d'abord présents dans le sud du Nord-Est (Géorgie, Caroline, Virginie). Après 1865 (fin de la guerre de Sécession), la migration s'accroît vers le nord, plus riche, plus industriel, plus tolérant.

Plus de 20 millions de candidats affluent ensuite entre 1880 et 1914, fuyant la misère de l'Europe orientale et méridionale : la plupart sont russes, ukrainiens, polonais, tchèques et italiens. D'origine paysanne, ils se retrouvent dans des villes (la terre est déjà prise), travaillant dans des conditions laborieuses. Vers 1910, 58 % des ouvriers de l'industrie étaient d'origine étrangère... Les Scandinaves, près des Grands Lacs, s'en sortent mieux, faisant l'acquisition de terres dont les paysages et le climat rappellent leur patrie (Wisconsin, Minnesota).

Désirant mettre fin à un mouvement migratoire jugé excessif, le Congrès vote des lois imposant des quotas en 1921 et 1924, qui sont appliquées jusqu'en 1965, année de leur abrogation par l'administration Johnson. Les années 1970 marquent la reprise d'une immigration forte. Officiellement, 467 000 entrées en 1976, 808 000 en 1980. Sans compter les *boat people* vietnamiens et les Mexicains clandestins.

Tout cela cadre peu avec la vision idyllique d'un grand pays de liberté construit dans l'harmonie et le respect de tous... celle que les États-Unis ont parfois voulu donner au reste du monde. La ***ségrégation*** à l'encontre des Noirs ne fut légalement éradiquée qu'en 1965, mais il reste la ghettoïsation urbaine : quartiers noirs, latinos, chinois... On a longtemps parlé du ***melting-pot,*** mais c'est désormais le multiculturalisme qui est à l'honneur, chacun revendiquant son identité. La gigantesque ***concentration urbaine de la côte est*** est une étonnante mosaïque ethnique faisant cohabiter des individus de multiples origines, dont un nombre croissant de Latino-Américains et d'Asiatiques. C'est aussi une ***mosaïque sociale très contrastée,*** avec des lieux huppés comme certaines parties de Long Island et des ghettos où se concentrent les exclus.

RELIGIONS ET CROYANCES

Pour comprendre l'importance de la religion aux États-Unis, il faut la replacer dans son contexte historique. Tout a commencé avec ***l'implantation des premiers colons, pour qui l'Amérique du Nord représentait un nouveau monde*** – au sens littéral du terme – et dans lequel ils allaient enfin pouvoir ***pratiquer leur religion sans être persécutés.*** En effet, les conséquences de la Réforme protestante au début du XVIe s s'étaient traduites par une mise au ban, voire une persécution, des non-conformistes, et c'est en partie pour fuir la vindicte des autorités que les candidats à l'émigration optèrent pour le grand voyage. L'Amérique leur offrait un meilleur espoir de survie et la possibilité de réaliser leurs objectifs religieux. C'est donc dans cet état d'esprit que débarquèrent les premiers colons du *Mayflower* en 1620.

L'Amérique du Nord devint donc un ***refuge pour nombre de communautés persécutées*** dans l'Ancien Monde. Le ***Massachusetts*** accueillit des puritains et des calvinistes. La Virginie, identifiée à l'origine avec la nouvelle Église d'Angleterre, reçut par la suite baptistes et calvinistes. Le Maryland devient terre des catholiques. L'État de New York et la Pennsylvanie accueillirent William Penn et ses quakers, ainsi que des luthériens et divers protestants allemands (les amish d'aujourd'hui). Le pays grandit, et sous l'influence de nouveaux flux d'émigrants, le paysage religieux se modifia. ***Au XIXe s, l'arrivée massive d'Irlandais*** augmenta considérablement le poids de la communauté catholique ; tendance qui s'accentua avec l'arrivée d'Espagnols, d'Italiens et de Polonais. ***En provenance d'Europe de l'Est, une partie de la diaspora juive débarqua à son tour. C'est au milieu des années 1960, que la communauté musulmane s'étoffa,*** grâce notamment à l'afflux de « cerveaux » en provenance du Pakistan, d'Inde, du Bangladesh, du Liban ou de Syrie. Parallèlement aux obédiences conventionnelles se développèrent de ***nombreuses sectes et Églises dissidentes*** permettant à chaque Américain d'embrasser le corpus dogmatique le plus proche de ses aspirations. Dans son analyse de la société américaine, Tocqueville précise que cette pluralité de l'offre religieuse a sans doute permis à l'Amérique de ne jamais tomber dans l'opposition entre le spirituel et le politique. Ainsi la notion de secte ne revêt pas le même sens qu'en Europe.

Si l'Amérique ne s'est pas dotée dès le départ d'une religion d'État, c'est en partie en raison du grand nombre de sectes protestantes qui gouvernaient les idées de l'époque, et dont aucune d'entre elles n'était prédominante. La devise nationale des États-Unis, *E pluribus Unum* (« de plusieurs, un »), en est l'expression même.

Séparation de l'Église et de l'État

C'est en ***Virginie,*** où l'Église anglicane était la religion établie, que s'est jouée ***la bataille décisive de la séparation de l'Église et de l'État.*** Cette victoire occupe une place fondamentale dans l'histoire des États-Unis. À la ratification du ***premier amendement de la Constitution américaine en 1791,*** soit 15 ans après la Déclaration d'indépendance, les privilèges de toutes les Églises anglicanes (à l'exception du Maryland) avaient été abolis. Il fallut attendre 1833 pour le Massachusetts. En protégeant le libre exercice de la religion tout en interdisant l'établissement d'une religion officielle, le premier amendement de la Constitution américaine fait des États-Unis le pays le plus religieux de la planète. George Washington affirmait : « Chaque pas qui nous fait avancer dans la voie de l'indépendance nationale semble porter la marque de l'intervention providentielle. » ***Ce sentiment d'être investi d'une mission divine,*** en partie dû au puritanisme enraciné dans le calvinisme, n'a jamais cessé d'émailler les discours politiques des présidents américains. Pas étonnant que Bush, protestant méthodiste, ait appelé à une croisade contre « l'axe du Mal » au lendemain de *September Eleven.*

Incontournable religion

Aujourd'hui, ***les Américains continuent d'accorder un rôle essentiel à la religion dans la vie sociale et politique de leur pays.*** Depuis l'école, où les élèves prêtent serment au drapeau « sous les auspices de Dieu », jusqu'au serment du président sur la Bible, la religion s'immisce dans tous les aspects de la vie civile, comme les grands sujets de société tels l'avortement ou l'homosexualité (même si en juin 2015 la Cour Suprême a autorisé le mariage homosexuel sur tout le territoire). La radio, la télévision et surtout Internet sont devenus les composants majeurs de l'outil religieux. L'explosion de la visibilité permet aux sectes, même mineures, de s'épanouir. ***La population est en prise directe et quasi permanente avec le contenu religieux.*** À titre d'exemple, chaque semaine, le nombre d'Américains célébrant un office religieux est supérieur à celui assistant à une rencontre sportive. Une grande majorité d'Américains sont affiliés à une paroisse, et le choix de résidence est le plus souvent assujetti à l'emplacement d'un lieu de culte. ***Le phénomène des « megachurches »*** est un exemple probant de l'instrumentalisation de la religion au service des idéaux libéraux. Dans son étude de la société américaine au début du XXe s, Max Weber, l'un des fondateurs de la sociologie moderne, soulignait déjà le rapport étroit entre l'éthique protestante et le capitalisme. Ces ***établissements conceptuels du « tout religieux »*** dépassent largement le cadre du simple lieu de culte. On y trouve des garderies, des bibliothèques, des salles de spectacles et même des terrains de sport. Tout a été pensé pour le confort intellectuel du croyant, ce qui incite les familles à venir y passer leur temps libre.

Les religions en quelques chiffres

Les États-Unis forment ***un véritable patchwork de religions.*** Sur les 80 % d'Américains qui se déclaraient croyants en 2012, on comptait environ 47 % de protestants, 21 % de catholiques, 1,9 % de juifs, 1,6 % de mormons, 0,7 % de bouddhistes et autant de témoins de Jéhovah, et 0,9 % de musulmans. À noter que c'est la plus forte hausse de ces dernières années, en proportion (+ 0,5 %). Autre fait notable : chaque année, environ 60 000 Hispaniques, à l'origine catholiques, quittent leur religion pour embrasser une ***Église évangélique comme le pentecôtisme,*** par exemple. Ces Églises ont connu une ***croissance importante depuis les années 1970.***

SITES INSCRITS AU PATRIMOINE MONDIAL DE L'UNESCO

En coopération avec
le centre du patrimoine mondial de l'UNESCO

Pour figurer sur la liste du Patrimoine mondial, les sites doivent avoir une valeur universelle exceptionnelle et satisfaire à au moins un des dix critères de sélection. La protection, la gestion, l'authenticité et l'intégrité des biens sont également des considérations importantes.

Le patrimoine est l'héritage du passé dont nous profitons aujourd'hui et que nous transmettons aux générations à venir. Nos patrimoines culturel et naturel sont deux sources irremplaçables de vie et d'inspiration. Ces sites appartiennent à tous les peuples du monde, sans tenir compte du territoire sur lequel ils sont situés. Pour plus d'informations : • *whc.unesco.org* •

Site inscrit dans la zone couverte par ce guide : l'***Independence Hall*** (1979), à ***Philadelphie*** (où fut signée la Déclaration d'indépendance des États-Unis), première ville du pays à intégrer la longue liste des villes classées au Patrimoine mondial de l'Unesco, en 2015.

les ROUTARDS sur la FRANCE 2017-2018

(dates de parution sur • *routard.com* •)

Découpage de la FRANCE par le ROUTARD

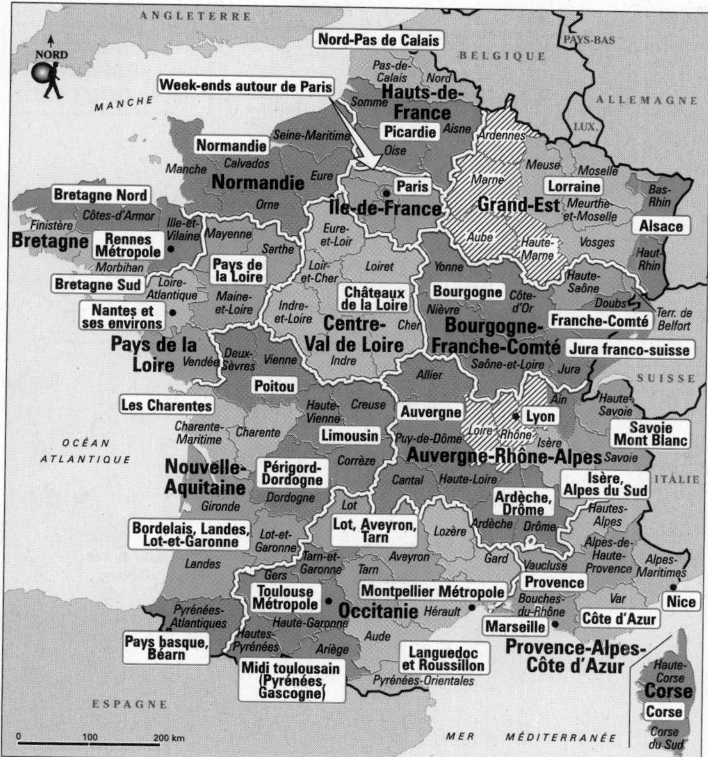

Autres guides nationaux

- Hébergements insolites en France (nouveauté)
- La Loire à Vélo
- La Vélodyssée (Roscoff-Hendaye)
- Nos meilleurs campings en France
- Nos meilleures chambres d'hôtes en France
- Nos meilleurs restos en France
- Les visites d'entreprises

Autres guides sur Paris

- Paris
- Paris balades
- Restos et bistrots de Paris
- Le Routard des amoureux à Paris
- Week-ends autour de Paris

les ROUTARDS sur l'ÉTRANGER 2017-2018

(dates de parution sur • *routard.com* •)

Découpage de l'ESPAGNE par le ROUTARD

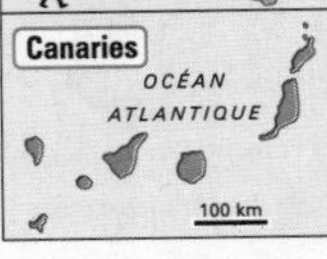

Découpage de l'ITALIE par le ROUTARD

Autres pays européens

- Allemagne
- Angleterre, Pays de Galles
- Autriche
- Belgique
- Budapest, Hongrie
- Pays baltes : Tallinn, Riga, Vilnius (avril 2017)
- Crète
- Croatie
- Danemark, Suède
- Écosse
- Finlande
- Grèce continentale
- Îles grecques et Athènes
- Irlande
- Islande
- Madère
- Malte
- Norvège
- Pologne
- Portugal
- République tchèque, Slovaquie
- Roumanie, Bulgarie
- Suisse

Villes européennes

- Amsterdam et ses environs
- Berlin
- Bruxelles
- Copenhague
- Dublin
- Lisbonne
- Londres
- Moscou
- Prague
- Saint-Pétersbourg
- Stockholm
- Vienne

les ROUTARDS sur l'ÉTRANGER 2017-2018

(dates de parution sur • *routard.com* •)

Découpage des ÉTATS-UNIS par le ROUTARD

Autres pays d'Amérique

- Argentine
- Brésil
- Canada Ouest
- Chili et île de Pâques
- Costa Rica (nouveauté)
- Équateur et les îles Galápagos
- Guatemala, Yucatán et Chiapas
- Mexique
- Montréal
- Pérou, Bolivie
- Québec, Ontario et Provinces maritimes

Asie et Océanie

- Australie côte est + Red Centre
- Bali, Lombok
- Bangkok
- Birmanie (Myanmar)
- Cambodge, Laos
- Chine
- Hong-Kong, Macao, Canton
- Inde du Nord
- Inde du Sud
- Israël et Palestine
- Istanbul
- Jordanie
- Malaisie, Singapour
- Népal
- Shanghai
- Sri Lanka (Ceylan)
- Thaïlande
- Tokyo, Kyoto et environs
- Turquie
- Vietnam

Afrique

- Afrique du Sud
- Égypte
- Kenya, Tanzanie et Zanzibar
- Maroc
- Marrakech
- Sénégal
- Tunisie

Îles Caraïbes et océan Indien

- Cuba
- Guadeloupe, Saint-Martin, Saint-Barth
- Île Maurice, Rodrigues
- Madagascar
- Martinique
- République dominicaine (Saint-Domingue)
- Réunion

Guides de conversation

- Allemand
- Anglais
- Arabe du Maghreb
- Arabe du Proche-Orient
- Chinois
- Croate
- Espagnol
- Grec
- Italien
- Japonais
- Portugais
- Russe
- G'palémo (conversation par l'image)

Les Routards Express

Amsterdam, Barcelone, Berlin, Bruxelles, Budapest, Dublin, Florence, Istanbul, Lisbonne, Londres, Madrid, Marrakech, New York, Prague, Rome, Venise.

Nos coups de cœur

- Les 50 voyages à faire dans sa vie (nouveauté)
- Nos 52 week-ends dans les plus belles villes d'Europe
- France
- Monde

NOS NOUVEAUTÉS

NOS MEILLEURS HÉBERGEMENTS INSOLITES EN FRANCE (mars 2017)

Rien de tel pour retrouver son âme d'enfant que de dormir dans un arbre, ou au milieu d'un lac dans une cabane flottante, ou à six pieds sous terre dans une chambre troglodytique. Il y en a pour tous les goûts avec plus de 200 adresses dénichées en France, les « + » et les « - », mais aussi les activités incontournables à faire en famille ou entre amis à proximité de chaque adresse. Sans oublier la photo de chaque établissement. Le plus dur sera de choisir, entre l'île déserte, la réserve animalière, le phare, la roulotte, le combi VW, la bulle transparente au milieu de la forêt ou le vieux camping-car américain en alu, à deux pas de l'Arc de Triomphe !

PAYS BALTES : TALLINN, RIGA, VILNIUS (avril 2017)

Tallinn, Riga, Vilnius, trois capitales si proches et pourtant si surprenantes. Elles mêlent leurs racines entre des mondes disparates : scandinave, slave et germanique. Estonie, Lettonie, Lituanie, on les mélange souvent, mais très vite, on distingue leurs particularismes. Tallinn, secrète et magique, a gardé le charme d'une cité médiévale. La vieille ville, et son lacis de rues dominées par ses clochers, est classée au Patrimoine mondial de l'Unesco. Même reconnaissance pour le centre historique de Riga, où se mêlent un superbe noyau médiéval à un centre-ville Art nouveau. Après les musées, savourez sa vie nocturne, la plus folle des trois pays. À Vilnius, la baroque au cœur de collines boisées, découvrez le labyrinthe de ruelles étroites et la végétation lui donnant des airs de village. Malgré les 50 ans de présence soviétique, vous serez surpris par la modernité et le dynamisme qui anime leurs habitants.

Nous tenons à remercier tout particulièrement Loup-Maëlle Besançon, Thierry Bessou, Gérard Bouchu, François Chauvin, Grégory Dalex, Fabrice Doumergue, Cédric Fischer, Carole Fouque, Michelle Georget, David Giason, Claude Hervé-Bazin, Emmanuel Juste, Dimitri Lefèvre, Fabrice de Lestang, Romain Meynier, Éric Milet, Pierre Mitrano, Jean-Sébastien Petitdemange et Thomas Rivallain pour leur collaboration régulière.

Emmanuelle Bauquis
Jean-Jacques Bordier-Chêne
Michèle Boucher
Sophie Cachard
Lucie Colombo
Agnès Debiage
Émilie Debur
Jérôme Denoix
Flora Descamps
Louise Desmoulins
Tovi et Ahmet Diler
Clélie Dudon
Sophie Duval
Alain Fisch
Roman Fossurier
Bérénice Glanger
Adrien et Clément Gloaguen
Marie Gustot
Bernard Hilaire
Sébastien Jauffret
Jacques Lemoine
Amélie Mikaelian
Caroline Ollion
Martine Partrat
Odile Paugam et Didier Jehanno
Émilie Pujol
Prakit Saiporn
Jean-Luc et Antigone Schilling
Caroline Vallano

Direction : Nathalie Bloch-Pujo
Contrôle de gestion : Jérôme Boulingre et Adeline Cazabat Barrere
Secrétariat : Catherine Maîtrepierre
Direction éditoriale : Catherine Julhe
Édition : Matthieu Devaux, Olga Krokhina, Gia-Quy Tran, Julie Dupré, Emmanuelle Michon, Sarah Favaron, Ludmilla Guillet, Coralie Piron, Flora Sallot, Elvire Tandjaoui, Quentin Tenneson, Clémence Toublanc et Sandra Vavdin
Préparation-lecture : Agnès Petit
Cartographie : Frédéric Clémençon et Aurélie Huot
Fabrication : Nathalie Lautout et Audrey Detournay
Relations presse France : COM'PROD, Fred Papet. ☎ 01-70-69-04-69. • *info@comprod.fr* •
Direction marketing : Adrien de Bizemont, Clémence de Boisfleury et Charlotte Brou
Contacts partenariats : André Magniez (EMD). • *andremagniez@gmail.com* •
Édition des partenariats : Élise Ernest
Informatique éditoriale : Lionel Barth
Couverture : Clément Gloaguen et Seenk
Maquette intérieure : le-bureau-des-affaires-graphiques.com, Thibault Reumaux et npeg.fr
Relations presse : Martine Levens (Belgique) et Maureen Browne (Suisse)
Régie publicitaire : Florence Brunel-Jars

INDEX GÉNÉRAL

Attention, New York fait l'objet d'un autre guide.